D0247944

Ken Follett est né à Cardiff en 1949. Diplômé en philosophie de l'University College de Londres, il travaille comme journaliste à Cardiff puis à Londres avant de se lancer dans l'écriture. En 1978, *L'Arme à l'œil* devient un best-seller et reçoit l'Edgar des Auteurs de romans policiers d'Amérique. Ken Follett ne s'est pas cantonné à un genre ni à une époque : outre des romans d'espionnage comme *Le Réseau Corneille*, il a signé des fresques historiques et des thrillers très actuels. Ses romans sont traduits dans plus de vingt langues et plusieurs d'entre eux ont été portés à l'écran. Ken Follett vit aujourd'hui à Londres.

Paru dans Le Livre de Poche :

KEN FOLLETT

Les Piliers de la Terre

TRADUIT DE L'ANGLAIS PAR JEAN ROSENTHAL

STOCK

Titre original :

THE PILLARS OF THE EARTH
Publié par Mcmillan Ltd., Londres

ISBN : 978-2-253-05953-0 – 1re publication – LGF

Pour Marie-Claire,
la prunelle de mes yeux.

La nuit du 25 novembre 1120, le *Vaisseau blanc* appareilla à destination de l'Angleterre et sombra corps et biens au large de Barfleur : il n'y eut qu'un survivant... Le vaisseau représentait le dernier cri en matière de transport maritime et il était muni des plus récents perfectionnements connus de la construction navale d'alors... Si l'on a beaucoup parlé de ce naufrage, c'est en raison du grand nombre de personnalités qui se trouvaient à bord ; outre le fils du roi, héritier présomptif du trône, il y avait deux bâtards de sang royal, plusieurs comtes et barons et presque toute la maison du roi... Cela eut pour conséquence historique de laisser Henry sans héritier... Cela provoqua la guerre de succession et la période d'anarchie qui suivit la mort de Henry.

A. L. POOLE,
From Domesday Book to Magna Carta

Prologue
1123

Les jeunes garçons arrivèrent de bonne heure pour la
pendaison.

Il faisait encore sombre quand les trois ou quatre premiers d'entre eux s'étaient glissés hors de leur taudis, silencieux comme des chats dans leurs bottes de feutre. Une
mince pellicule de neige fraîche recouvrait la petite ville,
comme une couche de peinture neuve, et leurs empreintes
furent les premières à en souiller la surface immaculée. Ils
passèrent entre les huttes de bois serrées les unes contre les
autres et suivirent les rues, où la boue avait gelé, jusqu'à la
place du marché silencieuse où la potence attendait.

Les garçons méprisaient tout ce que leurs aînés appré-
ciaient. Ils dédaignaient la beauté et raillaient la bonté. Ils
éclataient de rire à la vue d'un infirme et, s'ils apercevaient
un animal blessé, ils le lapidaient à mort. Ils se vantaient
de leurs blessures, ils arboraient avec orgueil leurs cicatrices, et réservaient leur admiration toute particulière aux
mutilations : un garçon à qui il manquait un doigt, c'était
un roi. Ils adoraient la violence ; ils pouvaient parcourir des
lieues pour voir le sang couler et jamais ils ne manquaient
une pendaison. Un des garçons pissa au pied de la potence.
Un autre gravit les marches de l'échafaud, posa ses pouces
sur sa gorge et s'affala, le visage crispé dans une macabre
parodie de strangulation ; les autres s'exclamèrent d'admiration, et deux chiens débouchèrent sur la place du marché
en aboyant. Un très jeune garçon commença imprudem-
ment à croquer une pomme et un des aînés lui donna un
coup de poing sur le nez et la lui vola. Le cadet se soulagea
en lançant une pierre aiguisée sur un chien qui rentra chez
lui en hurlant. Puis il n'y eut plus rien à faire, alors ils
s'accroupirent sur le pavé sec du portail de la grande église,
attendant qu'il se passe quelque chose.

La lueur des chandelles vacilla derrière les volets des

maisons cossues de bois et de pierre, alignées tout autour de la place, demeures d'artisans et de négociants prospères. Déjà les servantes et les apprentis allumaient les feux, faisaient chauffer l'eau et préparaient le porridge. Le ciel vira du noir au gris. Les gens sortirent de chez eux baissant la tête au passage du seuil de la porte, emmitouflés dans de lourds manteaux de grosse laine, et descendirent en frissonnant jusqu'à la rivière où ils s'approvisionnaient en eau.

Bientôt un groupe de jeunes gens, valets d'écuries, ouvriers et apprentis, firent leur entrée sur la place du marché. Ils chassèrent à coups de pied et à coups de poing les jeunes garçons du porche de l'église, puis s'adossèrent aux arches de pierre sculptée, se grattant, crachant par terre et discutant avec une assurance étudiée de la mort par pendaison. S'il a de la chance, dit l'un d'eux, son cou se brise dès qu'il tombe, c'est un trépas rapide et sans douleur ; mais sinon, il reste suspendu là à devenir cramoisi, sa bouche s'ouvrant et se fermant comme un poisson hors de l'eau, jusqu'à ce qu'il s'étrangle ; un autre affirma que mourir de cette façon peut prendre le temps qu'il faut à un homme pour parcourir une demi-lieue ; et un troisième déclara que ce pouvait être encore pire, qu'il avait assisté à une pendaison où, le temps que l'homme soit mort, son cou avait un pied de long.

Les vieilles femmes formaient un groupe de l'autre côté de la place, aussi loin que possible des jeunes gens qui risquaient de crier des remarques vulgaires à leurs grands-mères. Elles s'éveillaient toujours de bon matin, les vieilles, même si elles n'avaient plus à s'inquiéter de bébés ni d'enfants ; elles étaient les premières à avoir leurs feux allumés et leurs âtres balayés. Leur meneuse reconnue, la robuste veuve Brewster, vint les rejoindre, roulant un tonneau de bière aussi facilement qu'un enfant pousse un cerceau. Elle n'avait pas eu le temps d'ôter le couvercle qu'attendait déjà une petite foule de clients avec des cruches et des seaux.

Le bailli du prévôt ouvrit la grande porte, pour laisser entrer les paysans qui habitaient le faubourg, dans les maisons adossées au mur de la ville. Les uns apportaient des œufs, du lait et du beurre frais à vendre, d'autres venaient acheter de la bière ou du pain, d'autres encore restèrent sur la place du marché en attendant la pendaison. De temps en temps, les gens levaient la tête, comme des moineaux inquiets, et jetaient un coup d'œil au château sur la colline qui dominait la ville. Ils voyaient la fumée monter régulièrement de la cuisine et la lueur parfois d'une torche derrière les fenêtres en meurtrière du donjon de pierre. Et puis, au moment où le soleil devait commencer à se lever derrière l'épais nuage gris, les lourdes portes en bois du poste de garde s'ouvrirent et un petit groupe apparut. Le prévôt allait en tête, montant un beau cheval noir, suivi d'un char à bœufs transportant le prisonnier ligoté. Derrière le chariot chevauchaient trois hommes. Bien que d'aussi loin on ne pût distinguer leurs visages, leurs vêtements révélaient qu'il s'agissait d'un chevalier, d'un prêtre et d'un moine. Deux hommes d'armes fermaient la marche.

Ils s'étaient tous rendus la veille à la cour de justice du comté, qui se tenait dans la nef de l'église. Le prêtre avait surpris le voleur la main dans le sac ; le moine avait identifié le calice d'argent comme appartenant au monastère ; le chevalier était le suzerain du voleur, il l'avait reconnu pour un fugitif ; et le prévôt l'avait condamné à mort.

Tandis qu'ils descendaient lentement la colline, le reste de la ville se groupa autour de l'échafaud. Parmi les derniers à arriver, les notables : le boucher, le boulanger, deux tanneurs, deux forgerons, le coutelier et l'armurier, tous avec leurs épouses.

La foule était d'humeur bizarre. En général on aimait bien une pendaison. Le prisonnier était d'ordinaire un voleur et ils détestaient les voleurs avec la passion de gens qui ont durement gagné ce qu'ils possèdent. Mais ce voleur-là n'était pas comme les autres. Personne ne savait qui il était ni d'où il venait. Ce n'était pas eux qu'il avait volés, mais un monastère à huit lieues d'ici.

Il avait volé un calice orné de joyaux, un objet d'une si grande valeur qu'il était pratiquement impossible à revendre : ce n'était pas comme voler un jambon, un couteau neuf ou une belle ceinture, dont la perte nuirait à quelqu'un. On ne pouvait pas haïr un homme pour un crime si absurde. Il y eut quelques lazzis et quelques railleries quand le prisonnier pénétra sur la place du marché, mais les injures manquaient de conviction et seuls les jeunes garçons se moquaient de lui avec un certain enthousiasme.

La plupart des gens de la ville n'étaient pas au tribunal, car les jours de session n'étaient pas fériés et ils devaient tous gagner leur vie, aussi était-ce la première fois qu'ils voyaient le voleur. Celui-ci paraissait très jeune, entre vingt et trente ans. De taille et de stature normales, il avait pourtant un aspect étrange, dû à sa peau aussi blanche que la neige sur les toits, à ses yeux protubérants d'un vert clair extraordinaire et à ses cheveux couleur carotte. Les filles le trouvèrent laid ; les vieilles le plaignirent ; et les petits garçons rirent en se roulant par terre.

Le prévôt était un personnage familier, mais les trois autres hommes qui avaient scellé le destin du voleur étaient des étrangers. Le chevalier, un gros homme aux cheveux jaunes, était de toute évidence quelqu'un d'une certaine importance, car il montait un destrier, une énorme bête qui coûtait autant d'argent qu'un charpentier en gagne en dix ans. Le moine était beaucoup plus âgé, au moins cinquante ans, un grand homme maigre affalé sur sa selle, comme si la vie était pour lui un fardeau accablant. Le plus remarquable était le prêtre, un jeune homme au nez pointu et aux cheveux noirs et plats, vêtu d'une robe noire et chevauchant un étalon bai. Il avait l'air vif et dangereux d'un chat noir flairant un nid de souriceaux.

Un gamin visa avec soin et cracha sur le prisonnier. Il avait bien ajusté son tir et toucha l'homme entre les yeux. Le condamné grommela un juron et voulut se jeter sur le cracheur, mais il était retenu par les cordes qui l'attachaient aux ridelles de la charrette. Incident banal, sinon que le prisonnier parlait en français normand, la langue des seigneurs. Ce jeune homme était-il de haute naissance ? ou simplement loin de chez lui ? Nul n'aurait su le dire. Le char à bœufs s'arrêta au pied de l'échafaud. Le bailli du prévôt monta sur le plateau, le nœud coulant à la main. Le prisonnier commença à se débattre. Les garçons poussèrent des vivats : ils auraient été déçus si le prisonnier était resté calme. Les mouvements de l'homme étaient entravés par les cordes qui lui ligotaient les poignets et les chevilles, mais il secouait la tête d'un côté à l'autre pour échapper au nœud. Au bout d'un moment, le bailli, un grand gaillard, recula d'un pas et frappa du poing le prisonnier au creux de l'estomac. L'homme se plia en deux, le souffle coupé, et le bailli en profita pour lui passer la corde au cou et serrer le nœud. Puis il sauta à terre et tendit la corde, en fixant l'autre extrémité à un crochet à la base de la potence.

C'était le tournant : si le prisonnier se débattait maintenant, il n'en mourrait que plus tôt. Les hommes d'armes dénouèrent les liens qui entravaient les jambes du prisonnier et le laissèrent seul debout dans le chariot, les mains liées derrière le dos. Le silence se fit dans la foule.

Souvent un incident se produisait à ce moment-là : la mère du prisonnier avait une crise de nerfs, ou bien sa femme tirait un couteau et se précipitait sur la plateforme dans une tentative de dernière minute pour le sauver. Parfois le condamné implorait le pardon de Dieu ou accablait ses bourreaux de malédictions à vous glacer le sang. Les hommes d'armes s'étaient postés de chaque côté de l'échafaud, prêts à faire face à tout incident.

Ce fut alors que le prisonnier se mit à chanter, d'une voix haute de ténor, très pure. Les paroles étaient en français, mais même ceux qui ne comprenaient pas la langue devinaient à sa plaintive mélodie qu'il s'agissait d'un chant de tristesse et d'adieu.

> *Une alouette, prise au filet d'un chasseur,*
> *Chantait alors plus doucement que jamais,*
> *Comme si les doux accents jaillis de son cœur*
> *Pouvaient libérer l'aile du filet.*

En chantant, il regardait, droit dans les yeux, quelqu'un au milieu de la foule. Le vide peu à peu se fit autour de la personne qu'il fixait et chacun put la voir. Comment ne l'avait-on pas remarquée plus tôt ?

C'était une fille d'une quinzaine d'années, aux longs cheveux d'un brun sombre, drus et beaux, qui formaient une pointe sur son large front — ce qu'on appelait la pointe du diable. Elle avait des traits réguliers et une bouche sensuelle aux lèvres pleines. Les vieilles femmes notèrent sa taille épaisse et ses seins lourds, comprirent qu'elle était enceinte et supposèrent que le condamné était le père de son enfant à naître. Mais on vit surtout ses yeux, des yeux au regard intense, enfoncés dans leurs orbites, d'une stupéfiante couleur dorée, si lumineux et si pénétrants qu'on avait le sentiment qu'elle voyait jusqu'au fond de votre cœur. Aussitôt on détournait le regard, redoutant qu'elle découvrît vos secrets. Elle était en haillons et des larmes ruisselaient sur ses douces joues.

Le conducteur du chariot lança au bailli un regard interrogateur. Le bailli se tourna vers le prévôt, attendant un signe. Le jeune prêtre à l'air sinistre poussa le prévôt d'un geste impatient, mais l'autre n'y prit pas garde. Il laissa le voleur continuer à chanter. Il y eut un terrible silence tandis que la superbe voix de cet homme si laid tenait la mort en échec.

A la tombée du jour le chasseur prit sa proie,
Jamais l'alouette ne retrouva sa liberté.
Les oiseaux et les hommes sont assurés de mourir,
Mais les chansons peuvent vivre à jamais.

Quand la chanson s'acheva, le prévôt regarda le bailli et fit un signe de tête. Le bailli cria « hop ! » et fouetta le flanc du bœuf. Le charretier en même temps fit claquer son fouet. Le bœuf fit un pas en avant, le prisonnier debout dans la charrette trébucha, le bœuf entraîna le chariot et le prisonnier tomba dans le vide. La corde se tendit et le cou du voleur se brisa avec un bruit sec.

Il y eut un hurlement, et tous les regards se tournèrent vers la fille.

Ce n'était pas elle qui avait hurlé, mais la femme du coutelier à côté d'elle. Mais c'était à cause de la fille qu'elle avait crié. Celle-ci à genoux devant la potence, les bras tendus devant elle, avait la position qu'on prend pour lancer une malédiction. Les gens s'écartèrent avec crainte : chacun savait que les malédictions de ceux qui ont souffert l'injustice sont particulièrement efficaces, et ils se doutaient tous qu'il y avait quelque chose de pas très régulier dans cette pendaison. Les jeunes garçons étaient terrifiés.

La fille tourna ses yeux dorés au regard hypnotique vers les trois étrangers, le chevalier, le moine et le prêtre ; puis elle prononça sa malédiction, lançant les mots terribles d'une voix claire : « Je vous maudis par la maladie et le chagrin, par la faim et la douleur ; votre maison sera consumée par le feu et vos enfants périront sur l'échafaud ; vos ennemis prospéreront et vous vieillirez dans la tristesse et le regret pour mourir dans l'horreur et l'angoisse... » Comme elle disait ces derniers mots, la fille plongea la main dans un sac posé par terre à côté d'elle et en tira un coquelet vivant. Un couteau surgit dans sa main de nulle part et d'un geste vif elle trancha la tête du coq. Tandis que le sang jaillissait encore du cou sectionné, elle lança le coq décapité sur le prêtre aux cheveux noirs. Il ne l'atteignit pas, mais le sang l'éclaboussa tout comme le moine et le chevalier qui l'entouraient. Les trois hommes s'écartèrent horrifiés : le sang les avait tous aspergés, giclant sur leurs visages et tachant leurs vêtements. La fille tourna les talons et s'enfuit en courant. La foule s'ouvrit et se referma derrière elle. Pendant quelques instants, ce fut du délire. Le prévôt enfin attira l'attention de ses hommes d'armes et leur ordonna avec colère de la poursuivre. Ils fendirent la foule, bousculant sans douceur hommes, femmes et enfants sur leur chemin, mais en un clin d'œil la fille avait disparu et, bien que le prévôt la cherchât, il savait qu'il ne la retrouverait pas. Il se retourna, écœuré. Le chevalier, le moine et le prêtre n'avaient pas suivi la fuite de la fille. Ils contemplaient toujours la potence. Le prévôt suivit leur regard. Le voleur mort pendait au bout de la corde, son jeune et pâle visage bleuissant déjà, tandis que sous son cadavre qui se balançait doucement, le coq, décapité mais pas tout à fait mort, tournait en zigzaguant sur la neige tachée de sang.

ELLEN

PREMIÈRE PARTIE

1135-1136

I

Dans une large vallée, au pied d'une colline en pente douce, Tom bâtissait une maison auprès d'un torrent.

Les murs montaient vite : ils avaient déjà trois pieds de haut. Les deux maçons que Tom avait engagés travaillaient avec ardeur sous le soleil, étalant le mortier, puis l'aplatissant avec leur truelle, tandis que leur manœuvre suait sous le poids des gros blocs de pierre. Alfred, le fils de Tom, préparait le mortier en comptant tout haut les pelletées de sable. Un charpentier, occupé à l'établi auprès de Tom, découpait avec soin une longueur de bois de hêtre avec une herminette.

A quatorze ans, Alfred était presque aussi grand que Tom : Tom dépassait d'une tête la plupart des hommes et Alfred, qui n'avait que deux pouces de moins, continuait à grandir. Ils se ressemblaient aussi : tous deux avaient les cheveux châtain clair et des yeux verts pailletés de marron. Leur seule différence, c'était la barbe : brune et bouclée chez Tom, un fin duvet blond chez Alfred. Jadis, ses cheveux étaient de cette couleur, se rappelait Tom attendri. Maintenant qu'Alfred devenait un homme, Tom aurait voulu le voir s'intéresser plus intelligemment à son travail, car il avait beaucoup à apprendre s'il voulait devenir maçon comme son père ; mais, jusqu'à maintenant, Alfred restait indifférent à l'art du bâtiment.

La maison, une fois terminée, serait la plus luxueuse à des lieues à la ronde. Le rez-de-chaussée serait occupé par un spacieux magasin avec un plafond en voûte pour éviter les risques d'incendie. La pièce à vivre se situerait au-dessus, accessible par un escalier extérieur : sa position élevée la rendrait difficile à attaquer et facile à défendre. Contre le mur de cette salle, Tom construirait une cheminée pour évacuer la fumée du feu. C'était une innovation : Tom n'avait encore vu qu'une seule maison avec une cheminée, mais l'idée lui avait paru si bonne qu'il était décidé à la copier. A un bout de la maison, au fond de la salle, il prévoyait une petite chambre à coucher, car c'était ce que les filles de comte exigeaient aujourd'hui, trop raffinées pour dormir dans la salle commune avec les hommes, les servantes et les chiens de chasse. La cuisine occuperait un bâtiment séparé. Tôt ou tard une cuisine finit par prendre feu, c'est pourquoi il vaut mieux la bâtir à l'écart et se contenter d'une nourriture tiède.

Tom achevait l'entrée de la maison. Les montants de la porte seraient arrondis en manière de colonnes — petite touche distinguée pour les nobles époux qui allaient habiter ici. L'œil sur le modèle en bois qui lui servait de guide, Tom appuya son ciseau de fer à l'oblique contre la pierre et le tapota doucement avec un gros maillet. Les débris tombaient comme une petite pluie. Il accentuait l'arrondi, inlassablement, pour obtenir une surface aussi lisse que celle d'un pilier de cathédrale.

Il avait travaillé une fois sur le chantier d'une cathédrale, justement : à Exeter. Il s'était fâché quand le maître bâtisseur l'avait prévenu que son travail n'était pas tout à fait satisfaisant. Il se savait plus soigneux que le maçon moyen. Puis il avait compris que les murs d'une cathédrale ne devaient pas seulement être bien construits, ils devaient être *parfaits* : la cathédrale était destinée à Dieu. Mais, surtout, le bâtiment était si grand que la moindre inclinaison dans les parois, la plus légère variation de la verticale et de l'horizontale absolues risquait de menacer toute la structure. La mauvaise humeur de Tom céda la place à la fascination. La combinaison d'une construction extrêmement ambitieuse et de l'impitoyable attention au plus petit détail lui ouvrit les yeux sur les merveilles de son métier. Il apprit du maître d'Exeter l'importance des proportions, le symbolisme des divers nombres, et les formules presque magiques pour calculer la bonne largeur d'un mur ou l'angle d'une marche dans un escalier en spirale. Ces choses-là le captivaient et il fut surpris de découvrir que nombre de maçons les trouvaient incompréhensibles.

Peu de temps après, Tom, devenu le bras droit du maître bâtisseur, s'aperçut aussi de ses lacunes. L'homme était un grand artisan mais un mauvais organisateur, complètement dépassé par les difficultés du métier : se procurer assez de pierres pour suivre le rythme des maçons, s'assurer que le forgeron fabriquait les outils nécessaires, brûler la chaux et apporter le sable pour la confection du mortier, abattre les arbres pour les charpentiers et obtenir assez d'argent du chapitre de la cathédrale pour payer !

Si Tom était resté à Exeter jusqu'à la mort du bâtisseur, il aurait pu devenir maître lui-même ; mais le chapitre se trouva à court d'argent — en partie à cause de la mauvaise gestion du bâtisseur — et les artisans durent partir chercher du travail ailleurs. On offrit à Tom le poste de bâtisseur au château fort d'Exeter, pour entretenir et améliorer les fortifications de la ville. Sauf accident, c'était un travail à vie. Mais Tom avait refusé, car il voulait bâtir une autre cathédrale.

Sa femme, Agnès, n'avait jamais compris cette décision. Il aurait pu avoir une bonne maison de pierre, des domestiques, une étable et de la viande sur la table à chaque souper ; elle ne pardonna jamais à Tom d'avoir laissé passer cette occasion, incapable de comprendre l'irrésistible désir de bâtir une cathédrale. La passionnante complexité de l'organisation, le défi intellectuel des calculs, la dimension même des murs, la beauté et la grandeur de l'édifice terminé. Du jour où il eut tâté de ce vin-là, Tom ne put jamais se satisfaire de moins.

Il y avait dix ans de cela. Depuis lors, ils n'avaient jamais séjourné longtemps nulle part. Tom dessinait la nouvelle salle capitulaire d'un monastère, travaillait un an ou deux sur un château ou bâtissait un hôtel pour un riche marchand ; mais, dès qu'il avait économisé un peu d'argent, il reprenait la route avec sa femme et ses enfants, à la recherche d'une autre cathédrale.

Il leva les yeux de son établi et vit Agnès plantée au bord du chantier, un panier à provisions dans une main, une grosse cruche de bière posée sur la hanche. C'était midi. Il la regarda avec tendresse. Personne ne l'aurait dite jolie, mais elle avait un visage plein de vigueur : un front large, de grands yeux bruns, le nez droit, la mâchoire solide. Ses cheveux bruns étaient coiffés avec une raie au milieu et ramenés en chignon sur la nuque. Elle était l'âme sœur de Tom.

Elle versa à boire à Tom et à Alfred. Ils se reposèrent un moment, les deux grands gaillards et la robuste femme, en buvant leur bière dans des écuelles de bois ; puis un quatrième membre de la famille arriva du champ de blé en sautillant : Martha, six ans et jolie comme un narcisse — mais un narcisse à court d'un pétale, car elle venait de perdre deux dents de lait. Elle courut vers Tom, embrassa sa barbe poussiéreuse et quémanda une gorgée de sa bière. Il serra contre lui le petit corps anguleux. « Ne bois pas trop, sinon tu vas tomber dans un fossé », dit-il. Elle tourna autour de lui en titubant, mimant l'ivresse.

Ils s'assirent tous sur le tas de bois. Agnès tendit à Tom un quignon de pain, une épaisse tranche de bacon bouilli et un petit oignon. Il mordit dans la viande et se mit à peler l'oignon. Agnès donna ensuite leur part aux enfants avant de commencer à manger elle-même. Peut-être ai-je eu tort, songea Tom, de refuser ce travail assommant à Exeter et de partir en quête d'une cathédrale à bâtir ; pourtant, jusqu'à présent, j'ai toujours pu les nourrir tous.

Il découpa une tranche d'oignon et la mangea avec une bouchée de pain. Agnès annonça : « J'attends encore un enfant. »

Tom s'arrêta de mâcher. Un frisson de plaisir le parcourut. Ne sachant que dire, il se contenta de sourire bêtement. Après un moment de silence, elle rougit et ajouta : « Quelle surprise, tu ne trouves pas ? »

Tom la serra dans ses bras. « Eh bien, dit-il, un bébé pour me tirer la barbe ! Et moi qui pensais que le prochain serait celui d'Alfred.

— Ne te réjouis pas encore, répondit Agnès. Et n'oublie pas : cela porte malheur de nommer l'enfant avant sa naissance. »

Tom acquiesça. Agnès avait fait plusieurs fausses couches. Après un bébé mort-né, une autre petite fille, Mathilda, n'avait vécu que deux ans. « J'aimerais avoir un garçon, dit-il. Maintenant qu'Alfred est si grand. Pour quand est-ce ?

— Après Noël. »

Tom commença à calculer. La carcasse de la maison serait terminée au premier gel, il faudrait recouvrir la maçonnerie de paille pour la protéger pendant l'hiver. Les maçons passeraient la saison froide à tailler les pierres pour les fenêtres, les voûtes, l'encadrement des portes et de la cheminée, tandis que le charpentier préparerait les planchers, les portes et les volets, et Tom construirait l'échafaudage pour attaquer le premier étage. Puis, au printemps, il ferait la voûte du magasin, le plancher de la salle au-dessus et poserait le toit. Le travail nourrirait la famille jusqu'à la

Pentecôte. A cette époque, le bébé aurait six mois. Ensuite ils partiraient.

« Bon, dit-il d'un ton satisfait. C'est bien. » Il croqua une autre tranche d'oignon.

« Je suis trop vieille pour porter des enfants, dit Agnès. Il faut que ce soit mon dernier. »

Tom réfléchit. Il ne connaissait pas exactement son âge, mais bien des femmes de la même génération avaient encore des enfants. Il était vrai pourtant qu'elles souffraient plus en vieillissant et que leurs bébés n'étaient pas aussi forts. Elle avait sans doute raison. Mais comment éviter de nouvelles naissances ? se demanda-t-il. Il n'y avait qu'un seul moyen. Un nuage vint assombrir son humeur.

« Je trouverai peut-être un bon travail dans une ville, dit-il pour la rassurer. Une cathédrale ou un palais. Nous pourrions alors avoir une grande maison avec des parquets de bois, une servante pour t'aider à t'occuper du bébé. »

Le visage d'Agnès se durcit : « Peut-être », répliqua-t-elle seulement d'un ton sceptique. Elle n'aimait pas entendre parler de cathédrale. Si Tom n'avait jamais travaillé sur une cathédrale, disait son expression, elle vivrait peut-être aujourd'hui dans une maison en ville, avec des économies enfouies sous l'âtre, sans s'inquiéter pour l'avenir.

Tom détourna les yeux et mordit à nouveau dans le lard. Il se sentait découragé. Il mâchonna un moment la viande dure sans rien dire. Soudain, on entendit un cheval. Tom pencha la tête pour mieux écouter. Le cavalier arrivait sous le couvert des arbres, venant de la route, par un raccourci qui évitait le village.

Quelques instants plus tard, un jeune homme apparut au trot sur un poney et mit pied à terre. Il avait l'air d'un écuyer, une sorte d'apprenti chevalier. « Ton seigneur arrive », annonça-t-il. Tom se leva. « Vous voulez dire lord Percy ? » Percy Hamleigh était un des notables du pays, propriétaire de cette vallée et de bien d'autres, et finançait la construction de la maison.

« Son fils, dit l'écuyer.

— Ah ! Le jeune William. » C'était William, le fils de Percy, qui devait occuper cette maison après son mariage. Il était fiancé à lady Aliena, la fille du comte de Shiring.

« Lui-même, dit l'écuyer. Il est très en colère. »

Tom sentit son cœur se serrer. Il était toujours difficile

de discuter avec le propriétaire d'une maison en construction, mais avec un propriétaire furieux, cela devenait impossible.

« Pourquoi cette colère ?

— Sa fiancée l'a repoussé.

— La fille du comte ? » fit Tom, surpris. La peur le saisit : lui qui venait de croire son avenir assuré. « Je pensais que tout était arrangé.

— Nous aussi... sauf lady Aliena, semble-t-il, répondit l'écuyer. Dès l'instant où elle l'a rencontré, elle a annoncé que pour rien au monde elle ne l'épouserait. »

Tom fronça les sourcils. Il refusait d'en croire ses oreilles.

« Mais, si je me souviens bien, le garçon n'est pas mal.

— Comme si dans sa position cela changeait quelque chose, intervint Agnès. Si les filles de comte pouvaient épouser qui leur plaît, nous serions tous gouvernés par des ménestrels et des hors-la-loi aux yeux tendres.

— Elle peut encore changer d'avis, remarqua Tom, plein d'espoir.

— Elle le fera si sa mère la fouette, affirma Agnès.

— Sa mère est morte », dit l'écuyer.

Agnès hocha la tête. « Cela explique pourquoi elle ne connaît pas la vie. Mais son père la forcera, non ?

— Il semble, reprit l'écuyer, qu'il a promis de ne jamais lui faire épouser quelqu'un contre son gré.

— Voilà un engagement bien stupide ! » fit Tom avec colère.

Comment un homme puissant pouvait-il céder ainsi au caprice d'une fille ? Le mariage d'Aliena affectait les alliances militaires, les finances du seigneur... même la construction de cette maison.

« Elle a un frère, poursuivit l'écuyer, alors ce n'est pas si important de savoir qui elle épouse.

— Tout de même...

— Le comte est un homme inflexible, poursuivit l'écuyer. Il ne veut pas revenir sur une promesse, même faite à une enfant. » Il haussa les épaules. « C'est ce que l'on dit. »

Tom regarda les murs de pierre de la future maison. Il n'avait pas encore épargné assez d'argent pour passer l'hiver avec sa famille, se rendit-il compte avec angoisse.

Peut-être le garçon trouverait-il une autre épouse pour partager cette demeure avec lui. Il peut choisir dans tout le comté, pensa-t-il.

D'une voix incertaine d'adolescent, Alfred dit : « Par le Christ, je crois que c'est lui. » Ils regardèrent tous en direction du champ. Un cheval arrivait du village au galop, soulevant sur le chemin un nuage de poussière. C'était la taille aussi bien que la vitesse du cheval qui avait surpris Alfred : il n'avait jamais vu de bête si énorme. Ce destrier était au garrot aussi haut qu'un homme et large en proportion. Ces chevaux-là n'étaient pas élevés en Angleterre, ils venaient d'au-delà des mers et coûtaient des sommes considérables.

Tom fourra le reste de son pain dans la poche de son tablier en cuir, puis plissa les yeux dans le soleil. Le cheval couchait les oreilles, ses naseaux frémissaient, mais il relevait la tête, signe qu'il n'était pas emballé. En effet, le cavalier tira sur les rênes et l'énorme animal parut ralentir un peu. Tom percevait maintenant le martèlement des sabots sur le sol. Il chercha des yeux Martha pour la mettre à l'abri ; Agnès eut la même pensée. Mais l'enfant avait disparu. « Dans le blé », dit Agnès ; Tom avait déjà deviné et gagnait à grands pas le champ. Le cœur serré d'angoisse, il parcourut du regard les épis qui ondulaient au vent, pas trace de la fillette.

Une seule idée lui vint : ralentir le cheval. Il s'avança sur le chemin, en écartant les bras, droit vers le destrier qui chargeait. Le cheval l'aperçut, et ralentit aussitôt. Mais, sous les yeux de Tom, horrifié, son cavalier l'éperonna.

« Maudit idiot ! » rugit Tom, bien que le cavalier ne pût l'entendre.

Ce fut alors que Martha déboucha du champ sur le sentier, quelques pas devant Tom.

Celui-ci resta un instant pétrifié de terreur. Puis il bondit en avant, criant et agitant les bras ; mais la bête était un destrier, entraîné à charger des hordes hurlantes, et elle ne broncha pas. Martha demeurait plantée au milieu de l'étroit chemin, comme figée par la vue de ce monstre qui fonçait sur elle. En un éclair, Tom comprit avec désespoir qu'il ne la rejoindrait pas à temps. Il se jeta de côté, et, à la dernière seconde, le cheval fit un écart dans l'autre sens. L'étrier du cavalier effleura les cheveux de Martha ; un sabot marqua un trou rond dans le sol près de son pied nu, et le cheval fila, les aspergeant de terre. Tom saisit l'enfant dans ses bras et la serra contre son cœur battant.

Il resta un moment immobile, soulagé, les jambes molles. Puis il sentit la fureur monter en lui à cause de l'imprudence de ce stupide jeune homme juché sur son destrier. Il tourna vers lui un regard furieux. Lord William ralentissait son cheval, en tirant sur les rênes, les jambes tendues en avant. Le cheval évita le chantier, secoua la tête et rua, mais William resta en selle. Il mit son cheval au petit galop, puis au trot en lui faisant décrire un large cercle.

Martha sanglotait. Tom la confia à Agnès et attendit William.

Le jeune seigneur était un grand gaillard d'une vingtaine d'années, avec des cheveux jaunes et des yeux étroits qui lui donnaient l'air de toujours cligner. Il portait une courte tunique noire, des hauts-de-chausses noirs aussi et des chaussures de cuir dont les lacets se croisaient jusqu'aux genoux. Vissé sur sa selle, il ne semblait nullement ému de l'incident. Ce jeune imbécile ne sait même pas ce qu'il a fait, se dit Tom amèrement. Que j'aimerais lui tordre le cou !

William arrêta sa monture devant le tas de bois et regarda les bâtisseurs. « Qui commande ici ? » demanda-t-il.

Tom s'approcha du cheval et le prit par la bride. « C'est moi le maître bâtisseur, dit-il d'un ton crispé. Mon nom est Tom.

— Cette maison ne sert plus à rien, dit William. Renvoie tes hommes. »

C'était exactement ce que Tom redoutait. Mais il se cramponnait à l'espoir que William était simplement impétueux et que l'on pourrait le persuader de changer d'avis. Au prix d'un grand effort, il répondit d'un ton calme : « Mais il y a déjà tant de travail de fait ! Pourquoi gaspiller ce que vous avez dépensé ? Vous aurez besoin de cette maison un jour.

— Je ne te demande pas comment gérer mes affaires, Tom le bâtisseur, dit William. Vous êtes tous renvoyés. » Il tira sur les rênes, mais Tom tenait la bride. « Lâche mon cheval », cria William d'un ton menaçant.

Tom avala sa salive. William s'apprêtait à éperonner son cheval. Tom tira de sa poche le croûton de pain restant de son déjeuner, le montra au cheval qui baissa la tête et le croqua. « Il y a encore des choses à régler avant que vous partiez, monseigneur, dit Tom doucement.

— Lâche mon cheval, répéta William, ou je te fais sauter la tête. » Tom le regarda dans les yeux, essayant de ne pas montrer sa peur. Il était plus fort que William, mais cela ne servirait à rien si celui-ci dégainait son épée.

« Tom, murmura Agnès apeurée, fais ce que dit le seigneur. »

Il y eut un silence de mort. Transformés en statues, les autres ouvriers observaient la scène. Tom savait que la prudence serait de céder. Mais William avait failli piétiner sa fille et le maçon était furieux. Aussi, le cœur battant, reprit-il : « Il faut nous payer. »

William poussa sa monture, mais Tom tenait solidement la bride et le cheval n'obéit pas, cherchant encore du pain dans la poche du tablier de Tom. « Allez demander vos gages à mon père ! » lança William excédé.

Tom entendit le charpentier répondre d'une voix blanche :

« C'est ce que nous allons faire, monseigneur, merci beaucoup. » Misérable lâche, pensa Tom, mais lui-même tremblait. Il se força néanmoins à dire : « Si vous voulez nous congédier, il faut nous payer selon la coutume. La maison de votre père est à deux jours de marche d'ici et, quand nous arriverons, il n'y sera peut-être pas.

— Des hommes sont morts pour moins que cela », dit William, les joues rouges de colère.

Du coin de l'œil, Tom vit l'écuyer poser la main sur le pommeau de son épée. Il savait qu'il devait renoncer maintenant, mais une colère obstinée lui nouait le ventre, et, si effrayé qu'il fût, il ne se décidait pas à lâcher la bride. « Payez-nous d'abord et tuez-moi ensuite, lança-t-il. Peut-être que l'on vous pendra pour cela, peut-être pas ; mais vous mourrez tôt ou tard. Moi je serai au paradis et vous irez en enfer. »

Le ricanement se figea sur le visage de William qui devint très pâle. Tom s'étonna : qu'est-ce qui avait effrayé le garçon ? Sûrement pas de lui avoir parlé de pendaison : un seigneur ne courait guère le risque d'être pendu pour le meurtre d'un artisan. Craignait-il l'enfer ?

Ils se dévisagèrent quelques instants. Tom vit avec stupéfaction, puis soulagement, l'expression de colère et de mépris de William se dissiper pour céder la place à l'angoisse. Le jeune homme prit une bourse de cuir à sa ceinture et la lança à son écuyer en disant : « Paye-les. »

Tom alors força sa chance. Comme William tirait sur ses rênes et que le cheval s'écartait, le maçon le suivit sans lâcher la bride et dit : « Une pleine semaine de gages avec le congé, c'est la coutume. » Agnès retenait son souffle, juste derrière lui, et il savait qu'elle le trouvait fou de prolonger la confrontation. Mais il insista. « Cela fait six pence pour le manœuvre, douze pour le charpentier et chacun des maçons et vingt-quatre pour moi. Soixante-six pence en tout. » Il calculait vite.

L'écuyer interrogea son maître du regard. William acquiesça, rageur : « Très bien. »

Tom lâcha la bride et recula d'un pas. William fit tourner son cheval, le talonna vigoureusement et la bête bondit dans le champ de blé pour rejoindre la route.

Tom s'assit sur le tas de bois. Il se demandait ce qui l'avait pris. Quelle folie l'avait saisi de défier lord William ainsi ! Il pouvait s'estimer heureux d'être encore vivant.

Le martèlement des sabots du destrier s'éloignait. L'écuyer vida sur une planche le contenu de la bourse. Tom sentit une vague de triomphe en entendant les pièces d'argent, brillantes dans le soleil, tomber en cascade. Une folie, mais un succès : il avait obtenu un juste paiement pour lui-même et pour les hommes qui travaillaient sous ses ordres. « Même les seigneurs doivent suivre les usages », dit-il.

Agnès l'entendit. « J'espère simplement que tu n'auras jamais besoin de demander du travail à lord William », dit-elle avec aigreur. Tom lui sourit. Il comprenait qu'elle bougonnait parce qu'elle avait eu peur. « Ne me gronde pas, ou tu n'auras que du lait caillé à donner à ton bébé quand il naîtra.

— Je ne pourrai nourrir personne, à moins que tu ne trouves du travail pour l'hiver.

— L'hiver est encore loin », répondit Tom.

II

Ils passèrent l'été au village. Plus tard, ils se rendirent compte que cette décision était une terrible erreur, mais sur le moment elle semblait raisonnable, car Tom, Agnès et Alfred pouvaient chacun gagner un penny par jour à travailler dans les champs durant les moissons. Quand l'automne arriva et qu'il leur fallut repartir, ils avaient un gros sac de pennies d'argent et un porc bien gras.

Ils passèrent la première nuit sous le portail d'une église de village mais, le lendemain, ils découvrirent un prieuré de campagne et profitèrent de l'hospitalité des moines. Le troisième jour, ils se trouvaient au cœur de la forêt de Chute, une vaste étendue de bois et de broussailles, sur une route guère plus large qu'un char à bœufs ; la végétation luxuriante de l'été mourait sous les chênes.

Tom transportait ses plus petits outils dans une sacoche et ses marteaux accrochés à sa ceinture. Son manteau était roulé sous son bras gauche et il tenait dans sa main droite son pic de fer qu'il utilisait comme une canne. Il était content de reprendre la route. Peut-être trouverait-il à s'employer sur le chantier d'une cathédrale. Il pourrait devenir maître maçon et travailler jusqu'à la fin de ses jours à bâtir une église si merveilleuse qu'elle lui garantirait l'accès au paradis.

Agnès gardait leurs maigres possessions dans une marmite qu'elle portait attachée à son dos. Alfred était chargé des outils dont ils se serviraient pour installer quelque part un nouveau foyer : une hache, une herminette, une scie, un petit marteau, un poinçon pour faire des trous dans le cuir et le bois et une pelle. Martha était trop petite pour porter autre chose que son écuelle, son couteau pendu à sa ceinture et son manteau ficelé sur son dos. Elle avait toutefois la tâche de conduire le porc jusqu'au moment où ils pourraient le vendre sur le marché.

Tom ne quitta pas des yeux Agnès, dans cette interminable traversée des bois. Elle était à mi-terme maintenant et, outre le fardeau qu'elle avait sur le dos, elle portait un poids considérable dans son ventre. Mais elle semblait infatigable. Alfred aussi paraissait en bonne forme : il était à l'âge où les garçons ont de l'énergie à revendre. Seule Martha peinait. Ses jambes maigres étaient faites pour gambader,

35

pas pour de longues étapes, et comme elle traînait les autres devaient s'arrêter pour les attendre, elle et le cochon.

Tout en marchant, Tom songeait à sa future cathédrale. Il commençait comme toujours par imaginer le portail ; c'était très simple : deux montants soutenant un demi-cercle. Puis il en imaginait un second, comme le premier. Il les rapprochait pour former une profonde arcade. Ensuite il en ajoutait d'autres jusqu'à en obtenir toute une rangée accolées les unes aux autres pour former un tunnel. C'était l'essentiel d'une construction. Il ne fallait plus qu'un toit pour se protéger de la pluie et deux murs pour soutenir le toit. Une église n'est qu'un tunnel, avec quelques raffinements.

Un tunnel est sombre, d'où le besoin de fenêtres, un premier raffinement. Si les murs étaient solides, on pouvait y percer des trous, arrondis en haut avec des côtés droits et une base plate : la même forme que le portail original. Utiliser des formes similaires pour les arcs, les fenêtres et les portes participait à la beauté d'un bâtiment de même que la régularité. Tom se représentait douze fenêtres identiques, à intervalles réguliers le long de chaque paroi du tunnel.

Tom essaya d'imaginer les moulures, les décorations... Soudain, il eut le sentiment qu'on l'observait. C'est ridicule, se dit-il, si je suis observé, c'est par les oiseaux, les renards, les chats, les écureuils, les rats, les souris et les belettes, les hermines et les campagnols qui abondent dans la forêt !

A midi ils firent une halte, burent l'eau fraîche d'un ruisseau et mangèrent le bacon froid et des pommes sauvages ramassées sur place.

Dans l'après-midi, Martha se sentit fatiguée et prit du retard dans la marche. Tandis qu'elle les rattrapait, Tom se rappela Alfred au même âge. C'était un bel enfant aux cheveux blonds, robuste et hardi. Avec un attendrissement mêlé d'agacement, Tom regardait Martha pousser son cochon. Puis une silhouette jaillit des broussailles, juste devant la petite. Ce qui se passa ensuite fut si rapide que Tom put à peine en croire ses yeux. L'homme qui était apparu si brusquement sur la route leva une massue au-dessus de son épaule. Un cri horrifié monta à la gorge de Tom mais, avant qu'il ait eu le temps d'émettre un son, l'homme abattit son arme sur Martha. Le coup la frappa à la tempe, Tom entendit un choc sourd et l'enfant s'effondra comme une poupée désarticulée.

Tom se précipita vers l'enfant. La scène lui donna l'impression de contempler un tableau peint tout en haut d'un mur d'église : il le voyait mais ne pouvait rien faire pour le changer. L'agresseur, sûrement un hors-la-loi, était petit et trapu, vêtu d'une tunique marron et pieds nus. Un instant il regarda Tom droit dans les yeux et celui-ci put constater que son visage était affreusement mutilé : on lui avait coupé les lèvres, sans doute en châtiment d'un mensonge, et sa bouche était maintenant crispée en une grimace permanente entourée de cicatrices en zigzag. Cet horrible spectacle aurait arrêté Tom s'il n'y avait pas eu le corps inerte de Martha gisant sur le sol.

Le bandit détourna son regard de Tom pour s'intéresser au cochon. En un éclair, il se pencha, fourra sous son bras l'animal gigotant et replongea dans les taillis, emportant avec lui le seul bien que possédât la famille.

Tom s'agenouilla auprès de Martha. Il posa sa grande main sur sa petite poitrine et sentit le cœur qui battait régulièrement, ce qui apaisa ses craintes ; mais elle avait les yeux clos et du sang dans ses cheveux blonds.

Agnès les rejoignit. Elle tâta la poitrine de l'enfant, son poignet et son front, puis elle lança à Tom un regard résolu. « Elle vivra, dit-elle d'une voix tendue. Va reprendre notre cochon. »

Tom se débarrassa aussitôt de sa sacoche et dégagea de sa ceinture son grand marteau à tête de fer. Il tenait toujours son pic dans la main droite. Il observa les buissons piétinés sur le passage du voleur et, entendant le cochon qui grognait dans les bois, s'enfonça au milieu de la broussaille.

La piste était facile à suivre. Le hors-la-loi, un homme vigoureusement bâti, alourdi par le cochon qu'il portait, ouvrait un large passage dans la végétation, aplatissant sur sa route fleurs, buissons et arbustes. Tom fonça derrière lui, en proie à une furieuse envie de lui sauter dessus et de le rouer de coups. Il traversa un bosquet de jeunes bouleaux, dévala une pente et franchit un bout de marécage avant d'arriver sur un étroit sentier. Là, il s'arrêta. Le voleur avait pu partir vers la gauche ou vers la droite et rien n'indiquait son chemin. Tom entendit les cris du porc quelque part sur sa gauche. Il perçut aussi le bruit de quelqu'un qui fonçait derrière lui dans la forêt — sans doute Alfred. Il repartit.

Le sentier l'entraîna dans un creux, puis tourna brusquement et se mit à monter. On entendait distinctement le cochon, maintenant. Tom grimpa la pente, le souffle court — les années passées à respirer la poussière de pierre avaient affaibli ses poumons. Il aperçut soudain le voleur non loin devant lui, courant comme s'il avait le diable aux trousses. Tom força l'allure, sûr de le rattraper, car un homme chargé d'un porc ne peut pas courir bien vite, ni bien longtemps. Mais sa poitrine lui faisait mal. Le voleur était maintenant à quinze pas, puis à douze. Tom leva le pic au-dessus de sa tête, comme un javelot. Encore quelques foulées et il le lancerait. Onze pas, dix...

Il aperçut tout à coup, du coin de l'œil, un visage maigre coiffé d'un bonnet vert émergeant des buissons. Trop tard pour l'éviter. Un gros bâton s'abattit en travers de sa route, il trébucha dessus et tomba. Il avait lâché son pic, mais il tenait toujours bon le marteau. Il roula par terre et se redressa sur un genou. Il le voyait maintenant : ils étaient deux, l'homme au bonnet vert et un chauve à la barbe blanche broussailleuse. Ils se précipitèrent sur Tom.

Celui-ci fit un pas de côté et balança son marteau en direction du bonnet vert. L'homme esquiva le coup mais la lourde tête de fer s'abattit sur son épaule. Il poussa un hurlement de douleur et s'effondra en se tenant le bras comme s'il était brisé. A peine Tom eut-il le temps de récupérer le marteau que le chauve se jetait sur lui. Tom brandit l'arme et lui fendit la joue.

Les attaquants reculèrent, tenant à deux mains leurs blessures. Tom sentait qu'ils avaient perdu tout esprit combatif. Il se retourna. Le voleur continuait à fuir le long du sentier. Tom se remit à sa poursuite, ignorant la douleur qui lui tenaillait la poitrine. Mais il n'avait parcouru que quelques pas lorsqu'il entendit une voix familière crier derrière lui. Alfred.

Il s'arrêta et se retourna.

Alfred se battait bec et ongles contre les deux brutes. Il frappa trois ou quatre fois à la tête l'homme au bonnet vert, puis donna un coup de pied dans les jarrets du chauve. Les deux hommes se jetèrent sur lui, amoindrissant beaucoup l'impact de ses coups. Tom hésita, partagé entre son désir de récupérer le cochon et celui de venir au secours de son fils. Le chauve fit alors un croche-pied à Alfred et, comme le garçon heurtait le sol, les deux hommes tombèrent sur lui à bras raccourcis.

Tom revint sur ses pas. Il chargea le chauve de plein fouet et l'envoya s'écraser dans les buissons ; avant de se retourner vers le bonnet vert en balançant son marteau. L'homme esquiva le premier coup, tourna les talons et plongea dans le sous-bois sans laisser à Tom le temps de frapper encore. Tom se retourna pour voir le chauve détaler par le sentier. Il regarda dans la direction opposée : le voleur avec le cochon avait disparu. Il poussa un bref juron : ce porc représentait la moitié de ses économies de l'année. Il s'effondra sur le sol, hors d'haleine.

« Nous les avons rossés tous les trois ! » cria Alfred, tout excité.

Tom le regarda. « Oui, mais ils ont notre cochon », dit-il. La colère lui brûlait l'estomac comme du cidre aigre. Un porc bien gras comme celui-ci pouvait se vendre soixante pence. Avec quelques choux et un sac de grains, il y avait de quoi nourrir une famille pour tout l'hiver et fabriquer une paire de chaussures de cuir et un sac ou deux. Cette perte était catastrophique.

Tom jeta un regard d'envie à Alfred, déjà remis de sa course et de son empoignade, qui attendait avec impatience. Autrefois, songea Tom, je pouvais courir comme le vent sans presque sentir mon cœur battre. Quand j'avais cet âge-là... il y a vingt ans. Vingt ans. Cela lui paraissait hier. Il se releva.

Il passa un bras autour des larges épaules d'Alfred et ils reprirent le sentier. Le garçon allait bientôt le rattraper en taille et peut-être même le dépasser. J'espère que son esprit se développera aussi, se dit Tom. « N'importe quel imbécile, déclara-t-il, peut se lancer dans une bagarre, mais le sage sait les éviter. » Alfred lui jeta un regard sceptique.

Ils quittèrent le sentier, traversèrent le coin de marécage et escaladèrent la pente, refaisant à l'envers le chemin suivi par le voleur. En repassant dans le bosquet de bouleaux, Tom pensa à Martha et la rage une fois de plus lui monta au ventre. Le hors-la-loi l'avait frappée comme un fou, alors qu'elle ne le menaçait pas.

Tom hâta le pas et, un moment plus tard, Alfred et lui débouchèrent sur la route. Martha gisait là, à la même place, elle n'avait pas bougé. Elle avait toujours les yeux fermés et le sang séchait dans ses cheveux. Agnès était agenouillée à son côté — et auprès d'elles, à la surprise de Tom, se trouvaient une autre femme et un jeune garçon. Pas étonnant qu'il se fût senti observé, la forêt semblait grouiller de monde. Il se pencha et posa de nouveau la main sur la poitrine de Martha. Le souffle était régulier.

« Elle va bientôt se réveiller, dit l'étrangère d'un ton autoritaire. Alors elle vomira. Après, elle ira bien. »

Tom la regarda avec curiosité. Jeune, une dizaine d'années de moins que Tom, elle était penchée sur Martha. Sa courte tunique de cuir révélait des membres hâlés et souples. Elle avait un joli visage, avec des cheveux châtain foncé qui formaient une pointe sur son front. Tom éprouva un élan de désir. Puis elle leva les yeux vers lui et il sursauta : elle avait des yeux au regard intense, d'une couleur de miel doré inhabituelle qui donnait à tout son visage une sorte de magie, et il eut la certitude qu'elle devinait ce qu'il pensait.

Il détourna son regard pour masquer son embarras et surprit Agnès qui l'observait d'un air réprobateur. « Et le cochon ? dit-elle.

— Il y avait deux autres bandits, expliqua Tom.

— Nous les avons rossés, dit Alfred, mais celui qui avait le cochon s'est enfui. »

Agnès les regarda sévèrement sans répondre.

L'étrangère dit : « En nous y prenant doucement, nous pourrions transporter la fillette à l'ombre. » Elle se releva et Tom constata qu'elle était toute petite — un pied de moins que lui. Il se pencha et souleva Martha avec précaution. Son corps enfantin ne pesait presque rien dans ses bras. Il la porta quelques pas le long de la route, puis la déposa, encore inerte, sur un coin d'herbe à l'ombre d'un vieux chêne.

Alfred ramassa les outils. Le petit garçon de l'étrangère observait, les yeux et la bouche grands ouverts, sans mot dire. Il avait environ trois ans de moins qu'Alfred et c'était un enfant à l'air bizarre, sans rien de la beauté sensuelle de sa mère. Il avait la peau très pâle, les cheveux d'une drôle de couleur orangée, des yeux bleus un peu exorbités, et l'air un peu demeuré. Le genre d'enfant qui meurt jeune ou devient l'idiot du village, pensa Tom. Sous son regard fixe, Alfred était visiblement mal à l'aise.

L'enfant prit la scie des mains d'Alfred et l'examina comme une chose étonnante. Alfred, choqué par cette audace, la lui reprit et l'enfant l'abandonna avec indifférence. Sa mère intervint : « Jack ! Tiens-toi bien. » Elle semblait gênée.

Tom la regarda. Le garçon ne lui ressemblait pas du tout. « Vous êtes sa mère ? demanda Tom.

— Oui. Je m'appelle Ellen.

— Où est votre mari ?

— Mort. »

Tom s'étonna. « Vous voyagez seule ? » La forêt était déjà assez dangereuse pour un homme comme lui : impossible pour une femme seule d'espérer y survivre.

« Nous ne voyageons pas, dit Ellen. Nous vivons dans la forêt. » Tom sursauta : « Vous voulez dire que vous êtes... » Il s'arrêta, ne voulant pas la blesser.

« Des hors-la-loi, dit-elle. Oui. Vous pensiez que tous les hors-la-loi sont comme Pharamond Grande Gueule, le voleur de votre cochon ?

— Oui », dit Tom. Mais il pensait : Je n'aurais jamais imaginé qu'un hors-la-loi pouvait être une si belle femme. Incapable de maîtriser sa curiosité, il demanda : « Quel était votre crime ?

— J'ai maudit un prêtre », dit-elle, et elle détourna les yeux.

Tom ne voyait pas en cela un crime épouvantable, mais peut-être le prêtre était-il très puissant et très susceptible ; ou peut-être Ellen ne lui avouait-elle pas toute la vérité. Il regarda Martha. Lentement, elle ouvrait les yeux. Elle semblait perdue, un peu effrayée. Agnès s'agenouilla auprès d'elle. « Tu es sauve, dit-elle. Tout va bien. » Martha se redressa et vomit. Agnès la soutint jusqu'à l'arrêt des spasmes. Tom était impressionné : la prédiction d'Ellen s'était réalisée. Elle avait annoncé aussi que Martha se sentirait bien ensuite et sans doute était-ce vrai aussi. Le soulagement l'envahit et il fut un peu surpris de la violence de son émotion. Je ne pourrais pas supporter de perdre ma petite fille, pensa-t-il en refoulant un sanglot.

Il surprit un regard de sympathie d'Ellen et une fois de plus il eut le sentiment que ses yeux d'or pâle pouvaient lire dans son cœur.

Tom cassa une branche de chêne, la dépouilla de ses feuilles et les utilisa pour essuyer le visage de Martha. Elle était encore toute pâle.

« Elle a besoin de repos, dit Ellen. Laissez-la allongée le

temps qu'il faut à un homme pour parcourir une bonne lieue. »

Tom jeta un coup d'œil vers le soleil. Il restait encore du jour. Il s'installa, résigné à attendre. Agnès se mit à bercer doucement la fillette dans ses bras. Le petit Jack avait reporté son attention sur Martha et la dévisageait avec la même intensité stupide. Tom aurait voulu en savoir plus sur Ellen. Il se demandait s'il pourrait la persuader de raconter son histoire. Il ne voulait pas la voir s'en aller. « Comment tout cela est-il arrivé ? » lui demanda-t-il avec un peu d'hésitation.

De nouveau elle le regarda dans les yeux puis elle se mit à parler.

Son père était un chevalier, leur raconta-t-elle ; un homme grand, robuste et violent souhaitant des fils avec qui monter à cheval, chasser et lutter, des compagnons pour boire et festoyer dans la nuit avec lui. Il eut à cet égard toute la malchance du monde, car après la naissance d'Ellen, sa femme mourut ; il se remaria, mais sa seconde épouse était stérile. Il en vint à mépriser la belle-mère d'Ellen et finit par la renvoyer. Il était sans doute cruel, mais Ellen l'adorait et partageait le mépris qu'il portait à sa seconde femme. Quand la belle-mère partit, Ellen grandit dans une maison devenue presque uniquement masculine. Elle se coupa les cheveux, porta une dague et apprit à ne pas jouer avec des chatons ni à se soucier des vieux chiens aveugles. A l'âge de Martha, elle crachait par terre, mangeait des pépins de pomme et donnait à un cheval un coup de pied assez violent pour lui couper le souffle avant de resserrer la sangle d'un cran. Tous les hommes qui ne faisaient pas partie de la bande de son père, elle avait entendu qu'on les traitait de lavettes, et toutes les femmes qui ne voulaient pas sortir avec eux, de baiseuses de porcs — encore qu'elle ne fût pas tout à fait sûre, ce qui lui importait peu d'ailleurs, de la signification réelle de ces insultes.

En écoutant sa voix dans l'air doux de cet après-midi d'automne, Tom ferma les yeux et se représenta une jeune fille à poitrine plate, au visage sale, assise à la longue table avec les canailles qui tenaient compagnie à son père, en train de boire de la bière forte, de roter et de chanter des chansons qui parlaient de batailles, de pillages et de viols, de chevaux, de châteaux et de vierges, jusqu'au moment où elle tombait endormie, sa petite tête aux cheveux ras sur la table.

Si seulement elle avait pu garder la poitrine plate, elle aurait vécu une vie heureuse. Mais le moment vint où les hommes se mirent à la regarder différemment. Ils ne riaient plus aux éclats quand elle disait : « Ote-toi de mon chemin ou je te coupe les couilles pour les donner aux cochons. » Certains d'entre eux la regardaient longuement lorsqu'elle ôtait sa tunique de laine avant de s'endormir dans sa longue camisole de toile. Quand ils se soulageaient dans les bois, ils lui tournaient le dos, ce qu'ils n'avaient jamais fait auparavant.

Un jour, elle vit son père en conversation avec le prêtre de la paroisse — événement rare — et tous deux la regardaient comme si c'était d'elle qu'ils parlaient. Le lendemain matin, son père l'informa : « Tu vas partir avec Henry et Eveard et faire ce qu'ils te diront. » Puis il l'embrassa sur le front. Elle s'en étonna : s'amollissait-il sur ses vieux jours ? Elle sella son coursier gris — elle refusait de monter un palefroi de dame ou un poney d'enfant — et s'en fut avec les deux hommes d'armes.

Ils la conduisirent dans un couvent de religieuses et l'y abandonnèrent.

Les deux hommes partis, tout le couvent retentit des jurons obscènes de la jeune fille qui se débarrassa de l'abbesse en lui donnant un coup de couteau, avant de refaire à pied tout le chemin jusqu'à la maison de son père. Celui-ci la renvoya, pieds et poings liés, attachée à la selle d'un âne. On la mit au cachot en attendant que la blessure de l'abbesse eût cicatrisé. Dans sa prison glacée, humide et noire comme la nuit, on lui donnait à boire mais rien à manger. Lorsqu'on l'en fit sortir, elle retourna une fois de plus chez elle. Son père la renvoya de nouveau et cette fois on la fouetta avant de la jeter au cachot.

On réussit bien sûr finalement à la mater et elle dut endosser la robe de novice, obéir aux règles et apprendre les prières, ce qui ne l'empêchait pas de haïr les nonnes, de mépriser les saints et de ne croire à rien de ce qu'on lui disait sur Dieu. Mais elle sut bientôt lire et écrire, elle apprit la musique, l'arithmétique et le dessin et ajouta le latin et le français à l'anglais qu'elle parlait chez son père.

Au bout du compte, la vie au couvent n'était pas si terrible. Une communauté unisexe, avec ses règles et ses rituels, elle en avait l'habitude. Toutes les religieuses devaient se livrer à quelques travaux matériels et Ellen se vit bientôt chargée de s'occuper des chevaux. Bientôt, on lui confia la responsabilité des écuries.

La pauvreté ne la tracassa jamais. L'obéissance, non sans peine, elle finit quand même par l'apprendre. La troisième règle, celle de chasteté, ne la gêna jamais beaucoup, mais de temps en temps, pour agacer l'abbesse, elle initiait une des autres novices à certains plaisirs...

A ce point du récit, Agnès interrompit Ellen et, emmenant Martha, s'en alla chercher un ruisseau pour laver le visage de l'enfant et nettoyer sa tunique. Elle se fit accompagner d'Alfred aussi pour la protéger, quoiqu'elle n'eût pas l'intention de s'éloigner. Jack s'apprêtait à les suivre, mais Agnès le pria fermement de rester à sa place. Tom comprit qu'Agnès emmenait ses enfants là où ils ne pouvaient plus entendre l'histoire impie et indécente de la jeune femme, tout en laissant Tom dûment chaperonné.

Un jour, poursuivit Ellen, le palefroi de l'abbesse se mit à boiter alors qu'elle se trouvait à plusieurs jours du couvent. Le prieuré de Kingsbridge se trouvant proche, l'abbesse emprunta au prieur un autre cheval. Une fois rentrée au couvent, elle demanda à Ellen d'aller rendre le cheval au prieuré et de ramener le palefroi maintenant guéri.

Là, dans l'écurie du monastère, à l'ombre de la vieille cathédrale croulante de Kingsbridge, Ellen rencontra un jeune homme. On aurait dit un jeune chien battu. Il avait la grâce maladroite d'un chiot et sa vivacité, mais paraissait timide et terrifié comme si on lui avait ôté toute sa gaieté. Lorsqu'elle lui parla, il ne comprit pas. Elle essaya le latin, mais ce n'était pas un moine. Elle finit par lui dire quelque chose en français et le visage du jeune homme s'inonda de joie. Il lui répondit dans la même langue.

Ellen ne revint jamais au couvent.

A compter de ce jour, elle vécut dans la forêt, d'abord dans un abri rudimentaire de branches et de feuillages et plus tard dans une grotte. Elle n'avait pas oublié son apprentissage de garçon manqué : elle savait encore chasser le daim, prendre des lapins au piège et tirer des cygnes à l'arc ; elle était capable de vider une volaille, de nettoyer et de cuire la viande ; elle savait même gratter et tanner les peaux et les fourrures pour s'en faire des vêtements. Outre le gibier, elle se nourrissait de fruits sauvages, de noix et de légumes. Le reste de ce qui leur était nécessaire — du sel, des tissus de laine, une hache ou un couteau neuf — elle devait le voler.

Le pire moment, ce fut quand Jack naquit...

Et le Français ? aurait voulu demander Tom. Était-il le père de Jack ? Dans ce cas, quand était-il mort ? Et comment ? Mais il devina qu'elle ne parlerait pas de cette partie de l'histoire et, comme elle semblait de ces gens qui ne se laisseraient pas persuader contre leur volonté, il garda ses questions.

Cependant le père d'Ellen était mort et sa bande de compagnons dispersée, si bien qu'il ne lui restait ni famille ni ami au monde. Quand Jack fut sur le point de naître, elle prépara un grand feu à l'entrée de sa grotte. Elle avait des vivres et de l'eau à portée de la main, son arc, ses flèches et des couteaux pour éloigner les loups et les chiens sauvages ; elle avait même une lourde cape violette, volée à un évêque, pour envelopper le nouveau-né. Mais elle ne s'attendait pas à la souffrance et à la peur de l'enfantement, et longtemps elle crut qu'elle allait mourir. Le bébé néanmoins naquit robuste et en bonne santé. Ellen survécut.

Ellen et Jack connurent une vie simple et frugale pendant les onze années suivantes. La forêt leur fournissait tout ce dont ils avaient besoin, dès l'instant qu'ils prenaient soin d'emmagasiner assez de pommes, de noix, de venaisons salées ou fumées pour les mois d'hiver. Ellen songeait souvent que, s'il n'y avait pas eu de rois, de seigneurs, d'évêques et de prévôts, tout le monde pourrait vivre ainsi et être parfaitement heureux.

Tom lui demanda comment elle s'arrangeait des autres hors-la-loi, des hommes comme Pharamond Grande Gueule. Et s'ils se glissaient la nuit jusqu'à sa grotte et tentaient de la violer ? demanda-t-il. Ses reins frémissaient à cette pensée, bien qu'il n'eût jamais pris une femme de force, pas même la sienne.

Les autres hors-la-loi avaient peur d'elle, expliqua Ellen à Tom, en le regardant avec ses yeux pâles et lumineux. Il comprit pourquoi : ils la croyaient sorcière. Quant aux gens respectables qui voyageaient à travers la forêt, des gens qui avaient le droit de dépouiller, de violer et de tuer les hors-la-loi sans crainte de châtiment — Ellen simplement les évitait. Pourquoi alors ne s'était-elle pas cachée de Tom ?

Parce qu'elle avait vu une enfant blessée et qu'elle avait voulu la secourir. Elle-même n'avait-elle pas un enfant ?

Elle avait enseigné à Jack tout ce qu'elle avait appris chez son père en matière d'armes et de chasse. Puis elle lui avait enseigné tout ce qu'elle tenait des religieuses : la lecture, l'écriture, la musique et l'arithmétique, le français et le latin, le dessin, même les récits bibliques. Enfin, durant les longues soirées d'hiver, elle lui avait transmis l'héritage du français, et tous les contes, les poèmes et les chansons qu'elle connaissait dans cette langue.

Tom n'arrivait pas à croire que le petit Jack sût lire et écrire. Tom, lui, pouvait écrire son nom et une poignée de mots comme *pence, pied* et *boisseau* ; Agnès, étant la fille d'un prêtre, en savait un peu plus, bien qu'elle écrivît lentement et laborieusement ; quant à Alfred, il était incapable d'écrire un mot et pouvait à peine reconnaître son propre nom ; Martha n'y arrivait pas du tout. Était-ce possible que cet enfant apparemment un peu retardé fût plus instruit que la famille de Tom ?

Ellen demanda à Jack d'écrire quelque chose : il aplanit un petit bout de sol et traça des lettres. Tom reconnut le premier mot, *Alfred*, mais pas les autres, et il se sentit stupide ; Jack alors le sauva de son embarras en lisant la phrase tout haut : « Alfred est plus grand que Jack. » Le jeune garçon dessina rapidement deux silhouettes, l'une plus grande que l'autre, et, bien qu'elles fussent sommairement tracées, l'une avait les épaules larges et une expression un peu bovine tandis que l'autre était petite et souriante. Tom, qui avait lui-même un certain talent de dessinateur, fut stupéfait de la simplicité et de la vigueur des images tracées dans la poussière.

Pourtant l'enfant semblait idiot.

Ellen avait récemment commencé à s'en rendre compte, avoua-t-elle, devinant les pensées de Tom. Jack n'avait jamais eu la compagnie d'autres enfants, ni d'ailleurs d'autres humains, à l'exception de sa mère, et le résultat était qu'il grandissait comme un animal sauvage. Malgré toute son instruction, il ne savait pas se comporter avec les gens. Voilà pourquoi il gardait le silence, fixait les gens et cherchait à attraper tout ce qui passait à sa portée.

En disant cela, pour la première fois, Ellen parut soudain moins sûre d'elle et Tom la vit troublée, presque désespérée. Elle devait, pour Jack, rejoindre la société ; mais comment ? Si elle avait été un homme, elle aurait pu persuader quelque seigneur de lui faire don d'une ferme. Elle aurait pu prétendre, pour le fléchir, qu'elle revenait d'un pèlerinage à Jérusalem ou à Saint-Jacques-de-Compostelle. Les rares femmes qui cultivaient des fermes étaient toujours des veuves avec de grands fils. Aucun seigneur ne donnerait une ferme à une femme seule chargée d'un jeune enfant. Personne ne l'engagerait non plus comme ouvrière, ni à la ville ni à la campagne ; d'ailleurs, elle n'avait pas d'endroit où habiter et il était rare qu'on fournît le logement aux simples manœuvres. Elle n'avait pas d'identité. Tout ce qu'elle pouvait, elle l'avait donné à son enfant et ce n'était pas assez. Tom compatissait à son malheur. Mais il ne voyait pas de solution. Si belle, pleine de ressources et redoutable qu'elle fût, elle était condamnée à passer le restant de ses jours cachée dans la forêt avec son étrange fils...

Agnès, Martha et Alfred revinrent. Tom examina Martha d'un regard anxieux, mais elle ne portait pas trace de blessure grave. Pendant qu'il écoutait Ellen exposer ses problèmes, il avait un peu oublié les siens. Mais la réalité s'imposait : il était sans travail et on lui avait volé son cochon. L'après-midi touchait à sa fin. Il commença à ramasser les affaires qui leur restaient.

« Où allez-vous ? demanda Ellen.

— A Winchester », répondit Tom. La ville comportait plusieurs monastères et — surtout — une cathédrale.

« Salisbury est plus près, dit Ellen. Et la dernière fois que j'y étais, on rebâtissait la cathédrale, on l'agrandissait. »

Tom sentit son cœur bondir. C'était ce qu'il cherchait. Si seulement il pouvait trouver du travail sur le chantier d'une cathédrale, il était persuadé qu'il aurait la possibilité de finir maître bâtisseur.

« Quelle est la route de Salisbury ? demanda-t-il aussitôt.

— Vous revenez sur vos pas pendant une lieue, une lieue et demie. Vous rappelez-vous un embranchement de la route où vous avez pris à gauche ?

— Oui... Auprès d'une mare d'eau croupie.

— C'est cela. La branche de droite mène à Salisbury. »

Ils se séparèrent. Agnès n'éprouvait guère de sympathie pour Ellen, mais elle réussit néanmoins à dire avec grâce : « Merci de m'avoir aidée à soigner Martha. »

Ellen sourit et les regarda partir d'un air pensif. Au bout

de quelques minutes, Tom se retourna. Debout, au milieu de la route, une main en visière au-dessus des yeux, son étrange garçon auprès d'elle, Ellen continuait à les suivre du regard. Tom la salua du bras et elle répondit.

« Une femme intéressante », dit-il à Agnès.

Agnès ne répliqua pas.

« Ce garçon était bizarre », dit Alfred.

Ils avançaient dans le soleil déclinant. Tom se demandait à quoi ressemblait Salisbury, cette ville qu'il ne connaissait pas. Il se sentait excité. Bien sûr, il rêvait de bâtir une nouvelle cathédrale, mais l'occasion se présentait rarement. Il était beaucoup plus courant de trouver une vieille bâtisse qu'on améliorait, qu'on agrandissait ou qu'on retapait en partie. Ce serait assez bon pour l'instant, en attendant la perspective, un jour ou l'autre, de construire suivant ses propres plans.

« Pourquoi l'homme m'a frappée ? dit Martha.

— Parce qu'il voulait voler notre cochon, lui expliqua Agnès.

— Il n'a qu'à avoir un cochon à lui », dit Martha avec indignation, comme si elle venait de comprendre que le hors-la-loi avait fait quelque chose de mal.

Le problème d'Ellen aurait été résolu si elle avait eu un métier, songea Tom. Un maçon, un charpentier, un tisserand ou un tanneur ne se seraient pas trouvés dans sa situation. Ils pouvaient toujours aller en ville chercher du travail. Il existait quelques femmes artisans, en général épouses ou veuves d'artisans.

« Ce qu'il lui faut, dit Tom tout haut, c'est un mari.

— Eh bien, dit sèchement Agnès, elle ne peut pas avoir le mien. »

III

Le jour où ils perdirent le cochon fut aussi le dernier de temps doux. Ils passèrent cette nuit-là dans une grange et, lorsqu'ils en sortirent au petit matin, le ciel était couleur de plomb et il soufflait un vent froid avec des rafales de pluie. Ils déroulèrent leurs manteaux d'épais tissu et se drapèrent dedans, puis ils partirent de méchante humeur, quatre tristes fantômes sous la pluie, leurs sabots de bois faisant gicler l'eau des flaques boueuses.

Tom essayait d'imaginer la cathédrale de Salisbury. En principe, une cathédrale est une église comme une autre, sauf que l'évêque y a son trône. En fait, les églises-cathédrales étaient les plus grandes, les plus riches, les plus grandioses et les plus décorées. Une cathédrale se réduisait rarement à un tunnel avec des fenêtres. La plupart comptaient trois tunnels, un grand flanqué de deux plus petits, comme une tête avec ses épaules, formant une nef avec des bas-côtés. Les murs latéraux du tunnel central devenaient deux rangées de piliers reliés par des arches pour former une arcade. Les bas-côtés servaient aux processions — qui pouvaient être spectaculaires — et abritaient aussi les petites chapelles dédiées à tel ou tel saint et qui attiraient d'importantes donations. Les cathédrales étaient les bâtiments les plus coûteux du monde, bien plus que les palais ou les châteaux forts, et elles devaient subvenir à leurs besoins.

Salisbury était plus proche que Tom ne l'avait cru. Vers le milieu de la matinée, ils franchirent une crête pour trouver une route qui descendait en pente douce devant eux, suivant une large courbe ; et, au-delà des champs balayés par l'averse, se dressant sur la plaine comme un bateau sur un lac, ils découvrirent la ville fortifiée de Salisbury. A travers le rideau de pluie, Tom distingua plusieurs tours, quatre ou cinq, s'élevant au-dessus des murs de la ville. Tant de maçonnerie lui rendit courage.

Quatre routes se rejoignaient au pied de la colline, parmi des maisons qui avaient débordé de l'enceinte de la ville, et ils retrouvèrent là d'autres voyageurs, marchant la tête basse et le dos rond pour gagner l'abri des murs. Un vent froid fouettait la plaine, gelant le visage et les mains.

Sur la pente qui menait à la porte de la ville, ils rencontrèrent un char à bœufs transportant un chargement de pierres, ce qui parut à Tom un excellent signe. Courbé derrière son engin, le charretier poussait de l'épaule, ajoutant sa force à celle des deux bœufs qui gravissaient péniblement la montée. Tom vit là une chance de nouer amitié. Il fit signe à Alfred et tous deux vinrent aider le charretier. Les grandes roues de bois franchirent en grondant un pont de madriers qui enjambait une énorme douve à sec. Les travaux de terrassement étaient formidables : creuser ce fossé et entasser la terre pour former le mur de la ville avait dû demander des centaines d'hommes, songea Tom ; un travail bien plus important même que de creuser les fondations d'une cathédrale.

La pente s'adoucissait et, en approchant de la porte, la charrette avança plus facilement. Le charretier se redressa, Tom et Alfred en firent autant.

« Merci bien à tous les deux, dit l'homme.

— A quoi va servir cette pierre ? demanda Tom.

— A la nouvelle cathédrale.

— Nouvelle ? Je croyais qu'on agrandissait seulement l'ancienne. »

Le charretier hocha la tête. « C'est ce qu'on disait il y a dix ans. Mais aujourd'hui, il y a plus de neuf que de vieux. » Encore une bonne nouvelle.

« Qui est le maître bâtisseur ?

— John de Shaftesbury, mais l'évêque Roger s'occupe beaucoup des plans. »

C'était normal. Les évêques laissaient rarement les maçons faire seuls le travail. Le rôle du maître bâtisseur consistait souvent à calmer les imaginations enfiévrées des clercs et à fixer des limites pratiques à leurs fantaisies. Mais ce devait être John de Shaftesbury qui engageait les hommes.

Le charretier désigna du menton la sacoche de Tom.

« Maçon ?

— Oui. A la recherche de travail.

— Tu en trouveras peut-être, dit le charretier sans s'émouvoir. Sinon à la cathédrale, peut-être au château.

— Qui gouverne le château ?

— Le même Roger est à la fois évêque et gouverneur. »

Bien sûr, se dit Tom. Il avait entendu parler du puissant Roger de Salisbury, un ami du roi depuis toujours.

Ils franchirent la porte et pénétrèrent dans la ville, qui débordait d'animation. Les maisons de bois se pressaient épaule contre épaule, comme des spectateurs à une pendaison. La moindre parcelle de terrain était utilisée : là où on avait bâti deux demeures séparées par une allée, quelqu'un avait édifié dans la ruelle une petite habitation, sans fenêtre parce que la porte occupait presque toute la façade. S'il n'y avait pas de place, même pour la plus étroite maisonnette, on avait installé un étal où l'on vendait de la bière, du pain

50

ou des pommes ; et s'il n'y avait pas de place pour un étal, on trouvait une étable, une porcherie, un tas de fumier ou un tonneau d'eau.

Et que de bruit, aussi ! Vacarme des ateliers, cris des colporteurs vantant leur marchandise, des gens se saluant, discutant et se querellant, tumulte des bêtes hennissantes, aboyantes et combattantes...

D'une voix aiguë pour dominer le brouhaha, Martha demanda :

« Qu'est-ce qui sent si mauvais ? »

Tom sourit. Cela faisait bien deux ans qu'elle n'était pas venue dans une ville. « C'est l'odeur des gens », lui dit-il. La rue était à peine plus large que le char à bœufs, mais le charretier ne voulait pas laisser ses bêtes s'arrêter de crainte qu'elles ne puissent pas repartir ; il les fouettait donc, ignorant tous les obstacles, elles se frayaient obstinément un chemin à travers la multitude, bousculant au passage un chevalier sur son destrier, un forestier avec un arc, un moine bedonnant sur un poney, des hommes d'armes et des mendiants, des ménagères et des prostituées.

Le sol sous leurs pas était une mer de boue et d'ordures. Faute de gouttières, toute la pluie qui tombait sur les toits de cette moitié de la ville s'écoulait dans cette rue. En cas de gros orage, se dit Tom, il doit falloir un bateau pour circuler !

A l'approche du château au sommet de la colline, la rue s'élargissait. Il y avait là des maisons de pierre, dont certaines nécessitaient quelques réparations. Elles appartenaient à des artisans et à des négociants, qui avaient leur boutique et leur magasin au rez-de-chaussée et leur habitation au-dessus. A la quantité et la diversité de marchandises à vendre, Tom devina que c'était une ville prospère.

A côté des instruments indispensables comme les couteaux, on voyait des châles brodés, des ceintures décorées et des boucles d'argent, que seuls pouvaient s'acheter les riches.

Devant le château, le charretier fit tourner sa paire de bœufs vers la droite et Tom le suivit avec sa famille. La rue décrivait un quart de cercle pour contourner les remparts du château fort. Franchissant une autre porte, ils quittèrent le tohu-bohu de la ville aussi brusquement qu'ils y étaient entrés et se trouvèrent dans une autre sorte de maelström :

l'animation frénétique mais ordonnée d'un grand chantier de construction.

Ils étaient à l'intérieur de l'enceinte de la cathédrale, qui occupait tout le quartier nord-ouest de la ville. Tom resta un moment à observer les lieux. Deux charrettes repartaient à vide. Dans des appentis, tous le long des murs latéraux de l'église, on pouvait voir des maçons sculpter des blocs de pierre avec des ciseaux et de grands maillets pour leur donner la forme de plinthes, de colonnes, de chapiteaux, de piliers, d'arcs-boutants, de voûtes, de fenêtres, de tourelles et de parapets. Au beau milieu de l'enceinte, à l'écart des autres bâtiments, se dressait la forge, dont on voyait la lueur du feu par la porte ouverte ; et le fracas du marteau sur l'enclume retentissait tandis que le forgeron fabriquait de nouveaux outils pour remplacer ceux que les maçons étaient en train d'user. Là où la plupart des gens n'auraient vu qu'une scène chaotique, Tom perçut un vaste et complexe mécanisme qu'il brûlait d'envie de contrôler. Il savait ce que chaque homme faisait et il voyait aussitôt comment le travail avait progressé : on était en train de construire la façade est.

Du côté est, une série d'échafaudages montait jusqu'à vingt-cinq ou trente pieds. Les maçons, sous le portail, attendaient que la pluie cesse, mais leurs manœuvres montaient et descendaient les échelles, des pierres sur l'épaule. Plus haut, dans la charpente du toit, on apercevait les couvreurs, comme des araignées sur une gigantesque toile de bois, occupés à clouer des feuilles de plomb sur les entretoises et à installer des gouttières et des tuyaux d'écoulement.

Tom se rendit compte, à regret, que la construction était presque terminée. Si on l'engageait ici, le travail ne durerait guère plus de deux ans — pas assez de temps pour arriver à la position de maître maçon, encore moins de maître bâtisseur. Il accepterait pourtant le travail si on le lui offrait, car le froid arrivait. Sans le cochon, sa famille et lui ne survivraient pas à un hiver de chômage.

Ils suivirent la charrette jusqu'à l'endroit où l'on entassait les pierres. Les bœufs plongèrent avec délices leurs têtes dans l'auge.

« Où est le maître bâtisseur ? demanda le charretier à un maçon qui passait.

— Au château. »

Le charretier se tourna vers Tom. « Tu le trouveras sans doute au palais de l'évêque.

— Merci.

— Merci à toi. »

Tom s'éloigna, suivi d'Agnès et des enfants. Ils revinrent sur leurs pas par les rues étroites et grouillantes jusque devant le château. Une autre douve asséchée et un second grand rempart de terre entouraient le bastion central. Ils franchirent un pont-levis. Dans un poste de garde, un homme trapu, vêtu d'une tunique de cuir, était assis sur un tabouret, à regarder la pluie. Il portait une épée. Tom s'adressa à lui. « Bien le bonjour. On m'appelle Tom le Bâtisseur. Je voudrais voir le maître bâtisseur, John de Shaftesbury.

— Avec l'évêque », dit le garde d'un ton indifférent.

Ils entrèrent. Comme la plupart des châteaux forts, c'était une collection de bâtiments hétéroclites regroupés à l'intérieur d'un mur de terre. La cour avait une cinquantaine de toises de large. En face de la porte, tout au fond, se dressait le donjon massif, dernier refuge en cas d'attaque, qui s'élevait bien au-dessus des remparts pour servir de tour de guet. Sur leur gauche, des bâtiments bas pour la plupart en bois : une longue écurie, une cuisine, une boulangerie et plusieurs magasins. Il y avait un puits au milieu. Sur la droite, occupant presque toute la moitié nord de l'enceinte, une grande maison de pierre — de toute évidence le palais, comportant deux étages et bâti dans le même style que la nouvelle cathédrale, avec des portes et des fenêtres au faîte arrondi. Un palais tout neuf : d'ailleurs les maçons travaillaient encore dans un coin, à construire une tour semblait-il. Une foule de gens allait et venait, se hâtant sous l'averse, d'un bâtiment à un autre : hommes d'armes, prêtres, marchands, ouvriers et serviteurs du palais.

Tom aperçut plusieurs portes, toutes ouvertes malgré la pluie. Il ne savait trop quoi faire. Si le maître bâtisseur parlait avec l'évêque, peut-être ne fallait-il pas les interrompre. D'un autre côté, un évêque n'est pas un roi ; et Tom était un homme libre et un maçon, non un humble serf venu faire ses doléances. Il décida de se montrer audacieux. Laissant là Agnès et Martha, il traversa avec Alfred la cour boueuse et entra par la première porte.

Ils se retrouvèrent dans une petite chapelle avec un plafond en voûte et une fenêtre tout au fond au-dessus de l'autel. Près de l'entrée, un prêtre, assis à un bureau, écrivait rapidement sur du parchemin. Il leva la tête.

« Où est maître John ? demanda Tom.

— Dans la sacristie », dit le prêtre en désignant de la tête une porte dans le mur de côté.

Tom ne se fit pas annoncer : ainsi ne risquait-il pas d'attendre. En deux enjambées, il traversa la petite chapelle et entra dans la sacristie.

C'était une petite pièce carrée éclairée par de nombreuses chandelles et presque entièrement occupée par une fosse emplie de sable qu'on avait soigneusement aplani avec une règle. Deux hommes se trouvaient dans la pièce. Ils jetèrent un bref coup d'œil à Tom, avant de reporter leur attention sur le sable. L'évêque, un vieil homme ridé aux yeux noirs étincelants, y traçait un dessin avec le bout d'un bâton. Le maître bâtisseur, en tablier de cuir, l'observait d'un air patient et sceptique.

Tom attendit. Il devait faire bonne impression : être courtois mais pas obséquieux et montrer son savoir sans faire preuve d'outrecuidance. Un maître artisan exigeait de ses subordonnés l'obéissance aussi bien que le talent, Tom le savait par expérience.

L'évêque Roger esquissait un bâtiment à deux étages avec de grandes fenêtres sur trois côtés. Il dessina aussi une élévation, puis ayant terminé, conclut : « Voilà. »

John se tourna vers Tom : « Qu'est-ce que c'est ? » Tom fit semblant de croire qu'on lui demandait son avis. Il dit aussitôt : « On ne peut pas avoir des fenêtres aussi grandes dans un magasin. »

L'évêque le regarda d'un air irrité. « C'est un bureau, pas un magasin.

— Il s'écroulera quand même.

— Il a raison, dit John.

— Mais il faut de la lumière pour écrire. »

John haussa les épaules et se tourna vers Tom.

« Qui es-tu ?

— Mon nom est Tom et je suis maçon.

— Je m'en doutais. Qu'est-ce qui t'amène ici ?

— Je cherche du travail. » Tom retint son souffle.

John aussitôt secoua la tête. « Je ne peux pas t'engager. » Tom sentit son cœur se serrer. Il avait envie de disparaître, mais il attendit poliment pour entendre les raisons de ce refus.

« Cela fait dix ans que nous construisons ici, poursuivit John. La plupart des maçons ont des maisons en ville. Nous arrivons au bout et j'ai aujourd'hui plus de maçons sur le chantier que je n'en ai vraiment besoin. »

Tom savait que c'était sans espoir, mais il demanda quand même : « Et le palais ?

— Même chose, dit John. C'est là que j'utilise les hommes que j'ai en trop. Sans ce chantier et les autres châteaux de l'évêque Roger, je congédierais déjà des hommes. »

Tom hocha la tête. D'une voix neutre, essayant de cacher sa déception, il demanda : « Savez-vous s'il y a du travail quelque part ?

— Au début de l'année, on construisait au monastère de Shaftesbury. Ce n'est peut-être pas fini. Il faut compter une journée de voyage.

— Merci. » Tom s'apprêta à partir.

« Je suis désolé, lui lança John. Tu m'as l'air d'un brave homme. »

Tom sortit sans répondre, très déçu. Il s'était excité à l'idée de travailler de nouveau à une cathédrale. Peut-être maintenant allait-il devoir se contenter du monotone mur d'une ville ou d'une vilaine maison pour un quelconque orfèvre.

Il redressa les épaules, en traversant la cour du château, pour aller retrouver Agnès qui l'attendait avec Martha. Il ne lui montrait jamais sa déception. Il essayait toujours de donner l'impression que tout allait bien, qu'il maîtrisait la situation et que peu importait s'il n'y avait pas de travail ici parce qu'il en trouverait sûrement dans la ville suivante, ou dans celle d'après. Il savait que, s'il manifestait le moindre signe de désarroi, Agnès l'obligerait à se fixer quelque part, ce qu'il ne voulait surtout pas, sauf dans une ville où devait se bâtir une cathédrale.

« Il n'y a rien pour moi ici, dit-il à Agnès. Repartons. »

Elle parut déconfite. « On croirait pourtant, avec une cathédrale et un palais en construction, qu'il y aurait place pour un maçon de plus.

— Les deux bâtiments sont presque finis, expliqua Tom. Les hommes sont plus nombreux que nécessaire. »

Tous les quatre, ils traversèrent le pont-levis et replongèrent dans les rues encombrées de la ville. Entrés à Salisbury par la porte est, ils en repartiraient par la porte ouest, car c'était la direction de Shaftesbury. Tom prit à droite, les entraînant dans la partie de la ville qu'ils n'avaient pas encore vue.

Il s'arrêta devant une maison de pierre qui semblait avoir grand besoin de réparations. Le mortier qu'on avait utilisé, trop faible, s'effritait. Le gel avait fait craquer certaines des pierres. Si l'on attendait un hiver de plus, les dégâts seraient pires. Ton décida d'en avertir le propriétaire.

On entrait au rez-de-chaussée par une grande voûte. La porte de bois était ouverte. Assis sur le seuil, un artisan, un marteau dans la main droite et un poinçon dans la gauche, sculptait le motif complexe d'une selle de bois posée sur l'établi devant lui. Tom apercevait au fond des réserves de bois et de cuir, et un garçon occupé à balayer les copeaux.

« Bien le bonjour, maître sellier », dit Tom.

Le sellier leva les yeux, rangea Tom dans la catégorie des hommes capables de fabriquer eux-mêmes leur selle s'ils en avaient besoin et lui fit un petit salut de la tête.

« Je suis bâtisseur, reprit Tom, je crois que vous avez besoin de mes services.

— Pourquoi donc ?

— Votre mortier s'effrite, vos pierres se fendent et votre maison ne durera peut-être pas un autre hiver. »

Le sellier secoua la tête. « Cette ville est pleine de maçons. Pourquoi emploierais-je un étranger ?

— Très bien, fit Tom. Dieu soit avec vous.

— Je l'espère, dit le sellier.

— Un bien grossier personnage », murmura Agnès à Tom en s'éloignant.

La rue les amena sur la place du marché. Là, dans une mer de boue d'un demi-arpent, les paysans de la campagne avoisinante échangeaient leurs maigres surplus de viande, de grain, de lait ou d'œufs pour ce dont ils avaient besoin et qu'ils ne pouvaient pas faire eux-mêmes : casseroles, socs de charrue, cordes et sel. Les marchés, d'ordinaire, étaient pittoresques et animés. On y marchandait avec entrain, on échangeait des railleries d'un éventaire à l'autre, on voyait passer parfois un ménestrel ou un groupe de jongleurs, des putains aux visages peints et peut-être un soldat mutilé qui parlait des déserts d'Orient et de hordes de Sarrasins déchaînés. Ceux qui avaient fait une bonne affaire cédaient souvent à la tentation de fêter l'aubaine et dépensaient leurs bénéfices en bière, si bien que vers midi l'atmosphère s'échauffait. D'autres perdaient leurs pennies aux dés, ce qui provoquait des bagarres. Mais, aujourd'hui, par une matinée de pluie, la moisson de l'année vendue ou engrangée, le marché était calme. Des paysans trempés discutaient sans animation avec des marchands frissonnants et tous ne pensaient qu'à rentrer chez eux devant un bon feu.

La famille de Tom traversa cette foule peu joyeuse, sans se soucier des appels peu convaincants du marchand de saucisses et du rémouleur. Ils étaient presque arrivés de l'autre côté de la place quand Tom aperçut son cochon.

Il fut si surpris que tout d'abord il n'en crut pas ses yeux. Puis Agnès s'écria : « Tom ! Regarde ! » et il comprit qu'elle l'avait vu aussi.

Aucun doute : il connaissait ce porc. La bête était tenue d'une main ferme par un homme dont le teint fleuri et la large panse désignaient quelqu'un qui mange toute la viande dont il a besoin et même davantage : un boucher sans doute. Tom et Agnès demeuraient plantés là à le dévisager et, comme ils lui barraient le chemin, il ne put les éviter.

« Eh bien ? » dit-il, surpris de leur attitude et impatient de passer son chemin.

Ce fut Martha qui rompit le silence. « C'est notre cochon ! dit-elle, tout excité.

— Parfaitement », dit Tom, en regardant le boucher droit dans les yeux.

A l'expression furtive qui traversa le visage de l'homme, Tom comprit qu'il savait que le porc avait été volé. Mais il répliqua :

« Je viens de le payer cinquante pence et ça en fait mon cochon.

— Je ne sais pas à qui vous avez donné votre argent, mais le cochon n'était pas à cette personne. Voilà pourquoi vous l'avez eu si bon marché. A qui l'avez-vous acheté ?

— A un paysan.

— Que vous connaissez ?

— Non. Écoutez, je suis le boucher de la garnison. Je ne peux pas demander à chaque fermier qui me vend un porc ou une vache de me trouver douze hommes pour jurer que la bête lui appartient bien. »

L'homme fit mine de s'en aller, mais Tom le saisit par le bras et l'arrêta. Le boucher un moment parut furieux, puis il réfléchit : s'il se lançait dans une bagarre il devrait lâcher le cochon ; les adversaires s'en empareraient et l'équilibre des forces changerait aussitôt. Ce serait au boucher de prouver ses titres de propriété. Il se maîtrisa donc : « Si vous voulez porter une accusation, adressez-vous au prévôt. »

Tom considéra l'idée un instant, puis l'écarta. Il n'avait pas de preuves. « A quoi ressemblait, demanda-t-il, l'homme qui vous a vendu mon cochon ? »

Le boucher répondit sans se compromettre : « A n'importe qui.

— Gardait-il la bouche couverte ?

— Maintenant que j'y pense, en effet.

— C'était un hors-la-loi cachant une mutilation, expliqua Tom. J'imagine que vous n'y avez pas pensé.

— Il pleut à verse, protesta le boucher. Tout le monde est emmitouflé.

— Dites-moi juste depuis combien de temps il vous a quitté.

— A l'instant.

— Et où allait-il ?

— A mon avis, dans une taverne.

— Pour dépenser mon argent, dit Tom, écœuré. Bon, passez votre chemin. On vous volera peut-être un jour et vous regretterez alors que tant de gens soient prêts à conclure un marché sans poser de questions. »

Le boucher, l'air rageur, hésita comme s'il voulait répliquer ; puis il se ravisa et disparut.

« Pourquoi l'as-tu laissé partir ? fit Agnès.

— Parce qu'il est connu ici et moi pas, dit Tom. Si je me bats avec lui, je serai dans mon tort. Comme le cochon n'a pas mon nom écrit sur son cul, qui va dire si c'est le mien ou non ?

— Mais toutes nos économies...

—- Nous pouvons encore remettre la main sur l'argent du cochon, dit Tom. Tais-toi et laisse-moi réfléchir. »

L'altercation avec le boucher l'avait mis en colère et c'est Agnès qui en faisait les frais. « Quelque part dans cette ville il y a un homme qui n'a plus de lèvres et cinquante pennies d'argent dans sa poche. Il suffit de le trouver et de lui reprendre l'argent.

— Très bien, dit Agnès avec détermination.

— Tu vas retourner d'où nous venons. Va jusqu'à l'enceinte de la cathédrale. Moi, je passerai de l'autre côté. Puis nous reprendrons la rue suivante et ainsi de suite. S'il n'est pas dehors, il est dans une taverne. Si tu le vois, reste auprès de lui et envoie Martha me chercher. Je vais prendre Alfred avec moi. Tâche que le hors-la-loi ne te voie pas.

— Ne t'inquiète pas, dit Agnès. Je veux cet argent pour nourrir mes enfants. »

Tom lui toucha le bras et sourit : « Tu es une lionne, Agnès. »

Elle le regarda un moment dans les yeux, puis soudain se dressa sur la pointe des pieds et lui planta sur la bouche un baiser bref et violent. Ensuite, elle s'en fut, Martha sur ses talons. Tom la regarda disparaître, inquiet pour elle malgré son courage ; à son tour, il s'éloigna dans la direction opposée avec Alfred.

Tom marchait à pas lents dans la rue boueuse, essayant de prendre un air nonchalant tout en jetant un coup d'œil à toutes les portes ouvertes. Il tenait à ne pas se faire remarquer, car cet épisode pouvait se terminer dans la violence et il ne voulait pas que les gens gardent le souvenir d'un grand maçon arpentant la ville. La plupart des maisons étaient des taudis ordinaires, de bois, de boue et de chaume, avec de la paille sur le sol, un foyer au milieu et quelques meubles rudimentaires. Un tonneau et des bancs faisaient une taverne ; un lit dans un coin, masqué par un rideau, annonçait la présence d'une prostituée ; une foule bruyante autour d'une table signalait une partie de dés.

Une femme aux lèvres peintes en rouge lui dévoila ses seins, mais il secoua la tête et hâta le pas. Il était secrètement curieux de faire l'amour à une parfaite inconnue, en plein jour, et de payer pour cela, mais de toute sa vie il n'avait jamais essayé.

Il repensa à Ellen, la hors-la-loi. Il y avait quelque chose d'intrigant chez elle. Elle était extrêmement séduisante, mais son regard intense l'intimidait. Il eut soudain la brusque et folle envie de retourner dans la forêt pour la retrouver et l'étreindre.

Il parvint à l'enceinte de la cathédrale sans avoir vu le voleur. Il observa les plombiers qui clouaient le plomb au toit triangulaire au-dessus de la nef. Ils n'avaient toujours pas commencé la couverture des appentis sur les bas-côtés de l'église et l'on pouvait encore distinguer les demi-arcs de soutien qui reliaient le bord extérieur du bas-côté au mur principal de la nef, en soutenant la partie supérieure de l'église. Il les montra à Alfred. « Sans ces soutiens, le mur de la nef s'inclinerait vers l'extérieur et s'effondrerait sous la pression des voûtes de pierre », expliqua-t-il. Alfred n'eut pas l'air de comprendre. Tom soupira.

Il aperçut Agnès qui arrivait du côté opposé et son esprit revint à ses problèmes immédiats. Le capuchon de sa femme dissimulait son visage, mais il la reconnut à son geste assuré. Des manœuvres aux larges épaules s'écartaient pour la laisser passer. Si elle tombait sur le hors-la-loi et s'il y avait bataille, se dit-il, ce serait un combat assez équilibré.

« Tu l'as vu ? demanda-t-elle.

— Non. De toute évidence, toi non plus. » Tom espérait que le voleur n'avait pas encore quitté la ville. Il n'allait sûrement pas partir sans avoir dépensé quelques-uns de ses pennies. L'argent ne servait à rien dans la forêt.

Agnès faisait le même raisonnement. « Il est ici, quelque part. Continuons à chercher.

— Nous allons revenir par des rues différentes et nous retrouver sur la place du marché. »

Tom et Alfred retournèrent sur leurs pas et sortirent de l'enceinte. La pluie maintenant pénétrait à travers leurs manteaux et Tom un moment songea à une chope de bière et à un bol de bouillon auprès du feu d'une taverne. Puis il pensa au mal qu'il s'était donné pour acheter le cochon, il revit l'homme sans lèvres brandir sa massue au-dessus de la tête innocente de Martha. Sa colère l'enflamma.

On pouvait difficilement entreprendre une fouille systématique car il n'y avait pas d'ordre dans les rues. Ils erraient çà et là au gré des nombreux tournants et ruelles en impasse. L'artère droite était celle qui menait de la porte est au pont-levis du château. Ils exploraient maintenant les faubourgs, les quartiers les plus pauvres avec les bâtiments les plus délabrés, les tavernes les plus bruyantes et les prostituées les plus âgées. La lisière de la ville se trouvant en contrebas du centre, les ordures des quartiers plus riches dévalaient les rues pour se loger au pied des murs. Il semblait en être de même des habitants, car ce quartier avait plus que sa part de mutilés et de mendiants, d'enfants affamés, de femmes meurtries et d'ivrognes agressifs.

Mais pas trace de l'homme sans lèvres.

Par deux fois, Tom repéra un individu qui avait à peu près sa silhouette et regarda de plus près, pour constater que son visage était normal. Il se retrouva sur la place du marché où Agnès l'attendait avec impatience. « Je l'ai trouvé ! » murmura-t-elle.

Tom sentit une vague d'excitation mêlée d'appréhension. « Où ?

— Il est entré dans une rôtisserie près de la porte est.

— Conduis-moi. »

Ils contournèrent le château jusqu'au pont-levis, descendirent la rue droite qui menait à la porte, puis s'engagèrent dans un dédale de ruelles au pied des murs. Tom aperçut la rôtisserie. Ce n'était même pas une maison, rien qu'un toit en pente sur quatre poteaux, accolé au mur de la ville, avec, au fond, un grand feu devant lequel un mouton tournait sur une broche. Il était environ midi et l'endroit fourmillait de monde, des hommes surtout. Il repéra aussitôt le voleur, assis sur un tabouret, un peu à l'écart, en train de manger une écuelle de ragoût à la cuiller, le visage en partie dissimulé par une écharpe.

Tom se détourna aussitôt pour ne pas se faire voir. Il lui fallait maintenant décider de la façon de s'y prendre. Dans sa rage, il aurait bien assommé le hors-la-loi avant de lui prendre sa bourse. Mais la foule ne le laisserait pas partir. Il devrait s'expliquer, pas simplement devant les badauds, mais devant le prévôt. Bien sûr, Tom était dans son droit. Du fait que le voleur était un hors-la-loi, il ne trouverait personne pour se porter garant de son honnêteté, alors que Tom était de toute évidence un homme respectable, un maçon. Mais établir tout cela prendrait du temps, peut-être des semaines si le prévôt se trouvait dans une autre partie du comté ; on pourrait aussi accuser Tom de troubler l'ordre public s'il déclenchait une bagarre.

Non. Il serait plus sage de prendre le voleur tout seul.

L'homme ne passerait sûrement pas la nuit en ville, car il n'avait pas de domicile et il ne trouverait pas à se loger sans donner quelques preuves de sa respectabilité. Il lui faudrait donc partir avant la fermeture des portes à la tombée de la nuit.

Et il n'y avait que deux portes.

« Il va sans doute repartir par où il est venu, dit Tom à Agnès. J'attendrai devant la porte est. Qu'Alfred surveille la porte ouest. Toi, reste en ville et surveille ce qu'il fait. Garde Martha avec toi, mais qu'il ne la voie pas. Si tu as besoin de m'envoyer un message ou de prévenir Alfred, sers-toi de Martha.

— Très bien, dit Agnès d'une voix tendue.

— Qu'est-ce que je fais, dit Alfred, s'il passe de mon côté ? » Il avait l'air tout excité.

« Rien, dit Tom, d'un ton ferme. Regarde quelle route il prend, puis attends. Martha viendra me chercher et à nous deux nous le prendrons. » Alfred semblait déçu et Tom reprit : « Fais comme je te dis. Je ne veux pas perdre mon fils en plus de mon cochon. »

Alfred acquiesça à regret.

« Séparons-nous avant qu'il ne nous remarque. Va. »

Tom s'éloigna aussitôt sans se retourner. Il pouvait compter sur Agnès pour mettre le plan à exécution. Il se hâta vers la porte est et quitta la ville, franchissant la passerelle de bois branlante sur laquelle il avait ce matin même poussé le char à bœufs. Juste devant lui, c'était la route de Winchester, droit vers l'est, comme un long tapis déroulé sur les collines et les vallées. Sur sa gauche, la route par laquelle Tom — et sans doute le voleur — était arrivé à Salisbury s'enroulait autour d'une colline et disparaissait. C'était presque certainement celle que prendrait le malandrin.

Tom descendit la colline et traversa les maisons groupées à l'embranchement, puis tourna à gauche. Il avait besoin de se cacher. Il suivit la route, cherchant un endroit convenable, parcourut une centaine de toises sans rien trouver, jusqu'au moment où il s'aperçut qu'il était allé trop loin. Il ne pouvait plus distinguer les visages des gens à l'embranchement, et il ne saurait donc pas si l'homme sans lèvres prendrait ou non la route de Winchester. Il inspecta de nouveau le paysage. La route était bordée de chaque côté par des fossés qui auraient pu fournir des cachettes par temps sec mais qui, aujourd'hui, débordaient. Du côté sud de la route, quelques vaches broutaient le chaume. Tom remarqua une bête couchée au bord du champ, dominant la route et en partie dissimulée par le talus qui le longeait. Avec un soupir, il revint sur ses pas. Il sauta le fossé et d'un coup de pied délogea la vache. Tom s'allongea à la place tiède et sèche qu'elle avait abandonnée. Il tira son capuchon sur son visage et s'installa pour attendre, regrettant de ne pas avoir pensé à acheter du pain avant de quitter la ville.

Il était inquiet et un peu effrayé. Le hors-la-loi était plus petit, mais vif et mauvais, comme il l'avait montré en assommant Martha et en volant le cochon. Tom espérait qu'Agnès et Martha ne couraient aucun danger. Agnès pouvait se débrouiller seule, il le savait ; d'ailleurs, même si le hors-la-loi la repérait, il ne l'attaquerait pas. En revanche, il se méfierait.

De son poste, Tom apercevait les tours de la cathédrale. Il regrettait de ne pas avoir trouvé un moment pour en visiter l'intérieur, voir comment étaient traitées les arcades. D'ordinaire de gros piliers supportaient des arcs partant du sommet : deux arcs nord-sud pour faire le lien avec les piliers voisins de l'arcade ; un arc est-ouest en travers du bas-côté. Ce n'était pas très joli. Quand Tom bâtirait une cathédrale, chaque colonne serait un bouquet de tiges, avec un arc jaillissant du haut de chacune d'elles.

Il commença à se représenter la décoration des arcs. Les formes géométriques étaient les plus courantes, mais Tom aimait bien les feuillages qui donnaient de la douceur à la dure régularité des pierres.

La cathédrale imaginaire lui occupa l'esprit jusqu'au milieu de l'après-midi. C'est alors qu'il vit la frêle silhouette et la tête blonde de Martha s'avancer sur le pont, hésiter au carrefour, puis prendre la route de gauche. Tom la regarda marcher vers lui, la vit hésiter, comme si elle cherchait à se repérer. Lorsqu'elle arriva à sa hauteur, il l'appela doucement. Elle poussa un petit cri, puis l'aperçut et se précipita vers lui. « Maman t'a envoyé ça », dit-elle en prenant quelque chose sous son manteau.

C'était un pâté chaud à la viande. « Par la Croix, ta mère est une bonne femme ! » dit Tom en engloutissant une énorme bouchée.

Martha s'accroupit sur l'herbe auprès de Tom. « Voici ce qui est arrivé à l'homme qui a volé notre cochon », dit-elle. Elle plissa le nez et fit un effort pour se rappeler ce qu'on l'avait chargée de dire. Elle était si mignonne ! Tom en était ému. « Il est sorti de la rôtisserie, il a rencontré une dame au visage peint et il est entré dans sa maison. Nous avons attendu dehors. »

Pendant que le hors-la-loi dépensait notre argent avec une putain, songea Tom amèrement. « Continue.

— Il n'est pas resté longtemps chez la dame et, quand il est sorti, il est allé dans une taverne. C'est là qu'il est maintenant. Il ne boit pas beaucoup mais il joue aux dés.

— J'espère qu'il gagne, grommela Tom. Ensuite ?

— C'est tout.

— As-tu faim ?

— J'ai eu un beignet.

— As-tu raconté tout cela à Alfred ?

— Pas encore. Je vais aller le trouver maintenant.

— Dis-lui qu'il doit essayer de rester au sec.

— Essayer de rester au sec, répéta-t-elle. J'aime bien ce jeu. »

Elle lui fit un geste de la main et partit en courant vers la ville. Tom la regardait, le cœur plein d'amour et de colère. Agnès et lui avaient travaillé dur pour avoir de quoi nourrir leurs enfants, et il était prêt à tuer pour reprendre ce qu'on leur avait volé.

Peut-être le hors-la-loi serait-il prêt à tuer aussi. Ce n'était peut-être pas la première fois que Pharamond Grande Gueule rencontrait l'une de ses victimes. Ce devait être un homme dangereux.

Le jour commença à décliner anormalement tôt, comme cela arrivait parfois par les pluvieux après-midi d'automne. Tom commençait à s'inquiéter en se demandant s'il reconnaîtrait le voleur sous la pluie. Avec le soir tombant, la circulation diminua, car la plupart des visiteurs étaient partis à temps pour regagner leurs villages avant la tombée de la nuit. Tom, pris de pessimisme, se demanda si le voleur n'allait pas, après tout, passer la nuit en ville. Peut-être avait-il dans la place des amis malhonnêtes prêts à le loger, même le sachant hors-la-loi...

Là-dessus, Tom aperçut un homme avec un foulard sur la bouche.

Il traversait la passerelle de bois en compagnie de deux autres hommes. Tom songea soudain que les complices du voleur, le chauve et l'homme au bonnet vert, étaient peut-être venus à Salisbury avec lui. Il ne les avait pas vus en ville, mais peut-être s'étaient-ils séparés un moment avant de se retrouver pour le voyage de retour. Tom jura sous cape. Il ne pensait pas pouvoir se battre seul contre trois. Mais, comme ils approchaient, le groupe se sépara et Tom comprit avec soulagement qu'ils n'étaient pas ensemble.

Ils prirent la route de gauche et l'homme à l'écharpe suivit.

En le voyant approcher, il étudia la démarche du voleur. Il n'avait pas l'air ivre. Dommage.

Jetant un coup d'œil du côté de la ville, il vit une femme et une fillette apparaître sur la passerelle ; Agnès et Martha.

Il fut consterné. Il n'avait pas envisagé leur présence lorsqu'il affronterait son homme. Mais il ne leur avait pas donné d'instructions contraires.

Les deux paysans passèrent, parlant chevaux. Tom prit à sa ceinture son marteau à tête de fer et le souleva dans sa main droite. Il détestait les voleurs qui au lieu de travailler prenaient le pain des braves gens. Il n'aurait aucun scrupule à frapper celui-ci avec son marteau.

L'autre parut ralentir, presque comme s'il sentait le danger. Tom attendit qu'il fût à quatre ou cinq pas puis il dévala le talus, franchit d'un bond le fossé et se planta devant lui.

L'homme s'arrêta net et le dévisagea. « Qu'est-ce que c'est ? » dit-il nerveusement.

Il ne me reconnaît pas, se dit Tom. « Tu as volé mon cochon hier et aujourd'hui tu l'as vendu à un boucher, déclara-t-il.

— Je n'ai jamais...

— Ne nie pas, fit Tom. Donne-moi juste l'argent que tu en as tiré et je ne te ferai pas de mal. »

Il crut un moment que le voleur allait obéir sans discuter. Hélas ! L'homme se retourna brusquement et se mit à courir — droit vers Agnès.

Il n'allait pas assez vite pour la renverser et tous deux trébuchèrent quelques instants dans une sorte de danse maladroite. Puis, quand il comprit qu'elle lui barrait délibérément le chemin il la poussa de côté. Alors, elle tendit la jambe ; son pied se glissa entre les genoux de l'homme et tous deux tombèrent.

Tom se précipita. Le voleur se relevait, un genou sur le dos d'Agnès. Tom l'empoigna par le col et le traîna jusqu'au bord de la route avant qu'il ait pu retrouver son équilibre puis il le jeta dans le fossé.

Agnès se releva. Martha se précipita sur elle.

« Ça va ? dit brièvement Tom.

— Oui », répondit Agnès.

Les deux paysans s'étaient arrêtés et contemplaient la scène, curieux. Le voleur était à genoux dans le fossé. « C'est un hors-la-loi, leur cria Agnès. Il a volé notre cochon. » Les paysans ne répondirent pas mais attendirent la suite.

Tom s'adressa de nouveau au voleur. « Donne-moi mon argent et je te laisserai partir. »

L'homme jaillit du fossé, un couteau à la main, vif comme un rat, et chercha la gorge de Tom. Agnès poussa un hurlement. Tom esquiva le coup. Le couteau lui effleura le visage et il sentit une douleur cuisante à la mâchoire.

Il recula et balança son marteau au moment où le couteau plongeait de nouveau. Le voleur sauta en arrière. Couteau et marteau glissèrent dans l'air humide du soir sans rien toucher.

Un instant les deux hommes restèrent immobiles, face à face, le souffle court. Tom sentait une douleur à la joue. Au fond, les forces s'équilibraient, car, si lui était plus fort, le voleur avait un couteau, arme plus redoutable qu'un marteau de maçon. Il sentit le froid de la peur en comprenant qu'il allait peut-être mourir.

Du coin de l'œil, il perçut un brusque mouvement. Le voleur le vit aussi et baissa la tête au moment où une pierre jaillissait vers lui.

Tom réagit avec la rapidité d'un homme qui craint pour sa vie et abattit son marteau sur la tête penchée du voleur.

L'homme fut touché au moment où il se relevait. Le fer du marteau lui frappa le front à la racine des cheveux. Mais c'était un coup précipité et où Tom n'avait pas mis toute sa force. Le voleur trébucha sans tomber.

Tom frappa encore.

Ce coup-là était plus dur. Tom avait eu le temps de lever le marteau au-dessus de sa tête et de viser. Tom pensa à Martha en abattant son outil. Il frappa de toutes ses forces et le voleur s'écroula sur le sol comme une poupée qu'on a lâchée.

Tom était trop tendu pour éprouver le moindre soulagement. Il s'agenouilla auprès du voleur et se mit à le fouiller. « Où est sa bourse ? Où est sa bourse, damnation ! » Le corps inerte était difficile à bouger. Tom finit par l'allonger sur le dos et ouvrit son manteau. Une grosse bourse de cuir pendait à sa ceinture. A l'intérieur il y avait un petit sac de laine avec un cordon. Tom l'ouvrit : « Vide ! s'écria-t-il. Il doit en avoir une autre. »

Il dépouilla l'homme de son manteau et le palpa avec soin. Pas de poche cachée, rien de dur sous les doigts. Il lui ôta ses bottes : rien à l'intérieur. Il prit son couteau et fendit les semelles : rien.

D'un geste impatient, il glissa la lame de son couteau

sous le col de la tunique de laine du voleur et la lacéra du haut en bas. Pas de ceinture où cacher de l'argent.

Le voleur gisait dans la boue, n'ayant plus pour vêtement que ses chaussettes. Les deux paysans regardaient Tom comme s'il était fou. Furieux, il dit à Agnès : « Il n'a pas d'argent !

— Il a dû tout perdre aux dés, dit-elle d'un ton amer.

— J'espère qu'il brûlera dans les flammes de l'enfer », dit Tom.

Agnès s'agenouilla et tâta la poitrine du voleur. « Il y est déjà, annonça-t-elle. Tu l'as tué. »

IV

Avec Noël vint la famine.

L'hiver apparut tôt — les pommiers portaient encore quelques fruits — aussi glacial, dur et inexorable que le ciseau d'un tailleur de pierre. Les gens parlèrent d'un coup de froid, croyant qu'il serait bref. Mais il ne le fut pas. Les fermiers qui attendirent trop pour labourer brisèrent le soc de leurs charrues sur la terre dure comme du roc. Les paysans se hâtèrent de tuer leurs porcs et de les saler pour l'hiver, et les seigneurs abattirent leur bétail car les pâturages d'hiver ne permettaient pas de nourrir autant de têtes qu'en été. Mais le froid sans fin dessécha l'herbe et certaines des bêtes qui restaient moururent quand même. Les loups désespérés faisaient irruption dans les villages au coucher du soleil pour emporter des poulets décharnés et des enfants apeurés. Sur les chantiers de construction, dans tout le pays, sitôt que frappa le premier froid, les murs construits cet été-là furent précipitamment couverts de paille et de crottin pour les isoler car le mortier n'était pas encore complètement sec. Certains des maçons, engagés seulement pour l'été, regagnèrent leur village où ils allaient passer l'hiver à fabriquer des socles, des selles, des harnais, des charrettes, des pelles, des portes et tout ce qui exigeait une main habile à manier le marteau, le ciseau et la scie. Tom et sa famille se rendirent de Salisbury à Shaftesbury, et de là à Sherborne, Wells, Bath, Bristol, Gloucester, Oxford,

Wallingford et Windsor. Partout la réponse était la même : non, il n'y a pas de travail pour vous ici.

Chaque fois qu'ils le pouvaient, ils profitaient de l'hospitalité des monastères où les voyageurs pouvaient toujours trouver un repas et un endroit où dormir — mais uniquement pour une nuit. Dans la forêt, Agnès allumait du feu sous la marmite et faisait cuire du porridge. Mais, la plupart du temps, ils étaient obligés d'acheter du pain au boulanger, des harengs marinés au poissonnier ou de manger dans les tavernes et les rôtisseries, ce qui coûtait plus cher que de préparer leur nourriture ; et leur argent s'épuisait inexorablement.

Martha, naturellement maigre, devint décharnée. Alfred grandissait encore, de plus en plus efflanqué. Agnès mangeait peu, et le bébé qu'elle portait absorbait tout. Tom obligeait parfois sa femme à se nourrir davantage et, malgré elle, elle cédait à l'autorité combinée de son mari et de son enfant à naître. Pourtant, elle n'avait rien de rose et rebondi comme lors de ses précédentes grossesses.

Depuis leur départ de Salisbury, ils avaient parcouru les trois quarts d'un grand cercle et, à la fin de l'année, ils furent de retour dans la vaste forêt qui s'étendait de Windsor à Southampton. Ils se dirigeaient vers Winchester. Tom avait vendu ses outils de maçon, mais de cet argent il ne leur restait que quelques pennies : dès qu'il trouverait du travail, il lui faudrait emprunter des outils ou de l'argent pour en acheter. S'il n'en trouvait pas à Winchester, il ne savait pas ce qu'il allait faire. Il avait des frères, là-bas dans sa ville natale ; mais c'était dans le Nord, un voyage de plusieurs semaines, et la famille mourrait de faim avant d'y arriver. Agnès était fille unique et ses parents étaient morts. Il n'y avait pas de travaux des champs en plein hiver. Peut-être Agnès pourrait-elle gagner quelques pennies comme servante dans une riche maison de Winchester. Mais assurément elle ne pouvait arpenter les routes plus longtemps, car son terme approchait.

Winchester était encore à trois jours de marche. Ils n'avaient rencontré aucun monastère et Agnès n'avait plus d'avoine dans la marmite qu'elle portait sur son dos. La veille au soir ils avaient échangé un couteau contre un pain noir, quatre écuelles de bouillon sans viande et un endroit pour dormir auprès du feu dans la masure d'un paysan. Depuis lors ils n'avaient pas vu de village. Vers la fin de l'après-midi, Tom aperçut de la fumée au-dessus des arbres et ils trouvèrent la maison d'un garde forestier solitaire, un de ceux qui assuraient la police du roi dans les forêts. En échange de la hachette de Tom, il leur donna un sac de navets.

Ils n'avaient fait qu'un peu plus d'une lieue quand Agnès déclara qu'elle était trop épuisée pour continuer. Tom fut surpris. Durant toutes les années qu'ils avaient passées ensemble, il ne l'avait jamais entendue se plaindre d'être trop fatiguée.

Elle s'assit à l'ombre d'un grand châtaignier au bord de la route. Tom creusa un trou pour allumer du feu en utilisant une vieille pelle en bois, un des rares outils qu'il leur restait, car personne ne voulait l'acheter. Les enfants rassemblèrent des brindilles et Tom alluma le feu, puis il prit la marmite à la recherche d'un ruisseau. Il revint avec le récipient débordant d'eau glacée et le posa au bord du feu. Agnès coupa quelques navets en tranches. Martha ramassa les marrons tombés de l'arbre et Agnès lui montra comment les peler et en broyer l'intérieur pour faire une farine qui épaissirait la soupe de navets. Tom envoya Alfred chercher d'autre bois, puis lui-même prit un bâton et se mit à fouiller les feuilles mortes sur le sol de la forêt dans l'espoir de trouver un hérisson ou un écureuil en train d'hiberner pour mettre dans le bouillon. Mais il ne trouva rien.

Il vint s'asseoir auprès d'Agnès tandis que la nuit tombait et que la soupe cuisait. « Nous reste-t-il du sel ? » demanda-t-il.

Elle secoua la tête. « Tu manges du porridge sans sel depuis des semaines, répondit-elle. Tu n'as pas remarqué ?

— Non.

— La faim est le meilleur assaisonnement.

— Eh bien, nous n'en manquons pas. » Tom, soudain terriblement las, sentait l'accablant fardeau des déceptions accumulées de ces quatre derniers mois et se décourageait. D'une voix de vaincu, il dit : « Agnès, qu'est-ce qui a mal tourné ?

— Tout, dit-elle. Tu n'avais pas de travail l'hiver dernier. Tu en as trouvé au printemps ; là-dessus la fille du comte a annulé le mariage et lord William a annulé la maison. Nous avons alors décidé de rester et de travailler aux moissons : c'était une erreur.

— Ç'aurait sûrement été plus facile pour moi de trouver un travail de construction l'été qu'à l'automne.

— Et l'hiver est arrivé de bonne heure. Malgré tout cela, nous aurions pu nous en tirer, mais voilà qu'on nous a volé notre cochon. »

Tom acquiesça d'un air las. « Ma seule consolation est de savoir qu'en ce moment même le voleur souffre tous les tourments de l'enfer.

— Je l'espère.

— Tu en doutes ?

— Les prêtres n'en savent pas autant qu'ils le prétendent. Mon père en était un, n'oublie pas. »

Tom s'en souvenait très bien. Un mur de l'église du père d'Agnès s'était écroulé et Tom avait été engagé pour le reconstruire. Les prêtres n'avaient pas le droit de se marier, mais celui-ci avait une gouvernante, la gouvernante avait une fille et ce n'était un secret pour personne dans le village que le prêtre était le père de la fillette. Même en ce temps-là, Agnès n'était pas belle, mais sa peau avait l'éclat de la jeunesse et elle semblait déborder d'énergie. Elle bavardait avec Tom pendant qu'il travaillait et le vent parfois plaquait sa robe contre elle si bien que Tom distinguait les courbes de son corps presque aussi nettement que si elle avait été nue. Une nuit, elle arriva dans la petite hutte où il dormait, posa une main sur sa bouche pour signifier de ne pas parler et ôta sa robe, si bien qu'il put la voir nue dans le clair de lune, puis il prit dans ses bras ce jeune corps robuste et ils firent l'amour.

« Nous étions tous les deux vierges », dit-il tout haut.

Elle comprit à quoi il pensait. Elle sourit, puis son visage s'assombrit de nouveau et elle dit : « Ça me semble si loin !

— Est-ce qu'on peut manger maintenant ? » demanda Martha.

L'odeur de la soupe donnait à Tom des crampes d'estomac. Il plongea son écuelle dans la marmite bouillonnante et en retira quelques rondelles de navet dans le jus clair. Il tâta le navet du bout de son couteau : il n'était pas complètement cuit, mais Tom décida de ne pas prolonger l'attente. Il donna un plein bol à chaque enfant, puis en prépara un pour Agnès.

Elle avait l'air épuisée et songeuse. Elle souffla sur sa soupe pour l'attiédir, puis porta l'écuelle à ses lèvres.

Les enfants eurent tôt fait d'avaler les leurs et en réclamèrent d'autres. Tom vida ce qui restait de soupe dans les bols des enfants.

Lorsqu'il revint auprès d'Agnès, elle dit : « Et toi ?

— Je mangerai demain », répondit-il.

Elle semblait trop fatiguée pour discuter.

Tom et Alfred ramassèrent assez de bois pour que le feu tienne toute la nuit. Puis chacun s'enroula dans son manteau et s'allongea sur les feuilles pour dormir.

Tom avait le sommeil léger et, quand Agnès poussa un gémissement, il s'éveilla aussitôt. « Qu'y a-t-il ? »

Elle continua à gémir encore. Son visage était pâle et ses yeux fermés. Au bout d'un moment, elle murmura : « Le bébé vient. »

Le cœur de Tom se serra. Pas ici, songea-t-il ; pas ici, sur ce sol glacé au milieu de la forêt. « Mais ce n'était pas pour maintenant, dit-il.

— Il est en avance. »

Tom essaya de rester calme. « As-tu perdu les eaux ?

— Juste après avoir quitté la cabane du garde forestier », fit Agnès sans ouvrir les yeux.

« Et les douleurs ?

— Ça n'a pas cessé depuis. »

Tom reconnut la discrétion coutumière de sa femme.

Alfred et Martha étaient éveillés. « Qu'est-ce qui se passe ? dit Alfred.

— Le bébé arrive », annonça Tom.

Martha éclata en sanglots.

« Pourrais-tu retourner jusqu'à la cabane du garde forestier ? » demanda Tom à Agnès. Là ils auraient au moins un toit, de la paille et quelqu'un pour les aider.

Agnès secoua la tête. « Le bébé est déjà descendu.

— Alors, ce ne sera pas long ! » Ils se trouvaient dans la partie la plus déserte de la forêt. Ils n'avaient pas vu un village depuis le matin et le garde les avait prévenus qu'ils n'en verraient pas un de toute la journée du lendemain. Cela voulait dire pas de sage-femme. Tom allait devoir mettre le bébé au monde lui-même, dans le froid, avec seulement les enfants pour l'aider et, si quoi que ce soit tournait mal, il n'avait pas de médicaments, aucune connaissance...

C'est ma faute, se dit Tom ; je lui ai fait un enfant et je l'ai entraînée dans la misère. Elle comptait sur moi pour subvenir à ses besoins et voilà qu'elle va accoucher en plein

71

air au milieu de l'hiver. Il avait toujours méprisé les hommes qui engendraient des enfants et les laissaient mourir de faim ; et voilà qu'il ne valait pas mieux qu'eux. Il était honteux.

« Je suis si lasse, dit Agnès. Je ne crois pas que je puisse mettre ce bébé au monde. J'ai envie de me reposer. » A la lueur du feu, son visage brillait d'une mince couche de sueur.

Tom comprit qu'il devait se ressaisir. « Je vais t'aider », dit-il. Il avait assisté à la naissance de plusieurs enfants. C'étaient généralement des femmes qui assistaient l'accouchée, car elles savaient ce qu'elle ressentait, mais, aussi bien, un homme pouvait les remplacer en cas de nécessité. Il fallait d'abord installer la mère confortablement ; puis voir à quel stade en était le travail ; faire ensuite les préparatifs appropriés ; puis la calmer et la rassurer pendant qu'ils attendaient.

« Comment te sens-tu ? lui demanda-t-il.

— J'ai froid, répondit-elle.

— Viens plus près du feu », dit-il. Il ôta son manteau et l'étendit sur le sol à deux pas du foyer. Agnès essaya de se mettre debout. Tom la souleva sans effort et la reposa doucement sur le manteau.

Il s'agenouilla auprès d'elle. La tunique de laine qu'elle portait avait des boutons sur tout le devant. Il en défit deux et glissa ses mains à l'intérieur. Agnès sursauta.

« Ça fait mal ? demanda-t-il, surpris et inquiet.

— Non, dit-elle avec un bref sourire. Mais tu as les mains froides. »

Il tâta le contour de son ventre. En pressant un peu, il sentit la forme vague du bébé à naître. « Je peux sentir son derrière, dit-il, mais pas sa tête.

— C'est parce qu'il est en chemin », dit-elle.

Il l'enveloppa dans le manteau. Il allait devoir faire vite. Il regarda les enfants. Martha reniflait. Alfred avait l'air effrayé. Il fallait leur donner quelque chose à faire.

« Alfred, va jusqu'au ruisseau avec cette marmite. Lave-la bien et rapporte-la pleine d'eau fraîche. Martha, cueille-moi des roseaux et tresse-moi deux longueurs de corde, chacune assez grande pour un collier. Vite, maintenant. D'ici le jour, vous allez avoir un autre frère ou une autre sœur. »

Ils partirent. Tom prit son couteau et une petite pierre

dure et se mit à aiguiser la lame. Agnès poussa un nouveau gémissement. Tom reposa son couteau et lui prit la main.

Il était resté ainsi avec elle à la naissance des autres : Alfred ; puis Mathilda, qui était morte au bout de deux ans ; et puis Martha ; et l'enfant mort-né, un garçon que Tom avait secrètement prévu d'appeler Harold. Mais chaque fois il y avait eu quelqu'un d'autre pour l'aider et la rassurer : la mère d'Agnès pour Alfred, une sage-femme de village pour Mathilda et pour Harold, et pour Martha la dame du manoir, pas moins. Cette fois, il serait seul. Pourtant il ne devait pas montrer son anxiété : il fallait qu'elle se sente heureuse et confiante.

Le spasme passa et elle se détendit. « Tu te souviens, dit Tom, quand Martha est née et que lady Isabella a fait office de sage-femme ?

— Tu bâtissais une chapelle pour le Seigneur, dit Agnès en souriant, et tu lui as demandé d'envoyer sa servante chercher la sage-femme du village...

— Et elle a dit : Cette vieille sorcière qui boit ? Je ne la laisserais pas mettre au monde une portée de chiens-loups ! Elle nous a emmenés dans sa propre chambre et lord Robert n'a pas pu se coucher avant que Martha soit née.

— C'était une brave femme.

— Il n'y a pas beaucoup de grandes dames comme elle. »

Alfred revint avec la marmite pleine d'eau froide. Tom la posa près du feu pour la faire tiédir. Agnès fouilla sous son manteau et lui tendit un petit sac de toile contenant des chiffons propres qu'elle avait préparés.

Martha revint, les bras chargés de roseaux, et s'assit par terre pour les tresser. « Pourquoi as-tu besoin de cordes ? demanda-t-elle.

— Pour quelque chose de très important, tu verras, dit Tom. Fais-les bien. »

Alfred avait l'air nerveux et embarrassé. « Va chercher d'autre bois, lui dit Tom. Il nous faut faire un grand feu. » Le garçon s'éloigna, ravi d'avoir à s'occuper.

Le visage d'Agnès était crispé tandis qu'elle commençait à pousser le bébé au prix d'un effort dont Tom voyait bien qu'il lui coûtait beaucoup, qu'il épuisait ses dernières forces ; il aurait voulu de tout son cœur pouvoir la soulager. La douleur enfin parut s'apaiser. Agnès sombra dans une

73

sorte de somnolence. Alfred revint avec une pleine brassée de bois.

« J'ai si froid, murmura Agnès en se réveillant.

— Alfred, dit Tom, entretiens-moi ce feu. Martha, couche-toi auprès de ta mère et tiens-lui chaud. » Tous deux obéirent, l'air soucieux. Agnès prit Martha dans ses bras et la serra contre elle en frissonnant.

Tom était malade d'inquiétude. Le feu crépitait, mais l'air était de plus en plus froid. Peut-être serait-il si froid qu'il tuerait le bébé à son premier souffle. Il arrivait à des enfants de naître en plein air, en fait cela se produisait souvent à l'époque des moissons, quand tout le monde était si occupé et que les femmes travaillaient jusqu'à la dernière minute ; mais, aux moissons, le sol était sec, l'herbe douce et l'air embaumé. Il n'avait jamais entendu parler d'une femme mettant un bébé au monde dehors en hiver.

Agnès se souleva sur ses coudes et écarta les jambes.

« Qu'est-ce qu'il y a ? » dit Tom d'une voix affolée.

L'effort était trop grand pour qu'elle pût répondre.

« Alfred, dit Tom, agenouille-toi derrière ta mère pour qu'elle puisse prendre appui sur toi. »

Quand Alfred fut en position, Tom ouvrit le manteau d'Agnès et déboutonna la jupe de sa robe. S'agenouillant entre ses jambes, il vit que l'ouverture commençait déjà à se dilater un peu. « Il n'y en a plus pour longtemps maintenant, ma chérie », murmura-t-il en s'efforçant de dissimuler la peur qui faisait trembler sa voix.

Elle se détendit, fermant les yeux et laissant son poids reposer sur Alfred. La forêt était silencieuse, on n'entendait que le craquement du feu. Tom songea soudain qu'Ellen, la hors-la-loi, avait mis son fils au monde seule dans la forêt. Ç'avait dû être terrifiant. Elle craignait qu'un loup ne surgisse alors qu'elle était sans défense et ne lui ravisse le nouveau-né, avait-elle raconté. Cette année les loups étaient plus audacieux que d'habitude, disait-on, mais ils n'allaient sûrement pas attaquer un groupe de quatre personnes.

Agnès se crispa de nouveau et de nouvelles gouttes de sueur apparurent sur son visage. Ça y est, songea Tom. Il avait peur. Il regarda l'ouverture s'agrandir et cette fois il distingua, à la lueur du feu, les cheveux humides et noirs de la tête du bébé qui émergeait. Il pensa à prier, mais il n'avait plus le temps maintenant. Agnès se mit à respirer en petits halètements rapides. L'ouverture s'élargit encore, puis la tête commença à passer, le visage vers le bas. Un moment plus tard, Tom vit les oreilles fripées tout aplaties contre le crâne du bébé ; puis il aperçut la peau plissée du cou. Il ne pouvait voir encore si le bébé était normal.

« La tête est dehors », dit-il, mais Agnès le savait déjà, bien sûr, et elle s'était de nouveau détendue. Lentement, le bébé pivota, si bien que Tom aperçut les yeux et la bouche fermés, humides de sang et de fluide visqueux.

« Oh ! cria Martha. Regarde son petit visage ! »

Agnès l'entendit et eut un bref sourire, puis reprit son effort. Tom se pencha entre ses cuisses et soutint de sa main gauche la petite tête tandis que les épaules sortaient l'une après l'autre. Puis le reste du corps émergea très vite et Tom passa la main sous les hanches du bébé pour le soutenir tandis que les petites jambes se faufilaient dans cet univers glacé.

L'ouverture entre les jambes d'Agnès commença aussitôt à se refermer autour du cordon bleu rattaché au nombril du bébé.

Tom souleva le petit corps et l'inspecta avec angoisse. Il y avait du sang partout et il redouta tout d'abord qu'il ne fût arrivé quelque chose de terrible ; mais à l'examen, il ne vit aucune blessure. C'était un garçon.

« Il est horrible ! dit Martha.

— Il est parfait, dit Tom, soulagé. Un parfait petit garçon. »

Le bébé ouvrit la bouche et poussa un cri.

Tom regarda Agnès qui lui souriait. Tous deux sourirent.

Tom tenait le petit bébé tout contre sa poitrine. « Martha, va me chercher un bol d'eau dans cette marmite. » Elle se précipita. « Où sont ces chiffons, Agnès ? » Agnès désigna le sac de toile posé sur le sol auprès de son épaule. Alfred le passa à Tom. Le visage du jeune garçon ruisselait de larmes. C'était la première fois qu'il voyait naître un enfant.

Tom plongea un chiffon dans un bol d'eau tiède et lava doucement le sang et les mucosités qui souillaient le visage du bébé. Agnès déboutonna le haut de sa tunique et Tom déposa le bébé dans ses bras. Il criait toujours. Bientôt, le cordon bleuté qui allait du ventre du bébé à l'entrejambe d'Agnès cessa de battre et se ratatina en blanchissant.

Tom dit à Martha : « Donne-moi ces cordes que tu as faites. Tu vas voir maintenant à quoi elles servent. »

Elle lui passa les deux longueurs de roseaux tressés. Il les attacha en deux endroits autour du cordon ombilical en serrant bien les nœuds. Puis il se servit de son couteau pour couper le cordon entre les nœuds.

Il s'accroupit. Ils y étaient arrivés. Le pire était passé et le bébé allait bien. Tom se sentait fier.

Agnès déplaça le bébé pour qu'il eût le visage contre son sein. La petite bouche trouva le bouton de sein tout congestionné, il cessa de pleurer et se mit à téter.

Martha dit d'une voix étonnée : « Comment sait-il qu'il doit faire ça ?

— C'est un mystère, dit Tom, en lui tendant l'écuelle. Donne à ta mère de l'eau fraîche à boire.

— Oh oui », dit Agnès avec gratitude, comme si elle venait de se rendre compte qu'elle avait terriblement soif. Martha apporta l'eau et Agnès but d'une traite. « C'était bon, dit-elle. Merci. »

Elle regarda l'enfant qui tétait, puis Tom. « Tu es un homme bon, dit-elle doucement. Je t'aime. »

Tom sentit les larmes lui venir aux yeux. Il lui sourit, puis baissa la tête. Il vit qu'elle saignait encore beaucoup. Le cordon ombilical ratatiné gisait dans une mare de sang sur le manteau de Tom entre les jambes d'Agnès.

Il releva les yeux. Le bébé avait cessé de téter et s'était endormi. Agnès l'enveloppa dans son manteau, puis ferma à son tour les yeux.

Au bout d'un moment, Martha dit à Tom : « Tu attends quelque chose ?

— La délivre, lui dit Tom.

— Qu'est-ce que c'est ?

— Tu vas voir. »

La mère et le bébé sommeillèrent un moment, puis Agnès rouvrit les yeux. Ses muscles se tendirent, l'ouverture se dilata un peu et la délivre émergea. Tom la prit dans ses mains et l'examina. En regardant plus attentivement, il vit qu'elle semblait déchirée, comme s'il manquait un morceau. Mais il n'avait jamais regardé d'aussi près une délivre et il pensa que c'était toujours comme ça. Il la lança au feu. Cela brûla avec une odeur désagréable, mais s'il l'avait jetée, cela aurait pu attirer les renards ou même un loup.

Agnès saignait toujours. Tom se souvint qu'il y avait toujours un flux de sang après la délivre, mais il ne se rappelait pas qu'il y en eût autant.

« Tu saignes encore un peu, dit-il à Agnès, en essayant de dissimuler son inquiétude.

— Ça va bientôt s'arrêter, dit-elle. Couvre-moi. »

Tom boutonna la jupe de sa robe, puis enveloppa le manteau autour de ses jambes.

« Je peux me reposer maintenant ? » demanda Alfred.

Il était toujours agenouillé derrière Agnès pour la soutenir. Il doit être engourdi, pensa Tom, d'être resté si longtemps dans la même position. « Je vais te remplacer », dit son père. Agnès serait plus à l'aise si elle pouvait s'asseoir un peu ; et puis un corps derrière elle lui tiendrait chaud au dos et la protégerait du vent. Il changea de place avec Alfred. Puis il entoura de ses bras Agnès et le bébé.

« Comment te sens-tu ? lui demanda-t-il.

— Simplement fatiguée. »

Le bébé se mit à pleurer. Agnès le replaça sur son sein. Il se mit à téter et elle parut s'endormir.

Tom était mal à l'aise. C'était normal d'être fatiguée, mais il y avait chez Agnès une léthargie qui le tracassait. Elle était trop affaiblie.

Le bébé s'endormit et au bout d'un moment les deux autres enfants aussi, Martha pelotonnée aux côtés d'Agnès et Alfred allongé de l'autre côté du feu. Tom tenait Agnès dans ses bras en la caressant doucement. De temps en temps, il lui embrassait les cheveux. Il sentit son corps se détendre tandis qu'elle plongeait dans un sommeil plus profond. C'était sans doute le mieux pour elle, décida-t-il. Il lui toucha la joue. Elle avait la peau froide et humide malgré tous ses efforts pour lui tenir chaud. Il glissa une main à l'intérieur du manteau pour tâter la poitrine du bébé. L'enfant était tout chaud et son cœur battait régulièrement. Tom sourit. Un costaud, se dit-il, un survivant.

Agnès s'agita. « Tom ?

— Oui.

— Tu te souviens de la nuit où je suis venue te rejoindre, dans ta cabane, quand tu travaillais à l'église de mon père ?

— Bien sûr, dit-il en la caressant. Comment pourrais-je jamais oublier ?

— Je n'ai jamais regretté de m'être donnée à toi. Jamais

un instant. Chaque fois que je pense à cette nuit-là, je suis si heureuse. »

Il sourit. « Moi aussi, dit-il. Je suis heureux que tu l'aies fait. »

Elle sommeilla un moment, puis reprit : « J'espère que tu bâtiras ta cathédrale », dit-elle.

Il fut surpris. « Je croyais que tu t'y opposais.

— C'est vrai, mais j'avais tort. Tu mérites quelque chose de beau. »

Il ne savait pas ce qu'elle voulait dire.

« Bâtis pour moi une belle cathédrale », dit-elle.

Délirait-elle ? Il fut content lorsqu'elle se rendormit. Son corps cette fois s'affala complètement et sa tête pencha de côté. Tom dut soutenir le bébé pour l'empêcher de tomber.

Ils restèrent ainsi un long moment. Le bébé finit par se réveiller et par se mettre à pleurer. Agnès ne réagit pas. Les pleurs éveillèrent Alfred qui se retourna pour regarder son petit frère.

Tom secoua doucement Agnès. « Réveille-toi, dit-il. Il faut nourrir le bébé.

— Père ! fit Alfred, affolé. Regarde son visage ! »

La panique submergea Tom. Elle avait trop saigné. « Agnès ! dit-il. Réveille-toi ! » Pas de réaction. Elle était inconsciente. Il se redressa et l'allongea sur le sol. Son visage était d'une mortelle pâleur.

Redoutant ce qu'il allait voir, il écarta les plis du manteau à la hauteur des cuisses.

Il y avait du sang absolument partout. Alfred eut un haut-le-cœur et tourna la tête.

« Jésus-Christ, protégez-nous », murmura Tom.

Réveillée à son tour, Martha vit le sang et se mit à hurler. Tom la prit, la gifla. Elle se tut. « Ne crie pas », dit-il calmement.

« Maman est en train de mourir ? » demanda Alfred.

Tom posa la main sous la poitrine d'Agnès, juste sous le sein gauche. Le cœur ne battait plus.

Plus du tout.

Il pressa plus fort. Sa chair était tiède, mais elle ne respirait plus.

Un froid terrible enveloppa Tom comme un brouillard. Il regarda longuement sa femme. Comment pouvait-elle ne plus être là ? Il voulait la voir bouger, ouvrir les yeux, respirer. Il gardait la main sur sa poitrine. Les gens disaient qu'un cœur parfois pouvait repartir... Mais elle avait perdu tant de sang...

Il se tourna vers Alfred. « Ta mère est morte », murmura-t-il.

Alfred ne parut pas comprendre. Martha se mit à pleurer. Le nouveau-né pleurait aussi. Il faut que je m'occupe d'eux, songea Tom. Il faut que je sois fort pour eux.

Mais il aurait voulu pleurer, prendre Agnès dans ses bras et serrer contre lui ce corps qui se refroidissait et se souvenir d'elle quand elle était jeune, qu'elle riait et qu'ils faisaient l'amour. Il aurait voulu sangloter de rage et secouer le poing vers le ciel impitoyable. Mais il fallait se maîtriser, il devait être fort pour les enfants.

Pas une larme ne lui vint aux yeux.

Qu'est-ce que je commence par faire ? se demanda-t-il.

Creuser une tombe.

Il faut que je creuse un trou profond et que je la dépose là, pour la protéger des loups et sauvegarder ses ossements jusqu'au jour du jugement ; et puis dire une prière pour son âme. O Agnès, pourquoi m'as-tu laissé tout seul ?

Le bébé pleurait toujours. Il réclamait à manger. Les seins d'Agnès étaient pleins de lait tiède. Pourquoi pas ? se dit Tom. Il approcha le bébé de son sein. L'enfant trouva un bouton et se mit à téter. Tom drapa le manteau d'Agnès autour du bébé.

Martha regardait avec de grands yeux en suçant son pouce. Tom lui dit : « Pourrais-tu tenir le bébé là, pour qu'il ne tombe pas ? »

Elle fit oui de la tête et s'agenouilla auprès de la morte et du bébé.

Tom prit la pelle. Elle avait choisi cet endroit pour se reposer, sous les branches du châtaignier. Que ce soit son dernier lieu de repos. Il traça sur le sol un rectangle à quelques pas du tronc de l'arbre, là où il n'y aurait pas de racines près de la surface ; puis il se mit à creuser.

Il s'aperçut que cela l'aidait. Quand il se concentrait pour enfoncer sa pelle dans la terre dure, le reste de son esprit se vidait et il arrivait à garder son calme. Alfred le relaya, car lui aussi pouvait trouver un réconfort dans l'effort physique. Ils creusèrent avec énergie et, malgré la morsure de l'air froid, tous deux étaient en nage comme s'il était midi.

Au bout d'un moment, Alfred dit : « Ça ne suffit pas ? »

Tom se rendit compte qu'il était debout dans un trou et

que sa tête dépassait à peine. Il ne souhaitait pas voir ce travail s'achever mais il acquiesça à regret. « Ça ira », dit-il, et il se hissa sur le sol.

L'aube pointait. Assise auprès du feu, Martha avait pris le bébé dans ses bras et le berçait. Tom s'approcha d'Agnès et s'agenouilla. Il l'enveloppa dans le manteau, ne laissant que le visage découvert, puis l'emporta au bord de la tombe où il la déposa. Il descendit dans le trou.

De là, il fit glisser le corps et l'allongea avec douceur dans la terre. Il regarda Agnès un long moment, agenouillé auprès d'elle au fond de la tombe glacée. Enfin il posa doucement un baiser sur ses lèvres.

Il ressortit du trou. « Venez, les enfants », dit-il. Alfred et Martha vinrent se placer de chaque côté de leur père, Martha tenant le bébé. Tom les serra contre lui. Ils contemplèrent la tombe. Puis Tom dit : « Répétez : Dieu bénisse notre mère. »

Tous deux répétèrent : « Dieu bénisse notre mère. »

Martha sanglotait et Alfred avait les yeux pleins de larmes. Tom ravala les siennes.

Puis il lâcha les enfants pour reprendre la pelle. Martha poussa un hurlement lorsqu'il jeta dans la tombe la première pelletée de terre. Alfred prit sa sœur dans ses bras. Tom continuait. Il ne pouvait pas supporter de jeter de la terre sur le visage d'Agnès, alors il couvrit d'abord ses pieds, puis ses jambes et son corps et entassa la terre de manière qu'elle forme un monticule. Chaque pelletée glissait sur la pente et peu à peu, la terre atteignit son cou, puis la bouche qu'il venait d'embrasser et enfin le visage disparut à jamais.

Il combla rapidement la tombe.

Quand ce fut terminé, il étala ce qu'il restait de terre alentour pour ne pas laisser de trace : les hors-la-loi étaient bien capables de violer une tombe dans l'espoir de trouver un bijou. Il regarda longuement la sépulture. « Adieu, ma chérie, murmura-t-il. Tu étais une bonne épouse, et je t'aime. »

Puis, avec un grand effort, il se détourna.

Son manteau était toujours sur le sol, là où Agnès s'était étendue pour mettre l'enfant au monde. Le bas était souillé de sang séché. Il prit son couteau et coupa comme il put le manteau en deux. Il jeta dans le feu le tissu taché de sang.

Martha tenait toujours le bébé, la peur au fond des yeux.

« Donne-le-moi », dit Tom. Il posa le nouveau-né tout nu sur la moitié propre du manteau et l'enveloppa. Le bébé se mit à pleurer.

Il se tourna vers les enfants qui l'observaient sans mot dire. « Nous n'avons pas de lait, dit-il, pour maintenir le bébé en vie, alors il doit rester là avec sa mère.

— Mais il va mourir ! s'écria Martha.

— Oui, dit Tom. Quoi que nous fassions, il mourra. » Il aurait voulu que le bébé cesse de pleurer.

Il ramassa leurs affaires et les remit dans la marmite, puis l'attacha à son dos comme le faisait Agnès.

« Allons », dit-il.

Martha se mit à sangloter. Alfred était blême. Ils repartirent sur la route dans la lumière grisâtre d'un matin glacé. Au bout d'un moment, ils n'entendirent plus les pleurs du bébé.

Tom allait d'un pas rapide, mais ses pensées maintenant se bousculaient librement et il n'arrivait plus à les contrôler. Que faire, sinon marcher ? Pas d'arrangements à prendre, de travaux à faire, rien à organiser, rien à regarder que la lugubre forêt et les ombres qui s'agitaient à la lueur des torches. Il pensait à Agnès et suivait la piste d'un souvenir resurgi, il souriait tout seul, puis se tournait pour lui raconter ce qu'il venait de se rappeler ; alors le choc de son absence le frappait comme une douleur physique. Il se sentait désemparé, incapable de croire à ce qui venait d'arriver. Pourtant, c'était la chose la plus ordinaire du monde pour une femme de son âge de mourir en couches et pour un homme de son âge de rester veuf. Il avait pourtant l'impression d'avoir été amputé d'une partie de lui-même et il ne pouvait pas se faire à l'idée que ce fût pour toujours.

Il essayait de ne plus penser à elle, mais il se rappelait sans cesse son visage avant de mourir. Il se le rappelait tendu par l'effort de l'accouchement, puis éclairé de fierté à la vue du nouveau-né. Il se rappelait qu'elle lui avait dit ensuite : *J'espère que tu bâtiras ta cathédrale*, et puis : *Bâtis pour moi une belle cathédrale*. Elle avait dit cela comme si elle savait qu'elle mourait.

Tout en marchant, il ne cessait de penser au bébé qu'il avait abandonné, enveloppé dans une moitié de manteau, couché sur une tombe fraîche. Sans doute était-il encore en vie, à moins qu'un renard ne l'eût déjà repéré. Mais il mourrait avant le matin. Il pleurerait un moment, puis fermerait les yeux et la vie s'échapperait de lui tandis qu'il se refroidirait dans son sommeil.

A moins qu'un renard ne l'eût repéré.

Tom ne pouvait rien pour le bébé. Il avait besoin de lait pour survivre et il n'y en avait pas : pas de village où chercher une nourrice, pas de brebis, de chèvres ni de vaches pour en fournir l'équivalent. Tout ce que Tom avait à lui donner, c'était des navets, qui le tueraient aussi sûrement que le renard.

Plus le temps passait, plus il lui semblait abominable d'avoir abandonné le bébé. C'était une pratique assez courante, il le savait : les paysans avec des grandes familles et de petites fermes laissaient souvent les bébés mourir en plein air, et le curé parfois faisait semblant de ne pas voir. Mais Tom n'était pas de ces gens-là. Il aurait dû porter son fils dans ses bras jusqu'à ce qu'il meure et puis l'enterrer. Ça ne rimait à rien, bien sûr, mais tout de même ç'aurait été la chose à faire.

Il se rendit compte que le jour était levé.

Il s'arrêta soudain.

Les enfants l'imitèrent et se tournèrent vers lui. Ils étaient prêts à tout, plus rien n'était normal.

« Je n'aurais pas dû abandonner le bébé, dit Tom.

— Mais nous ne pouvons pas le nourrir, protesta Alfred. Il est condamné à mourir.

— Tout de même, dit Tom, je n'aurais pas dû le laisser.

— Retournons », suggéra Martha.

Il fit demi-tour. « C'est cela, dit Tom. Retournons là-bas. »

Maintenant tous les dangers qu'il avait quelques instants plus tôt essayé d'oublier lui paraissaient des plus menaçants. Sûrement qu'un renard avait trouvé le bébé et l'avait entraîné jusqu'à sa tanière. Ou même un loup. Les ours étaient dangereux aussi, même s'ils ne mangeaient pas de viande. Et les hiboux ? Un hibou ne pouvait pas emporter un bébé, mais il pouvait lui crever les yeux...

Il hâtait le pas, étourdi d'épuisement et de faim. Martha était obligée de courir pour tenir l'allure. Pourtant, elle ne se plaignait pas.

Il redoutait ce qu'il allait peut-être voir en arrivant sur la tombe. Les impitoyables prédateurs sans merci devinaient très vite une créature sans défense.

Il ne savait plus très bien jusqu'où ils avaient marché : il avait perdu le sens du temps. Il ne reconnaissait plus la forêt alors qu'il venait de la traverser. Il cherchait d'un œil inquiet l'emplacement de la tombe. Le feu n'avait certainement pas pu s'éteindre déjà : il était si énorme... Il inspecta les arbres, essayant d'identifier les châtaigniers aux feuilles si reconnaissables. Puis ils prirent un tournant dont il ne se souvenait pas et il commença à se demander avec angoisse s'il n'avait pas déjà dépassé la tombe sans la voir ; enfin il crut apercevoir devant lui une faible lueur orange.

Son cœur défaillit. Il hâta le pas et plissa les yeux. Oui, c'était bien un feu. Il se mit à courir. Il entendit Martha éclater en sanglots et il cria par-dessus son épaule : « Nous y sommes ! » et il entendit les deux enfants le rejoindre en courant.

Il s'arrêta à la hauteur du châtaigniers, le cœur battant. Le feu brûlait joyeusement. Il y avait encore la pile de bois à côté. Et la tache sanglante sur le sol, là où Agnès était morte. Et la tombe, terre fraîchement creusée sous laquelle elle reposait maintenant. Mais sur la tombe... rien.

Tom promena autour de lui un regard affolé. Pas trace du bébé. Des larmes de déception montèrent à ses yeux. Même la moitié du manteau dans lequel le bébé était enveloppé avait disparu. La tombe pourtant était intacte : pas d'empreintes d'animaux dans le sol meuble, pas de sang, pas de trace, rien pour indiquer qu'une bête avait traîné le nourrisson.

Tom avait l'impression de ne plus voir clair. Il n'arrivait plus à réfléchir. Il savait maintenant qu'il avait commis un acte abominable en abandonnant le bébé encore vivant. Quand il aurait la certitude que l'enfant était mort, il pourrait trouver le repos. Mais peut-être était-il encore vivant quelque part... tout près. Il décida d'inspecter les lieux.

« Où vas-tu ? dit Alfred.

— Il faut chercher le bébé », dit-il sans se retourner. Étourdi, affaibli, il fit le tour de la petite clairière, fouillant sous les buissons, sans rien voir, pas même une trace indiquant où le loup aurait pu emporter le bébé. Il était sûr à présent que c'était un loup. La tanière était peut-être toute proche.

« Il faut agrandir le cercle de nos recherches », dit-il aux enfants. Il les entraîna loin du feu, parmi les buissons et la broussaille. Il commençait à ne plus savoir où il en était, mais il réussit à garder l'esprit fixé sur une seule chose : le besoin impératif de retrouver l'enfant. Il n'éprouvait pas de chagrin, rien qu'une farouche et rageuse détermination et, au fond de son esprit, l'horrible certitude de sa propre culpabilité. Il errait dans la forêt, scrutant le sol d'un regard anxieux, s'arrêtant à chaque instant pour guetter les gémissements d'un nouveau-né. Mais la forêt demeurait silencieuse.

Il perdit toute notion du temps. Les cercles toujours plus larges qu'il décrivait le ramenèrent à plusieurs reprises sur la route, mais il finit par se rendre compte qu'ils l'avaient traversée depuis belle lurette. Il pensa vaguement qu'ils s'étaient perdus et qu'au lieu de tourner autour de la tombe il errait plus ou moins au hasard dans la forêt ; peu lui importait, dès lors qu'il continuait à chercher.

« Père », appela Alfred.

Tom grogna, irrité d'être dérangé. Alfred portait Martha, qui semblait s'être endormie, sur son dos.

« Quoi ? fit Tom.

— On peut se reposer ? » demanda Alfred.

Tom hésita. Il n'avait pas envie de s'arrêter, mais Alfred semblait sur le point de s'effondrer. « Bon, fit-il à regret, mais pas longtemps. »

Ils étaient sur une pente. Peut-être au pied y avait-il un ruisseau. Il avait soif. Il prit Martha dans ses bras et descendit le talus. Comme il s'y attendait, il découvrit tout en bas un petit torrent frangé de glace. Il posa Martha sur la rive. Elle ne se réveilla pas. Alfred et lui s'agenouillèrent, prirent un peu d'eau froide dans leur main. Alfred s'allongea auprès de Martha et ferma les yeux. Tom examina l'endroit où il se trouvait : une clairière tapissée de feuilles mortes et cernée de chênes robustes, dont les branches nues s'entremêlaient au-dessus de sa tête. Tom traversa la clairière, pensant toujours au bébé, mais ses jambes se dérobèrent brusquement sous lui et il fut obligé de s'asseoir brusquement.

Il faisait grand jour maintenant, un jour brumeux, et le temps n'était guère plus chaud qu'à minuit. Il frissonnait. Il se rendit compte qu'il ne portait que sa camisole. Qu'était-il arrivé à son manteau, il ne s'en souvenait plus. Ou bien la brume s'épaississait ou bien quelque chose d'étrange lui affectait les yeux, car il ne distinguait plus les enfants de l'autre côté de la clairière. Il voulut se lever pour aller les rejoindre, mais ses jambes ne lui obéissaient plus. Au bout d'un moment, un faible soleil finit par percer et peu après l'ange arriva.

Il traversait la clairière, venant de l'est, vêtu d'un long manteau d'hiver, de laine vierge presque blanche. Il le regarda approcher sans surprise ni curiosité car il avait dépassé le stade de l'émerveillement ou de la peur. Il suivait la créature d'un œil vide et sans émotion : son visage ovale était encadré d'une somptueuse chevelure sombre et son manteau lui dissimulait les pieds, si bien qu'elle aurait pu glisser sur les feuilles mortes. Elle s'arrêta devant lui et ses yeux d'or pâle parurent voir dans son âme : comprendre sa souffrance. Tom eut l'impression d'avoir déjà vu ce visage familier dans une église tout récemment. Puis la créature ouvrit son manteau. Dessous, elle était nue. Elle avait le corps d'une femme d'une vingtaine d'années, avec une peau pâle et des boutons de seins roses. Tom croyait depuis toujours que les anges avaient un corps absolument glabre, mais ce n'était pas le cas.

Elle mit un genou en terre devant lui et, se penchant, elle l'embrassa sur la bouche. Il était trop assommé par les chocs précédents pour en éprouver le moindre étonnement. Elle le repoussa doucement pour l'obliger à s'allonger sur le dos, puis elle écarta son manteau, et pressa son corps nu contre celui de Tom. Au travers de sa camisole, il sentait la chaleur de sa peau. Au bout de quelques instants, il cessa de frissonner.

Elle prit dans ses mains le visage barbu de Tom et l'embrassa encore, avidement, comme quelqu'un qui boit de l'eau fraîche après une longue journée sèche. Puis elle prit les mains de Tom et les posa sur ses seins. Dans un réflexe, il les pressa. Ils étaient doux et tendres, les boutons se durcirent sous ses doigts.

L'idée lui vint qu'il était mort. Le ciel n'était probablement pas ainsi, il le savait mais peu lui importait. Cela faisait des heures qu'il avait perdu tout sens de la réalité. Le peu de raisonnement qu'il lui restait avait disparu et il laissa ses sens prendre le dessus. Il se tendit, se pressant contre cet autre corps, puisant de la force dans sa chaleur et sa nudité. Elle écarta les lèvres et darda une langue agile dans sa bouche, cherchant sa langue à lui. Il réagit ardemment.

Un instant, elle s'écarta de lui. Il la regarda, abasourdi,

remonter les pans de sa camisole jusqu'à la hauteur de sa taille, puis elle le chevaucha. Sans le quitter des yeux, elle se pencha vers lui, et il hésita ; puis il se sentit la pénétrer. Une sensation si grisante qu'il crut éclater de plaisir. Elle bougea les hanches tout en lui souriant, couvrant son visage de baisers. Au bout d'un moment elle ferma les yeux et se mit à haleter, et il comprit avec une fascination ravie qu'elle perdait tout contrôle. Elle poussait des petits cris, remuait de plus en plus vite, et son extase l'émut jusqu'au plus profond de l'âme si bien qu'il ne sut plus s'il avait envie de pleurer de désespoir, de crier de joie ou d'éclater de rire. Puis une explosion de plaisir les secoua tous les deux comme des arbres dans la tempête, encore et encore ; jusqu'au moment où enfin leur passion s'apaisa et où elle s'effondra sur sa poitrine.

Ils restèrent ainsi un long moment. La chaleur de ce corps le réchauffait. Il sombra dans une sorte de somnolence. Ce fut bref, plus une rêverie qu'un véritable sommeil. Mais quand il ouvrit les yeux son esprit était clair.

Il regarda la belle jeune femme allongée sur lui et il sut aussitôt que ce n'était pas un ange, mais Ellen, la femme hors-la-loi qu'il avait rencontrée dans cette partie de la forêt le jour où on lui avait volé le cochon. Elle le sentit remuer et elle ouvrit les yeux, le regardant avec un mélange d'affection et d'inquiétude. Il pensa soudain à ses enfants. Il la repoussa avec douceur et s'assit. Alfred et Martha étaient allongés sur les feuilles, enroulés dans leur manteau, le soleil éclairant leurs visages endormis. Les événements de la nuit lui revinrent dans un déferlement d'horreur et il se rappela qu'Agnès était morte et que le bébé — son fils ! — avait disparu ; il enfouit son visage dans ses mains.

Il entendit Ellen émettre un étrange sifflement. Il leva la tête. Une silhouette émergea de la forêt et Tom reconnut Jack, son fils à l'air bizarre, avec sa peau toute blanche, ses cheveux orange et ses yeux verts d'oiseau. Tom se releva et Ellen se redressa aussi en se drapant dans son manteau. Le jeune garçon portait quelque chose qu'il apporta pour le montrer à Tom. Celui-ci reconnut aussitôt la moitié de manteau dans laquelle il avait enveloppé le bébé avant de le déposer sur la tombe d'Agnès.

Sans comprendre, Tom dévisagea Jack, puis Ellen qui lui prit les mains dans les siennes et le regarda dans les yeux : « Ton bébé est vivant. »

Tom n'osait pas le croire. Ce serait trop merveilleux, trop beau. « Ce n'est pas possible, dit-il.

— Mais si. »

Tom se prit à espérer. « Vraiment ? Vraiment ? » Elle acquiesça : « Vraiment. Je vais te mener à lui. »

Tom se rendit compte qu'elle disait vrai. Un flot de soulagement et de bonheur l'envahit. Il tomba à genoux sur le sol ; puis enfin, comme une écluse qui s'ouvre, il éclata en sanglots.

V

« Jack a entendu le bébé pleurer, expliqua Ellen. Il allait vers la rivière, un peu au nord d'ici, à un endroit où l'on peut tuer des canards avec des pierres si l'on vise bien. Il ne savait pas quoi faire, alors il est revenu en courant me chercher. Mais, tandis que nous revenions, nous avons vu un prêtre, montant un palefroi, qui emportait le bébé.

— Il faut que je le trouve..., dit Tom.

— Ne t'affole pas, dit Ellen, car je sais où il est. Il a pris un sentier près de la tombe qui mène à un petit monastère caché dans la forêt.

— Le bébé a besoin de lait.

— Les moines ont des chèvres.

— Dieu soit loué, dit Tom avec ferveur.

— Je t'emmènerai là-bas quand tu auras mangé quelque chose, dit-elle. Mais... ne parle pas encore à tes enfants du monastère. »

Tom jeta un coup d'œil vers la clairière. Alfred et Martha dormaient toujours. Jack les contemplait de son regard vide.

« Pourquoi donc ?

— Je ne sais pas trop... Je crois seulement que ce serait plus sage d'attendre.

— Ton fils va leur raconter l'affaire. »

Elle secoua la tête. « Il a vu le prêtre, mais je ne crois pas qu'il ait compris le reste.

— Très bien, fit Tom gravement. Si j'avais su que tu n'étais pas loin, je t'aurais appelée à l'aide pour Agnès. »

Ellen secoua la tête et ses cheveux sombres dansaient

autour de son visage. « Il n'y avait rien à faire, sauf la tenir au chaud, et c'est ce que tu as fait. Quand une femme saigne de l'intérieur, ou bien cela s'arrête et elle se rétablit, ou bien cela ne cesse pas et elle meurt. » Des larmes vinrent aux yeux de Tom et Ellen ajouta : « Je suis désolée. »

Tom hocha la tête sans rien dire.

« Mais, poursuivit-elle, les vivants doivent s'occuper des vivants et ce qu'il te faut c'est de la nourriture chaude et une nouvelle tunique. » Elle se leva.

Tom réveilla les enfants. Il leur annonça que le bébé allait bien, qu'Ellen et Jack avaient vu un prêtre l'emmener, que Tom et Ellen se mettraient plus tard en quête de ce prêtre mais que, tout d'abord, Ellen allait leur donner à manger. Ils accueillirent la stupéfiante nouvelle avec calme. Plus rien maintenant ne pouvait les bouleverser. Tom n'était pas moins déconcerté. La vie allait trop vite pour qu'il pût accepter tous ces changements. C'était comme d'être emporté par un cheval au galop : tout allait si vite qu'on n'avait pas le temps de réagir aux événements, et tout ce qu'il pouvait faire, c'était de se cramponner pour essayer de ne pas perdre la tête. Agnès avait accouché dans l'air froid de la nuit ; le bébé était en bonne santé, tout semblait aller très bien et voilà qu'Agnès, l'âme sœur de Tom, était morte dans ses bras, vidée de son sang, et il avait perdu la tête ; le bébé avait été condamné et laissé pour mort ; puis ils avaient essayé de le retrouver, en vain ; ensuite Ellen était apparue, Tom l'avait prise pour un ange et ils avaient fait l'amour comme dans un rêve. Après quoi elle avait dit que le bébé était vivant et en bonne santé. La vie n'allait-elle jamais suffisamment ralentir pour laisser à Tom le temps de réfléchir à tous ces terribles événements ?

Ils se mirent en route. Tom avait toujours pensé que les hors-la-loi vivaient dans la misère, mais il n'y avait rien de misérable chez Ellen, et Tom se demandait à quoi ressemblerait son habitation. Elle les entraîna en zigzag dans la forêt. Il n'y avait pas de sentier, mais elle n'hésitait jamais en enjambant les ruisseaux, en se baissant sous les branches, en négociant un marais gelé, une masse de buissons et un énorme tronc d'un chêne abattu. Elle finit par se diriger vers un épais taillis dans lequel elle sembla disparaître. En la suivant, Tom s'aperçut que, contrairement à ce qu'il avait cru d'abord, il existait un étroit passage qui serpentait entre les buissons. Il s'y engagea. Les ronces se refermèrent au-dessus de sa tête et il se trouva dans une demi-obscurité. Il s'arrêta pour laisser à ses yeux le temps de s'habituer à la pénombre. Peu à peu il comprit qu'il était dans une grotte.

L'air était tiède : devant lui, un feu brûlait sur un lit de pierres plates. La fumée montait tout droit : il y avait quelque part une cheminée naturelle. A sa droite et à sa gauche deux peaux de bêtes, un loup et un daim, étaient fixées aux parois de la grotte par des chevilles. Un cuissot de venaison fumé pendait au-dessus de lui. Il vit une caisse rudimentaire pleine de pommes sauvages, des chandelles à mèche de jonc sur des rebords de pierre et des roseaux secs sur le sol. Au bord du feu une marmite, comme dans une maison ordinaire ; et, à en juger par l'odeur, elle contenait le même genre de potage qu'on mangeait partout : des légumes bouillis avec des os et des herbes. Tom était stupéfait. C'était là une demeure plus confortable que celle de bien des serfs.

De l'autre côté du feu, on voyait deux matelas en peau de daim bourrés sans doute de roseaux ; et, proprement roulée sur chacun, une fourrure de loup. Ellen et Jack devaient dormir là, avec le feu pour les séparer de l'entrée de la grotte. Au fond, une formidable collection d'armes et de matériel de chasse : un arc, des flèches, des filets, des pièges à lapin, quelques dagues acérées, une lance taillée avec soin avec la pointe aiguisée et durcie au feu ; et, parmi tous ces ustensiles primitifs, trois livres. Tom était abasourdi : il n'avait jamais vu de livres dans une maison, encore moins dans une grotte ; les livres, on les trouvait dans les églises.

Le jeune Jack prit une écuelle de bois, la plongea dans la marmite et se mit à boire. Alfred et Martha l'observaient avidement. Ellen lança à Tom un regard d'excuse et dit : « Jack, quand il y a des étrangers, nous les servons les premiers. » Le garçon la regarda, surpris.

« Et pourquoi ?

— Parce que cela se fait. Donne du potage aux enfants. »

Pas convaincu, Jack obéit à sa mère. Ellen offrit de la soupe à Tom qui s'assit sur le sol et la but. Le bouillon, outre un goût délicieux, lui réchauffa le ventre. Ellen lui posa une fourrure sur les épaules. Une fois le bouillon avalé, Tom pêcha avec ses doigts les légumes et la viande au fond de son écuelle. Cela faisait des semaines qu'il n'avait pas goûté de viande. Du canard, semblait-il : abattu sans doute par Jack avec des pierres et une fronde.

Ils mangèrent jusqu'à épuisement de la marmite ; puis Alfred et Martha s'allongèrent sur les paillasses. Avant qu'ils ne s'endorment, Tom leur annonça qu'Ellen et lui partaient à la recherche du prêtre et Ellen précisa que Jack resterait ici pour s'occuper d'eux jusqu'à leur retour. Les deux enfants épuisés hochèrent la tête et fermèrent les yeux.

Tom et Ellen sortirent, Tom portant toujours sur ses épaules la fourrure qu'Ellen lui avait donnée. Dès qu'ils eurent franchi le taillis, Ellen s'arrêta, se tourna vers Tom, attira sa tête contre la sienne et l'embrassa sur la bouche.

« Je t'aime, dit-elle d'un ton farouche. Je t'ai aimé dès l'instant où je t'ai vu. J'ai toujours voulu un homme qui serait fort et doux, et je croyais que cela n'existait pas. Et puis tu es venu. J'ai eu tout de suite envie de toi. Mais j'ai compris que tu aimais ta femme. Mon Dieu, comme je l'ai enviée. Je suis navrée qu'elle soit morte, vraiment navrée, car le chagrin se lit dans tes yeux et cela me brise le cœur de te sentir si triste. Mais maintenant qu'elle n'est plus là, je te veux pour moi. »

Tom ne sut quoi répondre. Il était difficile de croire qu'une femme si belle, si pleine de ressources et si indépendante fût tombée amoureuse de lui au premier regard ; il était plus difficile encore de savoir ce qu'il ressentait, lui. Il était anéanti par la disparition d'Agnès : Ellen avait raison de dire que le chagrin l'accablait. Mais en même temps il brûlait de désir pour Ellen, avec son corps ardent et merveilleux, ses yeux dorés et sa passion amoureuse impudique. Il se sentait terriblement coupable de désirer si fort Ellen alors qu'Agnès n'était dans la tombe que depuis quelques heures.

Il contempla Ellen longuement et une fois de plus les yeux de la jeune femme lurent dans son cœur. Elle déclara : « Ne dis rien. Tu n'as pas à avoir honte. Je sais que tu l'aimais. Elle le savait aussi, je l'ai bien senti. Tu l'aimes encore — bien sûr que oui. Tu l'aimeras toujours. »

Elle lui disait de se taire, mais de toute manière il n'y avait rien à dire. Cette femme extraordinaire le rendait muet. Sans qu'il comprît comment, le fait qu'elle parût savoir ce qu'il y avait dans son cœur le réconfortait, lui donnait presque le sentiment de ne plus devoir avoir honte de rien. Il soupira.

« Voilà qui est mieux », dit-elle. Elle le prit par la main et ils s'éloignèrent ensemble.

Ils s'enfoncèrent pendant près d'une demi-lieue dans la forêt, puis débouchèrent sur la route. Tout en marchant, Tom ne cessait de contempler Ellen auprès de lui. Il se rappela qu'en la voyant pour la première fois, il ne l'avait pas trouvée tout à fait belle à cause de ses yeux étranges. Comment avait-il pu penser cela ! Ces yeux étonnants lui paraissaient aujourd'hui exprimer à merveille une personnalité unique. Ellen représentait la perfection incarnée et la seule chose qui le surprenait, c'était qu'elle fût avec lui. Ils parcoururent plus d'une lieue. Sur la route Tom était toujours fatigué, mais le potage lui avait donné des forces ; et, bien qu'il fît toute confiance à Ellen, il avait quand même hâte de voir le bébé de ses propres yeux.

Alors qu'ils apercevaient le monastère à travers les arbres, Ellen dit : « Ne nous montrons pas tout de suite aux moines.

— Pourquoi ? demanda Tom, surpris.

— Tu as abandonné un bébé. C'est considéré comme un meurtre. Restons dans les bois pour observer l'endroit et voyons quelle sorte de gens l'habitent. »

Tom ne pensait pas risquer grand-chose, étant donné les circonstances, mais mieux valait se montrer prudent, aussi acquiesça-t-il et suivit-il Ellen dans le sous-bois. Quelques instants plus tard, ils étaient allongés au bord de la clairière.

Il s'agissait d'un très petit monastère. Tom, qui s'y connaissait pour en avoir bâti, estima que celui-ci devait être ce que l'on appelait une communauté, l'annexe ou l'avant-poste d'un grand prieuré ou d'une abbaye. Il ne comprenait que deux bâtiments de pierre, la chapelle et le dortoir. Le reste était fait de bois et de claies recouvertes de torchis : une cuisine, des écuries, une grange et quelques bâtiments agricoles plus petits. L'endroit paraissait propre et bien tenu, on avait l'impression que les moines se consacraient autant à l'élevage qu'à la prière.

On ne voyait pas grand monde. « La plupart des moines sont au travail, dit Ellen. Ils construisent une grange en haut de la colline. » Elle jeta un coup d'œil en direction du soleil. « Ils seront de retour vers midi pour le dîner. »

Tom examina la clairière. Sur leur droite, en partie dissimulées par un troupeau de chèvres, il entrevit deux silhouettes. « Regarde », dit-il. Puis, distinguant mieux les détails : « L'homme assis est un prêtre et...

— Il tient quelque chose sur ses genoux.

— Approchons-nous. » Ils s'avancèrent en contournant la clairière et se trouvèrent non loin des chèvres. Le cœur de Tom se mit à battre en voyant le prêtre assis sur un tabouret. Il avait un bébé dans les bras : celui de Tom. Oui, le bébé avait survécu. Il aurait voulu se précipiter sur le prêtre pour serrer l'enfant dans ses bras.

Un jeune moine se trouvait avec le prêtre. Tom le vit plonger un chiffon dans un seau de lait — sans doute du lait de chèvre — puis porter à la bouche du bébé le coin de chiffon imbibé de lait. C'était ingénieux.

« Allons, fit Tom, il vaut mieux que j'aille avouer ce que j'ai fait et reprendre mon fils.

— Réfléchis un moment, Tom, dit Ellen. Que feras-tu ensuite ? » Tom ne voyait pas très bien où elle voulait en venir. « Je demanderai du lait aux moines, dit-il. Ils verront bien que je suis pauvre. Ils donnent l'aumône.

— Et ensuite ?

— J'espère qu'ils me donneront assez de lait pour le nourrir trois jours, jusqu'à ce que j'arrive à Winchester.

— Et après ? insista-t-elle. Comment nourriras-tu le bébé ?

— Je chercherai du travail...

— Tu cherches du travail depuis que je t'ai rencontré à la fin de l'été, dit-elle avec une irritation dont Tom ne comprit pas la raison. Tu n'as pas d'argent, pas d'outils, poursuivit-elle. Qu'arrivera-t-il au bébé s'il n'y a pas de travail à Winchester ?

— Je ne sais pas, répondit Tom, blessé qu'elle lui parlât si durement. Que dois-je donc faire ? Vivre comme toi ? Je ne peux pas abattre des canards à coups de pierres : je suis maçon.

— Tu pourrais laisser le bébé ici », dit-elle.

Tom n'en crut pas ses oreilles. « Le laisser ? dit-il. Alors que je viens juste de le retrouver ?

— Au moins tu le saurais au chaud et nourri. Tu n'aurais pas à le porter pendant que tu cherches du travail. Le jour où tu trouveras enfin quelque chose, tu pourras revenir ici le chercher. »

D'instinct, Tom se rebella contre cette idée. « Je ne sais

pas, dit-il. Que penseraient les moines si j'abandonnais le bébé ?

— Ils savent déjà que tu l'as fait, répliqua-t-elle avec impatience. Il s'agit simplement de décider si tu le confesses maintenant ou plus tard.

— Est-ce que les moines savent s'occuper d'un bébé ?

— Ils en savent autant que toi là-dessus.

— J'en doute.

— Ma foi, ils ont trouvé le moyen de nourrir un nouveau-né qui ne sait que téter. »

Tom commençait à comprendre qu'elle avait raison. Malgré toute l'envie qu'il avait de tenir dans ses bras ce petit bonhomme, il ne pouvait nier que les moines fussent mieux armés pour le soigner que lui. Il n'avait pas de nourriture, pas d'argent et aucune certitude de trouver du travail. « L'abandonner encore, dit-il avec tristesse. C'est sans doute ce que je dois faire. » Il resta où il était à contempler le nouveau-né sur les genoux du prêtre. Il avait des cheveux bruns, comme ceux d'Agnès. Malgré la décision qu'il venait de prendre, Tom n'arrivait pas à s'en aller.

Là-dessus, un groupe de moines apparut à l'autre bout de la clairière. Ils étaient quinze ou vingt, portant des haches et des scies. Tom et Ellen risquaient maintenant d'être vus. Ils replongèrent dans le sous-bois à travers les taillis. Arrivés sur la route, ils se mirent à courir. Ils firent ainsi cent cinquante ou deux cents toises, main dans la main, et soudain Tom se sentit épuisé. Mais ils étaient suffisamment loin maintenant. Ils quittèrent la route et trouvèrent un endroit pour se reposer, à l'abri des regards.

Ils s'assirent sur un talus herbu où le soleil filtrait à travers le feuillage. Tom regarda Ellen allongée sur le dos, essoufflée, les joues rouges, un sourire aux lèvres. Sa robe s'était ouverte à l'encolure, révélant sa gorge et le gonflement d'un sein. Brusquement il éprouva l'envie de contempler de nouveau sa nudité. Le désir était bien plus fort que le remords qu'il éprouvait. Il se pencha pour l'embrasser, puis hésita tant elle était ravissante. Lorsqu'il parla, ce fut sans réfléchir et ses propres paroles le surprirent : « Ellen, dit-il, veux-tu être ma femme ? »

VI

Peter de Wareham était un trublion-né.

De la maison mère de Kingsbridge, il avait été transféré à la petite communauté de la forêt, et on comprenait sans mal pourquoi le prieur de Kingsbridge avait tenu à se débarrasser de lui. Ce grand gaillard dégingandé qui frôlait la trentaine avait une vive intelligence et des façons méprisantes, et il vivait dans un état constant de vertueuse indignation. Lorsqu'il était arrivé et qu'il avait commencé à travailler aux champs, il avait imposé un rythme forcené, avant d'accuser les autres de paresse. Mais, à sa grande surprise, la plupart des moines avaient suivi le train et au bout du compte c'étaient les plus jeunes qui l'avaient épuisé. Cherchant alors un autre vice que la paresse, il avait porté son choix sur la gourmandise.

Il commença par ne manger que la moitié de son pain sans toucher à sa viande. Dans la journée, il buvait de l'eau des ruisseaux, coupait sa bière le soir et refusait le vin. Il réprimanda un jeune moine plein de santé qui redemandait du porridge et réduisit en larmes un novice qui par jeu avait bu le vin d'un de ses compagnons.

Les moines ne se montraient guère gourmands, songeait le prieur Philip comme ils redescendaient du haut de la colline vers le monastère, à l'heure du dîner. Les jeunes étaient minces et musclés, leurs aînés secs et brûlés par le soleil. Aucun d'eux n'avait la rondeur pâle et molle que procurent un excès de nourriture et un défaut de travail. Philip estimait que tous les moines devaient être maigres. Les moines gras provoquaient l'envie chez les pauvres et la haine des serviteurs de Dieu.

Peter avait tout naturellement lancé son accusation sous le couvert d'une confession. « Je me suis rendu coupable du péché de gourmandise », avait-il déclaré ce matin-là alors qu'ils faisaient une pause, assis sur les arbres qu'ils avaient abattus, à manger du pain de seigle et à boire de la bière. « J'ai enfreint la règle de saint Benoît qui dit que les moines ne doivent pas manger de viande ni boire de vin. » Il dévisagea les autres, la tête haute, ses yeux sombres flamboyant d'orgueil, et laissa son regard se poser enfin sur Philip. « Chacun ici est coupable du même péché », conclut-il.

Dommage que Peter fût ainsi, songea Philip. L'homme était dévoué à l'œuvre de Dieu, il avait l'esprit bien fait et beaucoup de détermination. Mais il semblait dévoré du désir de se faire sans cesse remarquer par les autres ; ce qui l'amenait à provoquer des scènes. Malgré ce défaut assommant, Philip l'aimait comme les autres car, derrière cette arrogance et ce mépris, il devinait une âme inquiète, un être persuadé que personne ne pourrait jamais l'aimer.

Philip avait déclaré : « Voilà qui nous donne l'occasion de rappeler ce que saint Benoît a dit là-dessus. Vous souvenez-vous des paroles exactes, Peter ?

— Il a dit : "Tous sauf les malades doivent s'abstenir de viande" et "Le vin n'est absolument pas le breuvage des moines" », répliqua Peter.

Philip hocha la tête. Comme il s'en doutait, Peter ne connaissait pas la règle aussi bien que lui. « C'est presque correct, Peter, lança-t-il. Car le saint n'a pas parlé de viande, mais de la "chair des quadrupèdes" et, même alors, il a fait des exceptions pas seulement pour les malades, mais aussi pour les faibles. Qu'entendait-il par les "faibles" ? Dans notre petite communauté, nous estimons que les hommes qui ont été affaiblis par un travail assidu aux champs peuvent avoir besoin de manger du bœuf de temps en temps pour garder leurs forces. »

Peter avait écouté dans un silence maussade, le front barré d'un pli désapprobateur, ses épais sourcils noirs froncés au-dessus de son grand nez aquilin, tout son visage empreint de défi.

Philip avait poursuivi : « Au sujet du vin, le saint dit : "Nous lisons que le vin n'est absolument pas le breuvage des moines." L'emploi des mots *nous lisons* implique qu'il ne souscrit pas pleinement à cette proscription. Il dit aussi qu'une pinte de vin par jour doit suffire à n'importe qui. Et il nous prévient de ne pas boire jusqu'à satiété. Il est clair, n'est-ce pas, qu'il ne s'attend pas à voir les moines s'abstenir de boire totalement ?

— Mais il dit, reprit Peter, que la frugalité doit être maintenue dans tous les domaines.

— Et vous affirmez qu'ici nous ne pratiquons pas la frugalité ? lui demanda Philip.

— En effet, lança Peter d'une voix claire.

— "Que ceux à qui Dieu accorde le don d'abstinence sachent qu'ils recevront leur récompense", cita Philip. Si vous estimez la nourriture ici trop généreuse, vous pouvez manger moins. Mais souvenez-vous d'une autre chose que dit le saint. Il cite la première épître aux Corinthiens dans laquelle saint Paul écrit : "Chacun a son propre don de Dieu, l'un de cette façon, l'autre d'une autre", et le saint nous dit alors : "Pour cette raison, on ne saurait déterminer la quantité de nourriture d'autrui." N'oubliez pas cela, Peter, je vous prie, quand vous jeûnerez en méditant sur le péché de gourmandise. »

Là-dessus ils s'étaient remis au travail, Peter arborant un air de martyr.

Il ne se laisserait pas réduire au silence facilement, comprit Philip. Des trois vœux monastiques : pauvreté, chasteté, et obéissance, c'était l'obéissance qui donnait le plus de mal à Peter.

Il existait, naturellement, bien des façons de traiter les moines rebelles : le cachot, le pain et l'eau, le fouet et, mesure ultime, l'expulsion du couvent et l'excommunication. Philip en général n'hésitait pas à recourir à de tels châtiments, surtout quand un moine semblait mettre à l'épreuve son autorité. On le tenait donc pour un sévère partisan de la discipline. Pourtant, il détestait infliger des punitions : cela troublait l'harmonie et la fraternité monastiques et rendait tout le monde malheureux. D'ailleurs dans le cas de Peter, le châtiment ne ferait aucun bien. En fait, il ne servirait qu'à rendre l'homme plus orgueilleux et rancunier. Philip devait trouver une façon de mater Peter et de l'assouplir en même temps. Ce ne serait pas commode. Il est vrai, songea-t-il, que si tout était facile les hommes n'auraient pas besoin d'être guidés par Dieu.

Ils atteignirent la clairière où se trouvait le monastère ; en la traversant, Philip aperçut frère John, dans l'enclos des chèvres, qui lui faisait de grands signes. On l'appelait Johnny Huit Pence et il était un peu retardé. Philip se demanda ce qui l'excitait. Auprès de Johnny se tenait un homme en robe de prêtre à l'allure vaguement familière. Philip se hâta vers lui.

En approchant du prêtre, un petit homme trapu d'une vingtaine d'années, aux cheveux noirs coupés en brosse et dont les yeux bleu clair pétillaient d'intelligence, Philip reconnut avec un choc son frère cadet Francis. En le voyant, il avait à chaque fois l'impression de se regarder dans un miroir.

Francis tenait dans ses bras un nouveau-né.

Philip ne savait pas ce qui était le plus surprenant, de Francis ou du bébé. Les moines faisaient cercle autour d'eux. Francis se leva et tendit l'enfant à Johnny ; puis Philip l'étreignit.

« Que fais-tu ici ? dit Philip, ravi. Et d'où vient ce nourrisson ?

— Je t'expliquerai plus tard pourquoi je suis ici, répondit Francis. Quant au bébé, je l'ai trouvé dans les bois, tout seul, couché près d'un grand feu. » Francis s'arrêta.

« Et... ? » demanda Philip.

Francis haussa les épaules. « Impossible de t'en dire plus, car je n'en sais pas davantage. J'espérais arriver hier au soir, mais je n'ai pas pu, alors j'ai passé la nuit dans la cabane d'un garde forestier. Je suis parti ce matin à l'aube et je suivais la route quand j'ai entendu un bébé pleurer. Un instant plus tard, je l'ai aperçu. Je l'ai ramassé et ramené ici. Voilà toute l'histoire. »

Philip regardait d'un œil incrédule le petit paquet dans les bras de Johnny. Il tendit une main hésitante et souleva la couverture. Il vit un visage rose tout fripé, une bouche édentée et une petite tête chauve, la miniature d'un moine vieillissant. Écartant un peu plus le tissu, il aperçut de petites épaules fragiles, des bras qui s'agitaient et des poings crispés. Il examina attentivement le bout de cordon ombilical qui pendait du nombril du bébé. C'était un peu répugnant. Était-ce naturel ? se demanda Philip. On aurait dit une blessure qui cicatrisait bien et qu'il valait mieux ne pas toucher. Il écarta encore davantage la couverture. « Un garçon », dit-il, tout embarrassé avant de le recouvrir. Un des novices pouffa de rire. Philip se sentit soudain désemparé. Au nom du ciel, que vais-je en faire ? songea-t-il. Le nourrir ?

Le bébé se mit à pleurer. « Il a faim », annonça-t-il, et s'étonna : Comment le sais-je ?

« Nous ne pouvons pas le nourrir », intervint un des moines.

« Pourquoi pas ? » faillit répliquer Philip. Mais il s'en rendit compte : il n'y avait pas de femme à des lieues à la ronde.

Pourtant Johnny avait déjà résolu ce problème, constata Philip. Assis sur un tabouret, le bébé sur ses genoux, il avait à la main une serviette dont il trempait un coin tordu en spirale dans un seau de lait. Après avoir laissé la serviette absorber un peu de liquide, il l'approchait de la bouche du bébé qui l'ouvrait toute grande et tétait la serviette.

Philip eut presque envie d'applaudir. « Très malin, Johnny, fit-il avec surprise.

— J'ai déjà fait cela, dit fièrement Johnny, quand une chèvre est morte alors que son chevreau n'était pas sevré. »

Les moines regardaient Johnny répéter son simple geste. Quand il portait la serviette aux lèvres du bébé, certains des moines ouvraient eux-mêmes la bouche, constata Philip avec amusement. C'était une méthode un peu lente, mais à n'en pas douter nourrir les bébés prenait du temps. Peter de Wareham qui, succombant à la fascination générale exercée par le nouveau-né, avait oublié depuis un moment de tout critiquer, se reprit et lança : « Ce serait moins compliqué de retrouver la mère de l'enfant.

— Je ne crois pas, dit Francis. La mère n'est probablement pas mariée et s'est fait surprendre à transgresser la morale. J'imagine qu'elle est jeune. Peut-être a-t-elle réussi à garder sa grossesse secrète ; le temps approchant, elle s'est rendue dans la forêt où elle a accouché seule. Puis elle a abandonné l'enfant aux loups et s'en est retournée là d'où elle était venue. Elle fera en sorte que l'on ne puisse pas la retrouver. »

Le bébé s'était endormi. Dans un brusque élan, Philip, ému, le prit à Johnny. Il le posa contre sa poitrine en le soutenant d'une main et le berça. « Pauvre créature, dit-il. Pauvre créature. » Brusquement il se sentit envahi du besoin de protéger et de soigner cet enfant. Il remarqua que les moines le dévisageaient, stupéfaits de ce soudain accès de tendresse. Ils ne l'avaient évidemment jamais vu caresser personne, car les marques physiques d'affection étaient strictement interdites au monastère. De toute évidence on l'en croyait incapable. Eh bien, se dit-il, maintenant ils le connaîtraient mieux.

Peter de Wareham déclara : « Alors, il va nous falloir l'emmener pour tâcher de lui trouver une mère adoptive. »

Si tout autre que Peter avait fait pareille proposition, Philip n'aurait peut-être pas été aussi prompt à le contredire, mais il en fut ainsi : Peter parla, Philip répliqua un peu trop vite et sa vie s'en trouva transformée. « Nous ne le donnerons pas à une mère adoptive, dit-il d'un ton décidé. Cet enfant est un don de Dieu. » Il les regarda tous à la ronde.

Les moines le dévisageaient avec de grands yeux, suspendus à ses paroles. « Nous allons nous en occuper nous-mêmes, poursuivit-il. Nous le nourrirons, nous l'instruirons, nous l'élèverons dans les voies de Dieu. Puis, lorsqu'il sera un homme, il deviendra moine à son tour et ainsi nous le rendrons à Dieu. » Il y eut un silence stupéfait.

Puis Peter s'exclama, furieux : « Impossible ! Un bébé ne peut pas être élevé par des moines ! »

Philip surprit le regard de son frère et tous deux sourirent. Quand Philip reprit la parole, sa voix était lourde du poids du passé. « Impossible ? Mais non, Peter, au contraire je suis tout à fait sûr que cela peut se faire et mon frère pense comme moi. Nous le savons par expérience ! »

Le jour qui pour Philip fut le dernier de son enfance heureuse, son père était rentré blessé.

Philip avait été le premier à l'apercevoir, remontant à cheval le chemin en lacet menant au petit hameau des montagneuses Galles du Nord. Philip, âgé à l'époque de six ans, se précipita comme d'habitude à sa rencontre ; mais cette fois son père ne souleva pas son petit garçon pour l'installer devant lui sur la selle. Pâle, les vêtements éclaboussés de sang, il chevauchait lentement, affalé sur sa monture, tenant les rênes de la main droite, le bras gauche inerte. Philip fut tout à la fois intrigué et effrayé, car il n'avait jamais vu son père lui manifester aucune faiblesse.

« Va chercher ta mère », dit papa.

Après l'avoir fait entrer dans la maison, maman découpa la chemise de papa, à la grande horreur de Philip plus choqué de voir maman si économe gâcher délibérément le beau vêtement que par l'étalage de tout ce sang. « Ne vous occupez plus de moi maintenant », avait dit papa. Sa voix autoritaire se réduisait à un murmure et personne n'y prit garde — encore un événement insolite, car d'ordinaire ses paroles faisaient loi. « Laissez-moi et allez tous au monastère, dit-il. Ces maudits Anglais ne vont pas tarder. » Il y avait bien un monastère avec une église au sommet de la colline, mais Philip n'arrivait pas à comprendre pourquoi ils devraient aller là-haut alors qu'on n'était même pas dimanche. Maman répliqua : « Si tu perds encore du sang, tu ne pourras plus aller nulle part, jamais. » Mais tante Gwen dit qu'elle allait donner l'alarme et sortit.

Des années plus tard, en repensant aux événements qui

avaient suivi, Philip se rendit compte qu'à ce moment tout le monde les avait oubliés, lui et son frère Francis âgé de quatre ans, personne ne songea à les emmener jusqu'à l'abri du monastère. Les gens ne pensèrent qu'à leurs propres enfants ou s'imaginaient que Philip et Francis ne risquaient rien, puisqu'ils étaient avec leurs parents. Mais papa perdait tout son sang et maman essayait de le sauver, si bien que les Anglais les prirent tous les quatre.

Rien dans la brève existence de Philip ne l'avait préparé à l'apparition des deux hommes d'armes qui ouvrirent la porte d'un coup de pied et s'engouffrèrent dans l'unique pièce de la maison. En d'autres circonstances, ils n'auraient rien eu d'effrayant car c'était le genre de grands adolescents maladroits qui se moquaient des vieilles femmes, injuriaient les Juifs et à minuit se laissaient entraîner dans des bagarres devant les tavernes. Mais cette fois (Philip le comprit des années plus tard quand il put enfin penser objectivement à ce jour-là), les deux jeunes gens étaient assoiffés de sang. Ils sortaient d'une bataille, ils avaient entendu les hommes hurler de douleur et vu des amis tombés morts, et la peur leur avait fait perdre littéralement l'esprit. Mais ayant remporté la bataille et survécu, ils traquaient désormais leurs ennemis, et rien ne pourrait les satisfaire que davantage encore de sang, d'autres hurlements, d'autres plaies et d'autres morts ; cela se lisait sur leur visage lorsqu'ils entrèrent dans la salle comme des renards dans un poulailler.

Tout se passa très vite. Les deux hommes portaient une armure légère, rien qu'un gilet en cotte de mailles et un casque de cuir avec des bandes de fer, et leur épée à la main. L'un était hideux, avec un gros nez de travers, il louchait et un rictus de singe découvrait ses dents. L'autre avait une barbe abondante souillée de sang — le sang d'un autre sans doute, car il ne semblait pas blessé. Les deux hommes inspectèrent la pièce sans ralentir leur allure. Leur regard impitoyablement calculateur écarta Philip et Francis, s'arrêta une seconde sur maman puis se fixa sur papa. Avant que personne ait pu esquisser un geste, ils étaient sur lui. Penchée au-dessus de lui, leur mère était en train de nouer un bandage autour de son bras gauche. Elle se redressa et se tourna vers les intrus, les yeux flamboyants d'un courage sans espoir. Papa sauta sur ses pieds et porta sa main valide au pommeau de son épée. Philip poussa un cri de terreur.

L'homme au nez de travers souleva son épée au-dessus de sa tête et l'abattit, le pommeau en avant, sur la tête de leur mère, puis la repoussa. Philip courut jusqu'à elle sans comprendre qu'elle ne pouvait plus le protéger. Elle titubait, assommée, et l'homme à l'affreux visage passa à côté d'elle en brandissant de nouveau son épée. Philip se cramponnait aux jupes de sa mère, mais il ne pouvait s'empêcher de regarder son père...

Celui-ci tira son arme du fourreau et la levait pour se défendre. L'homme frappa et les deux lames se heurtèrent. Comme tous les petits garçons, Philip avait cru son père invincible ; et ce fut à cet instant-là qu'il comprit son erreur : son père était affaibli par tout le sang qu'il avait perdu. Les deux épées se touchèrent, la sienne tomba ; l'agresseur releva sa lame et frappa de nouveau très vite. Le coup porta là où les robustes muscles du cou de papa saillaient au-dessus de ses larges épaules. En voyant la lame s'enfoncer dans le corps de son père, Philip se mit à hurler. L'homme recula le bras et plongea la pointe de son épée dans le ventre de papa.

Paralysé de terreur, Philip leva les yeux vers sa mère. Leurs regards se croisèrent au moment où l'autre homme, le barbu, la frappait. Elle s'effondra sur le sol auprès de Philip, le sang ruisselant d'une plaie à la tête. Le barbu prit son épée à deux mains, la leva très haut et l'abattit de toutes ses forces. Il y eut un horrible bruit d'os qui se brisaient lorsque la pointe s'enfonça dans la poitrine de la mère. La lame plongea profondément, si profondément qu'elle dut ressortir par le dos et la clouer au sol.

Le regard affolé de Philip se reporta sur son père. Il le vit s'effondrer sur l'épée de l'homme au nez tordu, dans un flot de sang. Son assaillant recula d'un pas et tira sur son épée, essayant de la dégager. Papa fit un autre pas en trébuchant, sans lâcher prise. L'homme, avec un cri de rage, tourna son épée dans le ventre de sa victime et cette fois la lame sortit. Papa s'effondra sur le sol, portant les mains à son abdomen comme pour couvrir la plaie béante. Philip avait toujours cru que les entrailles étaient plus ou moins solides, et il fut déconcerté et apeuré par cet horrible mélange de tubes et d'organes dégoulinant du ventre de son père. L'agresseur leva bien haut son épée au-dessus du corps inerte, comme le barbu l'avait fait avec leur mère, et lui donna de la même façon le coup de grâce.

Les deux Anglais se consultèrent du regard. Philip fut surpris de voir le soulagement sur leur visage. Puis ils se tournèrent vers Francis et lui. L'un fit un signe de tête, l'autre haussa les épaules et Philip comprit qu'ils allaient les tuer tous les deux avec leurs grandes épées. La terreur explosa en lui et il crut que sa tête allait éclater.

L'homme à la barbe se pencha, attrapa Francis par une cheville et le tint en l'air, la tête en bas, tandis que le petit garçon réclamait sa mère en hurlant, sans comprendre qu'elle était morte. Son compagnon s'apprêta à plonger son épée dans le cœur de l'enfant.

Il n'acheva jamais son geste. Une voix autoritaire retentit et les deux hommes s'immobilisèrent. Philip leva la tête et vit l'abbé Peter, dressé sur le seuil de la porte, vêtu de sa robe de bure, la colère de Dieu dans les yeux, brandissant une croix de bois comme une épée.

Quand Philip revivait ce jour-là dans ses cauchemars et s'éveillait en sueur dans le noir, il parvenait toujours à se calmer et à se rendormir en évoquant cette dernière scène et la façon dont cet homme désarmé, une croix à la main, avait d'un geste fait oublier les cris et le sang.

L'abbé Peter reprit la parole : Philip ne comprenait pas la langue qu'il employait — c'était de l'anglais, bien sûr — mais le sens en était clair car les deux hommes prirent un air honteux et le barbu reposa très doucement Francis par terre. Le moine s'avança d'un pas assuré, les hommes d'armes reculèrent comme s'ils avaient peur de lui : eux avec leurs épées et leurs armures, et lui avec une robe de laine et une croix ! Il leur tourna le dos avec un geste de mépris et s'accroupit pour s'adresser à Philip. « Comment t'appelles-tu ?

— Philip.

— Ah oui ! Je me souviens. Et ton frère ?

— Francis.

— C'est cela. » L'abbé regarda les corps ensanglantés sur le sol en terre battue. « C'est ta maman, n'est-ce pas ?

— Oui », dit Philip, et il sentit la panique déferler sur lui tandis qu'il désignait le corps mutilé de son père, en murmurant : « Et c'est mon papa !

— Je sais, fit le moine d'un ton apaisant. Comprends-tu qu'ils sont morts ?

— Je ne sais pas » balbutia Philip. Il savait ce que cela voulait dire quand des animaux mouraient, mais comment cela pouvait-il arriver à maman et à papa ?

« C'est comme s'endormir, expliqua l'abbé Peter.

— Mais leurs yeux sont ouverts ! cria Philip.

— Chut ! Alors, nous ferions mieux de les fermer.

— Oui », acquiesça Philip. Il avait l'impression que cela résoudrait quelque chose.

L'abbé Peter se leva, prit Philip et Francis par le bras et les entraîna près du corps de leur père. Il s'agenouilla et serra dans sa main droite celle de Philip. « Je vais te montrer comment on fait », dit-il. Il approcha la main de Philip du visage de son père, mais Philip soudain n'osa plus toucher ce corps si étrange, et pâle, et inerte, et affreusement blessé. Il retira sa main. Il jeta un regard anxieux à l'abbé Peter — un homme à qui nul ne désobéissait —, mais l'abbé n'avait pas l'air en colère. « Allons », murmura-t-il doucement en reprenant la main de Philip. Philip cette fois ne résista pas. Tenant l'index du petit garçon entre son pouce et un doigt, le moine l'obligea à toucher la paupière de son père et à l'abaisser jusqu'à ce qu'elle recouvre l'œil qui les fixait de façon si terrible. Puis l'abbé libéra la main de Philip et dit : « Ferme-lui l'autre œil. » Sans aide maintenant, Philip obéit. Alors, il se sentit mieux.

L'abbé Peter reprit : « Allons-nous fermer aussi les yeux de ta mère ?

— Oui. »

Ils s'agenouillèrent auprès de son corps. L'abbé de sa manche essuya le sang qui lui maculait le visage. « Et Francis ? demanda Philip.

— Il devrait peut-être nous aider aussi, approuva l'abbé.

— Francis, ordonna Philip à son frère, fais ce que j'ai fait. Ferme les yeux de maman comme j'ai fermé ceux de papa, pour qu'elle puisse dormir.

— Ils dorment ? demanda Francis.

— Non, mais c'est la même chose, déclara Philip d'un ton autoritaire, alors il faut leur fermer les yeux.

— Très bien », dit Francis. Et, sans hésitation, il tendit une main potelée et ferma avec soin les yeux de sa mère.

L'abbé alors prit un enfant sous chaque bras. Sans un regard aux hommes d'armes, il les emmena et remonta avec eux le long du sentier raide qui montait au sanctuaire du monastère.

Il leur fit donner à manger à la cuisine ; puis, pour ne pas les laisser en proie à leurs pensées, il leur demanda d'aider le cuisinier à préparer le souper des moines. Le lendemain, il les emmena voir les corps de leurs parents, lavés et habillés, les blessures en partie dissimulées, allongés dans des cercueils côte à côte dans la nef de l'église, avec d'autres membres de leur famille, car tous les villageois n'avaient pas réussi à gagner le monastère à temps pour échapper aux envahisseurs. Ils assistèrent à l'enterrement avec l'abbé qui les obligea à regarder les deux cercueils que l'on descendait dans l'unique tombe. Philip éclata en sanglots, et Francis en fit autant. Quelqu'un voulut les faire taire, mais l'abbé Peter dit : « Laissez-les pleurer. » Ce ne fut qu'après, quand ils eurent bien compris que leurs parents avaient vraiment disparu pour ne jamais revenir, que le prêtre leur parla enfin de l'avenir.

De toute leur parenté, aucune famille n'était indemne : dans tous les cas, soit le père, soit la mère avait été tué. Il ne restait personne pour s'occuper des garçons. Ce qui réduisait le choix à deux solutions. On pouvait donner les deux frères et même les vendre à un fermier qui les utiliserait comme main-d'œuvre jusqu'à ce qu'ils soient assez grands pour s'enfuir. Ou bien on pouvait les donner à Dieu.

On voyait souvent de jeunes garçons entrer au monastère. L'âge habituel se situait aux environs de onze ans, cinq ans étant la limite inférieure, car les moines n'étaient pas équipés pour s'occuper de bébés. Parfois les garçons étaient des orphelins, parfois leurs parents avaient trop de fils. D'ordinaire la famille faisait en même temps au monastère un don substantiel : une ferme, une église, voire tout un village. Dans les cas de très grande pauvreté, elle pouvait en être dispensée. Mais le père de Philip et de Francis avait laissé une modeste ferme dans les collines, aussi leur cas ne relevait-il pas de la charité pure. L'abbé Peter proposa que le monastère se chargeât des garçons et de la ferme. Les cousins survivants acquiescèrent.

L'abbé avait l'expérience du chagrin, mais malgré toute sa sagesse il n'était pas préparé à ce qui arriva à Philip. Au bout d'un an ou deux, quand la peine eut semblé s'effacer et que les deux garçons se furent installés dans la vie du monastère, Philip tomba en proie à une sorte de rage implacable. La vie dans la communauté de la colline n'était pas pénible au point de justifier sa colère : il était nourri, vêtu, il y avait du feu dans le dortoir en hiver et même un peu de tendresse et d'affection ; la stricte discipline et les rituels monotones donnaient au moins un sentiment d'ordre et de stabilité ; mais Philip se mit à se comporter comme si on l'avait injustement emprisonné. Il désobéissait aux ordres, se rebellait à la moindre occasion, volait de la nourriture, cassait des œufs, lâchait les chevaux, raillait les infirmes et insultait ses aînés. Le seul crime qu'il ne commettait pas, c'était le sacrilège et, pour cette raison, l'abbé lui pardonnait tout. Et puis la crise passa. Un beau jour de Noël, en repensant aux douze derniers mois, Philip s'aperçut que de toute l'année il n'avait pas passé une seule nuit au cachot.

Son retour à la normalité était dû à plusieurs raisons. Le fait qu'il s'intéressât à ses leçons l'aida sans doute. La théorie mathématique de la musique le fascinait et même la conjugaison des verbes latins obéissait à une certaine logique satisfaisante pour l'esprit. On lui avait confié la tâche d'aider le cellérier, le moine qui s'occupait de toutes les fournitures dont le monastère avait besoin, des sandales aux semences ; et cela aussi l'intéressait. Il portait un véritable culte à frère John, un jeune moine beau et musclé qui lui paraissait la quintessence du savoir, de la sainteté, de la sagesse et de la bonté. Que ce fût pour imiter John, par inclination, ou bien les deux, il commença à trouver une sorte de paix dans la série quotidienne des prières et des services. Il passa donc à l'adolescence avec à l'esprit l'organisation du monastère et dans les oreilles les saintes harmonies.

Dans leurs études, Philip comme Francis étaient très en avance sur les garçons de leur âge qu'ils connaissaient, mais ils croyaient que c'était parce qu'ils vivaient au monastère et ils n'avaient pas encore compris qu'ils étaient exceptionnels.

En repensant à sa jeunesse, Philip avait le sentiment d'avoir connu un bref âge d'or, une année ou peut-être moins, entre la fin de sa rébellion et les assauts du désir charnel. Vint alors la torturante époque des pensées impures, des émissions nocturnes, des séances horriblement embarrassantes avec son confesseur (c'était l'abbé), des pénitences sans fin et des flagellations.

Les tourments de la chair ne cessèrent jamais complètement de l'affecter, mais ils finirent par perdre leur importance, si bien qu'ils ne le tracassaient plus que de temps en temps, les rares fois où son esprit et son corps étaient oisifs — comme une vieille blessure qui se manifeste quand le temps change. Francis avait mené la même bataille un peu plus tard et, bien qu'il n'eût pas fait de confidence à Philip sur le sujet, l'aîné avait le sentiment que le cadet avait combattu moins bravement la luxure et qu'il avait accepté ses défaites avec un peu trop d'entrain. L'essentiel toutefois était que tous deux avaient fait la paix avec les passions, le plus grand ennemi de la vie monastique.

Philip travaillait avec le cellérier, et Francis avec le prieur adjoint de l'abbé Peter. Lorsque le cellérier mourut, Philip avait vingt et un ans et, malgré son jeune âge, il le remplaça. Quand Francis atteignit vingt et un ans à son tour, l'abbé lui proposa de créer pour lui un nouveau poste, celui de sous-prieur. Mais cette proposition précipita une crise. Francis demanda à être dispensé de cette responsabilité et du même coup à être libéré du monastère. Il voulait être ordonné prêtre et servir Dieu dans le monde.

Philip fut stupéfait et horrifié. L'idée que l'un d'eux puisse quitter le monastère ne lui était jamais venue et le déconcertait à présent autant que s'il avait appris qu'il était l'héritier du trône. Mais, après bien des débats et bien des larmes, Francis s'en fut dans le vaste monde et ne tarda pas à devenir chapelain du comte de Gloucester.

Jusqu'alors, les rares fois où il y pensait, Philip avait vu son avenir tout tracé : il serait moine, vivrait une vie d'humilité et d'obéissance, dans son vieil âge peut-être deviendrait-il abbé. Il s'efforcerait de suivre l'exemple donné par Peter. Voilà maintenant qu'il se demandait si Dieu n'envisageait pas pour lui un autre destin. Il se rappelait la parabole des talents : Dieu comptait sur Ses serviteurs pour accroître son royaume et pas seulement pour le préserver. Non sans appréhension, il s'ouvrit de ces pensées à l'abbé Peter, sachant fort bien qu'il risquait une réprimande pour un tel péché d'orgueil.

A sa surprise l'abbé dit : « Je me demandais combien de temps il te faudrait pour comprendre cela. Bien sûr que tu es destiné à autre chose. Né à l'ombre d'un monastère, orphelin à six ans, élevé par des moines, promu cellérier à vingt et un ans : Dieu ne se donne pas tant de mal pour former un homme qui va passer sa vie dans un petit monastère au faîte d'une colline dénudée, dans un royaume de montagnes perdues. Tu n'as pas assez d'espace ici, tu dois partir. »

Philip demeura stupéfait mais, avant de prendre congé de l'abbé, une question lui vint à l'esprit. « Si ce monastère a si peu d'importance, pourquoi Dieu vous a-t-Il mis, vous, ici ?

— Peut-être, répliqua l'abbé Peter en souriant, pour m'occuper de toi. »

Plus tard, cette année-là, l'abbé se rendit à Canterbury afin de présenter ses respects à l'archevêque et, à son retour, il dit à Philip : « Je t'ai donné au prieur de Kingsbridge. »

Philip se sentit intimidé. Le prieuré de Kingsbridge était un des plus grands et des plus importants monastères du pays. Il s'agissait d'un prieuré cathédrale avec pour église une cathédrale, le siège d'un évêque, en théorie l'abbé du monastère bien qu'en pratique celui-ci fût dirigé par son prieur. « Le prieur James est un vieil ami, expliqua l'abbé Peter à Philip. Depuis quelques années, il me semble avoir perdu courage, je ne sais pas pourquoi. En tout cas Kingsbridge a besoin de sang nouveau. James en particulier a des problèmes avec une des annexes de son prieuré, un petit couvent dans la forêt, et il a désespérément besoin d'un homme sur qui il puisse totalement compter pour ramener ce monastère sur le chemin de sainteté.

— Je vais donc en devenir le prieur ? » dit Philip avec surprise.

L'abbé acquiesça. « Et si nous avons raison en pensant que Dieu te réserve beaucoup de travaux, nous pouvons nous attendre à ce qu'Il t'aide à résoudre les problèmes de cette communauté.

— Et si nous nous trompons ?

— Tu peux toujours revenir ici et être mon cellérier. Mais nous ne nous trompons pas, mon fils ; tu verras. »

Les adieux se firent dans les larmes. Philip avait passé dix-sept ans ici et les moines étaient sa famille désormais plus réelle pour lui que les parents qu'on lui avait sauvagement arrachés. Sans doute ne reverrait-il jamais ces moines et cela l'emplissait de tristesse.

Kingsbridge tout d'abord l'impressionna. Entouré de murs, le monastère était plus grand que de nombreux villages ; la cathédrale lui parut une vaste et sombre caverne ; la maison du prieur, un petit palais. Mais une fois habitué aux dimensions peu communes de l'ensemble, Philip perçut les signes de ce découragement que l'abbé Peter avait remarqué chez son vieil ami le prieur. L'église avait visiblement besoin d'importantes réparations. On expédiait précipitamment les prières ; on ne cessait d'enfreindre la règle de silence ; et il y avait trop de serviteurs, plus de serviteurs que de moines. Philip était furieux. Il aurait voulu prendre le prieur James à la gorge, le secouer et dire : « Comment osez-vous faire cela ? Comment osez-vous adresser à Dieu des prières hâtives ? Comment osez-vous laisser les novices jouer aux dés et les moines avoir des chiens de compagnie ? Comment osez-vous vivre dans un palais, entouré de serviteurs, alors que l'église de Dieu tombe en ruine ? » Naturellement, il ne dit rien de la sorte. Il eut une brève et formelle entrevue avec le prieur James, grand, maigre et voûté, qui semblait porter sur ses épaules le poids des malheurs du monde. Puis il parla au sous-prieur, Remigius. Au début de leur conversation, Philip laissa entendre qu'à son avis le prieuré aurait besoin de quelques changements, s'attendant à entendre l'adjoint de l'abbé acquiescer de tout cœur. Mais Remigius toisa Philip avec l'air de dire : *Pour qui vous prenez-vous ?* et changea de sujet.

Remigius expliqua que la communauté de Saint-John-de-la-Forêt, fondée trois ans plus tôt avec de la terre et quelques biens, aurait dû maintenant subvenir à ses propres besoins, mais continuait à dépendre de la maison mère en matière d'approvisionnement. Il y avait d'autres problèmes : un diacre, qui avait passé la nuit là-bas, avait critiqué la façon dont étaient célébrés les services. Des voyageurs prétendaient avoir été dépouillés dans cette région par des moines ; on parlait aussi d'impureté.

Que Remigius ne pût ou ne voulût pas donner des détails précis n'était qu'un signe de plus de la négligence qui régnait. Philip partit, tremblant de rage. Un monastère se devait de glorifier Dieu faute de quoi il ne représentait rien. Mais le prieuré de Kingsbridge était pire : il faisait honte à Dieu par son laisser-aller. Mais Philip était impuissant devant cette gabegie. Le mieux qu'il pouvait espérer, c'était de réformer une des communautés de Kingsbridge.

Durant les deux jours à cheval qu'il fallut pour gagner son nouveau poste, il rumina les maigres informations que l'on lui avait fournies et songea tout en priant à la façon dont il aborderait ces problèmes. Il serait bien avisé, décida-t-il, de s'avancer d'abord avec prudence. Un prieur normalement était élu par les moines ; mais, dans le cas d'une communauté qui n'était qu'une annexe du monastère principal, le prieur de la maison mère pouvait simplement imposer son choix. On n'avait pas demandé à Philip de se soumettre à une élection, et cela signifiait qu'il ne pouvait pas compter sur la bonne volonté des moines. Il lui faudrait soigneusement tâter le terrain, bien se renseigner sur les problèmes qui se posaient avant de pouvoir décider de la meilleure solution à leur apporter. Il lui faudrait gagner le respect et la confiance des moines, surtout ceux qui étaient plus âgés que lui et qui pourraient lui en vouloir de sa position. Puis, une fois sa science faite et son autorité assurée, il prendrait des mesures énergiques.

Les choses ne se passèrent pas ainsi.

La lumière déclinait, le second jour, lorsqu'il arrêta son poney à la lisière d'une clairière pour inspecter sa nouvelle résidence. Il n'y avait en ce temps-là qu'une seule construction de pierre, la chapelle. L'année suivante, Philip ferait construire en dur le nouveau dortoir. Les autres bâtiments, de bois, paraissaient délabrés. Philip s'irrita : tout ce que faisaient les moines était censé durer et cela valait pour les porcheries aussi bien que pour les cathédrales. En regardant autour de lui, il enregistra de nouvelles preuves du laxisme qui l'avait choqué à Kingsbridge : pas de clôture, le foin débordait par la porte de la grange et un tas de fumier s'amoncelait auprès de l'étang à poissons. Il sentit son visage se tendre de colère : « Du calme », se dit-il. Tout d'abord il ne vit personne ; bien sûr, c'était l'heure des vêpres et les moines devaient être à la chapelle. Il effleura de sa cravache le flanc du poney et traversa la clairière jusqu'à la cabane qui semblait faire office d'écurie. Un jeune homme, de la paille dans les cheveux et l'air absent, passa la tête par-dessus la porte et regarda Philip avec surprise.

« Comment t'appelles-tu ? » dit Philip, avant d'ajouter un peu timidement : « Mon fils.

— On m'appelle Johnny Huit Pence », répondit le jeune homme.

Philip mit pied à terre et lui tendit les rênes : « Viens, Johnny Huit Pence, tu peux desseller mon cheval.

— Oui, mon père. » Le garçon passa les rênes autour d'une barrière et s'éloigna.

« Où vas-tu ? demanda sèchement Philip.

— Annoncer aux frères qu'un étranger est ici.

— Johnny, il faut pratiquer l'obéissance. Desselle mon cheval. Je dirai moi-même aux frères que je suis ici.

— Bien, mon père. » L'air effrayé, Johnny se mit à l'ouvrage. Philip regarda autour de lui. Au milieu de la clairière se dressait un long bâtiment, comme une grande halle. A côté se trouvait une petite construction ronde avec de la fumée qui s'élevait d'un trou dans le toit. Sans doute était-ce la cuisine. Il décida d'aller voir ce qu'il y avait pour souper. Dans les monastères stricts on ne servait qu'un seul repas par jour, le dîner à midi, mais à l'évidence il ne s'agissait pas d'un établissement très strict et il y aurait un léger souper après les vêpres, du pain avec du fromage ou des poissons salés, ou peut-être une écuelle de bouillon d'orge préparé avec des herbes. Mais, en approchant de la cuisine, Philip huma l'arôme reconnaissable et appétissant de la viande en train de rôtir. Il s'arrêta, fronçant les sourcils, puis entra.

Deux moines et un jeune garçon étaient assis autour du foyer central. L'un des moines passa une cruche à l'autre qui but une gorgée. Le garçon tournait une broche sur laquelle dorait un petit cochon.

Ils levèrent les yeux d'un air surpris quand Philip approcha. Sans un mot, il prit la cruche des mains du moine et la flaira. Puis il dit : « Pourquoi bois-tu du vin ?

— Parce que cela me réchauffe le cœur, étranger, dit le moine. Tiens... bois donc un coup. »

On ne les avait manifestement pas prévenus de l'arrivée prochaine de leur nouveau prieur. Il était tout aussi évident qu'ils ne craignaient pas davantage de voir un moine de passage rapporter leur conduite à Kingsbridge. Malgré son envie de casser la cruche de vin sur la tête de l'homme, Philip prit une profonde inspiration et dit avec douceur : « Les enfants des pauvres ont faim pour nous fournir de la viande et de la boisson, dit-il, le vin est fait pour la gloire de Dieu et non pas pour nous réchauffer le cœur. Plus de vin pour toi ce soir. » Il tourna les talons, partant avec la cruche.

Comme il s'éloignait, il entendit le moine dire : « Pour qui te prends-tu ? » Il ne répondit pas. On le saurait assez tôt.

Il déposa la cruche devant la cuisine et traversa la clairière en direction de la chapelle, serrant et desserrant les poings en essayant de maîtriser sa colère. Pas de précipitation, se dit-il, sois prudent. Prends ton temps.

Il s'arrêta un moment sous le petit porche de la chapelle, puis poussa sans bruit la lourde porte de chêne.

Une douzaine de moines et quelques novices éparpillés sans ordre lui tournaient le dos. Devant eux, le sacristain leur faisait face et lisait dans un livre ouvert. Il célébrait l'office en hâte et les moines marmonnaient négligemment les répons. Trois chandelles de longueur inégale crachotaient sur une nappe d'autel sale.

Au fond, deux jeunes moines bavardaient avec animation, sans se soucier des prières. Comme Philip passait à leur hauteur, l'un d'eux dit quelque chose de drôle et l'autre éclata de rire, noyant les mots que marmonnait le sacristain. Pour Philip, ce fut la goutte d'eau qui fit déborder le vase. Il ouvrit la bouche et hurla à tue-tête : « Taisez-vous ! » Les rires s'interrompirent, le sacristain arrêta sa lecture. Le silence se fit dans la chapelle et les moines se retournèrent pour dévisager Philip.

Il s'approcha du moine qui venait de rire et le saisit par l'oreille. A peu près de l'âge de Philip mais plus grand, il fut cependant trop surpris pour résister quand Philip lui appuya une main sur la tête en criant : « A genoux ! » Le moine aurait peut-être tenté de se débattre s'il ne s'était pas senti coupable. Quand Philip accentua sa pression, le jeune homme s'agenouilla.

« Vous tous, ordonna Philip, à genoux ! »

Tous avaient prononcé le vœu d'obéissance et la scandaleuse indiscipline dans laquelle ils vivaient visiblement depuis quelque temps n'avait pas réussi malgré tout à effacer des années d'habitude. La moitié des moines et les novices au complet s'agenouillèrent.

« Vous avez tous parjuré vos vœux, dit Philip, sans cacher son mépris. Vous êtes tous sans exception des blasphémateurs. » Il les regarda tour à tour droit dans les yeux. « Votre pénitence commence dès maintenant », conclut-il. Lentement ils s'agenouillèrent l'un après l'autre, seul resta debout le sacristain, un homme bien en chair, aux paupières tombantes, d'une vingtaine d'années plus âgé que Philip. Celui-ci s'approcha en contournant les moines agenouillés. « Donnez-moi le livre », dit-il.

Le sacristain soutint son regard d'un air de défi et ne dit rien.

Philip tendit la main et voulut s'emparer du gros volume. Le sacristain le serra plus fort contre lui et Philip hésita. Il venait de passer deux jours à se prêcher lenteur et prudence, et voilà qu'à peine arrivé, la poussière de la route encore sur ses pieds, il jouait au risque-tout en affrontant un homme dont il ne savait rien. « Donnez-moi le livre, mettez-vous à genoux », répéta-t-il.

Le sacristain esquissa un ricanement : « Qui es-tu ? » dit-il.

De nouveau Philip hésita. Sa robe et sa coupe de cheveux leur avaient clairement indiqué à tous qu'il était moine et son comportement qu'il possédait un certain rang ; mais personne ne savait encore si ce rang le plaçait au-dessus du sacristain. Il lui aurait suffi de dire : *Je suis votre nouveau prieur*, mais il ne le voulait pas. Il lui paraissait soudain très important de l'emporter par le seul poids de l'autorité morale.

Le sacristain perçut son incertitude et en profita aussitôt : « Dites-nous à tous, je vous prie, fit-il avec une courtoisie feinte. Qui est-ce donc qui nous ordonne de s'agenouiller en sa présence ? »

Toute hésitation abandonna aussitôt Philip et il se dit : Dieu est avec moi, alors de quoi ai-je peur ? Il prit une profonde inspiration et ses paroles jaillirent dans un rugissement qui retentit des pavés du sol jusqu'aux pierres de la voûte : « C'est Dieu qui te commande de t'agenouiller en *Sa* présence ! » tonna-t-il...

Le sacristain sembla un rien moins sûr de lui. Philip saisit l'occasion et s'empara du livre. Ayant désormais perdu toute autorité, le sacristain finit, à regret, par s'agenouiller. Dissimulant son soulagement, Philip regarda les moines tour à tour et déclara : « Je suis votre nouveau prieur. »

Il les fit rester agenouillés tandis qu'il lisait le service. Cela prit longtemps, car il leur fit répéter les répons et les répéter encore jusqu'au moment où les moines purent les dire en parfait unisson. Puis, en silence, il les fit sortir de la chapelle et traverser la clairière jusqu'au réfectoire. Il renvoya le porc rôti à la cuisine, commanda du pain et de la petite bière, puis il désigna un moine pour lire tout haut pendant qu'ils mangeaient. Dès qu'ils eurent fini, il les entraîna, toujours en silence, jusqu'au dortoir.

112

Il ordonna qu'on apporte son lit de la maison séparée qu'occupait le prieur : il dormirait dans la même pièce que les moines. C'était la façon la plus simple et la plus efficace de prévenir tout péché d'impureté.

Il ne ferma pas l'œil de toute la première nuit, mais resta assis à prier en silence à la lueur d'une bougie jusqu'à ce qu'il soit minuit et l'heure de réveiller les moines pour les matines. Il célébra rapidement cet office afin de leur faire comprendre qu'il n'était pas absolument impitoyable. Ils revinrent se coucher, mais Philip, lui, ne dormit pas.

Il sortit au lever du jour, avant leur réveil, et regarda autour de lui en pensant à la journée qui l'attendait. Un des champs avait été récemment défriché et au beau milieu se dressait l'énorme souche de ce qui avait dû être un grand chêne. Cela lui donna une idée.

Après le service de prime et le petit déjeuner, il les emmena tous dans le champ avec des cordes et des haches, et ils passèrent la matinée à déraciner l'énorme souche, la moitié d'entre eux tirant sur les cordes tandis que l'autre attaquait les racines à coups de hache. « Ho ! » Une fois le travail terminé, Philip leur distribua à tous de la bière, du pain et une tranche de porc qu'il leur avait refusée au souper.

Ce ne fut pas la fin des problèmes, mais le début des solutions. Dès le commencement, Philip refusa de demander à la maison mère autre chose que du grain pour le pain et des cierges pour la chapelle. La certitude qu'ils n'auraient pas d'autre viande que ce qu'ils auraient élevé ou pris eux-mêmes au piège fit des moines de soigneux éleveurs de bétail et d'habiles preneurs d'oiseaux ; et, alors qu'ils avaient jusque-là considéré les services comme une façon d'échapper au travail, ils étaient heureux maintenant quand Philip réduisait les heures occupées à la chapelle pour leur permettre de passer plus de temps aux champs.

Au bout de deux ans, ils se suffisaient à eux-mêmes et, au bout de quatre, ils ravitaillaient le prieuré de Kingsbridge en viande, en gibier et en fromages de chèvre devenus une friandise convoitée. La communauté prospérait, les offices étaient irréprochables, les frères sains et heureux.

Philip aurait été satisfait si la maison mère, le prieuré de Kingsbridge, n'avait pas sombré, elle.

Kingsbridge aurait dû être un des principaux centres religieux du royaume, bourdonnant d'activité, avec sa bibliothèque fréquentée par les érudits étrangers, son prieur consulté par les barons, ses autels attirant des pèlerins de tout le pays, son hospitalité vantée par la noblesse, sa charité célèbre parmi les pauvres. Mais l'église tombait en ruine, la moitié des bâtiments monastiques étaient vides et le prieuré était endetté auprès des prêteurs. Philip se rendait à Kingsbridge au moins une fois par an et, chaque fois, il revenait bouillonnant de colère devant la façon dont les richesses, léguées par de fidèles dévots et accrues par des moines dévoués, se trouvaient dissipées avec insouciance comme l'héritage du fils prodigue.

Une partie du problème tenait à l'emplacement du prieuré. Kingsbridge était un petit village sur une route de campagne qui ne menait nulle part. Depuis le temps du premier roi Guillaume — qu'on avait appelé le Conquérant, ou le Bâtard, suivant les opinions de qui parlait — la plupart des cathédrales avaient été transférées dans de grandes villes ; mais Kingsbridge avait échappé à ce bouleversement. Toutefois, pour Philip, ce n'était pas un problème insurmontable : un monastère actif avec une église cathédrale se devait d'être une ville en soi.

Le vrai problème venait de la léthargie du vieux prieur James. Avec une main molle à la barre, le navire avançait au gré des vents sans aller nulle part. Et, au vif regret de Philip, le prieuré de Kingsbridge continuerait à décliner tant que le prieur James vivrait.

Ils enveloppèrent le bébé dans de la toile propre et le couchèrent dans un grand panier à pain en guise de berceau. Son petit ventre plein de lait de chèvre, il s'endormit. Philip chargea Johnny Huit Pence de s'occuper de lui car, bien qu'il fût un peu demeuré, Johnny avait la main douce pour les créatures petites et frêles.

Impatient de savoir ce qui avait amené Francis au monastère, Philip fit quelques allusions durant le dîner, mais Francis ne réagit pas et son frère dut réprimer sa curiosité.

Après le dîner, venait l'heure d'étude. On n'avait pas ici de cloître à proprement parler, mais les moines pouvaient s'asseoir sous le porche de la chapelle et lire, ou bien se promener dans la clairière. Ils avaient le droit d'entrer de temps en temps dans la cuisine pour se réchauffer auprès du feu, selon la coutume. Philip et Francis se promenèrent côte à côte autour de la clairière, ainsi qu'ils le faisaient autrefois dans le cloître du monastère au pays de Galles ; et Francis se mit à parler.

« Le roi Henry a toujours traité l'Église comme une dépendance de son royaume, commença-t-il. Il a donné des ordres aux évêques, levé des impôts et empêché l'exercice direct de l'autorité papale.

— Je sais, dit Philip. Et alors ?

— Le roi Henry est mort. »

Philip s'arrêta net. Il ne s'attendait pas à cette nouvelle.

Francis reprit : « Il est mort dans son pavillon de chasse de Lyons-la-Forêt, en Normandie, après un repas de lamproies, qu'il adorait, même si elles ne lui réussissaient pas.

— Quand cela ?

— Nous sommes aujourd'hui au premier jour de l'année, c'était donc il y a exactement un mois. »

Philip fut bouleversé. Depuis sa naissance, Philip avait eu Henry pour roi. Il n'avait jamais vécu la mort d'un roi, mais il savait que cela signifiait des troubles et peut-être la guerre. « Que va-t-il se passer maintenant ? » demanda-t-il fort inquiet.

Ils reprirent leur marche. « Le problème, dit Francis, c'est que l'héritier du roi a péri en mer voilà bien des années — tu t'en souviens peut-être.

— En effet. » Philip avait alors douze ans. Ce premier événement d'importance nationale à pénétrer sa conscience d'enfant lui avait fait prendre conscience du monde extérieur au monastère. Le fils du roi avait péri dans le naufrage d'un vaisseau appelé le *Vaisseau blanc*, juste au large de Cherbourg. L'abbé Peter, en racontant tout cela au jeune Philip, avait redouté que la guerre et l'anarchie suivent la mort du prince héritier ; mais le roi Henry garda le contrôle du royaume et la vie continua paisiblement pour Philip et Francis.

« Le roi, bien entendu, avait d'autres enfants, poursuivit Francis, au moins vingt, y compris mon suzerain, le comte Robert de Gloucester ; mais, comme tu le sais, ce sont tous des bâtards. Malgré sa fécondité effrénée, il n'a réussi à engendrer qu'un autre enfant légitime — et c'est une fille, Maud. Un bâtard ne peut pas hériter du trône, mais une femme ne vaut guère mieux.

— Le roi Henry n'a pas désigné d'héritier ? dit Philip.

— Si, il a choisi Maud. Elle a un fils, qui s'appelle aussi Henry. C'était le vœu le plus cher du vieux roi que son petit-fils héritât du trône. Mais l'enfant n'a pas encore trois ans. Alors le roi a obligé les barons à jurer fidélité à Maud. »

Philip s'étonna. « Si le roi a fait de Maud son héritière et que les barons lui aient déjà prêté serment de loyauté... quel est le problème ?

— La vie de cour n'est jamais aussi simple, répondit Francis. Maud est mariée à Geoffroi d'Anjou. L'Anjou et la Normandie sont en rivalité depuis des générations. Nos suzerains normands détestent les Angevins. Franchement, quel optimisme de la part du vieux roi que d'espérer qu'une bande de barons anglo-normands remettraient l'Angleterre et la Normandie à une Angevine, serment ou pas serment. »

Les propos informés de son frère cadet et son manque de respect pour les hommes les plus importants du pays surprenaient quelque peu Philip : « Comment sais-tu tout cela ?

— Les barons se sont réunis au Neubourg pour décider quoi faire. Il va sans dire que mon suzerain, le comte Robert, était là ; et je l'ai accompagné pour écrire ses lettres. »

Philip regarda son frère, songeant combien la vie de Francis devait être différente de la sienne. Puis il se rappela quelque chose. « Le comte Robert est le fils aîné du vieux roi, n'est-ce pas ?

— Oui, et il est *très* ambitieux ; mais il accepte l'opinion générale qui veut que les bâtards doivent conquérir leurs royaumes et non pas les recevoir en héritage.

— Qui d'autre peut prétendre au trône ?

— Le roi Henry avait trois neveux, les fils de sa sœur. L'aîné est Théobald de Blois, puis il y a Stephen, que le défunt roi aimait beaucoup et à qui il a fait don de vastes domaines ici en Angleterre ; et le benjamin de la famille, Henry, que tu connais comme l'évêque de Winchester. Les barons étaient en faveur de l'aîné, Théobald, suivant une tradition que tu estimes sans doute parfaitement raisonnable. »

Francis regarda Philip d'un air taquin.

« Parfaitement raisonnable, dit Philip avec un sourire. Théobald est donc notre nouveau roi ? »

Francis secoua la tête. « Il croyait l'être, mais nous

autres, fils cadets, avons une façon de nous pousser au premier rang. »

Arrivés au coin le plus éloigné de la clairière, ils revinrent sur leurs pas. « Pendant que Théobald acceptait gracieusement l'hommage des barons, Stephen traversait la Manche pour gagner l'Angleterre, fonçait sur Winchester et, avec l'aide du petit frère Henry, l'évêque, il s'est emparé du château là-bas et — plus important que tout — du trésor royal. »

Philip faillit lancer : Alors, c'est Stephen notre nouveau maître. Mais il se mordit la langue : il s'était déjà trompé à deux reprises à propos de Maud et de Théobald.

« Stephen, poursuivit Francis, n'avait besoin que d'un atout de plus pour assurer sa victoire : le soutien de l'Église. Car, tant qu'il n'aurait pas été couronné à Westminster par l'archevêque, il ne serait pas *vraiment* roi.

— Mais c'était sûrement facile, dit Philip. Son frère Henry est un des plus importants prélats du pays — l'évêque de Winchester, abbé de Glastonbury, riche comme Crésus et presque aussi puissant que l'archevêque de Canterbury. Si Henry n'avait pas l'intention de soutenir Stephen, pourquoi l'aurait-il aidé à prendre Winchester ? »

Francis hocha la tête. « Je dois dire que l'évêque Henry a brillamment agi durant cette crise. Tu comprends, il n'a pas aidé Stephen par amour fraternel.

— Alors, quel était son mobile ?

— Je t'ai rappelé il y a quelques minutes que le feu roi Henry avait traité l'Église comme un vulgaire fief. L'évêque Henry veut s'assurer que notre nouveau roi, quel qu'il puisse être, la traitera mieux. Alors, avant de promettre son soutien, *Henry a fait jurer solennellement à Stephen de préserver les droits et les privilèges de l'Église.* »

Philip était impressionné. Les relations de Stephen avec l'Église étaient donc définies dès le début de son règne, suivant les termes fixés par le clergé. Mais plus important sans doute était le précédent que cela créait. S'il avait toujours appartenu à l'Église de couronner les rois, elle n'avait jamais eu cependant encore le droit d'imposer ses conditions. Le temps viendrait peut-être où aucun souverain ne pourrait accéder au pouvoir sans passer d'abord un accord avec le clergé. « Ceci pourrait beaucoup pour nous, dit Philip.

— Bien entendu, dit Francis, Stephen peut ne pas tenir

ses promesses. Pourtant, tu as raison, il lui sera difficile de se montrer aussi impitoyable avec l'Église que le fut Henry. Il y a un autre danger. Deux des barons ont été vivement chagrinés par ce qu'a fait Stephen. L'un était Bartholomew, le comte de Shiring.

— J'ai entendu parler de lui. Shiring n'est qu'à une journée de voyage d'ici. On dit Bartholomew un homme pieux.

— Peut-être l'est-il. Je sais seulement que c'est un homme obstiné qui se pique de vertu et qui ne reviendra pas sur le serment de loyauté qu'il a prêté à Maud, malgré la promesse d'un pardon.

— Et l'autre baron mécontent ?

— C'est mon maître Robert de Gloucester. Je t'ai dit qu'il était ambitieux. Son âme est tourmentée à l'idée que, si seulement il était un enfant légitime, il serait roi. Il veut mettre sa demi-sœur sur le trône, persuadé qu'elle s'appuiera si fortement sur son frère pour qu'il la guide et la conseille que, même sans en avoir le titre, il sera roi.

— Va-t-il tenter quelque chose ?

— J'en ai bien peur. » Francis baissa la voix, quoiqu'il n'y eût personne à proximité. « Robert et Bartholomew, avec Maud et son mari, s'apprêtent à fomenter une rébellion. Ils projettent de renverser Stephen et de placer Maud sur le trône. »

Philip s'arrêta. « Ce qui déferait tout ce qu'a obtenu l'évêque de Winchester ! » Il étreignit le bras de son frère. « Mais, Francis...

— Je sais ce que tu penses. » Perdant soudain toute son assurance, Philip semblait inquiet et effrayé. « Si le comte Robert savait que je t'ai seulement parlé, il me ferait pendre. Il a en moi une confiance totale. Cependant mon ultime loyauté est envers l'Église : il le faut.

— Alors, que peux-tu faire ?

— J'ai songé à demander une audience au nouveau roi et à tout lui raconter. Naturellement, les deux comtes rebelles nieraient tout, et je serais pendu pour trahison ; mais la rébellion serait étouffée et j'irais au ciel. »

Philip secoua la tête. « On nous enseigne qu'il est vain de rechercher le martyre.

— Et je crois que Dieu a d'autres missions à me confier ici sur la terre. J'occupe un poste de confiance dans la maison d'un grand baron et, si je reste là et qu'au prix d'un dur travail je progresse, je pourrais faire avancer beaucoup les droits de l'Église et le règne de l'ordre.

— Y a-t-il une autre façon... ? »

Francis regarda Philip dans les yeux. « C'est pourquoi je suis ici. » Philip se sentit frissonner de peur. Manifestement Francis allait lui demander de se compromettre. Aucune autre raison ne justifiait qu'il lui révélât ce terrible secret.

« Moi, reprit Francis, je ne peux pas trahir la rébellion, mais toi, tu le peux.

— Jésus-Christ, dit Philip, et tous les saints, protégez-moi.

— Si le complot est démasqué ici, dans le Sud, aucun soupçon ne tombera sur la maison des Gloucester. Personne ne sait que je suis venu te voir, personne ne sait même que tu es mon frère. Tu pourras concevoir une explication plausible pour justifier l'origine de tes renseignements : tu as pu voir des hommes d'armes se rassembler, ou bien quelqu'un de la maison du comte Bartholomew aura révélé le complot en confessant ses péchés à un prêtre que tu connais. »

Philip serra son manteau autour de lui. Il semblait soudain faire plus froid. L'affaire était dangereuse, très dangereuse. Se mêler de politique royale conduisait régulièrement à leur perte des pratiquants expérimentés. Quelqu'un d'aussi peu informé que Philip serait fou de se lancer dans pareille aventure.

Mais les enjeux étaient si grands. Philip ne pouvait pas rester immobile devant une rébellion contre un roi choisi par l'Église, pas quand il avait l'occasion de l'empêcher. Et, si dangereux que ce fût pour Philip, il serait suicidaire pour Francis de dénoncer le complot.

« Quel est le plan des rebelles ? demanda Philip.

— Le comte Bartholomew rentre en ce moment même à Shiring. De là, il enverra des messages à ses partisans dans tout le sud de l'Angleterre. Le comte Robert arrivera à Gloucester un jour ou deux plus tard et rassemblera ses forces dans l'Ouest. Enfin, le comte Brian Fitz, qui tient le château de Wallingford, en fermera les portes ; et tout le sud-ouest de l'Angleterre tombera sans combat aux mains des rebelles.

— Alors il est presque trop tard ! s'écria Philip.

— Pas vraiment. Nous avons à peu près une semaine. Mais tu vas devoir agir vite. »

Le cœur défaillant, Philip se rendit compte qu'il avait plus ou moins déjà pris sa décision. « Je ne sais pas à qui parler, dit-il. Normalement, on s'adresserait au comte, mais dans ce cas, c'est lui le coupable. Le prévôt est sans doute de son côté. Il va falloir trouver quelqu'un dont nous soyons sûrs qu'il est dans notre camp.

— Le prieur de Kingsbridge ?

— Mon prieur est vieux et fatigué. Selon toute probabilité, il ne ferait rien.

— Il doit bien y avoir quelqu'un.

— Il y a l'évêque. » Philip en fait n'avait jamais parlé à l'évêque de Kingsbridge, mais il recevrait sûrement Philip et l'écouterait. Il se rangerait très certainement aux côtés de Stephen, car celui-ci était le choix de l'Église ; et il était assez puissant pour agir.

« Où habite-t-il ? dit Francis.

— A un jour et demi d'ici.

— Tu ferais mieux de partir aujourd'hui.

— Oui », dit Philip, le cœur lourd.

Francis paraissait plein de remords. « Je regrette qu'il n'y ait personne d'autre.

— Moi aussi, dit Philip avec conviction. Moi aussi. »

Philip convoqua les moines dans la petite chapelle et leur annonça que le roi était mort. « Nous devons prier pour une succession paisible et un nouveau roi qui aimera l'Église plus que le défunt Henry », déclara-t-il. Mais il ne leur dit pas que la clé d'une succession paisible venait par hasard de tomber entre ses mains. Il ajouta seulement : « D'autres nouvelles m'obligent à rendre visite à notre maison mère de Kingsbridge. Je dois partir sans tarder. »

Le sous-prieur célébrerait les offices et le cellérier ferait marcher la ferme, mais ni l'un ni l'autre n'étaient de taille à affronter Peter de Wareham, et Philip craignait que, s'il s'absentait trop longtemps, Peter n'allât causer tant de trouble qu'il n'y aurait plus de monastère à son retour. Il n'avait pas pu imaginer un moyen de contrôler Peter sans blesser son amour-propre et il n'avait plus le temps maintenant, aussi devait-il faire du mieux qu'il pouvait.

« Au début de la journée, dit-il après un silence, nous avons parlé de gourmandise. Frère Peter mérite nos remerciements pour nous avoir rappelé que, lorsque Dieu bénit notre ferme et nous donne la richesse, ce n'est pas pour que nous nous vautrions grassement dans le confort, mais pour sa plus grande gloire. Cela fait partie de notre saint devoir que de partager nos richesses avec les pauvres. Jusqu'à maintenant, nous avons négligé ce devoir, surtout parce que ici dans la forêt nous n'avons personne avec qui partager. Frère Peter nous a rappelé que c'est notre devoir d'aller à la recherche des pauvres de façon à pouvoir soulager leur misère. »

Les moines s'étonnèrent : ils s'étaient imaginé que le sujet de la gourmandise était clos. Peter lui-même semblait hésitant. Il était ravi de se retrouver au centre de l'attention générale, mais il se méfiait de ce que Philip pouvait cacher dans sa manche — et il n'avait pas tort.

« J'ai décidé, reprit Philip, que chaque semaine nous donnerions aux pauvres un penny pour chaque moine de notre communauté. Si cela veut dire que nous devons tous manger un peu moins, nous nous réjouirons en songeant à notre récompense céleste. Plus important encore, nous devons nous assurer que nos pennies seront bien dépensés. Quand on donne un penny à un autre pour acheter du pain pour sa famille, il risque fort d'aller droit à la taverne et s'enivrer, puis rentrer chez lui et battre sa femme, qui se serait donc mieux trouvée sans notre charité. Mieux vaut lui donner directement le pain ; mieux vaut même le donner à ses enfants. Faire l'aumône est une tâche sacrée qu'il faut accomplir avec la même diligence que le soin des malades ou l'éducation des jeunes. Pour cette raison, de nombreux établissements monastiques désignent un aumônier responsable de la distribution des aumônes. Nous allons faire de même. »

Philip regarda autour de lui. Ils étaient tous en alerte, intéressés. Peter arborait un air satisfait, ayant évidemment conclu que c'était là une victoire pour lui. Personne ne s'attendait à ce qui allait se passer.

« Le travail d'un aumônier est dur. Il lui faudra aller à pied jusqu'aux villes et aux villages les plus proches, et fréquemment jusqu'à Winchester. Là, il se mêlera aux classes les plus misérables, les plus sales, les plus laides et les plus perverses, car c'est ainsi que sont les pauvres. Il devra prier pour eux quand ils blasphémeront, leur rendre visite quand ils seront malades et leur pardonner quand ils essaieront de le tromper et de le voler. Il aura besoin de force, d'humilité et d'une patience sans fin. Il regrettera le confort de cette communauté, car il sera plus souvent en chemin qu'avec nous. »

Il parcourut une nouvelle fois des yeux l'assemblée des moines. Ils étaient maintenant sur leurs gardes, car aucun d'eux ne voulait de cette tâche. Il laissa son regard s'arrêter sur Peter de Wareham. Peter comprit ce qui se passait et se décomposa.

« C'est Peter qui a attiré notre attention sur nos lacunes dans ce domaine, dit Philip avec lenteur, aussi ai-je décidé que ce serait Peter qui aurait l'honneur d'être notre aumônier. » Il sourit. « Tu peux commencer aujourd'hui. »

Le visage de Peter se fit sombre comme l'orage.

Tu seras trop souvent absent pour causer des ennuis, pensa Philip ; et le contact constant avec les pauvres pleins de vermine des ruelles puantes de Winchester calmera le mépris que tu portes à la vie trop facile.

Mais Peter évidemment prit cela comme une punition pure et simple, et il fixa Philip avec une expression de telle haine que celui-ci un moment se sentit vaciller.

Il se détourna pour s'adresser aux autres. « Après la mort d'un roi, il y a toujours danger et incertitude, dit-il. Priez pour moi pendant que je serai absent. »

VII

Le deuxième jour de son voyage, à midi, le prieur Philip n'était plus qu'à quelques lieues du palais de l'évêque. A mesure qu'il approchait, il sentait l'angoisse monter en lui. L'histoire qu'il avait bâtie pour expliquer comment il avait entendu parler de la rébellion projetée, l'évêque la croirait-il ? Et s'il réclamait des preuves ? Pis encore — Philip n'avait envisagé cette possibilité, heureusement assez improbable, qu'après avoir pris congé de Francis —, si l'évêque faisait lui-même partie de la conspiration, s'il soutenait la rébellion, s'il était complice du comte de Shiring ? On avait déjà vu des évêques faire passer leurs propres intérêts avant ceux de l'Église.

Il n'hésiterait peut-être pas à torturer Philip pour lui arracher sa source d'information. Philip se rappela les instruments de torture représentés sur les peintures de l'enfer, qui s'inspiraient de la réalité vécue dans les cachots des barons et des évêques. Philip ne se croyait pas la force de subir la mort d'un martyr.

Quand il vit un groupe de voyageurs marchant sur la route devant lui, son premier réflexe fut de retenir son cheval pour éviter de les dépasser, car il était seul et bien des détrousseurs de grand chemin n'auraient pas de scrupule à dépouiller un moine. Puis il reconnut deux silhouettes d'enfants et une de femme. Un groupe familial ne présentait guère de risque. Il mit sa monture au trot pour le rattraper.

Le groupe se composait d'un homme de haute taille, d'un jeune homme presque aussi grand que lui, d'une femme plutôt frêle et de deux enfants. Vêtus de haillons, ils étaient manifestement pauvres car ils ne portaient pas de ballots contenant leurs possessions. L'homme paraissait robuste, quoique émacié, comme miné par la maladie — ou seulement affamé. Il lança un regard méfiant à Philip et resserra les enfants autour de lui en murmurant quelques mots. Il ne devait pas dépasser de beaucoup la trentaine, malgré son visage marqué par les soucis.

« Holà ! Moine ! » cria la femme.

Philip s'étonna. Une femme, habituellement, ne parlait pas avant son mari, et si le terme de « moine » n'était pas franchement impoli, elle aurait dû dire plutôt « mon frère » ou « mon père », expressions plus respectueuses. La femme paraissait d'une dizaine d'années plus jeune que l'homme. Ses yeux profondément enfoncés dans l'orbite et d'une étrange couleur d'or pâle donnaient à son visage une personnalité peu ordinaire. Philip eut le sentiment qu'elle était dangereuse.

« Bonjour à vous, mon père, dit l'homme, comme pour rattraper la brusquerie de sa femme.

— Dieu te bénisse, répondit Philip en ralentissant sa jument. Qui es-tu ?

— Tom, un maître bâtisseur qui cherche du travail.

— Et qui n'en trouve pas, me semble-t-il.

— C'est la vérité. »

Philip hocha la tête. Il connaissait l'histoire : les artisans bâtisseurs se déplaçaient en quête de travail et parfois n'en trouvaient pas, soit par malchance, soit parce qu'il n'y avait pas beaucoup de gens qui faisaient bâtir. Ces malheureux profitaient souvent de l'hospitalité des monastères auxquels, s'ils possédaient quelque argent après un emploi précédent, ils faisaient des dons généreux. Si leur chômage datait de plus longtemps, ils n'avaient rien à offrir. Réserver le même accueil chaleureux aux uns comme aux autres mettait parfois la charité monastique à l'épreuve.

Ce bâtisseur-là appartenait assurément à l'espèce sans le sou, encore que sa femme eût plutôt l'air assez prospère. « Eh bien, dit Philip, j'ai quelques vivres dans ma sacoche de selle. C'est l'heure du dîner et la charité est un devoir sacré ; alors si ta famille et toi voulez partager mon repas, je serai récompensé au ciel en même temps que j'aurai un peu de compagnie pendant mon repas.

— C'est bien aimable », dit Tom. Il se tourna vers la femme, qui haussa imperceptiblement les épaules, puis acquiesça de la tête. L'homme enchaîna aussitôt : « Nous acceptons votre charité et nous vous remercions.

— C'est Dieu qu'il faut remercier, pas moi, dit Philip machinalement.

— Merci aussi, ajouta la femme, aux paysans dont la dîme a fourni cette nourriture. »

En voilà une, songea Philip, qui n'a pas sa langue dans sa poche. Cependant, il ne releva pas la remarque.

Ils gagnèrent une petite clairière où le cheval de Philip put paître la pauvre herbe de l'hiver. Le moine était secrètement ravi de cette excuse qui s'offrait à lui de retarder son arrivée au palais et de reculer l'heure de l'entretien qu'il redoutait avec l'évêque. Le bâtisseur annonça que lui aussi se rendait au palais épiscopal dans l'espoir d'y trouver des réparations à faire ou des travaux d'agrandissement. Tout en bavardant, Philip examinait discrètement la famille. La femme semblait beaucoup trop jeune pour être la mère de l'aîné des garçons. Celui-ci, d'ailleurs, faisait penser à un veau : fort, maladroit, l'air stupide. Le plus jeune, petit et bizarre, avec des cheveux couleur carotte, la peau blanche et des yeux d'un vert vif un peu exorbités, avait une façon de regarder fixement les choses d'un air absent qui rappelait à Philip le pauvre Johnny Huit Pence ; sauf que, contrairement à Johnny, ce garçon lançait le regard très mûr d'un adulte averti quand on attirait son attention. A sa façon, il intriguait autant que sa mère, pensa Philip. Le troisième enfant était une fillette d'environ six ans. Elle pleurait par intermittence. Son père la surveillait constamment avec une inquiétude affectueuse et lui caressait de temps en temps les cheveux en silence. De toute évidence, il l'aimait beaucoup. Il aimait sûrement aussi sa femme, car Philip surprit un éclair de désir entre eux quand par hasard leurs mains s'effleurèrent.

La femme envoya les enfants chercher de grandes feuilles pour servir d'assiettes. Philip ouvrit ses sacoches de selle.

« Où est votre monastère, mon père ? demanda Tom.

— Dans la forêt, à une journée de voyage d'ici, vers l'ouest. »

La femme leva brusquement la tête et Tom haussa les sourcils.

« Vous le connaissez ? » interrogea Philip.

Bizarrement, Tom semblait embarrassé. « Nous avons dû passer tout près en allant à Salisbury, dit-il.

— Peut-être, mais comme il est très éloigné de la grand-route, vous n'avez pas dû le voir.

— Ah bon ! » fit Tom, l'esprit ailleurs.

Une pensée surgit soudain dans l'esprit de Philip. « Dites-moi... Vous n'auriez pas croisé une femme sur la route ? Sans doute très jeune, seule, et... euh... attendant un enfant ?

— Non », dit Tom. Malgré son expression volontairement neutre, Philip avait la certitude qu'il était vivement intéressé. « Pourquoi demandez-vous cela ? »

Philip sourit. « Voilà : de bonne heure hier, un bébé a été trouvé dans la forêt et amené à mon monastère. C'est un garçon, qui à mon avis n'a pas plus d'un jour ou deux. La mère devait donc se trouver dans le voisinage en même temps que vous.

— Nous n'avons vu personne, répéta Tom. Qu'avez-vous fait du bébé ?

— On l'a nourri au lait de chèvre, qui d'ailleurs semble très bien lui réussir. »

Le couple observait Philip intensément. Au bout d'un moment, Tom reprit la parole : « Vous recherchez la mère ?

— Oh non ! Je posais la question à tout hasard. Si je la rencontrais, bien sûr, je lui rendrais son bébé ; mais il est clair qu'elle n'en veut pas et qu'elle fera tout pour qu'on ne la retrouve pas.

— Que va devenir cet enfant ?

— Nous l'élèverons au monastère comme un enfant de Dieu. Mon frère et moi avons ainsi été élevés, nous avons perdu nos parents tout jeunes ; l'abbé fut notre père et les moines notre famille. Nous étions nourris, au chaud et instruits.

— Et vous êtes tous deux devenus des moines », constata la femme, avec un rien d'ironie, comme pour souligner que la charité du monastère n'était pas dénuée d'intérêt égoïste.

Philip fut heureux de pouvoir la contredire. « Non, mon frère a quitté l'ordre. »

Les enfants revinrent. Comme ils n'avaient pas trouvé de grandes feuilles — rares en hiver —, ils mangèrent donc sans assiette. Philip leur distribua à tous du pain et du fromage. Ils se jetèrent sur la nourriture comme des bêtes affamées. « Nous fabriquons ce fromage à mon monastère, expliqua-t-il. La plupart des gens l'aiment quand il est frais, comme ceci, mais il devient encore meilleur si on le laisse mûrir. » Ils avaient trop faim pour tant de subtilité. En un instant, pain et fromage disparurent. Philip avait trois poires. Il les tira de sa sacoche et les donna à Tom, qui en tendit une à chacun des enfants. Philip se leva. « Je vais prier pour que tu trouves du travail.

— Si vous y pensez, mon père, dit Tom, parlez de moi à l'évêque. Vous connaissez notre besoin et vous constaterez que nous sommes honnêtes.

— Je n'y manquerai pas. »

Tom lui tint le cheval tandis que Philip remontait en selle.

« Vous êtes un brave homme, mon père », dit-il, et Philip vit avec surprise que le maçon avait les larmes aux yeux.

« Dieu soit avec vous », dit-il.

Tom ne lâchait pas la bride. Il hésita, puis demanda : « Le bébé dont vous nous avez parlé... le nouveau-né... » Il parlait tout bas, comme s'il ne voulait pas que les enfants l'entendent. « Est-ce que... est-ce que vous lui avez donné un nom ?

— Oui. Nous l'appelons Jonathan, ce qui veut dire "don de Dieu".

— Jonathan. Ça me plaît. » Tom lâcha le cheval.

Philip le suivit des yeux avec curiosité, puis donna un coup de talon à sa monture et s'éloigna au trot.

L'évêque de Kingsbridge ne vivait pas à Kingsbridge. Son palais se dressait au flanc d'une colline exposée au sud, dans une vallée verdoyante, à une pleine journée de voyage de la froide cathédrale de pierre et de ses tristes moines. Il préférait cet arrangement, car trop de pratique religieuse risquait de le gêner dans ses autres obligations : percevoir les loyers, rendre la justice et manœuvrer à la cour royale. Cet arrangement convenait aussi aux moines car plus loin demeurait l'évêque, moins il intervenait dans leurs affaires.

Cet après-midi-là, c'est par un temps de neige que Philip arriva à destination. Un vent âpre balayait la vallée et des nuages gris et bas s'amassaient au-dessus du manoir de l'évêque bâti à flanc de coteau et aussi bien défendu qu'un château. On avait déboisé sur une cinquantaine de toises à la ronde. Une solide palissade de bois à hauteur d'homme entourait le bâtiment, bordée à l'extérieur d'un fossé pour l'écoulement des eaux de pluie. Le garde à la poterne avait des façons peu martiales, mais son épée était impressionnante.

Le palais était une belle maison de pierre en forme de E. Au rez-de-chaussée une grange, dont les robustes murs étaient percés de plusieurs lourdes portes, mais non de fenêtres. Par une porte ouverte, Philip aperçut dans la pénombre des barils et des sacs. Les autres portes étaient fermées et enchaînées. Que cachaient-elles ? Peut-être, pensa Philip, les prisonniers de l'évêque.

La petite branche du E était constituée par un escalier extérieur menant aux quartiers d'habitation au-dessus de la grange. La pièce principale, qui occupait le jambage vertical du E, devait être la salle commune. Les deux pièces formant le haut et le bas du E contenaient sans doute une chapelle et une chambre, se dit Philip. Les étroites fenêtres fermées par des volets ressemblaient à des yeux regardant le monde avec méfiance.

L'enceinte abritait aussi une cuisine et une boulangerie de pierre, ainsi que des étables et une grange en bois. Tous les bâtiments paraissaient en bon état — dommage pour Tom le bâtisseur, pensa Philip.

Dans l'écurie se trouvaient quelques bons chevaux, dont une paire de destriers ; une poignée d'hommes d'armes s'agitaient vaguement pour tuer le temps. Peut-être l'évêque avait-il des visiteurs.

Philip confia sa monture à un garçon d'écurie et gravit les marches, non sans une certaine appréhension. Tout cet endroit sentait désagréablement le militaire. Où étaient les files de plaignants venant exposer leurs griefs, les mères avec leurs bébés à faire bénir ? Philip pénétrait dans un monde peu familier porteur d'un lourd et dangereux secret. Je ne suis peut-être pas près de sortir d'ici, songea-t-il avec crainte. Combien je regrette que Francis soit venu me voir !

Il arriva en haut du perron. Voilà bien des pensées indignes, se dit-il. Alors que j'ai une chance de servir Dieu et l'Église, je réagis en me préoccupant de ma propre sécurité. Il y a des hommes qui affrontent le danger chaque jour, au combat, en mer, lors de pèlerinages hasardeux ou de croisades. Même un moine se doit de supporter quelques peurs et quelques tremblements. Il prit une profonde inspiration et entra.

La salle était sombre et enfumée. Philip referma prestement la porte pour empêcher l'air froid d'entrer, puis scruta la pénombre. Un grand feu flamboyait au fond de la pièce, seule source de lumière avec les petites ouvertures des fenêtres. Autour de l'âtre, un groupe d'hommes, les uns en tenue ecclésiastique, les autres portant des costumes de petite noblesse, plongés dans une grave discussion, parlaient à voix basse et calme. Les regards et les propos s'adressaient à un prêtre assis au milieu du groupe comme une araignée au centre de sa toile. C'était un homme maigre ; ses longues jambes qui se déployaient et ses longs bras qui glissaient sur les appuis de son fauteuil faisaient penser qu'il s'apprêtait à bondir. Il avait des cheveux d'un noir de jais, un visage pâle au nez acéré, et ses vêtements noirs lui donnaient une allure à la fois élégante et menaçante.

Ce n'était pas l'évêque.

Un intendant se leva d'une chaise placée auprès de la porte et s'adressa à Philip : « Bonjour à vous, mon père. Qui voulez-vous voir ? » A cet instant, un chien de chasse allongé devant le feu leva la tête en grognant. Alerté, l'homme en noir se retourna, aperçut Philip et interrompit sur-le-champ la conversation d'un geste de la main. « Qu'y a-t-il ? dit-il avec brusquerie.

— Je vous souhaite le bonjour, répondit poliment Philip. Je suis venu voir l'évêque.

— Il n'est pas ici », déclara le prêtre d'un ton qui ne souffrait pas de réplique.

Philip sentit son cœur se serrer. Lui qui avait tant redouté cette entrevue et les dangers qu'elle comportait, maintenant il se sentait déçu. Qu'allait-il faire de son terrible secret ? Il revint au prêtre : « Quand attendez-vous son retour ?

— Nous n'en savons rien. Quelles affaires voulez-vous traiter avec lui ? » La brusquerie de cet homme agaçait quelque peu Philip. « Les affaires de Dieu, répliqua-t-il sèchement. Qui êtes-vous ? » Le prêtre haussa les sourcils, comme surpris d'être interpellé, et tout le monde observa un silence gêné, annonciateur d'explosion ; mais le prêtre en noir répondit calmement : « Je suis son archidiacre. Mon nom est Waleran Bigod.

— Le mien est Philip. Je suis le prieur du monastère de Saint-John-de-la-Forêt. C'est une annexe du prieuré de Kingsbridge.

— J'ai entendu parler de vous, dit Waleran. Vous êtes Philip de Gwynedd. »

Philip, fort étonné, ne comprenait pas comment un archidiacre connaissait le nom d'un personnage aussi peu important que lui. Mais ce nom, si modeste qu'il fût, suffit à adoucir Waleran, dont l'expression irritée disparut. « Approchez-vous du feu, dit-il. Vous prendrez bien une tirée de vin chaud pour vous ranimer le sang ? » Il fit signe à quelqu'un, assis sur un banc contre le mur, et une silhouette dépenaillée surgit aussitôt.

Philip s'approcha du feu. Waleran prononça quelques mots à voix basse après lesquels les autres membres de l'assistance commencèrent à sortir, raccompagnés par Waleran jusqu'à la porte ; pendant ce temps, Philip s'assit et se chauffa les mains en se demandant de quoi ces gens discutaient et pourquoi l'archidiacre n'avait pas conclu la réunion sur une prière.

Le serviteur en haillons lui tendit une écuelle. Philip but une gorgée du vin brûlant et épicé. Que devait-il faire maintenant ? En l'absence de l'évêque, à qui pouvait-il s'adresser ? Il songea à aller trouver le comte Bartholomew pour lui demander simplement de renoncer à sa rébellion. Aussitôt l'idée lui parut ridicule : le comte le précipiterait dans un cachot pour le restant de ses jours. Il restait le prévôt, qui en théorie représentait le roi dans le comté. Mais impossible de dire dans quel camp le prévôt se rangeait alors qu'on ne savait pas encore qui allait être roi. Tout de même, se dit Philip, il faudra bien que je prenne ce risque-là, à la fin. Il avait envie de retrouver la vie simple du monastère, où son ennemi le plus dangereux était Peter de Wareham.

Les derniers hôtes de Waleran s'en allèrent et la porte se referma sur le brouhaha des chevaux dans la cour. Waleran revint auprès du feu et en approcha un grand fauteuil.

Philip, préoccupé par son problème, n'avait pas vraiment envie de soutenir une conversation avec l'archidiacre, mais il se crut obligé d'être poli. « J'espère que je n'ai pas interrompu votre réunion », dit-il.

Waleran eut un geste désinvolte. « Elle devait bien se terminer, dit-il. Ces choses-là durent toujours plus longtemps que nécessaire. Nous discutions le renouvellement des baux sur les terres diocésaines : le genre de problème qui pourrait se régler en quelques instants, si seulement les gens acceptaient de prendre des décisions. » Il leva une main osseuse, comme pour chasser les baux diocésains et leurs bénéficiaires. « Dites-moi, il paraît que vous faites du bon travail dans cette petite communauté de la forêt.

— Je suis surpris que vous en connaissiez l'existence, répondit Philip.

— L'évêque est abbé de Kingsbridge *ex officio*, il est donc normal qu'il s'y intéresse. »

Ou alors il a un archidiacre bien informé, se dit Philip *in petto*.

« Ma foi, reprit-il à voix haute, Dieu nous a bénis.

— En effet. »

Ils parlaient en français normand, la langue que Waleran et ses hôtes employaient tout à l'heure, la langue du gouvernement, mais Philip remarqua chez Waleran un accent un peu étrange qu'il identifia comme une trace d'anglais. Autrement dit, l'archidiacre n'était pas un aristocrate normand, mais un natif du pays qui s'était élevé grâce à ses propres efforts — comme Philip.

Il eut bientôt confirmation de son hypothèse car Waleran passa à l'anglais pour dire : « J'aimerais bien que Dieu étende la même bénédiction au prieuré de Kingsbridge. »

Philip n'était donc pas le seul à s'inquiéter de la situation à Kingsbridge. Du reste, Waleran en savait probablement plus sur ce qui s'y passait. Philip demanda : « Comment va le prieur James ?

— Il est malade », répondit brièvement Waleran.

Dans ce cas, on ne pourrait pas compter sur lui dans l'affaire du comte Bartholomew, pensa Philip, accablé. Il allait devoir se rendre à Shiring pour tenter sa chance auprès du prévôt.

L'idée lui vint que Waleran était le genre d'homme à être au courant de tous les événements importants du comté. « Comment est le prévôt de Shiring ? » interrogea-t-il.

Waleran haussa les épaules. « Impie, arrogant, cupide et corrompu. Comme tous les prévôts. Pourquoi me demandez-vous cela ?

— Si je ne peux pas parler à l'évêque, je devrais sans doute voir le prévôt.

— Je suis dans la confidence de l'évêque, vous savez, fit Waleran avec un petit sourire. Si je peux vous aider... » Il eut un geste de la main ouverte, comme un homme qui se montre généreux mais qui sait qu'on le repoussera peut-être.

Philip s'était un peu détendu, en apprenant que l'entrevue critique avec l'évêque était retardée mais l'inquiétude maintenant le reprenait. Pouvait-il faire confiance à l'archidiacre Waleran ? Sa nonchalance était étudiée, se dit-il. Sous sa méfiance et son indifférence apparentes, il cachait la brûlante envie de savoir ce que Philip avait à dire de si important. Toutefois, le moine n'avait aucune raison valable de ne pas lui faire confiance. Il semblait judicieux. Était-il assez puissant pour repousser la rébellion ? En tout cas, il pouvait se mettre en rapport avec l'évêque. Philip songea soudain qu'il tenait en fait un avantage majeur à se confier à Waleran ; l'évêque, lui, insisterait pour connaître la véritable source des renseignements de Philip. Mais l'archidiacre, qui n'avait pas l'autorité pour l'interroger, devrait se contenter du récit que lui ferait Philip, qu'il y crût ou non.

Waleran eut de nouveau son petit sourire. « Si vous ne me parlez pas, je vais croire que vous vous méfiez de moi ! »

Philip avait l'impression de comprendre Waleran. Il lui ressemblait un peu : jeune, instruit, de petite naissance et intelligent. Un peu trop mondain au goût de Philip, peut-être, mais c'était excusable chez un prêtre obligé de passer tant de temps avec les seigneurs et les dames, et qui ne bénéficiait pas de la vie d'un moine. Waleran était au fond du cœur un homme pieux, pensa Philip. Il agirait dans l'intérêt de l'Église.

Pourtant, il hésitait encore, au bord de la confidence. Seul Francis et lui connaissaient le secret. Dès l'instant où il s'en ouvrirait à un tiers, la situation lui échapperait. Il prit une profonde inspiration.

« Voilà trois jours, un homme blessé est arrivé à mon monastère dans la forêt, commença-t-il, implorant en silence le pardon de son mensonge. Il était armé, montait un beau cheval rapide et avait fait une chute à une demi-lieue de là. Sans doute chevauchait-il à vive allure quand il est tombé, car il avait le bras cassé et les côtes enfoncées. Nous lui avons remis le bras en place, mais nous ne pouvions rien faire pour ses côtes. De plus, il crachait du sang, signe de lésions internes. » Tout en parlant, Philip guettait les expressions sur le visage de Waleran. On n'y lisait rien de plus pour l'instant qu'un intérêt poli. « Je lui ai conseillé de confesser ses péchés, car il était en danger de mort. C'est alors qu'il m'a révélé un secret. »

Il hésita, ne sachant pas jusqu'à quel point Waleran était informé des nouvelles de la politique. « Vous savez, je pense, que Stephen de Blois a revendiqué le trône d'Angleterre avec la bénédiction de l'Église.

— Et il a été couronné à Westminster, trois jours avant Noël, précisa l'archidiacre, prouvant qu'il en savait plus que Philip.

— Déjà ? s'étonna celui-ci, pris de court.

— Quel était son secret ? » demanda Waleran avec un rien d'impatience.

Philip se jeta à l'eau. « Avant de mourir, le cavalier m'a dit que son maître Bartholomew, comte de Shiring, conspirait avec Robert de Gloucester pour mener une rébellion contre Stephen. » Il s'arrêta, retenant son souffle.

Les joues pâles de Waleran devinrent si possible plus blêmes. Il se pencha dans son fauteuil. « Croyez-vous qu'il disait vrai ? demanda-t-il d'un ton pressant.

— Un mourant d'ordinaire dit la vérité à son confesseur.

— Peut-être répétait-il une rumeur qui court dans la maison du comte. »

Philip ne s'attendait pas au scepticisme de Waleran. Il improvisa en hâte. « Oh, non ! dit-il. C'était un messager envoyé par le comte Bartholomew pour rassembler les forces du comte dans le Hampshire. »

Les yeux intelligents de Waleran scrutaient le visage de Philip.

« Avait-il un message écrit ?

— Non.

— Un sceau, ou quelque insigne de l'autorité du comte ?

— Rien. » Philip commença à transpirer. « J'ai supposé qu'il était bien connu de ceux qu'il allait voir, comme représentant autorisé du comte.

— Comment s'appelait-il ?

— Francis, dit stupidement Philip, qui aurait voulu se mordre la langue.

— Simplement ?

— Il ne m'a pas dit le reste de son nom. » Philip avait le sentiment que son histoire s'effilochait sous les questions de Waleran.

« Ses armes et son armure auraient pu l'identifier.

— Il n'avait pas d'armure, dit Philip, à bout de ressource. Nous avons enterré ses armes avec lui : les moines n'ont pas besoin d'épée. Nous pourrions les déterrer, mais je peux vous affirmer qu'elles étaient simples et sans marque particulière : je ne pense pas que vous trouveriez des indices... » Il fallait absolument détourner Waleran de cette direction. « Que croyez-vous qu'on puisse faire ? » demanda-t-il.

Waleran réfléchissait, soucieux. « C'est difficile, en l'absence de preuves, de savoir quoi faire. Les conspirateurs nieront simplement l'accusation, et c'est l'accusateur qui risque de se voir condamné. » Il n'ajouta pas : *Surtout si l'histoire se révèle être fausse*, mais Philip devina qu'il le pensait. « En avez-vous parlé à quelqu'un d'autre ? » poursuivit Waleran.

Philip secoua la tête.

« Où allez-vous en partant d'ici ?

— A Kingsbridge. Comme je devais inventer une raison de quitter la communauté, j'ai prétendu que je me rendais au prieuré ; et maintenant je dois le faire pour donner substance à ce mensonge.

— Ne parlez de rien à personne là-bas.

— Je m'en garderai. » Philip ne comptait pas parler, en effet, mais il se demanda pourquoi Waleran insistait sur ce point. Peut-être par intérêt personnel : s'il choisissait de dénoncer le complot, il voulait être sûr d'en recevoir le crédit. Cet homme était ambitieux — un avantage pour Philip.

« Laissez-moi faire. » Waleran avait repris ses façons brusques et ce contraste démontrait que son amabilité était quelque chose qu'il pouvait revêtir et ôter comme un manteau. « Vous allez vous rendre maintenant au prieuré de Kingsbridge, reprit Waleran, et ne plus penser au prévôt, voulez-vous ?

— Oui. » Allons, tout s'arrangerait, du moins pour quelque temps, Philip se sentit soulagé d'un poids. On n'allait pas le jeter au cachot, le mettre à la question ni l'accuser de sédition. De plus il s'était déchargé de la responsabilité sur quelqu'un d'autre, quelqu'un qui semblait enchanté de l'assumer.

Il se leva et s'approcha d'une fenêtre. On était au milieu de l'après-midi et il restait encore quelques heures de jour. Il avait envie de quitter les lieux en abandonnant le secret derrière lui. « Si je pars maintenant, je peux faire trois ou quatre lieues avant la tombée de la nuit », dit-il. Waleran ne le pressa pas de rester. « Cela vous conduira au village de Bassingbourn. Là vous trouverez un lit. Si vous repartez de bon matin, vous serez à Kingsbridge à midi.

— Oui. » Philip se détourna de la fenêtre pour regarder Waleran. Plongé dans ses pensées, l'archidiacre fixait le feu d'un air soucieux. Philip l'observa un moment. Waleran ne lui fit pas part de ses réflexions. Pourtant, Philip aurait voulu savoir ce qui se passait dans cette tête bien faite. « Je vais partir tout de suite », annonça-t-il.

Waleran sortit de sa rêverie et, de nouveau charmant, sourit et se leva. « Très bien », dit-il. Il accompagna Philip jusqu'à la porte, puis le suivit sur le perron dans la cour.

Un garçon d'écurie amena le cheval de Philip et le resangla. Waleran aurait pu lui dire adieu dès cet instant et retourner auprès de son feu, mais il ne le fit pas. Philip supposa qu'il voulait s'assurer de la direction que prenait son hôte : la route de Kingsbridge, pas celle de Shiring.

Philip monta en selle, plus heureux qu'à son arrivée. Il allait prendre congé lorsqu'il vit Tom le bâtisseur franchir la poterne, suivi de sa famille. Le moine se retourna vers Waleran : « Cet homme est un bâtisseur que j'ai rencontré sur la route. Il m'a l'air d'un honnête garçon qui a eu des malheurs. Si vous avez besoin de réparations, vous n'aurez qu'à vous louer de ses services. »

Waleran ne répondit pas, regardant la famille qui s'avançait dans l'enceinte. On aurait dit que son sang-froid l'avait quitté d'un seul coup. Bouche bée, il ouvrait de grands yeux fixes.

« Qu'y a-t-il ? demanda Philip avec inquiétude.

— Cette femme ! » articula Waleran d'une voix qui n'était guère plus qu'un murmure.

Philip la regarda. « Elle est plutôt belle, constata-t-il en s'en apercevant pour la première fois. Mais on nous a enseigné la chasteté, à nous autres prêtres. Détournez les yeux, archidiacre. »

Waleran n'écoutait pas. « Je la croyais morte », murmura-t-il. Il parut soudain se rappeler la présence de Philip. Il détourna son regard de la femme et, retrouvant son calme, s'adressa au moine. « Présentez mes respects au prieur de Kingsbridge », dit-il. Puis il donna une claque sur la croupe du cheval qui bondit en avant et franchit au trot le poste de garde ; quand Philip réussit à rattraper les rênes, il était trop loin pour dire adieu.

VIII

Philip arriva en vue de Kingsbridge vers midi le lendemain, comme prévu. Du haut d'une pente boisée, il découvrit un paysage de champs gelés et sans vie, qu'animait seulement çà et là le squelette nu d'un arbre. Pas une âme en vue, car au cœur de l'hiver les terres ne réclamaient aucun travail. A une lieue de là, la cathédrale de Kingsbridge se dressait au sommet d'une crête : une énorme construction trapue comme une tombe sur un monticule funéraire.

Philip suivit une route qui plongeait dans la vallée et Kingsbridge disparut à ses regards. Sa jument placide avançait prudemment entre les ornières gelées. Philip pensait à l'archidiacre Waleran. Cet homme montrait tant d'assurance, de confiance et semblait si compétent qu'il donnait à Philip l'impression d'être lui-même jeune et naïf, malgré le peu de différence d'âge entre eux. Sans effort Waleran avait dirigé la rencontre : il s'était débarrassé habilement de ses hôtes, avait écouté avec attention le récit de Philip, avait aussitôt soulevé le problème crucial du manque de preuve, s'était vite rendu compte que cet interrogatoire ne le mènerait à rien et avait promptement renvoyé Philip —

sans aucune promesse, Philip s'en apercevait maintenant, de prendre des mesures.

Philip eut un sourire amer en constatant comment il avait été manipulé. Waleran n'avait pas même promis de rapporter à l'évêque ce que Philip avait révélé. Mais, le moine en était certain, étant donné l'ambition qu'il décelait chez l'archidiacre, cette information serait utilisée d'une façon ou d'une autre.

Très impressionné par Waleran, il était d'autant plus intrigué par le signe de faiblesse qu'il avait remarqué chez lui : sa réaction devant la femme de Tom le bâtisseur. Philip, lui, avait perçu en elle un vague danger ; Waleran apparemment la trouvait désirable — ce qui pourrait revenir au même, naturellement. Mais il y avait autre chose. Waleran avait dû la rencontrer déjà, sinon pourquoi ces étranges paroles : *Je la croyais morte* ? Aurait-il péché avec elle dans un lointain passé ? Il avait certainement *quelque chose* à se reprocher, à en juger par la façon dont il avait congédié le témoin gênant qu'était Philip.

Même ce soupçon ne le faisait pas baisser dans l'estime de Philip. Waleran était un prêtre, pas un moine. La chasteté, élément essentiel de la vie monastique, n'avait jamais été imposée aux prêtres. Les évêques avaient des maîtresses et les curés de paroisse des gouvernantes. De même que l'interdiction des pensées mauvaises, le célibat des clercs était une loi trop dure à suivre. Si Dieu ne pardonnait pas aux prêtres luxurieux, il n'y aurait pas beaucoup de représentants du clergé au paradis.

Kingsbridge réapparut au moment où Philip arrivait en haut de la côte suivante. Le paysage était dominé par l'église massive, avec ses voûtes arrondies et ses petites fenêtres ménagées dans les murs épais, tout comme le village était dominé par le monastère. Le côté ouest de l'édifice, auquel Philip faisait face, arborait deux courtes tours jumelles, dont l'une s'était écroulée lors d'un orage quatre ans plus tôt. On ne l'avait pas encore reconstruite, et la façade portait comme un air de reproche. Ce spectacle ne manquait jamais de mettre Philip en colère, car le tas de pierres à l'entrée de l'église symbolisait scandaleusement l'effondrement de la vertu monastique au prieuré. Les bâtiments eux-mêmes, construits dans la même pierre à chaux pâle, se tassaient en groupe près de l'église, comme des conspirateurs autour d'un trône. De l'autre côté du mur bas qui entourait le prieuré s'éparpillaient les taudis habituels de madriers et de boue, couverts de toits de chaume, occupés par les paysans qui labouraient les champs alentour et les serviteurs qui travaillaient pour les moines. Un étroit ruisseau impatient se hâtait au coin sud-ouest du village, apportant de l'eau fraîche au monastère.

Philip était déjà de fort méchante humeur lorsqu'il franchit la rivière par un vieux pont de bois. Le prieuré de Kingsbridge faisait honte à l'Église de Dieu et au mouvement monastique, mais lui n'y pouvait rien, et la colère alliée à l'impuissance lui brûlait l'estomac.

Le prieuré, propriétaire du pont, réclamait un péage ; aussi, quand la charpente grinça sous le poids de Philip et de son cheval, un vieux moine émergea-t-il d'un abri sur l'autre rive et s'avança pour lever la branche de saule qui faisait office de barrière. Reconnaissant Philip, il lui fit signe de passer. Comme Philip remarquait qu'il boitait, il demanda : « Qu'est-ce que tu as donc au pied, frère Paul ?

— Juste une engelure. Ça se passera avec le printemps. »

Il ne portait rien que ses sandales, ce qui, bien qu'il fût un robuste vieil homme, était bien insuffisant pour passer toute la journée dehors par ce temps. « Tu devrais avoir un feu, dit Philip.

— Ce serait une miséricorde, dit Paul. Mais frère Remigius dit que le feu coûterait plus que ne rapporte le péage.

— Combien demandons-nous ?

— Un penny par cheval et un farthing par homme.

— Beaucoup de gens utilisent le pont ?

— Oh oui ! Des tas.

— Alors comment se fait-il que nous ne puissions pas nous permettre un feu ?

— Eh bien, les moines ne paient pas, bien sûr, ni les serviteurs du prieuré, ni les villageois. Il n'y a donc qu'un chevalier de passage ou un chaudronnier ambulant de temps à autre. Les jours fériés, quand les gens viennent de tout le pays entendre le service à la cathédrale, nous récoltons des farthings à foison.

— Alors faisons surveiller le pont les jours fériés seulement, et faisons un feu avec l'argent gagné », dit Philip.

Paul s'inquiétait : « Ne dites rien à Remigius, surtout. S'il croit que je me suis plaint, il sera fâché.

— Ne t'en soucie pas. » Philip poussa son cheval en

avant, si bien que Paul ne vit pas la colère qui crispait son visage. Tant de stupidité le mettait en fureur. Paul avait donné sa vie au service de Dieu et du monastère et voilà que dans ses dernières années on le laissait souffrir du froid pour un farthing ou deux par jour. Ce n'était pas seulement cruel, c'était du gaspillage ; on aurait pu confier à un vieil homme patient comme Paul une tâche productive — élever des poulets, peut-être — et le prieuré en aurait tiré plus de profit que quelques farthings. Mais le prieur de Kingsbridge était trop vieux et trop apathique pour comprendre cela. De même Remigius, le sous-prieur. C'était un grave péché, songea Philip amèrement, que de gâcher avec une telle insouciance le capital humain et matériel offert à Dieu avec piété.

Sa mauvaise humeur augmenta lorsqu'il guida sa monture au milieu des taudis jusqu'à la porte du prieuré, un enclos rectangulaire avec l'église en son milieu. Les bâtiments étaient disposés de telle façon que tout le secteur nord et ouest de l'église était public, séculier et pratique, alors que le secteur sud et est était privé, spirituel et sacré.

L'entrée de l'enclos se trouvait donc au coin nord-ouest du rectangle. La porte était ouverte et le jeune moine de garde salua Philip à son passage. Juste à l'intérieur, contre le mur ouest de l'enclos, se trouvait l'écurie, une petite construction de bois plutôt mieux bâtie que certaines des habitations de l'autre côté du mur. Deux palefreniers étaient assis à l'intérieur sur des bottes de paille. Ce n'étaient pas des moines, mais des employés du prieuré. Ils se levèrent sans entrain, comme mécontents de voir un visiteur leur apporter un surcroît de travail. L'air âcre piqua les narines de Philip et il constata que les stalles n'avaient pas été nettoyées depuis plusieurs semaines. Or il n'était pas d'humeur à passer sur la négligence des garçons d'écurie. En leur remettant les rênes, il ordonna : « Avant de panser mon cheval, vous nettoierez une des stalles, vous y mettrez de la paille fraîche. Faites de même pour les autres chevaux. Des litières constamment humides provoquent des champignons aux sabots. Vous n'avez pas tant de travail que vous ne puissiez garder cette écurie propre. » Comme ils prenaient tous deux un air maussade, il ajouta : « Faites ce que je dis, ou je m'assurerai que l'on vous retienne à chacun une journée de paye pour paresse. » Il allait partir lorsqu'il se rappela quelque chose. « Il y a un fromage dans ma sacoche de selle. Portez-le à la cuisine et donnez-le à frère Milius. »

Il sortit sans attendre de réponse. Le prieuré disposait de soixante employés pour s'occuper de ses quarante-cinq moines, un excès honteux de l'avis de Philip. Les gens insuffisamment occupés devenaient aisément si paresseux qu'ils esquivaient le peu de travail qu'on leur demandait. Les deux garçons d'écurie ne constituaient qu'un exemple de plus de la mollesse du prieur James.

Philip suivit le mur ouest et passa devant l'hôtellerie, curieux de voir si le prieuré abritait des visiteurs. Mais le grand bâtiment avec son unique salle commune était froid et désert. Les feuilles mortes de l'an passé poussées par le vent en couvraient le seuil. Il tourna à gauche et traversa la large étendue d'herbe rare séparant l'hôtellerie — qui abritait parfois des gens impies et même des femmes — de l'église. Il approcha du côté ouest de l'édifice, l'entrée publique. Les pierres brisées de la tour effondrée gisaient là où elles étaient tombées, en un grand tas haut comme deux fois la taille d'un homme.

Comme la plupart des églises, la cathédrale de Kingsbridge avait la forme d'une croix. L'extrémité ouest donnait sur la nef, qui constituait la branche longue de la croix. La partie transversale comprenait les deux transepts qui s'étendaient vers le nord et vers le sud, de part et d'autre de l'autel. Au-delà de la croisée, la partie est de l'église, le chœur, était principalement réservée aux moines. Tout au bout se trouvait la tombe de saint Adolphe, qui attirait encore de temps en temps des pèlerins.

Philip s'avança dans la nef et contempla l'avenue d'arcs arrondis et de puissants piliers. Ce spectacle le désola davantage. L'édifice humide et lugubre s'était encore détérioré depuis sa dernière visite. Les fenêtres des bas-côtés ressemblaient à d'étroits tunnels percés dans les murs extrêmement épais. Dans le haut de la nef, les ouvertures plus grandes des claires-voies montraient que le plafond de bois peint pâlissait de plus en plus. Les apôtres, les saints et les prophètes s'effaçaient et se mêlaient inexorablement à l'arrière-fond. Malgré l'air froid qui soufflait — car il n'y avait pas de carreaux aux fenêtres — une légère odeur de chasubles pourrissantes viciait l'atmosphère. De l'autre extrémité de l'église, arrivaient les rumeurs de la grand-messe, les phrases latines psalmodiées et les répons chantés. Philip descendit la nef. Le sol n'avait jamais été dallé, aussi la mousse poussait-elle sur la terre nue dans les recoins que foulaient rarement les sabots des paysans et les sandales des moines. Les spirales et les cannelures sculptées dans les piliers massifs, les chevrons taillés qui décoraient les arcs avaient jadis été peints et dorés ; aujourd'hui, tout ce qui subsistait, c'étaient quelques paillettes d'or et une mosaïque de taches informes. Le mortier s'écaillait entre les pierres et tombait en petits tas au pied des murs. Philip sentit sa colère habituelle monter en lui. En entrant ici les gens auraient dû être frappés par la majesté de Dieu tout-puissant. Les paysans étaient des gens simples qui jugeaient sur les apparences et, devant ce spectacle, ils devaient penser que Dieu était une divinité insouciante, indifférente, qui ne tenait aucun compte de leur piété ni de leurs péchés. Au bout du compte, c'étaient eux qui payaient l'église à la sueur de leur front et c'était scandaleux que leurs efforts n'aient d'autre récompense que ce mausolée croulant.

Philip s'agenouilla devant l'autel un moment, conscient que sa vertueuse indignation n'était pas l'état d'esprit convenant à un pratiquant. Quand il se fut un peu calmé, il se leva et poursuivit son chemin.

Le bras est de l'église, le chœur, était divisé en deux. Tout près de la croisée se trouvait le chapitre, avec des stalles de bois où les moines prenaient place durant les services. Plus loin, le sanctuaire abritait la tombe du saint. Philip passa derrière l'autel, comptant trouver une place dans le chœur ; sa progression fut arrêtée par un cercueil.

Il s'arrêta, surpris. Personne ne lui avait dit qu'un moine était mort. Il est vrai qu'il n'avait parlé qu'à trois personnes : Paul, vieux et un peu distrait, et les deux garçons d'écurie auxquels il n'avait pas donné l'occasion de faire la conversation. Il s'approcha du cercueil pour voir qui s'y trouvait. Son cœur fit un bond.

C'était le prieur James.

Philip le contempla, bouche bée. Maintenant tout était changé. On allait avoir un nouveau prieur, un nouvel espoir...

Cette jubilation n'était pas la réaction qui convenait devant le trépas d'un véritable frère, quelles que fussent ses fautes. Philip imposa à son esprit et à son visage plus de sérieux. Il examina le défunt. Le prieur était un homme aux cheveux blancs et au visage émacié, qui de son vivant

140

marchait voûté. Dans la mort, son expression perpétuellement soucieuse avait disparu, son visage autrefois inquiet et souvent affligé semblait maintenant en paix. Comme Philip s'agenouillait auprès de la bière en murmurant une prière, il se demanda si, dans les dernières années de sa vie, quelque grand poids ne pesait pas sur le cœur du vieil homme : un péché qu'il n'aurait pas confessé, une femme regrettée ou un tort causé à un innocent. De toute façon il n'en parlerait plus désormais jusqu'au jour du jugement.

Malgré sa résolution, Philip ne pouvait empêcher son esprit de se tourner vers l'avenir. Le prieur James, indécis, anxieux et sans caractère, avait posé sur le monastère une main morte. Allait apparaître à présent quelqu'un de nouveau, quelqu'un qui saurait discipliner les serviteurs paresseux, réparer l'église en ruine et mettre de l'ordre dans la grande richesse que représentait la propriété, pour faire du prieuré une puissante force au service du bien. Philip était trop excité pour rester immobile. Il se releva et avança d'un pas plus léger jusqu'au chœur pour prendre une place vide dans une des stalles.

Le service était célébré par le sacristain, Andrew de York, un homme irascible et congestionné qui semblait constamment au bord de l'apoplexie. Il faisait partie des obédienciers, haut placés dans la hiérarchie du monastère. Sa responsabilité s'étendait aux services, aux livres, aux reliques, aux vêtements sacerdotaux, aux ornements et à tout ce qui concernait l'essentiel du bâtiment. Sous ses ordres travaillaient un chantre responsable de la musique et un trésorier responsable des chandeliers d'or et d'argent, des calices et autres vases sacrés. Le sacristain n'avait au-dessus de lui que le prieur et le sous-prieur, Remigius, un grand ami d'Andrew.

Andrew lisait la messe de son ton habituel de colère à peine maîtrisée. Philip, dont l'esprit était fort agité, mit quelque temps avant de remarquer que l'office ne se déroulait pas de façon convenable. Un groupe de jeunes moines bavardait et riait bruyamment. Philip vit qu'ils se moquaient du vieux maître des novices, qui s'était endormi à sa place. Les jeunes moines — dont la plupart étaient encore récemment des novices sous la tutelle du vieux maître, et dont la peau cuisait encore des coups de sa férule — lui lançaient des boulettes de terre. Chaque fois que l'une touchait son visage, il sursautait, mais sans se réveiller.

Andrew, apparemment, ne s'apercevait pas de ce qui se passait. Philip chercha des yeux le prévôt, le moine responsable de la discipline. Celui-ci était à l'autre bout du chœur, en grande conversation avec un autre moine, sans prêter la moindre attention à l'office ni au comportement des plus jeunes.

Philip observa encore un moment la scène. Même de bonne humeur, il n'avait aucune patience pour ce genre d'attitude. Celui qui semblait le meneur, un assez beau garçon d'une vingtaine d'années au sourire malicieux, plongea le bout de son couteau dans le haut d'un cierge en train de se consumer et lança de la cire fondue sur la calvitie du maître des novices. Quand la graisse brûlante atterrit sur son crâne, le vieux moine s'éveilla avec un petit cri et les jeunes éclatèrent de rire.

Avec un soupir, Philip quitta sa place. Il approcha du jeune homme par-derrière, le prit par l'oreille et, le tirant avec énergie, l'entraîna dans le transept sud. Andrew leva les yeux de son livre de prières et regarda Philip en fronçant les sourcils : il n'avait rien vu de la scène.

Lorsqu'ils furent hors de portée de voix des moines, Philip s'arrêta, lâcha l'oreille du jeune homme et demanda : « Ton nom ?

— William Beauvis.

— Quel démon t'a pris pendant la messe ? »

William se renfrogna : « J'étais fatigué du service », dit-il.

Les moines mécontents de leur sort ne risquaient pas de trouver un écho compatissant chez Philip. « Fatigué ? dit-il en haussant un peu le ton. Qu'as-tu fait aujourd'hui ? »

William prit un ton de défi : « Matines et laudes au milieu de la nuit, prime avant le déjeuner, puis tierce, messe du chapitre, étude et maintenant grand-messe.

— As-tu mangé ?

— J'ai déjeuné.

— Tu comptes souper ?

— Oui.

— La plupart des gens de ton âge font dans les champs un travail éreintant du lever au coucher du soleil pour gagner leur déjeuner et leur souper — et encore te donnent-ils un peu de leur pain. Sais-tu pourquoi ils font cela ?

— Oui, dit William en se dandinant sur ses pieds, les yeux baissés.

« — Va.

— Ils le font parce qu'ils veulent que les moines chantent les services pour eux.

— Exact. Des paysans qui triment dur te donnent du pain, de la viande et un dortoir en pierre avec un feu en hiver — et toi, tu es si fatigué que tu ne peux pas rester assis durant la grand-messe qu'on dit pour eux !

— Pardon, mon frère. »

Philip examina plus longuement William. Il n'y avait pas de méchanceté en lui. Les vrais responsables étaient ses supérieurs, assez insouciants pour tolérer le chahut à l'église. « Si les services te fatiguent, dit Philip avec plus de douceur, pourquoi es-tu devenu moine ?

— Je suis le cinquième fils de mon père. »

Philip hocha la tête. « Et sans doute a-t-il fait don au prieuré d'un peu de terre à condition que nous te prenions ?

— Oui... une ferme. »

C'était une histoire ordinaire : un homme qui avait un surplus de fils en offrait un à Dieu, s'assurant que Dieu ne refuserait pas ce don en ajoutant une propriété suffisante pour subvenir aux besoins de son fils dans la pauvreté monastique. Ainsi, bien des hommes qui n'avaient pas la vocation devenaient des moines désobéissants.

Philip reprit : « Si on te déplaçait — dans une grange, disons, ou dans la petite communauté de Saint-John-de-la-Forêt, où il y a beaucoup de travail à faire à l'extérieur et où l'on passe moins de temps au culte —, crois-tu que cela pourrait t'aider à retrouver la piété qui convient aux offices ? »

Le visage de William s'illumina. « Oui, mon frère, je le pense !

— C'est aussi mon avis. Je vais voir ce qu'on peut faire. Mais ne t'excite pas trop : il faudra peut-être attendre la désignation d'un nouveau prieur pour lui demander ton transfert.

— En tout cas, merci ! »

Le service s'acheva et les moines commencèrent à quitter l'église en procession. Philip porta un doigt à ses lèvres pour mettre un terme à la conversation. Comme la procession passait par le transept sud, Philip et William rallièrent leurs rangs et sortirent dans le cloître qui jouxtait le côté sud de la nef. Là, on se dispersa. Philip se dirigea vers la cuisine, mais il trouva son chemin barré par le sacristain, qui se planta devant lui dans une posture agressive, les pieds écartés et les mains sur les hanches.

« Frère Philip, commença-t-il.

— Frère Andrew ?

— Quelle mouche vous a piqué de troubler le service de la grand-messe ? » Philip était abasourdi. « Troubler la messe ? fit-il d'un ton incrédule. Ce garçon se conduisait mal. Il...

— Je suis tout à fait capable de maîtriser l'inconduite durant mes offices ! » fit Andrew en haussant la voix. Les moines s'arrêtèrent à proximité pour entendre ce qu'on disait.

Philip ne comprenait pas pourquoi Andrew montrait tant de susceptibilité. De temps en temps les jeunes moines et les novices devaient être rappelés à l'ordre par leurs frères plus âgés et aucune règle ne précisait que seul le sacristain y était autorisé. Philip reprit : « Mais vous n'avez pas vu ce qui se passait ?

— Ou peut-être l'ai-je bien vu, mais ai-je décidé de m'occuper de cela plus tard. »

Philip était tout à fait certain qu'il n'avait rien remarqué. « Qu'avez-vous vu alors ? lança-t-il.

— Vous ne prétendez pas m'interroger ? » s'écria Andrew. Son visage rouge vira au violet. « Vous êtes peut-être prieur d'une petite communauté dans la forêt, mais voilà douze ans que je suis sacristain ici, et je conduirai les offices à la cathédrale comme je l'entends — sans l'assistance d'étrangers deux fois plus jeunes que moi ! »

Philip commençait à penser que peut-être il avait vraiment mal agi — sinon pourquoi Andrew était-il si vexé ? Mais le plus important, c'était qu'une querelle dans le cloître ne constituait pas un spectacle édifiant pour les autres moines, il fallait y mettre un terme. Philip ravala son orgueil, serra les dents et s'inclina docilement.

« Je reconnais mon erreur, frère, et je vous demande humblement pardon », dit-il.

Andrew était prêt à une violente discussion et cette retraite prématurée de son adversaire ne le satisfaisait pas.

« Que ça ne se reproduise pas, alors », dit-il avec arrogance.

Philip ne répondit pas. Andrew voulait avoir le dernier mot, aussi toute nouvelle remarque de Philip ne ferait qu'attirer une nouvelle réplique. Il fixa le sol en se mordant

144

la langue, tandis qu'Andrew le foudroyait du regard. Le sacristain enfin tourna les talons et s'éloigna, la tête haute.

Philip était agacé d'avoir subi une telle humiliation, mais force lui était de la supporter, car un moine orgueilleux est un mauvais moine. Sans un mot, il quitta le cloître sous le regard curieux des autres moines.

Les quartiers d'habitation occupaient le sud du cloître carré, le dortoir le coin sud-est et le réfectoire le coin sud-ouest. Philip sortit par le côté ouest, traversant le réfectoire pour se retrouver du côté public de l'enceinte du prieuré, avec vue sur l'hôtellerie et les écuries. C'était là que se trouvait la cour de la cuisine, bordée sur trois côtés par le réfectoire, la cuisine proprement dite, la boulangerie et la brasserie. Une charrette où s'entassaient des navets attendait dans la cour d'être déchargée. Philip gravit les marches jusqu'à la porte de la cuisine et entra.

L'atmosphère le frappa littéralement au visage. L'air était brûlant et lourd de l'odeur du poisson en train de cuire, il y avait un abominable vacarme de casseroles entrechoquées et d'ordres lancés çà et là. Trois cuisiniers, tout rouges de chaleur et de précipitation, s'occupaient à préparer le souper avec l'aide de six ou sept jeunes marmitons. Deux grands âtres, chacun à une extrémité de la pièce, brûlaient d'un beau feu et une vingtaine de poissons cuisaient sur une broche que tournait un jeune garçon en nage. Le fumet du poisson fit venir l'eau à la bouche de Philip. On faisait bouillir des carottes entières dans de grosses marmites en fer accrochées au-dessus des flammes. Des jeunes gens plantés devant un billot découpaient des miches de pain blanc en tranches épaisses destinées à servir d'assiettes que l'on mangerait ensuite. Un seul moine surveillait cet apparent chaos : frère Milius, le cuisinier, un homme à peu près de l'âge de Philip. Juché sur un haut tabouret, il suivait l'activité frénétique qui se déployait autour de lui avec un sourire imperturbable, comme si tout se passait dans l'ordre et dans la plus parfaite organisation — ce qui était sans doute le cas pour son œil exercé. Il sourit à Philip et dit : « Merci pour le fromage.

— Ah, oui ! » Philip avait oublié ce détail, tant il était arrivé de choses depuis son arrivée. « Il est fait avec du lait de la traite matinale seulement : tu trouveras une subtile différence de goût.

« — J'en ai déjà l'eau à la bouche. Mais vous avez l'air consterné. Quelque chose ne va pas ?

— Ce n'est rien. J'ai eu quelques mots avec Andrew. » Philip eut un geste méprisant, comme pour chasser le sacristain de ses pensées. « Est-ce que je peux prendre une pierre chaude dans ton feu ?

— Bien sûr. »

Il y avait toujours quelques pierres dans les feux de cuisine, qu'on pouvait emporter et utiliser pour chauffer rapidement de petites quantités d'eau ou de soupe. « Frère Paul qui est de garde sur le pont, expliqua Philip, a des engelures, et Remigius ne veut pas le laisser allumer un feu. » Il prit une paire de pincettes à long manche et retira du foyer une pierre brûlante.

Milius ouvrit un placard d'où il sortit un vieux bout de cuir qui avait dû jadis appartenir à un tablier. « Tenez... enveloppez-la dedans.

— Merci.

— Faites vite, dit Milius. Le souper est prêt. »

Philip le salua de la main, quitta la cuisine et s'engagea dans la cour en direction de la porte. A sa gauche, juste contre le mur ouest, se trouvait le moulin. Voilà bien des années, on avait creusé un canal en amont du prieuré pour amener l'eau de la rivière jusqu'à la retenue du moulin. Au-delà de la roue, l'eau s'écoulait par un conduit souterrain jusqu'à la brasserie, la cuisine, la fontaine du cloître où les moines se lavaient les mains avant les repas, et enfin les latrines auprès du dortoir, puis elle repartait vers le sud rejoindre la rivière. Le fondateur était un architecte fort intelligent.

Il y avait un tas de paille sale devant l'écurie, observa Philip : les garçons suivaient donc ses ordres et nettoyaient les stalles. Il franchit la porte et traversa le village vers le pont.

Était-ce présomptueux de ma part de réprimander le jeune William Beauvis ? se demanda-t-il alors qu'il passait au milieu des taudis. A la réflexion, il ne le pensait pas. Et même, ç'aurait été mal d'ignorer un tel désordre durant le service. Au pont il passa la tête dans le petit abri de Paul. « Réchauffe-toi les pieds là-dessus », dit-il en lui tendant la pierre brûlante enveloppée dans le cuir. « Quand elle se refroidira, ôte l'enveloppe et pose les pieds directement sur la pierre. Ça devrait durer jusqu'à la tombée de la nuit. »

Frère Paul se montra éperdument reconnaissant. Il ôta ses sandales et posa aussitôt les pieds sur le paquet. « Je sens déjà la douleur qui se calme, dit-il.

— Si tu remets la pierre ce soir dans le feu de la cuisine, elle sera de nouveau chaude demain matin, dit Philip.

— Frère Milius ne protestera pas ? fit Paul nerveusement.

— Je te le garantis.

— Vous êtes très bon, frère Philip.

— Ce n'est rien. » Il partit avant que les remerciements de Paul deviennent embarrassants. Après tout, ce n'était qu'une pierre chaude.

Il revint au prieuré, passa dans le cloître, se lava les mains au bassin de pierre de l'allée sud, puis entra dans le réfectoire. Un des moines lisait tout haut derrière un pupitre. On était censé souper en silence, à l'écoute de la lecture, mais le bruit d'une quarantaine de moines occupés à manger formait un murmure constant d'autant plus que, malgré la règle, on entendait pas mal de chuchotements. Philip se glissa à une place vide au bout d'une des longues tables. Le moine assis à côté de lui dévorait de fort bon appétit. Il surprit le regard de Philip et murmura : « Il y a du poisson frais aujourd'hui. »

Philip acquiesça. Son estomac grondait.

« Il paraît que vous avez du poisson frais tous les jours dans votre communauté de la Forêt », dit le moine avec une pointe d'envie dans la voix.

Philip secoua la tête. « Tous les deux jours nous avons de la volaille », chuchota-t-il.

Le moine écarquilla les yeux. « Ici, c'est du poisson salé, six fois par semaine. »

Un serviteur mit devant Philip une épaisse tranche de pain en guise d'assiette, puis posa dessus un poisson qui sentait bon les herbes de frère Milius. Philip en avait l'eau à la bouche. Il s'apprêtait à attaquer le mets avec son couteau quand un moine, à l'autre bout de la table, se leva et le montra du doigt. C'était le prévôt, le responsable de la discipline. Philip soupira : Quoi encore ?

Le prévôt rompit la règle du silence, ainsi que c'était son droit : « Frère Philip ! » Les autres moines s'arrêtèrent de manger et le silence se fit dans la salle.

Philip suspendit son geste, le couteau levé.

« La règle, dit le prévôt, interdit aux retardataires de prendre leur souper. »

Philip gémit. Décidément, il ne faisait rien de bien aujourd'hui. Il reposa son couteau, rendit la tranche de pain et le poisson au serviteur et courba la tête pour écouter la lecture.

Durant la période de repos, après le souper, Philip se rendit au magasin situé derrière la cuisine pour parler à Cuthbert le Chenu, le cellérier. C'était une grande caverne sombre, avec de courts piliers épais et de minuscules fenêtres. L'air était sec et plein d'odeurs : le houblon et le miel, les vieilles pommes et les herbes desséchées, le fromage et le vinaigre. On y trouvait d'ordinaire frère Cuthbert, car ses tâches ne lui laissaient guère de temps pour les services, ce qui lui convenait parfaitement : en homme habile et pratique, il ne portait guère d'intérêt à la vie spirituelle. Le cellérier était la contrepartie matérielle du sacristain : Cuthbert devait répondre à tous les besoins pratiques des moines, en rassemblant le produit des fermes et des granges du monastère pour aller au marché acheter ce que les moines et leurs employés ne pouvaient fournir eux-mêmes. Ce poste nécessitait le sens du calcul et de la prévision. Cuthbert ne s'en acquittait pas seul : Milius, le cuisinier, était responsable de la préparation des repas, et un chambellan s'occupait des vêtements des moines. Ils travaillaient tous deux sous les ordres de Cuthbert. De plus, trois autres moines se trouvaient théoriquement sous son contrôle tout en jouissant d'une certaine indépendance : le maître d'hôtellerie, l'infirmier, qui s'occupait des moines âgés et malades dans un bâtiment séparé, et l'aumônier. Même avec ses aides, Cuthbert croulait sous la tâche ; pourtant il gardait tout en tête, prétendant que c'était une honte de gaspiller du parchemin et de l'encre. Philip soupçonnait Cuthbert de ne jamais avoir appris très bien à lire ni à écrire. Il avait les cheveux blancs depuis sa jeunesse, d'où son surnom de chenu, et maintenant, à plus de soixante ans, ce qui lui restait de poils poussait en épaisses touffes blanches hors de ses oreilles et de ses narines, comme pour compenser sa calvitie. Pour avoir occupé les mêmes fonctions dans son premier monastère, Philip comprenait les problèmes de Cuthbert et compatissait à ses doléances. Le cellérier avait donc beaucoup d'affection pour Philip. Sachant que ce dernier avait manqué son souper, Cuthbert alla prendre une demi-douzaine de poires dans un tonneau. Elles étaient un peu ratatinées, mais goûteuses, et Philip les dévora avec reconnaissance tandis que Cuthbert grommelait à propos des finances du monastère.

« Je n'arrive pas à comprendre comment le prieuré peut être en dette, dit Philip, entre deux bouchées de fruit.

— Il ne devrait pas, en effet. Il possède plus de terres et recueille plus de dîmes que jamais.

— Alors pourquoi ne sommes-nous pas riches ?

— Vous connaissez le système que nous avons ici : les propriétés du monastère sont essentiellement partagées entre les obédienciers. Le sacristain a ses terres, j'ai les miennes et il y a des dotations moins importantes pour le maître des novices, le maître hôtelier, l'infirmier et l'aumônier. Le reste appartient au prieur. Chacun utilise le revenu de sa propriété pour remplir ses obligations.

— Quel mal y a-t-il à cela ?

— Eh bien, il faudrait s'occuper de tous ces biens. Imaginez, par exemple, que nous ayons un peu de terre et que nous la louions contre un loyer en espèces. Il ne s'agirait pas de la céder au plus offrant pour récolter l'argent. Nous devrions choisir un bon métayer et le surveiller pour être certain qu'il cultive bien ; sinon les pâturages s'engorgent d'eau, la terre s'épuise et le locataire se trouve incapable de payer le loyer. De plus, il nous rend la terre en mauvaise condition. Ou encore, prenez une grange exploitée par nos employés et gérée par les moines : si personne ne rend visite à la grange sauf pour en emporter les produits, les moines deviennent négligés, les employés volent les récoltes et la grange produit de moins en moins à mesure que les années passent. Même une église, il faut s'en occuper. Il ne suffit pas de prélever la dîme. Il faut mettre un bon prêtre qui connaisse le latin et mène une vie sainte. Sinon les gens sombrent dans l'impiété, se marient, mettent des enfants au monde et meurent sans la bénédiction de l'Église ; sans compter qu'ils trichent sur le montant de leur dîme.

— Les obédienciers devraient gérer convenablement leurs biens », dit Philip en terminant la dernière poire.

Cuthbert tira une coupe de vin d'un tonneau. « Ils devraient, mais ils ont d'autres choses en tête. D'ailleurs, que connaît le maître des novices à l'agriculture ? Pourquoi l'infirmier serait-il un régisseur compétent ? Bien sûr, un prieur énergique les contraindra, dans une certaine mesure, à bien gérer leurs ressources. Mais depuis treize ans que nous avons un prieur faible, aujourd'hui nous n'avons plus d'argent pour réparer la cathédrale, nous mangeons du poisson salé six jours par semaine, l'école est presque vide de novices et personne ne vient à l'hôtellerie. »

Philip sirotait son vin dans un silence pensif. Il avait du mal à réfléchir calmement à une aussi consternante dissipation des bienfaits de Dieu. Il aurait voulu s'attaquer au responsable pour lui faire entendre raison. Mais, en l'occurrence, le responsable gisait dans un cercueil derrière l'autel. Sur ce point-là au moins, il y avait une lueur d'espoir. « Bientôt, dit Philip, nous aurons un nouveau prieur. Il devrait remettre les choses en ordre. »

Cuthbert lui lança un regard bizarre. « Remigius ? Remettre les choses en ordre ? »

Philip s'étonna : « Remigius ne va tout de même pas devenir le nouveau prieur ?

— C'est probable.

— Mais il ne vaut pas mieux que le prieur James, s'écria Philip, consterné. Pourquoi les frères voteraient-ils pour lui ?

— Oh ! Ils se méfient des étrangers, ils ne voteront pas pour quelqu'un qu'ils ne connaissent pas. Ce sera donc l'un de nous. Or Remigius est le sous-prieur, le premier des moines ici.

— Mais aucune règle ne dit que nous devons choisir le premier des moines, protesta Philip. Ce pourrait être un autre des obédienciers. Ce pourrait être vous. »

Cuthbert acquiesça. « On m'a déjà demandé. J'ai refusé.

— Mais pourquoi ?

— Je me fais vieux, Philip. Le travail que j'ai maintenant m'accablerait si je n'y étais pas tellement habitué que je peux le faire machinalement. Mais davantage de responsabilités, ce serait trop. Je n'ai certainement pas l'énergie de prendre en main un monastère affaibli et de le réformer. Au bout du compte, je ne serais pas mieux que Remigius. »

Philip ne pouvait en croire ses oreilles. « Mais il y en a d'autres ! Le sacristain, le prévôt, le maître des novices...

— Le maître des novices est vieux et plus fatigué que moi. L'hôtelier est un glouton et un ivrogne. Et le sacristain et le prévôt voteront sûrement pour Remigius. Pourquoi ? Je n'en sais rien, mais je le devine. Je dirais que Remigius a promis d'élever le sacristain au rang de sous-prieur et de faire du prévôt le sacristain, en récompense de leur appui. »

Philip s'effondra sur les sacs de farine qui servaient de siège. « Vous voulez dire que Remigius a déjà arrangé l'élection ? »

Cuthbert ne répondit pas tout de suite. Il se leva et gagna l'autre côté du magasin, où il avait aligné une cuve en bois pleine d'anguilles vivantes, un seau d'eau fraîche et un baril plein au tiers de saumure. « Aidez-moi », dit-il. Il prit un couteau, choisit une anguille dans le bain, lui cogna la tête contre le sol dallé, puis la vida avec son couteau. Il tendit à Philip le poisson qui se tortillait encore faiblement. « Lavez-la dans le seau, puis jetez-la dans le baril. Ces poissons calmeront notre appétit pendant le carême. »

Philip obéit. Cuthbert, en vidant l'anguille suivante, dit : « Il y a une autre possibilité : un candidat qui serait un bon prieur réformateur et dont le rang, bien qu'inférieur à celui de sous-prieur, soit le même que celui du sacristain ou celui du cellérier.

— Qui donc ?

— Vous.

— Moi ! » Philip fut si étonné qu'il lâcha l'anguille qu'il tenait. C'est vrai que théoriquement il avait rang d'obédiencier au prieuré, mais il ne s'était jamais considéré comme l'égal du sacristain ni des autres, parce qu'ils étaient beaucoup plus vieux que lui. « Je suis trop jeune...

— Réfléchissez-y, dit Cuthbert. Vous avez passé toute votre vie dans des monastères. Vous étiez cellérier à vingt et un ans. Vous êtes prieur d'une petite communauté depuis quatre ou cinq ans — et vous l'avez réformée. Il est clair aux yeux de tous que la main de Dieu est sur vous. »

Philip ramassa l'anguille et la laissa tomber dans le tonneau de saumure. « La main de Dieu est sur nous tous », dit-il sans s'engager. Il était quelque peu abasourdi par la suggestion de Cuthbert. Il voulait certes un nouveau prieur énergique pour Kingsbridge, mais il n'avait pas pensé à lui-même pour ce poste. « C'est vrai que je ferais un meilleur prieur que Remigius », dit-il d'un ton songeur.

Cuthbert parut satisfait. « Si vous avez un défaut, Philip, c'est votre innocence. »

Philip n'était pas du même avis. « Que voulez-vous dire ?

— Vous ne cherchez pas chez les gens de motifs bas. La plupart d'entre nous le font. Par exemple, tout le monastère suppose déjà que vous êtes candidat et que vous êtes venu ici pour gagner des voix. »

Philip s'indigna. « Sur quoi se fonde-t-on pour dire ça ?

— Essayez donc d'examiner votre comportement comme un esprit vil et méfiant le verrait. Vous arrivez quelques jours après la mort du prieur James, comme si quelqu'un d'ici vous avait secrètement prévenu.

— Mais comment imagine-t-on que j'ai organisé cela ?

— Personne n'en sait rien — mais ils sont persuadés que vous êtes plus malin qu'eux. » Cuthbert se remit à vider ses anguilles. « Et regardez comment vous vous êtes conduit aujourd'hui. A peine arrivé, vous donnez l'ordre de nettoyer les écuries. Ensuite, vous intervenez dans ce chahut pendant la grand-messe. Vous parlez de transférer le jeune William Beauvis dans une autre communauté, quand tout le monde sait que le transfert des moines d'un couvent à un autre est le privilège du prieur. Vous critiquez implicitement Remigius en apportant à frère Paul sur le pont une pierre chaude. Pour finir vous donnez à la cuisine un fromage délicieux dont nous avons tous mangé une bouchée après le dîner — et même si personne n'a dit d'où il venait, aucun de nous ne pouvait se méprendre sur le goût d'un fromage venant de Saint-John-de-la-Forêt. »

Philip n'en revenait pas que ses actions aient été ainsi mal interprétées. « N'importe qui aurait pu agir de même.

— N'importe quel moine d'un certain rang aurait pu faire *une* de ces choses. Personne ne les aurait faites *toutes*. Vous êtes arrivé, vous avez pris le commandement ! Vous avez déjà commencé à réformer le couvent. Bien entendu, les amis de Remigius ripostent déjà. Voilà pourquoi Andrew le sacristain vous a réprimandé dans le cloître.

— Voilà donc l'explication ! Je me demandais quelle mouche l'avait piqué. » Philip rinça distraitement l'anguille. « Et j'imagine que quand le prévôt m'a fait renoncer à mon dîner, c'était pour la même raison.

— Exactement. Une façon de vous humilier devant les moines. Je crois d'ailleurs que les deux opérations ont raté : aucun reproche n'était justifié, et pourtant vous les avez acceptés avec grâce. En fait, vous avez réussi à paraître un vrai saint homme.

— Je ne l'ai pas fait dans ce but.

— Les saints non plus. Ah ! Voici la cloche de nones. Vous feriez mieux de me laisser le restant des anguilles. Après le service, c'est l'heure d'étude, et les discussions sont permises dans le cloître. Un grand nombre de frères va vouloir vous parler.

— Pas si vite ! s'exclama Philip avec inquiétude. Même si certains s'imaginent que je veux être prieur, cela ne signifie pas que je vais me présenter à l'élection. » La perspective d'une lutte électorale lui déplaisait et il n'était pas du tout sûr d'avoir envie d'abandonner sa communauté bien organisée de la forêt pour prendre en charge les redoutables problèmes du prieuré de Kingsbridge. « J'ai besoin de temps pour réfléchir, ajouta-t-il.

— Je sais. » Cuthbert se redressa et regarda Philip droit dans les yeux. « Et en réfléchissant, rappelez-vous ceci, je vous prie : l'excès d'orgueil est un péché courant, mais un homme peut tout aussi bien décevoir la volonté de Dieu par un excès d'humilité. »

Philip acquiesça. « Je m'en souviendrai. Merci. »

Il quitta le magasin et se hâta vers le cloître. Mille pensées s'agitaient dans son esprit lorsqu'il rejoignit les autres moines pour pénétrer avec eux dans l'église. Il était très excité à l'idée de devenir prieur de Kingsbridge, il s'en rendait compte. Il s'était élevé pendant des années contre la façon honteuse dont ce prieuré était dirigé, et voilà maintenant que l'occasion se présentait de remettre lui-même de l'ordre dans tout cela. Tout à coup, il n'était plus certain d'en être capable. Ce n'était pas seulement la question des mesures à prendre et des ordres à donner. Il fallait persuader les gens, gérer les biens, trouver de l'argent. Le poste réclamait une tête bien faite. La responsabilité serait lourde.

L'ambiance de l'église le calma, comme toujours. Après leur inconduite du matin, les moines étaient graves et silencieux. Tout en écoutant les phrases familières du service et en murmurant les répons comme il le faisait depuis tant d'années, il sentit ses pensées s'éclaircir.

Est-ce que je veux être prieur de Kingsbridge ? se demanda-t-il, et la réponse vint aussitôt : Oui ! Prendre en charge cette église croulante, la réparer, la redécorer et l'emplir du chant de cent moines, des voix d'un millier de fidèles récitant le *Notre Père* — rien que pour cela, il désirait ce poste. Et puis il y avait les biens du monastère à réorganiser, à revitaliser, à rendre de nouveau sains et productifs. Il voulait voir une foule de jeunes garçons apprenant à lire et à écrire dans un coin du cloître. Il voulait voir l'hôtellerie pleine de lumière et de chaleur, si bien que barons et évêques viendraient en visiteurs et offriraient au prieuré des dons précieux avant de repartir. Il voulait faire installer une salle spéciale en bibliothèque et l'emplir de livres de sagesse et de beauté. Oui, il voulait être prieur de Kingsbridge.

Y a-t-il d'autres raisons ? se demanda-t-il. Quand je m'imagine en prieur, occupé à ces améliorations pour la gloire de Dieu, n'y a-t-il aucun orgueil dans mon cœur ?

Oh que si !

Dans l'atmosphère froide et sainte de l'église, il ne pouvait pas se tromper lui-même. Son but était de servir la gloire de Dieu, mais la gloire de Philip ne lui déplaisait pas. Il aimait l'idée de donner des ordres que personne ne pourrait discuter. Il se voyait prenant des décisions, rendant la justice, prodiguant des conseils et des encouragements, distribuant pénitences et pardons à son gré. Il imaginait les gens disant : « Philip de Gwynedd a vraiment réformé ce couvent. C'était une honte avant qu'il ne le prenne en main, et regardez-le maintenant ! »

Mais je *serai* bon, se dit-il. Dieu m'a donné un cerveau pour gérer des biens et le don de mener des groupes d'hommes. Je l'ai prouvé comme cellérier de Gwynedd et comme prieur de Saint-John-de-la-Forêt. Quand je dirige une communauté, les moines sont heureux. Dans mon prieuré, les vieillards n'ont pas d'engelures et les jeunes ne se sentent pas frustrés par manque de travail. Je m'occupe des gens.

D'autre part, aussi bien Gwynedd que Saint-John-de-la-Forêt paraissaient des endroits faciles comparés au prieuré de Kingsbridge. Le couvent de Gwynedd était déjà bien mené. La communauté de la Forêt avait connu des problèmes avant son arrivée, mais elle était minuscule et facile à contrôler. Auprès de cela, la réforme de Kingsbridge était un travail herculéen. Il faudrait peut-être des semaines rien que pour faire l'inventaire des ressources : la surface des terres, leur emplacement, leur emploi — forêts, pâturages ou champs de blé. Prendre le contrôle de ces domaines éparpillés, trouver ce qui n'allait pas et le remettre en ordre, faire de toutes ces parties un ensemble prospère demanderait des années. Tout ce que Philip avait réalisé dans la communauté de la Forêt, c'était d'amener une douzaine de jeunes gens à travailler dur dans les champs et à prier solennellement à l'église.

Bon, reconnut-il, mes motifs ne sont pas tout à fait purs et mes talents encore incertains. Peut-être devrais-je refuser de me présenter. Du moins éviterais-je le péché d'orgueil. Mais qu'avait donc dit Cuthbert ? « Un homme peut tout aussi bien décevoir la volonté de Dieu par un excès d'humilité. »

Quelle est la volonté de Dieu ? finit-il par se demander. Veut-il Remigius ? Les capacités de Remigius ne sont pas supérieures aux miennes ni probablement ses motifs plus purs. Connaît-on un autre candidat ? Pas à présent. Reste donc le choix entre Remigius et moi. A l'évidence Remigius dirigerait le monastère comme il l'a fait pendant la maladie du prieur James, c'est-à-dire dans la paresse et la négligence. Ce n'est pas lui qui arrêtera le déclin. Et moi ? Je suis plein d'orgueil, sans doute, mais je veux essayer de réformer le monastère et, si Dieu m'en donne la force, je réussirai.

Très bien, dit-il à Dieu alors que le service touchait à sa fin, très bien. Je vais accepter la nomination et je vais lutter de toutes mes forces pour remporter l'élection ; et si, pour quelque raison que Vous préférez ne pas me révéler, Vous ne voulez pas de moi, eh bien alors, Vous n'aurez qu'à m'arrêter comme Vous pourrez.

Bien que Philip eût passé vingt-deux ans dans des monastères, il n'avait jamais connu d'élection. Il s'agissait d'un événement unique dans la vie monastique, le seul cas où les frères dérogeaient à la règle de l'obéissance : le vote les rendait tous égaux.

A en croire la légende, à l'origine les moines étaient égaux en tout. Un groupe d'hommes décidant de tourner le dos au monde des passions charnelles et de bâtir un sanctuaire dans le désert, pour y mener une vie de piété et de renoncement, choisir un coin de terre nue, défricher la forêt, assécher les marécages, labourer le sol et bâtir leur église ensemble. En ce temps-là, ils étaient vraiment comme des frères. Le prieur, ainsi que l'indiquait son titre, n'étant que le premier parmi des égaux, ils juraient obéissance à la seule règle de saint Benoît, et non à quelque dignitaire ecclésiastique. Ce qui demeurait aujourd'hui de cette démocratie primitive, c'était l'élection du prieur et de l'abbé.

Un tel pouvoir, soudain, embarrassait certains moines, qui auraient voulu qu'on les conseille ; ou bien ils suggéraient de laisser la décision à un comité de moines plus âgés. D'autres abusaient du privilège et réclamaient insolemment des faveurs en échange de leur soutien. La plupart, cependant, souhaitaient simplement savoir prendre la bonne décision.

Dans le cloître, cet après-midi-là, Philip s'adressa à plusieurs d'entre eux, individuellement ou par petits groupes, et leur expliqua à tous avec sincérité qu'il désirait le poste et qu'il avait le sentiment de pouvoir faire mieux, malgré sa jeunesse, que Remigius. Il répondit aux questions, dont la plupart touchait aux rations de nourriture et de boisson. Il terminait chaque entretien par les mêmes mots : « Si chacun de nous prend sa décision dans la réflexion et la prière, Dieu en bénira sûrement le résultat. » Il en était lui-même convaincu.

« Nous sommes sur le chemin de la victoire », dit le cuisinier Milius, le lendemain matin, alors que Philip et lui déjeunaient de pain de son et de petite bière tandis que les marmitons chargeaient les feux.

Milius était un bouillant jeune homme à l'esprit vif, un protégé de Cuthbert et un admirateur de Philip. Il avait des cheveux sombres et raides, un petit visage aux traits nets et réguliers. Comme Cuthbert, il préférait servir Dieu de façon pratique et manquait la plupart des offices. Philip se méfiait de son optimisme.

« Comment le sais-tu ? demanda-t-il d'un ton sceptique.

— Tout le camp de Cuthbert au monastère vous soutient — le chambellan, l'infirmier, le maître des novices, moi-même —, parce que nous savons que vous êtes un bon pourvoyeur et que l'approvisionnement constitue le grand problème actuel. Bon nombre des moines ordinaires voteront en votre faveur pour une raison analogue : ils pensent que vous gérerez mieux la richesse du prieuré et qu'il en résultera plus de confort et une meilleure nourriture. »

Philip se rembrunit. « Je ne voudrais pas de malentendu. Ma priorité sera de réparer l'église et d'animer les services, cela passe avant la nourriture.

— Certainement, et ils le savent, s'empressa de répondre Milius. C'est pourquoi l'hôtelier et quelques autres voteront pour Remigius : ils préfèrent un régime douillet et une vie tranquille. Ses autres partisans sont tous de ses amis qui attendent des privilèges particuliers le jour où il sera aux commandes : le sacristain, le prévôt, le trésorier et ainsi de suite. Le chantre est un ami du sacristain, mais je pense qu'on pourrait le rallier à notre camp, surtout si vous promettez de désigner un bibliothécaire. »

Philip acquiesça. Chargé de la musique, le chantre estimait qu'il ne devrait pas avoir à s'occuper des livres en plus de ses autres charges. « De toute façon, dit Philip, c'est une bonne idée. Il nous faut un bibliothécaire pour augmenter notre collection de livres. »

Milius descendit de son tabouret et entreprit d'aiguiser un couteau de cuisine. Débordant d'énergie, il devait occuper perpétuellement ses mains, songea Philip. « Quarante-quatre moines vont voter, dit Milius. D'après mes estimations, dix-huit sont pour nous, et dix pour Remigius, ce qui laisse seize hésitants. Il nous faut vingt-trois voix pour obtenir la majorité. Vous devez donc vous gagner cinq hésitants.

— Quand tu présentes les choses de la sorte, elles semblent faciles, dit Philip. De combien de temps disposons-nous ?

— Impossible à dire. Ce sont les frères qui décident de la date de l'élection, mais si elle est fixée trop tôt, l'évêque peut refuser de confirmer notre choix. Si par contre nous attendons trop, il fixera lui-même la date. De plus, il a le droit de désigner un candidat. A l'heure qu'il est, il n'a peut-être même pas appris la mort du vieux prieur.

— Cela pourrait prendre un certain temps, alors.

— Oui. Et, dès que nous serons sûrs d'une majorité, il vous faudra regagner votre communauté et vous tenir éloigné d'ici jusqu'à ce que tout soit fini. »

Philip s'étonna. « Et pourquoi donc ?

— La familiarité engendre le mépris, dit Milius en brandissant avec enthousiasme un couteau bien affûté. Pardonnez-moi si je parais manquer de respect, mais c'est vous qui m'avez demandé une explication. La voici. Pour le moment, vous bénéficiez d'une certaine aura. Vous êtes un personnage distant, sanctifié, surtout pour nous jeunes moines. Vous avez effectué un vrai miracle dans votre petite

157

communauté, en la réformant et en la rendant autonome. Vous avez le sens de la discipline, et vous nourrissez bien vos moines. Vous êtes un chef-né, mais vous savez courber la tête et accepter les réprimandes comme le plus jeune des novices. Vous connaissez les Écritures et vous faites le meilleur fromage du pays.

— Tu n'exagères pas un peu ?

— Pas beaucoup.

— Je n'arrive pas à croire que les gens me considèrent comme tu le dis : ce n'est pas naturel.

— Bien sûr que non, reconnut Milius avec un petit haussement d'épaules. Justement, votre prestige ne durera pas dès l'instant où ils vous connaîtront mieux. Si vous restiez ici, vous perdriez cette aura. On vous verrait vous curer les dents et vous gratter le derrière, on vous entendrait ronfler et péter, on vous verrait de mauvaise humeur, vexé ou migraineux. Nous ne voulons pas de cela. Remigius accumulera les faux pas et les erreurs pendant que votre image s'incrustera dans leur esprit, étincelante et parfaite.

— Je n'aime pas ce discours, dit Philip d'une voix incertaine. Cela ressemble à une tromperie.

— Il n'y a rien de malhonnête là-dedans, protesta Milius. C'est ce qui fait la différence entre Remigius et vous — l'incapable et le capable. »

Philip secoua la tête. « Je ne veux pas faire semblant d'être un ange. Très bien, je ne resterai pas ici : de toute façon, il faut que je retourne dans la forêt. Mais nous devons nous montrer francs avec les frères. Nous leur demandons d'élire un homme faillible et imparfait qui aura besoin de leur aide et de leurs prières.

— Dites-leur ça ! s'écria Milius avec enthousiasme. C'est parfait... Ils vont adorer. »

Quel incorrigible gamin, songea Philip. Il changea de sujet. « Que penses-tu des hésitants, les frères qui n'ont pas encore pris leur décision ?

— Ce sont des conservateurs. Ils voient en Remigius l'homme plus âgé, plutôt hostile aux changements, un homme prévisible et déjà en place. »

Philip acquiesça de la tête. « Et moi, je suis comme un chien inconnu qui risque à tout instant de mordre. »

La cloche sonna pour le chapitre. Milius avala sa dernière gorgée de bière. « Une attaque va se déclencher contre vous maintenant, Philip. Je ne peux pas prévoir quelle forme elle prendra, mais le but sera de vous faire apparaître comme quelqu'un de jeune, d'inexpérimenté, de têtu, sur qui on ne peut pas compter. Il faudra que vous vous montriez calme, prudent et judicieux, mais laissez à Cuthbert et à moi le soin de vous défendre. »

Philip commençait à éprouver une certaine appréhension. Désormais il faudrait peser chaque geste, estimer comment les autres allaient l'interpréter et le juger. D'un ton légèrement impatient il reprit : « En temps normal, je ne pense qu'à la façon dont Dieu juge mon comportement.

— Je sais, je sais, fit Milius avec une pointe d'agacement. Mais ce n'est pas un péché d'aider des gens plus simples à juger de vos actions sous leur vrai jour. »

Philip fronça les sourcils. Milius décidément n'avait pas tort.

Ils quittèrent la cuisine et traversèrent le réfectoire jusqu'au cloître. Philip était tout de même très anxieux. Une attaque ? Qu'est-ce que cela voulait dire, une attaque ? Allait-on colporter des mensonges à son sujet ? Comment devrait-il réagir ? Si les gens inventaient des mensonges sur lui, devrait-il réprimer sa colère ? Mais s'il ne réagissait pas, les frères ne croiraient-ils pas que les ragots disaient vrai ? Il se comporterait comme d'habitude, décida-t-il, juste un peu plus gravement et plus dignement.

La salle du chapitre, un petit bâtiment rond, jouxtait l'allée est du cloître. Elle était meublée de bancs disposés en cercles concentriques. Il n'y avait pas de feu et après la chaleur de la cuisine, on sentait désagréablement le froid. La lumière venait de hautes fenêtres placées au-dessus des têtes, si bien qu'il n'y avait rien à regarder que les autres moines dans la salle.

Philip les observa. Presque tous étaient là : des âgés, des jeunes, des grands et des petits, des bruns et des blonds — tous vêtus de la grosse robe de bure et chaussés de sandales de cuir. L'hôtelier arborait sa panse ronde et son nez rouge révélant ses vices — des vices qui pourraient être pardonnables, se dit Philip, s'il avait un jour des hôtes à recevoir. Il y avait le chambellan, qui obligeait les moines à changer de robe et à se raser pour Noël et pour la Pentecôte (un bain à cette occasion était recommandé, mais non obligatoire). Adossé au mur du fond, se trouvait le doyen, un vieil homme frêle, pensif et imperturbable dont les cheveux étaient encore gris plutôt que blancs ; il parlait rarement mais jamais pour ne rien dire ; il aurait dû être prieur sans doute s'il n'avait pas été si effacé. Frère Simon, avec son regard furtif et ses mains nerveuses, avait confessé si souvent des péchés d'impureté que (comme Milius l'avait chuchoté à Philip) sans doute aimait-il la confession encore plus que le péché. Il y avait William Beauvis, qui se tenait fort bien ; frère Paul, qui ne boitait presque pas ; Cuthbert le Chenu, l'air sûr de lui ; John Small, le petit trésorier ; et Pierre, le prévôt, celui qui avait privé Philip de son dîner la veille. Bientôt Philip se rendit compte que tous les regards étaient tournés vers lui et il baissa les yeux, embarrassé.

Remigius arriva avec Andrew, le sacristain, et ils s'assirent auprès de John Small et de Pierre. Voilà, se dit Philip, la faction réunie.

Le chapitre commença par la lecture d'un texte sur Siméon le stylite, le saint du jour. C'était un ermite qui avait passé presque toute sa vie juché sur une colonne et, si l'on ne pouvait mettre en doute son don de renoncement, Philip avait toujours nourri en secret des doutes sur la vraie valeur de son témoignage. Les fidèles accouraient en foule, mais venaient-ils pour l'exaltation spirituelle ou pour regarder un phénomène ?

Après les prières, on lut un chapitre du livre de saint Benoît. C'était ce chapitre qui donnait son nom à la réunion ainsi qu'au petit bâtiment dans lequel elle avait lieu. Comme Remigius se levait pour lire dans le livre ouvert devant lui, Philip observa attentivement son profil, pour la première fois avec les yeux d'un rival. Remigius avait des façons vives et efficaces qui lui donnaient un air de compétence en total désaccord avec sa vraie nature. Une observation plus poussée révélait des indices sur ce que dissimulait la façade : ses yeux bleus un peu proéminents se déplaçaient avec une rapidité inquiète, sa bouche un peu molle hésitait avant de parler et il serrait et desserrait sans cesse les mains tandis que le reste de son corps était immobile. Il tirait son autorité de son arrogance, de son irritation permanente et de cette façon qu'il avait d'écarter avec dédain les subordonnés.

Philip se demanda pourquoi il avait choisi de lire le chapitre lui-même, mais il en comprit vite la raison. « Le premier degré d'humilité et la prompte obéissance », lut Remigius. Il avait choisi le chapitre cinq, sur l'obéissance,

160

afin de rappeler à tous la supériorité de sa position et leur rôle de subordonnés. Tactique évidemment destinée à les intimider. Remigius était d'abord un homme rusé. « Ils ne vivent pas comme eux-mêmes le souhaitent, pas plus qu'ils se plient à leurs propres désirs ni à leurs envies de plaisir ; mais, suivant les ordres et les directives d'un autre, en se montrant obéissants dans leurs monastères, leur volonté est d'être régi par un abbé, lut-il. Sans doute ceux-là mettent-ils en œuvre la parole de Notre-Seigneur, *je ne suis pas venu pour accomplir ma volonté, mais la volonté de Celui qui m'a envoyé.* » Remigius venait de tracer les lignes de bataille de manière prévue : dans cet affrontement, c'était lui qui représenterait l'autorité établie.

Cette lecture fut suivie par la nécrologie et ce jour-là, naturellement, toutes les prières furent destinées à l'âme du prieur James. On garda pour la fin la partie la plus animée du chapitre : la discussion des affaires courantes, la confession des fautes et les accusations d'inconduite.

Remigius prit la parole : « Il y a eu des désordres pendant la grand-messe d'hier. »

Philip se sentit presque soulagé. Il savait maintenant comment on allait l'attaquer. Il était prêt à se défendre.

Remigius poursuivit : « Je n'étais pas présent moi-même — retenu dans la maison du prieur à régler des affaires urgentes —, mais le sacristain m'a rapporté les faits. »

Cuthbert le Chenu l'interrompit : « Ne vous faites pas de reproches, frère Remigius, dit-il d'un ton apaisant. Nous savons qu'en principe les affaires du monastère ne devraient jamais prendre le pas sur la grand-messe, mais nous comprenons que le décès de notre bien-aimé prieur vous a obligé à traiter bien des problèmes qui dépassent votre compétence habituelle. Nous sommes tous d'accord, j'en suis sûr, qu'aucune pénitence ne s'impose. »

Le rusé vieux renard, se dit Philip. Remigius, bien sûr, n'avait aucune intention de confesser une faute. Néanmoins, Cuthbert lui accordait son pardon comme s'il était coupable. Maintenant, même si Philip était lui-même accusé, ils se retrouveraient, Remigius et lui, sur le même plan. En quelques mots prononcés avec bonté, Cuthbert venait de saper l'autorité de Remigius. Celui-ci d'ailleurs bouillait de rage. Philip sentit le plaisir du triomphe lui serrer la gorge.

Andrew le sacristain lança un regard noir à Cuthbert. « Je

suis certain qu'aucun de nous ne voudrait critiquer notre vénéré sous-prieur, dit-il. Le désordre en question a été causé par frère Philip, venu en visiteur de la communauté de Saint-John-de-la-Forêt. Philip a arraché de sa place dans le chœur le jeune William Beauvis, l'a traîné jusqu'au transept et l'a réprimandé lui-même alors que je célébrais l'office. »

Remigius se composa une expression de reproche peiné. « Nous conviendrons tous sans doute que Philip aurait dû attendre la fin de la messe. »

Philip examina l'expression des autres moines. Ils ne semblaient ni approuver ni désapprouver ce que l'on venait de dire. Ils suivaient la discussion comme des spectateurs assistent à un tournoi, où il n'y a ni bon ni méchant et où le seul enjeu est de connaître le vainqueur.

Philip aurait voulu protester : *Si j'avais attendu, ce manque de discipline aurait duré tout l'office*, mais il se rappela le conseil de Milius et garda le silence. Ce fut Milius qui parla pour lui. « J'ai manqué la grand-messe, moi aussi, comme c'est hélas fréquemment mon cas, car elle vient juste avant le dîner ; alors peut-être pourriez-vous me décrire, frère Andrew, ce qui se passait dans le chœur avant l'intervention de frère Philip. Tout se déroulait-il dans l'ordre et la bienséance ?

— Il y avait un peu d'agitation parmi les jeunes, reconnut le sacristain d'un ton maussade. Je comptais leur en parler plus tard.

— Je comprends que vous restiez vague sur les détails : votre esprit était tout entier à l'office, dit Milius charitablement. Par bonheur, nous avons un prévôt dont la tâche précisément est de s'occuper de l'inconduite parmi nous. Dites-nous, frère Pierre, ce que *vous*, vous avez observé. »

Le prévôt prit un air hostile. « Exactement ce que le sacristain vient de vous dire. »

Milius insista : « Il me semble alors qu'il faudrait demander à frère Philip lui-même de nous rapporter les détails. »

Habile Milius, pensa Philip. Il avait établi que ni le sacristain ni le prévôt n'avaient vu ce que les jeunes moines faisaient pendant le service. Mais, bien que Philip admirât l'habileté dialectique du cuisinier, il répugnait à cette petite manigance. Il ne s'agissait pas pour choisir un prieur de jouer au plus fin, il fallait tenter de connaître la volonté de Dieu. Il hésita. Milius lui lança un regard qui disait : *C'est maintenant votre chance !* Mais il y avait chez Philip une obstination innée qui se manifestait d'autant plus nettement qu'on essayait de le pousser dans une position morale douteuse. Il regarda Milius droit dans les yeux et répondit : « Cela s'est passé comme mes frères l'ont décrit. »

Le visage de Milius se décomposa. Il ouvrit la bouche, mais visiblement ne savait plus que dire. Philip se sentit coupable de l'abandonner. Je m'en expliquerai auprès de lui plus tard, se dit-il, s'il ne m'en veut pas trop.

Remigius allait pousser l'accusation lorsqu'une autre voix s'éleva : « J'aimerais me confesser. »

Toutes les têtes se tournèrent. C'était William Beauvis, le fauteur de trouble, qui s'était levé, l'air honteux. « Je lançais des boulettes de boue au maître des novices et je riais, dit-il d'une voix basse mais claire. Frère Philip m'a fait honte. J'implore le pardon de Dieu et je demande aux frères de m'infliger une pénitence. » Sur quoi, il se rassit.

Sans laisser à Remigius le temps de réagir, un autre jeune moine se leva : « J'ai une confession à faire. J'ai agi de même. Je demande une pénitence. » Il se rassit à son tour. Ce brusque accès de remords se révéla contagieux : un troisième moine se confessa, puis un quatrième, puis un cinquième.

En dépit des scrupules de Philip, la vérité avait éclaté au grand jour, et il ne pouvait s'empêcher d'en être ravi. Il vit que Milius luttait pour réprimer un sourire de triomphe. Toutes ces confessions établissaient clairement qu'une petite émeute s'était déroulée sous le nez d'un sacristain et d'un prévôt aveugles.

Un Remigius extrêmement mécontent infligea leurs châtiments aux coupables : une semaine de silence absolu ; ils ne devaient pas parler et personne ne devait leur adresser la parole. C'était une punition plus dure qu'il n'y paraissait. Philip l'avait subie lorsqu'il était jeune. Un seul jour d'isolement était déjà accablant ; que dire de toute une semaine de ce régime !

Remigius venait de se faire remarquablement manœuvrer. Dès l'instant où les fautifs s'étaient confessés, il n'avait d'autre choix que de les punir, même si en les châtiant il reconnaissait que Philip avait raison depuis le début. Son attaque avait mal tourné et Philip triomphait qui, malgré un petit sursaut de remords, ne pouvait s'empêcher de savourer sa victoire.

Mais l'humiliation de Remigius n'était pas encore complète. Cuthbert reprit la parole. « Il y a eu un autre désordre dont nous devrions discuter et qui s'est produit dans le cloître juste après la grand-messe. » Philip se demanda où le cellérier voulait en venir. « Frère Andrew a abordé frère Philip et l'a accusé d'inconduite. » Bien sûr, songea Philip, tout le monde le sait. Cuthbert poursuivit : « Or nous savons tous que le lieu et l'heure pour de telles accusations, c'est ici et maintenant, au chapitre, ainsi que nos ancêtres en ont décidé, pour de fort bonnes raisons. Les colères se calment avec la nuit et l'on peut discuter le lendemain matin des doléances dans une atmosphère de calme et de modération ; et la communauté tout entière peut employer sa sagesse collective à étudier le problème. Mais, j'ai le regret de le dire, Andrew a passé outre cette règle raisonnable en préférant faire une scène dans le cloître, en dérangeant tout le monde et en s'exprimant sans mesure. Laisser passer une telle erreur serait injuste pour nos jeunes frères qui ont été punis de leurs propres fautes. »

Impitoyable et brillant, se dit Philip, avec bonheur. La question de savoir s'il avait eu raison d'expulser William du chœur pendant le service n'avait en fait jamais été discutée. Toute tentative s'était terminée par des questions sur le comportement de l'accusateur. Tant mieux, car la plainte d'Andrew contre Philip relevait de la mauvaise foi. A eux deux, Cuthbert et Milius venaient de discréditer Remigius et ses deux principaux alliés, Andrew et Pierre.

Le visage habituellement rougeaud d'Andrew devint violet de fureur et Remigius eut l'air presque effrayé. Philip n'était pas mécontent — ils le méritaient —, mais il craignait maintenant de voir leur humiliation aller trop loin. Il prit la parole : « Il est inconvenant pour de jeunes frères de discuter le châtiment de leurs aînés. Que le sous-prieur règle cette affaire en privé. » Regardant autour de lui, il vit que les moines approuvaient sa magnanimité, et il se rendit compte qu'il avait marqué encore un point.

L'affaire semblait terminée. Les moines, dans l'ensemble, s'étaient rangés du côté de Philip, certain maintenant d'avoir gagné à lui la plupart des hésitants. Là-dessus, Remigius annonça : « Il y a une autre question que je dois aborder. »

Philip examina le visage du sous-prieur. Il avait l'air

désespéré. Andrew le sacristain et Pierre le prévôt semblaient surpris. Il s'agissait donc d'un imprévu : Remigius allait-il plaider pour obtenir le poste de prieur ?

« La plupart d'entre vous savent que l'évêque a le droit de désigner des candidats dont nous examinerons les mérites, commença Remigius. Il peut aussi refuser de confirmer notre choix. Cette division des pouvoirs amène parfois une querelle entre l'évêque et le monastère, comme certains frères plus âgés le savent peut-être d'expérience. Au bout du compte, l'évêque ne peut nous forcer à accepter son candidat, pas plus que nous ne pouvons imposer le choix du nôtre ; quand il y a conflit, c'est par la négociation qu'il doit être résolu. Dans ce cas, l'issue dépend beaucoup de la détermination et de l'unité des frères — surtout de leur unité. »

Philip eut un mauvais pressentiment. Remigius, de nouveau calme et hautain, avait maîtrisé sa rage. Son sentiment de triomphe s'était évaporé.

« La raison pour laquelle je parle de tout cela aujourd'hui est que deux importants renseignements m'ont été communiqués, poursuivit Remigius. Le premier est qu'il peut y avoir plus d'un candidat de désigné parmi nous ici dans cette salle. »

Voilà qui ne surprenait personne, se dit Philip. « Le second est que l'évêque va lui aussi désigner un candidat. »

Un lourd silence. Mauvaise nouvelle pour les deux camps. Quelqu'un demanda : « Savez-vous qui l'évêque veut nommer ?

— Oui », dit Remigius. En cet instant Philip eut la certitude que l'homme mentait. « Le choix de l'évêque s'est porté sur frère Osbert de Newbury. »

Plusieurs moines sursautèrent, horrifiés. Ils connaissaient Osbert, car il avait été prévôt à Kingsbridge pendant quelque temps. Fils illégitime de l'évêque, il considérait l'Église uniquement comme un moyen de mener une vie d'oisiveté et d'abondance. Il n'avait jamais fait aucun effort sérieux pour respecter ses vœux, mais il maintenait une sorte de faux-semblant et il comptait sur la personnalité de son père pour lui éviter les ennuis. La perspective de l'avoir comme prieur était consternante, même pour les amis de Remigius. Seuls l'hôtelier et un ou deux de ses compagnons irrémédiablement dépravés pouvaient approuver le choix d'Osbert dans l'attente d'un régime de discipline relâchée et de molle indulgence.

Remigius poursuivait. « Si nous désignons deux candidats, mes frères, l'évêque risque de nous croire divisés et incapables de prendre une décision collective. Il se sentira donc autorisé à décider pour nous et nous devrons accepter son choix. Si nous voulons nous opposer à Osbert, nous serions bien avisés de ne proposer qu'un seul candidat ; et peut-être, ajouterais-je, devrions-nous nous assurer que l'on ne puisse faire reproche à notre candidat de sa jeunesse ou de son inexpérience. »

Il y eut un murmure d'assentiment. Philip était consterné. Le moment d'avant, il était sûr de la victoire, mais on venait de la lui arracher. Tous les moines maintenant se ralliaient à Remigius, qu'ils voyaient comme le candidat sûr, le candidat de l'unité, l'homme capable de battre Osbert. Philip était certain que Remigius mentait à propos d'Osbert, mais cela ne changerait rien. Les moines avaient peur et ils soutiendraient Remigius ; cela signifiait d'autres années de déclin pour le prieuré de Kingsbridge.

Avant que personne pût commenter ses paroles, Remigius ajouta : « Séparons-nous maintenant et allons prier et réfléchir à ce problème tout en accomplissant aujourd'hui l'œuvre de Dieu. » Il se leva et sortit, suivi d'Andrew, de Pierre et de John Small, tous trois triomphants.

A peine furent-ils partis qu'éclata un brouhaha de conversations. Milius vint vers Philip : « Je n'aurais jamais cru que Remigius oserait monter un coup pareil.

— Il ment, dit Philip avec amertume, j'en suis certain. »

Cuthbert qui venait les rejoindre entendit la remarque de Philip.

« Quelle importance s'il ment, n'est-ce pas ? La menace suffit.

— La vérité finira par éclater, dit Philip.

— Pas nécessairement, répliqua Milius. Imaginez que l'évêque ne désigne pas Osbert. Remigius dira simplement qu'il a cédé devant la perspective d'une bataille contre un prieuré uni.

— Je ne suis pas prêt à abandonner, déclara Philip avec obstination.

— Qu'allons-nous faire ? dit Milius.

— Découvrir la vérité.

— C'est impossible », rétorqua Milius.

Philip se creusait la cervelle. Cette déception était insupportable. « Pourquoi ne pas simplement demander ?

— Demander ? Que voulez-vous dire ?

— Demander à l'évêque quelles sont ses intentions.

— Comment ?

— Nous pourrions envoyer un message au palais de l'évêque, non ? dit Philip en pensant à voix haute. Il se tourna vers Cuthbert. Celui-ci répliqua, songeur : « Oui. J'envoie des messagers tout le temps. On peut en envoyer un au palais.

— Pour demander à l'évêque quelles sont ses intentions ? » répéta Milius, sceptique.

Philip fronça les sourcils. C'était bien le problème.

Cuthbert approuvait Milius. « L'évêque ne nous le dira pas », fit-il.

Philip eut une soudaine inspiration. Son front s'éclaircit et il frappa vigoureusement dans sa paume, entrevoyant la solution. « Non, l'évêque ne nous le dira pas. Mais son archidiacre nous le dira. »

Philip cette nuit-là rêva de Jonathan, le bébé abandonné. Dans son rêve, l'enfant se trouvait sous le porche de la chapelle de Saint-John-de-la-Forêt et Philip, dans le sanctuaire, lisait l'office de prime, quand un loup sortait des bois et traversait furtivement le champ, souple comme un serpent, vers le bébé. Philip n'osait pas bouger de crainte de provoquer un désordre pendant l'office et d'être réprimandé par Remigius et Andrew, tous les deux présents (bien qu'en réalité aucun d'eux ne fût jamais venu dans la communauté). Il essayait de crier, mais aucun son ne sortait, comme c'est souvent le cas dans les rêves. Il finit par faire un tel effort pour appeler à l'aide qu'il se réveilla et resta dans l'obscurité à trembler tout en écoutant le souffle des moines endormis autour de lui. Enfin il réussit à se persuader peu à peu que le loup n'avait jamais existé.

Il n'avait guère pensé au bébé depuis son arrivée à Kingsbridge. Que ferait-il de l'enfant s'il devenait prieur ? Tout serait différent. Un bébé élevé dans un petit monastère au fond d'une forêt, ça n'a pas d'importance, si insolite que soit sa présence. Le même bébé au prieuré de Kingsbridge provoquerait bien des remous. D'un autre côté, qu'y avait-il de mal à cela ? Ce n'est pas un péché que de donner aux gens un sujet de commérage. Il serait prieur, il pourrait donc faire ce que bon lui semblerait. Il appellerait Johnny Huit Pence à Kingsbridge pour s'occuper de l'enfant. L'idée lui plaisait énormément. Voilà ce que je vais faire, songea-t-il. Puis il se souvint que, selon toute probabilité, il ne deviendrait pas prieur.

Il resta éveillé jusqu'à l'aube, dans une fièvre d'impatience. Il ne pouvait rien maintenant pour faire avancer ses affaires. Inutile de parler aux moines, obsédés par la menace d'Osbert. Quelques-uns d'entre eux avaient même approché Philip pour déplorer son échec, comme si l'élection avait déjà eu lieu. Résistant à la tentation de les traiter de couards sans foi, il s'était contenté de sourire et de leur dire qu'ils auraient peut-être une surprise. Mais sa propre foi vacillait. L'archidiacre Waleran ne se trouverait peut-être pas au palais de l'évêque ; et s'il y était, n'aurait-il pas quelque raison de refuser de révéler à Philip les plans de l'évêque ? Ou bien — ce qui était le plus probable étant donné le caractère de l'archidiacre —, peut-être avait-il des plans à lui.

Philip se leva à la pointe du jour avec les autres moines et se rendit à l'église pour prime, le premier office de la journée. Il se dirigea ensuite vers le réfectoire, comptant prendre son déjeuner, mais Milius l'arrêta au passage et d'un geste furtif lui fit signe de venir à la cuisine. Philip le suivit, les nerfs tendus. Si le messager était déjà de retour, il avait fait vite ! Philip ne connaissait pas un cheval dans l'écurie du prieuré qui fût capable de boucler le trajet en si peu de temps. Mais seule la réponse importait.

Ce n'était pas le messager qui attendait dans la cuisine : c'était l'archidiacre en personne, Waleran Bigod.

Philip le dévisagea avec étonnement. La silhouette mince et drapée de noir de l'archidiacre était juchée sur un tabouret comme un corbeau sur une souche. L'extrémité de son nez crochu était rouge de froid. Il réchauffait ses mains blanches et osseuses autour d'une coupe de vin chaud aux épices.

« C'est bien aimable à vous de vous déranger ! balbutia Philip.

— Je suis heureux que vous m'ayez écrit, dit calmement Waleran.

— Alors ? demanda Philip avec impatience. L'évêque va-t-il désigner Osbert ? »

Waleran l'arrêta d'un geste. « J'y arrive. Cuthbert que voici vient tout juste de me conter les événements d'hier. »

Philip dissimula sa déception. Ce n'était pas franchement une réponse nette. Il scruta le visage de Waleran, essayant de lire ses pensées. Waleran avait ses propres projets, assurément, mais Philip n'arrivait pas à les deviner.

Cuthbert — que Philip tout d'abord n'avait pas remarqué, assis auprès du feu à tremper son pain de son dans la bière afin de l'amollir pour ses vieilles dents — reprit un récit du chapitre de la veille. Philip s'agitait nerveusement, essayant de comprendre où l'archidiacre voulait en venir. Il mit un morceau de pain dans sa bouche, mais il était trop crispé pour avaler. Il but une gorgée de bière, rien que pour occuper ses mains.

« Il nous a donc semblé, dit enfin Cuthbert, que notre seule chance était de nous assurer des intentions de l'évêque. Par bonheur, Philip a cru pouvoir compter sur ses relations avec vous et nous vous avons envoyé le message.

— Et maintenant, intervint Philip d'une voix tendue, voulez-vous nous dire ce que nous voulons savoir ?

— Oui, je vais vous le dire. » Waleran reposa sa coupe sans avoir goûté au vin. « L'évêque aimerait voir son fils prieur de Kingsbridge. »

Philip sentit son cœur se serrer. « Remigius a donc dit la vérité.

— Toutefois, reprit Waleran, l'évêque n'est pas disposé à risquer une querelle avec les moines. »

Philip fronça les sourcils. Remigius n'avait pas tout prévu, alors ? « Vous n'avez pas fait tout ce chemin, dit Philip à Waleran, rien que pour nous dire cela. »

L'archidiacre lança un coup d'œil admiratif à Philip, et celui-ci comprit qu'il avait deviné juste. « Non, dit Waleran. L'évêque m'a demandé de prendre la température du monastère. Et il m'a donné pouvoir de faire une nomination en son nom. J'ai d'ailleurs avec moi son sceau, de façon à pouvoir écrire une lettre de nomination qui rendra la chose officielle. J'ai tout pouvoir pour agir, vous voyez. »

Il fallut un moment à Philip pour digérer la nouvelle. Waleran était autorisé à faire une nomination et à la sceller du sceau de l'évêque. Donc l'évêque avait confié toute l'affaire aux mains de Waleran qui parlait maintenant avec l'autorité de l'évêque.

Philip prit une profonde inspiration : « Admettez-vous ce

que Cuthbert vous a raconté : que si Osbert est nommé, cela provoquera la querelle que l'évêque veut éviter ?

— Oui, je comprends cela, dit Waleran.

— Alors, vous n'allez pas désigner Osbert.

— Non. »

Philip se sentit tendu comme un arc. Les moines seraient si heureux d'échapper à la menace d'Osbert qu'ils voteraient avec gratitude pour quiconque Waleran désignerait.

C'était l'archidiacre maintenant qui avait le pouvoir de choisir le nouveau prieur.

« Alors, demanda Philip, qui allez-vous nommer ?

— Vous..., fit Waleran, ou Remigius.

— La capacité de Remigius à diriger le prieuré...

— Je connais ses capacités et les vôtres, interrompit Waleran, levant sa blanche main maigre pour arrêter Philip. Je sais lequel de vous deux ferait le meilleur prieur. » Il marqua un temps. « Mais il y a un autre problème. »

Quoi encore ? se demanda Philip. Qu'y a-t-il d'autre à considérer, sinon de savoir qui serait le meilleur ? Il regarda les autres. Milius lui aussi paraissait déconcerté, mais le vieux Cuthbert affichait un petit sourire, comme s'il savait ce qui allait venir.

« Comme vous, reprit Waleran, je tiens à ce que les postes importants de l'Église aillent à des hommes énergiques et capables, sans tenir compte de leur âge, plutôt que d'être confiés comme récompense de longs et loyaux services à des hommes âgés dont la sainteté est peut-être plus grande que leur talent d'administrateur.

— Naturellement », dit Philip avec impatience. Il ne voyait pas où menait ce sermon.

« Il nous faut travailler ensemble à cette fin — vous trois et moi.

— Je ne sais pas, dit Milius, où vous voulez en venir.

— Moi, si », dit Cuthbert.

Waleran lança un sourire fugitif à Cuthbert, puis son attention revint à Philip. « Permettez-moi d'être clair, dit-il. L'évêque lui-même est âgé. Un jour il va mourir, et il nous faudra un nouvel évêque, tout comme aujourd'hui nous avons besoin d'un nouveau prieur. Les moines de Kingsbridge ont le droit d'élire le nouvel évêque, car celui-ci est aussi l'abbé du prieuré. »

Philip plissa le front. Tout se brouillait : c'était un prieur qu'ils allaient élire, pas un évêque.

Mais Waleran poursuivait : « Évidemment, les moines ne seront pas complètement libres de choisir qui leur plaît comme évêque, car l'archevêque et le roi lui-même auront leur opinion. Mais, en fin de compte, ce sont les moines qui légitiment la nomination. Et, quand ce temps viendra, vous aurez tous les trois une puissante influence sur la décision. »

Cuthbert hochait la tête d'un air entendu, et Philip à son tour commençait à se douter de la suite.

« Vous voulez, conclut Waleran, que je vous fasse prieur de Kingsbridge. Je veux que vous me fassiez évêque. »

C'était donc cela !

Philip contempla en silence Waleran. Tout devenait très simple. L'archidiacre proposait un marché.

Philip fut scandalisé. On n'en était pas tout à fait à acheter et vendre une charge ecclésiastique, ce que l'on classait comme péché de simonie ; mais cela vous avait quand même un relent désagréablement commercial.

Il essaya de réfléchir objectivement à la proposition. Il deviendrait donc prieur. Son cœur battit plus vite à cette pensée. Cela voulait dire qu'à un moment Waleran deviendrait sans doute évêque. Serait-il un bon évêque ? Il serait certainement compétent. Il semblait ne pas avoir de vices graves. Il avait un point de vue pratique et mondain sur le service de Dieu, mais après tout Philip aussi. Philip avait le sentiment que Waleran avait un côté impitoyable qui lui manquait à lui-même, mais il sentait aussi que cette dureté se fondait sur une sincère détermination de protéger et de développer les intérêts de l'Église.

Qui d'autre pourrait être candidat quand l'évêque mourrait ? Sans doute Osbert. On voyait souvent des charges ecclésiastiques passer de père en fils, malgré l'obligation officielle du célibat des prêtres. Osbert, manifestement, serait un risque plus grand pour l'Église comme évêque que comme prieur. Cela valait de soutenir un candidat pire que Waleran rien que pour barrer la route à Osbert.

Y aurait-il quelqu'un d'autre dans la course ? Impossible de le deviner. Des années pouvaient s'écouler avant la mort de l'évêque.

Cuthbert s'adressa à Waleran : « Nous ne pouvons pas vous garantir l'élection.

— Je sais, dit Waleran. Je ne demande que votre nomination. D'ailleurs c'est exactement ce que j'ai à vous offrir en retour : une nomination. »

Cuthbert acquiesça. « Je suis d'accord, dit-il gravement.
— Moi aussi », ajouta Milius.

L'archidiacre et les deux moines regardèrent Philip.
Celui-ci hésitait, déchiré. Ce n'était pas à son avis la bonne
façon de choisir un évêque, il le savait ; mais le prieuré
était à portée de sa main. Peut-être ne convenait-il pas
d'échanger une sainte charge pour une autre, comme des
maquignons — mais, s'il refusait, le résultat serait que
Remigius deviendrait prieur et Osbert évêque.

Toutefois les arguments rationnels n'étaient plus de mise.
Le désir d'être prieur bouillait en lui comme une force irrésistible, et il ne pouvait pas refuser. Il se rappela la prière
qu'il avait adressée la veille, dans laquelle il disait à Dieu
qu'il comptait se battre pour obtenir le poste. Il ferma alors
les yeux et lui en adressa une autre : *Si Vous ne voulez pas
que cela arrive, alors, faites taire ma langue, paralysez ma
bouche, arrêtez mon souffle dans ma gorge et empêchez-
moi de parler.*

Puis il regarda Waleran et dit : « J'accepte. »

Le lit du prieur était énorme, trois fois aussi large que
tous ceux où Philip avait jamais dormi. Le cadre en bois se
dressait à mi-hauteur d'homme, et il y avait dessus un matelas de plumes. Tout autour des rideaux protégeaient des
courants d'air, et sur le tissu les mains patientes d'une
femme pieuse avaient brodé des scènes bibliques. Philip
examinait la pièce avec perplexité. Il lui semblait extrava-
gant que le prieur eût une chambre à lui tout seul : Philip
n'avait jamais de sa vie eu sa chambre à lui, et cette nuit
serait la première fois qu'il dormirait seul. Mais le lit,
c'était trop. Il envisagea de faire apporter une paillasse du
dortoir et transporter le lit à l'infirmerie où il fournirait une
couche confortable aux vieux os d'un moine malade. Mais,
naturellement, le lit n'était pas seulement destiné à Philip.
Quand le prieuré recevrait un hôte particulièrement distingué, un évêque, un grand seigneur ou même un roi, l'hôte
serait accueilli dans cette chambre et le prieur s'installerait
du mieux qu'il pourrait ailleurs. Philip ne pouvait donc pas
s'en débarrasser.

« Vous allez bien dormir cette nuit, dit Waleran Bigod,
non sans une nuance d'envie.

— Je pense que oui », dit Philip, sceptique.

Tout s'était passé très vite. Waleran avait écrit une lettre adressée au prieuré, là, dans la cuisine, donnant l'ordre aux moines d'organiser sans tarder une élection et désignant Philip comme candidat. Il avait signé la lettre du nom de l'évêque et y avait apposé son sceau. Puis tous les quatre s'étaient rendus au chapitre.

Dès que Remigius les vit entrer, il sut que la bataille était terminée. Waleran lut la lettre et les moines poussèrent des acclamations quand il prononça le nom de Philip. Remigius eut l'intelligence de se dispenser de la formalité du vote et de concéder sa défaite.

Philip était prieur.

Il avait présidé le reste du chapitre dans une sorte de stupeur, puis il avait gagné la maison du prieur, dans le coin sud-est de l'enceinte, pour s'y installer. En voyant le lit, il se rendit compte que sa vie avait irrévocablement changé. Il était différent des autres moines, à part. Il détenait le pouvoir et les privilèges. Mais aussi les responsabilités. Lui seul devait s'assurer que cette petite communauté de quarante-cinq hommes survivrait et prospérerait. Si les moines souffraient de la faim, ce serait sa faute ; s'ils se dévergondaient, c'est à lui qu'on le reprocherait ; s'ils déshonoraient l'Église de Dieu, Dieu l'en tiendrait responsable. Il avait recherché ce fardeau, se rappelait-il, il devait maintenant le supporter.

Son premier devoir comme prieur serait de conduire les moines à l'église pour la grand-messe. C'était aujourd'hui l'Épiphanie, le douzième jour après Noël, jour férié. Tous les villageois assisteraient à l'office, et d'autres viendraient des environs. Une bonne cathédrale avec un solide corps de moines et la réputation d'offices spectaculaires pourraient attirer mille fidèles ou davantage. Même sinistre, Kingsbridge regroupait l'essentiel de la noblesse locale, car la messe était une occasion mondaine aussi où l'on pouvait rencontrer ses voisins et parler affaires.

Mais, avant l'office, Philip avait autre chose à discuter avec Waleran, maintenant qu'enfin ils étaient seuls.

« Cette information que je vous ai transmise, commença-t-il, à propos du comte de Shiring... »

Waleran hocha la tête. « Je n'ai pas oublié... Ce pourrait même être plus important que la désignation d'un prieur ou d'un évêque. Le comte Bartholomew est déjà arrivé en Angleterre. On l'attend à Shiring demain.

— Qu'allez-vous faire ? demanda Philip avec angoisse.

— Me servir de lord Percy Hamleigh. J'espère même qu'il sera aujourd'hui dans l'assistance.

— J'ai entendu parler de lui, dit Philip, mais je ne l'ai jamais vu.

— Cherchez un gros seigneur avec une femme hideuse et un fils de belle figure. Vous ne pouvez pas manquer la femme : elle est abominable à regarder.

— Qu'est-ce qui vous fait croire qu'ils vont prendre le parti du roi Stephen contre le comte Bartholomew ?

— Ils portent au comte une haine passionnée.

— Pourquoi ?

— Le fils, William, était fiancé à la fille du comte, mais elle l'a pris en grippe et le mariage a été décommandé, à la grande humiliation des Hamleigh. Ils frémissent encore de l'insulte et ils sauteront sur la moindre occasion de rendre la pareille à Bartholomew. »

Philip acquiesça, satisfait. Il se félicita d'avoir écarté cette responsabilité : il en avait suffisamment sur les épaules avec le prieuré de Kingsbridge. A Waleran de s'occuper du monde extérieur.

Ils quittèrent la maison du prieur et regagnèrent le cloître où attendaient les moines. Philip prit sa place en tête du cortège et la procession s'avança.

Ce fut un heureux moment lorsqu'il entra dans l'église avec les moines chantant derrière lui. Il aima cette cérémonie plus qu'il ne l'avait prévu. Sa nouvelle éminence symbolisait le pouvoir qu'il avait maintenant de faire le bien et cela l'enchantait profondément. Comme il regrettait que l'abbé Peter de Gwynedd ne pût pas le voir : le vieil homme en aurait été si fier.

Il conduisit les moines jusqu'aux stalles du chœur. Une messe de cette importance était souvent célébrée par l'évêque. Elle le serait aujourd'hui par son adjoint, l'archidiacre Waleran. Comme celui-ci commençait, Philip parcourut du regard l'assistance cherchant la famille que Waleran avait décrite. Il y avait environ cent cinquante personnes dans la nef, les riches dans leurs lourds manteaux d'hiver et leurs chaussures de cuir, les paysans dans leurs vestes de gros tissu, leurs bottes de feutre ou leurs sabots. Philip n'eut aucun mal à repérer les Hamleigh. Ils étaient au premier rang, tout près de l'autel. Ce fut la femme qu'il vit d'abord. Waleran n'avait pas exagéré : elle était repoussante. Elle portait un capuchon, mais son visage restait visible, avec sa peau couverte de vilains boutons qu'elle tripotait sans cesse nerveusement. Auprès d'elle se tenait un gros homme d'une quarantaine d'années : Percy, sans doute. Ses vêtements montraient qu'il était riche et puissant, mais pas au premier rang des barons et des comtes. Le fils, adossé à l'un des énormes piliers de la nef, était un bel homme, aux cheveux très jaunes, avec des yeux étroits au regard hautain. Un mariage avec la famille d'un comte aurait permis aux Hamleigh de franchir la ligne qui séparait la noblesse du comté de la noblesse du royaume. Pas étonnant s'ils enrageaient à cause de l'annulation du mariage.

Philip reporta son attention sur la messe que Waleran menait un peu trop vite au goût de Philip. Il se demanda encore une fois s'il avait eu raison d'accepter de désigner Waleran comme candidat à l'épiscopat, lorsque l'évêque actuel trépasserait. L'archidiacre était un homme pieux, mais il semblait sous-estimer l'importance du culte. La prospérité et la puissance n'étaient après tout que des moyens vers une fin ultime : le salut des âmes. Philip se rassura : il n'avait plus à s'inquiéter de Waleran. La chose maintenant était faite. D'ailleurs l'évêque vivrait peut-être encore vingt ans, décevant ainsi les ambitions de Waleran.

L'assistance était bruyante. Personne ne connaissait les répons. Seuls les prêtres et les moines participaient aux rites, sauf pour quelques prières familières. Certains fidèles suivaient la messe dans un silence respectueux, mais d'autres circulaient, se saluant entre eux et bavardant. Ce sont des gens simples, songea Philip ; il faut *faire* quelque chose pour retenir leur attention.

La messe touchant à sa fin, l'archidiacre Waleran s'adressa aux fidèles. « La plupart d'entre vous savent que le bien-aimé prieur de Kingsbridge est mort. Son corps, qui repose ici avec nous dans l'église, sera inhumé aujourd'hui après le dîner dans le cimetière du prieuré. L'évêque et les moines ont choisi pour lui succéder frère Philip de Gwynedd, qui nous a conduits ce matin à l'église. » Il s'arrêta et Philip se leva pour prendre la tête de la procession à la sortie de la cathédrale. Waleran dit alors : « J'ai une autre nouvelle à vous annoncer, bien triste. » Pris au dépourvu, Philip se rassit précipitamment. « Je viens de recevoir un message », ajouta Waleran. Il n'avait reçu aucun message, Philip le savait. Ils avaient passé toute la matinée ensemble. Où voulait donc en venir le rusé archidiacre ?

« Ce message me fait part d'une perte qui va nous toucher tous profondément. » Il marqua un nouveau temps.

Quelqu'un était mort — qui ? Waleran le savait avant d'arriver, mais il avait gardé le secret et il allait prétendre qu'il venait seulement d'apprendre la nouvelle. Pourquoi ?

Philip ne voyait qu'une possibilité et, si ses soupçons se révélaient fondés, alors Waleran était encore plus ambitieux et dénué de scrupules qu'il ne l'avait imaginé. Les avait-il vraiment tous trompés et manipulés ? Philip n'avait-il été qu'un pion dans le jeu de Waleran ?

Les derniers mots de Waleran confirmèrent ses doutes. « Mes bien chers frères, dit-il solennellement, l'évêque de Kingsbridge est mort. »

IX

« Cette garce sera là, dit la mère de William. J'en suis sûre. »

William contempla la haute façade de la cathédrale de Kingsbridge avec un mélange de crainte et de nostalgie. Si lady Aliena devait assister à la messe de l'Épiphanie, ce serait douloureusement embarrassant pour eux tous, mais son cœur néanmoins se mit à battre plus vite à la pensée de la revoir.

Ils trottaient tous sur la route de Kingsbridge, William et son père sur des destriers, sa mère sur un beau palefroi, accompagnés de trois chevaliers et de trois valets. Ils formaient un cortège impressionnant et même redoutable, ce qui plaisait à William ; et les paysans qui passaient sur la route s'éparpillaient devant leurs puissantes montures ; mais la mère bouillait de colère.

« Ils savent tous, y compris ces coquins de serfs, dit-elle entre ses dents. Ils font des plaisanteries sur notre dos. "Quand une fiancée est-elle sûre de ne pas se marier ? Quand elle épouse Will Hamleigh !" J'ai fait fouetter en vain un homme pour de telles paroles. Ah ! Si je mettais la main sur cette garce, je la flagellerais vivante et je la clouerais au mur en laissant sa peau aux oiseaux. » William aurait tant voulu que sa mère se taise. L'humiliation de la famille suffisait — William en portait la responsabilité, du moins à ce que disait Mère — et il ne tenait pas à ce qu'on le lui rappelât.

Ils franchirent le pont de bois branlant qui menait au village de Kingsbridge et poussèrent leurs chevaux dans la grand-rue en pente vers le prieuré. Il y avait déjà vingt ou trente chevaux rassemblés sur l'herbe rase du cimetière, du côté nord de l'église, mais pas un n'égalait ceux des Hamleigh. Ils continuèrent jusqu'à l'écurie où ils confièrent leurs montures aux palefreniers du prieuré.

Ils traversèrent la pelouse en formation groupée, William et son père encadrant Mère, les chevaliers derrière eux et les valets fermant la marche. Les gens s'écartaient sur leur passage, mais William les voyait se donner des coups de coude et les montrer du doigt. A coup sûr ils cancanaient sur ce fameux mariage annulé. Il risqua un coup d'œil vers Mère, dont la sombre expression révélait qu'elle pensait à la même chose.

Ils entrèrent dans la cathédrale.

William détestait les églises. Elles étaient froides et sombres, même par beau temps, elles sentaient toujours cette vague odeur de pourriture qui flottait dans les recoins obscurs et les tunnels des nefs latérales. Pire, les églises évoquaient dans son esprit les tourments de l'enfer, et il avait peur de l'enfer.

Il parcourut des yeux l'assistance, s'habituant peu à peu à la pénombre. Pas d'Aliena. La famille avança dans le bas-côté. Aliena ne se trouvait nulle part. William en éprouva tout à la fois du soulagement et du regret. Mais soudain il l'aperçut et son cœur se mit à battre la chamade.

Elle se tenait du côté sud de la nef, escortée par un chevalier que William ne connaissait pas, entourée d'hommes d'armes et de dames d'honneur. Elle lui tournait le dos, mais il reconnaissait la masse de ses cheveux sombres et bouclés. Elle fit un mouvement qui révéla la douce courbe d'une joue, un nez droit et impérieux. Ses yeux, si sombres qu'ils étaient presque noirs, rencontrèrent ceux de William. Il retint son souffle. Il aurait voulu paraître indifférent, comme s'il ne l'avait pas reconnue, mais il ne pouvait pas détacher d'elle son regard. En vain tenta-t-il d'esquisser un sourire, rien de plus qu'un signe de politesse. Il se contenta d'incliner la tête. Le visage de la jeune fille se durcit et elle se détourna.

William se crispa, mal à l'aise. Il se sentait comme un chien qu'on vient d'écarter d'un coup de pied, et comme un chien il aurait voulu se tapir dans un coin caché. Il jeta autour de lui un coup d'œil furtif : quelqu'un avait-il surpris la scène muette ? Sûrement, car les gens les observaient, lui et Aliena, tandis que s'échangeaient force coups de coude et chuchotements. William gardait les yeux fixés droit devant lui, se forçant à redresser la tête. Comment a-t-elle pu nous faire un tel affront ? pensait-il. Nous qui représentons l'une des plus fières familles du sud de l'Angleterre, elle nous a humiliés. A cette idée, sa colère redoublait et il brûlait d'envie de dégainer son épée et d'attaquer quelqu'un, n'importe qui.

Le prévôt de Shiring accueillit le père de William en lui touchant la main. Les gens déjà cherchaient une nouvelle pâture à leurs commérages. William, en rage, observait le cortège incessant de jeunes nobles qui abordaient Aliena et s'inclinaient devant elle. A eux, elle souriait.

La messe commença. William poursuivait ses pensées : comment l'affaire avait-elle pu si mal tourner ? Puisque le comte Bartholomew avait un fils qui hériterait de son titre et de sa fortune, tout ce que pouvait donc lui apporter une fille, c'était une alliance prestigieuse. Aliena, à seize ans, était vierge et ne montrait aucune envie de devenir nonne, aussi pouvait-on supposer qu'elle serait ravie d'épouser un robuste gentilhomme de dix-neuf ans. Après tout, des considérations politiques auraient tout aussi bien pu décider son père à la marier à quelque comte quadragénaire, obèse et goutteux, ou même à un baron chauve de soixante ans.

Une fois les fiançailles conclues, William et ses parents avaient fièrement annoncé la nouvelle à tous les comtés alentour. La rencontre entre William et Aliena était considérée par tout le monde comme une formalité — tout le monde, sauf Aliena, comme on le vit bien vite.

Bien sûr, William et Aliena n'étaient pas des étrangers l'un pour l'autre. Il se souvenait d'elle petite fille, de son visage malicieux au nez retroussé, de ses cheveux rebelles coupés court. Elle était autoritaire, têtue, batailleuse et hardie. C'était toujours elle qui organisait les jeux des enfants, décidant des équipes, réglant les disputes et marquant les points. Il était fasciné par elle en même temps qu'un peu réticent devant la façon dont elle dominait les jeux. Parfois il réussissait à attirer un moment l'attention sur lui, par exemple en déclenchant une bagarre ; mais bien vite Aliena reprenait les choses en main, le laissant déconcerté, méprisé, furieux et malgré tout enchanté — exactement comme aujourd'hui.

Après la mort de sa mère, Aliena avait beaucoup voyagé avec son père et William l'avait moins vue. Toutefois, il la rencontrait encore assez souvent pour constater qu'elle devenait une ravissante jeune femme et sa joie avait éclaté quand on lui avait annoncé qu'elle allait devenir son épouse. Il résolut de faire tout son possible pour aplanir la voie jusqu'à l'autel.

Si elle était vierge, lui certainement pas. Nombre des filles qu'il avait séduites étaient aussi jolies qu'Aliena, ou presque, mais aucune d'elles n'était aussi bien née. Il les impressionnait par ses beaux vêtements, ses chevaux fougueux et la nonchalance avec laquelle il dépensait de l'argent pour du vin doux et des rubans ; ainsi finissaient-elles en général par lui céder de plus ou moins bon gré.

La désinvolture qu'il affichait d'ordinaire avec les filles l'abandonna dès qu'il fut en face d'Aliena. Elle portait une robe de soie bleu clair, large et flottante, mais il ne pouvait penser qu'au corps qu'elle dissimulait et que bientôt il pourrait voir nu chaque fois qu'il en aurait envie. Il l'avait trouvée en train de lire un livre, étrange occupation pour une femme qui n'était pas nonne. Il avait engagé la conversation sur ce sujet afin de ne plus penser à la façon dont ses seins bougeaient sous la soie bleue.

« Le livre s'appelle *Le Roman d'Alexandre*. C'est l'histoire d'un roi, d'Alexandre le Grand, et de la façon dont il a conquis des pays merveilleux en Orient, là où les pierres précieuses poussent dans les vignes et où les plantes parlent. »

William était incapable d'imaginer qu'on puisse perdre son temps à de telles bêtises, mais il n'en avait rien dit. Il lui avait parlé de ses chevaux, de ses chiens, de ses exploits à la chasse, à la lutte et aux joutes. Elle n'avait pas été aussi impressionnée qu'il l'espérait. Il lui parla de la maison que son père lui faisait construire et, pour la préparer au moment où elle allait diriger la maisonnée, il lui esquissa quelques règles qu'il entendait voir respecter. Il se rendit bien compte qu'il ne retenait plus son attention, sans savoir vraiment pourquoi. Il était assis tout près d'elle, il aurait aimé la toucher, caresser ses seins qu'il devinait ronds et doux. Mais elle s'écarta soigneusement de lui, bras et jambes croisés, si intimidante qu'il dut renoncer à ses tentatives et se consoler en pensant que bientôt il pourrait faire avec elle tout ce dont il aurait envie.

A ce moment-là, elle n'avait rien laissé paraître des problèmes qu'elle allait poser plus tard. Les quelques mots qu'elle avait prononcés d'un ton assez calme — « Je ne pense pas que nous soyons bien assortis » —, il les avait pris pour un trait de charmante modestie et l'avait assurée qu'elle lui conviendrait fort bien. Il ne se doutait absolument pas qu'Aliena, à peine était-il reparti, s'était précipitée chez son père pour lui annoncer qu'elle n'épouserait jamais ce garçon, que rien ne l'en persuaderait, qu'elle préférait entrer au couvent, qu'on pouvait la traîner enchaînée jusqu'à l'autel, mais que sa bouche ne prononcerait pas les vœux du mariage. La garce, pensa William, la garce. Mais ses insultes, contrairement à celles de sa mère, ne contenaient pas de venin. Il ne rêvait pas de la fouetter jusqu'au sang. Il rêvait de s'allonger sur son corps brûlant et d'embrasser sa bouche.

La messe de l'Épiphanie se termina avec l'annonce de la mort de l'évêque. Les moines sortirent en procession et les fidèles gagnèrent les portes dans un brouhaha de conversations excitées. Nombre d'entre eux avaient des liens matériels aussi bien que spirituels avec l'évêque — locataires, sous-locataires ou employés sur ses terres — et tous étaient intéressés à la question de sa succession, qui risquait d'apporter d'inquiétants changements. La mort d'un grand seigneur est toujours périlleuse pour ceux qui vivent sous sa coupe.

Comme William suivait ses parents dans la nef, il fut surpris de voir l'archidiacre Waleran se diriger vers eux, traversant d'un pas vif la foule des fidèles, comme un grand chien noir dans un champ plein de vaches ; et comme les vaches, les gens lui jetaient un coup d'œil nerveux par-dessus leur épaule et s'écartaient d'un pas ou deux. Sans se soucier des paysans, il adressait quelques mots à chacun des nobles qu'il rencontrait. Lorsqu'il arriva auprès des Hamleigh, il salua le père de William, ignora ce dernier et se tourna vers Mère. « Quelle honte, ce mariage annulé », dit-il, sans préambule. William s'empourpra. Cet imbécile allait lui gâcher sa journée.

Mère n'avait pas plus envie que William d'évoquer ce malheureux sujet. « Ce n'est pas mon genre de garder rancune », dit-elle, peu gênée de son mensonge.

Waleran ignora la remarque. « J'ai entendu quelque chose à propos du comte Bartholomew qui pourrait vous intéresser », dit-il. Il avait baissé le ton et William dut tendre l'oreille. « Il semblerait que le comte ne reniera pas ses vœux au défunt roi. »

Père intervint : « Bartholomew a toujours été collet monté et hypocrite. »

Waleran tiqua. Il voulait qu'on écoute ses paroles, pas qu'on les commente. « Bartholomew et le comte Robert de Gloucester ne sont pas disposés à accepter le roi Stephen qui, comme vous le savez, est le choix de l'Église et des barons. »

William s'étonnait intérieurement qu'un archidiacre entretînt un seigneur d'une querelle routinière entre barons. Père se contenta de répondre : « Les comtes n'y peuvent rien. »

Mère s'agaçait autant que Waleran des interruptions de son époux. « Écoute donc », commanda-t-elle.

Waleran reprit : « Ce qu'on me rapporte, c'est qu'ils envisagent de fomenter une rébellion et de choisir Maud comme reine. »

William accusa le coup. Comment l'archidiacre avait-il osé lancer cette téméraire déclaration ici même, dans la nef de la cathédrale de Kingsbridge ? Quelle que fût la vérité, on pouvait pendre un homme pour de tels propos.

Père était surpris, lui aussi, mais Mère dit d'un ton songeur : « Robert de Gloucester est le demi-frère de Maud... cela s'explique. »

William se demandait comment elle pouvait rester d'un tel calme en apprenant une nouvelle aussi scandaleuse.

« Celui qui pourrait éliminer le comte Bartholomew, dit Waleran, et arrêter la rébellion avant qu'elle n'éclate se gagnerait l'éternelle gratitude du roi Stephen et de notre sainte mère l'Église.

— Vraiment ? dit Père, stupéfait, mais Mère acquiesça d'un air entendu.

— On attend le retour de Bartholomew pour demain. » Waleran se tourna vers Mère et reprit : « J'ai pensé que votre famille, plus que toute autre, serait intéressée par cette nouvelle. » Là-dessus, il s'éloigna pour saluer quelqu'un d'autre.

William le suivit des yeux. Était-ce vraiment tout ce qu'il avait à dire ?

Les parents de William poursuivirent leur chemin et il sortit avec eux par la grande porte voûtée. Tous trois demeurèrent silencieux. Au cours des cinq dernières semaines, William avait entendu pas mal de conversations à propos de la succession du roi, mais l'affaire avait paru réglée avec le couronnement de Stephen à l'abbaye de Westminster trois jours avant Noël. Et voilà maintenant, si Waleran avait raison, que la question se posait de nouveau. Mais pourquoi Waleran avait-il tenu à en prévenir les Hamleigh ?

Ils traversèrent la pelouse en direction des écuries. Dès qu'ils se furent éloignés de la foule massée auprès du portail et qu'ils ne risquèrent plus d'être entendus, Père dit d'un ton excité : « Quel heureux coup du sort : l'homme qui a insulté notre famille coupable de haute trahison ! » William ne voyait pas en quoi il s'agissait d'un si heureux coup du sort, mais Mère de toute évidence le comprenait car elle acquiesçait du chef.

Père reprit : « Nous pouvons l'arrêter à la pointe de l'épée et le pendre à l'arbre le plus proche. » William n'avait pas pensé à cela, mais il comprit soudain en un éclair. Si Bartholomew était un traître, on pouvait le tuer sans enfreindre la loi. « Nous pouvons nous venger, s'exclama William, et, au lieu d'être châtiés, nous serons récompensés par le roi ! » Ils allaient pouvoir relever la tête...

« Pauvres imbéciles, lança Mère avec une soudaine méchanceté. Aveugles, idiots, sans cervelle ! Vous pendriez Bartholomew à l'arbre le plus proche ? Voulez-vous que je vous dise ce qui se passerait alors ? »

Ils gardèrent tous deux le silence. Mieux valait ne pas lui répondre quand elle était de cette humeur.

« Robert de Gloucester, dit-elle, nierait qu'il y ait jamais eu complot, il se jetterait aux pieds du roi Stephen en jurant fidélité ; et l'affaire s'arrêterait là, sauf que vous seriez tous les deux pendus comme meurtriers. »

William frémit. L'idée d'être pendu le terrifiait. Mais il se rendait compte que Mère avait raison : le roi pourrait croire, ou faire semblant de croire, que personne n'aurait jamais la témérité de se rebeller contre lui ; et cela ne le gênerait pas de sacrifier deux vies pour plus de crédibilité.

« Tu as raison, dit Père. Nous le trousserons comme un porc qu'on mène à l'abattoir et nous l'amènerons vivant au roi à Winchester ; là nous le dénoncerons et réclamerons notre récompense.

— Pourquoi ne réfléchis-tu pas ? » répliqua Mère avec mépris. Elle était très tendue et William la sentait tout aussi excitée que Père par l'affaire, mais de façon différente. « Est-ce que l'archidiacre Waleran n'aimerait pas amener au roi un traître ainsi troussé ? Ne voudrait-il pas une récompense pour lui-même ? Tu ne sais donc pas qu'il désire ardemment devenir évêque de Kingsbridge ? Pourquoi t'a-t-il donné le privilège de procéder à l'arrestation ? Pourquoi s'est-il arrangé pour nous rencontrer à l'église, comme par hasard, au lieu de venir nous voir à Hamleigh ? Pourquoi notre conversation a-t-elle été si brève et si allusive ? »

Elle se tut un instant, comme si elle attendait une réponse, mais William et Père savaient tous les deux qu'elle n'en voulait pas vraiment. William se rappela que les prêtres n'étaient pas censés encourager la violence et il y vit d'abord la raison pour laquelle Waleran ne voulait pas se trouver impliqué dans l'arrestation de Bartholomew ; mais, à la réflexion, il comprit que l'archidiacre n'avait pas de tels scrupules.

« Je vais vous dire pourquoi, reprit Mère. Parce qu'il n'est pas sûr que Bartholomew soit bien un traître. Les informations de Waleran ne sont pas fiables. Je ne sais pas d'où elles proviennent : peut-être a-t-il surpris une conversation entre ivrognes, ou intercepté un message ambigu, peut-être a-t-il parlé avec un espion douteux. Dans tous les cas, il n'a pas envie de prendre de risque. Il n'accusera pas ouvertement le comte Bartholomew de trahison, de peur que cette accusation ne se révèle fausse et que lui-même ne soit condamné pour calomnie. Il veut que quelqu'un d'autre coure le risque et fasse le sale travail pour lui. Et puis, une fois la trahison prouvée, il viendra revendiquer le mérite de l'affaire. Mais que Bartholomew soit reconnu innocent et Waleran n'admettra jamais ce qu'il nous a confié aujourd'hui. »

L'affaire devenait évidente quand elle l'expliquait ainsi. Sans elle, William et son père seraient tombés tout droit dans le piège tendu par Waleran. Avec autant d'enthousiasme l'un que l'autre, ils auraient pris les risques à sa place. Le jugement politique de Mère les avait sauvés.

« A ton avis, fit Père, nous devrions simplement oublier ses propos ?

— Certainement pas. » Elle avait les yeux brillants. « Nous tenons là une chance de détruire les gens qui nous ont humiliés. » Un palefrenier lui amenait son cheval. Elle prit les rênes et congédia le valet, mais resta un moment auprès de sa monture, lui caressant le cou d'un air songeur, et reprit à voix basse : « Il nous faut des preuves de la conspiration, de façon que personne ne puisse la nier une fois que nous aurons porté notre accusation. Nous allons devoir trouver ces preuves discrètement, sans révéler ce que nous cherchons. Alors seulement nous pourrons arrêter le comte Bartholomew et le traîner devant le roi. Confronté à l'évidence, Bartholomew avouera et implorera merci. Et nous pourrons réclamer notre récompense.

— Et nier que Waleran nous a aidés », ajouta Père.

Mère secoua la tête. « Qu'il ait sa part de gloire et sa récompense. Ainsi restera-t-il notre débiteur. Nous n'en pourrons tirer que du bien.

— Mais comment se procurer ces fameuses preuves ? demanda Père d'un air anxieux.

— Il va falloir trouver un moyen d'aller fureter dans le château de Bartholomew, fit Mère en fronçant les sourcils. Cela ne sera pas facile. Personne ne croira que nous venons en visite de politesse : tout le monde sait que nous détestons Bartholomew. »

William eut une soudaine inspiration. « Moi, dit-il, je pourrais y aller. »

Ses parents parurent un peu surpris. « Tu éveillerais moins de soupçon que ton père, dit Mère. Mais quel prétexte aurais-tu ? »

William y avait pensé. « Je pourrais aller voir Aliena » dit-il. A cette idée son pouls se mit à battre plus vite. « Je pourrais la supplier de reconsidérer sa décision. Après tout, elle ne me connaît pas vraiment. Elle m'a mal jugé quand nous nous sommes rencontrés. Je pourrais faire pour elle un bon mari. Peut-être a-t-elle simplement besoin d'être courtisée avec un peu plus d'énergie. » Il essaya de mettre dans son sourire autant de cynisme que possible, de façon qu'on ne se doutât pas qu'il pensait exactement ce qu'il disait.

« C'est un prétexte parfaitement crédible », dit Mère. Elle scruta le visage de William. « Par le Christ, je me demande si après tout ce garçon n'aurait pas un peu de la cervelle de sa mère. »

Pour la première fois depuis des mois, William était d'humeur optimiste lorsqu'il partit pour le château du comte le lendemain de l'Épiphanie, par un matin froid et clair. Le vent du nord lui mordait les oreilles et l'herbe gelée crissait sous les sabots de son destrier. Il portait un manteau gris de beau drap des Flandres, bordé de lapin, par-dessus une tunique écarlate.

Walter, son valet, l'escortait. Quand William avait atteint douze ans, Walter, devenu son maître d'armes, lui avait enseigné à monter, à chasser, à manier l'épée et à lutter. Aujourd'hui son valet, son compagnon et son garde du corps, Walter était aussi grand que William, mais plus large, avec une carrure redoutable. De neuf ou dix ans plus âgé, assez jeune pour aller boire et courir les filles, mais assez vieux pour tirer le jeune homme du pétrin si cela s'avérait nécessaire, il était aussi son plus proche ami.

Même s'il savait qu'une fois de plus il se trouverait rejeté et humilié, William éprouvait une étrange excitation. En l'apercevant dans la cathédrale de Kingsbridge, il avait senti se rallumer tout son désir pour elle. Il était impatient de lui parler, de l'approcher, de voir la masse de ses boucles se défaire et trembler au rythme de ses paroles, de suivre sous la robe les mouvements de son corps.

En même temps, la possibilité de se venger avait aiguisé la haine du jeune homme.

Il pensait être capable de vérifier l'authenticité de l'histoire de Waleran, car il y aurait sûrement au château des signes annonçant qu'on se préparait à la guerre — des chevaux qu'on rassemblait, des armes qu'on fourbissait, des vivres qu'on amassait —, même si ce surcroît d'activités se dissimulait sous d'autres apparences, les préparatifs d'une expédition peut-être, pour tromper l'observateur négligent. Toutefois, se convaincre de l'existence d'un complot n'était pas la même chose qu'en trouver des preuves.

Plus il approchait, plus il était tendu. Et si on lui refusait l'accès au château ? Il connut un moment de panique, puis il se reprit : le château était ouvert à tous et, si le comte s'avisait de le fermer à la noblesse locale, ce serait pratiquement annoncer qu'un complot se fomentait.

Le comte Bartholomew habitait à quelques lieues de la ville de Shiring. Le château de Shiring étant occupé par le prévôt du comté, le comte avait sa propre résidence un peu plus loin. Le village qui s'était développé autour des murailles du château avait pris le nom d'Earlscastle. William le connaissait, mais il l'examinait maintenant avec les yeux d'un agresseur.

La douve, large et profonde, avait la forme d'un huit, dont le cercle supérieur aurait été plus petit que le cercle inférieur. La terre qu'on avait déblayée s'entassait à l'intérieur des cercles jumeaux, pour former des remparts.

Au pied du huit on franchissait la douve par un pont puis une ouverture dans les remparts permettait l'accès au cercle inférieur. C'était la seule entrée. On ne pouvait accéder au cercle supérieur qu'en passant par celui d'en bas. Le cercle supérieur, c'était le saint des saints.

En traversant les champs qui entouraient le château, William et Walter observèrent pas mal d'allées et venues. Deux hommes d'armes franchirent le pont sur des chevaux rapides et partirent chacun dans une direction différente. Un groupe de quatre cavaliers précéda William sur le pont au moment où Walter et lui arrivaient.

William remarqua que la dernière partie du pont pouvait se soulever devant le massif corps de garde qui constituait l'entrée du château. Il y avait des tours de pierre à intervalles réguliers tout le long du remblai de terre, si bien que chaque secteur du périmètre pouvait être couvert par les archers qui en assuraient la défense. Prendre ce château en l'attaquant de front serait une longue et sanglante entreprise pour laquelle jamais les Hamleigh ne pourraient rassembler assez d'hommes, conclut tristement William.

Aujourd'hui, évidemment, le château était ouvert à tous les visiteurs. William donna son nom à la sentinelle du corps de garde et on le laissa passer sans plus de cérémonie. A l'intérieur de la basse-cour, abrités du monde extérieur par le rempart, se dressaient les habituels bâtiments annexes : écuries, cuisines, ateliers, latrines, chapelle. On sentait dans l'air une certaine excitation. Les valets, les écuyers, les serviteurs et les filles de charge, tout le monde marchait d'un pas vif et parlait à voix haute, se lançant des saluts et échangeant des plaisanteries. Pour un observateur sans méfiance, cette agitation, ces allées et venues pouvaient fort bien n'être que l'activité normale provoquée par le retour du maître, mais William y vit davantage.

Il laissa Walter à l'écurie avec les chevaux et se dirigea vers l'autre côté de l'enceinte où un pont franchissait la douve pour accéder au cercle supérieur. Lorsqu'il l'eut traversé, un garde lui demanda cette fois ce qui l'amenait et il dit : « Je suis venu voir dame Aliena. »

Le garde le toisa de la tête aux pieds, notant son manteau de beau drap et sa tunique rouge, et le jugea sur sa bonne mine. « Vous trouverez la jeune dame dans la grande salle », dit-il avec un petit ricanement.

Au centre de la cour d'honneur, se dressait un bâtiment de pierre carré, haut de trois étages, aux murs épais : le donjon. Comme d'habitude, le rez-de-chaussée était occupé par un magasin. La grande salle se trouvait au-dessus et l'on y parvenait par un escalier de bois extérieur qu'on pouvait rentrer à l'intérieur du bâtiment. Au dernier étage se trouvait la chambre du comte et ce serait là son dernier bastion lorsque les Hamleigh viendraient le chercher.

L'ensemble présentait une redoutable série d'obstacles dressés devant l'attaquant. Bien sûr, c'était là le problème, mais maintenant que William essayait de voir comment les franchir, il perçut avec une grande clarté la fonction des différents éléments du château fort. Même si les attaquants maîtrisaient le cercle inférieur, il leur faudrait encore passer un autre pont, un autre corps de garde et puis donner l'assaut à ce robuste donjon. Ils devraient d'une façon ou d'une autre parvenir jusqu'au dernier étage — peut-être en bâtissant eux-mêmes leur escalier — et même alors sans doute y aurait-il encore un combat, selon toute probabilité, pour passer de la salle à la chambre du comte. La seule façon de prendre ce château, c'était par la ruse, comprit William.

Il gravit l'escalier et pénétra dans la grande salle. Elle était pleine de gens, mais le comte ne se trouvait pas parmi eux. Dans le fond, sur la gauche, l'escalier menant à sa chambre et quinze ou vingt chevaliers et hommes d'armes assis au pied des marches, discutant entre eux à voix basse. Spectacle inhabituel : les chevaliers et les hommes d'armes constituaient des classes sociales séparées. Les chevaliers étaient des propriétaires qui vivaient de leurs loyers, alors que les hommes d'armes touchaient des soldes. Les deux groupes ne fraternisaient que quand l'odeur de la guerre flottait dans l'air.

William reconnut certains personnages : Gilbert le Chat, un vieux guerrier au méchant caractère avec une barbe passée de mode et de longs favoris, quarante ans passés mais encore un robuste gaillard ; Ralph de Lyme, plus dépensier pour ses vêtements qu'une jeune mariée, vêtu aujourd'hui d'un manteau bleu doublé de soie rouge ; Jack Fitz Guillaume, déjà chevalier bien qu'à peine plus âgé que William ; et quelques autres dont les visages lui parurent vaguement familiers. Il fit un signe de tête dans leur direction, mais on ne lui prêta guère attention : quoiqu'on le connût bien, il était trop jeune pour être important.

Il se retourna pour inspecter l'autre partie de la salle et aussitôt vit Aliena.

Elle avait un tout autre air aujourd'hui. Hier, elle était vêtue, pour aller à la cathédrale, de soie, de bonne laine et de lin, avec des bagues, des rubans et des bottes pointues. Aujourd'hui, elle portait la courte tunique d'une paysanne ou d'une enfant et elle avait les pieds nus. Assise sur un banc, elle examinait une table de jeu sur laquelle étaient disposés des pions de différentes couleurs. Tandis que William l'observait, elle remonta sa tunique pour croiser les jambes, dévoilant ses genoux, puis elle plissa le nez d'un air soucieux. Hier, elle lui avait paru redoutablement sophistiquée ; aujourd'hui, c'était une enfant vulnérable et William la trouva encore plus désirable. Soudain honteux de s'être laissé infliger tant de détresse par cette gamine, il brûlait d'envie de lui démontrer sa capacité à la dompter. Elle jouait avec un garçon de trois ou quatre ans plus jeune qu'elle, à l'air turbulent et à qui, visiblement, le jeu ne plaisait pas. William distingua entre les deux joueurs un air de famille. Le garçon en effet ressemblait à Aliena comme William se la rappelait petite, avec un nez retroussé et les cheveux courts. Ce devait être son frère cadet, Richard, l'héritier du comté.

William s'approcha. Richard lui jeta un coup d'œil, puis reporta son attention sur le jeu. La table en bois, en forme de croix, se divisait en carrés de différentes couleurs. Les pions étaient noirs ou blancs : il s'agissait manifestement d'une variante des marelles, connu également sous le nom de jeu des mérelles. Mais William s'intéressait davantage à

Aliena. Lorsqu'elle se pencha sur la table, le col de sa tunique s'écarta et il aperçut la naissance de ses seins. Il se sentit la bouche sèche.

Richard déplaça un pion et Aliena dit : « Non, tu ne peux pas faire ça. »

Le jeune garçon s'étonna. « Pourquoi donc ?

— Parce que c'est contre la règle, idiot.

— Je n'aime pas les règles », dit Richard énervé.

Aliena s'emporta. « Tu dois obéir aux règles !

— Et pourquoi ?

— Tu obéis, c'est tout !

— Eh bien, pas du tout ! » Il renversa la table par terre, faisant voler les pions.

Vive comme l'éclair, Aliena le gifla.

Richard poussa un cri, blessé dans son orgueil aussi bien que sur son visage. « Espèce... » Il hésita. « Espèce de baise-démon », cria-t-il. Il tourna les talons pour s'enfuir en courant... et se cogna à William.

Celui-ci l'empoigna par un bras et le souleva en l'air. « Que le prêtre ne t'entende pas traiter ta sœur d'un nom pareil », dit-il.

Richard se débattit en poussant des cris. « Vous me faites mal... lâchez-moi ! »

William le serra encore un moment. Richard cessa de résister et éclata en sanglots. William alors laissa partir l'enfant qui s'enfuit.

Aliena dévisageait William. Elle avait oublié son jeu, un pli étonné barrait son front. « Pourquoi êtes-vous ici ? » dit-elle. Elle avait une voix basse et calme. La voix d'une personne plus âgée.

William s'assit sur le banc, assez content de la façon dont il avait agi avec Richard. « Je suis venu vous voir », dit-il.

Elle prit un air méfiant. « Pourquoi ? »

William s'installa de façon à pouvoir surveiller l'escalier. Il aperçut, descendant dans la salle, un homme d'une quarantaine d'années vêtu comme un serviteur important, avec une calotte ronde et une courte tunique de beau drap. Le domestique fit signe à quelqu'un, et un chevalier et un homme d'armes montèrent ensemble l'escalier. William se tourna de nouveau vers Aliena.

« Je voudrais vous parler.

— De quoi ?

— De vous et de moi. » Par-dessus l'épaule de la jeune

fille, il vit le serviteur qui approchait. Il avait une démarche un peu efféminée. Dans une main il tenait un pain de sucre de couleur brune. Dans l'autre main, une racine tordue qui ressemblait à du gingembre. Ce devait être l'intendant et il revenait du coffre à épices, un placard fermé à clé dans la chambre du comte où il était allé prélever ce qu'il fallait de précieux ingrédients pour les besoins de la journée, qu'il portait maintenant au cuisinier : du sucre pour adoucir la tarte aux pommes sauvages, peut-être, et du gingembre pour parfumer les lamproies.

Aliena suivit le regard de William. « Oh ! Bonjour, Matthew. »

L'intendant sourit et lui offrit du sucre. William eut l'impression que Matthew était très attaché à Aliena. Quelque chose dans l'attitude de celle-ci avait dû lui montrer qu'elle était mal à l'aise, car son sourire céda vite la place à un air soucieux et il dit : « Tout va bien ? » Il avait la voix très douce.

« Oui, merci. » Matthew regarda William et son visage exprima la surprise. « C'est le jeune William Hamleigh, n'est-ce pas ? »

William fut gêné d'être reconnu. « Garde ton sucre pour les enfants, dit-il, bien qu'on ne lui en eût pas offert. Je n'aime pas ça.

— Très bien, monseigneur. » Le regard de Matthew laissait entendre qu'il n'était pas arrivé à la position qu'il occupait aujourd'hui en faisant des histoires aux fils des gentilshommes. Il se tourna vers Aliena : « Votre père a rapporté de la soie d'une merveilleuse douceur... Je vous la montrerai plus tard.

— Merci », fit-elle.

Matthew s'éloigna.

« Imbécile efféminé, dit William.

— Pourquoi avez-vous été si grossier avec lui ? dit Aliena.

— Je ne permets pas aux domestiques de m'appeler "jeune William" ! »

William se rendit compte, le cœur serré, qu'il avait pris un mauvais départ. Il devait se montrer charmant. Il sourit et déclara : « Si vous étiez mon épouse, mes serviteurs vous appelleraient lady.

— Êtes-vous venu ici pour parler mariage ? » répliqua

Aliena, et William crut déceler dans sa voix une note d'incrédulité.

« Vous ne me connaissez pas », protesta William. Il s'aperçut avec consternation qu'il n'arrivait pas à contrôler cette conversation. Il avait prévu d'échanger quelques aimables banalités avant d'en arriver aux faits, mais Aliena était si directe et candide qu'il fut obligé de parler. « Vous m'avez mal jugé. Je ne sais pas ce que j'ai fait, lors de notre dernière rencontre, pour me rendre antipathique à vos yeux ; mais, quelles qu'aient été vos raisons, vous m'avez condamné avec trop de hâte. »

Elle détourna les yeux, réfléchissant à sa réponse. Derrière elle, William vit le chevalier et l'homme d'armes redescendre l'escalier et sortir, l'air préoccupé. Un moment plus tard, un homme en tenue ecclésiastique — sans doute le secrétaire du comte — apparut en haut des marches et fit un signe. Deux chevaliers se levèrent et montèrent l'escalier : Ralph de Lyme et un homme plus âgé au crâne chauve. De toute évidence, les hommes qui attendaient dans la salle voyaient le comte dans sa chambre par groupes de deux ou trois. Mais pourquoi ?

« Après tout ce temps ? » disait Aliena. Elle se contrôlait. Peut-être était-elle en colère, mais William avait la pénible impression qu'elle avait surtout envie de rire. « Après toutes les histoires, la colère et le scandale, juste au moment où enfin les choses se calment, c'est maintenant que vous me dites que j'ai fait une erreur ?

— Ça ne s'est pas du tout calmé : les gens en parlent encore, ma mère est toujours furieuse, et mon père ne peut pas garder la tête haute en public, dit-il avec feu. Ce n'est pas fini pour nous.

— Pour vous, tout ceci est une question d'honneur familial, n'est-ce pas ? »

Il y avait dans sa voix un accent un peu menaçant, mais William n'en tint pas compte. Il venait de comprendre ce que le comte devait faire avec tous ces chevaliers et hommes d'armes : il leur confiait des messages. « L'honneur de la famille ? dit-il d'un ton absent. Oui.

— Je sais que je devrais penser à l'honneur et aux alliances entre familles et le reste, dit Aliena. Mais il n'y a pas que cela dans le mariage. » Elle parut hésiter un moment, puis se décida. « Je devrais peut-être vous parler de ma mère. Elle détestait mon père. Mon père n'a rien d'un mauvais homme, en fait il est merveilleux et je l'adore. Mais il est terriblement strict et solennel, et il n'a jamais compris ma mère. C'était une femme heureuse et gaie, qui aimait rire, raconter des histoires et faire de la musique, et mon père l'a rendue très malheureuse. C'est pour ça qu'elle est morte. Et il le sait aussi, vous voyez. C'est pourquoi il a promis de ne jamais me faire épouser quelqu'un que je n'aime pas. Comprenez-vous, maintenant ? »

Ces messages sont des ordres, se dit William ; des ordres aux amis et aux alliés du comte Bartholomew les avertissant de se préparer à combattre. Et les messagers sont des preuves.

Il s'aperçut qu'Aliena le dévisageait. « Épouser quelqu'un que vous n'aimez pas ? dit-il en répétant ses derniers mots. Vous ne m'aimez donc pas ? »

Les yeux de la jeune fille flambèrent de colère. « Vous ne m'avez pas écoutée, dit-elle. Vous êtes si replié sur vous-même que vous êtes incapable de penser un instant aux sentiments de quelqu'un d'autre. La dernière fois que vous êtes venu ici, qu'avez-vous fait ? Vous avez parlé et parlé de vous sans jamais me poser une question ? »

Elle criait maintenant, et, lorsqu'elle s'arrêta, William s'aperçut que les hommes au fond de la salle écoutaient, silencieux. Il se sentit embarrassé. « Pas si fort », lui dit-il.

Elle poursuivit sans se soucier de sa gêne. « Vous voulez savoir pourquoi je ne vous aime pas ? Très bien, je vais vous le dire. Je ne vous aime pas parce que vous n'avez aucun raffinement. Je ne vous aime pas parce que vous savez à peine lire. Je ne vous aime pas parce que vous ne vous intéressez qu'à vos chiens, à vos chevaux et à vous-même. »

Gilbert le Chat et Jack Fitz Guillaume se mirent à rire tout haut. William se sentit rougir. Ces hommes n'étaient que des rien-du-tout, de simples chevaliers, et ils se moquaient de lui, le fils de lord Percy Hamleigh. Il se leva, pensant ainsi faire taire Aliena.

Mais c'était en vain. « Je ne vous aime pas parce que vous êtes égoïste, assommant et stupide », hurla-t-elle. Tous les chevaliers riaient maintenant. « Je ne vous aime pas, je vous méprise, je vous déteste. Voilà pourquoi je ne vous épouserai pas ! »

Les chevaliers applaudirent en l'acclamant. William se

recroquevilla. Leurs rires lui donnaient le sentiment d'être petit, faible et désemparé, comme un enfant. Quand il était enfant, il avait tout le temps peur. Il se détourna d'Aliena, faisant un effort pour dissimuler ses sentiments. Il traversa la salle aussi vite qu'il put sans courir, tandis que les rires redoublaient. Il arriva enfin à la porte, l'ouvrit toute grande et sortit en trombe. Il dévala l'escalier, étranglé de honte ; les échos des rires résonnaient encore à ses oreilles pendant qu'il traversait la cour vers le corps de garde.

A une demi-lieue d'Earlscastle, le chemin qui menait à Shiring croisait une grand-route. Au carrefour, le voyageur pouvait prendre soit la direction du nord, vers Gloucester et la frontière galloise, soit celle du sud, vers Winchester et la côte. William et Walter prirent au sud.

L'appréhension de William avait tourné à la rage. Il était trop furieux pour parler. Il aurait voulu faire mal à Aliena et tuer tous ces chevaliers. Il aurait aimé plonger son épée dans chacune de ces bouches béantes de rire et l'enfoncer jusqu'à la gorge. Justement, il venait de trouver un moyen de se venger sur au moins l'un d'eux. Et de se procurer du même coup la preuve dont il avait besoin. Cette perspective le consolait un peu. Il fallait d'abord piéger un de ces gredins.

Une fois dans les bois, William mit pied à terre et se mit à marcher, tenant son cheval par la bride. Walter le suivait sans rien dire, respectant sa méchante humeur. William parvint à un endroit où le sentier se rétrécissait et s'arrêta. Il se tourna vers Walter : « Qui est le meilleur au couteau, toi ou moi ?

— Au combat rapproché, je suis meilleur, dit prudemment Walter. Mais vous lancez avec plus de précision, monseigneur. » Tout le monde l'appelait monseigneur quand il était en colère.

« Je suppose que tu es capable de faire trébucher et tomber un cheval au galop ? dit William.

— Oui, avec une bonne perche.

— Choisis-toi un arbuste, arrache-le et taille-le : tu auras une bonne perche. »

Walter obtempéra.

William mena les deux chevaux à travers les bois et les attacha dans une clairière, à l'écart de la route. Il les débarrassa de leurs selles et prit dans le paquetage des cordes et des courroies — de quoi ligoter les mains et les pieds d'un homme. Son plan était rudimentaire, mais il n'avait pas le temps d'en concevoir un plus élaboré. Il comptait sur sa chance.

En revenant vers la route, il trouva un solide morceau de bois mort, une branche de chêne, lourde et dure, qui lui servirait de massue.

Walter l'attendait, muni de sa perche. William choisit l'endroit où le valet se posterait en embuscade, derrière le large tronc d'un hêtre qui poussait au bord du sentier. « Ne tends pas la perche en avant trop tôt, sinon le cheval sautera par-dessus, conseilla-t-il. Mais n'attends pas non plus, parce qu'il ne trébuchera pas sur les postérieurs. L'idéal est de glisser la barre entre ses antérieurs. Tâche d'enfoncer le bout dans le sol pour qu'il ne puisse pas s'en débarrasser d'un coup de pied. »

Walter acquiesça. « J'ai déjà fait cela. »

William avança d'une trentaine de pas dans la direction d'Earlscastle. Son rôle serait de s'assurer que le cheval passait au galop, trop vite pour éviter la perche de Walter. Il se cacha aussi près que possible de la route. Tôt ou tard, un des messagers du comte Bartholomew passerait. Tôt, de préférence, pensait William en proie à une certaine inquiétude. Il avait hâte d'en avoir fini.

Ces chevaliers ne se doutaient pas, pendant qu'ils riaient de moi, que je les espionnais, songea-t-il. Cette pensée l'apaisa un peu. Mais l'un d'eux ne va pas tarder à regretter d'avoir ri. Il va pleurer, supplier et m'implorer de lui pardonner, et je ne l'en ferai souffrir que davantage.

Il avait d'autres consolations. Si son plan réussissait, il pourrait provoquer la chute du comte Bartholomew et la résurrection des Hamleigh. Alors tous ceux qui s'étaient gaussés de ce mariage annulé trembleraient de peur, et certains souffriraient plus que de peur.

La chute de Bartholomew serait aussi la chute d'Aliena, et c'était ce qui le ravissait le plus. Il faudrait qu'elle renonce à son orgueil insensé et à ses airs supérieurs quand son père aurait été pendu comme traître. Si elle voulait encore de la belle soie et des cônes de sucre, il faudrait qu'elle épouse William. Il l'imaginait, humble et contrite, lui apportant une pâtisserie toute chaude dans la cuisine, levant vers lui ses grands yeux noirs, soucieuse de lui plaire, espérant une caresse, sa douce bouche entrouverte dans l'attente d'un baiser.

Sa rêverie fut troublée par un bruit de sabots sur la boue durcie par l'hiver. Il tira son couteau et le soupesa pour l'avoir bien en main. Le bout était affûté en pointe pour mieux pénétrer. Il se redressa, le dos plaqué contre l'arbre qui le dissimulait, prit l'arme par la lame et attendit, retenant son souffle. Il était nerveux. Il avait peur de manquer son coup, peur que le cheval ne tombe pas. Et si le cavalier tuait Walter d'un coup heureux ? William devrait le combattre seul... Il vit Walter qui, à travers les broussailles, tournait vers lui un regard inquiet : l'imprévu, c'est qu'il n'y avait pas qu'un seul cheval. Il fallait prendre une décision rapide. Attaquer deux cavaliers ? Le combat ne serait plus égal. William décida de les laisser passer et d'attendre un solitaire. C'était décevant, mais sage. De la main, il fit signe à Walter de ne pas bouger. Le valet acquiesça de la tête et se remit en embuscade, au moment où deux chevaux apparaissaient. William vit voler un éclat de soie rouge : Ralph de Lyme. Puis il distingua le crâne chauve du compagnon de Ralph. Les deux hommes passèrent au trot et disparurent.

Malgré sa déception, William se félicitait de son hypothèse : le comte envoyait bel et bien ces hommes en mission. Le risque, c'était que Bartholomew eût pour principe de les envoyer par paires — précaution d'ailleurs bien naturelle. Autant que possible on voyageait en groupe, pour plus de sécurité. D'un autre côté, Bartholomew disposait d'un nombre limité d'hommes pour une entreprise d'envergure. Aussi hésiterait-il à utiliser deux chevaliers pour porter un seul message. En outre, les chevaliers étaient des hommes forts et violents sur qui l'on pouvait compter pour mettre rapidement le hors-la-loi moyen hors de combat.

William s'installa pour attendre. La forêt était silencieuse. Un faible soleil hivernal apparut, brilla quelque temps de façon intermittente à travers l'épaisse verdure, puis disparut. L'estomac du jeune homme lui rappela que l'heure du dîner était passée. Un daim traversa le sentier à quelques coudées, sans savoir qu'il était guetté par un homme affamé.

William s'impatientait. Si un autre couple de cavaliers se présentait, décida-t-il, il faudrait attaquer. C'était dangereux, mais il avait l'avantage de la surprise et l'appui de

Walter, redouté au combat. D'ailleurs, William n'avait pas le choix : il risquait la mort, certes, et il avait peur, mais cela valait mieux que de vivre dans une constante humiliation. Du moins était-ce une fin honorable que de mourir en se battant.

L'idéal, songea-t-il, serait qu'Aliena arrive toute seule, au petit galop sur un poney blanc. Elle dégringolerait du cheval, dans un buisson de ronces, se meurtrissant les bras et les jambes. Les épines égratigneraient sa peau douce. William bondirait sur elle et la clouerait au sol. Elle serait mortifiée.

Il peaufinait son idée, inventant une blessure après l'autre, savourant la façon dont la jeune fille halèterait tandis qu'il la chevaucherait, et imaginant l'expression de terreur sur son visage lorsqu'elle se rendrait compte qu'elle était complètement à sa merci. Là-dessus, il entendit de nouveau un bruit de sabots.

Cette fois, il n'y avait qu'un cavalier.

William se redressa, dégaina son couteau, se plaqua contre l'arbre et tendit l'oreille.

C'était un bon cheval rapide qui arrivait, pas un destrier, mais sans doute un robuste coursier. Il portait une charge modeste, un homme sans armure : son trot était régulier, sans trace d'essoufflement. William surprit le regard de Walter et fit un signe de tête. C'était celui-là, il tenait la preuve qu'il lui fallait. William leva son bras droit, tenant le couteau par la pointe.

Au loin, le cheval de William choisit cet instant pour se mettre à hennir. Le bruit s'entendit aussi clairement que possible dans la forêt silencieuse. Le cavalier inconnu l'entendit et rompit son allure pour prendre le pas. William jura sous cape. L'homme allait se méfier maintenant. William se maudit trop tard de ne pas avoir éloigné davantage son cheval.

Maintenant l'inconnu avançait au pas. Tout se passait mal. William, incapable d'estimer à quelle distance il se trouvait, résista à la tentation de jeter un coup d'œil de derrière son arbre. Brusquement, il entendit le cheval s'ébrouer, étonnamment près, puis le vit surgir à deux coudées de sa cachette. Le cheval fit un écart et le chevalier poussa un grognement de surprise.

William réprima une exclamation. Il comprit aussitôt que

196

le cheval risquait de tourner bride et de détaler dans la mauvaise direction. Il recula à l'abri de son arbre et reparut de l'autre côté, derrière le cheval, bras levé. Le temps d'entrevoir le cavalier, un homme barbu et grave, il reconnut le vieux Gilbert le Chat. William lança le couteau. Parfait. La pointe toucha la croupe du cheval et s'enfonça de quelques centimètres dans la chair.

Le cheval sursauta comme un homme surpris, puis, sans laisser à Gilbert le temps de réagir, piqua un galop affolé, droit vers l'embuscade de Walter.

William se précipita à sa poursuite. Gilbert ne cherchait pas à maîtriser sa monture, trop occupé à rester en selle. Il arriva à la hauteur de Walter que William encouragea intérieurement : « Maintenant, Walter, maintenant ! »

Le valet calcula si bien son mouvement que William ne vit même pas la perche jaillir de derrière l'arbre. Il vit seulement les antérieurs du cheval fléchir comme si toute force les abandonnait soudain. Puis son arrière-train parut rattraper les antérieurs et tout cela s'emmêla. Pour finir, il baissa la tête, sa croupe se dressa et il tomba lourdement. Gilbert vola par-dessus l'animal. Mais il se reçut bien, roula sur lui-même et se retrouva à genoux. Tandis que William se désespérait de le voir s'échapper, Walter émergea des broussailles, plongea et heurta comme un boulet le dos de Gilbert, le plaquant au sol. Les deux hommes retrouvèrent en même temps leur équilibre et William constata avec horreur que le rusé Gilbert se relevait, un poignard à la main. Le jeune homme sauta par-dessus le cheval toujours au sol et brandit sa massue de chêne en direction de Gilbert juste au moment où celui-ci levait son couteau. La massue toucha Gilbert à la tempe.

L'homme trébucha, mais se remit debout. Le gaillard était résistant, se dit William. Il s'apprêtait à lui assener un nouveau coup de massue, mais Gilbert fut plus rapide et plongea sur William, couteau en avant. Le jeune homme était habillé pour faire la cour et non pour se battre. La lame acérée trancha son manteau de drap. Mais il fut assez rapide pour esquiver et sauver sa peau. Gilbert poussa son avantage, s'arrangeant pour empêcher son adversaire de manier sa massue et gagnant inexorablement du terrain. William soudain eut peur pour sa vie. C'est alors que Walter surgit derrière Gilbert et d'un croche-pied le déséquilibra.

William soupira profondément, remerciant Dieu de l'intervention de Walter. Il avait vu la mort de près.

Gilbert tenta de se relever, mais Walter lui lança un coup de pied au visage. Pour faire bonne mesure, William le frappa à deux reprises avec sa massue et Gilbert ne bougea plus.

Ils le roulèrent à plat ventre. Walter s'assit sur sa tête pendant que William lui attachait les mains derrière le dos, lui ôtait ses hautes bottes noires et ligotait ses chevilles nues. Après quoi, il se releva, sourit à son valet qui lui sourit à son tour. Il fallait maintenant forcer le vieux soldat à avouer le complot.

Gilbert revenait à lui. Dès qu'il aperçut William, il le reconnut aussitôt et son visage exprima la surprise, puis la crainte. Ah ! il regrettait déjà ses rires, songea William avec jubilation. Dans un moment, il les regretterait davantage encore.

Le cheval de Gilbert s'était redressé et regardait de tous côtés, affolé, sursautant chaque fois que le vent agitait une feuille dans un arbre. William ramassa son couteau et Walter alla rattraper le cheval.

William guettait tout bruit insolite. Un autre messager pouvait surgir inopinément. Il fallait se mettre à l'abri des regards et observer le silence. Personne n'apparut le temps que Walter ramène sans trop de difficultés le cheval de Gilbert.

Ils jetèrent ce dernier en travers de la selle, puis l'entraînèrent dans la forêt jusqu'à l'endroit où William avait laissé leurs propres montures. Les chevaux s'agitèrent à cause de l'odeur du sang qui suintait de la blessure à la croupe du cheval attaqué, aussi William l'attacha-t-il un peu plus loin. Puis, cherchant du regard un arbre qui conviendrait à son projet, il repéra un orme dont une grosse branche faisait saillie à une hauteur de cinq ou six coudées. Il le désigna à Walter. « On va suspendre Gilbert là », dit-il.

Walter eut un sourire cruel. « Qu'allez-vous lui faire, seigneur ?

— Tu verras. »

Le visage tanné de Gilbert était blême. William passa une corde sous les aisselles de l'homme, la noua derrière le dos et la lança par-dessus la branche.

« Hisse-le », commanda-t-il à Walter.

Gilbert se débattit, échappa à Walter et tomba par terre.

Le valet ramassa la massue de William et donna un coup sur la tête de Gilbert qui resta groggy, puis le releva. La deuxième tentative réussit. Bientôt Gilbert se balançait doucement à la branche, les pieds à deux coudées au-dessus du sol.

« Ramasse un peu de petit bois », ordonna William à son valet.

Ils amassèrent sous les pieds de Gilbert quelques branchages, auxquels William mit le feu. Dès que les flammes s'élevèrent, la chaleur ranima Gilbert.

Aussitôt il se mit à pousser des gémissements de terreur. « Je vous en prie, dit-il. Je vous en prie, lâchez-moi. Je suis désolé de m'être moqué de vous, je vous en prie, soyez miséricordieux. »

William restait silencieux. Les plaintes de Gilbert l'amusaient, mais ce n'était pas le plus important.

Comme les flammes léchaient les orteils nus de Gilbert, il replia les jambes sous lui. Son visage ruisselait de sueur. William jugea qu'il était temps de commencer l'interrogatoire.

« Pourquoi êtes-vous allé au château aujourd'hui ? » demanda-t-il.

Gilbert le dévisagea avec innocence. « Pour présenter mes respects. Quelle question !

— Pourquoi êtes-vous allé présenter vos respects ?

— Le comte vient tout juste de rentrer de Normandie.

— On vous a convoqué spécialement ?

— Non. »

C'est peut-être vrai, se dit William. Interroger un prisonnier n'était pas aussi facile qu'il l'avait imaginé. Il réfléchit quelques secondes. « Que vous a dit le comte quand vous l'avez rencontré dans sa chambre ?

— Il m'a salué et m'a remercié d'être venu. »

Y avait-il une lueur d'inquiétude dans le regard de Gilbert ? William n'en était pas sûr. « Quoi encore ? fit-il.

— Il m'a demandé des nouvelles de ma famille et de mon village.

— Rien d'autre ?

— Rien. Pourquoi vous intéressez-vous à notre conversation ?

— Que vous a-t-il dit sur le roi Stephen et l'impératrice Maud ?

— Rien, je vous le répète ! »

Incapable de garder les genoux pliés plus longtemps, Gilbert laissa retomber ses pieds dans les flammes qui crépitaient. Un hurlement de douleur lui échappa et son corps se convulsa. Le spasme l'écarta provisoirement du feu. Il comprit alors qu'il pouvait soulager sa souffrance en se balançant. Cependant à chaque mouvement, il traversait les flammes sans pouvoir s'empêcher de crier.

William une fois de plus se demanda si Gilbert ne lui disait pas la vérité. Comment le savoir ? Il finirait à coup sûr par avouer n'importe quoi pour abréger la torture. William ne devait pas lui souffler trop précisément ce qu'il voulait entendre de lui, car il admettrait tout. Qui aurait cru que la torture se révélerait un exercice tellement compliqué ?

William reprit d'un ton calme et détaché : « Où allez-vous maintenant ? »

Gilbert poussa une exclamation de douleur et d'exaspération : « Mais qu'importe ?

— Où allez-vous ?

— Chez moi ! »

L'homme perdait son sang-froid. William savait qu'il habitait vers le nord. Il était dans la mauvaise direction.

« Où allez-vous ? répéta William.

— Que voulez-vous de moi ?

— Je sais quand vous mentez, dit William. Dites-moi la vérité. »

Walter poussa une espèce de grognement approbateur et William en conclut qu'il progressait dans son nouveau rôle.

« Où allez-vous ? » dit-il pour la quatrième fois.

Gilbert commençait à s'épuiser. En gémissant, il arrêta de se balancer et recroquevilla ses jambes au-dessus des flammes. Mais le feu maintenant brûlait assez haut pour lui roussir les genoux.

William nota que l'odeur légèrement écœurante, celle de la chair qui brûlait, lui était familière parce qu'elle lui rappelait les cuisines. La peau de Gilbert brunissait et se craquelait, les poils de ses jambes noircissaient. Fasciné, William observait son supplice ; un frémissement profond le traversait au spectacle de la douleur. Il avait le pouvoir d'infliger la souffrance à un homme et ça lui faisait du bien. C'était un peu comme ce qu'il éprouvait quand il entraînait une fille dans un endroit où personne ne pouvait l'entendre protester et qu'il la clouait au sol en retroussant ses jupes

autour de sa taille, sachant bien que rien ne pourrait l'empêcher de la posséder.

Presque à regret, il reprit : « Où allez-vous ? »

D'une voix réduite à un souffle, Gilbert dit :

« A Sherborne.

— Pourquoi ?

— Coupez la corde, pour l'amour du Christ, et je vous
dirai tout. »

William sentit la victoire à portée de la main. Il s'adressa
à Walter : « Écarte ses pieds du feu. »

En le tirant par sa tunique Walter maintint Gilbert à l'abri
des flammes.

« Alors ? dit William.

— Le comte Bartholomew a cinquante chevaliers à
Sherborne et dans les environs, fit Gilbert d'une voix
hoquetante. Je dois les rassembler et les ramener à
Earlscastle. »

William sourit. Ce qu'il avait deviné se révélait exact.
« Et qu'envisage de faire le comte avec ces chevaliers ?

— Il ne l'a pas dit. »

William ordonna à Walter : « Lâche-le, qu'il grille encore
un peu.

— Non ! hurla Gilbert. Je vais parler ! »

Walter hésita.

« Vite, insista William.

— Ils doivent se regrouper autour de l'impératrice Maud
pour éliminer Stephen », avoua enfin Gilbert.

Enfin la preuve ! William savoura son succès. « Quand
je vous poserai la question devant mon père, répondrez-
vous de même ? reprit-il.

— Oui, oui.

— Quand mon père vous questionnera en présence du
roi, direz-vous encore la vérité ?

— Oui !

— Jurez sur la Croix.

— Je le jure sur la Croix, je dirai la vérité !

— Amen », dit William très content. Et il se mit à disperser le feu.

Ils attachèrent Gilbert à sa selle, prirent son cheval par
la bride et repartirent au pas. Le chevalier pouvait à peine
se tenir droit. William ne voulait surtout pas le voir mourir,
car mort il ne servirait plus à rien, aussi s'efforça-t-il de le
traiter avec ménagements. Au passage d'un ruisseau, il jeta

de l'eau froide sur ses pieds brûlés. Gilbert faillit s'évanouir.

William éprouvait un merveilleux sentiment de triomphe mêlé d'une étrange frustration. Lui qui n'avait jamais tué un homme, il aurait voulu tuer Gilbert. Torturer quelqu'un sans le tuer, c'était comme déshabiller une fille sans la violer. Plus il y pensait, plus il ressentait le besoin urgent d'une femme.

Peut-être quand ils seraient rentrés... Non, il n'aurait pas le temps. Il devrait raconter ce qui s'était passé à ses parents, qui exigeraient que Gilbert répète ses aveux devant un prêtre et peut-être quelques autres témoins ; puis il faudrait préparer la capture du comte Bartholomew, probablement pour le lendemain, avant que Bartholomew ait eu le temps de rassembler trop de guerriers. William n'avait pas encore trouvé le moyen de prendre ce château par la ruse et d'éviter ainsi un siège prolongé...

Il s'énervait à la pensée qu'un long moment se passerait peut-être avant qu'il ne voie même une jolie femme. Au même moment, il en vit une apparaître sur la route devant lui. Un groupe de cinq personnes s'avançait vers William, dans lequel se trouvait une femme aux cheveux bruns d'environ vingt-cinq ans, encore presque une jeune fille. Comme elle approchait, l'intérêt de William s'accentua : elle était très belle, avec des cheveux bruns qui formaient une pointe sur son front et des yeux profondément enfoncés dans les orbites, d'une étonnante couleur dorée. Elle avait une silhouette mince et souple, et la peau joliment hâlée.

« Attends-moi là, dit William à Walter. Garde le chevalier derrière toi pendant que je leur parle. »

Le groupe s'était arrêté et le regardait avec méfiance. De toute évidence, il s'agissait d'une famille : un homme de haute taille, sans doute le mari, un jeune garçon bien planté, mais qui n'avait pas encore de barbe, et deux gamins. L'homme lui rappelait quelqu'un, se dit William. « Je te connais ? demanda-t-il.

— Moi, je vous connais, répliqua l'homme. Et je connais votre cheval, car à vous deux vous avez failli tuer ma fille. »

La mémoire revenait à William. Son cheval n'avait pas touché l'enfant mais n'était pas passé loin. « C'est toi qui construisais ma maison, dit-il. Et quand je t'ai congédié, tu as réclamé paiement, tu m'as même presque menacé. »

L'homme prit un air de défi et ne nia pas.

« Tu n'es pas si faraud maintenant », dit William en ricanant.

Toute la famille semblait affamée. Décidément, c'était le jour pour régler ses comptes avec ceux qui l'avaient offensé, lui, William Hamleigh. « Vous avez faim ?

— Oui, nous avons faim », reconnut le bâtisseur d'un ton où perçait une sourde colère.

William regarda de nouveau la femme. Les pieds un peu écartés, le menton levé elle le dévisageait sans crainte. La vue d'Aliena avait enflammé ses sens et maintenant il avait envie d'étancher son désir. Pourquoi pas cette fille ? Une fière luronne, il en était sûr : elle se débattrait et le grifferait. Tant mieux.

« Tu n'es pas marié à cette femme, n'est-ce pas, bâtisseur ? dit-il. Je me souviens de ton épouse... une vilaine vache. »

Une ombre traversa le visage du maçon : « Ma femme est morte.

— Et tu n'as pas encore emmené celle-ci à l'église, n'est-ce pas ? Tu n'as pas un penny pour payer le prêtre ! » Derrière William, Walter toussa et les chevaux s'agitèrent avec impatience. « Et si je te donnais de l'argent pour acheter de quoi manger ? continua William pour le tenter.

— Je l'accepterais avec gratitude, dit l'homme, mais William sentait bien qu'il avait parlé à contrecœur.

— Il ne s'agit pas d'un cadeau. Je veux acheter la femme qui est avec toi. »

Ce fut elle qui prit la parole. « Je ne suis pas à vendre, mon garçon. »

Son ton méprisant mit William en rage. Je vais te montrer si je suis un homme ou un garçon, songea-t-il, quand nous serons seuls. Il se tourna vers le bâtisseur : « Je la paierai une livre d'argent.

— Elle n'est pas à vendre. »

La colère de William enflait. Cet homme affamé osait refuser la fortune offerte ? « Imbécile, dit-il, si tu ne prends pas l'argent, je vais te passer au fil de mon épée et baiser cette femme devant les enfants ! »

Le bras du bâtisseur bougea sous son manteau. Il doit avoir une arme, se dit William. Et puis, bien qu'il fût mince comme une lame, il était bien capable de se battre méchamment pour protéger sa femme. Celle-ci écarta sa pèlerine et posa la main sur le pommeau d'une dague étonnamment longue qu'elle portait à la ceinture. Le garçon était assez grand, lui aussi, pour créer des problèmes.

Walter lança d'une voix sourde, mais distincte : « Seigneur, nous n'avons pas le temps. »

William acquiesça, la rage au cœur. Il fallait ramener Gilbert au manoir des Hamleigh. L'affaire était trop importante pour qu'ils perdent leur temps dans une bagarre pour une femme.

William toisa la petite famille, ces cinq malheureux affamés et dépenaillés, prêts à se battre jusqu'au bout contre deux robustes gaillards munis de chevaux et d'épées. Il ne les comprenait pas. « Très bien, alors crevez de faim », dit-il. Il éperonna son cheval et repartit au trot. Quelques instants plus tard, les cavaliers avaient disparu.

X

Lorsqu'ils eurent marché environ une demi-lieue après leur rencontre avec William Hamleigh, Ellen dit : « Est-ce qu'on peut ralentir maintenant ? »

Tom se rendit compte que, par peur, il leur avait imposé un train rapide. Il avait bien vu qu'Alfred et lui allaient devoir affronter ces deux hommes armés à cheval. Il n'avait même pas d'arme. Cherchant sous son manteau son marteau de maçon, il s'était rappelé, avec consternation, l'avoir vendu quelques semaines plus tôt pour un sac d'avoine. Il ne savait pas pourquoi William avait fini par battre en retraite, mais il tenait à mettre la plus grande distance possible entre eux au cas où une nouvelle idée germerait dans le méchant petit esprit du jeune seigneur.

Tom n'avait pas réussi à trouver du travail au palais de l'évêque de Kingsbridge et pas davantage ailleurs. Il y avait toutefois une carrière dans les environs de Shiring, et une carrière — contrairement à un chantier de construction — employait autant d'hommes en hiver qu'en été. Certes, le métier de Tom était plus spécialisé et mieux payé que celui de tailleur de pierre, mais il voulait simplement nourrir sa famille. La carrière de Shiring appartenait au comte Bartholomew, que, d'après ses renseignements, Tom pourrait trouver dans son château à une ou deux lieues à l'ouest de la ville.

Maintenant qu'Ellen l'accompagnait, il était encore plus désespéré qu'avant. Il savait qu'elle avait uni son destin au sien par amour, sans peser vraiment les conséquences. Elle ne se rendait pas bien compte de la difficulté pour Tom à trouver du travail. Elle n'avait pas envisagé la possibilité qu'ils pourraient ne pas survivre à l'hiver, et Tom s'était bien gardé de lui ôter ses illusions, car il désirait qu'elle reste avec lui. Mais, en tant que femme, ne choisirait-elle pas le bien de son enfant avant tout le reste ? Tom craignait qu'Ellen le quittât.

Ils vivaient ensemble depuis une semaine. Sept jours de désespoir et sept nuits de bonheur. Chaque matin, Tom s'éveillait, heureux et optimiste. A mesure que la journée passait, la faim le tenaillait, les enfants se fatiguaient et Ellen devenait morose. Certains jours, ils trouvaient de quoi manger — comme lorsqu'ils avaient rencontré le moine et son fromage — et certains jours ils mâchaient des tranches de venaison séchées au soleil provenant des réserves d'Ellen. C'était comme de la peau de daim, mais avaient-ils le choix ? Lorsque la nuit tombait, Tom et Ellen s'allongeaient, gelés et misérables, et se serraient l'un contre l'autre pour se réchauffer ; puis, au bout d'un moment, ils commençaient à se caresser et à s'embrasser. Au début, Tom se montrait impatient, mais elle refusait avec douceur ses avances trop précises : elle voulait prolonger les jeux et les baisers. Il céda et s'en trouva enchanté. Il explorait hardiment le corps de la jeune femme, la caressant comme il n'avait jamais caressé Agnès. Certaines nuits, ils riaient ensemble, la tête sous leurs manteaux. A d'autres moments, la tendresse l'emportait. Une nuit où ils étaient seuls dans l'hôtellerie d'un monastère, les enfants plongés dans un lourd sommeil, elle prit l'initiative, lui montrant comment l'exciter davantage et il obéit, surpris et enflammé par son impudeur. Après, ils sombraient dans un sommeil profond et réparateur, la peur et la colère de la journée emportées par l'amour.

Midi approchait. Tom estima William Hamleigh suffisamment loin, et décida de faire halte. Ils n'avaient pas d'autre nourriture que la venaison séchée. Toutefois, le matin, ils avaient quémandé du pain dans une ferme isolée, et la femme leur avait donné un peu de bière dans une grande bouteille en bois sans bouchon, qu'elle leur avait permis de garder. Ellen avait mis de côté la moitié de la bière pour le dîner.

Tom s'assit sur une large souche, Ellen auprès de lui. Elle but une gorgée de bière et lui passa la bouteille. « Veux-tu de la viande aussi ? » demanda-t-elle.

Il secoua la tête et but un peu de bière. Il aurait volontiers tout avalé, mais il fallait penser aux enfants. « Garde la viande, dit-il à Ellen. On nous donnera peut-être à souper au château. »

Alfred porta la bouteille à ses lèvres et la vida.

Jack fit la moue et Martha éclata en sanglots. Alfred leur lança un drôle de petit sourire.

Ellen attendit en vain la réaction de Tom et observa : « Tu ne devrais pas laisser Alfred faire ça.

— Il est plus grand qu'eux, répliqua Tom en haussant les épaules. Il a besoin de davantage.

— De toute façon, il a toujours une grosse part. Il faut bien que les petits mangent aussi.

— On ne va pas perdre notre temps à intervenir dans les querelles d'enfants », dit Tom.

La voix d'Ellen se durcit. « Tu veux dire qu'Alfred peut malmener les petits autant qu'il veut, et que tu ne feras rien ?

— Il ne les malmène pas, protesta Tom. Les enfants, ça se bat toujours. »

Elle secoua la tête, déconcertée. « Je ne te comprends pas. A tous égards, tu es bon. Mais quand il s'agit d'Alfred, tu deviens aveugle. »

Pour ne pas lui déplaire, Tom céda : « Eh bien, donne un peu de viande aux petits. »

Ellen ouvrit son sac, l'air sombre. Elle découpa une bande de venaison séchée pour Martha et une autre pour Jack. Alfred tendit la main, mais Ellen l'ignora. Tom en fut contrarié. Alfred ne pensait pas à mal, mais Ellen ne le comprenait pas. C'était un grand gaillard, songea Tom avec fierté, il avait bon appétit et le sang vif : ce n'était pas un péché !

Ils se reposèrent un moment puis reprirent leur marche. Jack et Martha allaient en tête, mâchouillant leur viande racornie. Ils s'entendaient bien malgré leur différence d'âge : Martha avait six ans et Jack sans doute onze ou douze. Martha admirait Jack et lui semblait apprécier l'expérience nouvelle d'avoir une compagne de jeux. Malheureusement, à la surprise de Tom, Alfred n'aimait pas Jack.

Tom refusait de s'inquiéter. Ce n'étaient que de jeunes garçons. Il avait trop de soucis pour s'occuper des disputes d'enfants. Son obsession, c'était de trouver du travail. Parfois il se désespérait en secret. Peut-être continuerait-il à traîner sur les routes jour après jour jusqu'à ce qu'ils meurent tous l'un après l'autre : un enfant retrouvé froid et sans vie par un matin de gel, un autre trop étiolé pour lutter contre une fièvre, Ellen violée et tuée par une canaille de passage comme William Hamleigh, et Tom lui-même s'amaigrissant sans cesse jusqu'au jour où, trop faible pour se lever le matin, il resterait couché sur le sol de la forêt en attendant de glisser dans l'inconscience.

Ellen, naturellement, le quitterait avant que cela arrive. Elle regagnerait leur grotte, où il y avait toujours un tonneau de pommes et un sac de noix, de quoi nourrir deux personnes jusqu'au printemps, mais pas cinq. Tom en aurait alors le cœur brisé.

Il se demandait comment allait le bébé. Les moines l'avaient baptisé Jonathan. Tom aimait ce nom. D'après le moine au fromage, cela voulait dire don de Dieu. Tom se représentait le petit Jonathan, rouge, fripé et chauve, comme il était né. Il avait dû changer aujourd'hui : il devait déjà être plus grand et ses yeux plus ouverts. Tom espérait que les moines le soignaient bien. Le moine au fromage lui avait donné l'impression d'un être bon et capable. De toute façon, ils s'occuperaient certainement mieux du bébé que Tom, qui n'avait ni toit ni argent. Si jamais je deviens le maître d'un grand chantier de construction et que je gagne mes quatre shillings par semaine plus le défraiement, je donnerai de l'argent à ce monastère, songea-t-il.

Ils débouchèrent de la forêt et, peu après, arrivèrent en vue du château.

Ils prirent un sentier qui traversait les champs nus. Martha et Jack aperçurent soudain un oiseau blessé et tous s'arrêtèrent pour regarder. C'était un roitelet, si petit qu'ils auraient pu facilement ne pas le remarquer. Comme Martha se pencha vers lui, il s'éloigna en sautillant, incapable de

207

voler. Elle le ramassa, abritant dans ses mains la minuscule créature.

« Il tremble ! dit-elle. Je le sens. Il doit avoir peur. »

L'oiseau, sans faire la moindre tentative pour s'échapper, restait immobile dans les mains de Martha. « Je crois, dit Jack, qu'il a une aile cassée.

— Laisse-moi voir » intervint Alfred. Il lui prit l'oiseau.

« Nous pourrions le soigner, dit Martha.

— Non, sûrement pas », dit Alfred. D'un geste vif de ses grosses mains, il tordit le cou de l'oiseau.

« Oh ! Au nom du ciel ! » fit Ellen.

Martha éclata en sanglots pour la seconde fois ce jour-là.

Alfred éclata de rire et laissa tomber l'oiseau par terre.

Jack le ramassa. « Mort, annonça-t-il.

— Qu'est-ce qui te prend, Alfred ? dit Ellen.

— Rien ne le prend, dit Tom. L'oiseau allait mourir. »

Il reprit sa marche et les autres suivirent. Ellen une fois de plus était furieuse contre Alfred, et cela agaçait Tom. Pourquoi tant d'histoires à propos d'un fichu roitelet ? Ellen avait dit : *Quand il s'agit d'Alfred, tu es aveugle.*

Le pont de bois qui franchissait la douve pour donner accès au corps de garde semblait fragile et branlant, mais sans doute le comte l'aimait-il ainsi : l'ouvrage offrait un moyen d'accès pour les agresseurs et plus il était facile à démolir, plus le château était en sûreté. Les murs du périmètre formés de terre comprenaient à intervalles réguliers des tours de pierre. Devant eux, se dressait un corps de garde en pierre, comme deux tours réunies par un chemin de ronde. Il y a de la maçonnerie ici, songea Tom : ça n'est pas un de ces châteaux tout de boue et de bois. Demain, je pourrais bien me retrouver au travail. Il se rappelait le contact de bons outils dans ses mains, le crissement du ciseau sur un bloc de pierre, la sécheresse de la poussière dans ses narines. Demain soir j'aurai peut-être le ventre plein de nourriture que j'aurai gagnée, et non mendiée.

Son œil de maçon remarqua vite que les remparts du corps de garde étaient en mauvais état. Certaines des grosses pierres étaient tombées, il y en avait d'autres descellées dans l'arche de la porte.

Deux sentinelles montaient la garde, aux aguets. Peut-être s'attendait-on à une attaque. L'un des soldats demanda à Tom ce qui l'amenait.

« Je suis maçon, et j'espère être engagé pour travailler à la carrière du comte, répondit-il.

— Il faut voir l'intendant, répondit la sentinelle. Il s'appelle Matthew. Tu le trouveras sans doute dans la grande salle.

— Merci, fit Tom. Quel genre d'homme est-il ? »

Le garde regarda son collègue en souriant et dit : « Il n'a pas beaucoup l'air d'un homme », et tous deux éclatèrent de rire.

Tom se dit qu'il découvrirait plus tard ce que cela signifiait. Il pénétra dans l'enceinte du château, suivi d'Ellen et des enfants. Les bâtiments derrière les murs étaient pour la plupart en bois, même si certains s'élevaient sur des fondations de pierre, et il y en avait un tout en pierre, qui devait être la chapelle. Comme ils traversaient l'enclos, Tom observa que les tours du périmètre étaient par endroits sérieusement endommagées. Le groupe franchit la seconde douve et s'arrêta au deuxième corps de garde. Tom annonça qu'il cherchait Matthew l'intendant. La petite troupe poursuivit dans l'enceinte intérieure et se dirigea vers le donjon de pierre carré. La porte de bois située au niveau du sol s'ouvrait sur le magasin. Ils gravirent les marches jusqu'à la salle commune. Sitôt entré, Tom aperçut le comte et l'intendant, qu'il reconnut à leurs vêtements. Le comte Bartholomew portait une longue robe aux manchettes évasées, et brodée à l'ourlet, Matthew l'intendant en arborait une courte, du même style que celle de Tom, mais d'un tissu plus doux, et une calotte ronde. Tous deux se tenaient près du feu, le comte assis et l'intendant debout. Tom s'arrêta à quelques pas des deux hommes, attendant qu'on remarque sa présence. Le comte Bartholomew était un homme de grande taille, d'une cinquantaine d'années, avec des cheveux blancs et un visage pâle, maigre et hautain. L'intendant, plus jeune, avait une façon de se tenir qui rappela à Tom la remarque du garde : il avait des allures de femme.

De toutes les autres personnes présentes dans la salle, aucune ne prêta attention à Tom. Celui-ci attendit, partagé entre l'espoir et la crainte. La conversation du comte avec son intendant se prolongeait. Enfin, l'intendant s'inclina et tourna les talons. Tom s'avança.

« Êtes-vous Matthew ?

— Oui.

— Mon nom est Tom. Maître maçon. Je suis un bon

artisan et mes enfants sont affamés. Il paraît que vous avez une carrière. » Il retint son souffle.

« Nous avons bien une carrière, mais je ne crois pas que nous ayons besoin d'autres carriers », dit Matthew. Il jeta un coup d'œil au comte qui secoua la tête de façon à peine perceptible. « Non, dit Matthew. Nous ne pouvons pas vous engager. »

Matthew n'était pas un homme cruel, Tom le sentait, mais il avait d'autres choses en tête, et Tom et sa famille affamée n'étaient qu'un problème dont il fallait se débarrasser le plus vite possible.

« Vous pourriez, fit Tom au désespoir, m'employer à des réparations ici au château.

— Mais nous avons déjà un compagnon pour ce genre de travail, répondit Matthew.

— Je suis maçon, fit Tom. Mes murs sont solides. »

Agacé de l'entendre tenir tête, Matthew sembla sur le point de dire quelque chose de désagréable ; puis il regarda les enfants et son visage se radoucit. « J'aimerais vous donner du travail, mais nous n'avons pas besoin de vous. »

Tom hocha la tête. Il n'avait plus maintenant qu'à accepter humblement ce que l'intendant avait dit, prendre un air navré et quémander un repas et un endroit où dormir pour une nuit. Mais Ellen était avec lui et il craignait de la voir partir, alors il essaya encore une fois. Il dit d'une voix assez forte pour être entendu du comte : « J'espère que vous ne vous attendez pas à être attaqués bientôt. »

Ses paroles produisirent un effet beaucoup plus spectaculaire qu'il ne s'y attendait. Matthew sursauta et le comte se leva d'un bond. « Pourquoi dis-tu cela ? » demanda-t-il sèchement.

Tom sentit qu'il avait touché un point délicat. « Parce que vos défenses sont en triste état, dit-il.

— Comment cela ? demanda le comte. Sois précis, maçon ! »

Il prit une profonde inspiration. Le comte était irrité mais attentif. « Le mortier des murs du corps de garde s'effrite par endroits, ce qui laisse une ouverture pour glisser un levier. Un ennemi pourrait facilement faire sauter une pierre ou deux ; dès l'instant où il y a un trou, il devient facile d'abattre le mur. Et puis », s'empressa-t-il d'ajouter sans laisser à personne le temps de commenter ni de discuter, « et puis tous vos créneaux sont endommagés. Il y a des

210

endroits où ils ont même disparu. Cela laisse vos archers et vos chevaliers exposés...

— Je sais à quoi servent les créneaux, fit le comte avec agacement. Rien d'autre ?

— Si. Le donjon a un magasin avec une porte en bois. Si j'attaquais le château, je passerais par là et je mettrais le feu aux provisions.

— Et si tu étais le comte, comment empêcherais-tu cela ?

— Avec une pile de pierres déjà taillées, une réserve de sable et de chaux pour le mortier et un maçon prêt à bloquer cette porte en cas de danger. »

Le comte Bartholomew dévisagea Tom. Ses yeux bleu pâle étaient mi-clos et un pli soucieux barrait son front. En voulait-il à Tom d'avoir ainsi critiqué les défenses du château ? On ne pouvait jamais dire comment un seigneur réagirait aux critiques. Mieux valait dans l'ensemble les laisser commettre leurs fautes. Mais Tom était dans une situation désespérée.

Le comte enfin sortit de ses pensées. Il se tourna vers Matthew et dit : « Engage cet homme. »

Un cri de joie s'éleva dans la gorge de Tom et il dut faire tous ses efforts pour le réprimer. Il n'en croyait pas ses oreilles. Ellen et lui échangèrent un sourire ravi. Martha, qui n'avait pas la réserve des adultes, cria : « Hourra ! »

Le comte Bartholomew se détourna et se mit à parler avec un chevalier. Matthew sourit à Tom. « Avez-vous dîné aujourd'hui ? » s'enquit-il.

Tom avala sa salive. Il était si heureux qu'il se sentait au bord des larmes. « Non, pas encore.

— Je vais vous conduire à la cuisine. »

Ils suivirent avec empressement l'intendant qui leur fit traverser le hall et franchir le pont jusqu'à l'enceinte inférieure. La cuisine était un grand bâtiment de bois avec des fondations en pierre. Une douce odeur flottait dans l'air : on faisait cuire des pâtisseries. Tom sentait gronder son estomac douloureux. L'intendant ressortit avec un grand pot de bière qu'il tendit à Tom. « On va vous apporter du pain et du jambon froid », dit-il avant de les quitter.

Tom avala une gorgée de bière et offrit le pot à Ellen. Elle fit boire Martha, puis but à son tour et tendit la cruche à Jack. Alfred voulut s'en emparer avant. Jack pivota, gardant le pot hors de portée d'Alfred. Tom ne voulait pas d'une autre querelle entre les enfants, pas maintenant où tout enfin s'arrangeait. Il allait intervenir — enfreignant ainsi sa règle de ne pas se mêler des querelles des enfants — quand Jack se retourna et tendit humblement le pot à Alfred.

Alfred le porta à ses lèvres. Tom, qui n'avait bu qu'une gorgée, pensait que le pot allait lui revenir ; mais Alfred semblait décidé à le vider. Une chose étrange alors se produisit. Comme Alfred renversait la tête en arrière pour ne pas perdre une goutte de bière, quelque chose comme un petit animal tomba sur son visage.

Alfred poussa un hurlement et lâcha le pot. Il écarta d'un geste la petite chose inerte. « Qu'est-ce que c'est ? » grinça-t-il. L'animal tomba par terre. Il le contempla, tremblant de dégoût. C'était le roitelet mort.

Tom surprit le regard d'Ellen. Tous deux se tournèrent vers Jack. Jack avait pris le pot des mains d'Ellen puis avait tourné le dos un moment, comme pour échapper à Alfred, puis il lui avait tendu la cruche avec une étonnante bonne volonté...

Maintenant il attendait sans rien dire, regardant Alfred horrifié avec un petit sourire satisfait sur son malin visage de vieux gamin.

Jack savait qu'il le paierait. Alfred trouverait moyen de se venger. Quand les autres ne regarderaient pas, Alfred, peut-être, lui donnerait un coup dans l'estomac. C'était sa méthode favorite, car c'était très douloureux, mais ne laissait pas de marque.

Alfred détestait Jack. C'était pour celui-ci une expérience nouvelle. Sa mère l'avait toujours aimé et il n'avait jamais connu personne d'autre. Il n'y avait aucune raison apparente à l'hostilité d'Alfred. Il semblait avoir les mêmes sentiments pour Martha. Il ne cessait de la pincer, de lui tirer les cheveux, de lui faire des croche-pieds et il saisissait chaque occasion de l'embêter. La mère de Jack voyait bien ce qui se passait et désapprouvait, mais le père d'Alfred semblait trouver cette attitude parfaitement normale, bien qu'il fût lui-même un homme bon et doux qui de toute évidence aimait Martha.

Jack n'avait jamais connu de toute sa vie une période aussi excitante. Malgré Alfred, malgré la faim qui le tenaillait la plupart du temps, malgré le dépit qu'il éprouvait à voir sa mère prodiguer ses attentions à Tom et non à lui, Jack était fasciné par toutes ces expériences nouvelles.

La découverte du château n'était pas la moindre. Il avait entendu parler des châteaux forts : dans les longues soirées d'hiver passées dans la forêt, sa mère lui avait appris à réciter des chansons de geste, des poèmes en français où il était question de chevaliers et de magiciens, la plupart longs de milliers de vers ; et les châteaux figuraient dans ces récits comme des lieux de légende.

Jusqu'alors, il les imaginait comme des versions élargies de la grotte où il vivait. La réalité le laissait stupéfait : c'était si grand, avec tant de bâtiments et une telle foule de gens, tous si affairés : à ferrer les chevaux, à tirer de l'eau, à nourrir des poules, à cuire du pain et à porter des fardeaux, sans cesse des fardeaux, de la paille pour mettre par terre, du bois pour les feux, des sacs de farine, des balles de tissu, des épées, des selles et des cottes de mailles. Tom lui expliqua que la douve et le rempart ne faisaient pas partie naturellement du paysage, mais qu'ils avaient été creusés et édifiés grâce aux efforts conjugués de douzaines d'hommes. Jack ne mettait pas en doute la parole de Tom, mais il n'arrivait pas à imaginer la chose.

A la fin de l'après-midi, quand il commençait à faire trop sombre pour travailler, tous gravitaient vers la grande salle du donjon. On allumait les chandelles à mèche de jonc, on ranimait le feu et les chiens venaient s'abriter du froid. Des serviteurs prenaient des planches et des tréteaux entassés dans un coin de la pièce et dressaient des tables en forme de T, puis alignaient des chaises le long de la barre du T et des bancs de chaque côté du montant.

Un peu plus tard, chacun s'asseyait sur les bancs. Un des serviteurs du château distribuait de grandes écuelles et des cuillers de bois, puis il refit le tour de la table pour déposer une épaisse tranche de pain bis rassis au fond de chaque écuelle. Un autre serviteur apporta des coupes en bois et les remplit de bière puisée à une série de grandes cruches. Jack, Martha et Alfred, assis tout au bout de la table, reçurent une coupe de bière chacun, ce qui évita toute bagarre. Jack allait porter la coupe à ses lèvres, mais sa mère lui dit d'attendre un moment.

Une fois la bière servie à la ronde, le silence se fit dans la salle. Jack attendit. Au bout d'un moment, le comte Bartholomew apparut en haut de l'escalier qui menait à sa chambre. Il descendit dans la salle, suivi de l'intendant Matthew, de trois ou quatre hommes bien vêtus, d'un garçon et de la plus belle créature sur laquelle Jack eût jamais posé les yeux.

C'était une jeune fille, ou peut-être déjà une dame. Vêtue d'une tunique blanche munie de manches évasées qui traînaient sur le sol derrière elle tandis qu'elle semblait glisser le long de l'escalier. Sa chevelure formait une cascade de boucles brunes autour de son visage, et elle avait des yeux très, très noirs. Jack comprit ce que voulaient dire les chansons de geste quand elles parlaient d'une belle princesse dans un château.

Quand elle fut parvenue au pied de l'escalier, Jack vit qu'elle était très jeune, à peine quelques années de plus que lui ; mais elle tenait la tête haute et s'avançait vers la table comme une reine. Elle s'assit auprès du comte Bartholomew.

« Qui est-ce ? chuchota Jack.

— Ce doit être la fille du comte, répondit Martha.

— Comment s'appelle-t-elle ? »

Martha haussa les épaules en signe d'ignorance, mais une fillette au visage sale, assise auprès de Jack, s'empressa de l'informer : « Elle s'appelle Aliena. Elle est merveilleuse. »

Le comte leva sa coupe vers Aliena, puis parcourut lentement du regard toute la table et but une gorgée. C'était le signal que l'on attendait. Les convives l'imitèrent, chacun levant sa coupe avant de boire.

On apporta le souper dans d'énormes chaudrons fumants. On servit d'abord le comte ; puis sa fille, le jeune garçon et les hommes qui se trouvaient avec eux au bout de la table ; les autres se servirent ensuite. C'était un poisson salé dans un ragoût épicé. Jack emplit son écuelle et mangea tout, puis dévora la tranche de pain qui se trouvait au fond. Entre deux bouchées, il observait Aliena, captivé par tous ses gestes, depuis la façon délicate dont elle piquait des morceaux de poisson à l'extrémité de son couteau pour les mettre élégamment entre ses dents blanches, jusqu'au ton autoritaire qu'elle avait pour appeler les serviteurs et leur donner des ordres. Ils semblaient tous l'aimer. Ils réagissaient au moindre de ses gestes, souriaient lorsqu'elle parlait et se précipitaient pour la servir. Les jeunes gens autour de la table la dévoraient des yeux, remarqua Jack, et certains d'entre eux essayaient de se faire remarquer, dès qu'ils croyaient qu'elle regardait de leur côté. Mais elle ne s'intéressait qu'aux hommes plus âgés qui entouraient son père, s'assurant qu'ils avaient assez de pain et de vin, leur posant des questions et écoutant attentivement leurs réponses.

Après le souper, il y eut de la musique. Deux hommes et une femme jouèrent des airs, accompagnés de cloches de moutons, d'un tambourin et de flûtes faites avec des os d'animaux et d'oiseaux. Le comte ferma les yeux, savourant la musique, mais Jack n'aimait pas les mélodies obsédantes et mélancoliques qu'il entendait. Il préférait les joyeuses chansons que lui chantait sa mère. Le reste de la salle, manifestement, partageait ses sentiments, car on s'agitait sur les bancs et un soulagement général salua la fin de la musique.

Jack espérait voir Aliena de plus près, mais à son vif désappointement elle quitta la pièce après la musique et remonta l'escalier.

Les enfants et certains des adultes jouaient aux échecs et aux marelles pour passer le temps. Les plus habiles confectionnaient des ceintures, des bonnets, des chaussettes, des gants, des écuelles, des sifflets, des dés, des pelles et des cravaches. Jack fit plusieurs parties d'échecs qu'il remporta toutes ; mais un homme d'armes s'enrageant d'avoir été vaincu par un enfant, la mère de Jack lui ordonna de ne plus jouer. Jack déambula alors dans la salle, écoutant les différentes conversations.

Les chandelles finirent par s'éteindre, le comte se retira et les soixante ou soixante-dix personnes qui se trouvaient là se drapèrent dans leurs manteaux et s'allongèrent sur le sol couvert de paille pour dormir.

Comme d'habitude, sa mère se coucha avec Tom sous le grand manteau de celui-ci qu'elle serra comme elle le faisait avec Jack quand il était petit. Jack les regarda avec envie. Il les entendait parler à voix basse et sa mère eut un petit rire complice. Au bout d'un moment, leurs corps se mirent à s'agiter sous le manteau. La première fois qu'il les avait surpris, Jack avait été terriblement inquiet, pensant qu'ils avaient mal ; mais ils s'embrassaient en même temps et, même si parfois sa mère gémissait, il devinait que c'était un gémissement de plaisir. Il n'osait pas l'interroger là-dessus. Mais ce soir-là, tandis que le feu s'éteignait, il vit un autre couple faire la même chose et force lui fut de conclure que ce devait être normal. Ce n'était qu'un mystère de plus, songea-t-il, et peu après il s'endormit.

Les enfants se réveillèrent tôt le lendemain matin, mais on ne servait pas le déjeuner avant la messe et on ne disait pas la messe avant le lever du comte. Aussi durent-ils attendre. Un serviteur les enrôla pour aller chercher le bois de la journée. Les adultes commencèrent à s'éveiller et quand les enfants eurent rapporté le bois, ils aperçurent Aliena.

Elle descendit l'escalier, mais cette fois elle portait une courte tunique et des bottes de feutre. La masse de ses cheveux était ramenée en arrière par un ruban, découvrant ses petites oreilles et son cou blanc. Ses grands yeux sombres, qui la veille avaient paru graves, pétillaient aujourd'hui de malice, et elle souriait. Elle était suivie du jeune garçon assis la veille avec elle et le comte au haut bout de la table. Il paraissait d'un an ou deux plus âgé que Jack, sans avoir cependant la taille d'Alfred. Il regarda curieusement Jack, Martha et Alfred, mais ce fut la jeune fille qui parla. « Qui êtes-vous ? dit-elle.

— Mon père, répondit Alfred, est le maçon qui doit réparer ce château. Je suis Alfred. Ma sœur s'appelle Martha. Et voici Jack. »

Alors qu'elle s'approchait, Jack respira un parfum de lavande et il en fut tout saisi. Comment une personne pouvait-elle sentir comme les fleurs ?

« Quel âge as-tu ? demanda-t-elle à Alfred.

— Quatorze ans. » Alfred lui aussi était impressionné, Jack le sentait. Alfred balbutia : « Et vous ?

— Quinze ans. Voulez-vous quelque chose à manger ?

— Oui.

— Alors, venez avec moi. »

Ils la suivirent tous dehors. « Mais, dit Alfred, on ne sert pas le déjeuner avant la messe.

— Les gens font ce que je leur dis », lança Aliena relevant fièrement la tête.

Elle leur fit traverser le pont jusqu'à l'enceinte inférieure et leur dit d'attendre devant la cuisine pendant qu'elle entrait. Martha souffla à Jack : « N'est-ce pas qu'elle est jolie ? » Il hocha la tête sans rien trouver à dire. Quelques instants plus tard, Aliena ressortit avec un pot de bière et une miche de pain. Elle rompit le pain et leur en distribua des morceaux, puis elle fit passer le pot de bière.

Martha demanda timidement : « Où est ta mère ?

— Ma mère est morte, répondit vivement Aliena.

— Tu n'es pas triste, dit Martha.

— Je l'ai été, mais il y a longtemps. » Du menton, elle désigna le jeune garçon auprès d'elle. « Richard ne s'en souvient même pas. »

Richard doit être son frère, se dit Jack.

« Ma mère est morte aussi, déclara Martha, les larmes aux yeux.

— Quand est-elle morte ? interrogea Aliena.

— La semaine dernière. »

Aliena ne semblait guère émue par la peine de Martha, observa Jack ; à moins qu'elle ne voulût cacher son propre chagrin.

« Alors, dit-elle brusquement, qui est cette femme avec toi ?

— C'est ma mère à moi », répliqua aussitôt Jack, ravi d'avoir quelque chose à dire.

Aliena se tourna vers lui comme si elle le voyait pour la première fois. « Alors, où est ton père ?

— Je n'en ai pas », dit-il. Qu'elle le regardât suffisait à le bouleverser.

« Il est mort aussi ?

— Non, fit Jack. Je n'ai jamais eu de père. »

Il y eut un moment de silence, puis Aliena, Richard et Alfred éclatèrent tous de rire. Jack étonné les regarda sans comprendre ; mais leurs rires ne faisaient que redoubler jusqu'au moment où Jack se sentit mortifié. Qu'y avait-il de si drôle à n'avoir jamais eu de père ? Même Martha souriait, oubliant ses larmes.

Alfred lança d'un ton railleur : « Alors, d'où sors-tu, si tu n'as pas de père ?

— De ma mère, dit Jack, déconcerté. Qu'est-ce que les pères ont à voir là-dedans ? »

Les rires redoublèrent. Richard sautillait de joie en braquant sur Jack un doigt moqueur. Alfred dit à Aliena : « Il ne sait rien du tout : nous l'avons trouvé dans la forêt. »

Jack sentit la honte lui brûler les joues. Il avait été si heureux de parler à Aliena, et voilà maintenant qu'elle le prenait pour un parfait imbécile, un ignorant de la forêt ; le pire de tout, c'était qu'il ne savait toujours pas ce qu'il avait dit de risible. Il avait envie de pleurer, et cela n'arrangeait pas les choses. Il regarda Aliena, son ravissant visage pétillant d'amusement et, comme il ne pouvait pas le supporter, il jeta son pain par terre et s'en alla.

Sans se soucier où il allait, il arriva au pied du remblai du château ; il gravit la pente raide et, arrivé au sommet, il s'assit sur la terre froide, contemplant le paysage, s'apitoyant sur son sort, haïssant Alfred, Richard, et même Martha et Aliena. Les princesses n'ont pas de cœur, se dit-il.

La cloche sonna la messe. Les services religieux étaient encore un mystère pour lui. Parlant une langue qui n'était ni l'anglais ni le français, les prêtres chantaient et s'adressaient à des statues, à des images et même à des êtres invisibles. Chaque fois qu'elle le pouvait, la mère de Jack évitait d'assister aux offices.

En voyant les habitants du château fort se diriger vers la chapelle, Jack grimpa jusqu'au faîte du mur et s'assit de l'autre côté, à l'abri des regards.

Le château était entouré de champs plats et nus, que bordait au loin la forêt. Deux visiteurs matinaux traversaient le plateau en direction du château. Le ciel était rempli de nuages gris et bas. Jack se demanda s'il n'allait pas neiger.

Deux autres visiteurs matinaux apparurent. Ces deux-là étaient à cheval. Ils approchaient rapidement et dépassèrent bientôt les deux premiers, franchissant le pont de bois. Tous les quatre devraient attendre la fin de la messe avant de pouvoir vaquer aux affaires qui les amenaient ici, car tout le monde y assistait, sauf les sentinelles de garde.

Brusquement une voix toute proche fit sursauter Jack. « Enfin, te voilà ! » C'était sa mère. Elle vit aussitôt qu'il était bouleversé. « Qu'y a-t-il ? »

Il aurait voulu trouver du réconfort auprès d'elle, mais il durcit son cœur et dit : « Est-ce que j'ai eu un père ?

— Oui, fit-elle. Tout le monde a un père. » Elle s'agenouilla auprès de lui.

Il détourna le visage. C'était sa faute s'il avait été humilié, car elle ne lui avait jamais parlé de son père. « Qu'est-ce qui lui est arrivé ?

— Il est mort.

— Quand j'étais petit ?

— Avant ta naissance.

— Comment pouvait-il être mon père, s'il est mort avant que je sois né ?

— Les bébés poussent à partir d'une graine. La graine sort du sexe d'un homme pour se planter dans le ventre

218

d'une femme. La graine se développe alors dans son ventre pour former un bébé et, quand il est prêt, il sort. »

Jack resta un moment silencieux, digérant cette information. Il se doutait confusément que cela avait un rapport avec ce que sa mère et Tom faisaient la nuit. « Est-ce que Tom va planter une graine en toi ? demanda-t-il.

— Peut-être.

— Alors tu auras un nouveau bébé ? »

Elle acquiesça. « Un frère pour toi. Tu aimerais ?

— Ça m'est égal, dit-il. Tom t'a déjà prise à moi. Un frère ne changerait pas grand-chose. »

Elle le serra contre elle. « Personne ne m'éloignera jamais de toi », dit-elle.

« Il fait froid ici, fit-elle au bout d'un moment. Allons nous asseoir auprès du feu en attendant le déjeuner. »

Ils se levèrent et dévalèrent le remblai jusque dans l'enceinte. Pas trace des quatre visiteurs. Peut-être étaient-ils entrés dans la chapelle.

Comme Jack et sa mère traversaient le pont pour regagner l'enceinte supérieure, Jack demanda : « Comment s'appelait mon père ?

— Jack, comme toi, dit-elle. On l'appelait Jack Shareburg. »

Cela lui plut. Il avait le même nom que son père. « Alors, s'il y a un autre Jack, je peux dire aux gens que je suis Jack Jackson.

— Tu peux. Les gens ne te donnent pas toujours le nom que tu veux, mais tu peux essayer. »

Jack hocha la tête. Il se sentait mieux. Il n'avait plus honte maintenant. Il savait à quoi servait un père et il connaissait le nom du sien. Jack Shareburg.

Ils arrivèrent à l'enceinte supérieure. Il n'y avait pas de sentinelle. La mère de Jack s'arrêta, fronçant les sourcils. « J'ai l'impression qu'il se passe quelque chose de bizarre », dit-elle. Sa voix était calme et unie, mais on y percevait une note de crainte qui fit frissonner Jack, et il eut la prémonition d'un désastre.

Sa mère entra dans le petit poste de garde à la base du bâtiment. Jack l'entendit pousser un cri étouffé. Il entra derrière elle. Elle était figée dans une attitude de stupeur, la main sur sa bouche, et son regard fixait le sol.

Allongée sur le dos, les bras inertes de chaque côté du

corps, la sentinelle gisait la gorge ouverte au milieu d'une flaque de sang frais. A n'en pas douter, l'homme était mort.

XI

William Hamleigh et son père étaient partis au milieu de la nuit, avec près d'une centaine de chevaliers et d'hommes d'armes à cheval, Mère en arrière-garde. A la lueur des torches, ces guerriers au visage emmitouflé pour se protéger de l'air froid de la nuit avaient de quoi terrifier les habitants des villages qu'ils traversaient avec fracas pour se rendre à Earlscastle. Parvenus au carrefour de la grand-route alors qu'il faisait encore nuit noire, ils avaient mis pied à terre et avaient continué en tenant leurs chevaux par la bride, pour les reposer et faire moins de bruit. Comme l'aube commençait à se lever, ils se cachèrent dans les bois de l'autre côté des champs qui les séparaient du château fort du comte Bartholomew.

William n'avait pas compté le nombre d'hommes en état de se battre au château — une omission que Mère lui avait sévèrement reprochée. Il estimait toutefois avoir vu une quarantaine d'hommes ; aussi, s'il n'y avait pas eu de grands changements dans les quelques heures qui s'étaient écoulées, les Hamleigh auraient l'avantage d'être à deux contre un.

Ce n'était pas assez, bien sûr, pour assiéger le château. Ils avaient toutefois conçu un plan pour le prendre sans siège. Le problème était que l'armée qui attaquait serait repérée par les guetteurs et que les entrées du château seraient fermées bien avant son arrivée. La solution était de trouver un moyen de maintenir les accès ouverts le temps qu'il fallait à l'armée pour pénétrer dans la place.

Bien entendu, Mère avait résolu le problème.

« Il nous faut une diversion, avait-elle dit. Par exemple un incendie.

— Il faudrait agir en douce, dit William.

— Évidemment, fit Mère avec impatience. Tu n'auras qu'à profiter de l'heure où les gens seront tous à la messe.

— Moi ? » s'exclama William.

On l'avait mis à la tête du groupe d'éclaireurs.

Le ciel matinal s'éclaircissait avec une pénible lenteur. William était nerveux. Pendant la nuit, avec Mère et Père, il avait perfectionné leur plan, mais il restait encore beaucoup de choses qui pouvaient mal tourner : les éclaireurs, pour une raison quelconque, pourraient ne pas pénétrer dans le château, ou bien peut-être les considérerait-on avec méfiance, ce qui les empêcherait d'agir discrètement. Même si le plan réussissait, il y aurait une bataille, le premier vrai combat de William. Des hommes seraient blessés et tués, et peut-être William parmi ceux-là. Il en avait le ventre noué de peur. S'il était vaincu, Aliena le saurait. D'un autre côté, elle serait là aussi pour assister à son triomphe. Il s'imagina entrant en trombe dans sa chambre, une épée ensanglantée à la main. Elle regretterait alors d'avoir ri de lui.

Du château parvint le son de la cloche appelant à la messe du matin.

William fit un signe de tête et deux éclaireurs se détachèrent du groupe pour s'avancer à travers champs en direction du château. C'étaient Raymond et Ranulf, deux solides gaillards, de quelques années plus âgés que William. William les avait choisis lui-même, son père lui ayant donné pleine autorité. Père, pour sa part, dirigerait l'assaut du gros de la troupe.

William suivit des yeux Raymond et Ranulf qui traversaient d'un pas vif les champs gelés. Ils n'étaient pas encore arrivés au château que William se tourna vers Walter, puis il talonna son cheval et tous deux s'élancèrent au trot. Les sentinelles sur les remparts verraient deux hommes à pied et deux à cheval se dirigeant séparément vers le château : voilà qui semblerait parfaitement innocent.

William avait bien calculé son affaire. Walter et lui dépassèrent Raymond et Ranulf à une centaine de mètres du château. Arrivés au pont, ils mirent pied à terre. William avait le cœur battant. S'il ratait cette partie de l'opération, c'est toute l'attaque qui serait compromise.

Deux sentinelles montaient la garde à la porte. William songea avec horreur qu'on allait lui tendre une embuscade et qu'une douzaine d'hommes d'armes allaient surgir et le tailler en pièces. Les sentinelles semblaient en alerte, mais pas anxieuses. Les hommes ne portaient pas d'armure. William et Walter avaient une cotte de mailles sous leur manteau.

Malade d'appréhension, William n'arrivait pas à avaler sa salive tant il avait la gorge serrée. Une des sentinelles le reconnut : « Bonjour, seigneur William, dit-il d'un ton jovial. On est revenu faire sa cour ?

— Oh ! Mon Dieu », fit William d'une voix blanche, puis il plongea une dague dans le ventre de la sentinelle, remontant la lame sous la cage thoracique jusqu'au cœur.

L'homme tressaillit, s'effondra et ouvrit la bouche comme pour crier. Affolé, ne sachant que faire, William plongea sa dague dans la bouche ouverte de l'homme, lui enfonçant la lame dans la gorge pour le faire taire. Au lieu d'un cri, ce fut un flot de sang qui jaillit et les yeux de l'homme se fermèrent. William libéra sa dague tandis que l'homme s'effondrait.

William reprit son cheval par la bride, puis se tourna vers Walter qui s'était chargé de l'autre sentinelle en lui tranchant la gorge. Il faut que je m'en souvienne, songea William, la prochaine fois que je devrai faire taire un homme. Puis il se répéta : Je l'ai fait ! J'ai tué un homme !

Il n'avait plus peur.

Il tendit ses rênes à Walter et grimpa quatre à quatre les marches de l'escalier en spirale qui menait à la tour du corps de garde. A l'étage supérieur se trouvait la chambre du treuil d'où l'on remontait le pont-levis. Avec son épée, William s'attaqua à l'épais cordage. Deux coups suffirent à le trancher. William lâcha le bout libre par la fenêtre. Il tomba sur la berge et glissa doucement dans la douve, sans éclaboussure. On ne pouvait désormais plus relever le pont-levis quand Père attaquerait avec ses hommes. C'était une des idées qui leur étaient venues la nuit dernière.

Raymond et Ranulf arrivèrent juste au moment où William atteignait le bas de l'escalier. Leur première tâche fut de briser les énormes portes de chêne renforcées par des plaques de fer qui condamnaient l'accès du pont. Ils prirent chacun un maillet et un ciseau et commencèrent à entailler le mortier entourant les puissants gonds. Le choc du maillet sur le ciseau faisait un bruit sourd que William trouvait très fort.

William traîna rapidement les corps des deux sentinelles dans le poste de garde. Comme tout le monde était à la messe, il y avait de fortes chances pour qu'on ne les découvre pas trop tôt.

Il reprit les rênes de son cheval à Walter et tous deux

222

passèrent sous l'arche avant de traverser l'enceinte pour se diriger vers l'écurie. William s'imposait un pas normal et sans hâte, tout en jetant de subreptices coups d'œil aux sentinelles postées sur les tours de guet. L'une d'elles avait-elle vu la corde du pont-levis tomber dans la douve ? Certains des soldats regardaient William et Walter mais ils ne semblaient pas émus, et le martèlement, qui s'atténuait déjà aux oreilles de William, devait être inaudible du haut des tours. Le jeune homme soupira : le plan fonctionnait.

Une fois à l'intérieur des écuries, ils enroulèrent les rênes de leurs chevaux autour d'une barre sans les nouer pour que les bêtes puissent s'échapper. Walter prit alors une pierre à feu et fit jaillir une étincelle, mettant le feu à la paille qui tapissait le sol. Bien qu'humide et souillée par endroits, elle commença à se consumer. Walter alluma trois autres foyers et William l'imita. Les chevaux flairèrent la fumée et commencèrent à s'agiter dans les stalles. L'incendie progressait. Le plan d'attaque aussi.

Walter et William sortirent de l'écurie. Devant le corps de garde, cachés sous l'arche, Raymond et Ranulf s'acharnaient toujours sur le mortier autour des gonds. William et Walter se dirigèrent vers la cuisine, pour donner l'impression qu'ils allaient chercher quelque chose à manger, ce qui serait naturel. Il n'y avait personne dans l'enceinte : tout le monde était à la messe. Jetant un bref coup d'œil aux créneaux, William observa que les sentinelles ne regardaient pas vers le château, mais vers les champs comme évidemment c'était leur consigne. William s'attendait néanmoins à voir à tout moment quelqu'un sortir d'un des bâtiments et les interpeller ; il leur faudrait alors tuer l'importun sur place, à découvert, et si quelqu'un les surprenait, la partie était perdue.

Ils contournèrent la cuisine et se dirigèrent vers le pont. En passant devant la chapelle, ils entendirent les rumeurs assourdies du service. Le comte Bartholomew était là, ne se doutant de rien, se dit William avec un frisson ; il ne sait pas le moins du monde qu'il y a une armée à moins d'une demi-lieue d'ici, que quatre ennemis sont déjà à l'intérieur de sa place forte et que ses écuries sont en feu. Aliena était dans la chapelle, elle aussi, agenouillée, en prière : bientôt, songea William, elle s'agenouillera devant moi. Il sentit le sang lui monter à la tête.

Ils parvinrent à la passerelle et s'y engagèrent. Ils

s'étaient assurés que le premier pont demeurerait baissé en coupant les cordes permettant de le relever et en démolissant la porte pour permettre à leur armée de pénétrer. Mais le comte pouvait encore s'enfuir par la passerelle et se réfugier en haut. La tâche suivante de William était d'empêcher cela en relevant le pont-levis pour rendre ce second passage impossible à franchir. Le comte serait isolé et vulnérable.

Ils arrivèrent au second corps de garde et une sentinelle sortit du poste. « Vous êtes bien matinaux, dit l'homme.

— Nous sommes convoqués chez le comte », dit William. Il s'approcha de la sentinelle, mais l'homme recula d'un pas. William ne voulait pas qu'il recule trop loin, car s'il n'était plus sous l'arche, toutes les sentinelles postées sur les remparts pourraient le voir.

« Le comte est à la chapelle, annonça le soldat.

— Eh bien, nous attendrons. » Il fallait tuer ce garde vite et discrètement, mais William ne savait pas comment s'en approcher suffisamment. Il jeta un coup d'œil interrogateur à Walter, mais celui-ci attendait patiemment.

« Il y a du feu dans le donjon, dit le garde. Entrez vous réchauffer. » William hésita et le garde commença à prendre un air méfiant. « Qu'est-ce que vous attendez ? » dit-il avec un soupçon d'irritation.

William cherchait désespérément une explication. « Est-ce que nous pouvons avoir quelque chose à manger ? dit-il enfin.

— Pas avant la fin de la messe, répondit la sentinelle. Alors on servira le déjeuner dans le donjon. »

William s'aperçut que Walter s'était glissé imperceptiblement sur le côté. Que le garde se tourne seulement un peu et Walter pourrait passer derrière lui. William fit quelques pas nonchalants dans la direction opposée, dépassant la sentinelle, et lança : « Je ne suis guère impressionné par l'hospitalité de votre comte. » La sentinelle se tournait vers lui. William ajouta : « Nous venons de loin... »

Là-dessus, Walter attaqua.

Il avança derrière la sentinelle et passa les bras par-dessus les épaules de l'homme. De la main gauche, il renversa sa tête en arrière et, du couteau qu'il tenait dans sa main droite, il lui trancha la gorge. William poussa un soupir de soulagement. Le tout n'avait duré qu'un instant.

À eux deux, William et Walter avaient tué trois hommes

en quelques instants. William éprouva un grisant sentiment de puissance. Personne ne rira plus de moi ! songea-t-il.

Walter traîna le corps dans le poste de garde. Il était conçu exactement comme le premier, avec un escalier en colimaçon menant à la salle du treuil. William s'y engagea, suivi de Walter.

William n'avait pas fait de reconnaissance dans la salle quand il était venu au château la veille. De toute manière, il aurait été difficile de concevoir un prétexte plausible. Il supposait qu'il existait un treuil, ou du moins une roue avec une poignée pour actionner le pont-levis ; mais, il le constatait maintenant, le système de levage se réduisait à une corde et un cabestan. La seule façon de remonter le pont-levis, c'était de tirer sur la corde. William et Walter s'en emparèrent et halèrent ensemble, mais le pont ne grinça même pas. Il aurait fallu dix hommes.

William demeura un instant perplexe. L'autre pont-levis, celui qui donnait accès à l'entrée du château fort, avait une grande roue. Celui-là, Walter et lui auraient pu le lever. Puis il comprit que le pont-levis extérieur devait être remonté chaque nuit alors que celui-ci n'était relevé qu'en cas de danger. De toute façon, il était inutile de s'attarder là-dessus. La question était de savoir ce qu'il fallait faire maintenant. S'il ne parvenait pas à remonter le pont-levis, il pouvait au moins fermer les portes, ce qui assurément retarderait le comte.

Il redescendit précipitamment l'escalier, Walter sur ses talons. En bas, il eut un choc. Tout le monde, apparemment, n'était pas à la messe. Une femme et un enfant sortaient du poste de garde.

William hésita. Il reconnut aussitôt la femme. C'était la compagne du bâtisseur, celle qu'il avait essayé d'acheter la veille pour une livre. Elle le vit aussi et ses yeux couleur de miel au regard pénétrant le fixèrent aussitôt. William n'envisagea même pas de prétendre n'être qu'un innocent visiteur attendant le comte : il savait qu'elle ne se laisserait pas tromper. Il fallait l'empêcher de donner l'alarme. Et la seule façon, c'était de la tuer, vite et en silence, comme pour les sentinelles.

Le regard de la femme à qui rien n'échappait lut sur le visage de William ses intentions. Elle saisit la main de son enfant et tourna les talons. William se jeta sur elle, mais elle était trop vive pour lui. Elle s'enfuit en direction du donjon, poursuivie par William et Walter.

Elle était très légère et eux portaient une cotte de mailles et un pesant équipement. Elle parvint à l'escalier qui menait à la grande salle. Elle se mit à monter les marches en hurlant. William leva les yeux vers les remparts alentour. Son cri avait alerté au moins deux sentinelles. Tout était perdu. William s'arrêta dans sa course au pied des marches, le souffle rauque. Walter l'imita. Deux sentinelles, puis trois, puis quatre descendaient des remparts sur l'esplanade. La femme disparut dans le donjon, tenant toujours par la main le jeune garçon. Mais cela n'avait plus d'importance : maintenant que les sentinelles étaient alertées, c'était inutile de la tuer.

Walter et William dégainèrent leur épée et se plantèrent côte à côte, prêts à se battre.

Le prêtre élevait l'hostie au-dessus de l'autel lorsque Tom se rendit compte qu'il se passait quelque chose du côté des chevaux.

Il entendait plus de hennissements et de piétinements qu'il n'était normal. Un instant après, une voix interrompit les litanies du prêtre : « Je sens de la fumée ! »

Tom la sentit aussi, et tout le monde avec lui. Plus grand que les autres, Tom, en se haussant sur la pointe des pieds, alla regarder par les fenêtres de la chapelle : les écuries étaient en flammes. « Au feu ! » cria-t-il et, avant qu'il ait pu en dire plus, sa voix fut noyée par les hurlements des autres. Il y eut une bousculade vers la porte. On oublia le service. Tom arrêta Martha, de crainte qu'elle ne fût blessée dans la panique, et dit à Alfred de rester avec eux. Il se demanda où étaient Ellen et Jack. Un instant plus tard, il n'y avait plus personne dans la chapelle qu'eux trois et un prêtre fort mécontent.

Tom fit sortir les enfants. Des gens détachaient les chevaux, tandis que d'autres tiraient de l'eau du puits pour la lancer sur les flammes. Tom ne voyait toujours pas Ellen. Les chevaux détachés fonçaient sur l'esplanade, terrifiés par le feu et les cris des gens. Le martèlement des sabots était impressionnant. Tom tendit l'oreille un moment et fronça les sourcils : on aurait dit plutôt cent chevaux que vingt ou trente. Il fut frappé soudain d'une effrayante appréhension. « Ne bouge pas d'ici, Martha, dit-il. Alfred, veille sur elle. » Il escalada le remblai jusqu'en haut des remparts. La pente raide le contraignit à ralentir avant de parvenir au sommet. Arrivé là, hors d'haleine, il regarda. Son appréhension était justifiée. Il sentit la peur lui glacer le cœur. Une armée de cavaliers, forte de quatre-vingts ou cent hommes, chargeait à travers champs en direction du château. Tom voyait l'éclat métallique de leurs cottes de mailles et de leurs épées dégainées. Les chevaux galopaient ventre à terre. On n'entendait pas de cris ni de clameurs, rien que le tonnerre assourdissant de centaines de sabots frappant le sol.

Le regard de Tom revint à l'enceinte du château. Pourquoi personne d'autre n'entendait-il le fracas de cette armée ? Parce que le bruit des sabots était étouffé par les remparts et qu'il venait se mêler à la bruyante panique des gens sur l'esplanade. Pourquoi les sentinelles n'avaient-elles rien vu ? Parce qu'elles avaient toutes abandonné leurs postes pour lutter contre le feu. Cette attaque avait été conçue par un esprit habile. C'était à Tom maintenant de donner l'alarme.

Où était Ellen ?

Comme les attaquants approchaient, son regard balaya le terre-plein, en partie obscurci par l'épaisse fumée blanche qui jaillissait des écuries en feu. Pas trace d'Ellen.

Il repéra le comte Bartholomew auprès du puits, qui s'efforçait d'organiser une chaîne pour arroser les flammes. Tom dévala le remblai et se précipita vers lui, le saisit sans ménagements par l'épaule et lui hurla à l'oreille : « C'est une attaque !

— Quoi ?

— Nous sommes attaqués ! »

Le comte ne pensait qu'au feu. « Attaqués ? Par qui ?

— Écoutez ! cria Tom. Une centaine de chevaux. »

Le comte pencha la tête de côté. « Par la Croix... tu as raison ! Tu les as vus ?

— Oui.

— Qui... Peu importe qui ! Une centaine de chevaux ?

— Oui...

— Peter ! Ralph ! » Le comte se détourna de Tom pour appeler ses lieutenants. « C'est un assaut... Cet incendie n'est qu'une diversion... On nous attaque ! » Comme le comte, ils commencèrent par ne pas comprendre, puis ils tendirent l'oreille et enfin semblèrent prendre peur. Le comte cria : « Dites aux hommes d'aller chercher leurs épées... Vite, vite ! » il se retourna vers Tom. « Viens avec moi, maçon... Tu es fort, nous pouvons fermer les portes. » Il se précipita, Tom sur ses talons. S'ils parvenaient à fermer les portes et à remonter le pont-levis à temps, ils pourraient tenir en échec une centaine d'hommes. Ils arrivèrent au poste de garde. Par la porte voûtée, on apercevait l'armée, maintenant à moins d'un tiers de lieue, qui se déployait, observa Tom. « Regarde les portes », hurla le comte.

Tom regarda. Les deux énormes vantaux bardés de fer gisaient sur le sol. Il s'aperçut qu'on avait fait sauter leurs gonds du mur. Des éclaireurs ennemis étaient venus ici plus tôt, pensa-t-il. La crainte lui noua l'estomac. Il inspecta l'esplanade, cherchant toujours Ellen, introuvable. Qu'était-elle devenue ? N'importe quoi maintenant pouvait arriver. Il avait besoin d'être avec elle et de la protéger.

« Le pont-levis ! » cria le comte.

Il grimpa en courant l'escalier en spirale qui menait à la chambre du treuil et Tom le suivit. S'ils parvenaient à remonter le pont-levis, une poignée d'hommes pourrait tenir le poste de garde. Mais quand il arriva dans la salle du treuil, on avait coupé la corde. Impossible de remonter le pont-levis.

Le comte Bartholomew jura. « Celui qui a organisé cela est habile comme Lucifer », dit-il.

L'idée vint soudain à Tom que celui, quel qu'il fût, qui avait démoli les portes, coupé la corde du pont-levis et allumé l'incendie devait se trouver encore quelque part à l'intérieur du château.

Le comte jeta un coup d'œil par une meurtrière. « Dieu tout-puissant, ils arrivent presque. » Il descendit l'escalier, suivi de Tom.

A la porte d'entrée, plusieurs chevaliers bouclaient hâtivement leurs ceinturons et coiffaient leurs casques. Le comte Bartholomew commença à donner des ordres. « Ralph et John, emmenez quelques chevaux détachés sur le pont pour qu'ils barrent le passage à l'ennemi. Richard... Peter... Robin... prenez-en d'autres et tenez bon ici. » Le portail était étroit et quelques hommes pourraient repousser les attaquants, du moins pour un petit moment. « Toi, le maçon, conduis les serviteurs et les enfants par la passerelle jusqu'à la cour d'honneur. »

Tom était ravi d'avoir une excuse pour chercher Ellen. Il courut d'abord à la chapelle. Alfred et Martha étaient là où il les avait laissés quelques moments plus tôt. « Allez au donjon, leur cria-t-il. Tous les autres enfants, toutes les femmes que vous rencontrerez, dites-leur de vous suivre... Ordre du comte. Filez ! » Ils détalèrent aussitôt.

Tom regarda alentour. Il était bien décidé à ne pas se laisser prendre dans l'enceinte inférieure. Mais il avait quelques instants pour pouvoir exécuter l'ordre du comte. Il courut jusqu'à l'écurie où des gens lançaient toujours des seaux d'eau sur les flammes. « Ne vous occupez plus du feu, on attaque le château, cria-t-il. Emmenez vos enfants au donjon. »

La fumée lui piquait les yeux et les larmes brouillaient sa vue. Il se frotta les paupières et courut vers un petit groupe en contemplation devant l'incendie des écuries. Il répéta son message ainsi qu'à quelques garçons d'écurie qui avaient rassemblé les chevaux. Il ne vit nulle part trace d'Ellen.

La fumée le faisait tousser. Suffoquant, il revint en courant jusqu'au deuxième pont, s'arrêta là, hors d'haleine, et regarda derrière lui. Des gens traversaient en foule la passerelle. Il était presque certain qu'Ellen et Jack avaient déjà dû gagner le donjon, mais il craignait de les avoir manqués. Il aperçut un petit noyau de chevaliers engagés dans un farouche corps à corps avec l'ennemi à la porte du bas. A part cela, on ne voyait rien que la fumée. Soudain le comte Bartholomew apparut auprès de lui, du sang sur son épée, le visage ruisselant de larmes à cause de la fumée. « Sauve-toi ! » cria le comte à Tom. A cet instant, les attaquants s'engouffrèrent par l'arche du poste d'en bas, culbutant les chevaliers qui le défendaient. Tom tourna les talons et s'enfuit sur le pont.

Quinze ou vingt hommes du comte se tenaient au second poste de garde, prêts à défendre l'enceinte supérieure. Ils s'écartèrent pour laisser passer Tom et le comte. Au moment où leurs rangs se refermaient, Tom entendit le martèlement des sabots sur le pont de bois derrière lui. Les défenseurs n'avaient aucune chance. Tom comprit que ç'était une attaque habilement préparée et parfaitement exécutée. Mais il s'inquiétait surtout du sort d'Ellen et des enfants. Une centaine d'hommes armés assoiffés de sang allaient fondre sur eux. Il traversa en courant l'esplanade supérieure jusqu'au donjon.

A mi-chemin de l'escalier qui menait à la grande salle, il jeta un coup d'œil en arrière. Les défenseurs du second poste de garde furent débordés presque aussitôt par l'attaque des cavaliers. Le comte Bartholomew était sur les marches derrière Tom. Ils eurent tout juste le temps de s'engouffrer dans le donjon et de lever l'escalier inférieur. Tom bondit dans la salle — et il découvrit que les attaquants avaient été encore plus habiles qu'il ne pensait.

L'avant-garde ennemie, qui avait démonté les portes, coupé la corde du pont-levis et mis le feu aux écuries n'avait plus qu'une tâche à remplir : se porter vers le donjon et dresser une embuscade à tous ceux qui s'y étaient réfugiés.

Ils étaient là maintenant dans la grande salle, quatre hommes ricanant vêtus de cottes de mailles. Tout autour d'eux, gisaient les corps ensanglantés des chevaliers du comte, morts et blessés, massacrés au moment où ils entraient. Le chef de cette avant-garde, constata Tom avec un choc, était William Hamleigh.

Tom le dévisagea, abasourdi. Il crut qu'il allait le tuer, mais avant même qu'il n'ait eu le temps d'avoir peur, un des hommes de main de William saisit Tom par le bras, le tira à l'intérieur et l'écarta du chemin.

Ainsi donc, c'étaient les Hamleigh qui attaquaient le château du comte Bartholomew. Mais pourquoi ?

Les serviteurs et les enfants s'étaient regroupés, terrifiés, tout au fond de la salle. On ne tuait donc que les hommes armés. Tom scruta les visages massés là-bas et, à son immense soulagement, il aperçut Alfred, Martha, Ellen et Jack, tous en groupe, affolés mais bien vivants et apparemment indemnes.

Il n'eut même pas le temps d'aller jusqu'à eux qu'un combat s'engagea sur le seuil. Le comte Bartholomew et deux chevaliers tombèrent dans l'embuscade tendue par les hommes de Hamleigh. Un des soldats du comte fut aussitôt abattu, l'autre protégea son seigneur de son épée levée. Quelques chevaliers de Bartholomew arrivèrent derrière le comte et soudain ce fut une terrible bataille au corps à corps, à coups de poing et à coups de couteau, car on n'avait pas la place de dégainer une longue épée. Un moment, il sembla que les hommes du comte allaient

l'emporter sur ceux de William, puis certains se retournèrent et commencèrent à se défendre sur leurs arrières. De
toute évidence, les attaquants avaient pénétré dans
l'enceinte supérieure, ils gravissaient les marches et attaquaient le donjon.

Une voix puissante lança : « Arrêtez ! »

Dans chaque camp les hommes se mirent sur la défensive
et le combat s'arrêta.

La même voix cria : « Bartholomew de Shiring, veux-tu
te rendre ? »

Le comte se retourna vers la porte. Ses chevaliers s'écartèrent.

« Hamleigh », murmura Bartholomew d'une voix incrédule. Puis, haussant le ton, il dit : « Laisseras-tu indemnes
ma famille et mes serviteurs ?

— Oui.

— Veux-tu le jurer ?

— Je le jure par la Croix, si tu te rends.

— Je me rends », déclara le comte Bartholomew.

De grandes acclamations jaillirent dehors.

Tom se détourna. Martha traversa la salle en courant pour
venir vers lui. Il la prit dans ses bras, puis il étreignit Ellen.

« Nous sommes sains et saufs, dit Ellen, les larmes aux
yeux. Nous tous... Nous sommes tous saufs...

— Saufs, dit Tom avec amertume, mais une fois de plus
sans ressources. »

William cessa ses vivats. Il ne convenait pas au fils de
lord Percy de pousser des cris et des vivats comme les hommes d'armes. Il arbora donc une expression de seigneu-
riale satisfaction.

Ils étaient victorieux. Malgré ses difficultés, il avait mis
à exécution le plan, et l'attaque avait réussi essentiellement
à cause de son travail de reconnaissance. Il avait perdu le
compte des hommes qu'il avait tués et mutilés, mais lui-
même était indemne. Une pensée le frappa : il y avait beaucoup de sang sur son visage pour quelqu'un qui n'était pas
blessé. Ce devait être son propre sang. Il porta la main à
son visage, puis à son crâne. Il avait perdu une touffe de
cheveux et, lorsqu'il se palpa le cuir chevelu, il eut une
sensation de brûlure. Maintenant qu'il avait découvert sa
blessure, elle commençait à lui faire mal. Mais peu importait. Une blessure était un insigne de courage.

Son père vint se planter sur le seuil devant le comte Bartholomew. Bartholomew lui tendit son épée, le pommeau en avant dans un geste de reddition. Percy s'en empara et ses hommes poussèrent de nouvelles acclamations.

Comme le bruit s'apaisait, William entendit Bartholomew dire :

« Pourquoi avez-vous fait cela ?

— Vous avez conspiré contre le roi », répondit Père.

Bartholomew était stupéfait que Hamleigh fût au courant. William retint son souffle, se demandant si Bartholomew, dans le désespoir de la défaite, allait avouer devant tous ses gens qu'il avait comploté. Mais il retrouva son calme, se redressa et dit : « Je défendrai mon honneur devant le roi, pas ici. »

Le père de William acquiesça. « Comme vous voulez. Dites à vos hommes de déposer leurs armes et de quitter le château. »

Le comte murmura un ordre à ses chevaliers. Un par un, ils approchèrent de Père et jetèrent leurs épées sur le sol devant lui. William savourait ce spectacle. Regardez-les tous, humiliés devant mon père, songeait-il avec fierté. Père parlait à l'un de ses chevaliers. « Rassemblez les chevaux échappés et ramenez-les à l'écurie. Prenez quelques hommes pour désarmer les morts et les blessés. » Naturellement, les armes et les chevaux des vaincus appartenaient aux vainqueurs : les chevaliers de Bartholomew se disperseraient, désarmés et à pied. Les hommes des Hamleigh videraient également les magasins du château. Les chevaux confisqués seraient chargés de butin et ramenés à Hamleigh, le village d'où la famille tenait son nom. Père fit signe à un autre chevalier : « Retrouvez le personnel des cuisines et qu'on prépare le dîner. Renvoyez le reste des serviteurs. » Les hommes avaient faim après la bataille. On allait manger et boire ici les meilleures victuailles et les vins les plus fins du comte Bartholomew avant de regagner ses foyers.

Quelques instants plus tard, les chevaliers groupés autour de Père et de Bartholomew s'écartèrent pour ouvrir un passage et Mère fit une entrée spectaculaire.

Elle semblait très petite au milieu de ces solides guerriers, mais lorsqu'elle déroula l'écharpe qui lui masquait le visage, ceux qui ne l'avaient jamais vue reculèrent, choqués, comme l'étaient toujours les gens par la marque qui la défigurait. Elle regarda Père : « C'est un grand triomphe », dit-elle d'un ton satisfait.

William aurait voulu lui dire : *C'est grâce au bon travail de notre avant-garde, n'est-ce pas, Mère ?*

Il se mordit la langue, et son père parla à sa place. « C'est William qui nous a fait entrer. »

Mère se tourna vers lui et il attendit avidement ses félicitations. « Vraiment ? dit-elle.

— Oui, répondit Père. Ce garçon a fait du bon travail. »

Mère hocha la tête. « Peut-être », dit-elle.

William se sentit le cœur réchauffé par cet éloge et il eut un sourire un peu niais.

Elle regarda le comte Bartholomew. « Le comte devrait s'incliner devant moi, déclara-t-elle.

— Non, dit le comte.

— Qu'on aille chercher la fille », ordonna Mère.

William se retourna. Pendant un moment, il avait oublié Aliena. Il la repéra tout de suite, debout auprès de Matthew, l'intendant aux airs efféminés. William se dirigea vers elle, lui prit le bras et l'amena jusqu'à sa mère. Matthew les suivit.

« Qu'on lui coupe les oreilles », déclara Mère.

Aliena poussa un hurlement.

William sentit une étrange excitation dans ses reins.

Bartholomew était devenu blême. « Vous avez promis de ne pas lui faire de mal si je me rendais, dit-il. Vous l'avez juré.

— Et notre protection, dit Mère, sera à la mesure de votre reddition. »

Voilà un propos habile, songea William.

Bartholomew gardait un air de défi.

William se demanda qui on allait choisir pour couper les oreilles d'Aliena. Peut-être Mère le chargerait-il de cette tâche. L'idée l'excitait particulièrement.

« Agenouillez-vous », dit Mère à Bartholomew.

Lentement, Bartholomew mit un genou en terre et courba la tête.

William était un peu déçu.

Mère éleva la voix. « Regardez cela ! cria-t-elle à l'assemblée. N'oubliez jamais le sort d'un homme qui insulte les Hamleigh ! » Elle promena autour d'elle un regard de défi et William sentit son cœur se gonfler d'orgueil. L'honneur de la famille était retrouvé.

Mère se détourna et Père reprit la parole. « Conduisez-le à sa chambre, dit-il. Gardez-le bien. »

Bartholomew se releva.

« Emmène la fille aussi », dit Père à William.

William prit d'une main ferme le bras d'Aliena. Il aimait la toucher. Il allait la conduire jusqu'à sa chambre. Et qui savait ce qui pourrait arriver là-haut. S'il restait seul avec elle, il pourrait faire d'elle ce qu'il voulait. Il pourrait déchirer ses vêtements et regarder sa nudité. Il pourrait...

Le comte dit : « Que Matthew l'intendant vienne avec nous, pour s'occuper de ma fille. »

Père jeta un coup d'œil à Matthew. « Avec lui, dit-il en souriant, elle ne risquera rien. Entendu. »

William dévisagea Aliena. Il la trouva pâle, mais plus belle encore quand elle avait peur. C'était si excitant de la voir ainsi vulnérable. Il aurait voulu écraser sous le sien ce corps généreux et voir la peur sur son visage tandis qu'il la forçait à écarter les cuisses. Dans un brusque élan, il approcha son visage tout près de celui de la jeune fille et dit à voix basse : « Je veux toujours vous épouser. »

Elle s'écarta. « M'épouser ? dit-elle d'une voix forte et vibrante de mépris. Je préférerais mourir plutôt que de vous épouser, méprisable crapaud gonflé de vanité ! »

Les chevaliers échangèrent de grands sourires et quelques serviteurs ricanèrent. William sentit son visage s'empourprer.

Mère fit brusquement un pas en avant et gifla Aliena. Bartholomew s'avança pour la défendre, mais les chevaliers le retinrent.

« Taisez-vous, dit Mère à Aliena. Vous n'êtes plus une noble demoiselle. Vous êtes la fille d'un traître et bientôt vous serez pauvre et affamée. Vous n'êtes plus assez bonne pour mon fils maintenant. Éloignez-vous de ma vue et que je n'entende pas un mot. »

Aliena tourna les talons. William lui lâcha le bras et elle suivit son père. En la regardant partir, William comprit que le goût suave de la vengeance avait pris dans sa bouche une saveur amère.

Une véritable héroïne, tout comme une princesse de poème, songea Jack, pétrifié d'admiration en la voyant gravir l'escalier, la tête haute. Toute la salle resta silencieuse jusqu'à ce qu'elle eût disparu. Jack fixait l'endroit où elle n'était plus. Un des chevaliers s'approcha et dit : « Qui est le cuisinier ? »

Le cuisinier était trop prudent pour se porter volontaire, mais quelqu'un d'autre le désigna.

« Tu vas aller préparer le dîner, s'entendit-il ordonner. Prends tes aides et va à la cuisine. » L'homme choisit dans la foule une demi-douzaine de gens. Le chevalier haussa le ton. « Vous autres, déguerpissez. Quittez le château. Faites vite et n'essayez pas d'emporter plus que vos propres biens, si vous tenez à la vie. Nous avons déjà tous du sang sur nos épées. Allez ! »

Les malheureux se bousculèrent pour sortir. La mère de Jack lui prit la main et Tom saisit celle de Martha. Alfred les suivait. Ils portaient tous leur manteau et ils n'avaient d'autre bien que leurs vêtements et leurs couteaux. Ils descendirent les marches, traversèrent le pont, l'enceinte inférieure, le poste de garde, fuyant le château sans s'arrêter. Lorsqu'ils débouchèrent dans le champ de l'autre côté de la douve, la tension cessa comme une corde d'arc qu'on coupe et ils se mirent à parler de leurs épreuves avec beaucoup d'agitation. Jack les écoutait vaguement. Chacun évoquait ses actes de bravoure. Lui n'avait pas été brave : il s'était tout simplement enfui.

Aliena était la seule à avoir fait montre de bravoure. Quand elle était arrivée au donjon et qu'elle avait découvert qu'au lieu d'un abri c'était un piège, elle s'était occupée des serviteurs et des enfants, en leur disant de s'asseoir, de se taire et de ne pas se mettre sur le chemin des combattants, interpellant les hommes des Hamleigh lorsqu'ils brutalisaient leurs prisonniers ou brandissaient leurs épées sous le nez des gens désarmés, comme si elle était absolument invulnérable.

La mère de Jack lui ébouriffa les cheveux. « A quoi penses-tu ?

— Je me demandais ce qui allait arriver à la princesse. » Elle savait ce qu'il voulait dire. « A dame Aliena ?

— Elle est comme une princesse de poème, qui vit dans un château. Mais les chevaliers ne sont pas aussi vertueux que dans les poèmes.

— C'est vrai, dit sa mère d'un ton sombre.

— Que va-t-il advenir d'elle ? »

Elle secoua la tête. « Je ne sais vraiment pas.

— Sa mère est morte.

— Alors, elle va connaître des temps difficiles.

— C'est ce que je pensais. » Jack resta silencieux. « Elle riait de moi parce que je ne savais pas ce que c'était qu'un père. Mais elle m'a bien plu tout de même. »

Sa mère lui passa un bras autour des épaules. « Je regrette de ne pas t'avoir expliqué plus tôt le rôle d'un père. »

Il lui toucha la main, ils continuèrent en silence. De temps en temps, des gens quittaient la route et s'enfonçaient à travers champs pour gagner la maison de parents ou d'amis où ils pourraient quémander un déjeuner et réfléchir à ce qu'ils allaient faire ensuite. La plupart restèrent groupés jusqu'au carrefour, et là ils se divisèrent, les uns allant vers le nord ou le sud, les autres continuant tout droit vers le bourg de Shiring. Sa mère se dégagea de Jack et posa une main sur le bras de Tom pour l'obliger à s'arrêter. « Où va-t-on aller ? » demanda-t-elle.

Il parut un peu surpris qu'elle lui posât la question, comme s'il s'attendait à la voir le suivre partout où il la menait sans rien demander. Jack avait remarqué que sa mère suscitait souvent cet air surpris chez Tom. Peut-être la première femme de celui-ci était-elle une différente personne.

« Nous allons au prieuré de Kingsbridge, annonça Tom.

— Kingsbridge ? » Jack se demanda pourquoi sa mère semblait si bouleversée.

Tom ne remarqua rien. « J'ai entendu dire hier soir qu'il y a un nouveau prieur, reprit-il. En général un homme nouveau veut faire des réparations ou des modifications à l'église.

— Le vieux prieur est mort ?

— Oui. »

Elle parut apaisée par cette nouvelle. Elle connaissait peut-être l'ancien prieur, se dit Jack, et ne l'aimait pas.

Tom avait perçu le trouble dans sa voix. « Tu crains quelque chose à Kingsbridge ? lui demanda-t-il.

— J'y suis déjà allée. C'est à plus d'une journée de marche. »

Ce n'était pas la longueur du trajet qui tracassait Ellen, mais Tom l'ignorait. « Un peu plus, corrigea-t-il. Nous pourrons y être demain à la mi-journée.

— Très bien. »

Ils se mirent en marche.

Plus tard, Jack commença à ressentir une douleur dans le ventre. Il n'avait pas été blessé au château et Alfred ne l'avait pas frappé depuis deux jours.

Cette douleur, c'était la faim.

XII

La cathédrale de Kingsbridge n'était pas bien accueillante. C'était une construction massive et trapue, avec des murs épais et de minuscules fenêtres, construite bien avant l'époque de Tom, du temps où les bâtisseurs ne connaissaient pas l'importance des proportions. La génération de Tom savait qu'un mur solide et droit est plus robuste qu'un mur épais et qu'on peut percer de grandes fenêtres dans les murailles dès l'instant que l'arc de la fenêtre forme un parfait demi-cercle. De loin, l'église avait l'air de guingois et, quand Tom approcha, il comprit pourquoi : une des tours jumelles de la façade ouest s'était écroulée. Tant mieux. Le nouveau prieur voudrait sans doute la faire rebâtir. L'espoir lui fit hâter le pas. Son engagement raté à Earlscastle pour cause de bataille l'accablait. Il avait le sentiment qu'il ne pourrait pas supporter une autre déception comme celle-là.

Il jeta un coup d'œil à Ellen. Il redoutait que, perdant l'espoir de lui voir trouver du travail avant qu'ils ne meurent tous de faim, elle ne le quitte. Elle lui sourit, puis se rembrunit de nouveau à la vue de la cathédrale. Elle était toujours mal à l'aise avec les prêtres et les moines, avait-il observé. Se sentait-elle coupable de vivre avec un homme sans être mariée ?

L'enceinte du prieuré bourdonnait d'activité. Tom avait vu des monastères endormis et des monastères animés, mais Kingsbridge était exceptionnel. On aurait dit qu'on procédait déjà au grand nettoyage de printemps. Devant l'écurie, deux moines pansaient les chevaux et un troisième fourbissait les harnais tandis que les novices récuraient les stalles. D'autres moines balayaient l'hôtellerie, qui jouxtait l'écurie, et une charrette de paille attendait dehors qu'on répandît son contenu sur le sol bien propre.

Mais personne ne travaillait à la tour écroulée. Tom examina le tas de pierres — tout ce qui en restait. L'écroulement avait dû se produire quelques années plus tôt, car les arêtes des pierres avaient été émoussées par le gel et la pluie, le mortier emporté par les intempéries et la base de maçonnerie s'était enfoncée d'un pouce ou deux dans la terre meuble. C'était étonnant qu'on eût laissé la tour si longtemps sans réparation, car les cathédrales se devaient d'être prestigieuses. L'ancien prieur était sans doute nonchalant ou incompétent, ou bien les deux. Tom était arrivé, semblait-il, juste au moment où les moines envisageaient de rebâtir. Après tout, il était temps que la chance tournât pour lui.

« Personne ne me reconnaît, dit Ellen.

— Quand es-tu venue ici ? lui demanda Tom.

— Il y a treize ans.

— Pas étonnant qu'on t'ait oubliée. »

Comme ils passaient devant la façade ouest de l'église, Tom ouvrit une des grandes portes de bois pour regarder à l'intérieur. La nef était sombre et lugubre, avec ses piliers épais et un antique plafond de bois. Plusieurs moines, toutefois, blanchissaient les murs à la chaux avec des brosses à long manche et d'autres balayaient le sol de terre battue. De toute évidence, le nouveau prieur remettait tout en état — signe encourageant. Tom referma la porte.

Derrière l'église, dans la cour de la cuisine, un groupe de novices, rassemblés autour d'une auge d'eau sale, s'occupaient à gratter la suie et la graisse accumulées sur les marmites et les ustensiles de cuisine en se servant de pierres aiguisées. Ils avaient les mains toutes rouges à force de les plonger constamment dans l'eau glacée. En apercevant Ellen, ils se mirent à pouffer de rire puis détournèrent les yeux.

Tom demanda à un novice intimidé où l'on pouvait trouver le cellérier. C'était en fait le sacristain qui avait la responsabilité de l'entretien, mais les cellériers étaient beaucoup plus faciles à aborder. De toute façon, en dernier ressort, le prieur prendrait la décision. Le novice le dirigea vers le magasin, situé dans un des bâtiments groupés autour de la tour. Tom poussa une porte, Ellen et les enfants lui emboîtèrent le pas. Ils s'arrêtèrent sur le seuil, scrutant la pénombre.

Le bâtiment était plus récent et plus solidement construit

que l'église, Tom s'en aperçut sur-le-champ. L'air sec ne sentait pas la pourriture. A vrai dire, les arômes mêlés des victuailles entassées là lui donnaient de pénibles crampes d'estomac, car il n'avait rien mangé depuis longtemps. Comme ses yeux s'habituaient à l'obscurité, il constata que le magasin avait un bon sol dallé de pierres, des piliers courts et épais et un plafond en voûte. Puis il remarqua un grand homme avec une frange de cheveux blancs, qui puisait du sel à la louche dans un baril pour le verser dans un pot. « C'est vous le cellérier ? » s'enquit Tom. L'homme leva la main pour réclamer le silence et Tom s'aperçut qu'il était en train de compter. Ils attendirent sans mot dire qu'il eût terminé. « Deux vingtaines et dix-neuf, trois vingtaines. » Il posa la louche. Tom se présenta :

« Je suis Tom, maître bâtisseur, et j'aimerais rebâtir votre tour nord-ouest.

— Je suis Cuthbert le Chenu, le cellérier. J'aimerais bien, en effet, qu'on fasse les réparations, répondit l'homme. Mais il va falloir demander au prieur Philip. Vous savez que nous avons un nouveau prieur, n'est-ce pas ?

— Oui. » Cuthbert, constata Tom, était un moine du genre affable ; aimable et d'humeur facile. Il ne demanderait qu'à bavarder. « Le nouveau venu semble tenir à améliorer l'aspect du monastère. »

Cuthbert acquiesça. « Seulement, il ne tient pas à payer trop. Avez-vous remarqué que tout le travail est fait par les moines ? Il ne veut engager aucun ouvrier : il dit que le prieuré a déjà trop de serviteurs. »

Encore une mauvaise nouvelle. « Qu'en pensent les moines ? » demanda habilement Tom.

Cuthbert se mit à rire. « Vous êtes un homme de tact, Tom le bâtisseur. Alors, à votre avis, les moines ne sont pas habitués à travailler aussi dur ? Remarquez, le nouveau prieur ne force personne, mais il interprète la règle de saint Benoît, en somme : par exemple, les moines chargés d'un travail physique peuvent manger de la viande rouge et boire du vin, alors que ceux qui se consacrent à l'étude et à la prière doivent se contenter de poissons salés et de petite bière. Le résultat, c'est qu'il a beaucoup de volontaires pour les gros travaux, surtout parmi les jeunes. » Cuthbert, souriant, approuvait visiblement cette méthode.

« Mais les moines, reprit Tom, ne savent pas construire des murs de pierre, si bien nourris qu'ils soient. » A cet instant, un bébé se mit à crier, lui rappelant un souvenir douloureux. Pris d'un chagrin subit, il lui fallut quelques secondes pour s'étonner de la présence d'un bébé dans un monastère.

« Nous allons demander au prieur », déclara Cuthbert, mais Tom ne l'entendit pas, plongé dans ses pensées ; ce bébé pleurait comme un nouveau-né — d'ailleurs, on aurait dit qu'il se rapprochait. Tom surprit le regard d'Ellen, étonnée elle aussi. Une ombre se profila dans l'encadrement de la porte. Tom sentit sa gorge se nouer. Un moine s'avançait, le bébé dans les bras. Tom se pencha vers le petit paquet : c'était bien son enfant. Il avait le visage tout rouge, les poings crispés et la bouche ouverte, montrant ses gencives édentées. Il ne souffrait que de faim, et de tous ses poumons réclamait à manger. C'était le hurlement sain et robuste d'un bébé normal. Tom se détendit, inondé de soulagement. Son fils était en pleine forme.

Le moine qui le portait, un jeune homme enjoué d'une vingtaine d'années aux cheveux en désordre, arborait un sourire bêta. Sans relever la présence d'une femme dans le monastère, il sourit à la ronde, puis s'adressa à Cuthbert : « Jonathan a encore besoin de lait. »

Tom brûlait d'envie de prendre l'enfant dans ses bras, mais il s'efforça de garder un air impassible pour ne rien trahir de ses émotions. Quant aux enfants, s'ils savaient que le bébé abandonné avait été trouvé par un prêtre en voyage, ils ignoraient que celui-ci l'avait emmené jusqu'au petit monastère de la forêt. Du reste, ils ne manifestaient qu'une vague curiosité, prouvant qu'ils ne faisaient pas le rapprochement entre ce bébé et celui qu'on avait abandonné.

Tandis que Cuthbert remplissait une petite cruche de lait puisé dans un seau, Ellen s'adressa au jeune moine : « Est-ce que je peux tenir le bébé ? » Elle tendait déjà les bras et le moine lui confia l'enfant. Tom aurait voulu à sa place serrer cette petite masse chaude contre son cœur. Ellen berça le bébé, ce qui le calma un moment.

Cuthbert hocha la tête : « Ah ! Johnny Huit Pence est une bonne nourrice, mais il lui manque l'allure ! »

Ellen sourit au jeune homme. « Pourquoi vous appelle-t-on Johnny Huit Pence ? » Ce fut Cuthbert qui répondit. « Parce qu'il ne vaut que huit pence au shilling, dit-il en se tapotant le crâne d'un geste éloquent. Mais il comprend mieux que nous autres gens sages les besoins des pauvres créatures muettes. Tout cela, soyez-en sûrs, fait partie du vaste plan de Dieu », conclut-il placidement.

Ellen, qui avait lu dans les pensées de Tom, lui tendit le bébé. Avec un regard de profonde gratitude, il prit le petit être dans ses grosses mains. Le cœur du bébé battait sous la couverture qui l'enveloppait. Où diable les moines trouvaient-ils de la laine aussi douce ? Il installa le bébé contre sa poitrine et se mit à le bercer. Sa technique ne valait sûrement pas celle d'Ellen et l'enfant se remit à pleurer, mais Tom ne s'énervait pas : ces hurlements insistants étaient de la musique pour ses oreilles, car ils prouvaient que l'enfant abandonné était robuste et en bonne santé. Quitte à en avoir le cœur déchiré, Tom décida que la meilleure solution était de laisser le bébé au monastère.

« Où dort-il ? demanda Ellen à Johnny.

— Il a un berceau à côté de nous dans le dortoir.

— Il doit vous réveiller la nuit ?

— De toute façon, dit Johnny Huit Pence, nous nous levons à minuit pour mâtines.

— Bien sûr ! j'oubliais que les nuits des moines sont aussi interrompues que celles des mères. »

Cuthbert rendit la cruche de lait pleine à Johnny, qui reprit le bébé des mains de Tom d'un geste assuré d'un seul bras. A contrecœur, mais en dissimulant son émotion, le maçon dut lâcher son petit bébé. En voyant Johnny et le bébé s'éloigner, il sentit l'envie irrésistible de courir après eux en criant : *Attendez, arrêtez, c'est mon fils, rendez-le-moi !* Ellen, qui s'était rapprochée, lui pressa le bras dans un geste discret.

Tom ferma les yeux. Après tout, il avait de nouvelles raisons d'espérer. S'il réussissait à travailler ici, il verrait tout le temps bébé Jonathan et ce serait presque comme s'il ne l'avait jamais abandonné. Cela semblait trop beau pour être vrai, et il n'osait pas y croire.

Martha et Jack, les yeux écarquillés, ne quittaient pas du regard le seau de lait crémeux. Cuthbert sourit. « Est-ce que les enfants aimeraient un peu de lait ? demanda-t-il.

— Certainement, mon père, s'il vous plaît », dit Tom. Il en aurait bu lui-même des litres.

Cuthbert versa du lait dans deux écuelles de bois et les offrit à Martha et à Jack, qui les vidèrent d'un trait.

« Encore ? proposa Cuthbert.

— Oui, s'il vous plaît », répondirent-ils d'une seule

voix. Malgré leur propre faim, Tom et Ellen éprouvaient la même reconnaissance et le même soulagement à voir les petits enfin nourris.

Tout en remplissant les bols, Cuthbert demanda nonchalamment :

« Et d'où venez-vous donc ?

— D'Earlscastle, près de Shiring, dit Tom. Nous en sommes partis hier matin.

— Avez-vous mangé depuis ?

— Non », dit Tom simplement, honteux, malgré la bonté du moine, d'avouer qu'il n'était pas capable de nourrir lui-même ses enfants.

« Alors, dit Cuthbert en désignant le baril près de la porte, prenez donc quelques pommes pour tenir jusqu'au souper. »

Alfred, Ellen et Tom s'approchèrent du baril tandis que Martha et Jack buvaient leur seconde écuelle de lait. Tom dut empêcher Alfred de vider la moitié du tonneau et lui souffla :

« Deux ou trois seulement... » Le garçon en prit trois.

Les pommes apaisèrent un peu les crampes d'estomac mais Tom ne pensait qu'au souper. Les moines, d'ordinaire, prenaient leur repas avant la nuit pour économiser les chandelles, songea-t-il avec espoir.

Cependant, Cuthbert dévisageait Ellen. « J'ai l'impression de vous connaître, c'est bizarre », dit-il enfin.

Elle se troubla. « Je ne crois pas.

— Si, pourtant, répéta-t-il d'un ton hésitant.

— Je vivais dans le voisinage, quand j'étais enfant, expliqua-t-elle.

— Ah ! Voilà ! Il me semble en effet que vous paraissez plus vieille que vous ne l'êtes.

— Vous devez avoir une très bonne mémoire. »

Il la regarda en fronçant les sourcils. « Pas tout à fait assez, dit-il. Je suis sûr qu'il y a autre chose... Peu importe. Pourquoi avez-vous quitté Earlscastle ?

— Le château a été attaqué hier à l'aube et pris d'assaut, répondit Tom. Le comte Bartholomew est accusé de trahison. »

Cuthbert sursauta. « Les saints nous protègent ! s'exclama-t-il. De trahison ? »

On entendit un bruit de pas dehors, puis un autre moine entra. « Voici notre nouveau prieur », annonça Cuthbert.

Tom le reconnut aussitôt : c'était Philip, le moine qu'ils avaient rencontré en se rendant au palais de l'évêque, celui qui leur avait offert ce délicieux fromage. Tout maintenant se mettait en place : le nouveau prieur de Kingsbridge n'était autre que l'ancien prieur de la petite communauté de la forêt. C'était lui qui avait trouvé Jonathan sur son chemin. Tom se sentait plein d'optimisme. Philip était un homme bon. Assurément, il allait donner du travail au maçon.

Philip aussi l'avait reconnu. « Bonjour, maître bâtisseur, dit-il. Alors, vous n'avez pas trouvé beaucoup de travail au palais de l'évêque ?

— Non, mon père. L'archidiacre n'a pas voulu m'engager, et l'évêque n'était pas là.

— Il n'était pas là, en effet : il était au ciel, mais nous ne le savions pas à l'époque.

— L'évêque est donc mort ?

— Oui.

— Ça, ce n'est pas une nouvelle, intervint Cuthbert avec impatience. Tom et sa famille arrivent d'Earlscastle. Le comte Bartholomew a été capturé et son château pris d'assaut ! »

Philip se figea. « Déjà ! murmura-t-il.

— Déjà ? répéta Cuthbert. Pourquoi "déjà" ? Vous vous y attendiez donc ? »

Philip hésita un peu. « Non, pas exactement, répondit-il enfin. J'avais entendu dire que le comte Bartholomew s'opposait au roi Stephen. » Il retrouva son calme. « Nous pouvons tous en remercier le ciel, déclara-t-il. Stephen a promis de protéger l'Église, alors que Maud nous aurait opprimés autant que l'a fait son défunt père. Oui, en effet, c'est une bonne nouvelle. » Il semblait content, comme s'il en était lui-même responsable.

Tom ne partageait pas cet enthousiasme. « Pas pour moi en tout cas, dit-il. Le comte m'avait engagé la veille pour renforcer les défenses du château. Je n'ai pas gagné un sou.

— Quel malheur, dit Philip. Qui a attaqué le château ?

— Lord Percy Hamleigh.

— Ah ! » Philip hocha la tête et, une fois de plus, Tom eut le sentiment que cette nouvelle confirmait les pensées du prieur.

« Alors, vous prévoyez quelques améliorations ici ? dit Tom, revenant au sujet qui l'intéressait.

— J'essaie, dit Philip.

— Vous allez rebâtir la tour, j'en suis sûr.

— Rebâtir la tour, réparer le toit, paver le sol... Oui, je compte faire tout cela. Et vous, bien sûr, vous voulez du travail, ajouta-t-il. Je voudrais bien pouvoir vous engager. Mais comment vous payer ? Ce monastère est sans le sou. »

Tom eut l'impression de recevoir un coup de poing dans la poitrine. Il était sûr de trouver de l'ouvrage ici : tout semblait l'indiquer. Il regarda Philip. C'était incroyable que le prieuré manque d'argent. En cas de nécessité un monastère pouvait toujours emprunter de l'argent aux Juifs.

Tom était au bout de la route. L'énergie qui l'avait maintenu tout l'hiver lui manquait d'un seul coup. Il se sentait faible et sans force. Je ne peux pas continuer, songea-t-il. Je suis fini.

Philip vit son désarroi. « Je peux vous offrir le souper, un endroit pour dormir et un déjeuner demain matin », dit-il.

Tom soupira de rage. « Je vais accepter, dit-il, mais je préférerais le gagner. »

Philip leva les sourcils et reprit doucement : « Implorer Dieu, ce n'est pas mendier, c'est prier. » Puis il sortit.

Les autres semblaient un peu effrayés et Tom comprit que sa colère avait dû se voir. Il était agacé de sentir leur regard fixé sur lui. Il sortit du magasin quelques pas derrière Philip et s'arrêta dans la cour, regardant la grande cathédrale, en essayant de se maîtriser.

Ellen le prit par la taille dans un geste de réconfort, qui provoqua chez les novices chuchotements et coups de coude. Tom se dégagea. « Je vais prier, dit-il d'un ton amer. Je vais prier que la foudre frappe l'église et l'anéantisse. »

Au cours des deux derniers jours, Jack avait appris à redouter l'avenir.

Durant sa courte existence, il n'avait jamais eu à penser plus loin que le lendemain. Dans la forêt, un jour ressemblait beaucoup au suivant et les saisons changeaient lentement. Mais voilà qu'aujourd'hui il ne savait plus ce qu'il ferait le lendemain ni même s'il mangerait.

Le pire, c'était cette faim constante. Souvent, Jack mangeait en secret de l'herbe et des feuilles pour essayer d'apaiser ses crampes d'estomac, mais cela lui donnait d'autres malaises bizarres. Martha pleurait souvent de faim.

Jack et Martha marchaient toujours ensemble. Elle le respectait et Jack n'avait encore jamais connu cela. Son impuissance à soulager les souffrances de la fillette le torturait plus que sa propre faim.

S'ils vivaient encore dans la grotte, il aurait su où aller tuer des canards, trouver des noix ou voler des œufs ; mais dans les villes et les villages étrangers, sur les routes inconnues, il était perdu. Une seule idée l'obsédait : il fallait que Tom trouve du travail.

Ils passèrent l'après-midi à l'hôtellerie. C'était un simple bâtiment d'une seule pièce, avec un sol en terre battue et une cheminée au milieu, exactement comme une maison de paysans. Jack, qui ne connaissait que sa grotte, trouvait cela merveilleux. Tom lui expliquait comment une telle maison avait été construite : on avait abattu deux jeunes arbres, qu'on avait taillés et appuyés l'un à l'autre pour former un angle ; on en avait placé deux autres de la même façon une douzaine de pieds plus loin, et les deux triangles ainsi formés avaient été reliés par une poutre. On avait fixé des lattes légères parallèlement à la poutre formant ainsi un toit en pente jusqu'au sol. Sur les lattes on avait posé des cadres rectangulaires de roseau tressé — des claies — imperméabilisés avec de la boue. Il y avait une porte à l'un des pignons mais pas de fenêtre.

La mère de Jack répandit sur le sol de la paille fraîche et Jack alluma un feu avec le silex qu'il avait toujours sur lui. Lorsque les autres se furent éloignés, il demanda à sa mère pourquoi le prieur ne voulait pas engager Tom, alors qu'il y avait manifestement du travail. « Il préfère économiser son argent tant que l'église est encore utilisable, expliqua-t-elle. Si l'église entière était écroulée, il serait forcé de la rebâtir, mais la tour peut attendre. »

Lorsque le crépuscule commença à tomber, un aide-cuisinier apporta à l'hôtellerie une marmite de potage et un pain grand comme un homme, rien que pour eux. Le potage contenait des légumes, des herbes et des os de viande ; des ronds de graisse luisaient à la surface. Le pain était un mélange de toutes sortes de grains — du blé, de l'avoine et de l'orge, plus des pois séchés et des haricots. Le pain le plus rustique et le moins cher, fit remarquer Alfred, mais Jack, qui n'avait découvert cet aliment que quelques jours auparavant, le trouvait délicieux. Il mangea jusqu'à en avoir mal au ventre. Comme ils étaient assis auprès du feu, digérant leur festin, Jack demanda à Alfred : « Pourquoi la tour est-elle tombée ?

— Elle a sans doute été frappée par la foudre, dit Alfred. Ou peut-être détruite par un incendie.

— Mais il n'y a rien à brûler, dit Jack. Tout est en pierre.

— Le toit n'est pas en pierre, imbécile, lança Alfred avec mépris. Il est en bois. »

Jack réfléchit un moment. « Quand le toit brûle, est-ce que le bâtiment s'effondre toujours ? »

Alfred haussa les épaules. « Quelquefois. »

Ils restèrent quelque temps silencieux. Tom et la mère de Jack discutaient à voix basse de l'autre côté de la cheminée. Jack reprit : « C'est drôle, ce bébé.

— Qu'est-ce que ça a de drôle ? demanda Alfred.

— Eh bien, votre bébé a été perdu dans la forêt à des lieues d'ici et voilà justement qu'il y a un bébé au prieuré. »

Ni Alfred ni Martha ne partageaient la curiosité de Jack devant cette coïncidence extraordinaire et Jack n'insista pas.

Les moines allèrent tous se coucher tout de suite après le souper sans fournir de chandelles aux plus humbles de leurs hôtes, si bien que Tom et sa famille profitèrent de la lueur du feu aussi longtemps que possible, puis tout le monde s'allongea sur la paille.

Jack ne dormait pas. L'idée l'obsédait que, si la cathédrale brûlait cette nuit, leurs problèmes seraient résolus. Le prieur engagerait Tom pour rebâtir l'église, ils habiteraient tous ici dans cette belle maison et ils auraient tous les jours du potage avec des os de viande et du pain.

Si j'étais Tom, songea-t-il, je mettrais le feu à l'église moi-même. Je me lèverais pendant que tout le monde dort, je me glisserais dans la cathédrale et j'y mettrais le feu avec mon silex, puis, pendant que l'incendie s'étendrait, je ferais semblant de dormir et de me réveiller en sursaut quand on donnerait l'alarme. Et, lorsqu'on se mettrait à jeter des seaux d'eau sur les flammes, comme pour les écuries au château du comte Bartholomew, je me joindrais aux volontaires avec autant d'énergie qu'eux. Alfred et Martha dormaient : Jack le devinait à leur respiration. Tom et Ellen bougeaient comme d'habitude sous le manteau de Tom (Alfred appelait ça « baiser ») puis ils s'endormirent aussi.

C'était clair, Tom ne se lèverait pas pour mettre le feu à la cathédrale.

Qu'allait-on devenir ? La famille allait-elle continuer à arpenter les routes jusqu'à mourir de faim ?

Bientôt les quatre respirations lentes et régulières indiquèrent que tous avaient sombré dans un profond sommeil. Jack seul veillait et réfléchissait à l'idée qui lui trottait maintenant dans la tête : il pourrait lui-même mettre le feu à la cathédrale.

Cette pensée le terrifia.

Il lui faudrait se lever très discrètement. Pour des raisons de sécurité, la porte était bloquée par une barre, mais il pourrait sans doute la faire coulisser et se glisser dehors sans réveiller personne. Les portes de l'église seraient peut-être fermées à clé, mais il trouverait sûrement un moyen d'entrer quand même, surtout qu'il était très mince.

Une fois à l'intérieur, il savait comment atteindre le toit. Il avait beaucoup appris en deux semaines passées avec Tom. Tom discutait tout le temps de construction, le plus souvent avec Alfred qui ne semblait pas prodigieusement intéressé. Jack, lui, écoutait attentivement. Il savait, entre autres choses, que toutes les grandes églises comportaient des escaliers intérieurs permettant d'accéder aux parties supérieures en cas de réparations. Il trouverait un tel escalier et grimperait jusqu'au toit. Il s'assit dans le noir, écoutant le sommeil des autres. Il distinguait le souffle de Tom, un peu sifflant, à cause (disait la mère de Jack) de la poussière de pierre qu'il avait respirée pendant des années. Alfred ronfla un moment, bruyamment, puis se retourna et le silence retomba.

Aussitôt qu'il aurait mis le feu, il regagnerait d'un bond l'hôtellerie. Comment réagiraient les moines s'ils le surprenaient ? A Shiring, Jack avait vu un garçon de son âge ligoté et fouetté pour avoir volé un cône de sucre dans un magasin d'épices. Le garçon hurlait tandis que la badine le faisait saigner. Jack avait été plus bouleversé par la vision du garçon couvert de sang que par celle des hommes s'entre-tuant au combat, comme à Earlscastle. L'idée de subir la même chose le terrifiait.

Il se recoucha, s'enroula dans son manteau et ferma les yeux. La porte de l'église était-elle verrouillée ? Si oui, il pourrait passer par les fenêtres. Personne ne le verrait tant qu'il resterait sur le côté nord de l'enceinte. Le dortoir des moines, au sud de l'église, était masqué par le cloître, et il n'y avait rien d'autre de ce côté, que le cimetière.

Il décida d'aller jeter un coup d'œil, sans plus.

Il hésita un peu, puis se leva.

La paille fraîche craqua sous ses pieds. Il s'immobilisa, guetta un signe chez ses compagnons endormis. Tout était très silencieux, même les souris ne bougeaient plus dans la paille. Il fit un pas prudent. Pas de réaction. Rapidement, il gagna la porte, s'arrêta encore. Les souris, rassurées, s'étaient remises à grignoter, mais les humains dormaient obstinément.

Jack tâta la porte du bout des doigts, ses mains trouvèrent la barre, une poutre de chêne reposant sur deux taquets. Il passa les mains dessous, la saisit et la souleva. C'était plus lourd qu'il ne s'y attendait et, sans avoir pu la déplacer, il dut la lâcher. Le bruit qu'elle fit en heurtant les taquets lui parut assourdissant. Il se figea, l'oreille tendue. Qu'est-ce que je dirai si on me prend ? songea Jack, au désespoir. Je dirai que je sortais... que j'allais me soulager. Il fut content d'avoir trouvé une excuse. Tom se retourna, Jack crut qu'il allait dire quelque chose mais rien ne vint et Tom continua à respirer régulièrement.

Les bords de la porte étaient frangés d'une ligne argentée. La lueur de la lune, songea Jack. Il empoigna de nouveau la barre, prit une profonde inspiration et s'efforça de la soulever. Cette fois, le poids ne le surprit pas. Il réussit à la tirer vers lui, mais pas assez haut et elle ne se dégagea pas des taquets. Il la souleva encore d'un pouce et elle se libéra. Il la bloqua contre sa poitrine, ce qui soulagea un peu l'effort de ses bras ; lentement, il se mit sur un genou, puis sur deux et posa la barre sur le sol. Il demeura ainsi quelques instants, reprenant haleine, pendant que la douleur de ses bras s'apaisait. On n'entendait aucun bruit du côté des dormeurs.

Jack entrebâilla la porte. Les gonds de fer grincèrent et un courant d'air glacé s'engouffra par l'ouverture. Il frissonna. Il serra son manteau autour de lui et se glissa dehors après avoir refermé la porte derrière lui.

Dans le ciel tourmenté, la lune jouait à cache-cache derrière les nuages. Un vent froid soufflait. Jack fut un moment tenté de regagner la chaleur de l'hôtellerie. Peinte d'argent et de noir par les jeux de la lune, l'énorme église avec sa tour écroulée dominait le reste du prieuré. Ses murs puissants et ses minuscules fenêtres la faisaient plutôt ressembler à un château.

Le silence régnait. De l'autre côté des murs du prieuré, dans le village, il y avait peut-être un certain nombre de gens qui veillaient tard, à boire de la bière à la lueur du feu ou à coudre au pied des torches, mais ici rien ne bougeait. Jack hésita. L'église semblait le contempler d'un air accusateur, comme si elle savait ce qu'il projetait. D'un haussement d'épaules, il chassa cette impression déplaisante et traversa la pelouse jusqu'à la façade ouest.

La porte était fermée à clé.

Il fit le tour jusqu'au côté nord et examina les fenêtres de la cathédrale : assez grandes pour qu'il pût s'y glisser, mais hélas hors de son atteinte. Il explora des doigts la maçonnerie, à la recherche des fissures, mais sans en trouver aucune susceptible de lui fournir une prise. Il avait besoin de quelque chose qui lui servirait d'échelle.

Il songea à aller chercher des pierres au pied de la tour écroulée pour construire un escalier improvisé, mais les moellons intacts étaient trop lourds, et les brisés trop inégaux. Il avait l'impression d'avoir vu quelque chose dans la journée qui servirait son dessein. Alors qu'il se creusait la tête pour s'en souvenir, il aperçut l'écurie par-delà le cimetière baigné de lune et la mémoire lui revint : un escabeau en bois, avec deux ou trois marches pour aider les cavaliers de petite taille à monter sur de grands chevaux. Un des moines, juché dessus, peignait la crinière d'un cheval.

Jack se rendit à l'écurie pour chercher l'escabeau, un objet qu'on n'enfermait peut-être pas la nuit, car il ne valait pas la peine d'être volé. Bien que Jack avançât sans bruit, les chevaux l'entendirent et l'un d'eux s'ébroua et toussa. Jack s'arrêta, affolé. Et si des palefreniers dormaient dans l'écurie ? Il s'immobilisa un moment, l'oreille tendue, mais tout était calme et les chevaux s'apaisèrent.

Il ne voyait pas l'escabeau. Peut-être était-il rangé contre le mur. Avec précaution, Jack longea l'écurie. Les chevaux s'énervèrent. L'un d'eux hennit. Jack se figea sur place. Une voix d'homme cria : « Doucement, doucement. » Jack vit soudain l'escabeau juste sous son nez, à un pas. Il attendit quelques instants. Pas un bruit. Il se pencha, saisit l'escabeau et le posa sur son épaule. Il fit demi-tour et retraversa la pelouse jusqu'à l'église.

Hélas, même en grimpant sur la dernière marche de l'escabeau, il n'arrivait pas à la hauteur des fenêtres : il ne pouvait même pas regarder à l'intérieur. Bien que n'ayant encore pas pris de décision, il ne voulait pas être empêché d'agir par des considérations pratiques. Il regretta de ne pas avoir la taille d'Alfred.

Il fit une dernière tentative. Il recula, prit un bref élan, sauta sur l'escabeau et se détendit. Il atteignit sans mal l'appui de la fenêtre et s'y cramponna. D'une traction il se hissa sur l'appui. Mais en essayant de se glisser par l'ouverture, il s'aperçut que la fenêtre était bloquée par un treillage métallique qu'il n'avait pas aperçu de l'extérieur, probablement parce qu'il était noir. Jack, agenouillé sur le rebord de la fenêtre, le tâta des deux mains. Pas moyen de passer : il était sans doute là précisément pour empêcher les gens d'entrer quand l'église était fermée.

Déçu, il sauta à terre. Il ramassa l'escabeau et alla le remettre à sa place. Les chevaux cette fois ne bronchèrent pas.

Il examina la tour écroulée, à gauche de la grande porte. Il escalada prudemment les pierres au bord de l'éboulis, scrutant l'intérieur de l'église, cherchant un passage parmi les ruines. Il était inquiet à l'idée que son poids, si modeste fût-il, pût rompre l'équilibre des pierres et provoquer une avalanche qui réveillerait tout le monde, même si elle ne le tuait pas. Une fois la lune revenue, il décida de tenter sa chance. Il commença à monter, fort inquiet. La plupart des pierres tenaient bon mais une ou deux oscillèrent dangereusement. C'était le genre d'escalade qui l'aurait amusé en plein jour avec du secours à portée de la main et la conscience tranquille. Mais, à présent, trop anxieux, il n'avait plus le pied très sûr. Soudain il glissa sur une surface lisse et faillit tomber. Il s'arrêta. Il était assez haut pour avoir vue sur le toit du bas-côté du nord de la nef. Il espérait trouver une ouverture, ou peut-être une brèche entre le toit et le tas de décombres, mais non, rien. Le toit s'étendait intact jusqu'à la tour en ruine, sans aucun passage par où se faufiler. Jack fut partagé entre la déception et le soulagement.

Il redescendit à reculons, regardant par-dessus son épaule pour trouver des appuis pour ses pieds. Arrivé en bas, il sauta et atterrit sur l'herbe, content de retrouver la terre ferme.

Il regagna la façade nord de l'église et poursuivit sa marche. Au cours des deux dernières semaines, il avait vu plusieurs églises, toutes à peu près de la même forme. La partie la plus importante était la nef, toujours orientée vers l'ouest. Puis il y avait deux bras, que Tom appelait les transepts, orientés au nord et au sud. La partie est, le chœur, était plus court que la nef. Kingsbridge n'avait de particulier que ses deux tours, bâties de chaque côté de l'entrée, comme pour faire pendant aux transepts.

Jack trouva verrouillée la porte du transept nord. Il continua jusqu'au côté est : là, pas de porte du tout. Il s'arrêta pour inspecter la cour avec sa pelouse. A l'angle sud-est de l'enclos du prieuré, se dressaient deux bâtiments : l'infirmerie et la maison du prieur, toutes deux sombres et silencieuses. Il poursuivit, pour arriver par le flanc sud du chœur jusqu'à la saillie du transept sud. A l'extrémité, comme une main au bout d'un bras, se dressait le bâtiment rond qu'on appelait la salle capitulaire. Entre le transept et la salle capitulaire, une étroite allée menait au cloître. Jack s'y engagea.

Il se trouva dans un carré, avec une pelouse au milieu et une allée couverte tout autour. Sous le clair de la lune la pierre pâle des arches paraissait d'un blanc fantomatique tandis que les arcades étaient plongées dans les ténèbres impénétrables. Jack attendit un moment pour laisser ses yeux s'habituer à l'obscurité.

A sa gauche, il distingua l'entrée de la salle capitulaire. Plus loin, tout au bout du promenoir, une autre porte qui menait sans doute au dortoir des moines, tandis qu'à sa droite une troisième porte ouvrait sur le transept sud de l'église. Elle était verrouillée. Tout comme celle qui, dans l'allée nord, donnait sur la nef de l'église.

A l'ouest, aucune issue jusqu'à l'angle sud, où Jack trouva la porte du réfectoire. Quelle quantité de provisions il devait falloir pour rassasier chaque jour tous ces moines ! Non loin une fontaine avec un bassin servait aux moines à se laver les mains avant les repas.

Il continua par l'allée sud où avait été aménagée une arche. Jack la franchit et découvrit un petit passage avec le réfectoire à sa droite et le dortoir à sa gauche. Il s'imagina tous les moines dormant à même le sol, de l'autre côté du mur de pierre. Au bout du passage, un sentier boueux descendait vers la rivière. Jack resta là une minute, à contempler l'eau à une soixantaine de toises de lui. Sans raison particulière, il se rappela l'histoire d'un chevalier à qui on avait coupé la tête mais qui vivait toujours : et il imaginait le chevalier décapité sortant de la rivière et remontant le chemin jusqu'à lui. Il prit peur. Il tourna les talons et regagna en hâte le cloître. Il s'y sentait plus en sécurité.

Il hésita sous l'arche, examinant le carré éclairé par la lune. Il devait bien y avoir un moyen de se glisser dans un aussi grand bâtiment, estima-t-il, mais il ne savait plus où chercher. Dans une certaine mesure, il en était content. Il envisageait de commettre un acte horriblement dangereux : tant mieux si cela se révélait impossible. Oui, mais il redoutait aussi l'idée de quitter ce prieuré et de reprendre la route le lendemain matin : les marches interminables, la faim, la déception et la colère de Tom, les larmes de Martha. Alors qu'il pouvait éviter tout cela, rien qu'avec une étincelle du silex qu'il portait dans la bourse accrochée à sa ceinture !

Du coin de l'œil, il vit quelque chose bouger. Il sursauta, le cœur battant. A son horreur, une silhouette fantomatique, portant un cierge, glissait sans bruit en direction de l'église. Il réprima non sans mal un cri. Une autre silhouette suivait la première. Jack recula sous la voûte, hors de vue, et se mordit la main pour s'empêcher de hurler. Il entendit un étrange gémissement et il écarquilla les yeux. Puis il comprit : ce qu'il voyait, c'était une procession de moines allant du dortoir à l'église pour le service de minuit, et qui chantaient une prière en marchant. Même alors, son affolement se prolongea un moment, avant de céder à un immense soulagement qui le laissa tout tremblant.

Le moine en tête de la procession ouvrit la porte de l'église avec une grande clé de fer. Les moines entrèrent l'un après l'autre. Pas un ne se retourna pour regarder dans la direction de Jack. La plupart d'entre eux semblaient à moitié endormis. Ils ne refermèrent pas la porte derrière eux.

Lorsqu'il eut retrouvé ses esprits, Jack se rendit compte que maintenant il allait pouvoir entrer dans l'église.

Il sentit ses jambes se dérober sous lui.

Je pourrais simplement entrer, se dit-il. Et ne rien faire d'autre. Je regarderais s'il est possible de monter jusqu'au toit. Ça ne veut pas dire que j'y mettrai le feu. Je vais juste jeter un coup d'œil.

Il prit une profonde inspiration, puis sortit de son abri et traversa le cloître à pas de loup. Il hésita devant la porte ouverte et scruta l'intérieur. Des cierges brûlaient sur l'autel et dans le chœur où les moines se tenaient debout dans leurs stalles, mais leurs lueurs formaient à peine de petites flaques au milieu du grand espace vide, laissant les murs et les bas-côtés dans une obscurité profonde. Un des moines faisait quelque chose d'incompréhensible devant l'autel et les autres psalmodiaient de temps en temps quelques phrases. Jack trouvait incroyable de voir des gens quitter des lits bien chauds au milieu de la nuit pour se livrer à ce genre d'activités.

Il se faufila par la porte et se colla au mur.

Il était à l'intérieur. L'obscurité le cachait. Toutefois les moines le verraient en sortant. Il se glissa un peu plus loin. Le moine qui officiait à l'autel aurait pu voir Jack s'il avait levé les yeux, mais il semblait complètement absorbé par ce qu'il faisait. Jack avança prestement de l'abri d'un puissant pilier au suivant, s'arrêtant parfois pour que ses mouvements fussent irréguliers comme celui des ombres qui s'agitaient. Alors qu'il approchait de la croisée du transept, la lumière devint plus vive. Il redoutait que le moine à l'autel ne lève soudain les yeux, bondisse vers lui et l'attrape par la peau du cou...

Il atteignit le coin et plongea avec célérité dans la nuit épaisse de la nef.

Il s'arrêta un moment, soulagé. Puis il recula le long du bas-côté et, une fois arrivé dans le recoin le plus sombre, il s'assit au pied d'un pilier pour attendre la fin de l'office.

Il jeta un coup d'œil de derrière son pilier. Au-dessus de l'autel, là où les cierges éclairaient le mieux, il distinguait à peine le haut plafond de bois. Les églises plus récentes, il le savait, possédaient des voûtes en pierre, mais Kingsbridge était une vieille construction. Ce plafond de bois flamberait bien.

Je ne vais pas faire ça, songea-t-il.

Tom serait tellement content si la cathédrale brûlait. Pourtant, Jack n'aimait pas vraiment Tom, trop violent, autoritaire, bourru. Jack avait l'habitude des façons plus douces de sa mère. Mais Tom l'impressionnait. En fait d'hommes, Jack n'avait jamais rencontré que des hors-la-loi : des êtres dangereux, brutaux, qui ne respectaient que la violence et la ruse. Des gens dont l'ambition suprême se résumait à poignarder quelqu'un dans le dos. Tom représentait un nouveau type d'homme, fier et sans peur, même quand il n'avait pas d'arme. Jack n'oublierait jamais la façon dont il avait affronté William Hamleigh, la fois où lord William avait proposé d'acheter sa mère pour une livre. Ce qui avait si vivement frappé Jack, c'était que *lord William avait eu peur*. Quand Jack avait dit à sa mère qu'il n'aurait pas cru qu'un homme pouvait être aussi brave que Tom, elle avait répondu : « C'est pour cela que nous avons quitté la forêt. Tu as besoin d'un homme à respecter. »

Jack avait été intrigué par cette remarque : pourtant c'était vrai qu'il souhaitait impressionner Tom. Mais de là à mettre le feu à la cathédrale... En tout cas mieux vaudrait n'en rien dire à quiconque, du moins pas avant des années. Mais peut-être un jour viendrait où Jack dirait à Tom : « Tu te souviens de la nuit où la cathédrale de Kingsbridge a brûlé et où le prieur t'a engagé pour la rebâtir, si bien que nous avons enfin tous eu de quoi manger et nous abriter ? Eh bien, j'ai quelque chose à te raconter sur la façon dont ce feu a pris... » Quel grand moment ce serait !

Mais je n'ose pas le faire, pensa-t-il.

Les chants cessèrent et les moines quittèrent leurs places dans un léger brouhaha. L'office était terminé. Jack se déplaça pour demeurer hors de vue.

Avant de sortir, les moines mouchèrent les cierges dans les stalles du chœur, mais ils en laissèrent un brûler sur l'autel. La porte se referma avec fracas. Jack attendit encore un peu, au cas où il resterait quelqu'un à l'intérieur. Rassuré par le silence, enfin il se risqua hors de l'abri de son pilier.

Il remonta la nef avec un sentiment bizarre à l'idée d'être seul dans ce grand bâtiment froid et vide. Il atteignit l'autel, s'empara du cierge et se sentit mieux.

Sa chandelle à la main, il inspecta l'intérieur de l'église. Au croisement de la nef et du transept sud, là où il avait craint le plus d'être aperçu par le moine qui officiait, il vit une porte munie d'un simple loquet. Il le manœuvra : la porte s'ouvrit.

La lumière du cierge éclaira un escalier en spirale, si étroit qu'un homme un peu corpulent n'aurait pas pu l'emprunter, et si bas de plafond que Tom aurait dû se plier en deux. Jack gravit les marches. Il déboucha dans une étroite galerie, formée d'un côté par une rangée de petites arches donnant sur la nef, et de l'autre par le toit en pente.

Le plancher n'était pas plat mais bombé. Il fallut un moment à Jack pour comprendre où il se trouvait : au-dessus de la nef latérale dont la voûte correspondait au plancher bombé sur lequel Jack se trouvait. De l'extérieur de l'église, on voyait bien que le bas-côté avait un toit en pente qui formait le plafond de la galerie. Le bas-côté était plus bas que la nef, si bien qu'il était loin du toit principal de la cathédrale.

Jack entreprit d'explorer la galerie, une expédition passionnante ; maintenant que les moines étaient partis, il ne craignait plus d'être repéré. Il avait l'impression d'avoir grimpé dans un arbre pour découvrir que tout en haut, sans qu'on pût le voir à cause des basses branches, tous les arbres étaient reliés entre eux et qu'on pouvait évoluer dans un monde secret à quelques pieds au-dessus du sol.

Au bout de la galerie, il franchit une autre petite porte, et se trouva à l'intérieur de la tour du sud-ouest, celle qui ne s'était pas écroulée. Cet endroit n'était de toute évidence pas fait pour être vu : il paraissait inachevé et ne possédait en guise de plancher que des chevrons séparés par des vides béants. Toutefois, autour du mur courait une volée de marches en bois, un escalier sans rampe. Jack s'y engagea.

A mi-hauteur, l'escalier disparaissait dans une petite ouverture cintrée ménagée dans le mur. Jack passa la tête à l'intérieur en élevant son cierge. Il était dans les combles, au-dessus du plafond de madriers et au-dessous des plaques de plomb du toit.

Tout d'abord il ne distingua aucun ordre dans l'enchevêtrement de poutres de bois mais, au bout d'un moment, il en comprit la structure. D'énormes madriers de chênes, chacun large d'un pied et haut de deux, enjambaient la largeur de la nef du nord au sud. Au-dessus de chaque madrier deux puissants chevrons formaient un triangle. L'alignement régulier des triangles s'étendait bien au-delà de la lumière du cierge.

Dans le coin, à la base du triangle, se trouvait une passerelle sur laquelle il se glissa. Il pouvait tout juste tenir debout : un homme aurait dû se courber. Il s'avança un peu. Il y avait assez de bois ici pour tout embraser. Il renifla, essayant d'identifier l'odeur bizarre qui flottait dans l'air. Une odeur de poix, décida-t-il. Les poutres du toit étaient calfatées. Elles brûleraient comme de la paille.

Un brusque mouvement sur le plancher le fit sursauter et

lui donna des battements de cœur. Il pensa au chevalier sans tête de la rivière et au moine fantomatique du cloître. Puis il se rassura en se disant qu'il s'agissait de souris, avant de se rendre compte que des oiseaux nichaient sous les avancées du toit.

Le plan des combles correspondait exactement à celui de l'église. Jack alla jusqu'au croisement et s'arrêta au coin. Il calcula qu'il devait être juste au-dessus du petit escalier en spirale qui l'avait mené à la galerie. S'il voulait allumer un feu, c'était ici qu'il faudrait le faire. De là, l'incendie pourrait s'étendre dans quatre directions : vers l'ouest le long de la nef, vers le sud par le transept sud et par-delà le croisement jusqu'au chœur et au transept nord.

Les poutres maîtresses du toit étaient en cœur de chêne et, bien qu'elles fussent enduites de poix, la flamme d'un cierge ne suffirait peut-être pas à leur faire prendre feu. Mais sous les avancées il y avait des copeaux, des éclisses de bois, des bouts de corde et de toile à sac et des nids d'oiseaux abandonnés qui feraient de parfaits margotins. Il suffirait de les rassembler et d'en faire un tas.

Son cierge était presque fondu.

Cela paraissait si facile : rassembler des débris de bois, en approcher la flamme du cierge et s'en aller. Traverser l'enclos comme un fantôme, se glisser dans l'hôtellerie, barrer la porte, se pelotonner dans la paille et attendre l'alarme.

Mais si on le prenait...

S'il se faisait surprendre maintenant, il pourrait dire qu'il explorait innocemment la cathédrale et cela lui vaudrait tout juste une fessée. Mais si on le chopait à mettre le feu à l'église, il ne s'en tirerait pas à si bon compte. Il se souvint du voleur de sucre à Shiring et de son dos en sang. Il se rappela certains des châtiments subis par les hors-la-loi : Farad Bouche Ouverte et ses lèvres coupées, Jack le Béret, amputé d'une main, Alan Face de Chat, mis au pilori, lapidé et incapable depuis de parler convenablement. Pires encore étaient des histoires concernant ceux qui n'avaient pas survécu à leur châtiment : un meurtrier attaché à un baril hérissé de pointes qu'on avait fait rouler du haut d'une colline, si bien que toutes les pointes s'étaient plantées dans son corps ; un voleur de chevaux avait été brûlé vif ; une putain voleuse empalée sur un pieu effilé. Que réservait-on à un garçon qui incendie une église ?

Perdu dans ses pensées, il se mit à ramasser les débris inflammables et à les entasser sur la passerelle juste en dessous d'une des grosses poutres. Quand le tas atteignit un pied de haut, il s'assit et le contempla.

Son cierge coulait. Dans quelques instants, il aurait laissé passer sa chance.

D'un geste vif, il approcha la flamme d'un bout de toile à sac qui prit feu. La flamme gagna aussitôt les copeaux de bois, puis un nid desséché ; et le tout se mit à flamber joyeusement.

Je pourrais encore l'éteindre, songea Jack.

Le petit bois brûlait un peu trop vite : à cette allure-là, il serait consumé avant que la poutre ne s'embrase. Jack s'empressa de rassembler d'autres copeaux qu'il jeta sur les flammes qui redoublèrent de hauteur. Je pourrais encore les éteindre, se répéta-t-il. La poix qui recouvrait la poutre commença à noircir et à fumer. Les copeaux finissaient de se consumer. Je pourrais laisser le feu mourir maintenant, se dit-il. Puis il constata que la passerelle était en train de brûler. Ou alors l'étouffer avec mon manteau. Au lieu de quoi, il jeta d'autres débris sur le brasier et le vit prendre de l'ampleur.

Bien que l'air glacé de la nuit ne fût qu'à un pouce de là, de l'autre côté du toit, dans le recoin où Jack se trouvait, l'atmosphère enfumée devenait irrespirable. Quelques petites poutres auxquelles étaient clouées les feuilles de plomb du toit commencèrent à brûler. Puis, enfin, une flammerole jaillit de la masse de la grande poutre.

La cathédrale flambait.

C'était fait maintenant. Pas moyen de revenir en arrière.

Jack s'affola. Il avait soudain envie de s'enfuir et de regagner l'hôtellerie. Il voulait s'enrouler dans son manteau, se blottir dans la paille, en fermant bien les yeux, bercé par le souffle régulier de ses compagnons.

Il battit en retraite par la passerelle.

Arrivé au bout, il regarda derrière lui. L'incendie se propageait avec une surprenante rapidité, peut-être à cause de la poix dont le bois était recouvert. Toutes les petites poutres étaient en feu, les grosses commençaient à brûler et les flammes envahissaient la passerelle.

Jack plongea dans la tour, dégringola les marches, puis traversa en courant la galerie au-dessus du bas-côté et dévala l'escalier en spirale jusqu'au sol de la nef. Il courut vers la porte par laquelle il était entré.

Elle était fermée à clé.

Il se rendit compte de sa stupidité. Les moines avaient naturellement refermé la porte à clé en partant, puisqu'ils l'avaient ouverte pour entrer.

La peur lui noua la gorge. Il avait mis le feu à l'église et voilà maintenant qu'il se retrouvait prisonnier dedans.

Luttant contre l'affolement, il s'efforça de réfléchir. Il avait essayé toutes les portes de l'extérieur et les avait toutes trouvées fermées ; mais peut-être certaines d'entre elles étaient-elles bloquées par des barres plutôt que par des serrures, si bien qu'on pourrait les ouvrir de l'intérieur.

Il franchit la croisée jusqu'au transept nord et examina la porte du porche nord. Une serrure.

Il traversa en courant la nef obscure jusqu'à l'extrémité ouest et s'escrima sur chacune des grandes entrées. Les trois portes étaient fermées à clé. Il s'attaqua à la petite porte qui donnait dans le bas-côté sud en venant du cloître. Celle-là aussi était verrouillée.

Jack avait envie de pleurer. Il leva les yeux vers le plafond de bois. Était-ce son imagination ou apercevait-il vraiment à la faible lueur du clair de lune un peu de fumée s'échappant du toit au coin du transept sud ?

Que vais-je faire ? se demanda-t-il.

Les moines allaient-ils s'éveiller et se précipiter pour éteindre l'incendie, en proie à un tel affolement que c'est à peine s'ils remarqueraient un petit garçon se faufilant par la porte ? Ou bien le verraient-ils aussitôt et se saisiraient-ils de lui en criant à l'incendiaire ? Ou alors resteraient-ils endormis jusqu'à ce que tout le bâtiment se soit effondré, avec Jack écrasé sous un énorme tas de pierres ?

Les larmes lui montèrent aux yeux et il regretta d'avoir approché la flamme du cierge de ces copeaux de bois.

Il promena autour de lui un regard de panique. S'il s'approchait d'une fenêtre et criait, quelqu'un l'entendrait-il ?

Il entendit un fracas au-dessus de lui. Il leva la tête et vit qu'une poutre venait de traverser le plafond de bois. Le trou formait une tache rouge sur un fond noir. Quelques instants plus tard, un autre énorme madrier enfonça le plafond et fit la culbute avant de s'écraser sur le sol avec un bruit sourd qui ébranla les puissants piliers de la nef. Jack tendit l'oreille, attendant des cris, des appels à l'aide ou le tintement d'une cloche. Rien. On n'avait pas entendu la poutre tomber. Si cela ne les avait pas réveillés, ils n'entendraient certainement pas Jack crier.

Je vais mourir ici, songea-t-il, terrifié ; je vais brûler vif ou être écrasé sous les pierres. Il faut que je trouve un moyen de sortir !

Il pensa soudain à la tour écroulée. Il l'avait examinée de l'extérieur sans voir de passage par où entrer, mais de crainte de tomber et de déclencher une avalanche il n'avait pas poussé très loin ses recherches. Peut-être, de l'intérieur cette fois, découvrirait-il quelque chose qui lui avait échappé ; et peut-être le désespoir l'aiderait-il à se glisser là où tout à l'heure il n'avait pas vu de brèche.

Il courut jusqu'à l'extrémité ouest. La lueur du feu passant par les trous du plafond, combinée avec les flammes qui léchaient la poutre tombée sur le sol de la nef, donnait maintenant une lumière plus forte que le clair de lune. L'arcade de la nef était soulignée d'or au lieu d'argent. Jack examina le tas de pierres qui avait jadis été la tour du nord-ouest. Elles semblaient former un mur solide, sans le moindre passage. Stupidement, il ouvrit la bouche et il hurla : « Mère ! » à pleins poumons, tout en sachant qu'elle ne pourrait pas l'entendre.

Une fois encore, il s'efforça de dominer son affolement. Une idée confuse trottait dans sa tête à propos de la tour effondrée. Il avait réussi à pénétrer dans celle restée intacte, en suivant la galerie au-dessus du bas-côté sud. S'il prenait maintenant au-dessus du bas-côté nord, peut-être apercevrait-il une ouverture dans ce tas de décombres, une ouverture invisible au niveau du sol.

Il revint en courant jusqu'à la croisée, restant sous l'abri du bas-côté nord au cas où d'autres poutres en feu traverseraient le toit. Il devait y avoir là une petite porte et un escalier en spirale, tout comme il y en avait un au nord. Il arriva au coin de la nef et du transept nord. Pas de porte. Il n'en croyait pas sa malchance. C'était fou : il devait bien y avoir un moyen d'accéder à la galerie !

Il réfléchit, luttant pour rester calme. Il existait nécessairement un passage vers la tour écroulée, il n'avait qu'à le déceler. Je pourrais remonter sous les combles par la tour sud-ouest, songea-t-il, et je traverserai en face où devrait être aménagé un accès à la tour nord-ouest effondrée. C'est peut-être là que je trouverai une issue.

Il leva vers le plafond un regard inquiet. Le feu maintenant devait avoir pris des allures de brasier. Mais il n'avait pas le choix.

D'abord, il lui fallait traverser la nef. Il jeta un coup d'œil au plafond. Apparemment, rien ne menaçait dans l'immédiat de tomber. Il prit une profonde inspiration et fonça.

Arrivé de l'autre côté, il ouvrit la petite porte et s'engouffra dans l'escalier en spirale. En haut, lorsqu'il s'avança dans la galerie, il sentit la chaleur de l'incendie au-dessus de lui. Il traversa la galerie en courant, franchit la porte qui donnait sur la tour intacte et grimpa quatre à quatre l'escalier.

Il baissa la tête et passa sous la petite arche pour gagner les combles remplis de fumée où il faisait une température insupportable. Toutes les poutres supérieures étaient en feu, et, au fond, les plus grosses d'entre elles brûlaient avec entrain. L'odeur de poix fit tousser Jack. Il n'hésita qu'un moment puis s'avança sur une des larges poutres qui traversaient la nef. Quelques secondes suffirent pour le faire ruisseler de sueur. Ses yeux larmoyaient si fort qu'il n'y voyait pratiquement plus. Il toussa, glissa sur le madrier et trébucha. Il tomba, un pied sur la poutre, l'autre dans le vide avant d'atterrir sur le plafond et, à son horreur, de s'enfoncer dans le bois pourri. Il se représenta aussitôt la hauteur de la nef et ce que serait sa chute s'il passait à travers le plafond ; il poussa un cri et s'effondra les bras en avant, s'attendant à tournoyer en l'air comme l'avait fait la poutre en face.

Mais le bois résista.

Appuyé sur les mains et sur un genou, son autre jambe à travers le plafond, Jack resta pétrifié. Puis la forte chaleur le tira de sa paralysie. Il dégagea doucement son pied du trou, se remit à quatre pattes et poursuivit sa progression.

Comme il approchait de l'autre côté, plusieurs grosses poutres tombèrent dans la nef. Le bâtiment tout entier parut trembler et Jack sentit le madrier vibrer sous lui comme la corde d'un arc. Il s'arrêta et se cramponna. Le tremblement cessa. Jack continua d'avancer et, peu après, il atteignit le côté nord de la passerelle.

S'il s'était trompé et qu'il ne trouve pas un accès aux

ruines de la tour nord-ouest, il lui faudrait revenir sur ses pas.

En se redressant, il aspira une bouffée de l'air froid de la nuit. Il devait y avoir une sorte de brèche. Mais serait-elle assez grande pour laisser le passage à un petit garçon ?

Il fit trois pas à gauche et s'arrêta juste au moment où il allait continuer dans le vide. Et se retrouva contemplant, à travers un grand trou, les ruines de la tour éclairées par la lune. Un immense soulagement l'envahit. Il était sorti de l'enfer.

Mais le sommet de la pile de décombres se situait beaucoup plus bas, trop loin pour que Jack pût risquer un saut. Il pouvait maintenant échapper aux flammes, mais atteindrait-il le sol sans se rompre le cou ? Derrière lui, l'incendie approchait rapidement, précédé de la fumée qui s'échappait par l'ouverture béante au niveau du toit au bord de laquelle il était planté.

Cette tour avait jadis possédé comme sa jumelle un escalier qui en épousait le mur intérieur, mais désormais pratiquement détruit. Pourtant, là où l'on avait fixé les marches de bois dans le mur avec du mortier, des morceaux faisaient encore saillie, parfois juste d'un pouce ou deux, parfois davantage. Jack se demanda s'il ne pourrait pas descendre en s'y accrochant. Ce serait une opération dangereuse. Il sentit une odeur de brûlé ; son manteau risquait de prendre feu d'un instant à l'autre. Il n'avait pas le choix.

Il s'assit, chercha à tâtons le tronçon le plus proche, s'y cramponna à deux mains, puis d'un pied s'efforça de trouver une prise. Il avança alors l'autre pied. En tâtonnant ainsi, il descendit l'équivalent d'une marche. Les bouts de bois tenaient bon. Il recommença l'opération ; s'assurant de la robustesse de l'ergot suivant avant de poser son poids dessus. Chaque pas de cette périlleuse descente l'approchait du sommet du tas de décombres. A mesure qu'il progressait, les tronçons semblaient rapetisser comme si la partie inférieure de l'escalier avait davantage souffert. Il posa un pied chaussé de sa botte de feutre sur un bout de bois pas plus large que son orteil et, au moment de s'appuyer dessus, il glissa. Le tronçon plus large sur lequel reposait son autre pied céda sous le poids. Jack essaya de se retenir par les mains, mais les prises étaient si petites qu'il ne put s'y cramponner et, terrifié, il glissa de son perchoir précaire et tomba dans le vide.

Il atterrit brutalement sur les mains et sur les genoux au milieu du tas de décombres. Un instant, il se crut mort ; puis il se rendit compte qu'il avait eu la chance de bien tomber. Ses mains lui faisaient mal et il devait avoir les genoux complètement écorchés, mais il était sain et sauf. Peu après il déboulait le tas de pierres et sautait à terre.

Sauvé !

Le soulagement lui rendait les jambes molles. Il en aurait pleuré. Quelle aventure il venait de vivre ! Quelle fierté d'en avoir réchappé !

Mais ce n'était pas encore fini. D'ici, on ne sentait qu'une vague odeur de fumée et le grondement de l'incendie, si assourdissant sous le toit, faisait maintenant l'effet d'un vent soufflant au loin. Seule la lueur rougeâtre derrière les fenêtres attestait que l'église était en feu. Néanmoins, ces dernières secousses avaient dû troubler le sommeil de quelqu'un et à tout moment un moine à moitié endormi pouvait surgir du dortoir pour vérifier s'il avait rêvé ou s'il s'agissait bien d'un tremblement de terre.

Jack avait mis le feu à l'église, un crime abominable aux yeux d'un moine, il ne lui restait plus qu'à s'enfuir et vite. Il traversa en courant l'espace découvert jusqu'à l'hôtellerie. Tout était calme et silencieux. Il s'arrêta devant la porte, hors d'haleine. S'il entrait, haletant de la sorte, il allait tous les réveiller. Il essaya de reprendre son souffle, mais sans succès. Il allait devoir rester ici jusqu'à ce que sa respiration fût redevenue normale.

Une cloche retentit, déchirant le silence, avec persistance : l'alarme sans doute. Jack se figea sur place. S'il entrait maintenant, ils sauraient. Mais s'il demeurait là...

La porte de l'hôtellerie s'ouvrit sur Martha. Jack la dévisagea, terrifié.

« Où étais-tu ? chuchota-t-elle. Tu sens la fumée. »

Un mensonge plausible vint à l'esprit de Jack. « Je viens de sortir, dit-il. J'ai entendu la cloche.

— Menteur, dit Martha. Tu es parti depuis une éternité. Je le sais, j'étais réveillée. »

Il comprit qu'il ne la duperait pas. « Y avait-il quelqu'un d'autre de réveillé ? demanda-t-il inquiet.

— Non, rien que moi.

— Ne leur raconte pas que j'étais sorti. S'il te plaît ! »

Elle perçut la peur dans sa voix et d'un ton apaisant : « Bon, je garderai le secret. Ne t'inquiète pas.

— Merci ! »

Puis Tom émergea en se grattant la tête.

Jack eut peur. Qu'allait-il penser ?

« Qu'est-ce qui se passe ? » s'enquit Tom d'une voix endormie. Il huma l'air. « Ça sent la fumée. »

D'un bras tremblant Jack désigna la cathédrale. « Je crois... », dit-il, puis il avala sa salive. Il se rendit compte avec un immense soulagement que tout irait bien. Tom se dirait que Jack venait de se lever, comme Martha. D'un ton plus assuré cette fois, Jack reprit : « Regarde l'église. Je crois qu'elle est en feu. »

XIII

Philip n'était pas encore habitué à dormir seul. Bien des choses lui manquaient : l'atmosphère confinée du dortoir, les ronflements et les remuements des autres dormeurs, le fait d'être dérangé quand un des moines plus âgés se levait pour aller aux latrines (suivi en général par d'autres anciens, procession régulière qui amusait toujours les jeunes). La solitude ne gênait pas Philip le soir quand il rentrait dans sa chambre, épuisé de fatigue ; mais, au milieu de la nuit, après l'office, il avait du mal à retrouver le sommeil. Au lieu de regagner le grand lit douillet (il était un peu embarrassé de voir combien il s'était vite habitué à ce confort-là), il ranimait le feu et se mettait à lire à la lueur d'une chandelle ou bien s'agenouillait pour prier, ou simplement restait assis à méditer.

Les sujets de réflexion ne lui manquaient pas. Les finances du prieuré se trouvaient en plus mauvais état encore qu'il ne l'avait prévu. La principale raison en était sans doute que toute l'organisation produisait très peu de revenus. Le monastère possédait de vastes domaines, mais louait nombre de fermes à des prix fort bas avec des baux interminables et certains métayers s'acquittaient de leurs loyers en nature : tant de sacs de farine, tant de barils de pommes, tant de charrettes de navets. Les fermes non louées étaient gérées par les moines, qui se montraient incapables de produire un surplus pour la revente. Le prieuré tirait aussi des ressources des églises qui lui appartenaient et sur lesquelles il percevait des dîmes. Malheureusement, la plupart de celles-ci se trouvaient sous le contrôle du sacristain dont Philip n'arrivait pas à obtenir exactement le chiffre exact de ses recettes et de ses dépenses. Il n'existait pas de livres de comptes. Mais, de toute évidence, il apparaissait clairement que le revenu du sacristain était trop faible ou alors sa gestion trop mauvaise pour maintenir en bon état la cathédrale. Pourtant, au long des années, le sacristain avait amassé une impressionnante collection de vases précieux et d'ornements.

Philip ne pourrait réunir tous les éléments du problème qu'en prenant le temps de faire le tour des vastes propriétés du monastère, mais les grandes lignes en étaient déjà très nettes ; et depuis plusieurs années l'ancien prieur empruntait aux prêteurs de Winchester et de Londres de quoi faire face aux dépenses quotidiennes. Devant cette situation, Philip s'était senti fort déprimé. Toutefois, tandis qu'il pensait et priait, la solution lui apparut. Il élabora un plan en trois points. D'abord prendre personnellement le contrôle des finances du prieuré. Actuellement, chacun des dignitaires du monastère contrôlait diverses parties de la propriété et s'acquittait de ses responsabilités avec les revenus qu'il en tirait : le cellérier, le sacristain, l'hôtelier, le maître des novices et l'infirmier avaient tous « leurs » fermes et « leurs » églises. Aucun d'eux, naturellement, ne reconnaîtrait disposer de trop d'argent : ils prenaient d'ailleurs soin de dépenser tout surplus de crainte d'en perdre le contrôle. Philip avait décidé de nommer un nouveau responsable, appelé le trésorier, qui aurait pour mission de recevoir toutes les sommes dues au prieuré, sans exception, puis de remettre à chaque responsable exactement ce dont il avait besoin.

Le trésorier serait évidemment quelqu'un en qui Philip aurait confiance. Il avait tout d'abord songé à confier la tâche au cellérier, Cuthbert le Chenu, mais il s'était rappelé l'aversion qu'éprouvait Cuthbert à noter les choses par écrit. Impossible. Désormais, toutes les rentrées et toutes les sorties d'argent devraient être consignées dans un grand livre. Philip avait donc résolu de désigner comme trésorier le jeune cuisinier, frère Milius. Quelle que soit la personne nommée, l'idée même de cette innovation déplairait certainement aux autres dignitaires du couvent, mais Philip était le maître et d'ailleurs la majorité des moines, qui savait ou qui se doutait que le prieuré avait des difficultés, soutiendrait des réformes.

Une fois l'argent sous son contrôle, Philip mettrait en application le point deux de son plan.

Toutes les fermes éloignées seraient louées moyennant des loyers en espèces. Cela mettrait un terme au transport coûteux de marchandises sur de longues distances. Par exemple, un domaine du prieuré dans le Yorkshire redevable d'un « loyer » de douze agneaux, les envoyait consciencieusement chaque année jusqu'à Kingsbridge, même si le coût du transport était supérieur à la valeur des bêtes, dont, au demeurant, la moitié mouraient toujours en route. Désormais, seules les fermes les plus proches produiraient de la nourriture pour le prieuré.

Philip comptait aussi modifier le système actuel d'après lequel chaque ferme produisait un peu de tout — du grain, de la viande, du lait, et ainsi de suite. Il pensait depuis des années que c'était du gaspillage. Chaque ferme ne réussissait à produire qu'assez de chaque chose pour ses propres besoins — peut-être serait-il plus vrai de dire que chaque ferme réussissait toujours à consommer à peu près tout ce qu'elle produisait. Philip voulait voir chaque ferme se concentrer sur une seule denrée. Tout le grain serait cultivé dans un groupe de villages du Somerset, où le prieuré possédait également plusieurs moulins. Les fertiles collines du Wiltshire engraisseraient du bétail qui donnerait du beurre et de la viande. La petite communauté de Saint-John-de-la-Forêt élèverait des chèvres et ferait du fromage. Mais le projet le plus important de Philip était de transformer toutes les fermes de moyenne importance — celles établies sur un sol ingrat ou pas très fertile, en particulier dans les collines —, en élevages de moutons.

Il avait passé sa jeunesse dans un monastère où l'on élevait des moutons (comme un peu partout dans cette région du pays de Galles), et il avait vu le prix de la laine monter lentement mais régulièrement, année après année, depuis aussi longtemps qu'il pouvait se souvenir. Les moutons, à la longue, résoudraient de façon permanente les problèmes d'argent du prieuré.

Voilà pour le deuxième point du plan. Le troisième était de démolir la cathédrale et d'en bâtir une nouvelle.

Vieille, laide et peu pratique, la présente église démontrait avec sa tour nord-ouest écroulée le manque de solidité de l'ensemble de l'édifice. Plus hautes, plus grandes et — surtout — moins sombres, les églises modernes étaient conçues pour mettre en valeur les tombes importantes et les saintes reliques que les pèlerins venaient voir. Aujourd'hui, de plus en plus, les cathédrales comportaient des autels secondaires et des chapelles spéciales consacrées à des saints particuliers. Une église bien conçue répondant aux multiples exigences des assemblées d'aujourd'hui attirerait beaucoup plus de fidèles et de pèlerins que Kingsbridge ne pouvait en accueillir pour l'instant ; et, par là même, deviendrait très rentable. Quand Philip aurait remis en ordre les finances du prieuré, il bâtirait une nouvelle église qui symboliserait la renaissance de Kingsbridge.

Ce serait le couronnement de sa carrière. Cette reconstruction, il ne pourrait la financer que dans une dizaine d'années. Une perspective pas très encourageante : il aurait alors près de quarante ans ! Mais, d'ici un an, il espérait pouvoir entreprendre un programme de réparations qui rendrait le bâtiment actuel respectable, sinon impressionnant, pour la Pentecôte suivante.

Maintenant qu'il avait un plan, il se sentait de nouveau joyeux et optimiste. Songeant aux détails, ce fut à peine s'il entendit un bruit au loin, comme le claquement d'une grande porte. Il se demanda vaguement si quelqu'un se promenait déjà dans le dortoir ou le cloître. De toute manière, s'il y avait un problème, on l'en informerait assez tôt, et ses pensées revinrent aux loyers et aux dîmes. Une autre importante source de richesse pour les monastères, c'étaient les dons des parents des jeunes novices, mais, pour attirer les novices, le monastère avait besoin d'une école florissante.

Ses réflexions furent une fois de plus interrompues, cette fois par un bruit plus fort qui fit légèrement trembler sa maison. Il ne s'agissait assurément pas d'une porte qui claquait. Que se passait-il donc ? Il s'approcha de la fenêtre et poussa le volet. Laissant entrer le froid de la nuit, frissonnant, Philip contempla l'église, la salle capitulaire, le cloître, le dortoir et les bâtiments de la cuisine : tout semblait paisible sous le clair de lune. L'air était si glacé que ses dents lui faisaient mal lorsqu'il respirait. Mais il y avait quelque chose dans cet air. Il renifla. Cela sentait la fumée.

Il fronça les sourcils, inquiet, mais il ne voyait pas de feu.

Il rentra la tête dans sa chambre et huma de nouveau l'air, pensant que la fumée provenait peut-être de sa cheminée, mais ce n'était pas le cas.

Intrigué et soucieux, il enfila rapidement ses bottes, prit son manteau et sortit en courant.

Comme il se hâtait sur la pelouse vers le cloître, l'odeur de fumée se fit plus forte. Sans aucun doute, une partie du prieuré brûlait. Philip pensa tout d'abord à la cuisine : presque tous les incendies partaient des cuisines. Il traversa en courant le passage reliant le transept sud à la salle capitulaire, puis traversa le cloître. De jour, il aurait pris par le réfectoire pour gagner la cour de la cuisine mais, la nuit, la porte était fermée, aussi emprunta-t-il le passage voûté de l'allée sud avant de tourner à droite vers l'arrière-cuisine. Pas trace de feu là-bas, ni dans la brasserie, ni dans la boulangerie. L'odeur de fumée semblait maintenant un peu moins forte. Philip continua à courir pour aller jeter un œil sur l'hôtellerie et l'écurie, de l'autre côté de la pelouse. Tout semblait calme.

Le feu pouvait-il avoir pris dans le dortoir ? C'était le seul autre bâtiment comportant une cheminée. Cette idée l'horrifia. Tout en se précipitant vers le cloître, il eut l'horrible vision des moines suffoqués par la fumée, gisant inconscients tandis que le dortoir flambait. Au moment où il y arrivait, la porte s'ouvrit et Cuthbert le Chenu sortit, une torche à la main.

Cuthbert dit aussitôt : « Vous sentez ?

— Oui... Les moines vont bien ?

— Il n'y a pas de feu ici. »

Philip fut soulagé. Du moins son troupeau était-il indemne.

« Alors, où est-ce ?

— La cuisine ? suggéra Cuthbert.

— Non... J'ai vérifié. » Maintenant qu'il savait que personne n'était en danger, il s'inquiétait de son domaine. Il venait de réfléchir aux finances et il savait qu'il ne pouvait pas faire pour l'instant de réparations aux bâtiments. Il regarda l'église. N'y avait-il pas une faible lueur rouge derrière les fenêtres ?

« Cuthbert, dit Philip, demandez la clé de l'église au sacristain. » Cuthbert l'avait devancé. « Je l'ai ici.

— Bonne idée ! » Ils s'engagèrent en courant dans l'allée jusqu'à la porte du transept que Cuthbert ouvrit précipitamment. A peine avait-il poussé le battant que la fumée sortit en tourbillons.

Philip sentit son cœur s'arrêter. Comment son église pouvait-elle être en feu ?

Il entra. La scène qui s'offrit à lui était terrifiante. Sur le sol de l'église, autour de l'autel et ici, dans le transept sud, d'énormes morceaux de bois brûlaient. D'où venaient-ils ? Comment avaient-ils produit tant de fumée ? Et quel était ce grondement impressionnant ?

« Regardez là-haut ! » cria Cuthbert.

Philip leva les yeux et eut la réponse aux questions qu'il se posait. Le plafond flambait : on aurait dit les entrailles de l'enfer. Il avait déjà presque disparu, révélant les chevrons du toit embrasés. Philip s'immobilisa, pétrifié, la tête en l'air, le cou raidi. Puis il rassembla ses esprits.

Il fonça jusqu'au milieu de la croisée du transept, s'arrêta devant l'autel et examina l'ensemble de l'église. Le toit tout entier était en feu, de la porte ouest à l'extrémité est et sur toute la largeur des deux transepts. *Comment allons-nous apporter de l'eau jusque-là ?* songea-t-il, affolé. Il imagina une chaîne de moines courant dans la galerie avec des seaux et comprit aussitôt que c'était impossible : même cent personnes ne pourraient pas porter jusqu'au toit une quantité d'eau suffisante pour arrêter cet enfer rugissant. Tout allait être détruit, comprit-il, le cœur serré ; la pluie et la neige tomberaient dans l'église jusqu'à ce qu'il trouve de l'argent pour un nouveau toit.

Un fracas lui fit lever les yeux. Juste au-dessus de sa tête, un énorme madrier glissait lentement de côté et s'apprêtait à tomber sur lui. Philip plongea vers le transept sud, où Cuthbert attendait, affolé.

Tout un pan du toit, trois triangles de poutres et de chevrons recouverts de feuilles de plomb étaient en train de s'effondrer. Philip et Cuthbert regardaient, figés sur place, sans penser à leur propre sécurité. Le toit s'écroula sur une des grandes arches rondes de la croisée. L'énorme poids du bois et du plomb brisa la maçonnerie dans un bruit de tonnerre. Tout se passa au ralenti : les poutres tombèrent lentement, l'arche se fracassa tranquillement et la maçonnerie en miettes se répandit sans hâte sur le sol. De nouvelles poutres se trouvèrent libérées et dans un bruit comparable à un long coup de tonnerre, toute une partie du mur nord du chœur trembla et s'affaissa dans le transept nord.

Philip était atterré : le spectacle de destruction d'une aussi impressionnante construction avait quelque chose d'étrangement choquant. Il lui semblait voir une montagne s'effondrer ou une rivière s'assécher : jamais il n'aurait pensé que cela pourrait arriver. Il n'en croyait pas ses yeux. Il ne savait pas quoi faire. Cuthbert le tira par la manche. « Sortez ! » cria-t-il.

Philip ne pouvait pas s'arracher à cette vision. Il avait prévu dix ans d'austérité et de dur labeur pour remettre le monastère dans une situation financière saine. Et voilà que, tout à coup, il lui fallait construire un nouveau toit et un nouveau mur nord, et peut-être plus si la destruction se poursuivait... C'est l'œuvre du diable, se dit-il. Comment expliquer autrement que le toit ait pris feu par une glaciale nuit de janvier ?

« Nous allons nous faire tuer ! » hurla Cuthbert. La peur que traduisait sa voix émut Philip. Il se détourna du brasier et, avec le cellérier, il quitta en courant l'église pour se réfugier dans le cloître.

Les moines alertés sortaient en bousculade. Planté sur le seuil, Milius le cuisinier les pressait d'avancer pour éviter la cohue, et tentait de les éloigner de l'église pour les refouler vers l'allée sud du cloître, au milieu de laquelle Tom le bâtisseur leur conseillait de tourner sous l'arche et de s'échapper par là. Philip entendit Tom crier : « Allez à l'hôtellerie... évitez l'église ! »

Philip estima cette réaction exagérée : ils n'auraient sûrement rien risqué ici, dans le cloître. Mais peut-être était-ce une précaution raisonnable. En fait, se dit-il, j'aurais probablement dû y penser moi-même.

Et les avertissements de Tom amenèrent Philip à se demander jusqu'où la destruction pourrait s'étendre. Si le cloître ne se trouvait pas absolument à l'abri, que dire de la salle capitulaire ? C'était là, dans une petite pièce aux épais murs de pierre et sans fenêtre, qu'ils gardaient le coffre de chêne cerclé de fer contenant le peu d'argent qu'ils possédaient, avec tous les vases inestimables du sacristain et les précieuses chartes et titres de propriété du prieuré. Philip aperçut Alan, un jeune moine qui travaillait avec le sacristain et s'occupait des ornements. Il l'appela. « Il faut s'occuper du trésor... Où est le sacristain ?

— Il est parti, mon père.

— Allez le trouver, demandez-lui les clés, puis prenez le trésor dans la salle capitulaire et portez-le à l'hôtellerie. Vite ! »

Alan fila en courant. Philip se tourna vers Cuthbert. « Assurez-vous qu'il le fait. » Cuthbert acquiesça et suivit Alan.

Philip se retourna vers l'église. Durant les quelques instants où son attention s'était portée ailleurs, le feu avait pris de l'ampleur et la lueur des flammes brillait maintenant à toutes les fenêtres. Le sacristain aurait dû penser au trésor, au lieu de s'empresser de se sauver. Avait-on oublié autre chose ? Philip n'arrivait pas à penser méthodiquement. Voyons... Les moines se mettaient à l'abri, on s'occupait du trésor...

Il avait oublié le saint.

Au fond du chœur, derrière le trône de l'évêque, se trouvait le tombeau de saint Adolphus, un ancien martyr anglais. Le monument contenait un cercueil de bois renfermant le squelette du saint. On soulevait périodiquement la dalle de pierre pour exhiber le cercueil. Adolphus n'était pas aussi populaire aujourd'hui que jadis mais, autrefois, des malades avaient été miraculeusement guéris en touchant la tombe. Les restes d'un saint attiraient des fidèles et des pèlerins dans une église et pouvaient rapporter tant d'argent que, si scandaleux que cela fût, on voyait souvent des moines voler carrément de saintes reliques dans d'autres sanctuaires. Philip avait prévu de raviver l'intérêt des foules pour Adolphus. Il lui fallait sauver ce squelette.

Il aurait besoin d'aide pour soulever la dalle et déménager le cercueil. Le sacristain aurait dû y penser déjà mais il demeurait invisible. Le premier moine à sortir du dortoir se trouva être Remigius, l'orgueilleux sous-prieur. Philip devrait s'en contenter. Il l'appela : « Aidez-moi à sauver les reliques du saint. »

Les yeux vert pâle de Remigius se tournèrent avec crainte vers l'église en flammes mais, après un moment d'hésitation, il suivit Philip et franchit avec lui la porte.

A l'intérieur de l'église, Philip s'arrêta. Il venait à peine de quitter les lieux mais le feu avait progressé très vite. Une odeur lui piquait les narines, avec des relents de poix brûlée, ce qui prouvait que les poutres du toit avaient été

270

traitées contre les pourrissements du bois. Malgré les flammes, on sentait un vent glacial : la fumée s'échappait par les trous béants du toit et le feu aspirait dans l'église l'air froid par les fenêtres. Ce courant ascendant attisait le feu. Des braises tombaient en pluie sur le sol et quelques-unes des grosses poutres, qui se consumaient dans le toit, semblaient prêtes à tomber à tout moment. Jusqu'alors Philip s'était préoccupé des moines et ensuite des biens du prieuré, mais maintenant, pour la première fois, il avait peur pour lui-même et il hésita à s'engager dans cet enfer.

Plus il attendait, plus le risque augmentait ; s'il réfléchissait trop, il ne ferait plus rien. Retroussant les pans de sa robe, il cria : « Suivez-moi ! » et se jeta dans le transept. Il évita les petits foyers qui jonchaient le sol, s'attendant à tout moment à être écrasé par une poutre. Puis, il se retrouva soudain à l'abri, sur le bas-côté.

Il s'arrêta un moment. Les nefs latérales avaient une voûte en pierre et rien n'y brûlait. Remigius à ses côtés, Philip haletait et toussait en respirant la fumée. Les quelques instants de la traversée du transept lui avaient paru plus longs qu'une messe de minuit.

« Nous allons nous faire tuer ! dit Remigius.

— Dieu nous protégera », répliqua Philip, qui songea : *Alors pourquoi ai-je peur ?*

L'heure n'était pas à la théologie.

Il longea le transept et tourna le chœur, sans quitter le bas-côté. Il sentit la chaleur des stalles de bois qui brûlaient gaiement au milieu de l'abside et sa gorge se serra : on n'avait pas ménagé l'argent pour décorer les stalles couvertes de magnifiques sculptures. Il s'efforça de ne pas y penser et de se concentrer sur sa tâche immédiate.

Le tombeau du saint, une grande boîte de pierre rehaussée d'une plinthe, se dressait au centre de l'église. Philip et Remigius devraient soulever la dalle, l'écarter, retirer le cercueil et le transporter jusqu'au bas-côté tandis que le toit se désintégrait au-dessus de leurs têtes. Philip regarda Remigius. Les yeux verts du sous-prieur étaient agrandis de terreur. Philip s'efforça de dissimuler la peur que lui-même éprouvait. « Prenez-le par ce bout, je prendrai celui-ci », dit-il et, sans attendre la réponse, il courut vers le tombeau.

Remigius lui emboîta le pas.

Chacun d'un côté, ils empoignèrent la dalle pour la pousser.

La dalle ne bougea pas d'un pouce.

Philip comprit qu'il aurait dû amener d'autres moines. Il n'avait pas pris le temps de réfléchir. Mais il était trop tard maintenant : s'il sortait pour aller chercher du secours, il risquait de ne pas pouvoir revenir dans un transept infranchissable. Mais comment laisser ici les reliques du saint ? Une poutre risquait en chutant de fracasser la sépulture ; alors le cercueil de bois prendrait feu et les cendres s'éparpilleraient au vent, épouvantable sacrilège, et aussi perte terrible pour la cathédrale.

Une idée lui vint. Il se mit sur le côté de la tombe et fit signe à Remigius de venir auprès de lui. Il s'agenouilla, posa les deux mains sur le bord de la dalle et poussa de toutes ses forces. Remigius l'imita et la dalle se souleva peu à peu. Philip dut se relever sur un genou et Remigius fit de même ; puis tous deux se redressèrent. Une fois la dalle à la verticale, il suffit d'une autre poussée pour la faire basculer sur le sol où elle se fendit en deux.

Philip examina l'intérieur du tombeau. Le sarcophage était en bon état, le bois encore apparemment sain et les poignées de fer à peine ternies. Philip se planta à une extrémité, se pencha et saisit deux poignées. Remigius fit de même à l'autre bout. Ils soulevèrent le cercueil de quelques pouces, mais il était beaucoup plus lourd que Philip ne s'y attendait et, au bout d'un moment, Remigius lâcha prise en disant : « Je ne peux pas... Je suis plus vieux que vous. »

Philip réprima sa colère. Sans doute le cercueil était-il doublé de plomb, mais maintenant qu'ils avaient ôté la dalle du tombeau, il devenait encore plus vulnérable qu'auparavant. « Venez ici, cria Philip à Remigius. Nous allons essayer de le mettre debout. »

Remigius rejoignit Philip. Ils prirent chacun une poignée de fer et soulevèrent assez facilement le cercueil qu'ils firent passer par-dessus le bord du tombeau avant de le dresser sur une extrémité. Ils s'arrêtèrent un moment. Philip s'aperçut qu'ils avaient soulevé le pied de la caisse, si bien que le saint était maintenant la tête en bas. Il lui adressa de silencieuses excuses. Des tisons enflammés ne cessaient de pleuvoir autour d'eux. Chaque fois que des étincelles atteignaient la robe de Remigius, celui-ci les tapotait avec frénésie tout en ne cessant de jeter des coups d'œil affolés sur le toit en flammes. Philip comprit que le courage du sous-prieur s'épuisait rapidement.

Sur un dernier effort des deux hommes le cercueil commença à glisser sur le bord du tombeau ; puis l'autre extrémité toucha enfin le sol. Après quoi les moines le remirent à l'endroit pour que le corps soit enfin dans le bon sens. Les saints ossements devaient s'agiter à l'intérieur comme des dés dans un cornet, songea Philip. Jamais je n'aurai approché autant du sacrilège, mais tant pis.

Tenant chacun une poignée, Philip et Remigius tirèrent de nouveau le cercueil pour l'apporter à l'abri relatif du bas-côté, laissant derrière de petits sillons creusés par les coins de fer dans la terre battue. Les moines étaient presque parvenus au but quand une portion du toit, des madriers en flammes et du plomb brûlant, vint s'effondrer en plein sur le tombeau maintenant vide du saint. Le fracas fut assourdissant, le sol trembla sous le choc et le caveau vola en éclats. Une grosse poutre rebondit sur le cercueil, manquant de peu Philip et Remigius et leur arrachant leur fardeau des mains. Remigius n'y tint plus : « C'est l'œuvre du diable ! » hurla-t-il, et il détala en courant.

Philip faillit bien le suivre. Si le diable était réellement à l'œuvre ici ce soir, qui savait ce qui risquait d'arriver ? Philip n'avait jamais vu de démon, mais il avait entendu de nombreux récits de victimes de ce genre de rencontre. Cependant les moines sont faits pour s'opposer à Satan, et non pour le fuir, se dit sévèrement Philip. Il jeta un long regard sur l'endroit à atteindre, puis banda ses muscles, saisit les poignées du cercueil et poussa.

Il parvint à dégager la caisse de la poutre. Chose étonnante, le bois du cercueil, quoique entamé, tenait encore bon. Il le tira un peu plus loin tandis qu'une pluie de petites braises brûlantes se déversait sur lui. Il leva la tête. Était-ce une silhouette qui dansait là-haut dans les flammes en se moquant, ou seulement un tourbillon de fumée ? Il baissa les yeux et s'aperçut que le bas de sa robe avait pris feu. Il s'agenouilla, étouffa les flammes de ses mains, puis entendit un bruit : soit le grincement du bois torturé, soit le rire dément d'un diable. « Saint Adolphe, protégez-moi », murmura-t-il, et il reprit les poignées du cercueil.

Il avançait pouce par pouce, refusant de lever à nouveau les yeux : mieux valait ne pas regarder le diable. Il atteignit enfin le bas-côté et se sentit un peu plus en sûreté. Son dos moulu l'obligea à s'arrêter et à se redresser un moment.

Le trajet était encore long jusqu'à la porte la plus proche, dans le transept sud, et Philip ne savait pas s'il pourrait traîner le cercueil jusque-là avant que le toit tout entier ne s'effondre. Voilà peut-être sur quoi comptait le diable. Philip ne put s'empêcher de lever la tête vers le brasier. Juste au moment où il l'apercevait dans la fumée, la silhouette à deux jambes bondit derrière une poutre noircie. Il sait que je ne peux pas y arriver, se dit Philip, tenté d'abandonner le saint et de s'enfuir à toutes jambes. C'est alors qu'il vit frère Milius, Cuthbert le Chenu et Tom le bâtisseur, trois formes très solides, accourir à sa rencontre. Son cœur bondit de joie et il fut soudain moins convaincu d'une présence satanique dans les combles.

« Dieu soit loué ! s'écria-t-il. Aidez-moi. »

Tom le bâtisseur jeta un rapide coup d'œil au toit en flammes. Il ne parut voir aucun démon là-haut, mais déclara : « Faisons vite. »

Ils prirent chacun un coin et hissèrent le cercueil sur leurs épaules. Même à quatre, c'était un effort. « En avant ! » cria Philip. Courbés sous le poids, ils se dirigèrent aussi vite qu'ils le pouvaient vers la porte.

« Attendez ! » lança Tom alors qu'ils atteignaient le transept sud. Le sol était une course d'obstacles entre de petits feux sur lesquels ne cessaient de tomber de nouveaux fragments de bois enflammé. Philip scruta la brèche, essayant d'imaginer dans sa tête un chemin à travers les flammes. Un grondement se fit entendre du côté ouest de l'église. Philip leva la tête, plein d'appréhension. Le grondement se transforma en coups de tonnerre. « Elle est faible, dit mystérieusement Tom le bâtisseur, comme l'autre.

— Quoi donc ? cria Philip.

— La tour sud-ouest.

— Oh non ! »

Horrifié, Philip eut l'impression que tout le côté ouest de l'église s'avançait comme si la main de Dieu l'avait frappé. Le toit s'effondra dans la nef qui parut secouée par un tremblement de terre. Puis, comme une avalanche, l'ensemble de la tour sud-ouest s'écroula et tomba dans l'église.

Philip demeura pétrifié. Son église se désintégrait sous ses yeux. Il faudrait des années pour réparer les dégâts, en supposant qu'il parvienne à trouver l'argent. Que faire ?

Comment le monastère continuerait-il ? Était-ce la fin du prieuré de Kingsbridge ?

Il fut tiré de sa stupeur par le mouvement du cercueil sur son épaule tandis que les trois autres hommes se remettaient en marche. Tom leur fraya un chemin dans le labyrinthe des feux. Un tison tomba sur le cercueil mais par bonheur glissa sans toucher personne. Quelques instants plus tard ils franchissaient la porte et sortaient dans l'air froid de la nuit.

Trop atterré par la destruction de l'église, Philip n'éprouvait aucun soulagement. Ses compagnons et lui-même contournèrent en hâte le cloître et passèrent sous l'arche sud. Une fois loin des bâtiments, Tom dit : « Ça ira. » Ils déposèrent sans se faire prier le cercueil sur le sol gelé.

Il fallut quelques instants à Philip pour reprendre son souffle. Il comprit aussi qu'il ne devait pas se laisser aller. En tant que prieur, il lui appartenait de commander. Que devait-il faire maintenant ? D'abord s'assurer que tous les moines étaient sortis sains et saufs du dortoir. Il prit une profonde inspiration, puis redressa les épaules. « Cuthbert, restez ici pour veiller au cercueil du saint, ordonna-t-il. Les autres, suivez-moi. »

Il les entraîna derrière les cuisines, passa entre la brasserie et le moulin et traversa la pelouse jusqu'à l'hôtellerie. Les moines, la famille de Tom et la plupart des villageois étaient là réunis par petits groupes, chuchotant et contemplant les yeux écarquillés l'église en feu. Quel spectacle pitoyable : toute l'extrémité ouest n'était qu'un tas de ruines et d'énormes flammes jaillissaient de ce qui restait du toit.

Philip se tourna vers la foule : « Tout le monde est là ? s'enquit-il. Si vous pensez que quelqu'un manque à l'appel, dites son nom.

— Cuthbert le Chenu, dit quelqu'un.

— Il garde les reliques du saint. Personne d'autre ? »

Il n'y avait personne d'autre.

« Comptez les moines pour vous en assurer, ordonna Philip à Milius. Nous sommes quarante-cinq, y compris vous et moi. » Sachant qu'il pouvait faire confiance à Milius, il passa à autre chose et s'adressa à Tom le bâtisseur. « Toute ta famille est là aussi ? »

Tom acquiesça et montra du doigt les siens blottis contre le mur de l'hôtellerie : la femme, le fils aîné et les deux petits. Le jeune garçon lança à Philip un regard affolé. Ce doit être une expérience terrifiante pour eux, se dit le prieur. Le sacristain était assis sur le coffre cerclé de fer contenant le trésor et Philip qui l'avait oublié fut soulagé de voir qu'on avait pu le récupérer. « Frère Andrew, dit-il au sacristain, le cercueil de saint Adolphe est derrière le réfectoire. Emmenez quelques frères pour vous aider à le porter... » Il réfléchit un moment. L'endroit le plus sûr était sans doute la résidence du prieur. « Portez-le dans ma maison. »

— Dans votre maison ? protesta Andrew. Les reliques devraient être sous ma garde, et non sous la vôtre.

— Alors vous auriez dû aller les sauver vous-même ! tonna Philip. Obéissez et taisez-vous ! »

Le sacristain se leva à regret, l'air furieux.

« Faites vite, dit Philip, ou bien je vous décharge sur-le-champ de votre office ! »

Il tourna le dos à Andrew et s'adressa à Milius. « Combien ?

— Quarante-quatre, plus Cuthbert. Onze novices. Cinq hôtes. Tout le monde est là.

— Dieu soit loué », dit Philip tandis que l'incendie continuait à faire rage. Qu'ils fussent tous vivants et indemnes lui paraissait tenir du miracle. Conscient d'être épuisé de fatigue, Philip se rendit compte qu'il était trop inquiet pour s'asseoir et se reposer. « Y a-t-il autre chose de valeur que nous devions sauver ? dit-il. Nous avons le trésor et les reliques... »

Alan, le jeune économe, intervint. « Et les livres ? »

Philip poussa un gémissement. Bien sûr... les livres. On les gardait dans une armoire fermée à clé dans le cloître, près de la porte de la salle capitulaire. Les moines pouvaient les y trouver durant les périodes d'étude. Les déménager un à un prendrait trop de temps. Peut-être quelques robustes jeunes gens réussiraient-ils à soulever l'armoire entière et à l'emporter à l'abri. Philip regarda autour de lui. Le sacristain avait déjà emmené une demi-douzaine de moines pour s'occuper du cercueil. Philip choisit à son tour trois jeunes moines et trois novices et leur demanda de l'accompagner.

Il rebroussa chemin, traversant l'espace découvert devant l'église en flammes. Il était trop épuisé pour courir. Cuthbert le Chenu et le sacristain organisaient le transport du cercueil. Philip entraîna son groupe dans le passage qui menait du réfectoire au dortoir et, franchissant l'arche, arriva au cloître.

Les portes de l'armoire s'ornaient de sculptures représentant Moïse et les Tables de la Loi. Philip ordonna aux jeunes gens de basculer la bibliothèque sur l'avant et de la hisser sur leurs épaules. Ils la transportèrent jusqu'à l'arche sous laquelle Philip s'arrêta pour regarder derrière lui, le cœur plein de tristesse à la vue de son église en ruine. La fumée diminuait à présent au profit des flammes. Des pans entiers des combles avaient disparu. Soudain la partie du toit au-dessus de la croisée sembla fléchir, Philip comprit qu'elle allait s'effondrer à son tour. Il y eut un coup de tonnerre, plus fort que jamais, et le toit du transept sud s'écroula. Philip éprouva une douleur presque physique, comme si son corps lui-même brûlait. Un moment plus tard, le mur du transept parut faire saillie au-dessus du cloître. Dieu nous vienne en aide, il va s'abattre, se dit Philip. Comme la maçonnerie commençait à s'émietter et à s'éparpiller alentour, il comprit que le mur tombait sur lui et il tourna les talons pour s'enfuir. Mais il n'avait pas fait trois pas que quelque chose lui heurta la nuque et il perdit conscience.

Pour Tom, le terrible incendie qui ravageait la cathédrale de Kingsbridge représentait un signe d'espoir. Il contemplait les flammes gigantesques qui jaillissaient des ruines de l'église avec une seule pensée : enfin du travail !

Cette pensée hantait son esprit depuis que, sortant de l'hôtellerie les yeux gonflés de sommeil, il avait aperçu les lueurs rougeoyantes derrière les fenêtres de l'église. Alors qu'il exhortait les moines à fuir le danger et se précipitait dans l'église en flammes pour trouver le prieur Philip et mettre à l'abri le cercueil du saint, son cœur éclatait d'un bonheur éhonté.

Puis, dans un moment de réflexion, l'idée lui vint qu'il ne convenait pas de se réjouir de l'incendie d'une église ; mais au fond, songea-t-il, personne n'a été blessé, on a sauvé le trésor du prieuré, et de toute façon l'église était vieille et croulante ; alors pourquoi ne pas se féliciter ? Tout ce que j'ai à faire maintenant, se dit Tom, c'est de m'assurer qu'on me confie la tâche de reconstruire cette église. Et c'est maintenant qu'il faut que j'en parle au prieur Philip.

Il vit les jeunes moines revenir par la pelouse avec la

lourde armoire à livres mais le prieur ne se trouvait pas parmi eux.

Arrivés à l'hôtellerie les moines déposèrent leur fardeau sur le sol. « Où est votre prieur ? » leur demanda Tom. « Je ne sais pas, s'étonna le plus vieux, je le croyais derrière nous. » Peut-être était-il resté en arrière pour observer l'incendie, pensa Tom ; à moins qu'il n'ait eu des ennuis.

Sans plus tarder, Tom fonça à travers la pelouse puis derrière la cuisine. Il espérait Philip sain et sauf, non seulement parce que le prieur paraissait si bon, mais parce qu'il était le protecteur de Jonathan. Sans lui, on ne pouvait pas savoir ce que deviendrait le bébé.

A son grand soulagement, Tom découvrit Philip dans le passage entre le réfectoire et le dortoir. Assis, l'air abasourdi, mais indemne. Tom aida le prieur à se relever.

« Quelque chose m'a heurté la tête », dit-il en vacillant sur ses jambes.

Tom regarda derrière lui. Le transept sud s'était effondré sur le cloître. « Vous avez de la chance d'être en vie, dit Tom. Dieu doit avoir de grands desseins pour vous. »

Philip secoua la tête pour s'éclaircir les idées. « J'ai perdu connaissance un moment, mais à présent je vais bien. Où sont les livres ?

— On les a emportés à l'hôtellerie.

— Retournons là-bas. »

Tom prit le bras de Philip. Quoique ne souffrant pas de graves blessures, le prieur était bouleversé.

Le temps qu'ils reviennent à l'hôtellerie, l'incendie de l'église avait atteint son apogée et les flammes diminuaient ; Tom, néanmoins, distinguait clairement les visages des gens et il s'aperçut, stupéfait, que c'était l'aube.

Philip commença à réorganiser la vie au monastère. Il demanda à Milius le cuisinier de faire du porridge pour tout le monde et autorisa Cuthbert le Chenu à ouvrir un tonneau de vin fort pour qu'on se réchauffe en attendant. Il ordonna d'allumer du feu dans l'hôtellerie pour mettre les plus âgés des moines à l'abri du froid. Poussés par le vent, des rideaux de pluie glacée commencèrent à éteindre les flammes.

Quand tout le monde fut de nouveau au travail, le prieur Philip s'éloigna seul de l'hôtellerie et se dirigea vers l'église. Tom l'aperçut et lui emboîta le pas. C'était maintenant sa chance. S'il menait bien son affaire, il pourrait travailler ici pendant des années.

Philip contemplait, immobile, ce qui avait été le côté ouest de l'église. Il secouait tristement la tête comme devant les ruines de sa propre vie. Debout auprès de lui, Tom gardait le silence. Puis Philip repartit, le long de la façade nord de la nef en traversant le cimetière. Tom l'accompagna pour inspecter les dégâts.

Le mur nord de la nef était encore debout, mais le transept et une partie de la paroi du chœur s'étaient écroulés. L'église possédait encore une façade à l'est. Ils la contournèrent pour examiner le côté sud. Presque tout le mur s'était écroulé avec le transept effondré sur le cloître. La salle du chapitre demeurait encore debout.

Ils continuèrent jusqu'à l'arche qui menait à l'allée est du cloître. Là, ils furent arrêtés par l'entassement des décombres. Les dégâts semblaient terribles, mais l'œil exercé de Tom voyait que les allées du cloître n'étaient pas gravement endommagées, simplement encombrées de ruines. Il grimpa par-dessus les pierres brisées jusqu'au moment où il put regarder à l'intérieur de l'église. Derrière l'autel, un escalier à demi dissimulé descendait dans la crypte. La crypte elle-même se trouvait sous le chœur. Tom inspecta les dalles du sol au-dessus de la crypte à la recherche des fêlures : il n'en vit aucune. Il y avait de bonnes chances pour que la crypte fût intacte. Il ne le dirait pas tout de suite à Philip : il garderait cette nouvelle pour un moment crucial.

Philip avait poursuivi sa marche en passant derrière le dortoir. Tom hâta le pas pour le rattraper. Ils trouvèrent le dortoir intact. En continuant, ils constatèrent que les autres bâtiments du monastère étaient plus ou moins indemnes : le réfectoire, la cuisine, la boulangerie et la brasserie. Philip aurait pu trouver là quelque consolation, mais son visage restait sombre.

Ils terminèrent là où ils avaient commencé, devant la façade ouest en ruine, ayant fait tout le tour de l'enceinte du prieuré sans échanger un mot. Philip poussa un gros soupir et rompit le silence. « C'est l'œuvre du diable », dit-il.

Voilà mon heure, pensa Tom qui prit une profonde inspiration : « Ce pourrait être l'œuvre de Dieu. »

Philip le regarda d'un air surpris. « Comment ça ?

— Personne n'a été blessé, dit prudemment Tom. Les livres, le trésor et les ossements du saint ont été sauvés. Seule l'église a été détruite. Peut-être Dieu voulait-il une nouvelle église. »

Philip eut un sourire sceptique : « Et j'imagine que Dieu voulait que Tom en fût le bâtisseur. » Il n'était pas assez assommé pour ne pas comprendre le côté intéressé des pensées de Tom.

Tom ne se laissa pas démonter. « Peut-être, dit-il calmement. Mais ce n'est pas le diable qui a envoyé ici un maître bâtisseur la nuit où l'église a brûlé. »

Philip détourna les yeux. « Eh bien, il y aura certes une église neuve, mais je ne sais pas quand. En attendant, que dois-je faire ? Comment la vie du monastère peut-elle continuer ? Nous ne sommes ici que pour adorer Dieu et étudier. »

Philip semblait au fond du désespoir : le moment idéal pour Tom d'essayer de lui redonner courage : « Mon garçon et moi pourrions déblayer le cloître et le remettre en état en une semaine », dit-il avec plus d'assurance dans la voix qu'il n'en éprouvait.

Philip haussa les sourcils. « Vraiment ? » Puis son expression de surprise se changea encore en accablement. « Mais qu'utiliserons-nous comme église ?

— Et la crypte ? Vous pouvez célébrer les services là, n'est-ce pas ?

— Oui... cela ferait fort bien l'affaire.

— Je suis certain que la crypte n'est pas gravement endommagée », dit Tom. Il en était presque sûr.

Philip le regardait comme un ange de miséricorde.

« Il ne va pas falloir longtemps pour déblayer un chemin au milieu des débris pour aller du cloître à l'escalier de la crypte, poursuivit le maçon. Presque toute l'église sur ce côté-là a été détruite, une chance, en un sens, puisqu'on ne risque plus ainsi de voir de la maçonnerie s'écrouler. Il faudra que je sonde les murs encore debout et peut-être que j'étaie certains d'entre eux. Ensuite, il faudra les vérifier chaque jour pour voir s'il n'y a pas de fissure et, de toute façon, ne pas entrer dans l'église pendant une tempête. » Malgré l'importance de ces remarques, Tom voyait bien que Philip ne s'y intéressait pas : ce que le prieur voulait entendre, c'étaient des nouvelles positives, quelque chose qui le réconforte. La seule façon de se faire engager, c'était de lui donner ce qu'il voulait. Tom changea de ton. « Avec quelques-uns de vos plus jeunes moines travaillant pour moi, je vous garantis d'arranger les choses de façon que vous puissiez reprendre une vie monastique à peu près normale d'ici deux semaines. »

Philip dévisagea le maçon. « Deux semaines ?

— Donnez-moi le gîte et le couvert pour ma famille, et vous me paierez mon salaire seulement quand vous aurez l'argent.

— Vous me rendriez mon prieuré en deux semaines ? » répéta Philip, incrédule.

Tom n'était pas sûr de tenir les délais mais s'il lui fallait une semaine de plus personne n'en mourrait. « Deux semaines, répéta-t-il avec fermeté. Après, nous abattrons les murs qui restent — c'est un travail délicat si on veut l'accomplir sans risque —, puis nous dégagerons les décombres et entasserons les pierres pour les réutiliser. Pendant ce temps, nous pourrons dessiner le plan de la nouvelle cathédrale. » Tom retint son souffle. Il avait fait de son mieux.

Philip acquiesça, souriant pour la première fois. « Je crois en effet que c'est Dieu qui vous a envoyé, dit-il. Allons déjeuner, puis nous pourrons nous mettre au travail. »

Tom poussa un soupir de soulagement. « Merci », dit-il, et, avec un sanglot à peine réprimé, il ajouta : « Je ne peux pas vous dire ce que cela signifie pour moi. »

Après le déjeuner, Philip tint un chapitre improvisé dans le magasin de Cuthbert, sous la cuisine, avec les moines tout excités. La plupart de ces hommes qui avaient choisi une vie sûre, prévisible et monotone paraissaient maintenant terriblement désorientés. Leur désarroi touchait le cœur de Philip. Il avait plus que jamais le sentiment d'être un berger, dont la tâche est de veiller sur des créatures innocentes et désemparées, sauf qu'il ne s'agissait pas en l'occurrence d'animaux mais de frères qu'il aimait. La meilleure façon de les réconforter, avait-il décidé, était de les informer de ses projets, d'utiliser dans le travail leur énergie nerveuse afin de retrouver au plus vite un semblant de routine.

Malgré le cadre inhabituel, Philip n'abrégea pas le rituel

du chapitre. Il ordonna qu'on lise le martyrologe de la journée, suivi des prières commémoratives. Voilà pourquoi les monastères existent : la prière justifie leur existence.

Pour conclure, Philip se leva : « La catastrophe qui nous a frappés la nuit dernière n'est que matérielle, commença-t-il, en mettant dans sa voix autant de chaleur et d'assurance qu'il en était capable. Notre vie est spirituelle ; notre travail c'est la prière, le culte et la contemplation. » Il les fixa tour à tour du regard, s'efforçant de bien retenir leur attention : « Nous allons reprendre cet idéal dans quelques jours, je vous le promets. »

Il marqua un temps d'arrêt. La tension diminuait dans la salle. « Dieu, dans sa sagesse, reprit-il, nous a envoyé hier un maître bâtisseur pour nous aider dans cette épreuve. Celui-ci m'a assuré que, si nous travaillons sous sa direction, nous remettrons le cloître en état d'ici une semaine. »

Il y eut un murmure de surprise.

« Je crains que notre église ne serve plus jamais aux services : il faudra la rebâtir, et cela, bien sûr, prendra des années. Toutefois, Tom le bâtisseur pense que la crypte n'est pas endommagée. La crypte est consacrée, nous pouvons donc y célébrer les services. Tom promet de nous en garantir l'utilisation une semaine après avoir terminé le cloître. Vous voyez donc que nous pourrons reprendre notre culte habituel dès le dimanche de Septuagésime. »

Philip constata qu'il avait réussi à calmer les moines et à les rassurer. Il ajouta : « Les frères qui se sentent trop frêles pour un tel effort physique seront excusés. Les frères qui travailleront toute la journée avec Tom le bâtisseur auront droit à la viande rouge et au vin. »

Philip se rassit. Remigius fut le premier à parler. « Combien nous faudra-t-il payer ce bâtisseur ? » demanda-t-il avec méfiance.

On pouvait compter sur Remigius pour essayer de prendre Philip en défaut. « Rien encore, répondit Philip. Tom connaît notre pauvreté. Il travaillera en échange du gîte et du couvert pour lui et sa famille jusqu'au moment où nous pourrons nous permettre de lui payer un salaire. » Une réponse ambiguë, Philip le savait : cela pouvait signifier que Tom n'aurait pas droit à un salaire tant que le prieuré ne serait pas en mesure de lui en offrir un alors qu'en réalité le prieuré lui devrait des gages pour chaque jour de travail à compter d'aujourd'hui. Mais avant que Philip ait pu clarifier ce point, Remigius reprit :

« Et où logeront-ils ?

— Je leur ai donné l'hôtellerie.

— Ils pourraient habiter avec une des familles du village.

— Tom nous a fait une offre généreuse, dit Philip avec impatience. Nous avons de la chance de l'avoir. Je ne veux pas le faire dormir en compagnie des chèvres et des cochons quand nous disposons d'une maison convenable et vide.

— Il y a deux femmes dans cette famille...

— Une femme et une fillette, corrigea Philip.

— Une femme, alors. Nous ne voulons pas d'une femme vivant dans le prieuré ! »

Les moines commencèrent à marmonner : ils n'aimaient pas les arguties de Remigius. Philip dit : « Il est parfaitement normal pour des femmes de séjourner dans l'hôtellerie.

— Pas pour cette femme-là ! » s'écria Remigius qui parut regretter tout aussitôt ce qu'il venait de dire.

Philip fronça les sourcils. « Connaissez-vous cette femme, mon frère ?

— Elle a autrefois habité par ici », expliqua Remigius à contrecœur.

Philip nota, intrigué, que c'était la seconde fois que pareil incident se produisait à propos de la femme du bâtisseur : Waleran Bigod lui aussi avait été troublé en la voyant. « Que lui reprochez-vous ? » demanda Philip.

Sans laisser à Remigius le temps de répondre, frère Paul, le vieux moine qui gardait le pont, prit la parole. « Je me souviens, dit-il d'un ton rêveur. Une petite sauvageonne vivait dans la forêt par ici — oh ! il y a bien au moins quinze ans. C'est sans doute la même fille qui a grandi.

— Les gens la prétendaient sorcière, précisa Remigius. Nous ne pouvons pas garder une sorcière au prieuré !

— Je n'en sais rien, dit frère Paul du même ton songeur. Tôt ou tard, toute femme indépendante se fait traiter de sorcière. Je me contenterai de laisser le prieur Philip juger dans sa sagesse si elle constitue un danger.

— La sagesse ne vient pas nécessairement dès le commencement d'une fonction monastique, lança Remigius.

283

— C'est bien vrai », dit lentement frère Paul. Il regarda Remigius droit dans les yeux : « Parfois, elle ne vient pas du tout. »

Les moines rirent de cette riposte, d'autant plus drôle qu'elle venait d'une source inattendue. Philip dut faire semblant d'être mécontent. Il claqua dans ses mains pour réclamer le silence. « En voilà assez ! dit-il. Ces questions sont graves. Je vais interroger la femme. Laissez-nous vaquer à nos devoirs. Ceux qui souhaitent être dispensés de travail peuvent se retirer à l'infirmerie pour prier et méditer. Les autres, suivez-moi. »

Il quitta le magasin et passa derrière les bâtiments de la cuisine en empruntant l'arche qui menait au cloître. Quelques moines abandonnèrent le groupe et se dirigèrent vers l'infirmerie, parmi lesquels Remigius et Andrew le sacristain. Aucun des deux n'avait l'air particulièrement frêle, se dit Philip, qui cependant, les sachant sources d'ennuis, fut trop content de les voir partir. La plupart des moines suivirent Philip.

Tom avait déjà rassemblé les serviteurs du prieuré et les avait mis au travail. Juché sur la pile de décombres au milieu du cloître, un grand morceau de craie à la main, il marquait les pierres de la lettre T, son initiale.

Philip se demanda soudain comment on pouvait déplacer d'aussi grosses pierres bien trop lourdes pour un seul homme. Il eut aussitôt la réponse : on posait sur le sol deux perches côte à côte et on faisait rouler la pierre jusqu'à ce qu'elle repose sur les perches que deux hommes soulevaient alors par les bouts. Tom le bâtisseur avait dû leur montrer comment s'y prendre.

Le travail avançait rapidement, avec les soixante serviteurs du prieuré pratiquement tous à l'ouvrage, et ce spectacle réconforta Philip qui adressa à Dieu une prière silencieuse de remerciement pour lui avoir envoyé Tom le bâtisseur.

Celui-ci aperçut le prieur et descendit de son tas de pierres. Avant de parler à Philip, il s'adressa à l'un des serviteurs, le tailleur qui cousait les vêtements des moines. « Demande aux moines de continuer à porter les pierres », lui ordonna-t-il. « Assure-toi qu'ils ne prennent que celles que j'ai marquées, sinon la pile risque de glisser et de tuer quelqu'un. » Il se tourna vers Philip. « J'en ai marqué assez pour les occuper un moment.

« — Où les emportent-ils ? interrogea Philip.

— Venez, je vais vous montrer. Je veux vérifier qu'ils les rangent comme il faut. »

Philip accompagna Tom. On transportait les pierres à l'est de l'enceinte du prieuré. « Certains des serviteurs devront continuer à assumer leurs tâches habituelles, dit Philip en marchant. Les garçons d'écurie ont à s'occuper des chevaux, les cuisiniers à préparer les repas. Il faut que quelqu'un aille chercher du bois pour le feu, qu'un autre nourrisse les poulets et que d'autres enfin aillent au marché. Mais aucun n'est surchargé de travail et je peux disposer de la moitié d'entre eux. Outre cela, vous aurez une trentaine de moines. »

Tom hocha la tête. « Ça ira. »

Les hommes entassaient les pierres encore tièdes contre le mur de l'enceinte du prieuré, à quelques pieds de l'infirmerie et de la maison du prieur. « Il faut conserver les vieilles pierres, expliqua Tom, pour la nouvelle église. On ne les utilisera pas pour les murs, car des pierres de seconde main ne vieillissent pas bien ; mais elles feront l'affaire pour les fondations. Il faudra garder aussi tous les morceaux brisés. On les mélangera au mortier qu'on versera dans la cavité entre la face intérieure et la face extérieure des nouveaux murs, pour former le cœur de moellons.

— Je vois. » Philip écouta Tom expliquer à ceux qui travaillaient comment entasser les pierres en quinconce pour que la pile ne s'effondre pas. A l'évidence les connaissances de Tom se révélaient déjà précieuses.

Une fois assuré que tout allait bien, Philip prit le bras du maçon et l'entraîna, en contournant l'église, jusqu'au cimetière. Les moines étaient enterrés dans la partie est du cimetière, les villageois du côté ouest. La saillie du transept nord de l'église, maintenant en ruine, indiquait la démarcation. Philip et Tom s'arrêtèrent devant. Un pâle soleil perçait à travers les nuages. De jour, les madriers noircis n'avaient rien de sinistre et Philip eut un peu honte d'y avoir décelé la présence d'un démon la nuit passée.

« Certains des moines, dit-il, répugnent à voir une femme vivre dans l'enceinte du prieuré. » Le visage de Tom exprima plus que de l'inquiétude : il se décomposa littéralement. Il l'aime vraiment, songea Philip qui s'empressa d'ajouter : « Mais je ne veux pas que vous soyez obligés de vivre au village et de partager un taudis avec une autre

285

famille. Pour éviter tout ennui, votre femme devra se surveiller. Dites-lui de se tenir autant que possible éloignée des moines, surtout des jeunes. Qu'elle garde le visage couvert si elle doit circuler dans le prieuré. Surtout, qu'elle ne tente rien qui puisse la faire soupçonner de sorcellerie.

— J'y veillerai », dit Tom, d'un ton à la fois résolu et un peu gêné. Philip savait que la femme avait la langue bien pendue et du caractère. Elle prendrait peut-être mal ces avertissements. Mais sa famille hier encore se trouvait sans ressources, aussi comprendrait-elle certainement que ces contraintes n'étaient pas cher payer l'abri et la sécurité.

Ils poursuivirent leur marche. La nuit, Philip avait vu dans cet incendie une tragédie surnaturelle, une terrible défaite pour les forces de la civilisation et de la vraie religion, un coup fatal à l'œuvre de sa vie. Aujourd'hui, le sinistre ne lui apparaissait plus que comme un problème à résoudre : un problème énorme certes, décourageant, même, mais pas surhumain. Ce changement d'attitude, Philip le devait surtout à Tom et il lui en était très reconnaissant.

Ils atteignirent la façade ouest. Philip vit qu'on sellait un coursier à l'écurie et se demanda qui, justement aujourd'hui, partait en voyage. Il laissa Tom retourner au cloître tandis qu'il poursuivait jusqu'à l'écurie pour se renseigner.

C'était un des assistants du sacristain, le jeune Alan, le sauveur du trésor, qui avait réclamé une monture. « Où vous rendez-vous, mon fils ? dit Philip.

— Au palais de l'évêque, répondit Alan. Frère Andrew m'a envoyé chercher des cierges, de l'eau bénite et des hosties, puisque nous avons perdu tout cela dans l'incendie et que nous devons célébrer de nouveau des offices dès que possible. »

En effet, les réserves, gardées en coffre dans le chœur, avaient forcément brûlé. Philip fut heureux de constater que pour une fois le sacristain s'organisait. « C'est bien, dit-il, mais attendez un moment. Puisque vous allez au palais, vous emporterez une lettre de moi pour l'évêque Waleran. » Grâce à des manœuvres discutables, l'habile Waleran Bigod était maintenant l'évêque élu. Mais Philip ne pouvait lui retirer son appui. Il se devait de traiter Waleran comme son supérieur. « Il faut que je lui fasse un rapport sur l'incendie.

— Oui, mon père, répondit Alan. J'ai déjà une lettre de Remigius à l'évêque.

— Oh ! » s'exclama Philip, surpris. Voilà qui était bien audacieux de la part de Remigius, songea-t-il. « Très bien, dit-il à Alan. Inutile que j'en écrive une autre. Voyagez prudemment, et que Dieu soit avec vous.

— Merci, mon père. »

Philip revint vers l'église. Remigius n'avait pas perdu de temps. Pourquoi le sacristain et lui s'étaient-ils à ce point précipités ? Philip se tracassait : la lettre ne parlait-elle que de l'incendie de l'église ? Ou bien contenait-elle autre chose ?

Il s'arrêta au milieu de la pelouse. Il aurait parfaitement le droit de reprendre la lettre à Alan et de la lire. Hélas, c'était trop tard : Alan franchissait déjà la porte au petit trot. Philip le regarda s'éloigner, agacé. A cet instant, la femme de Tom sortit de l'hôtellerie, portant un seau, et se dirigea vers le tas de fumier près de l'écurie. Philip l'observa. Sa façon de marcher était agréable, comme l'allure d'un bon cheval.

Ses pensées revinrent à la lettre de Remigius à Waleran. Il n'arrivait pas à chasser le soupçon confus, mais obsédant, que l'essentiel du message ne concernait pas l'incendie.

Sans raison valable, il éprouvait la certitude que la lettre parlait de la femme du bâtisseur.

XIV

Jack s'éveilla au premier chant du coq. Il ouvrit les yeux, vit Tom se lever et l'entendit pisser sur le sol derrière la porte. Il avait bien envie d'aller occuper la place chaude que Tom venait d'abandonner et de se blottir contre sa mère, mais il savait qu'Alfred se moquerait horriblement de lui, aussi ne bougea-t-il pas. Tom revint et secoua Alfred pour le réveiller.

Tom et Alfred burent la bière qui restait du souper de la veille au soir et mangèrent un peu de pain rassis. Alfred, comme d'habitude, emporta avec lui le reste du pain que Jack espérait qu'on lui laisserait.

Pendant que Tom et son fils travaillaient toute la journée sur le chantier, Jack et Ellen allaient parfois dans la forêt.

Ellen tendait des pièges tandis que Jack chassait le canard à la fronde. Ce qu'ils prenaient, ils le vendaient aux villageois ou au cellérier, Cuthbert. C'était leur seule source de revenu, puisque Tom n'était pas payé. Avec l'argent, ils achetaient du tissu, du cuir ou du suif et, les jours où ils n'allaient pas dans la forêt, Ellen confectionnait des chaussures, des camisoles, des chandelles ou un bonnet tandis que Jack et Martha jouaient avec les enfants du village. Le dimanche, après la messe, Tom et Ellen aimaient à s'asseoir auprès du feu et bavarder. Quelquefois, ils commençaient à s'embrasser, et Tom glissait sa main sous la robe de la mère de Jack. Ils envoyaient alors les enfants dehors et barraient la porte. C'était un mauvais moment, car Alfred, toujours de mauvaise humeur, persécutait les cadets.

A son tour, Jack se leva et sortit. Il faisait froid mais sec. Martha le rejoignit quelques instants plus tard. Les ruines de la cathédrale grouillaient déjà de travailleurs portant des pierres, déblayant les décombres, bâtissant des étais en bois pour les murs instables et démolissant ceux qui étaient trop abîmés pour qu'on pût les sauver.

Les villageois et les moines avaient conclu que l'incendie avait été l'œuvre du diable et, souvent, Jack oubliait vraiment en être l'auteur. Quand il s'en souvenait, une onde de joie le submergeait soudain. Il avait pris un terrible risque, mais il s'en était tiré et il avait sauvé la famille de la famine.

Les moines déjeunaient les premiers et les travailleurs laïques n'absorbaient rien avant que les moines ne fussent allés au chapitre. Attente terriblement longue pour Martha et Jack qui se réveillaient toujours affamés et l'appétit aiguisé par l'air froid du matin.

« Allons dans la cour de la cuisine », dit Jack. Les aides-cuisiniers leur donneraient peut-être des restes. Martha accepta aussitôt : elle trouvait Jack merveilleux et obéissait à toutes ses suggestions.

En arrivant du côté des cuisines, ils constatèrent que frère Bernard, le responsable de la boulangerie, cuisait du pain ce jour-là. Comme ses aides travaillaient tous sur le chantier, il transportait lui-même son bois. Jeune, mais un peu gros, il haletait et transpirait sous son chargement de bûches. « Nous allons chercher votre bois, mon frère », proposa Jack.

Bernard laissa tomber son fardeau auprès de son four et

tendit à Jack le grand panier plat. « Voilà de bons enfants, fit-il, tout essoufflé. Dieu vous bénisse. »

Lorsque les enfants revinrent avec leurs fagots, le four était déjà chaud, Bernard vida directement le contenu du panier dans le feu, puis les renvoya chercher d'autre bois. Jack avait les bras endoloris, mais son estomac lui faisait encore plus mal. Il s'empressa d'aller recharger le panier.

A leur retour, Bernard déposait sur un plateau des petits tas de pâte. « Va me chercher encore un panier et tu auras des petits pains chauds », dit-il. Jack en avait l'eau à la bouche.

La troisième fois, Jack et Martha bourrèrent tellement le panier qu'ils revinrent en trébuchant, chacun tenant une poignée. Comme ils approchaient de la cour, ils tombèrent sur Alfred portant un seau, sans doute pour aller puiser de l'eau dans la rigole qui traversait la pelouse avant de disparaître sous terre auprès de la brasserie. Alfred détestait Jack à mort depuis que celui-ci avait mis le cadavre de l'oiseau dans sa bière. D'ordinaire, quand il voyait Alfred, Jack tournait les talons et s'éloignait précipitamment. Cette fois il faillit lâcher son panier et détaler, mais il se reprocha aussitôt sa lâcheté. De plus, il sentait l'odeur du pain frais venant de la boulangerie, et il mourait de faim. Il continua donc, la peur au ventre.

Alfred se mit à rire en voyant Jack et Martha se débattre avec un panier qu'il aurait porté seul sans mal. Il poussa Jack qui perdit l'équilibre, tomba lourdement sur le dos et lâcha son côté du panier. Tout le bois se répandit sur le sol. Les larmes lui montèrent aux yeux, des larmes de rage plutôt que de douleur. Il se releva et remit patiemment le bois dans le panier. Puis ils continuèrent jusqu'à la boulangerie.

Là, ils eurent leur récompense. Le plateau de petits pains refroidissait sur une tablette de pierre. Bernard en choisit un, le fourra dans sa bouche et dit : « Ils sont parfaits. Servez-vous. Mais, attention... ils sont très chauds. »

Jack et Martha prirent chacun un petit pain. Craignant de se brûler, Jack mordit prudemment dans le sien, mais c'était si délicieux qu'il le dévora en un instant. Il aperçut les pains qui restaient, neuf petits pains. Jack leva les yeux vers frère Bernard qui le regardait en souriant. « Je sais ce que vous voulez, dit le moine. Allez-y, prenez le tout. »

Jack enveloppa le reste des petits pains dans un pan de

son manteau. « Nous allons les porter à maman, dit-il à Martha.

— Tu es un bon garçon, intervint Bernard. Allez.

— Merci, frère », dit Jack.

Ils quittèrent la boulangerie et se dirigèrent vers l'hôtellerie. Jack était aux anges. Sa mère serait si contente qu'il lui rapporte un tel festin ! Il fut tenté de manger encore un pain avant de les lui remettre, mais il résista : ce serait si gentil de lui en donner tant.

Comme ils traversaient la pelouse, Alfred, de nouveau, se dressa devant eux. Jack s'efforça de prendre un air désinvolte. Mais la façon dont il portait les pains dans son manteau ne passait pas inaperçue. Alfred se dirigea droit sur lui.

Jack aurait volontiers donné quelques-uns de ses petits pains, mais il savait qu'Alfred les voudrait tous. Il détala. Alfred se lança à sa poursuite et l'eut bientôt rattrapé. D'un croche-pied il arrêta le gamin qui s'étala de tout son long. Les petits pains chauds se répandirent sur le sol.

Alfred en ramassa un, essuya un peu de boue qui le maculait et l'enfourna dans sa bouche. Ses yeux s'agrandirent de surprise. « Du pain frais ! » dit-il. Hâtivement il rassembla les autres.

Jack se redressa et essaya de récupérer son bien, mais Alfred le frappa d'un revers de la main qui l'envoya de nouveau au sol. Puis il s'éloigna avec son butin. Jack éclata en sanglots. Martha avait l'air consterné, mais ce n'était pas de la compassion que Jack voulait, c'était une revanche : plus que tout, il était humilié. Il s'éloigna et, comme Martha le suivait, il se tourna vers elle en disant : « Va-t'en ! »

Il se dirigea vers les ruines, en essuyant ses larmes avec sa manche. Il avait au cœur une envie de meurtre. J'ai bien détruit la cathédrale, songea-t-il ; je pourrais tuer Alfred. Autour des ruines, ce matin-là, on s'affairait à balayer et à nettoyer. On attendait un dignitaire ecclésiastique qui inspecterait les dégâts.

C'était la supériorité physique d'Alfred qui l'exaspérait : il gagnait à tous les coups, simplement parce qu'il était plus grand. Jack bouillait de colère. Si seulement Alfred s'était trouvé dans l'église quand toutes les pierres s'étaient écroulées...

Dans le transept nord, il aperçut enfin son ennemi. Le garçon ramassait à la pelle des éclats de pierre qu'il jetait dans une charrette. Près de la charrette, un madrier avait survécu presque intact, simplement noirci de suie. Jack frotta machinalement du doigt la surface de la poutre, y laissant une trace blanchâtre. Aussitôt très inspiré, Jack écrivit dans la suie : « Alfred est un porc. » Quelques travailleurs le remarquèrent, surpris de voir que Jack savait écrire. « Qu'est-ce que ça veut dire ? » s'enquit un jeune homme.

— Demande à Alfred », répondit Jack.

Alfred regarda la poutre et son visage se rembrunit. Il était capable de lire son propre nom, mais pas le reste. Agacé, l'air plutôt ridicule il savait qu'on l'insultait, ce qui calma quelque peu la colère de Jack.

Personne ne savait donc ce que signifiaient les mots tracés dans la suie. Puis un novice passa, lut l'inscription et sourit. « Qui est Alfred ? demanda-t-il.

— C'est lui », dit Jack en le montrant du pouce. Toujours furibard, Alfred, ne sachant quelle attitude prendre, s'appuya sur sa pelle, l'air buté.

Le novice se mit à rire. « Un porc, hein ? Qu'est-ce qu'il cherche... des glands ? dit-il.

— Sans doute ! » dit Jack ravi d'avoir un allié.

Alfred lâcha sa pelle et plongea vers Jack.

Mais Jack s'y attendait et fila comme une flèche. Le novice voulut faire un croche-pied à Jack, dans un souci de neutralité à l'égard des deux parties, mais Jack l'évita avec agilité. Il traversa en courant les ruines du chœur, contournant les piles de décombres et sautant par-dessus les poutres effondrées. Il entendait derrière lui les pas lourds et le souffle haletant d'Alfred. La peur lui donnait des ailes.

Quelques instants plus tard, il comprit qu'il était parti dans la mauvaise direction. Il n'y avait pas d'issue de ce côté-là de la cathédrale. Il se rendit compte, le cœur serré, que son erreur allait lui coûter une raclée.

La partie supérieure du mur est s'était effondrée et les pierres s'entassaient au pied. N'ayant nulle part d'autre où aller, Jack se mit à escalader les décombres, Alfred sur ses talons. Il arriva en haut et vit devant lui un vide d'une quinzaine de pieds. Il hésita craintivement au bord : c'était trop haut pour qu'il saute sans se blesser. Alfred voulut lui empoigner la cheville. Jack perdit l'équilibre. Un instant, il resta un pied sur le mur et l'autre dans le vide, battant l'air de ses bras pour essayer de s'agripper à quelque chose.

Alfred lui bloquait la cheville. Jack se sentit tomber inexorablement du mauvais côté. Alfred maintint encore un moment sa prise, puis lâcha. Incapable de se redresser, Jack tomba et s'entendit hurler. Il atterrit sur le côté gauche. Le choc fut épouvantable. Par malchance, son visage heurta une pierre. Tout devint noir.

Lorsqu'il ouvrit les yeux, Alfred était planté devant lui, à côté d'un moine âgé. Jack reconnut Remigius, le sous-prieur, qui le voyant reprendre conscience lui dit : « Lève-toi, mon garçon. » Incapable de bouger son bras gauche, le visage meurtri, Jack parvint à s'asseoir. Il avait cru qu'il allait mourir et il fut surpris de pouvoir remuer. Se servant de son bras droit pour se redresser, il se remit péniblement sur ses pieds, en faisant peser son poids sur sa jambe droite. Remigius le prit par le bras gauche et Jack poussa un cri de douleur, ce qui n'émut nullement le sous-prieur, lequel saisit également Alfred par l'oreille. Sans doute allait-il leur infliger une sévère punition à tous les deux, songea Jack. Mais il avait trop mal pour s'en inquiéter.

« Dis-moi, mon garçon, pourquoi essaies-tu de tuer ton frère ?

— Ce n'est pas mon frère », répondit Alfred.

L'expression de Remigius changea. « Pas ton frère ? fit-il. Vous n'avez donc pas la même mère et le même père ?

— Elle n'est pas ma mère, dit Alfred. Ma mère à moi est morte.

— Quand ta mère est-elle morte ? dit Remigius d'un ton doucereux.

— A Noël.

— A Noël dernier ?

— Oui. »

Jack sentit malgré sa souffrance que, pour une raison inconnue, l'information intéressait prodigieusement Remigius. Frémissant d'excitation réprimée, le moine demanda : « Ton père n'a donc rencontré que récemment la mère de ce garçon ?

— Oui.

— Et depuis qu'ils sont... ensemble, ont-ils consulté un prêtre pour faire sanctifier leur union ?

— Euh... Je ne sais pas. » Alfred ne comprenait pas très bien ce que voulait dire le moine. Jack non plus, d'ailleurs.

« Enfin, se sont-ils mariés ? reprit Remigius avec impatience.

— Non.

— Je vois. » Remigius eut l'air ravi de cette nouvelle, alors que Jack s'attendait à une réaction contraire. Il demeura un moment silencieux et songeur, puis il parut se rappeler l'existence des deux garçons. « Eh bien, si vous voulez rester au prieuré et manger le pain des moines, ne vous battez pas, même si vous n'êtes pas frères. Nous autres, hommes de Dieu, nous ne devons pas voir le sang versé : c'est une des raisons pour lesquelles nous vivons à l'écart du monde. » Là-dessus, Remigius les lâcha tous les deux, tourna les talons, et Jack enfin put aller clopin-clopant rejoindre sa mère.

Il lui avait fallu trois semaines, et non pas deux, mais Tom était parvenu à transformer la crypte en une église improvisée. Aujourd'hui l'évêque élu venait y célébrer la première messe. Une fois le cloître déblayé, Tom en avait réparé les parties endommagées : un travail assez facile car les cloîtres étaient des constructions peu compliquées, guère plus que de simples allées couvertes. Le reste de l'église se résumait à des tas de ruines et certains des murs encore debout risquaient toujours de s'effondrer, mais Tom avait dégagé un passage qui conduisait du cloître à l'escalier de la crypte par l'ancien transept sud.

Tom regarda autour de lui. D'une cinquantaine de pieds carrés et donc bien assez grande pour les besoins du prieuré, la crypte était une pièce assez sombre, avec de gros piliers et un plafond voûté et bas, mais de construction robuste, ce qui expliquait qu'elle eût survécu à l'incendie. On avait installé un tréteau en guise d'autel et les bancs du réfectoire serviraient de stalles pour les moines. Dès que le sacristain aurait apporté les vêtements sacerdotaux brodés et les chandeliers ciselés, ce serait parfait.

Avec la reprise des offices, les effectifs mis à la disposition de Tom allaient diminuer. La plupart des moines allaient retourner à leur vie de culte et à leurs tâches agricoles ou administratives. Tom disposerait encore de la moitié des serviteurs du prieuré envers qui le prieur Philip avait adopté une attitude sévère. Il les estimait trop nombreux et avait décidé de congédier ceux qui refuseraient de travailler sur le chantier. La plupart étaient restés.

Le prieuré devait déjà à Tom trois semaines de salaire. Au tarif d'un maître bâtisseur à quatre pence la journée, on arrivait au total de soixante-douze pence. Avec chaque jour qui passait, la dette grossissait et il deviendrait de plus en plus difficile pour le prieur de s'en acquitter. D'ici six mois, Tom demanderait au prieur de commencer à lui payer les deux livres et demie d'argent dont il lui serait alors redevable. Et Philip ne pourrait congédier Tom avant d'avoir réuni cette somme. Cet état de choses donnait à Tom un sentiment de sécurité.

Il y avait même une chance — il osait à peine y penser — que ce travail lui dure jusqu'à la fin de ses jours. Il s'agissait après tout d'une cathédrale ; si les autorités décidaient de commander un nouveau bâtiment prestigieux, et si elles arrivaient à trouver l'argent pour le payer, on verrait là le plus grand chantier de construction du royaume, employant des douzaines de maçons pour plusieurs décennies.

Mais c'était vraiment trop espérer. Car, d'après ce que racontaient les moines et les villageois à Tom, Kingsbridge n'avait jamais été une cathédrale importante. Perdue dans un calme village du Wiltshire, administrée par une succession d'évêques sans ambition, pourvue d'un prieuré sans gloire ni ressources, elle était manifestement sur son déclin. Certains monastères attiraient l'attention des rois et des archevêques par leur somptueuse hospitalité, leurs excellentes écoles, leur grande bibliothèque, les recherches de leurs moines philosophes ou l'érudition de leurs prieurs et de leurs abbés ; mais Kingsbridge n'offrait rien de la sorte. Selon toute probabilité, le prieur Philip ferait bâtir une petite église, simple d'architecture et modeste de décoration, dont la construction ne prendrait guère plus de dix ans. Ce qui d'ailleurs convenait parfaitement à Tom.

Les ruines noircies n'étaient pas encore froides qu'il avait compris qu'il tenait là sa chance de bâtir sa propre cathédrale.

Le prieur Philip voyait déjà la main de Dieu dans la venue de Tom à Kingsbridge. Tom savait qu'il s'était acquis la confiance de Philip par l'efficacité avec laquelle il avait effectué le déblaiement et la remise en marche du prieuré. Le moment venu, il s'entretiendrait avec lui des plans du nouveau sanctuaire. S'il s'y prenait bien, il y avait tout à parier que le prieur lui demanderait de dessiner lui-même les plans. Le fait que la nouvelle église serait sans doute assez modeste rendait plus que probable qu'on en confierait le projet à Tom plutôt qu'à un maître bâtisseur plus expérimenté en matière de cathédrales. Tom avait de grands espoirs.

La cloche sonna le chapitre. C'était aussi le signal pour les travailleurs laïques d'aller déjeuner. Tom quitta la crypte et se dirigea vers le réfectoire. En chemin, il rencontra Ellen.

Elle se planta devant lui d'un air agressif, comme pour lui barrer la route, avec dans les yeux un regard étrange. Martha et Jack l'accompagnaient. Jack avait une mine épouvantable : un œil fermé, le côté gauche du visage meurtri et enflé, il s'appuyait sur sa jambe droite comme si la gauche ne pouvait supporter aucun poids. Tom se sentit plein de compassion. « Que t'est-il arrivé ? demanda-t-il.

— C'est Alfred le coupable », répondit Ellen.

Tom étouffa un juron. D'abord, il en voulut à Alfred de s'attaquer à un gamin tellement plus petit que lui. Mais Jack n'était pas un ange non plus. Peut-être avait-il provoqué Alfred. Tom chercha du regard son fils et l'aperçut couvert de poussière qui s'en allait vers le réfectoire. « Alfred ! tonna-t-il. Viens ici. »

Alfred se retourna et s'approcha à pas lents, tête baissée.

« C'est toi qui as fait ça ? lui dit Tom.

— Il est tombé d'un mur, dit Alfred d'un air maussade.

— C'est toi qui l'as poussé ?

— Je le poursuivais.

— Qui a commencé ?

— Jack m'a injurié.

— Je l'ai traité de porc parce qu'il a pris notre pain, dit Jack à travers ses lèvres enflées.

— Du pain ? fit Tom. Où as-tu trouvé du pain avant le déjeuner ?

— Bernard le boulanger nous l'a donné. Nous étions allés chercher du bois pour lui.

— Tu aurais dû le partager avec Alfred, dit Tom.

— Je l'aurais fait. »

Alfred intervint :

« Alors pourquoi t'es-tu enfui ?

— Je le rapportais à la maison pour maman, protesta Jack. Et puis Alfred a tout mangé ! »

Quatorze ans d'autorité paternelle avaient enseigné à Tom qu'il était impossible de démêler les droits et les torts dans une querelle enfantine. « Allez déjeuner tous les trois et, s'il y a d'autres bagarres, toi, Alfred, tu te retrouveras avec la même tête que Jack, et ce sera grâce à moi. Maintenant filez. »

Les enfants filèrent. Tom et Ellen suivirent d'un pas plus lent. « C'est tout ce que tu trouves à dire ? »

Tom lui lança un coup d'œil. Elle était encore en colère, mais que faire ? « Comme d'habitude, les deux parties ont tort.

— Tom ! Comment peux-tu juger ainsi ? Alfred a pris leur pain. Jack l'a traité de porc. Il n'y a pas de quoi se massacrer pour ça ! »

Tom secoua la tête. « Les garçons se battent toujours. On pourrait passer sa vie à juger leurs querelles. Mieux vaut les laisser se débrouiller.

— Pas du tout, Tom, trancha-t-elle d'un ton furieux. Regarde le visage de Jack, regarde celui d'Alfred. Ce n'est pas le résultat d'une bagarre entre enfants. C'est l'agression méchante d'un homme sur un petit garçon. »

L'attitude d'Ellen déplaisait à Tom, Alfred n'était pas parfait, il le savait, mais Jack pas davantage. Tom refusait de voir Jack devenir le préféré dans cette famille. « Alfred n'est pas un homme fait, il a quatorze ans. Mais il travaille, lui. Il apporte sa contribution au soutien de la famille et ce n'est pas le cas de Jack. Jack joue toute la journée, comme un enfant, et à mon avis Jack devrait montrer du respect à Alfred. Ce n'est pas le cas, comme tu l'auras remarqué.

— Peu m'importe ! s'écria Ellen. Tu diras ce que tu voudras mais mon fils aurait pu être gravement blessé, et ça, *je ne le permettrai pas* ! » Elle éclata en sanglots. D'une voix plus calme, mais encore vibrante de colère, elle ajouta : « C'est mon enfant et je ne peux pas supporter de le voir traiter de la sorte ! »

Tom fut tenté de la réconforter, mais il eut peur de céder. Pour lui cette conversation pouvait marquer un tournant. Vivant avec sa mère et personne d'autre, Jack avait toujours été dorloté. Tom refusait de protéger Jack contre les coups normaux de la vie quotidienne, créant un précédent qui causerait des ennuis sans fin dans les années à venir. Tom savait qu'Alfred, cette fois, avait vraiment exagéré et il était secrètement résolu à ce que son fils laissât Jack tranquille. Mais ce serait une mauvaise chose que de le dire tout haut. « Les rossées font partie de la vie, dit-il à Ellen. Jack doit apprendre à les supporter ou à les éviter. Je ne peux passer ma vie à le protéger.

— Tu pourrais le protéger de ta brute de fils ! »

Tom tiqua. Il n'aimait pas entendre Ellen traiter Alfred de brute. « Je le pourrais en effet, mais je ne le ferai pas, dit-il avec colère. Jack doit apprendre à se protéger tout seul.

— Oh ! Va te faire voir ! » dit Ellen et, tournant les talons, elle s'éloigna.

Tom entra dans le réfectoire. La cabane de bois où les ouvriers laïques prenaient en général leurs repas avait été endommagée par la chute de la façade sud-ouest, aussi déjeunaient-ils dans le réfectoire quand les moines avaient terminé leur repas. Tom, d'humeur peu sociable, s'assit à l'écart. Un aide-cuisinier lui apporta un pot de bière et des tranches de pain dans une corbeille. Il trempa un quignon dans la bière pour le ramollir et se mit à manger.

Alfred est un grand gaillard débordant d'énergie, soupira Tom, attendri. Ce garçon a un côté un peu brutal, mais il se calmera avec le temps. En attendant, Tom se refusait à obliger ses enfants à traiter Jack de façon particulière. Ils en avaient déjà trop à supporter. Ils avaient perdu leur mère, ils avaient été contraints de traîner sur les routes, ils avaient failli mourir de faim... Il ne leur imposerait pas de nouveaux fardeaux. S'il pouvait l'éviter. Ils avaient droit à un peu d'indulgence. Jack n'aurait qu'à se tenir loin d'Alfred. Il n'en mourrait pas.

Une dispute avec Ellen laissait toujours Tom le cœur lourd. Ils s'étaient querellés plusieurs fois, en général à propos des enfants, mais sans jamais atteindre à cette violence. Dès qu'elle prenait cet air dur, hostile, Ellen devenait pour Tom une étrangère en furie venue troubler sa vie paisible. Il en oubliait toute leur passion amoureuse.

Il n'avait jamais eu d'aussi âpres disputes avec sa première femme. Il lui semblait qu'Agnès et lui étaient d'accord sur tout ce qui comptait et que, dans le cas contraire, ils ne se mettaient pas en colère. Voilà comment les choses devaient être entre un homme et sa femme : Ellen devrait se rendre compte qu'elle ne pouvait pas exiger d'une famille que tout se passe comme elle l'entendait, elle.

Même quand Ellen l'exaspérait le plus, il ne souhaitait pas la voir partir, mais il pensait tout de même souvent à Agnès avec regret. Maintenant qu'elle était morte, elle lui manquait et il se sentait honteux de ne pas lui avoir manifesté plus d'affection.

Aux heures calmes de la journée, quand tous ses ouvriers avaient leurs instructions et s'affairaient sur le chantier — ce qui permettait à Tom de s'atteler à une tâche plus spécialisée, comme rebâtir un pan de mur dans le cloître ou réparer un pilier de la crypte —, il avait parfois des conversations imaginaires avec Agnès. Il lui parlait surtout de Jonathan, leur bébé. Tom voyait l'enfant presque chaque jour, quand on le nourrissait à la cuisine, qu'on le promenait dans le cloître ou qu'on le couchait dans le dortoir des moines. Il semblait parfaitement heureux et sain et personne, sauf Ellen, ne savait ou même ne se doutait que Tom s'intéressait particulièrement à ce bébé. Tom parlait aussi à Agnès d'Alfred, du prieur Philip et même d'Ellen, expliquant ses sentiments à leur propos, tout comme il l'aurait fait (sauf dans le cas d'Ellen) si Agnès avait été vivante. Il lui confiait aussi ses plans d'avenir : son espoir d'être employé pour les années à venir, et son rêve de dessiner et de bâtir lui-même la nouvelle cathédrale. Dans sa tête, il entendait les réponses et les questions d'Agnès. Elle était, selon l'heure, contente, encourageante, fascinée, méfiante ou désapprobatrice. Tantôt il avait l'impression qu'elle avait raison et tantôt qu'elle avait tort. S'il avait parlé à quiconque de ces conversations on lui aurait dit qu'il conversait avec un fantôme et il y aurait eu un grand émoi parmi les prêtres, avec eau bénite et exorcisme ; mais il savait qu'il n'y avait rien de surnaturel dans ce qui se passait. C'était simplement qu'il la connaissait si bien qu'il imaginait facilement ce qu'elle ressentait et ce qu'elle disait dans pratiquement n'importe quelle situation.

Elle s'imposait parfois à son esprit à des moments bizarres. Lorsqu'il pelait une poire avec son couteau pour la petite Martha, il se rappelait comment Agnès se moquait toujours de lui parce qu'il se donnait le mal d'enlever la pelure d'un seul ruban. Chaque fois qu'il devait écrire quelque chose, il pensait à elle, car elle lui avait enseigné tout ce qu'elle avait appris de son père, le prêtre ; et il se rappelait comment elle lui avait montré à tailler une plume ou comment épeler *caementarius*, le mot latin pour « maçon ». En se lavant le visage le dimanche, il se rappelait comment, quand ils étaient jeunes, elle lui avait appris que se laver la barbe l'empêcherait d'avoir des poux et des boutons. Il ne vivait pas un jour sans une occasion d'évoquer son souvenir.

Il avait de la chance d'avoir Ellen, bien sûr. Elle était unique : il y avait chez elle quelque chose qui sortait des normes, et c'était cela qui lui donnait ce côté fascinant. Il lui était reconnaissant de l'avoir consolé dans son chagrin, le matin après la mort d'Agnès ; mais il regrettait parfois de ne pas l'avoir rencontrée quelques jours — plutôt que quelques heures — après avoir enterré sa femme. Ainsi aurait-il eu le temps de bercer tout seul son désespoir. Il ne s'agissait pas d'observer une période de deuil — réservée aux seigneurs et aux moines — mais il aurait eu le temps de s'habituer à l'absence d'Agnès avant de commencer à vivre avec Ellen. Ce genre de pensées ne lui venait pas les premiers jours quand la menace de la famine s'alliait à l'excitation sexuelle que lui inspirait la jeune femme pour donner une sorte de griserie de fin du monde. Mais depuis qu'il avait trouvé du travail et la sécurité, les regrets l'assaillaient. Il lui semblait parfois, lorsqu'il pensait à Agnès, que non seulement elle lui manquait, mais qu'il pleurait le passage de sa propre jeunesse. Plus jamais il ne serait aussi naïf, aussi agressif, aussi affamé ni aussi fort qu'à l'époque où il était tombé amoureux d'Agnès.

Il termina son pain et quitta le réfectoire avant les autres pour se rendre au cloître. Il était content de son travail là-bas : on ne pouvait plus aujourd'hui imaginer que ce carré, trois semaines plus tôt, disparaissait sous un amas de décombres. Le seul signe qui demeurait de la catastrophe, c'étaient des fêlures dans certaines dalles qu'il n'avait pas pu remplacer.

Mais il y avait encore beaucoup de poussière. Il faudrait une fois de plus arroser le cloître puis le balayer. Il traversa l'église en ruine. Dans le transept nord, il remarqua une porte noircie, portant des mots écrits dans la suie. Tom déchiffra lentement et lui : « Alfred est un porc. » Voilà donc ce qui avait mis son fils en fureur.

Une grande quantité de bois provenant du toit ne s'était pas complètement consumée et des poutres noircies jonchaient le sol. Tom décida d'envoyer un groupe d'ouvriers ramasser tous ces madriers pour les ranger dans la réserve à bois. « Il faut tout nettoyer, disait Agnès quand quelqu'un venait en visite. Il faut que les gens soient contents que ce soit la responsabilité de Tom. » Oui, ma chérie, songea Tom, et, souriant tout seul, il se mit au travail.

L'escorte de Waleran Bigod fut repérée à près d'une demi-lieue à travers champs. Ils étaient trois qui poussaient leur monture. Waleran était en tête, sur un cheval noir, son manteau noir flottant au vent. Philip et les dignitaires du monastère attendaient auprès de l'écurie pour les accueillir.

Philip ne savait pas trop bien comment traiter Waleran. Celui-ci, à n'en pas douter, l'avait trompé en ne l'informant pas de la mort de l'ancien évêque, mais, quand la vérité était apparue, Waleran n'avait pas semblé le moins du monde honteux et Philip n'avait pas su quoi lui dire. Il ne le savait toujours pas, mais il se doutait qu'il n'y avait rien à gagner en se plaignant. D'ailleurs, tout cet épisode avait été éclipsé par la catastrophe de l'incendie. Philip simplement se méfierait de Waleran à l'avenir.

Le cheval de Waleran était un étalon, capricieux et encore nerveux bien qu'il eût parcouru plusieurs lieues. Tout en l'amenant jusqu'à l'écurie, Waleran lui faisait baisser la tête pour le décontracter. Philip désapprouvait. Il était inutile pour un ecclésiastique de faire de l'épate à cheval, et la plupart des hommes de Dieu choisissaient des montures plus paisibles.

Waleran sauta à terre d'un geste souple et tendit les rênes à un garçon d'écurie. Philip l'accueillit dans les règles. Waleran se tourna et inspecta les ruines. Un regard consterné se lut dans ses yeux et il dit : « Voilà un incendie ruineux, Philip. » Un peu à la surprise de ce dernier, il semblait sincèrement consterné.

Avant que Philip ait pu répondre, Remigius intervint : « L'œuvre du diable, monseigneur évêque, dit-il.

— Vraiment ? fit Waleran. D'après mon expérience, le diable se trouve d'ordinaire assisté dans ce genre de travail par des moines qui allument du feu dans l'église pour se réchauffer à matines ou qui laissent négligemment brûler des cierges dans la tour du clocher. »

Philip s'amusa de voir Remigius ainsi remis à sa place, mais il ne pouvait pas laisser passer les insinuations de Waleran. « J'ai mené une enquête sur les causes possibles du sinistre, dit-il. Personne n'a allumé de feu dans l'église cette nuit-là. Je peux en être sûr car j'étais moi-même présent à matines. Et personne n'était monté dans le toit depuis des mois.

— Alors, quelle est votre explication ? La foudre ? »
demanda l'évêque d'un ton sceptique.

Philip secoua la tête. « Il n'y avait pas d'orage. Le feu
semble avoir pris du côté de la croisée. Nous avions en effet
laissé un cierge brûler sur l'autel après le service, comme
d'habitude. Il est possible que le tissu de l'autel ait pris feu
et qu'un courant d'air ait entraîné une étincelle jusqu'au
plafond de bois qui est très vieux et très sec. » Philip haussa
les épaules. « Ce n'est pas une explication très satisfaisante,
mais je n'en ai pas d'autre. »

Waleran hocha la tête. « Allons voir les dégâts de plus
près. » Ils s'éloignèrent vers l'église. Les deux compagnons
de Waleran étaient de jeunes hommes d'armes, qui restèrent
pour s'occuper du cheval, et un prêtre, que Waleran présenta comme le doyen Baldwin et qui les suivit. Comme
ils traversaient la pelouse, Remigius posa une main sur le
bras de Waleran et dit : « Comme vous pouvez le constater,
l'hôtellerie est intacte. »

Tous s'arrêtèrent et se retournèrent. Philip se demanda
avec agacement quelle idée Remigius avait en tête. Quel
intérêt présentait l'hôtellerie intacte ? La femme du bâtisseur revenait justement des cuisines et ils la virent entrer
dans le bâtiment. Philip jeta un coup d'œil à Waleran, se
rappelant comment, au palais de l'évêque, il avait paru
presque effrayé en apercevant Ellen. Que cachait donc
cette femme ?

L'évêque lança un bref regard à Remigius et lui adressa
un signe de tête imperceptible ; puis il se tourna vers Philip : « Qui vit là ? »

Philip était absolument sûr que Waleran connaissait la
femme, mais il répondit simplement : « Un maître bâtisseur
et sa famille. »

L'évêque hocha la tête et ils continuèrent leur chemin.
Philip savait maintenant pourquoi Remigius avait attiré
l'attention sur l'hôtellerie : il avait voulu s'assurer que
Waleran verrait Ellen. Philip se promit de la questionner à
la première occasion.

Ils pénétrèrent dans l'église en ruine. Un groupe de sept
ou huit hommes, composé de moines et de serviteurs du
prieuré, soulevait sous la direction de Tom une poutre à
demi carbonisée. Il semblait régner une grande activité sur
le chantier mais tout était en ordre.

Tom vint à leur rencontre. Il les dépassait tous par la

taille. Philip le présenta : « Voici Tom, notre maître bâtisseur. Il a déjà réussi à rendre le cloître et la crypte utilisables. Nous lui sommes très reconnaissants.

— Je me souviens de vous, dit Waleran à Tom. Vous êtes venu me trouver juste après Noël. Je n'avais pas de travail pour vous.

— En effet, répondit Tom de sa voix basse et un peu rauque. Peut-être Dieu me tenait-il en réserve pour aider le prieur Philip à traverser ses épreuves.

— Un bâtisseur théologique », nota Waleran d'un ton railleur.

Tom rougit un peu et Philip pensa que Waleran ne manquait pas d'aplomb pour se moquer d'un pareil gaillard, même s'il était évêque et Tom simple maçon.

« Qu'allez-vous faire maintenant ? demanda Waleran.

— Abattre les murs qui menacent encore avant qu'ils ne s'effondrent sur quelqu'un, répondit Tom avec une certaine humilité. Puis déblayer le site pour le préparer à la construction de la nouvelle église. Dès que possible, il nous faudra chercher de grands arbres pour les nouvelles poutres : plus longtemps elles sécheront, meilleur sera le toit.

— Avant de commencer à abattre des arbres, coupa Philip, nous devons trouver l'argent pour les payer.

— Nous en parlerons plus tard », dit Waleran d'un ton énigmatique.

La remarque intrigua Philip. Il comptait sur l'évêque pour réunir l'argent nécessaire à la construction de la nouvelle église. Si le prieuré devait se contenter de ses seules ressources, les travaux ne commenceraient pas avant de nombreuses années. Philip ruminait ce problème depuis trois semaines, et il n'entrevoyait pas la moindre solution.

Il entraîna le groupe, par le chemin déblayé au milieu des décombres, jusqu'au cloître. Un coup d'œil suffit à l'évêque pour constater que ce secteur était remis en état. Ils poursuivirent donc jusqu'à la maison du prieur.

Une fois à l'intérieur, Waleran ôta son manteau et s'assit, tendant ses mains pâles vers le feu. Frère Milius, le cuisinier, servit du vin chaud et épicé dans de petits bols de bois. Waleran but une gorgée avant de s'adresser à Philip : « L'idée ne vous est-elle pas venue que Tom le bâtisseur aurait pu allumer l'incendie lui-même pour se procurer du travail ?

— Si, en effet, dit Philip. Mais je ne pense pas qu'il l'ait fait. Il aurait dû pénétrer à l'intérieur de l'église, qui était fermée à clé.

— Il lui suffisait d'y entrer dans la journée et de se cacher.

— Dans ce cas, il n'aurait pas pu en sortir après avoir allumé l'incendie. » Il secoua la tête. Ce n'était pas la vraie raison pour laquelle il était sûr de l'innocence de Tom. « D'ailleurs, je ne le crois pas capable d'une chose pareille. C'est un homme intelligent — bien plus que vous ne pourriez le croire au premier abord —, mais il n'est pas madré. S'il était coupable, je crois que je l'aurais décelé sur son visage quand je lui ai demandé, les yeux dans les yeux, comment à son avis le feu avait pris. »

Surprenant quelque peu Philip, Waleran acquiesça immédiatement. « Je suis persuadé que vous avez raison, dit-il. Je ne le vois pas mettant le feu à une église : ce n'est pas son genre.

— Nous ne saurons sans doute jamais comment l'incendie a pu se produire, dit Philip. Mais nous devons résoudre le problème de l'argent. Je ne sais pas...

— Oui », fit Waleran en levant une main pour interrompre Philip. Il se tourna vers les autres occupants de la pièce. « Il faut que je parle au prieur Philip seul à seul, dit-il. Laissez-nous, je vous prie. »

Intrigué, Philip cherchait à deviner pourquoi Waleran voulait lui parler en tête-à-tête.

« Avant que nous nous retirions, seigneur évêque, dit Remigius, il y a une chose dont les frères m'ont demandé de vous parler. »

Quoi encore ? pensa Philip.

Waleran haussa les sourcils, l'air sceptique : « Pourquoi vous chargeraient-ils, vous, plutôt que votre prieur de me transmettre un problème ?

— Parce que le prieur Philip est sourd à leurs plaintes. »

Philip bondit intérieurement. Il n'y avait jamais eu de plainte. Remigius essayait d'embarrasser Philip en présence de l'évêque élu. Le prieur surprit chez celui-ci un regard interrogateur. Il haussa les épaules et essaya de prendre un air détaché. « J'ai hâte de connaître la nature de cette plainte, dit-il. Je vous en prie, frère Remigius, parlez... si vous êtes absolument sûr que le problème est assez important pour réclamer l'attention de l'évêque.

— Une femme vit au prieuré, dit Remigius.

— Nous n'allons pas recommencer, s'écria Philip, exaspéré. C'est la femme du bâtisseur, elle habite l'hôtellerie.

— C'est une sorcière », dit Remigius.

Philip se demanda pourquoi Remigius agissait ainsi. Il avait déjà enfourché une fois ce cheval-là, sans beaucoup de succès. L'argument était discutable, mais le prieur représentait l'autorité et Waleran était obligé de soutenir Philip, à moins de s'attendre à être sollicité chaque fois que Remigius serait en désaccord avec son supérieur. D'un ton las, Philip répondit : « Ce n'est pas une sorcière.

— L'avez-vous interrogée ? » demanda Remigius.

Philip se souvint de l'avoir promis, mais il ne l'avait jamais fait. Il n'avait parlé qu'au mari en lui recommandant de conseiller la prudence à sa femme, sans s'adresser directement à Ellen. C'était fâcheux, car Remigius marquait maintenant un point, même si ce point ne valait pas grandchose. Philip était certain que cela n'amènerait pas Waleran à se ranger du côté de Remigius. « Je ne l'ai pas interrogée, reconnut Philip tout haut. Mais il n'y a aucune preuve de sorcellerie, la famille est parfaitement honnête et chrétienne.

— C'est une sorcière et une fornicatrice, dit Remigius, rougissant d'une vertueuse indignation.

— Quoi ? explosa Philip. Avec qui fornique-t-elle ?

— Avec le bâtisseur.

— C'est son mari, imbécile !

— Pas du tout, riposta Remigius, triomphant. Ils ne sont pas mariés et ils ne se connaissent que depuis un mois. »

Philip, abasourdi, ne s'était jamais douté de cela. Remigius l'avait pris complètement au dépourvu.

S'il disait la vérité, théoriquement la femme était en effet une fornicatrice. C'était un cas sur lequel en général on fermait les yeux, car bien des couples ne faisaient bénir leur union par un prêtre qu'après avoir vécu quelque temps ensemble. Souvent même ils attendaient que le premier enfant fût conçu. Dans les régions très pauvres et perdues du pays, des couples vivaient souvent comme mari et femme pendant des décennies, élevaient des enfants, puis étonnaient un prêtre de passage en lui demandant de célébrer leur mariage alors que naissaient leurs petits-enfants. Toutefois l'indulgence d'un prêtre de paroisse envers de pauvres paysans était une chose ; c'en était une autre que le plus important employé du prieuré commette le même péché dans l'enceinte du monastère.

« Qu'est-ce qui vous fait croire qu'ils ne sont pas mariés ? demanda Philip pour gagner du temps, sûr que Remigius avait déjà vérifié les faits.

— J'ai trouvé les fils en train de se battre et ils m'ont avoué qu'ils n'étaient pas frères. Toute l'histoire est venue ensuite. »

Philip était déçu par Tom. La fornication, péché assez commun, choquait particulièrement les moines qui rejetaient toute relation charnelle. Comment Tom pouvait-il s'y adonner ? Philip se sentait plus en colère contre lui que contre Remigius, malgré la sournoiserie de celui-ci.

Philip s'adressa à lui : « Pourquoi ne m'avez-vous pas parlé de cela, à moi votre prieur ?

— Je l'ai appris seulement ce matin. »

Philip se renversa sur son siège, vaincu, pris au piège de Remigius. C'était la revanche de Remigius pour sa défaite à l'élection. Le prieur regarda Waleran : à lui maintenant de prononcer un jugement.

L'évêque n'hésita pas. « L'affaire est assez claire, dit-il. La femme doit confesser son péché et faire pénitence publique. Elle quittera le prieuré et vivra un an dans la chasteté, loin du bâtisseur. Ensuite, ils pourront se marier. »

Un an de séparation représentait une sentence sévère, mais Philip estimait qu'elle la méritait pour avoir souillé le monastère. Restait à savoir comment elle allait l'accueillir. « Elle peut refuser de se soumettre à votre jugement », dit-il.

Waleran haussa les épaules. « Alors, elle brûlera en enfer.

— Si elle quitte Kingsbridge, je crains que Tom ne parte avec elle.

— Il existe d'autres bâtisseurs.

— Bien sûr. » Philip se désespérait à l'idée de perdre Tom. Mais l'expression de Waleran suffisait à prouver qu'il ne verrait pas d'inconvénient à voir Tom et sa compagne disparaître à jamais. Une fois de plus, il se demanda ce que dissimulait cette hostilité contre Ellen.

« Maintenant, dit Waleran, sortez tous et laissez-moi parler à votre prieur.

— Une minute », intervint sèchement Philip. Il s'agissait de son monastère, de ses moines, après tout ; c'était lui qui les convoquait et qui les congédiait, pas Waleran. « Je parlerai moi-même au bâtisseur. Qu'aucun de vous ne fasse mention de notre conversation devant personne, vous entendez ? La désobéissance sera punie très sévèrement. C'est clair, Remigius ?

— Oui. »

Philip lui lança un regard perçant. Il y eut un lourd silence.

« Oui, père, répéta Remigius.

— Très bien, sortez. »

Remigius, Andrew, Milius, Cuthbert et le doyen Baldwin sortirent. Waleran se resservit un peu de vin chaud et allongea ses pieds vers le feu. « Les femmes causent toujours des ennuis, dit-il. Lorsqu'une jument est en chaleur à l'écurie, les étalons se mettent à mordre les palefreniers, à ruer dans leurs stalles et à créer toutes sortes de problèmes. Même les hongres s'énervent. Les moines sont comme des hongres : la passion physique leur est refusée, mais ils sentent encore le sexe de la femme. »

Philip s'agita, gêné. Était-ce utile de parler de façon aussi directe ? Il regarda ses mains. « Et la reconstruction de l'église ? dit-il.

— En effet. Vous avez dû apprendre que cette histoire dont vous êtes venu me parler — le comte Bartholomew et la conspiration contre le roi Stephen — a assez bien tourné pour nous.

— En effet. » Pour Philip, le jour semblait loin où il s'était rendu au palais de l'évêque, craintif et tremblant, pour révéler le complot contre le roi que l'Église avait choisi. « J'ai appris que Percy Hamleigh avait attaqué le château et fait prisonnier le comte.

— C'est exact. Bartholomew se trouve maintenant dans un cachot à Winchester en attendant d'apprendre son sort, confirma Waleran avec satisfaction.

— Et le comte Robert de Gloucester ? C'était lui le plus puissant des conspirateurs.

— C'est donc lui qui a eu le châtiment le plus léger. A vrai dire, pas de châtiment du tout. Il a juré allégeance au roi Stephen et son rôle dans le complot a été... oublié.

— Mais quel rapport avec notre cathédrale ? »

Waleran se leva et s'approcha de la fenêtre. Il regarda dehors les ruines de l'église. Ses yeux exprimaient une véritable tristesse et Philip se rendit compte que tous ses airs mondains cachaient un fonds de piété sincère. « Notre rôle dans la défaite de Bartholomew fait du roi Stephen notre débiteur. Avant longtemps, vous et moi irons le voir.

— Voir le roi ! dit Philip, un peu intimidé à cette perspective.

— Il nous demandera ce que nous voulons comme récompense. »

Philip comprit où Waleran voulait en venir et il en frémit d'aise. « Nous lui dirons... »

Waleran se détourna de la fenêtre et regarda Philip. Ses yeux, comme des pierres précieuses noires, luisaient d'ambition. « Nous lui dirons que nous voulons une nouvelle cathédrale pour Kingsbridge », déclara-t-il.

Tom savait qu'Ellen allait faire une scène. Elle était déjà furieuse après l'épisode des enfants, mais l'annonce de sa « pénitence » allait mettre le feu aux poudres. Il aurait préféré attendre un jour ou deux pour lui en parler, pour lui laisser le temps de se calmer ; mais ce n'était pas possible, car le prieur Philip avait décrété qu'elle devrait quitter les lieux à la tombée de la nuit. Convoqué à midi pour apprendre la nouvelle, Tom devrait en informer Ellen dès le souper.

Ils gagnèrent le réfectoire avec les autres employés du prieuré quand les moines eurent terminé leur souper. Les tables étaient pleines, mais Tom y vit un réconfort : la présence d'autres gens imposerait peut-être à Ellen un peu de retenue.

Il se trompait, comme il n'allait pas tarder à l'apprendre.

Il commença timidement : « Ils savent que nous ne sommes pas mariés.

— Qui le leur a dit ? demanda-t-elle. Une langue de vipère ?

— Alfred. Je ne le lui reproche pas : ce rusé de Remigius lui a arraché la vérité. D'ailleurs, nous n'avons jamais dit aux enfants de garder le secret.

— Je ne le lui reproche pas non plus, dit-elle plus calmement. Alors, comment réagissent-ils ? »

Il se pencha vers elle pour parler bas : « Ils disent que tu es une fornicatrice, chuchota-t-il, espérant que personne d'autre n'entendrait le mot odieux.

— Fornicatrice ? répéta-t-elle de toute sa voix. Et toi ? Les moines ne savent donc pas qu'il faut être deux pour forniquer ? »

Leurs voisins de table commencèrent à rire.

« Tais-toi, pria Tom. Ils veulent qu'on se marie. »

Elle le regarda droit dans les yeux.

« Si ce n'était que ça, tu n'aurais pas la tête si basse, Tom le bâtisseur. Dis-moi le reste.

— Ils veulent que tu confesses ton péché.

— Les hypocrites, fit-elle avec écœurement. Ils passent toute la nuit à se grimper sur les fesses et ils ont le toupet d'appeler péché ce que nous faisons. »

Ses paroles déclenchèrent une vague de rires. Les conversations s'interrompirent pour écouter Ellen.

« Parle plus bas, supplia Tom.

— J'imagine qu'ils veulent aussi que je fasse pénitence. L'humiliation, c'est leur manie. Qu'est-ce qu'ils attendent de moi ? Allons, dit la vérité, tu ne peux pas mentir à une sorcière.

— Ne dis pas ça ! s'écria Tom. N'aggrave pas les choses !

— Alors parle.

— Nous devons vivre séparés pendant un an et il faut que tu restes chaste.

— Mon cul ! » lança Ellen. Tout le monde la regardait. « Va te faire voir, Tom le bâtisseur ! cria-t-elle. Et vous aussi », ajouta-t-elle en voyant son succès. La plupart des gens souriaient. Ellen était si ravissante avec son visage empourpré et ses yeux dorés grands ouverts qu'on ne pouvait trop lui en vouloir. Elle se leva. « Que le prieuré de Kingsbridge aille se faire voir ! » Elle sauta sur la table et tout le monde applaudit. Les dîneurs retirèrent en hâte leurs écuelles de soupe et leurs chopes. Ellen se mit à arpenter la planche. « Que le prieur aille se faire voir ! répéta-t-elle. Que le sous-prieur aille se faire voir, et le sacristain, et le chantre et le trésorier, et tous leurs actes, et toutes leurs chartes, et tous leurs coffres pleins de pièces d'argent ! » Elle arriva au bout de la table. Il en restait une autre, plus petite, où un moine s'asseyait et lisait tout haut durant le dîner de ses frères. Un livre ouvert se trouvait dessus. Ellen sauta d'une table à l'autre.

Tom devina soudain ce qu'elle allait faire. « Ellen ! criat-il. Non, je t'en prie...

— Et que la règle de saint Benoît aille se faire voir ! » hurla-t-elle à pleins poumons. Là-dessus, elle retroussa sa jupe, plia les genoux et urina sur le livre ouvert.

Les spectateurs hoquetaient de rire, frappaient du poing sur la table, poussaient des acclamations, des sifflets et des vivats. Tom ne savait plus que penser : partageaient-ils le mépris d'Ellen pour la règle ou étaient-ils simplement ravis de voir une belle femme s'exhiber ainsi ? Il y avait quelque chose d'érotique dans sa vulgarité ; de plus, il était excitant aussi de voir quelqu'un insulter ouvertement le livre que les moines considéraient avec tant de respect.

Ellen sauta par terre et, dans un tonnerre d'applaudissements, s'enfuit en courant.

Tout le monde se mit à commenter l'événement. On n'avait jamais rien vu de pareil. Tom était horrifié et embarrassé, les conséquences seraient graves, il le savait. Mais il ne pouvait s'empêcher d'admirer l'audace d'Ellen.

Jack se leva et, sans l'ombre d'un sourire sur son visage meurtri, suivit les pas de sa mère. Tom regarda Alfred et Martha. Le garçon était comme hébété, mais Martha riait. « Venez, vous deux », dit Tom. Ils quittèrent le réfectoire.

Dehors, aucune trace d'Ellen. Ils traversèrent la pelouse jusqu'à l'hôtellerie, où ils la trouvèrent. Assise sur sa chaise, elle les attendait. Elle avait mis son manteau et tenait à la main la grande sacoche de cuir. Elle semblait calme et résolue. Le cœur de Tom se glaça en voyant le sac, mais il se maîtrisa. « Ça va faire un foin d'enfer, dit-il.

— Je ne crois pas à l'enfer, répliqua-t-elle.

— J'espère qu'ils vont accepter ta confession et t'accorder une pénitence.

— Je ne vais pas me confesser. »

D'un seul coup, il perdit son sang-froid. « Ellen, ne pars pas ! »

La tristesse assombrit son visage. « Écoute, Tom, avant de te rencontrer, j'avais de quoi manger et un endroit où vivre. J'étais à l'abri et je suffisais à mes besoins : je n'avais besoin de personne. Depuis que je suis avec toi, j'ai été plus près de mourir de faim qu'à aucun moment de ma vie. Tu as du travail maintenant, mais sans sécurité : le prieuré n'a pas d'argent pour bâtir une nouvelle église, et tu pourrais bien te retrouver sur la route l'hiver prochain.

— Philip trouvera l'argent, dit Tom. J'en suis sûr.

— Tu ne peux pas en être sûr.

— Tu n'as pas la foi », dit Tom d'un ton amer. Puis, avant d'avoir pu s'en empêcher, il ajouta : « Tu es bien comme Agnès, tu ne crois pas à ma cathédrale.

« — Oh ! Tom, s'il n'y avait que moi, dit-elle avec amertume, je resterais. Mais regarde mon fils. »

Tom se tourna vers Jack. Il avait le visage violacé de meurtrissures, l'oreille enflée, les narines encroûtées de sang séché et une dent de devant cassée.

« J'avais peur, dit Ellen, qu'il grandisse comme un animal si nous restions dans la forêt. Mais si c'est là le prix à payer pour lui apprendre à vivre avec d'autres gens, c'est trop cher. Je retourne dans la forêt.

— Ne dis pas ça, s'écria Tom au désespoir. Discutons-en. Ne prends pas de décision précipitée.

— Ce n'est pas précipité, pas du tout, Tom. J'ai tant de peine que je ne peux même plus être en colère. J'aurais vraiment voulu être ta femme. Mais pas à n'importe quel prix. »

Si Alfred n'avait pas poursuivi Jack, rien de tout cela ne serait arrivé, songea Tom. Mais ce n'était quand même qu'une bagarre entre garçons. Ou bien Ellen avait-elle raison de dire que Tom ne voyait pas les défauts d'Alfred ? Le maçon commençait à penser qu'il avait eu tort. Peut-être aurait-il dû se montrer plus ferme avec son fils. Des gamins qui se battent entre eux, c'est normal, mais Jack et Martha étaient plus petits qu'Alfred.

Il était trop tard pour revenir en arrière. « Reste au village, fit Tom, désespéré. Attends un moment de voir ce qui se passe.

— Les moines ne me supporteront plus, maintenant. »

Bien sûr, elle avait raison. Le village appartenait au prieuré et tous les habitants payaient un loyer aux moines, en général sous forme de journées de travail, et les moines pouvaient refuser de loger quiconque ne leur plaisait pas. On ne pourrait guère leur en vouloir s'ils repoussaient Ellen. Elle avait pris sa décision et littéralement souillé ses chances de revenir dessus.

« Alors, dit-il, je partirai avec toi. Le monastère me doit déjà soixante-douze pence. Nous reprendrons la route. Nous avons déjà survécu...

— Et tes enfants ? » fit-elle doucement.

Tom se rappela toutes les fois où Martha avait pleuré de faim. Il ne pouvait décemment pas lui faire revivre cette épreuve. De plus, il y avait son bébé, Jonathan, qui vivait ici avec les moines. Je ne veux pas l'abandonner de nouveau, songea Tom ; je l'ai fait une fois et je m'en suis trop voulu.

310

Cependant il ne supportait pas l'idée de perdre Ellen.

« Ne te déchire pas comme ça, dit-elle. Je n'irai plus sur les routes avec toi. Ce n'est pas une solution. A tous égards ce serait pire que maintenant. Je retourne dans la forêt, et tu ne viens pas avec moi. »

Tom la dévisagea. Il aurait voulu croire qu'elle ne pensait pas ce qu'elle disait, mais son expression lui prouvait le contraire. Il ne savait quoi dire pour l'arrêter. La bouche ouverte, aucun mot ne sortit. Elle avait le souffle court, sa poitrine se soulevait d'émotion. Il aurait voulu la toucher, mais sentait qu'elle ne le voulait pas. Plus jamais peut-être je ne la serrerai dans mes bras, pensa-t-il. Il n'arrivait pas à y croire. Pendant des semaines, il s'était allongé auprès d'elle et l'avait caressée avec la même familiarité qu'il avait pour son propre corps et voilà tout à coup qu'un interdit tombait et qu'elle devenait une étrangère.

« Ne sois pas triste, dit-elle, les yeux pleins de larmes.

— Je n'y peux rien, dit-il. Je suis triste.

— Je regrette de t'avoir rendu si malheureux.

— Surtout pas cela. Regrette plutôt de m'avoir rendu si heureux. C'est ça qui me fait mal, femme. »

Un sanglot échappa à Ellen. Elle se détourna et partit sans un mot.

Jack et Martha sortirent après elle. Alfred hésita, puis les suivit.

Tom fixait la chaise qu'elle venait de quitter. Non, songea-t-il, ça ne peut pas être vrai, elle ne me quitte pas.

Il s'assit sur la chaise, encore tiède de la chaleur de son corps, de ce corps qu'il aimait tant.

Il savait qu'elle ne changerait pas d'avis. Elle ignorait le doute : quand elle prenait une décision, elle allait jusqu'au bout, même si elle devait le regretter par la suite.

Il s'accrocha à ce maigre espoir. Elle l'aimait, il en était sûr. La nuit passée, elle avait fait l'amour avec frénésie, comme pour étancher une soif intense. Je vais lui manquer autant qu'elle me manquera, pensa-t-il. Quand sa colère se sera apaisée et qu'elle aura retrouvé une vie nouvelle, elle aura envie de quelqu'un à qui parler, d'un corps robuste à toucher. Alors elle pensera à moi.

Mais elle était fière. Trop fière peut-être pour revenir, même si elle en avait envie.

Il bondit de sa chaise. Il devait lui dire ce qu'il pensait.

Il quitta la maison. Ellen était à la porte du prieuré et faisait ses adieux à Martha. Tom la rattrapa.

Elle lui adressa un triste sourire. « Adieu, Tom. »

Il lui prit les mains. « Reviendras-tu un jour ? Juste pour me voir ? Si je sais que tu ne pars pas pour toujours, que je te reverrai, ne serait-ce qu'un petit moment, je supporterai la séparation. »

Elle hésitait.

« Je t'en prie.

— Entendu, fit-elle.

— Jure-le.

— Je ne crois pas aux serments.

— Moi, si.

— Bon. Je le jure.

— Merci. »

Il l'attira doucement à lui et la serra dans ses bras. Les larmes ruisselaient sur son visage. Elle s'écarta enfin et, à regret, il la laissa partir.

A cet instant, une rumeur s'éleva de l'écurie, le bruit d'un cheval énervé qui ruait et s'ébrouait. Machinalement, ils se retournèrent. Le cheval était l'étalon de Waleran Bigod : l'évêque s'apprêtait à monter en selle. Ses yeux croisèrent ceux d'Ellen et il se figea.

Alors elle se mit à chanter.

Tom l'avait souvent entendue chanter cet air qu'il ne connaissait pas, un air d'une terrible tristesse. Bien que les paroles fussent en français, il en comprenait le sens général.

Une alouette, prise au filet d'un chasseur,
Chantait alors plus doucement que jamais,
Comme si les doux accents jaillis de son cœur
Pouvaient libérer l'aile du filet.

Le regard de Tom se fixa sur l'évêque. Waleran semblait terrifié, il était bouche bée, les yeux grands ouverts, le visage pâle comme la mort. Tom n'en revenait pas : comment une simple chanson avait-elle le pouvoir d'effrayer un tel homme ?

A la tombée du jour le chasseur prit sa proie,
Jamais l'alouette ne retrouva sa liberté.
Les oiseaux et les hommes sont assurés de mourir
Mais les chansons peuvent vivre à jamais.

312

Ellen lança : « Adieu, Waleran Bigod. Je quitte Kingsbridge, mais je ne te quitte pas. Je serai avec toi dans tes rêves. »

Et dans les miens, songea Tom.

Pendant un long instant, ils parurent tous figés sur place.

Ellen se détourna, serrant la main de Jack. Tous la regardèrent en silence franchir les portes du prieuré et disparaître dans le soir qui tombait.

DEUXIÈME
PARTIE

1136-1137

I

Depuis le départ d'Ellen, les dimanches étaient bien calmes à l'hôtellerie. Alfred jouait à la balle au pied avec les garçons du village, dans la prairie de l'autre côté de la rivière. Martha, à qui Jack manquait, faisait semblant de s'amuser à cuisiner ou à habiller une poupée. Tom travaillait aux plans de sa cathédrale.

Une ou deux fois, il avait interrogé Philip sur le projet d'église qu'il voulait construire, mais le prieur ne paraissait pas disposé à aborder ce sujet. Mille soucis l'occupaient. Quant à Tom, il ne pensait à rien d'autre qu'à sa cathédrale, surtout le dimanche.

Il aimait s'asseoir sur le seuil de l'hôtellerie pour regarder la pelouse et les ruines de l'ancien édifice. Parfois, il esquissait des croquis sur un bout d'ardoise, mais la plupart du travail se faisait dans sa tête. Il savait qu'on éprouvait en général les pires difficultés pour se représenter des objets solides et des espaces complexes. Ce n'était pas son cas.

Même s'il avait gagné la confiance et la gratitude de Philip pour son travail de réparation, le prieur le considérait toujours comme un maçon, un tâcheron. Tom devait lui prouver qu'il était capable de concevoir et de bâtir une cathédrale.

Un dimanche, environ deux mois après le départ d'Ellen, il décida de commencer à dessiner ses plans.

Il confectionna un paillasson de roseaux tressés et de souples brindilles d'environ trois pieds sur deux. Il le dota de bordures en bois bien ajustées pour que le paillasson ressemble à un plateau. Puis il mélangea de la chaux avec un peu de plâtre et il recouvrit le plateau de cette mixture. Lorsque le mortier commença à prendre, il y traça des traits avec une aiguille. Il utilisa sa règle de fer pour les traits droits, son équerre pour les angles droits et son compas pour les courbes.

Il ferait trois dessins : un dessin en coupe, pour expliquer comment l'église était construite, une élévation pour en illustrer les magnifiques proportions, et un plan de sol pour montrer la disposition. Il commença par la coupe.

Il traça une haute voûte au sommet plat. C'était la nef. Elle aurait un plafond plat en bois, comme l'ancienne église. Tom aurait bien préféré bâtir une voûte de pierre incurvée, mais Philip n'en avait pas les moyens.

Au-dessus de la nef, il dessina un toit triangulaire. La largeur du bâtiment était déterminée par la largeur du toit. Et celle-ci à son tour dépendait du bois dont on disposait. On ne trouvait pas facilement des poutres de plus de trente-cinq pieds de long — et encore étaient-elles terriblement coûteuses. La nef de la cathédrale de Tom aurait sans doute trente-deux pieds de large.

La nef qu'il avait dessinée était haute, extraordinairement haute. Mais une cathédrale devait être une construction spectaculaire, impressionnante dans ses dimensions.

Malheureusement, ce qu'il avait dessiné était voué à s'écrouler. Le poids du plomb et des madriers du toit serait trop lourd pour les murs, qui s'arqueraient vers l'extérieur et s'effondreraient. Il fallait les soutenir.

Dans ce but, Tom dessina deux voûtes arrondies, moins hautes, flanquant la nef de chaque côté. C'étaient les bas-côtés, dont chacun aurait un toit en appentis.

Les bas-côtés, collés à la nef par leur voûte de pierre, offraient une bonne résistance, mais ils n'arrivaient pas suffisamment haut. Tom construirait des appuis supplémentaires, à intervalles réguliers, dans l'espace réservé au toit, au-dessus du plafond voûté au-dessous du toit en appentis. Là où le soutien prenait appui sur le mur du bas-côté, Tom le renforça par un arc-boutant massif sortant du côté de l'église. Il en coiffa le faîte d'une tourelle, pour ajouter du poids et l'agrémenter.

Il traça aussi les fondations, qui s'enfonçaient loin dans le sol, sous les murs. Les profanes étaient toujours surpris de la profondeur des fondations.

C'était un simple dessin, trop simple pour être d'une grande utilité au bâtisseur ; mais il suffirait pour le prieur Philip. Tom voulait lui faire comprendre ce qu'on lui proposait. Mais comment imaginer une église grande et massive à partir de quelques traits tracés sur du plâtre ?

Les murs qu'il avait dessinés paraissaient massifs, mais l'impression était trompeuse. Tom se mit alors à dessiner

318

le mur de la nef vu de profil, comme il apparaîtrait à l'intérieur de l'église. Il était percé à trois niveaux. La moitié inférieure était tout juste une rangée de colonnes, dont le faîte était réuni par des arcs semi-circulaires. Il s'agissait de l'arcade. Par les voûtes de l'arcade on pouvait voir les fenêtres arrondies des bas-côtés ; les fenêtres seraient précisement alignées sur les voûtes de façon que la lumière de l'extérieur tombe sans obstacle dans la nef. Les piliers intermédiaires, eux, s'aligneraient sur les arcs-boutants des murs extérieurs.

Chaque cintre de l'arcade était surmonté d'une rangée de trois arcs plus petits, formant la galerie de la tribune. Aucune lumière ne pénétrerait par là, car le toit en appentis du bas-côté se trouvait derrière elle.

Au-dessus de cette galerie il avait mis les fenêtres hautes, ainsi appelées parce qu'elles éclairaient la partie supérieure de la nef.

Tom conçut les trois niveaux du mur de la nef — l'arcade, la tribune et le triforium — en respectant les proportions de trois, un, deux. L'arcade avait la moitié de la hauteur du mur et la galerie un tiers du reste. Les proportions avaient une importance capitale dans une église : elles donnaient une impression d'équilibre à l'ensemble du bâtiment. En examinant le dessin terminé, Tom le trouva parfaitement élégant. Mais qu'en penserait Philip ?

Il attaqua son troisième dessin. C'était un plan de l'église. Dans son imagination, il plaçait douze arcs. L'église était donc divisée en douze sections appelées travées. La nef aurait six travées de long, le chœur quatre. Entre les deux, occupant l'espace des septième et huitième travées, serait la croisée, d'où partiraient les transepts avec la tour qui s'élèverait au-dessus.

Toutes les cathédrales et presque toutes les églises avaient la forme d'une croix. La croix était le symbole le plus important de la chrétienté, bien sûr, mais il y avait aussi une raison pratique : les transepts fournissaient un espace précieux pour les chapelles annexes et la sacristie. Quand il eut tracé le plan au sol, qui était simple, Tom revint au dessin central qui montrait l'intérieur de l'église vu du côté ouest. Il entreprit alors de dessiner la tour s'élevant au-dessus et derrière la nef.

La tour devait avoir une fois et demie ou deux fois la hauteur de la nef. La première solution donnait au bâtiment un profil d'une agréable égalité avec les bas-côtés, la nef et la tour s'élevant suivant une progression continue : un, deux, trois. La grande tour serait plus spectaculaire, car la nef alors aurait deux fois la taille des bas-côtés et la tour deux fois celle de la nef, les proportions étant un, deux, quatre. Tom avait choisi la version spectaculaire : c'était la seule cathédrale qu'il bâtirait, et il voulait qu'elle atteignît le ciel. Il espérait que Philip serait du même avis.

Si le prieur acceptait le projet, Tom devrait bien sûr le redessiner avec plus de soin et exactement à l'échelle. Et il y aurait encore bien des croquis, des centaines : les plinthes, les colonnes, les chapiteaux, les encorbellements, les chambranles, les clochetons, les escaliers, les gargouilles et d'innombrables autres détails : Tom travaillerait pendant des années. Mais il avait déjà devant lui l'essence du bâtiment. Et elle était bonne : simple, peu coûteuse, élégante et parfaitement proportionnée.

Il brûlait d'impatience de montrer ses croquis à quelqu'un.

Philip allait-il le trouver présomptueux ? Le prieur ne lui avait pas demandé de préparer un projet. Peut-être pensait-il à un autre maître bâtisseur, quelqu'un ayant déjà travaillé pour un autre monastère et jouissant d'une certaine renommée. Peut-être allait-il considérer avec dédain les ambitions de Tom.

D'un autre côté, si Tom ne lui montrait rien, Philip risquait de le croire incapable de concevoir un projet et pouvait engager quelqu'un d'autre sans même envisager sa candidature. Tom voulait couper court à cette éventualité, il préférait passer pour présomptueux.

Il faisait encore clair. Au cloître, ce devait être l'heure de l'étude. Philip serait sans doute à la maison du prieur, à lire sa Bible. Tom décida d'aller frapper à sa porte.

Portant son plateau avec précaution, il quitta l'hôtellerie. Alors qu'il passait devant les ruines, la perspective de bâtir une nouvelle cathédrale lui parut soudain intimidante : toute cette pierre, tout ce bois, tous ces artisans, toutes ces années. Il allait falloir tout contrôler, s'assurer que les matériaux arrivaient régulièrement, surveiller la qualité du bois et de la pierre, engager et congédier des hommes, vérifier inlassablement leur travail avec son fil à plomb et son niveau à eau, préparer des gabarits pour les moulures, concevoir et bâtir des appareils de levage... En était-il vraiment capable ?

Puis il songea à l'excitation que ce serait de créer quelque chose à partir de rien ; de voir, un jour, une nouvelle église là où il n'y avait maintenant que décombres et se dire : c'est moi qui ai fait cela.

Une autre pensée l'obsédait. Agnès était morte sans les secours d'un prêtre, elle reposait dans une terre qui n'était pas consacrée. Il aurait aimé retourner jusqu'à sa tombe et demander à un prêtre de prier sur son corps, peut-être poser une petite stèle. Mais il craignait, en attirant l'attention sur le lieu où elle était inhumée, de raviver les souvenir sur l'abandon du bébé. Abandonner un bébé à une mort presque certaine était encore tenu pour un meurtre. A mesure que les semaines passaient, l'âme d'Agnès le préoccupait de plus en plus : était-elle bien là où elle le méritait ? Mais une idée l'avait apaisée : s'il bâtissait une cathédrale, Dieu lui pardonnerait sûrement ; et il pourrait peut-être demander qu'Agnès reçût à sa place le bénéfice de cette faveur. En lui dédiant son œuvre de bâtisseur, pensait-il, il aurait le sentiment de sauver l'âme d'Agnès et pourrait lui-même reposer en paix.

Il arriva à la maison du prieur, un petit bâtiment de pierre à un seul étage. La porte était ouverte malgré le froid. Il hésita un moment. Montre-toi calme, compétent, expert, se dit-il.

Il entra. Il n'y avait qu'une pièce. A une extrémité se trouvait un grand lit entouré de luxueuses tentures ; à l'autre un petit autel avec un crucifix et un bougeoir. Le prieur Philip se tenait près d'une fenêtre, en train de lire un parchemin d'un air soucieux. Il leva les yeux et lui sourit. « Qu'avez-vous là ?

— Des dessins, mon père, dit Tom avec une certaine assurance. Pour une nouvelle cathédrale. Puis-je vous les montrer ? »

Philip parut surpris et intrigué. « Bien sûr. »

Il y avait un grand lutrin dans un coin. Tom l'apporta à la lumière près de la fenêtre et y déposa son cadre de plâtre. Philip regarda le dessin. Tom guettait son visage. Il devinait que le prieur n'avait jamais vu un dessin en élévation, un plan de sol ni la coupe d'un bâtiment.

Tom commença ses explications. Il désigna la coupe : « Ceci vous montre une travée de la nef, dit-il. Imaginez que vous êtes au centre et que vous regardez le mur. Voici les piliers de l'arcade, réunis par des arcs. Par les voûtes, on aperçoit les fenêtres des bas-côtés. Au-dessus de l'arcade, la tribune et, encore au-dessus, les fenêtres hautes. »

Le visage de Philip s'éclairait peu à peu.

« Quand on fait le tour du chantier, expliqua Tom, et qu'on marque où seront bâtis les murs et où les piliers prennent appui sur le sol, avec l'emplacement des portes et des arcs-boutants, nous avons alors un plan comme celui-ci. »

Quelle chance, se dit-il, que le prieur eût un peu de mal à comprendre les dessins : il pouvait ainsi mieux montrer son savoir. Il poursuivit : « Voici la nef, au milieu, avec un plafond en poutres. Derrière la nef, la tour. Là, ce sont les bas-côtés, de chaque côté de la nef. Au bord extérieur des bas-côtés, les arcs-boutants.

— C'est magnifique », dit Philip. Tom comprit que le plan en coupe l'impressionnait particulièrement ; l'intérieur de l'église s'ouvrait aux regards sur la façade ouest comme on ouvre la porte d'une armoire pour en révéler le contenu.

Philip revint au plan. « Il n'y a que six travées dans la nef ?

— Oui, et quatre dans le chœur.

— Ce n'est pas un peu petit ?

— Pouvez-vous vous permettre de bâtir plus grand ?

— Je ne peux pas me permettre de bâtir du tout, dit Philip. Je ne crois pas que vous ayez la moindre idée du coût.

— Je sais exactement combien cela coûterait », répondit Tom.

Il lut la surprise sur le visage du prieur. Tom avait en effet passé des heures à calculer jusqu'au dernier penny le montant de son projet. Mais il donna à Philip un chiffre rond. « Pas plus de trois mille livres. »

Philip eut un petit rire. « J'ai passé les dernières semaines à calculer le revenu annuel du prieuré. » Il brandit la feuille de parchemin qu'il était en train de lire avec tant d'attention quand Tom était entré. « Voici la réponse. Trois cents livres par an. Et nous dépensons jusqu'au dernier sou. »

Tom ne fut pas surpris. On savait que la gestion du prieuré avait été négligée. Il était persuadé que Philip allait y remédier. « Vous trouverez, mon père, dit-il. Avec l'aide de Dieu », ajouta-t-il pieusement.

Philip revint au dessin, manifestement peu convaincu. « Combien de temps la construction demanderait-elle ?

— Tout dépend du nombre de gens que vous employez, dit Tom. Si vous engagez trente maçons avec assez d'ouvriers, d'apprentis, de charpentiers et de forgerons pour les aider, il faudrait compter quinze ans : un an pour les fondations, quatre pour le chœur, quatre pour les transepts et six pour la nef. »

Une fois de plus, Philip parut étonné. « J'aimerais que mes moines sachent aussi bien prévoir et calculer que vous », dit-il. Il examina les dessins d'un air pensif. « J'ai donc besoin de trouver deux cents livres par an. » Vu de cette manière, c'était déjà moins impressionnant. Tom ne tenait plus en place : Philip ne voyait plus seulement un dessin abstrait, mais un projet réalisable. « Si je trouvais davantage... serait-il possible de construire plus rapidement ?

— Dans une certaine mesure », répondit Tom prudemment. Il ne voulait pas trop nourrir l'optimisme de Philip, qui risquait d'être déçu par la suite. « Vous pourriez employer soixante maçons et construire toute l'église d'un coup au lieu de travailler d'est en ouest. Disons alors huit ou dix ans. Plus de soixante ouvriers, sur un bâtiment de cette taille, ils se gêneraient les uns les autres, ce qui ralentirait le travail. »

Philip acquiesça. « Mais, même avec seulement trente maçons, le côté est serait terminé en cinq ans.

— Oui. On pourrait y célébrer les services et édifier un nouvel autel pour les reliques de saint Adolphe.

— En effet, dit Philip, maintenant en proie à une véritable excitation. Je croyais qu'il faudrait des décennies avant que nous retrouvions une nouvelle église. » Il regarda Tom d'un air dubitatif. « Avez-vous déjà bâti une cathédrale ?

— Non, mais j'ai conçu et bâti des églises plus petites. J'ai travaillé plusieurs années à la cathédrale d'Exeter, où j'ai terminé comme assistant-maître bâtisseur.

— Vous voulez bâtir cette cathédrale vous-même, n'est-ce pas ? »

Tom hésita. Autant être franc avec Philip : l'homme n'aimait pas les tergiversations. « Oui, mon père. Je veux que vous me nommiez maître bâtisseur, dit-il aussi calmement qu'il le pouvait.

— Pourquoi ? »

Tom ne s'attendait pas à cette question-là. Il y avait tant de raisons. Quelle réponse Philip souhaitait-il ? Le prieur aimerait sans doute l'entendre dire quelque chose de pieux. Témérairement, il décida de dire la vérité. « Parce que ce sera beau », dit-il.

Philip le regarda d'un air étrange. Tom ne sut deviner s'il était en colère. « Parce que ce sera beau », répéta Philip. Tom crut avoir dit une ânerie et voulut se rattraper, mais l'inspiration ne vint pas. Puis il vit que le scepticisme de Philip cachait en réalité une émotion profonde. Les mots de Tom avaient touché son cœur. Enfin, il hocha la tête, offrant en quelque sorte son accord après réflexion. « Oui. Faire quelque chose de beau pour Dieu, que pourrait-il y avoir de mieux ? »

Tom resta silencieux. Philip n'avait pas dit : oui, vous serez maître bâtisseur. Tom attendait.

« Dans trois jours, annonça le prieur, je vais avec l'évêque Waleran voir le roi à Winchester. Je ne sais pas exactement quelles sont les intentions de l'évêque, mais je suis sûr qu'il demandera au roi Stephen de nous aider à payer une nouvelle cathédrale pour Kingsbridge.

— Espérons que le roi exaucera votre vœu, dit Tom.

— Il nous doit une faveur, reprit Philip avec un sourire énigmatique. Il doit nous aider.

— Et s'il le fait ? demanda Tom.

— Je crois que Dieu vous a envoyé à moi avec un dessein précis, Tom le bâtisseur, dit Philip. Si le roi Stephen nous donne l'argent, vous pourrez bâtir la cathédrale. »

Tom à son tour était ému. Il ne savait quoi dire. On venait d'exaucer le vœu de sa vie — mais sous condition. Tout dépendait de l'aide que Philip obtiendrait du roi. Il hocha la tête, acceptant à la fois la promesse et le risque. « Merci, mon père », dit-il.

La cloche sonna pour les vêpres. Tom reprit son plateau.

« Vous avez besoin de ça ? » demanda Philip.

Tom comprit qu'il valait mieux le laisser ici. Ce serait pour Philip un constant rappel. « Non, dit-il, j'ai tout cela dans la tête.

— Bon. J'aimerais le garder. »

Tom acquiesça et se dirigea vers la porte.

L'idée lui vint que, s'il ne posait pas maintenant la question à propos d'Agnès, il ne le ferait sans doute jamais. Il revint sur ses pas. « Mon père ?

— Oui ?

— Ma première femme... elle s'appelait Agnès... est morte sans un prêtre et elle repose dans un lieu qui n'est pas consacré. Elle n'avait pas péché, c'était simplement les circonstances. Je me demandais... Un homme parfois bâtit une chapelle ou fonde un monastère avec l'espoir que dans l'autre vie Dieu se rappellera sa piété. Croyez-vous que mon projet pourrait servir à protéger l'âme d'Agnès ? »

Philip fronça les sourcils. « Abraham a dû sacrifier son fils unique. Dieu ne demande plus de sacrifice de sang, car l'ultime sacrifice a été consommé. Mais la leçon de l'histoire d'Abraham, c'est que Dieu réclame le mieux que nous avons à lui offrir, ce qui nous est le plus précieux. Ce projet est-il le mieux que tu puisses offrir à Dieu ?

— A part mes enfants, oui.

— Alors sois tranquille, Tom le bâtisseur. Dieu l'acceptera. »

II

Philip ignorait pourquoi Waleran Bigod voulait le rencontrer dans les ruines du château du comte Bartholomew.

Il avait été contraint de se rendre à la ville de Shiring et d'y passer la nuit, puis de repartir le matin pour Earlscastle. Tandis que son cheval trottait vers le château dont la silhouette se dressait à l'horizon dans la brume matinale, il conclut que la seule explication était que le lieu l'arrangeait. Waleran était en déplacement, il ne passait pas plus près d'ici que de Kingsbridge et le château était facile à trouver.

Philip s'interrogeait sur les intentions du prélat. Il n'avait pas vu l'évêque élu depuis le jour où celui-ci était venu inspecter les ruines de la cathédrale. Waleran ne savait pas combien d'argent il fallait au prieur pour reconstruire l'église et Philip ignorait ce que l'évêque comptait demander au roi. Ce dernier ne disait rien de ses projets et Philip se sentait extrêmement nerveux.

Il avait appris avec plaisir que Tom le bâtisseur savait exactement comment bâtir la nouvelle cathédrale. Une fois de plus, il remercia le ciel de lui avoir envoyé le maçon. Cet homme était surprenant par bien des aspects. Il savait à peine lire ou écrire, mais il pouvait concevoir une cathédrale, tracer les plans, calculer le nombre d'hommes et le temps qu'il faudrait pour la bâtir, plus estimer aussi ce que coûterait l'entreprise. Il ne parlait guère, mais il avait une stature redoutable. Il était très grand, avec un visage boucané et barbu, l'œil vif et le front haut. Mais il était très sérieux et ne se doutait pas le moins du monde des réactions de Philip à son égard. La touchante conversation à propos de sa femme avait révélé une piété qui jusqu'alors n'était pas apparente. Tom était de ces gens qui gardent leur religion au fond du cœur. Ce sont parfois les meilleurs.

En approchant d'Earlscastle, Philip se sentait de plus en plus mal à l'aise. Ce château autrefois prospère, qui défendait la campagne environnante, employait et nourrissait un grand nombre de gens, n'était plus aujourd'hui que ruines et les taudis qui s'entassaient alentour semblaient aussi abandonnés que les nids vides des branches dépouillées d'un arbre en hiver. Philip se sentait responsable. Il avait dénoncé le complot qui se préparait ici et il avait amené la colère de Dieu, sous la forme de Percy Hamleigh, sur le château et ses habitants.

Les murs et le poste de garde n'avaient pas été gravement endommagés dans les combats, observa-t-il. Les attaquants étaient sans doute à l'intérieur avant qu'on eût pu fermer les portes. Il passa le pont de bois à cheval et entra dans la première des deux enceintes. Là, les traces de bataille étaient plus marquées : à part la chapelle de pierre, il ne restait des bâtiments du château que quelques souches de bois calcinées et un petit tourbillon de cendres que le vent soufflait au pied de la muraille. Pas trace de l'évêque. Philip traversa la cour, passa le pont à l'autre extrémité et pénétra dans l'enceinte supérieure. Là se dressait un donjon de pierre massif, flanqué d'un escalier de bois branlant qui menait à son entrée au premier étage. Philip contempla le formidable ouvrage avec ses terribles meurtrières : si puissant qu'il fût, il n'avait pas protégé le comte Bartholomew.

De ces fenêtres, il verrait au-delà des murs du château et guetterait l'arrivée de l'évêque. Il attacha son cheval à la rampe de l'escalier et gravit les marches. La porte glissa sur ses gonds. La grande salle était sombre et poussiéreuse et le sol couvert de joncs secs comme de vieux ossements. On apercevait une énorme cheminée froide et un escalier en spirale menant à l'étage. Philip s'approcha d'une fenêtre. La poussière le fit éternuer. De là, il ne voyait pas grand-chose, aussi décida-t-il de monter à l'étage suivant.

Arrivé en haut de l'escalier en spirale, il se trouva face à deux portes. La plus petite devait conduire aux latrines, la plus grande à la chambre du comte. Ce fut celle qu'il ouvrit. La pièce n'était pas vide. Philip s'arrêta net, pétrifié. Au milieu de la chambre, tournée vers lui, se tenait une jeune femme d'une extraordinaire beauté. Un moment il crut à une vision et son cœur se mit à battre plus vite. Son visage énigmatique était encadré de boucles brunes. Elle le dévisageait de ses grands yeux sombres et il s'aperçut qu'elle était aussi surprise que lui. Il se détendit et s'apprêtait à faire un pas de plus dans la pièce lorsqu'on le saisit par-derrière. Il sentit la froide lame d'un poignard sur sa gorge, tandis qu'une voix d'homme demandait : « Qui diable êtes-vous ? »

La jeune fille s'approcha de lui. « Dites votre nom, ou Matthew va vous tuer », ajouta-t-elle d'un ton impérieux.

Ses manières montraient qu'elle était de noble naissance, mais les nobles n'avaient pas à menacer les moines.

« Dites à Matthew de ne pas toucher au prieur de Kingsbridge ou il pourrait lui en cuire », dit calmement Philip.

On le relâcha. Par-dessus son épaule, il aperçut un homme frêle, à peu près de son âge.

Son regard revint à la jeune fille. Elle paraissait avoir environ dix-sept ans. Malgré ses manières hautaines, elle était pauvrement vêtue. Soudain, un coffre placé contre le mur derrière elle s'ouvrit et un garçon d'une quinzaine d'années en sortit, l'air penaud. Il avait une épée à la main.

« Et vous, qui êtes-vous ? demanda Philip.

— Je suis la fille du comte de Shiring. Mon nom est Aliena. »

La fille ! se dit Philip. J'ignorais qu'elle habitait ici. Il regarda le garçon. Il ressemblait à la jeune fille, sauf pour le nez retroussé et les cheveux courts. Philip leva vers lui un regard interrogateur.

« Je suis Richard, l'héritier du comté, déclara le garçon d'une voix un peu fêlée d'adolescent.

— Et moi, je suis Matthew, l'intendant du château », ajouta celui qui se trouvait derrière Philip.

Tous trois se cachaient ici depuis que le comte Bartholomew avait été fait prisonnier. L'intendant s'occupait des enfants : il avait sans doute de la nourriture ou de l'argent dissimulés quelque part. Philip s'adressa à la jeune fille. « Je sais où est votre père, mais qu'est-il advenu de votre mère ?

— Elle est morte voilà bien des années. »

Philip éprouva quelques remords. Les enfants étaient pratiquement orphelins, en partie par sa faute. « Mais vous n'avez pas de famille pour s'occuper de vous ?

— Je veille sur le château jusqu'au retour de mon père », dit-elle.

Philip se rendit compte qu'ils vivaient dans un monde de rêves, comme si elle appartenait encore à une riche et puissante famille. Avec son père emprisonné et en disgrâce, elle n'était plus qu'une jeune fille ordinaire. Le garçon était héritier de rien. Le comte Bartholomew ne reviendrait jamais au château, sinon peut-être pour y être pendu. Il plaignait la fille, mais d'une certaine façon il admirait aussi la force de volonté qui soutenait son rêve et le faisait partager à deux autres personnes. Elle pourrait être reine, songea-t-il.

De dehors parvint un bruit de sabots : plusieurs chevaux franchissaient le pont.

Aliena demanda à Philip : « Pourquoi êtes-vous venu ici ?

— Pour un rendez-vous. » Il se retourna et fit un pas vers la porte. Matthew était sur son chemin. Un moment, ils restèrent immobiles à se dévisager. Les quatre personnages de la pièce étaient figés comme sur un tableau. Philip se demanda s'ils allaient essayer de l'empêcher de partir. Puis l'intendant s'écarta.

Philip sortit. Relevant le pan de sa robe, il descendit en hâte l'escalier en spirale. Arrivé en bas, il entendit des pas derrière lui. Matthew l'avait rattrapé.

« Ne dites à personne que nous sommes ici », lança-t-il.

Ainsi Matthew comprenait le caractère irréel de leur situation. « Combien de temps allez-vous rester ainsi ? demanda Philip.

— Aussi longtemps que nous pourrons, répondit l'intendant.

— Et quand vous devrez partir ? Que ferez-vous alors ?

— Je ne sais pas. »

Philip hocha la tête. « Je garderai votre secret, dit-il.

— Merci, mon père. »

Philip traversa la salle poussiéreuse et sortit. Waleran et deux autres cavaliers attachaient leurs chevaux près du sien. L'évêque portait un lourd manteau bordé de fourrure noire et un bonnet assorti. Il leva la tête et Philip croisa le regard de ses yeux pâles. « Monseigneur », dit Philip avec respect. Il descendit les marches de bois. L'image de la jeune vierge là-haut était encore vivace à son esprit et il aurait aimé s'en débarrasser d'un simple geste de la tête.

Waleran mit pied à terre. Philip constata qu'il avait les deux mêmes compagnons : le doyen Baldwin et un homme d'armes. Il les salua de la tête, puis s'agenouilla pour baiser la main de Waleran, qui accepta son hommage mais sans ostentation : au bout d'un moment, il retira sa main. C'était le pouvoir et non ses artifices que Waleran aimait.

« Tout seul, Philip ? demanda-t-il.

— Oui. Le prieuré est pauvre, une escorte représente une dépense inutile. Quand j'étais prieur de Saint-John-de-la-Forêt, je n'avais jamais d'escorte, et je suis toujours en vie. »

Waleran haussa les épaules. « Venez avec moi, dit-il. Je voudrais vous montrer quelque chose. » Il traversa la cour jusqu'à la tour la plus proche. Philip le suivit. Waleran passa la porte basse au pied de la tour et gravit l'escalier intérieur. Des chauves-souris battaient des ailes sous les lattes du plafond et Philip baissa la tête pour éviter de les frôler.

Ils débouchèrent en haut de la tour et s'arrêtèrent au bord des créneaux pour regarder la terre alentour. « C'est un des plus petits comtés du royaume, dit Waleran.

— En effet. » Philip frissonnait. Un vent froid et humide soufflait et son manteau n'était pas aussi épais que celui de Waleran. Où l'évêque voulait-il en venir ?

« Une partie de cette terre est bonne, mais il y a beaucoup de forêts et de collines pierreuses.

— C'est vrai. » Par beau temps, ils auraient pu voir au loin les forêts et les pâturages, mais en ce jour brumeux, c'est à peine s'ils distinguaient la lisière proche de la forêt et les champs plats à proximité du château.

« Ce comté possède une grande carrière qui fournit du

calcaire de première qualité, poursuivit Waleran. Sa forêt contient des arpents de bon bois. Et ses fermes produisent des revenus considérables. Si nous avions ce comté, Philip, nous pourrions bâtir notre cathédrale.

— Si les porcs avaient des ailes, répliqua Philip, ils pourraient voler.

— Homme de peu de foi ! »

Philip observa Waleran. « Vous êtes sérieux ?

— Très. »

Malgré son scepticisme, Philip sentit un petit frisson d'espoir. Il reprit : « Le roi a besoin de soutien militaire. Il donnera le comté à qui pourra conduire des chevaliers au combat...

— Le roi doit sa couronne à l'Église, et sa victoire sur Bartholomew à vous et à moi. Les chevaliers ne sont pas tout. »

Oui, Waleran était sérieux, constata Philip. Serait-ce possible ? Le roi allait-il accorder à l'Église le comté de Shiring, pour financer la reconstruction de la cathédrale de Kingsbridge ? Malgré les arguments de Waleran, c'était à peine croyable. Mais Philip ne pouvait que s'émerveiller à cette pensée : on lui apporterait sur un plateau la pierre, le bois *et* l'argent pour payer le maître artisan. Il se souvint que Tom le bâtisseur avait dit qu'avec soixante maçons on terminerait l'église en huit ou dix ans. Cette idée le grisait.

« Mais l'ancien comte ? demanda-t-il.

— Bartholomew a finalement avoué sa trahison. Il n'a jamais nié le complot : mais pendant un temps, il a soutenu que ses actes ne relevaient pas de la trahison, en arguant que Stephen était un usurpateur. Le bourreau du roi a fini par le briser. »

Philip frissonna et essaya de ne pas penser aux moyens employés contre Bartholomew pour faire plier cet homme si rigide. « Le comté de Shiring », murmura-t-il. C'était une demande incroyablement ambitieuse mais fascinante en elle-même. Il se sentit plein d'un optimisme tout à fait déraisonnable.

Waleran leva les yeux vers le ciel. « Partons, dit-il. Le roi nous attend après-demain. »

De sa cachette derrière les créneaux de l'autre tour, William Hamleigh étudiait les deux hommes de Dieu. Il les connaissait tous les deux. Le grand, une espèce de corbeau

330

avec son nez pointu et son manteau noir, était le nouvel évêque de Kingsbridge. Le petit, à l'air énergique, avec le crâne rasé et ses yeux bleus au regard vif, était le prieur Philip. William se demanda ce qu'ils faisaient ici.

Il avait vu le moine arriver, regarder autour de lui comme s'il cherchait quelqu'un, puis entrer dans le donjon. William ignorait si Philip avait rencontré les trois personnes qui habitaient là ; peut-être s'étaient-elles cachées. Dès l'arrivée de l'évêque, le prieur Philip était ressorti du donjon et tous deux étaient montés dans la tour. Voilà maintenant que l'évêque faisait de grands gestes de possédé en montrant la terre qui entourait le château. A coup sûr, ils complotaient quelque chose.

Ce n'était pas eux que William était venu espionner, mais Aliena.

Il s'y livrait de plus en plus souvent. Elle ne cessait de l'obséder et il s'abandonnait parfois à des rêveries où il tombait sur elle nue et ligotée dans un champ de blé, ou blottie comme un chiot effrayé dans un coin de sa chambre, ou encore perdue dans la forêt à la tombée de la nuit. Désormais il ne pouvait vivre sans la surprendre. Il partait de bon matin pour Earlscastle. Il laissait Walter, son valet, s'occuper des chevaux dans la forêt et traversait les champs jusqu'au château. Il se glissait à l'intérieur et trouvait une cachette d'où il pouvait observer le donjon et l'enceinte supérieure. Parfois l'attente était longue. Sa patience était mise à rude épreuve, mais l'idée de repartir sans même l'avoir aperçue était insupportable. Quand enfin elle apparaissait, la gorge de William se desséchait, son cœur se mettait à battre plus vite et les paumes de ses mains devenaient moites. Souvent, son frère l'accompagnait ou cet intendant efféminé, mais quelquefois elle était seule. Un après-midi d'été, alors qu'il l'attendait depuis le matin, elle était allée jusqu'au puits, avait tiré de l'eau et ôté ses vêtements pour faire sa toilette. Le seul souvenir de ce spectacle suffisait à l'enflammer. Elle avait des seins pleins et fiers qui s'agitaient de façon insolente lorsqu'elle levait les bras pour se savonner les cheveux. Ses bouts de seins s'étaient hérissés de manière délicieuse sous l'action de l'eau froide. Elle avait en haut des jambes une toison brune et bouclée étonnamment touffue et, quand elle s'était lavée là, en se frictionnant vigoureusement avec du savon, William avait perdu tout contrôle et souillé ses vêtements.

Rien d'aussi agréable ne lui était arrivé depuis lors et l'hiver empêchait certainement la jeune fille de se laver dehors, mais il avait connu des plaisirs de moindre importance. Parfois elle chantait ou même parlait toute seule. William l'avait vue se tresser les cheveux, danser et poursuivre des pigeons sur les remparts comme une enfant. Cette observation secrète donnait à William un sentiment de puissance absolument délicieux.

Pour l'instant, elle ne sortirait pas tant que l'évêque et le moine seraient là. Par bonheur, ils ne restèrent pas longtemps. Ils quittèrent enfin les créneaux très rapidement et, quelques instants plus tard, leurs accompagnateurs et eux s'éloignaient du château. Étaient-ils venus rien que pour admirer la vue du haut des créneaux ? Ils avaient dû être déçus par le temps.

L'intendant était sorti un peu plus tôt chercher du bois pour le feu, juste avant l'arrivée des visiteurs. Il allait bientôt reparaître pour aller prendre de l'eau au puits. Plus tard dans la journée, l'intendant sortait, emmenant parfois le jeune garçon avec lui. Quand ils étaient partis, Aliena ne tardait guère. Lorsque l'attente se faisait trop longue, William se la représentait à sa toilette. Le souvenir était presque aussi bon que la réalité. Mais, aujourd'hui, il était énervé. La visite de l'évêque et du prieur avait gâché son plaisir. Jusqu'à ce jour, le château et ses trois occupants baignaient dans une atmosphère enchantée, mais l'intrusion de ces quatre créatures si peu magiques sur leurs chevaux crottés avait rompu le charme.

Il réfléchit aux raisons possibles de leur présence, sans grand résultat. Quelqu'un saurait peut-être les deviner : sa mère. Il décida d'abandonner Aliena pour ce jour-là et de rentrer chez lui raconter ce qu'il avait vu.

Ils arrivèrent à Winchester le second jour, à la tombée de la nuit. Ils entrèrent par la porte du roi, dans le mur sud de la ville, et se dirigèrent aussitôt vers l'enceinte de la cathédrale. Là, ils se séparèrent. Waleran se rendit à la résidence de l'évêque de Winchester, un palais qui jouxtait la cathédrale. Philip s'en fut présenter ses respects au prieur et quémander un matelas dans le dortoir des moines.

Après trois jours passés sur la route, Philip trouva le calme et la paix du monastère aussi rafraîchissants qu'une fontaine par un jour brûlant. Le prieur de Winchester — un brave homme un peu dodu, à la peau rose et aux cheveux blancs — invita Philip à souper avec lui dans sa maison. Pendant le repas, ils parlèrent de leurs évêques respectifs. Le prieur de Winchester, de toute évidence très respectueux de l'évêque Henry, lui était complètement soumis. Philip en conclut qu'on ne gagnait rien à se quereller avec son évêque lorsqu'il était aussi riche et puissant que Henry. Philip tout de même n'avait pas l'intention de l'imiter à ce point.

Il dormit comme une souche et se leva à minuit pour matines.

Ce fut lors de sa première visite à la cathédrale de Winchester qu'il commença à se sentir intimidé.

Le prieur lui avait dit qu'il s'agissait de la plus grande église du monde. En effet. Elle avait plus de cent toises de long : Philip connaissait des villages qui auraient pu tenir à l'intérieur. Elle possédait deux grandes tours, l'une au-dessus de la croisée et l'autre à l'extrémité ouest. La tour centrale s'était effondrée, trente ans plus tôt, sur la tombe de Guillaume le Roux, un roi impie qui n'aurait sans doute pas dû être enterré dans une église. Depuis lors on l'avait rebâtie. Situé juste au-dessous de la tour neuve, à chanter matines, Philip trouvait au bâtiment une force et une immense dignité. La cathédrale que Tom avait conçue serait modeste par comparaison — si jamais elle était construite. Il comprit soudain qu'il évoluait dans de très hautes sphères et il en éprouva quelque nervosité. Il n'était qu'un enfant d'un village des collines du pays de Galles qui avait eu la bonne fortune de devenir moine. Aujourd'hui, il allait s'adresser au roi. Où en avait-il pris le droit ?

Il retourna se coucher, rongé par l'inquiétude. Il avait peur de dire ou de faire quelque chose de nature à offenser le roi Stephen ou l'évêque Henry et à les indisposer contre Kingsbridge. Les gens d'origine française se moquaient souvent de la façon dont les Anglais parlaient leur langue : qu'allaient-ils penser d'un accent gallois ? Dans le monde monastique, on avait toujours jugé Philip sur sa piété, son obéissance et son dévouement à l'œuvre de Dieu. Ces choses-là ne comptaient pas ici, dans la capitale d'un des plus grands royaumes de la terre. Philip était dépassé, il avait l'impression d'être un imposteur, certain qu'on allait le démasquer et le renvoyer chez lui en disgrâce.

Il se leva à l'aube, se rendit à prime, puis au réfectoire.

Les moines avaient de la bonne bière et du pain blanc : c'était un monastère riche. Après le déjeuner, quand les moines allèrent au chapitre, Philip se dirigea vers le palais de l'évêque, une belle construction de pierre avec de grandes fenêtres, entourée de plusieurs arpents de jardins clos de murs.

Waleran était sûr d'obtenir le soutien de l'évêque Henry pour son projet démesuré. Henry était si puissant que son concours suffirait peut-être à rendre l'entreprise réalisable. C'était Henry de Blois, le frère cadet du roi. Homme d'Église le mieux apparenté d'Angleterre, il était le plus fortuné en sa qualité d'abbé du riche monastère de Glastonbury. On s'attendait à le voir nommé archevêque de Canterbury. Kingsbridge ne pouvait avoir allié plus puissant. Et si cela finissait par arriver ? se dit Philip : si le roi nous permettait de construire une nouvelle cathédrale ? Lorsqu'il y pensait, un immense espoir emplissait sa poitrine.

Un intendant vint annoncer à Philip que l'évêque Henry ne serait pas visible avant le milieu de la matinée. Philip était trop énervé pour retourner au monastère. Impatient, il partit visiter la plus grande ville qu'il eût jamais vue.

Le palais de l'évêque était dans la partie sud-est de la ville. Philip suivit le mur, en traversant le domaine d'un autre monastère, l'abbaye de Sainte-Mary, et il déboucha dans un quartier visiblement consacré au cuir et à la laine. Cette partie de la ville était parcourue par un réseau de petits ruisseaux. S'approchant, Philip vit qu'il s'agissait de rigoles creusées à la main, qui détournaient une partie de la rivière Itchen vers les rues afin de fournir les grandes quantités d'eau nécessaires au tannage des peaux et au lavage des toisons. Ce genre d'industrie s'établissait habituellement au bord d'une rivière et Philip s'émerveilla de l'audace des hommes.

Malgré cette activité, la ville était plus calme et plus dégagée que celles que Philip avait déjà vues. Une cité comme Salisbury ou Hereford semblait aussi à l'étroit dans ses murs qu'un homme trop gros dans une tunique trop juste : les maisons s'entassaient les unes contre les autres, les cours étaient trop petites, la place du marché trop encombrée, les rues trop étroites ; comme bêtes et gens se disputaient l'espace, à tout moment des bagarres menaçaient d'éclater. Mais Winchester semblait au contraire offrir de la place pour tous. En se promenant, Philip comprit peu à peu que cette impression d'espace était due en partie au fait que les rues étaient dessinées suivant un quadrillage. Elles étaient pour la plupart en ligne droite, et se coupaient à angle droit. Il n'avait encore jamais vu cela. La ville avait été construite sur plan, pensa-t-il.

Les églises se comptaient par douzaines. Elles étaient de toutes formes et de toutes tailles, les unes en bois, les autres en pierre, chacune desservant sa propre petite paroisse. La cité devait être riche pour entretenir autant de prêtres.

Dans la rue des Bouchers, il fut pris d'un léger malaise. Il n'avait jamais vu une telle quantité de viande crue. Le sang ruisselait des étals des bouchers dans la rue et de gros rats se faufilaient entre les pieds des clients.

L'extrémité de la rue des Bouchers s'ouvrait, au milieu de la grand-rue, en face du vieux palais royal. L'édifice n'était plus utilisé par les rois depuis que le nouveau donjon avait été construit au château, avait-on expliqué à Philip, mais les argentiers royaux battaient encore monnaie et frappaient des pennies d'argent dans le magasin du bâtiment, à l'abri des murs épais et des grilles de fer. Philip s'arrêta un moment, regardant les étincelles jaillir tandis que les marteaux frappaient les coins, impressionné par toute cette richesse étalée sous ses yeux.

Un groupe de badauds observait comme lui ce spectacle. C'était manifestement une curiosité que venaient voir tous les gens de passage. Une jeune femme, non loin de lui, sourit à Philip qui lui rendit son sourire. Elle dit : « Tu peux faire tout ce que tu veux pour un penny. » Il se demanda ce qu'elle voulait et lui fit de nouveau un vague sourire. Elle entrouvrit alors son manteau et il constata avec horreur que, dessous, elle était complètement nue. « Tout ce que tu veux pour un penny d'argent », répéta-t-elle.

Il sentit un vague élan de désir, comme le fantôme d'un souvenir depuis longtemps enfoui : c'était une prostituée. Il se sentit rougir. Il s'empressa de faire demi-tour et s'éloigna à grands pas. « N'aie pas peur, cria-t-elle. J'aime bien les belles têtes rondes. » Son rire moqueur le suivit longtemps.

Pour lui échapper, il prit une ruelle qui donnait sur la grand-rue et se trouva sur la place du marché. On apercevait les tours de la cathédrale qui s'élevaient au-dessus des échoppes. Il se fraya un chemin parmi la foule sans écouter les boniments des vendeurs et regagna l'enclos du couvent.

Le calme ordonné du monastère lui fit l'effet d'une brise

fraîche. Il s'arrêta au cimetière pour remettre de l'ordre dans ses pensées. Il se sentait honteux et scandalisé. Comment cette femme osait-elle tenter un homme en robe de moine ? Elle avait de toute évidence reconnu en lui un visiteur... Était-ce possible que des moines éloignés de leur monastère fussent ses clients ? Bien sûr, se dit-il. Les moines commettaient les mêmes péchés que les gens ordinaires. C'était le manque de vergogne de cette femme qui l'avait choqué. Le spectacle de sa nudité restait dans son esprit comme la flamme d'une chandelle qu'on a contemplée quelques instants continue à brûler derrière les paupières closes.

Il soupira. La matinée lui avait réservé un défilé d'images étonnantes ! Les rigoles creusées par la main de l'homme, les rats aux étals des boucheries, les piles de pièces de monnaie nouvellement frappées et la nudité de cette femme. Pendant quelque temps, il le savait, ces images reviendraient hanter ses méditations.

Il entra dans la cathédrale. Il se sentait trop impur pour s'agenouiller et prier, il se contenta donc de descendre la nef et de sortir par la porte sud. Il passa par le prieuré et se rendit au palais de l'évêque.

Le rez-de-chaussée était une chapelle. Philip gravit l'escalier qui menait au vestibule et entra. Il y avait près de la porte un petit groupe de domestiques et de jeunes ecclésiastiques, debout ou assis sur le banc contre le mur. Tout au bout de la pièce, Waleran et l'évêque Henry étaient à une table. Un intendant arrêta Philip : « Les évêques déjeunent.

— Je vais les rejoindre à table, annonça Philip.

— Vous feriez mieux d'attendre », dit l'intendant.

Philip jugea que l'intendant l'avait pris pour un simple moine.

« Je suis le prieur de Kingsbridge », déclara-t-il.

L'intendant haussa les épaules et s'écarta.

Philip s'approcha de la table. L'évêque Henry présidait, Waleran se trouvait à sa droite. Henry était un homme trapu, aux épaules larges, avec un visage agressif. Il avait à peu près le même âge que Waleran, un an ou deux de plus que Philip ; mais pas plus de trente ans. Par contraste avec la peau très blanche de Waleran ou la charpente osseuse de Philip, Henry avait le teint fleuri et les rondeurs d'un bon mangeur, l'œil vif et intelligent. Son visage affichait la détermination. Philip fut surpris de voir que Henry avait le crâne rasé, signe de vœux monastiques autrefois prononcés, et de sa volonté de passer encore pour un moine. Pourtant, il ne portait pas la robe mais une somptueuse tunique de soie pourpre. Waleran arborait une chemise de toile blanche immaculée sous sa tunique noire habituelle, et Philip comprit que les deux hommes avaient choisi ces vêtements pour leur audience avec le roi. Ils mangeaient de la viande froide et buvaient du vin rouge. Philip, affamé après sa marche, avait l'eau à la bouche.

Waleran leva les yeux et l'aperçut ; une légère irritation transparut sur son visage.

« Bonjour », dit Philip.

Waleran s'adressa à Henry : « C'est mon prieur. »

Philip n'aimait pas être présenté comme le prieur de Waleran. Il corrigea : « Philip de Gwynedd, prieur de Kingsbridge, monseigneur évêque. »

Il s'attendait à baiser la bague de l'évêque, mais Henry se contenta de dire : « Parfait » avant d'engloutir une autre bouchée de bœuf. Philip resta planté là, un peu embarrassé. N'allaient-ils pas lui demander de s'asseoir ?

« Nous vous rejoignons dans quelques instants, Philip », dit Waleran.

Ainsi, on le congédiait. Il tourna les talons, humilié. L'intendant qui avait essayé de l'éconduire ricana. Philip resta à l'écart, honteux soudain de la robe brune tachée qu'il portait jour et nuit depuis six mois. Les bénédictins teignaient souvent leurs habits en noir, mais Kingsbridge y avait renoncé des années auparavant par souci d'économie. Philip avait toujours estimé que le goût des beaux vêtements relevait d'une vanité qui ne convenait absolument pas à un homme de Dieu, si haut que fût son rang ; aujourd'hui, il en comprenait l'utilité. On ne l'aurait peut-être pas traité aussi cavalièrement s'il était arrivé vêtu de soie et de fourrure.

Bah, songea-t-il, un moine fait vœu d'humilité après tout.

Peu après, les deux évêques se levèrent et se dirigèrent vers la porte. Un domestique apporta à Henry une robe écarlate ourlée de fines broderies et de franges de soie. Tout en l'enfilant, Henry s'adressa à Philip :

« Vous n'aurez pas grand-chose à dire aujourd'hui.

— Laissez-nous parler, ajouta Waleran.

— Laissez-moi parler, rectifia Henry en insistant légèrement sur le *moi*. Si le roi vous pose une question, répondez simplement sans essayer d'habiller les faits. Il comprendra que vous ayez besoin d'une nouvelle église sans que vous vous mettiez à genoux pour le supplier. »

Philip n'avait pas besoin de ces avertissements. Henry se montrait désagréablement condescendant. Mais il acquiesça de la tête en dissimulant son dépit.

« Allons-y, reprit Henry. Mon frère est un lève-tôt capable de régler les affaires de la journée en une heure avant d'aller chasser dans la New Forest. »

Ils sortirent. Un homme d'armes, une épée à la ceinture et un étendard à la main, précédait Henry tandis que le groupe remontait la grand-rue et la colline vers la porte ouest. Les gens s'écartaient devant les deux évêques, mais pas devant Philip, qui se retrouva plusieurs pas derrière eux. De temps en temps, quelqu'un réclamait une bénédiction, et Henry dessinait d'une main le signe de la croix sans ralentir sa marche. Juste avant le poste de garde, ils tournèrent sur un pont de bois qui enjambait la douve du château. Bien qu'on lui eût assuré qu'il n'aurait pas grand-chose à dire, Philip était inquiet : il allait voir le roi.

Le château occupait l'angle sud-ouest de la ville. Ses murs ouest et sud entraient dans les remparts de la ville. Mais les murailles qui séparaient les clos du château de la ville n'étaient pas moins hautes ni moins fortes que ses défenses extérieures, comme si le roi cherchait autant à se protéger de ses sujets que des étrangers.

Ils pénétrèrent par une porte basse et se trouvèrent aussitôt devant le donjon massif qui dominait cette partie de l'enceinte. C'était une formidable tour carrée. Comptant les meurtrières, Philip calcula qu'il devait avoir quatre étages. Le rez-de-chaussée était occupé par des magasins et un escalier extérieur menait à l'entrée en étage. Deux sentinelles de faction au pied des marches saluèrent Henry.

Les trois hommes entrèrent dans le vestibule. Il y avait des roseaux sur le sol, quelques sièges dans des encoignures, quelques bancs de bois et une cheminée. Dans un coin, deux hommes d'armes gardaient un escalier creusé dans le mur. D'un regard, Henry fit signe à l'un des hommes qui aussitôt grimpa l'escalier, sans doute pour annoncer au roi que son frère l'attendait.

Philip se sentait profondément mal à l'aise tant il était

anxieux. Les quelques minutes suivantes allaient décider de son avenir. Il aurait voulu se sentir plus sûr de ses alliés et regrettait de n'avoir pas passé les premières heures de la matinée à prier pour la réussite de ses projets au lieu de déambuler dans Winchester. Il regrettait aussi de ne pas avoir une robe pourpre.

Vingt ou trente autres personnes se trouvaient dans la salle, presque tous des hommes. Il y avait là des chevaliers, des prêtres et des bourgeois prospères. Philip soudain sursauta : près du feu, parlant à une femme et à un jeune homme, il découvrit Percy Hamleigh. Que faisait-il ici ? Les deux autres étaient son horrible femme et sa brute de fils. Tous trois avaient concouru avec Waleran à la chute de Bartholomew ; leur présence aujourd'hui ne pouvait être une coïncidence. Philip se demanda ce que l'évêque attendait d'eux.

« Est-ce que vous voyez..., commença Philip en s'adressant à Waleran.

— Je les vois », coupa Waleran visiblement mécontent.

Philip trouvait leur présence menaçante sans trop en savoir la raison. Le père et le fils se ressemblaient : de grands et robustes gaillards aux cheveux jaunes et au visage maussade. La femme se rapprochait des démons qui torturent les pécheurs dans les peintures représentant l'enfer. Elle touchait sans cesse les plaies de son visage, ses mains squelettiques s'agitant nerveusement. Vêtue d'une robe jaune qui l'enlaidissait davantage, elle se dandinait d'un pied sur l'autre, jetant sans cesse des coups d'œil autour d'elle. Elle croisa le regard de Philip et détourna aussitôt la tête.

L'évêque Henry circulait, saluant les gens qu'il connaissait et bénissant ceux qu'il ne connaissait pas, mais il surveillait aussi l'escalier car, dès que la sentinelle fut redescendue, Henry la regarda, la vit acquiescer et il abandonna sa conversation au milieu d'une phrase.

Waleran suivit Henry dans l'escalier tandis que Philip fermait la marche, le cœur serré.

La pièce, à l'étage au-dessus, avait la même taille et la même forme que le hall d'entrée, mais l'ambiance y était complètement différente. Des tapisseries pendaient aux murs, des peaux de mouton couvraient le plancher bien lavé, le feu ronflait dans la cheminée et la pièce était brillamment éclairée par des douzaines de chandelles. Près de la porte se trouvait une table de chêne. Un clerc, muni de plumes, d'encre et de feuilles de parchemin, attendait de copier ce que lui dicterait le roi. Celui-ci se tenait près du feu, dans un grand fauteuil recouvert de fourrures.

La première chose que remarqua Philip fut qu'il ne portait pas de couronne. Sa tunique pourpre ne dissimulait pas ses jambières de cuir, comme s'il s'apprêtait à monter à cheval. Deux grands chiens de chasse étaient allongés à ses pieds comme des courtisans favoris. Il ressemblait à son frère Henry, mais avec des traits plus fins, plus beaux, et une vraie crinière de cheveux fauves. Toutefois le même air d'intelligence animait son regard. Renversé dans son grand fauteuil, les jambes allongées devant lui et les coudes appuyés sur les bras du siège, il paraissait détendu en dépit de la nervosité qui régnait dans la pièce. Le roi était le seul qui semblait à l'aise.

Au moment où les évêques et Philip entraient, un gros homme luxueusement vêtu prenait congé. Il salua familièrement l'évêque Henry et ignora Waleran. Quelque puissant baron, songea Philip.

L'évêque Henry s'approcha du roi, s'inclina : « Bonjour, Stephen, dit-il.

— Je n'ai pas encore vu ce bâtard de Ranulf, répondit le roi. S'il ne se présente pas bientôt, je lui fais couper les doigts.

— Il sera ici d'un jour à l'autre, assura Henry. Je te le promets, mais peut-être devrais-tu lui couper les doigts de toute façon. »

Philip ne savait absolument pas qui était Ranulf ni pourquoi le roi voulait le voir, mais il eut l'impression que, bien que Stephen fût mécontent, il n'envisageait pas sérieusement la mutilation de ce pauvre homme.

Sans laisser le temps à Philip de poursuivre ces réflexions, Waleran s'avança et s'inclina. « Tu te souviens de Waleran Bigod, le nouvel évêque de Kingsbridge, dit Henry.

— Oui, répondit Stephen. Et lui, qui est-ce ?

— C'est mon prieur », répondit Waleran.

Une fois de plus, Philip dut se présenter lui-même.

« Philip de Gwynedd, prieur de Kingsbridge. » Il s'était exprimé d'une voix plus forte que prévu.

« Avancez, père prieur, dit le roi. Vous semblez mal à l'aise. Quelque chose vous préoccupe ? »

Que répondre ? Tant de choses le préoccupaient en effet. Se jetant à l'eau, il murmura : « Je suis préoccupé parce que je n'ai pas de robe propre. »

Stephen éclata de rire gaiement. « Alors, cessez de vous inquiéter », dit-il. Avec un coup d'œil à son élégant frère, il ajouta : « J'aime qu'un moine ait l'air d'un moine et non d'un roi. »

Philip respira.

« On m'a parlé de l'incendie, reprit Stephen. Comment vivez-vous ?

— Le jour de l'incendie, répondit Philip, Dieu nous a envoyé un bâtisseur. Il a très vite réparé le cloître et nous utilisons la crypte pour l'office. Avec son aide, nous déblayons les ruines pour pouvoir rebâtir ; il a déjà dessiné les plans d'une nouvelle église. »

Waleran haussa les sourcils : il n'était pas au courant des plans. Pourtant, Philip lui en aurait parlé s'il l'avait demandé. « Voilà une louable promptitude. Quand commencez-vous à bâtir ?

— Dès que je trouverai l'argent. »

L'évêque Henry intervint : « C'est pourquoi je t'ai amené le prieur Philip et l'évêque Waleran. Ni le prieuré ni le diocèse n'ont les ressources pour financer un projet de cette importance.

— Ni la couronne, mon cher frère », ajouta Stephen.

Philip accusa le coup : l'affaire s'engageait mal.

« Je sais, dit Henry. C'est pourquoi j'ai cherché un moyen pour reconstruire Kingsbridge sans qu'il t'en coûte rien. »

Stephen sourit, sceptique : « Tu as donc conçu un plan ingénieux, pour ne pas dire magique ?

— Oui. Je te suggère d'offrir au diocèse les terres du comte de Shiring, qui financeront le programme de reconstruction. »

Philip retint son souffle.

Le roi réfléchissait. Waleran ouvrit la bouche pour parler, mais d'un geste Henry lui imposa le silence.

« C'est une idée habile, dit enfin le roi. J'aimerais bien la réaliser. »

Le cœur de Philip bondit dans sa poitrine.

« Malheureusement, continua Stephen, j'ai presque promis le comté à Percy Hamleigh. »

Philip ne put retenir un gémissement. La déception le blessait comme un coup de couteau.

Henry et Waleran, abasourdis, restaient muets. Henry fut le premier à reprendre la parole. « Presque ? » répéta-t-il.

Le roi haussa les épaules. « Je pourrais me dégager, non sans un considérable embarras, évidemment. Après tout, c'est Percy qui a livré le traître Bartholomew à la justice.

— Pas sans aide, monseigneur ! s'écria Waleran.

— Je sais que vous avez joué un rôle dans cette affaire...

— C'est moi qui ai informé Percy Hamleigh du complot monté contre vous.

— Oui. A propos, comment l'avez-vous appris vous-même ? »

Philip se dandinait d'un pied sur l'autre. Le terrain devenait dangereux. Personne ne devait savoir que le renseignement provenait de son frère Francis, car Francis travaillait toujours pour Robert de Gloucester, à qui on avait tout juste pardonné son rôle dans la conjuration.

« Par la confession d'un mourant », expliqua Waleran.

Philip poussa un soupir de soulagement. Waleran répétait le mensonge que Philip lui avait soufflé, comme si la « confession » lui avait été faite à lui et non à Philip. Le prieur était trop content de voir l'attention se détourner du rôle qu'il avait joué pour relever l'inexactitude.

« Quand même, reprit le roi, c'est Percy, pas vous, qui a attaqué le château de Bartholomew au péril de sa vie, et qui a arrêté le traître.

— Tu pourrais récompenser Percy autrement, suggéra Henry.

— Ce que Percy veut, dit le roi, c'est Shiring. Il connaît la région. Il la gouvernera bien. Je pourrais lui donner le Cambridgeshire, mais les gens des Fens le suivraient-ils ?

— Tu dois remercier Dieu d'abord, dit Henry, les hommes ensuite. C'est Dieu qui t'a fait roi.

— Mais c'est Percy qui a arrêté Bartholomew. »

Henry s'impatienta. « Dieu contrôle toute chose, mon frère...

— Ne me presse pas, je te prie », dit Stephen en levant la main.

Henry eut un geste de soumission.

« Bien sûr. »

C'était une saisissante démonstration du pouvoir royal.

342

Un moment ils avaient discuté presque comme des égaux, mais Stephen avait pu reprendre le dessus d'un mot.

Philip était amèrement déçu. Après avoir cru que leur requête n'avait aucune chance, il en était venu peu à peu à espérer et même à rêver sur sa future fortune. Voilà maintenant qu'il retombait brutalement dans la réalité.

« Monseigneur roi, dit Waleran, je vous remercie d'être disposé à reconsidérer l'avenir du comté de Shiring, et j'attendrai votre décision dans l'angoisse et les prières. »

Voilà de l'habileté, nota Philip. On aurait dit que Waleran cédait avec grâce, en fait il soulignait que la décision restait en suspens. Certes, la réponse du roi avait été plutôt négative. Mais il n'y avait pas d'offense à suggérer que le roi pouvait encore trancher différemment. Il faudra que je m'en souvienne, songea Philip : quand on risque d'être éconduit, se donner des délais.

Stephen mit fin à l'entretien : « Merci à vous d'être venus me voir. »

Philip et Waleran s'apprêtaient à prendre congé, mais Henry, incapable de lâcher prise, insista : « Quand connaîtrons-nous ta décision ? »

Stephen fronça les sourcils. « Après-demain », dit-il lentement.

Henry s'inclina et les trois hommes sortirent.

L'incertitude ne valait guère mieux qu'un refus. Philip trouvait l'attente insupportable. Il eut beau occuper l'après-midi avec la merveilleuse collection de livres du prieuré de Winchester, il ne cessait de s'interroger : Que se passe-t-il dans l'esprit du roi ? Pouvait-il revenir sur la promesse faite à Percy Hamleigh ? Quelle était l'importance réelle de Percy ? Par ailleurs jusqu'à quel point Stephen s'engagerait-il pour Kingsbridge ? Il était de notoriété publique que les rois devenaient pieux en vieillissant et Stephen était encore jeune.

Philip tournait et retournait dans sa tête les questions insolubles tout en regardant, sans le lire, *La Consolation de la philosophie*, de Boèce, quand un novice arriva à pas feutrés par l'allée du cloître et s'approcha de lui timidement. « Quelqu'un vous demande dans la cour extérieure, mon père », murmura le jeune homme.

Si l'on faisait attendre le visiteur dehors, c'est qu'il n'était pas moine.

« Qui est-ce ? demanda Philip, intrigué.

« — Une femme. »

La première pensée de Philip, horrifié, fut qu'il s'agissait de la prostituée du matin. Mais l'expression sereine du novice le rassura.

« A quoi ressemble-t-elle ? »

Le garçon eut une moue dégoûtée, plus parlante qu'une explication.

« Regan Hamleigh. »

Quel nouveau coup préparait-elle ? se demanda Philip.

« J'arrive tout de suite. »

A pas lents il fit le tour du cloître et sortit dans la cour. Il avait besoin de toutes ses ressources pour discuter avec cette femme.

Elle était plantée devant le parloir du cellérier, enveloppée dans un lourd manteau, dissimulant son visage sous un capuchon. Elle lança à Philip un regard d'une malveillance si appuyée que l'envie le prit un moment de tourner les talons. Mais la honte le retint.

« Que me voulez-vous ? demanda-t-il froidement.

— Imbécile de moine, cracha-t-elle. Comment pouvez-vous être aussi stupide ? »

Il sentit son visage s'empourprer. « Je suis le prieur de Kingsbridge, et je vous prie de m'appeler "mon père" », dit-il. Mais il fut consterné de s'apercevoir qu'il était plus irrité qu'autoritaire.

Elle ricana.

« Très bien, *mon père*. Enfin, comment pouvez-vous vous laisser utiliser ainsi par ces deux évêques avides ? »

Philip prit une profonde inspiration. « Parlez clair, dit-il en maîtrisant sa colère.

— Les mots ne sont jamais assez simples pour un écervelé comme vous, mais essayez de comprendre. Waleran se sert de l'église incendiée comme prétexte afin d'obtenir pour lui-même les terres du comté de Shiring. Est-ce clair ? Avez-vous compris cela ? »

Vexé du ton méprisant de la femme, Philip haussa le ton : « Il n'y a pas de tromperie, dit-il. Le revenu des terres doit servir à rebâtir la cathédrale.

— Qu'est-ce qui vous le prouve ?

— C'est toute l'idée ! » protesta Philip. Mais, au fond de lui-même, un doute commençait à se former.

L'expression de Regan, de méprisante, devint rusée.

« Les nouvelles terres seront-elles propriétés du prieuré, dit-elle, ou du diocèse ? »

Philip l'observa un moment, puis détourna les yeux de ce visage abominable de laideur. Il avait toujours cru que les terres appartiendraient au prieuré et qu'elles seraient donc sous son contrôle, plutôt qu'au diocèse, auquel cas elles dépendraient de Waleran. Mais il se rappelait maintenant que l'évêque Henry avait précisément demandé au roi que l'on attribuât les terres au diocèse. Sur l'instant, Philip n'avait pas relevé l'anomalie. Mais l'évêque ne s'était pas repris, ni sur le moment ni plus tard.

Il considérait Regan avec méfiance. Elle n'avait pu savoir ce que Henry dirait au roi. Elle l'emportait sans doute sur ce point. D'un autre côté, peut-être essayait-elle simplement de semer la zizanie. Elle avait tout à gagner d'une querelle entre Philip et Waleran. « Waleran, reprit-il, est l'évêque : il doit posséder une cathédrale.

— Il doit posséder beaucoup de choses », renchérit-elle. Elle se calmait peu à peu, mais son regard restait plein de fièvre.

« Pour certains évêques, une belle cathédrale serait une priorité. Waleran a d'autres nécessités. D'ailleurs, dès l'instant qu'il tiendra les cordons de la bourse, il jugera seul de ce qu'il vous accordera à vous et à vos bâtisseurs. »

Sur ce point-là, elle avait raison. Si Waleran collectait lui-même les loyers, il en garderait naturellement une part pour ses dépenses. Lui seul connaîtrait les comptes réels. Rien ne pourrait l'empêcher de détourner les fonds à son gré. Et Philip ne saurait jamais sur quoi tabler pour payer les bâtisseurs.

Il vaudrait sans doute mieux que le prieuré possédât la terre. Mais Philip maintenant était certain que Waleran s'y opposerait et que l'évêque Henry soutiendrait Waleran. Le seul espoir du prieur restait le roi. Hélas ! Stephen, voyant les hommes de l'Église divisés, choisirait probablement de les mettre d'accord en donnant le comté à Percy Hamleigh.

Voilà ce que voulait Regan.

Philip secoua la tête. « Si Waleran cherche à me tromper, pourquoi m'avoir amené ici ? Il pouvait présenter tout seul la même requête. »

Elle acquiesça. « Il aurait pu. Mais le roi aurait alors douté de la sincérité de Waleran. Vous avez apaisé tous les soupçons qu'il aurait pu nourrir en apparaissant ici en compagnie de Waleran. Et vous avez l'air si pitoyable, dans votre robe sale, ajouta-t-elle, que le roi a eu pitié de vous. Ah ! Waleran a été habile de vous amener avec lui. »

Philip avait l'horrible sentiment qu'elle disait vrai, mais il se refusait encore à l'admettre. « Vous voulez le comté pour votre mari, dit-il.

— Si je pouvais vous montrer une preuve, feriez-vous une demi-journée de cheval pour la constater vous-même ? »

La dernière chose que souhaitait Philip, c'était de se laisser entraîner dans les machinations de Regan Hamleigh. Mais il voulait savoir la vérité. A regret, il répondit : « Oui, je ferais une demi-journée de cheval.

— Demain ?

— Oui.

— Soyez prêt à l'aube. »

C'était William Hamleigh, le fils de Percy et de Regan, qui attendait Philip le lendemain matin, à l'heure de prime. Philip et William quittèrent Winchester par la porte ouest, puis prirent aussitôt au nord par Athelynge Street. Le palais de l'évêque Waleran était justement dans cette direction, pensa Philip, à environ une demi-journée de cheval. C'était donc là leur but. Mais pourquoi ? Il se méfiait énormément et restait sur ses gardes.

C'était un matin gris, sinistre et bruineux. Durant les premières lieues, William mena un train rapide, puis ralentit l'allure pour laisser reposer les chevaux, et rompit le silence : « Alors, moine, vous voulez me prendre le comté ? »

Philip fut pris au dépourvu par son ton hostile : il n'avait rien fait pour le mériter. Il répliqua sèchement : « Ce n'est pas vous qui l'aurez, mon garçon. Je pourrais l'obtenir ou bien votre père, ou l'évêque Waleran, mais personne n'a demandé au roi de vous le donner à vous. L'idée même est une plaisanterie.

— J'en hériterai.

— Nous verrons bien. » Philip estimait inutile de se quereller avec William. « Je ne vous veux aucun mal, dit-il d'un ton conciliant. Je veux simplement bâtir une nouvelle cathédrale.

— Alors prenez le comté de quelqu'un d'autre, répliqua William. Pourquoi les gens s'attaquent-ils toujours à nous ? »

Il y avait beaucoup d'amertume dans le ton du jeune homme, observa Philip.

« Ils auraient dû comprendre la leçon après ce qui est arrivé à Bartholomew, continua-t-il. Il a insulté notre famille, et regardez où il est maintenant.

— Je croyais que c'était sa fille la responsable de l'insulte.

— La garce est aussi fière et arrogante que son père. Mais elle souffrira aussi. Au bout du compte, vous verrez, ils s'agenouilleront tous. »

Ce n'étaient pas là les émotions habituelles d'un garçon de vingt ans, se dit Philip. William faisait plutôt penser à une femme entre deux âges pleine d'envie et de venin. Philip n'appréciait guère cette conversation. La plupart des gens mettaient à leur haine des vêtements raisonnables, mais William était trop naïf. « Allons, dit le prieur, réservons la vengeance jusqu'au jour du Jugement.

— Pourquoi donc n'attendez-vous pas le jour du Jugement pour bâtir votre église ?

— Ce serait trop tard pour sauver les âmes des pécheurs des tourments de l'enfer.

— Ne commencez pas avec vos jérémiades, s'écria William. Gardez-les pour vos sermons. »

Philip, d'abord tenté de lui répliquer vertement, se maîtrisa. Il y avait quelque chose d'inquiétant chez ce garçon, une rage incontrôlable, une violence extrême. Philip n'avait pas peur de lui. Il n'avait pas peur des hommes violents, peut-être parce que enfant il avait connu le pire et quand même survécu. Mais il n'y avait rien à gagner à attiser William par des réprimandes, aussi dit-il avec douceur : « Le ciel et l'enfer, voilà ce dont je m'occupe. La vertu et le péché, le pardon et le châtiment, le bien et le mal. J'ai bien peur de ne pas pouvoir m'empêcher d'en parler.

— Alors, parlez tout seul », dit William qui éperonna son cheval et fila en avant.

Lorsqu'il se fut éloigné d'une vingtaine de toises, il ralentit l'allure. Philip supposa que le jeune homme allait se calmer et revenir chevaucher à ses côtés, mais il n'en fit rien et, pour le reste de la matinée, ils cheminèrent séparément.

Le prieur s'inquiétait, quelque peu déprimé. Il avait perdu le contrôle de son destin. Il avait laissé Waleran Bigod prendre les choses en main à Winchester, et voilà maintenant qu'il laissait William Hamleigh l'emmener dans un voyage mystérieux. Ils essaient tous de me manipuler, songea-t-il. Et je les laisse faire. Pourquoi ? Il est temps de reprendre l'initiative. Mais il ne pouvait rien tenter pour l'instant, sinon tourner bride et rentrer à Winchester, mais cela lui parut futile, aussi continua-t-il à suivre William, en fixant d'un air morne l'arrière-train de son cheval, tandis qu'ils trottaient sur la route.

Peu avant midi, ils atteignirent la vallée où s'élevait le palais de l'évêque. Philip se rappelait sa visite, au début de l'année, tout tremblant avec son redoutable secret. Bien des choses avaient changé depuis.

A sa surprise, William passa sans s'arrêter devant le palais et gravit la colline. La route se rétrécissait pour devenir un sentier entre les champs. Alors qu'ils approchaient du sommet de la colline, Philip constata que des travaux de construction étaient entamés. Peu avant le sommet, ils furent arrêtés par un remblai de terre amenée récemment. Philip fut pris d'un terrible soupçon.

Ils obliquèrent et suivirent le remblai jusqu'à une brèche par laquelle ils s'engouffrèrent. Derrière le remblai se trouvait une douve asséchée, comblée en cet endroit pour permettre aux gens de traverser.

« C'est ce que vous vouliez me montrer ? » demanda Philip.

William se contenta de hocher la tête.

Philip était anéanti : Waleran construisait un château !

Il poussa son cheval et franchit le fossé, suivi par William. Le fossé et le remblai encerclaient le faîte de la colline. Sur le bord intérieur du fossé, on avait édifié un épais mur de pierre jusqu'à une hauteur de deux ou trois pieds. A en juger par son épaisseur, il était prévu pour monter très haut.

Pourquoi n'y avait-il aucun ouvrier sur le site, aucun outil en vue et pas de réserve de pierres ? On avait fait beaucoup en peu de temps, puis le travail avait brusquement cessé. De toute évidence, conclut Philip, Waleran s'était trouvé à court d'argent.

Philip dit à William : « C'est bien l'évêque qui fait construire ce château ?

— Waleran Bigod permettrait-il qu'on bâtisse un château près de son palais ? »

Philip, blessé et humilié, cédait devant les faits : l'évêque

Waleran avait besoin du comté de Shiring, avec sa carrière et sa forêt, pour construire son château et pas la cathédrale. Philip n'était qu'un instrument, l'incendie de la cathédrale de Kingsbridge un prétexte commode. Leur rôle était de stimuler la piété du roi pour qu'il accorde le comté à Waleran.

Soudain Philip se vit comme il devait apparaître à Waleran et à Henry : naïf, accommodant, souriant et acquiesçant à tout alors qu'on le menait à l'abattoir. Quels bons juges ! Il leur avait fait confiance et s'en était remis à eux ; il avait même supporté leurs insultes avec courage en souriant, parce qu'il croyait en leur aide, alors qu'ils ne cessaient de le duper.

L'absence de scrupules chez l'évêque le choquait profondément. Il se rappelait la tristesse de ses yeux devant la cathédrale en ruine. Philip crut deviner en lui une piété profonde. L'évêque pensait-il ainsi qu'au service de l'Église, de pieuses fins justifiaient les moyens malhonnêtes ? Philip n'admettait pas cette attitude. Je ne ferai jamais à Waleran ce que Waleran essaie de me faire, pensa-t-il.

Jusqu'alors, jamais il n'avait pensé jouer les dupes. Ou il s'était trompé ? L'idée lui vint qu'il s'était laissé impressionner : par l'évêque Henry et ses robes de soie, par la magnificence de Winchester et de sa cathédrale, par les tas d'argent à la monnaie et les tas de viande aux étals des bouchers, par l'idée de rencontrer le roi. Il avait oublié que Dieu voyait à travers les robes de soie jusqu'au cœur du pécheur, que la seule richesse digne d'être possédée, c'était un trésor au ciel, que même le roi devait s'agenouiller à l'église. Estimant tous les autres bien plus puissants et plus sophistiqués que lui, il avait perdu de vue ses vraies valeurs, mis en sommeil ses facultés critiques et placé toute sa confiance dans ses supérieurs. En guise de récompense, on l'avait trahi.

Il jeta encore un coup d'œil au chantier balayé par la pluie, puis tourna bride et s'éloigna, bouleversé. William le suivit. « Qu'en dites-vous, moine ? » ricana-t-il. Philip ne répondit pas.

Il se rappelait avoir aidé Waleran à devenir évêque. Waleran avait proposé : « Vous voulez que je vous fasse prieur de Kingsbridge, je veux que vous me fassiez évêque. » Bien sûr, Waleran n'avait pas révélé que l'ancien évêque était déjà mort, aussi la promesse était-elle facile à tenir. Et Philip s'était senti obligé de donner sa parole afin d'assurer son élection comme prieur. Mais ce n'étaient là que des prétextes. En vérité, il aurait dû laisser aux mains de Dieu le choix du prieur *et* de l'évêque. Il n'avait pas pris cette pieuse décision : pour châtiment, il devait lutter contre l'évêque Waleran.

Quand il pensait à la façon dont on l'avait traité, manipulé et trompé, la colère le prenait. L'obéissance était une vertu monastique, mais en dehors des cloîtres, elle avait ses inconvénients, songea-t-il avec amertume. Le monde du pouvoir et des biens terrestres exigeait qu'un homme fût méfiant, exigeant et insistant.

« Ces menteurs d'évêques se sont moqués de vous, n'est-ce pas ? » dit William.

Philip retint son cheval. Tremblant de rage, il braqua un doigt sur William. « Taisez-vous, garçon. Vous parlez des saints prêtres de Dieu. Un mot de plus et je vous ferai brûler, je vous le promets. »

William blêmit instantanément.

Philip talonna son cheval. Le ricanement de William lui rappelait que les Hamleigh avaient un autre mobile pour l'emmener voir le château de Waleran. Ils voulaient provoquer une querelle entre Philip et Waleran pour s'assurer que le comté convoité n'irait ni au prieur ni à l'évêque, mais à Percy. Eh bien, Philip ne marcherait dans le jeu de personne. Désormais, ce serait lui le manipulateur.

Très bien, mais que pouvait-il faire ? Si Philip se querellait avec Waleran, Percy aurait les terres ; et si Philip ne faisait rien, ce serait Waleran le bénéficiaire.

Quelle était la volonté du roi ? Aider à reconstruire la cathédrale : geste de roi dont son âme recevrait la récompense dans l'autre vie. Mais il lui fallait aussi remercier Percy. Mais bizarrement, aucune pression particulière ne s'exerçait sur le roi pour satisfaire les deux hommes plus puissants, les deux évêques. L'idée vint à Philip d'une solution qui réglerait le problème du roi en satisfaisant tout à la fois lui-même et Percy Hamleigh.

Idée intéressante.

Et qui lui plaisait.

Une alliance entre lui et les Hamleigh surprendrait tout le monde — et pour cette raison même, elle avait certaines chances de succès. Les évêques seraient complètement pris au dépourvu.

Merveilleux renversement de situation.

Mais pouvait-il négocier un accord avec les avides Hamleigh ? Percy voulait les terres riches du Wiltshire, le titre de comte, le pouvoir et le prestige d'une force de chevaliers sous ses ordres. Philip aussi voulait les terres, mais ni titre ni chevaliers : il s'intéressait avant tout à la carrière et à la forêt.

La forme d'un compromis commença à s'esquisser dans l'esprit de Philip. Tout n'était peut-être pas encore perdu.

Qu'il serait plaisant de gagner maintenant, après tout ce qui s'était passé.

Avec une excitation croissante, il considéra la façon d'approcher les Hamleigh. Il n'était pas question de venir les supplier. Il fallait séduire et convaincre.

Lorsqu'ils atteignirent Winchester, le manteau de Philip était trempé de pluie, son cheval de mauvaise humeur, mais il estimait avoir trouvé la réponse.

En passant sous l'arche de la porte ouest, il se tourna vers William : « Allons voir votre mère. »

William s'étonna : « Je croyais que vous voudriez voir l'évêque Waleran tout de suite. »

C'était sans nul doute ce que Regan avait prédit à William. « Ne prenez pas la peine de me dire ce que vous pensiez, mon garçon, répliqua Philip. Conduisez-moi simplement à votre mère. » Il se sentait tout à fait prêt à une confrontation avec lady Regan. Il avait été trop longtemps passif.

William se dirigea vers le sud et conduisit Philip vers une maison de Gold Street, entre le château et la cathédrale. C'était une large demeure avec des murs de pierre jusqu'à hauteur de la taille et du bois ensuite. A l'intérieur, un hall d'entrée desservait plusieurs appartements. C'était sans doute là que logeaient les Hamleigh. De nombreux citoyens de Winchester louaient des chambres aux gens qui fréquentaient la cour du roi. S'il devenait comte, Percy aurait son hôtel particulier.

William introduisit Philip dans une pièce donnant sur la rue, où il y avait un grand lit et une cheminée. Regan était assise auprès du feu et Percy debout auprès d'elle. Regan leva vers Philip un regard surpris, mais elle eut tôt fait de retrouver son calme et dit : « Eh bien, moine... avais-je raison ? »

« — Vous vous trompiez du tout au tout, femme stupide », répliqua sèchement Philip.

Son autorité la fit taire.

Ravi de voir l'effet que produisaient sur elle des méthodes qu'elle réservait aux autres, il poursuivit sur le même ton : « Vous espériez une querelle entre Waleran et moi. Vous vous imaginiez que je ne verrais pas vos manigances ? Vous êtes une rusée renarde, mais pas la seule personne au monde capable de réfléchir. »

Visiblement, elle comprenait que son plan avait échoué et réfléchissait furieusement à ce qu'elle allait faire maintenant. Philip poussa son avantage, profitant de la surprise.

« Vous avez perdu, Regan. Il vous reste deux solutions maintenant. L'une est de ne pas bouger en espérant que tout va s'arranger et d'attendre la décision du roi. En somme, de parier sur l'humeur qu'il aura demain matin. » Il marqua un temps.

A contrecœur, elle demanda : « Et l'autre solution ?

— L'autre solution est que nous passions un accord, vous et moi. Nous partageons le comté en deux, sans rien laisser à Waleran. Nous allons trouver le roi en privé pour l'informer que nous sommes parvenus à un compromis et obtenir sa bénédiction avant que les évêques puissent s'y opposer. » Philip s'assit sur un banc et affecta l'indifférence. « C'est votre meilleure chance. Vous n'avez pas vraiment le choix. » Il regarda le feu, ne voulant pas laisser voir à quel point il était tendu. L'idée devrait la séduire, pensa-t-il. C'était la certitude de perdre peu contre la possibilité de ne rien avoir. Mais ils étaient cupides : peut-être préféraient-ils jouer le tout pour le tout.

Ce fut Percy qui prit la parole le premier. « Diviser le comté ? Comment ? »

Ah ! Le poisson avait mordu, se dit Philip avec soulagement. « Je vais vous proposer un partage si généreux que vous seriez fous de refuser », répondit-il. Il se tourna vers Regan. « Je vous offre la meilleure moitié. »

Ils attendirent qu'il précise. « Qu'entendez-vous par là ? fit Regan.

— Quel est le plus précieux : la terre cultivable ou la forêt ?

— La terre cultivable, assurément.

— Alors vous aurez la terre cultivable et j'aurai la forêt. »

Regan plissa les yeux. « Du bois pour votre cathédrale, n'est-ce pas ?

— Et les prés ? intervint Percy.

— Lesquels préférez-vous : les herbages pour le bétail ou les pâturages à moutons ?

— Les herbages.

— Alors j'aurai les fermes des collines avec leurs moutons. Voulez-vous le revenu des marchés ou de la carrière ?

— Celui des mar... », commença Percy.

Regan l'interrompit : « Et si nous choisissions la carrière ? »

Elle avait donc percé ses intentions. Mais elle n'avait aucun intérêt à réclamer la carrière. Les marchés rapportaient plus d'argent pour moins d'effort. Il répondit avec assurance : « Vous ne la choisissez pas. »

Elle secoua la tête. « Non. Nous prendrons les marchés. »

Percy s'efforçait de jouer celui qu'on dépouillait de ses biens. « J'ai besoin de la forêt pour chasser, dit-il. Un comte doit avoir une chasse.

— Vous pourrez chasser, s'empressa de dire Philip. Je veux juste le bois.

— Alors d'accord », dit Regan. Son accord était un peu rapide pour satisfaire pleinement Philip, qui soudain devint inquiet. Avait-il commis une erreur, une imprudence ? Ou bien Regan était-elle simplement impatiente de régler le marché ? L'interrompant dans ses réflexions, elle reprit : « Et si en examinant les actes et les chartes dans la vieille trésorerie du comte Bartholomew, nous découvrions des terres dont nous pensons qu'elles doivent être nôtres et dont vous estimez qu'elles devraient être vôtres ? »

Le fait qu'elle en vînt à de pareils détails encouragea Philip dans sa démarche. Il dissimula son excitation et reprit calmement : « Convenons d'un arbitre. Pourquoi pas l'évêque Henry ?

— Un prêtre ? s'exclama Regan, renouant avec son ton sarcastique. Il ne serait pas objectif. Le prévôt de Wiltshire, plutôt ? »

Il ne serait pas plus objectif que l'évêque, se dit Philip ; mais il ne voyait personne qui pût satisfaire les deux parties, aussi céda-t-il : « Accordé, à condition que, si nous contestons sa décision à lui, nous ayons le droit d'en appeler au roi. » Ce serait une garantie suffisante.

« Accordé », dit Regan qui jeta un coup d'œil à Percy et ajouta : « S'il plaît à mon mari. »

Philip se sentait proche du succès. Il prit une profonde inspiration. « Si nous sommes d'accord sur l'ensemble de la proposition... », commença-t-il.

Regan l'interrompit :

« Attendez. Nous n'avons pas conclu d'accord.

— Comment ? Je vous ai accordé tout ce que vous vouliez.

— Nous pourrions avoir tout le comté, sans partage.

— Ou rien du tout. »

Regan hésita. « Comment proposez-vous de régler le contrat, si nous nous mettons d'accord ? »

Philip y avait déjà pensé. Il s'adressa à Percy : « Pouvez-vous trouver le moyen de voir le roi ce soir ? »

Percy répondit à contrecœur : « Si j'avais une bonne raison... oui.

— Allez le trouver et dites-lui que nous sommes arrivés à un accord. Demandez-lui d'annoncer cela demain matin comme étant sa décision. Assurez-lui que vous et moi nous nous en déclarerons satisfaits.

— Et s'il demande l'avis des évêques ?

— Dites que nous n'avons pas eu le temps de leur en parler. Rappelez-lui que c'est au prieur et non à l'évêque de construire la cathédrale. Laissez entendre que, si je suis satisfait, les évêques le seront aussi.

— Mais si les évêques protestent quand on annoncera l'accord ?

— Comment le pourraient-ils ? dit Philip. Ils prétendent réclamer le comté uniquement pour financer la cathédrale. Waleran ne peut guère révéler qu'il espérait emporter l'affaire pour lui-même. »

Regan eut un bref ricanement. L'habileté de Philip la séduisait. « Bien raisonné, dit-elle.

— Reste une condition importante, continua Philip en la fixant dans les yeux. Le roi doit annoncer que ma part est attribuée au prieuré. Si ce point n'est pas clair, je lui demanderai de le préciser. S'il évoque autre chose — le diocèse, le sacristain, ou l'archevêque — je refuserai l'accord. Je tiens à ce que vous n'ayez aucun doute là-dessus.

— Je comprends », fit Regan de mauvaise grâce.

Son irritation visible signifiait, soupçonna Philip, qu'elle avait envisagé de présenter au roi une proposition légèrement différente de l'accord. Il se félicita d'avoir clairement établi ce point.

Avant de se lever pour partir, il voulait sceller leur agrément. « Alors, nous sommes bien d'accord ? répéta-t-il. Nous respecterons solennellement notre pacte. » Il les regarda l'un après l'autre.

Regan hocha la tête et Percy dit : « Nous respecterons le pacte. »

Le cœur de Philip battit plus vite. « Bon, je vous verrai demain matin au château. » Il sortit, impassible, mais dès qu'il atteignit la rue plongée dans l'ombre, un sourire triomphant s'épanouit sur ses lèvres.

Philip sombra après le souper dans un sommeil agité et il se leva à minuit pour matines, puis il resta sans dormir sur sa paillasse, en se demandant ce qui allait se passer le lendemain.

Il voulut se persuader que le roi Stephen accepterait cette proposition qui lui réglerait son dilemme : il aurait ainsi un comte *et* une cathédrale. Mais Waleran ? Ne trouverait-il pas un prétexte pour s'opposer à l'accord ? S'il réagissait vite, il expliquerait que ce marché ne fournirait pas assez d'argent pour construire la cathédrale impressionnante, prestigieuse et somptueusement décorée qu'il voulait. Le roi risquait alors de différer sa décision.

L'aube pointait. Philip réfléchissait toujours. Si Regan le trompait ? A supposer qu'elle offre à Waleran le même compromis, Waleran aurait la pierre et le bois dont il avait besoin pour son château. Cette idée obsédait Philip qui se retournait nerveusement sur son lit. Il aurait voulu parler lui-même au roi, mais celui-ci ne l'aurait probablement pas reçu — et d'ailleurs Waleran aurait fait obstacle. Non, il ne pouvait rien faire pour se protéger contre le risque d'une duperie. Tout ce qu'il lui restait, c'était la prière.

Il pria jusqu'au jour.

Il déjeuna avec les moines. Leur pain blanc ne tenait pas à l'estomac aussi longtemps que le pain noir ; mais aujourd'hui il n'avait pas d'appétit. Il se rendit de bonne heure au château, bien que le roi, il le savait, ne reçût pas si tôt. Il entra dans la salle et s'assit sur une des banquettes le long du mur pour attendre.

Lentement la pièce s'emplit de quémandeurs et de courtisans, certains vêtus avec éclat de tuniques jaunes, bleues et roses, de manteaux garnis de somptueux parements de fourrure. Sans raison Philip se rappela soudain qu'on gardait quelque part dans ce château le fameux Domesday Book [1], sans doute dans la salle du dessus où le roi avait reçu Philip et les deux évêques. Le prieur ne l'avait pas remarqué, mais il était trop tendu pour penser à ce genre de chose. Le trésor royal était ici également, peut-être au dernier étage, dans un coffre à côté de la chambre du roi. Une fois de plus, Philip était impressionné par le décor qui l'entourait, mais il avait résolu de ne plus se laisser intimider. Ces gens dans leurs belles robes, chevaliers, seigneurs, marchands et évêques, après tout, n'étaient que des hommes. La plupart d'entre eux ne savaient guère écrire plus que leur nom. En outre, ils venaient plaider pour eux-mêmes, alors que lui, Philip, représentait Dieu. Sa mission et même sa robe sale le mettaient au-dessus des autres solliciteurs, pas au-dessous.

Cette pensée lui redonna courage.

Un frémissement parcourut l'assemblée : un prêtre apparaissait dans l'escalier conduisant à la salle du dessus, signe probablement que le roi recevait. Le prêtre échangea quelques mots à voix basse avec un des gardes armés, qui choisit dans la foule un chevalier. Celui-ci confia son épée aux mains du garde et à son tour gravit l'escalier.

Quelle drôle de vie menaient les clercs de la cour, songea Philip. Le roi, bien sûr, devait s'entourer d'ecclésiastiques, pas seulement pour dire la messe, mais pour s'acquitter de la vaste quantité de lecture et d'écriture qu'impliquait le gouvernement du royaume. Il n'y avait personne d'autre pour le faire que le clergé : les quelques laïques qui n'étaient pas illettrés s'avéraient incapables de lire et d'écrire assez vite. Mais on ne trouvait rien de très sain dans la vie du clergé du roi. Le propre frère de Philip, Francis, avait choisi cette existence puisqu'il travaillait pour Robert de Gloucester. Il faudra qu'il m'en parle, songea Philip, si jamais je le revois.

Peu après, entrèrent les Hamleigh. Philip résista à l'envie d'aller vers eux. Il ne voulait pas révéler qu'ils étaient de

_____

1. Inventaire des biens fonciers d'Angleterre établi par Guillaume le Conquérant en 1086.

mèche, pas encore. Il les dévisagea, scrutant leur expression, essayant de lire leurs pensées. William semblait rempli d'espoir, Percy paraissait anxieux et Regan tendue comme un arc. Après quelques minutes, Philip se leva et traversa la pièce, aussi nonchalamment qu'il en était capable. Il salua poliment, puis dit à Percy : « Vous l'avez vu ?

— Oui.

— Et alors ?

— Il a dit qu'il y réfléchirait cette nuit.

— Mais pourquoi ? dit Philip, déçu et agacé. A quoi faut-il donc réfléchir ? »

Percy haussa les épaules : « Demandez-le-lui. »

Philip était exaspéré. « Enfin, comment semblait-il... Content, ou quoi ?

— A mon avis, répondit Regan, l'idée de résoudre le problème lui plaît, mais il se méfie car tout paraît trop facile. »

C'était vraisemblable, mais Philip était quand même contrarié que le roi Stephen n'eût pas saisi l'occasion à deux mains. « Cessons de bavarder, dit-il brusquement. Ne laissons pas les évêques deviner que nous sommes alliés contre eux — pas avant que le roi fasse son annonce. » Il les salua courtoisement et s'éloigna.

De retour sur sa banquette, il occupa ses pensées à l'avenir de son plan, en cas de succès. Dans combien de temps pourrait-on commencer le travail ? Tout dépendait de la rapidité avec laquelle rentrerait l'argent de sa nouvelle propriété. Il y aurait beaucoup de moutons, donc beaucoup de toisons à vendre en été. Certaines fermes des collines seraient louées et la plupart des loyers se payaient après la moisson. A l'automne, on aurait peut-être réuni assez d'argent pour engager un forestier et un maître carrier. En même temps, les ouvriers commenceraient à creuser les fondations, sous la surveillance de Tom le bâtisseur. Les travaux de maçonnerie débuteraient donc dans le courant de l'année suivante.

Les courtisans montaient et descendaient l'escalier avec une inquiétante rapidité : aujourd'hui le roi Stephen travaillait vite. Philip commença à s'inquiéter à l'idée que le roi pourrait finir son travail de la journée et partir pour la chasse avant l'arrivée des évêques.

Ils apparurent enfin. Philip se leva lentement. Waleran avait l'air crispé ; quant à Henry, il paraissait s'ennuyer.

Pour lui, le problème était mineur : il devait soutenir son collègue évêque, mais le résultat ne le concernait guère. Au contraire, Waleran jouait une partie cruciale dont dépendait la construction de son château — château qui ne représentait qu'une première étape de la progression vers les grandes allées du pouvoir.

Philip hésitait sur l'attitude à adopter. Ils avaient essayé de le duper et il aurait voulu se moquer d'eux, leur dire qu'il avait découvert leur traîtrise ; mais il risquait d'éveiller des soupçons : le compromis devait être approuvé par le roi sans qu'ils aient le temps de rassembler leurs esprits. Il dissimula donc ses sentiments et sourit poliment. Peine inutile : les évêques l'ignorèrent complètement.

Il ne fallut pas longtemps au garde pour les appeler. Henry et Waleran s'engagèrent dans l'escalier les premiers, suivis de Philip. Les Hamleigh fermaient la marche. Philip avait l'estomac serré.

Le roi Stephen était debout devant le feu, plus vif et plus décidé que la veille. C'était bon signe : il ne semblait pas disposé à écouter des querelles d'évêques. Henry alla se placer auprès du roi devant la cheminée et les autres s'alignèrent au milieu de la pièce.

Le roi adressa quelques mots à son frère d'une voix si basse que personne d'autre n'entendit. Henry fronça les sourcils et répondit de même. Ils discutèrent quelques instants, puis Stephen leva une main et son regard se posa sur Philip.

La dernière fois, le roi lui avait parlé avec bonté, se rappela Philip, en plaisantant sur sa nervosité et en disant son plaisir à voir un moine habillé comme un moine. Mais aujourd'hui il n'y eut pas de plaisanterie. Le roi s'éclaircit la voix et commença : « Mon loyal sujet, Percy Hamleigh, devient aujourd'hui comte de Shiring. »

Du coin de l'œil, Philip vit Waleran esquisser un pas en avant, comme pour protester, mais l'évêque Henry l'arrêta d'un geste rapide et impératif.

Le roi poursuivit : « Des possessions de l'ancien comte, Percy aura le château, les terres louées à des chevaliers, ainsi que toutes les autres terres cultivables et les pâturages de la plaine. »

Philip avait du mal à maîtriser son excitation. Le roi avait donc accepté leur accord ? Il regarda Waleran, dont le visage exprimait la déception.

Percy s'agenouilla devant le roi dans une attitude de prière. Le roi plaça ses mains sur celles de Percy. « Percy, je vous fais comte de Shiring, pour être propriétaire et avoir la jouissance des terres et des revenus ci-dessus mentionnés.

— Je jure, dit Percy, par tout ce qui est sacré, d'être votre homme lige et de combattre pour vous contre quiconque. »

Stephen libéra les mains de Percy et celui-ci se releva.

Le roi redressa la tête. « Toutes les autres terres appartenant à l'ancien comte, je les donne... » Il marqua une pause, observa les assistants les uns après les autres... Waleran... Philip... « Je les donne au *prieuré* de Kingsbridge, pour la construction de la nouvelle cathédrale. »

Philip réprima un cri de joie : il avait gagné ! Son visage rayonnait de bonheur. Quant à Waleran, la bouche ouverte, incapable de dissimuler sa stupeur, il ouvrait de grands yeux et fixait le roi avec une totale incrédulité. Puis il se tourna vers Philip. L'évêque avait commis une faute dont Philip bénéficiait triomphalement. Mais il n'arrivait pas à imaginer ce qui s'était passé.

Le roi Stephen reprit : « Le prieuré de Kingsbridge aura le droit de prendre des pierres dans la carrière du comte et du bois dans sa forêt, et cela sans limite, pour la construction de la nouvelle cathédrale. »

Le sang de Philip ne fit qu'un tour. Ce n'était pas l'accord prévu ! La carrière et la forêt devaient *appartenir* au prieuré, Percy gardant un droit de chasse. Regan avait donc bel et bien modifié les termes de leur contrat. Philip ne disposait que de quelques secondes pour se décider : refuser l'ensemble de l'arrangement ou accepter l'offre telle quelle. Le roi ajoutait : « En cas de désaccord, le prévôt de Shiring sera juge, mais les parties ont le droit d'en appeler à moi en dernier ressort. » Philip bouillait de rage : Regan s'était conduite de façon scandaleuse. Cependant l'accord lui donnait quand même l'essentiel de ce qu'il voulait. Le roi conclut : « Je crois que cet arrangement a été approuvé par les deux parties ici présentes. » Il n'était plus temps de discuter.

Percy dit : « Oui, monseigneur. »

Waleran ouvrait la bouche pour protester, mais Philip parla le premier : « Oui, monseigneur », dit-il.

L'évêque Henry et l'évêque Waleran tournèrent en même

temps la tête vers Philip. Leurs visages exprimaient la stupéfaction : le jeune prieur qui se présentait en robe tachée à la cour avait négocié un accord avec le roi derrière leur dos. Peu à peu, le visage de Henry se détendit et prit une expression amusée, comme un joueur de cartes battu par un enfant à l'esprit agile ; mais le regard de Waleran restait malveillant. Philip devinait ses pensées. Waleran comprenait qu'il avait commis l'erreur majeure de sous-estimer son adversaire, il était humilié. Pour Philip, cet instant rachetait tout le reste : la trahison, les vexations, le mépris. Il releva la tête, au risque de commettre le péché d'orgueil, et lança à Waleran un regard qui voulait dire : « Il en faut plus que cela pour rouler Philip de Gwynedd. »

Le roi mit un terme à l'entretien : « Que l'on informe l'ancien comte, Bartholomew, de ma décision. »

Bartholomew, supposa Philip, devait être quelque part dans un cachot, dans l'enceinte du château. Il se souvint de ses enfants, vivant avec leur serviteur dans le château en ruine, et il éprouva un peu de remords en s'interrogeant sur leur avenir.

Le roi congédia tout le monde, sauf l'évêque Henry. Philip marchait sur des nuages. Il arriva en haut de l'escalier en même temps que Waleran et s'arrêta pour laisser l'évêque passer en premier. Waleran lui lança un regard venimeux. Puis il parla, sur un ton acide comme de la bile qui, malgré la joie qu'il éprouvait, glaça Philip jusqu'aux os. Waleran siffla : « Je jure par tout ce qui est saint que jamais vous ne construirez votre église. » Il rassembla alors les plis de sa robe noire et descendit l'escalier.

Philip s'était fait un ennemi à vie.

III

Quand il aperçut Earlscastle, William Hamleigh ne maîtrisa plus son excitation.

C'était l'après-midi, le lendemain du jour où le roi avait pris sa décision. William et Walter chevauchaient depuis presque deux journées, mais William ne se sentait pas fatigué. Il avait l'impression qu'un poids l'oppressait et lui bloquait la gorge : il allait revoir Aliena.

Il avait un jour espéré l'épouser parce qu'elle était la fille d'un comte, et par trois fois elle l'avait repoussé. Il se crispait en se rappelant le mépris de la jeune fille. Elle lui avait donné l'impression de n'être personne, un paysan, se comportant comme si les Hamleigh ne représentaient rien. Mais la roue avait tourné. Désormais, sa propre famille ne comptait plus. Et lui était le fils d'un comte. Elle n'avait pas de titre, pas de position, pas de terre, pas de fortune. Il allait prendre possession du château, la jeter dehors et elle n'aurait plus de domicile non plus. C'était presque trop beau pour être vrai.

Comme ils approchaient du château, il ralentit son cheval. Il ne voulait pas qu'Aliena fût prévenue de son arrivée : il désirait lui faire subir le choc dans toute son horreur.

Le comte Percy et la comtesse Regan étaient retournés à leur vieux manoir de Hamleigh afin de prendre leurs dispositions. Il fallait emporter le trésor, choisir les meilleurs chevaux et les serviteurs de la maison. William avait pour tâche d'engager des gens du pays pour nettoyer le château, allumer des feux et rendre les lieux habitables.

De lourds nuages gris fer se gonflaient dans le ciel et semblaient très bas, presque à toucher les créneaux. Il pleuvrait ce soir. Tant mieux. William jetterait Aliena à la porte en pleine tempête.

Walter et lui mirent pied à terre et amenèrent leurs chevaux par le pont-levis. La dernière fois que j'étais ici, j'ai pris la place, songea William avec fierté. L'herbe poussait déjà dans l'enceinte inférieure. Ils attachèrent leurs chevaux et les laissèrent paître. William donna à son destrier une poignée de grains. Ils rangèrent leurs selles dans la chapelle puisqu'il n'y avait plus d'écurie. Les chevaux s'ébrouèrent et se mirent à frapper la terre du pied, mais le vent qui se levait emporta tous ces bruits. William et Walter franchirent le second pont qui donnait accès à l'enceinte supérieure.

Il n'y avait aucun signe de vie. William pensa soudain qu'Aliena était peut-être partie. Ce serait une désillusion terrible ! Walter et lui devraient passer une triste nuit, affamés, dans un château sale et froid. Ils montèrent les marches de l'escalier extérieur menant à la porte de la salle.

« Pas de bruit, dit William à Walter. S'ils sont ici, je veux les surprendre. »

Il poussa la porte. La grande salle, vide et sombre, paraissait n'avoir pas servi depuis des mois : ce qu'il avait prévu se vérifia, ils habitaient le dernier étage. William à pas de loup traversa la pièce jusqu'à l'escalier. Des roseaux secs bruissaient sous ses pas. Walter le suivit.

Ils gravirent l'escalier, toujours sans le moindre bruit : les épais murs de pierre étouffaient tous les sons. A mi-chemin, William s'arrêta, se tourna vers Walter, porta un doigt à ses lèvres et lui désigna quelque chose : une lumière brillait sous la porte en haut de l'escalier. Il y avait quelqu'un là.

Ils continuèrent et s'arrêtèrent au seuil. De l'intérieur venaient les échos d'un rire de jeune fille. William eut un sourire ravi. Il trouva la poignée, la tourna doucement puis d'un coup de pied ouvrit la porte. Le rire se transforma en cri de frayeur.

La scène formait un charmant tableau. Aliena et son jeune frère Richard, assis à une petite table près du feu, jouaient aux dames ; Matthew l'intendant, debout derrière eux, regardait par-dessus leurs épaules. A la lueur du feu, le visage d'Aliena était tout rose et ses boucles brunes avaient des reflets châtains. Elle portait une tunique de toile pâle. Elle leva les yeux vers William, ses lèvres rouges formant un O de surprise. William l'observait, savourant sa frayeur. Au bout d'un moment, elle recouvra son calme, se leva et dit : « Que voulez-vous ? »

William avait répété cette scène bien des fois dans son imagination. Il s'avança lentement et se planta devant le feu pour se réchauffer les mains. Puis il dit : « J'habite ici. Que voulez-vous, vous ? »

Aliena ne comprenait pas ce qui se passait, mais son ton néanmoins restait autoritaire. « Ce château appartient au comte de Shiring. Dites ce qui vous amène et déguerpissez. »

William eut un sourire triomphant. « Le comte de Shiring est mon père. » L'intendant poussa un grognement. Aliena semblait perdue. William poursuivit : « Hier, le roi a fait mon père comte, à Winchester. Le château maintenant nous appartient. Je suis le maître ici jusqu'à l'arrivée de mon père. » Il se tourna vers l'intendant en claquant des doigts : « J'ai faim, apporte-moi du pain, de la viande et du vin. »

L'intendant hésitait : il jeta un coup d'œil inquiet à Aliena. Il ne voulait pas la laisser seule. Mais il n'avait pas le choix. Il se dirigea vers la porte. Aliena fit un pas dans la même direction, comme pour le suivre.

« Restez ici », lui ordonna William.

Walter s'interposa, lui barrant le chemin.

« Vous n'avez pas d'ordre à me donner ! » fit Aliena, retrouvant son ton impérieux.

Matthew intervint d'une voix effrayée : « Restez, madame. Ne les mettez pas en colère. Je ne vais pas être long. »

Aliena le regarda, visiblement contrariée, mais resta où elle était. Matthew sortit.

William s'assit dans le fauteuil d'Aliena, qui vint se mettre auprès de son frère. William les observa. Il y avait entre eux une certaine ressemblance, mais le visage de la jeune fille avait hérité de toute la force. Richard était un grand adolescent dégingandé, encore imberbe. William goûtait le plaisir de les avoir en son pouvoir. « Quel âge avez-vous, Richard ? dit-il.

— Quatorze ans, répondit le garçon d'un ton maussade.

— Vous n'avez jamais tué un homme ?

— Non », répondit-il. Puis, avec un peu de bravade, il ajouta : « Pas encore. »

Tu vas souffrir toi aussi, petit imbécile prétentieux, se dit William. Son regard revint à Aliena. « Quel âge avez-vous ? »

Elle parut d'abord décidée à ne pas répondre, puis elle changea d'avis, se souvenant peut-être que Matthew avait dit *Ne les mettez pas en colère*. « Dix-sept ans, dit-elle.

— Oh ! Oh ! On sait compter dans la famille, dit William. Êtes-vous vierge, Aliena ?

— Bien sûr ! » s'écria-t-elle, furieuse.

William tendit soudain le bras pour lui toucher le sein : il emplissait sa grande main. Il serra : il était ferme mais souple. Elle eut un sursaut et se dégagea de William.

Richard s'avança, trop tard, et frappa William au bras. Celui-ci n'attendait que cela. Il bondit de son siège et décocha à Richard un coup de poing en pleine figure. William avait raison, le jeune garçon était un mou : il poussa un cri et porta les mains à son visage.

« Laissez-le tranquille ! » s'exclama Aliena.

William la regarda avec surprise. Elle semblait plus

préoccupée du sort de son frère que d'elle-même. Il faudrait s'en souvenir.

Matthew revint, portant sur un plat de bois une miche de pain, un morceau de jambon et une cruche de vin. Il pâlit en voyant que Richard se tenait le visage. Il posa le plateau sur la table et s'approcha du garçon. Écartant doucement les mains de Richard, il inspecta sa face déjà rouge et tuméfiée autour de l'œil. « Je vous avais dit de ne pas le mettre en colère », murmura-t-il, mais il semblait soulagé que ce ne fût pas plus grave. William resta sur sa faim : il espérait que Matthew allait se mettre en rage. Cet intendant risquait de lui gâcher son plaisir.

La vue de la nourriture fit saliver William. Il tira son fauteuil jusqu'à la table, prit son couteau et se coupa une épaisse tranche de jambon. Walter s'assit en face de lui. Tout en mâchant, William ordonna à Aliena : « Apportez-nous des coupes et versez-nous du vin. » Matthew fit un geste, mais William l'arrêta : « Pas toi... elle. » Aliena hésitait. Matthew lui lança un regard inquiet et acquiesça de la tête. Elle s'approcha de la table et prit la cruche.

Comme elle se penchait, William tendit le bras, glissa la main sous l'ourlet de sa tunique et passa rapidement les doigts sur sa jambe. Il sentit des mollets minces couverts d'un léger duvet, puis les muscles derrière ses genoux, puis la peau douce de l'intérieur de sa cuisse ; alors elle se dégagea d'une secousse, tourna sur elle-même et lui lança à la tête la lourde cruche de vin.

William écarta le pichet de la main gauche et gifla Aliena de la main droite, de toutes ses forces. Aliena poussa un hurlement. Du coin de l'œil, William vit Richard s'avancer. C'était ce qu'il espérait. Il poussa violemment Aliena de côté et elle tomba sur le sol avec un bruit sourd. Richard se précipita sur William comme un chevreuil qui charge le chasseur. William esquiva le premier coup malhabile de Richard, puis le frappa au creux de l'estomac. Alors que le garçon se pliait en deux, William le frappa à plusieurs reprises aux yeux et au nez. Ce n'était pas aussi excitant que de frapper Aliena, mais quand même agréable et, en quelques instants, Richard eut le visage couvert de sang.

Walter soudain poussa un cri pour avertir son maître et se leva d'un bond, le regard fixé derrière l'épaule de William. Celui-ci pivota pour voir Matthew foncer sur lui en brandissant un couteau. William fut pris au dépourvu : il ne s'attendait pas à voir cet efféminé d'intendant faire montre de bravoure ; tout ce qu'il put faire, ce fut de lever les deux bras pour se protéger et, pendant un terrible instant, il crut qu'il allait se faire tuer à son moment de triomphe. Un agresseur plus robuste aurait obligé William à baisser les bras, mais Matthew était un frêle jeune homme amolli par la vie d'intérieur et le couteau n'atteignit même pas le cou de William. Celui-ci en éprouva un soulagement soudain, mais il n'était pas encore tiré d'affaire. Matthew leva les bras pour frapper un autre coup. William recula et dégaina son épée. Walter contourna la table, un poignard effilé à la main, et le plongea dans le dos de Matthew. Une expression de terreur se lut sur le visage de l'intendant. William vit la pointe de la dague de Walter sortir de la poitrine en fendant le tissu. Le couteau de Matthew lui échappa et rebondit sur le plancher. Il eut un hoquet de surprise, un gargouillis sortit de sa gorge et il s'écroula, le sang coulant de sa bouche. Ses yeux se fermèrent. Walter retira sa longue lame du corps effondré. Un flot de sang jaillit de la blessure mais presque aussitôt ce ne fut plus qu'un filet.

Tous fixaient le cadavre sur le plancher : Walter, William, Aliena et Richard. William était dans un état second après avoir frôlé la mort de si près. Tout lui semblait possible. Il tendit la main et empoigna le col de la tunique d'Aliena. La toile était douce et fine, d'un tissu coûteux. Il tira brusquement, la tunique se déchira. Il insista et elle s'ouvrit jusqu'en bas. Une bande de tissu large d'une trentaine de centimètres restait dans la main de William. Aliena poussa un cri, puis essaya de ramener à elle ce qui restait de son vêtement, mais les bords déchirés refusaient de se rejoindre. William avait la gorge sèche. La soudaine vulnérabilité de la jeune fille le faisait frissonner. L'excitation était bien plus grande que lorsqu'il l'avait vue à sa toilette, car maintenant elle le savait présent ; elle en avait honte et sa honte enflammait d'autant plus William. D'un bras elle se couvrit la poitrine et son autre main se posa sur sa toison. William lâcha le bout de tissu et la saisit par les cheveux. Il la tira brusquement vers lui, la fit pivoter et déchira dans le dos ce qui restait de sa tunique.

Elle avait des épaules blanches et délicates, la taille fine et des hanches étonnamment épanouies. Il l'attira à lui, se pressant contre son dos, appuyant ses hanches contre les fesses dénudées. Il pencha la tête et mordit la chair de son cou délicat jusqu'au moment où il sentit le sang. Elle hurlait. Richard s'avança.

« Tiens le garçon », dit William à Walter.

Walter empoigna Richard et d'une prise énergique l'immobilisa. Serrant Aliena contre lui d'un bras, William, de l'autre main, explorait son corps. Il sentit ses seins, les soupesant et les pressant et il pinça ses petits boutons ; puis sa main descendit sur le ventre de la jeune fille jusqu'à sa toison pubienne, des poils drus et bouclés. Il la palpa sans douceur et elle se mit à pleurer. William sentait son sexe si gonflé qu'il lui semblait prêt à éclater.

Il s'écarta d'elle et la tira en arrière. Elle tomba lourdement sur le dos. Cela lui coupa le souffle et elle essaya de reprendre sa respiration.

William n'avait pas prévu cela, et il ne savait pas très bien comment il en était arrivé là, mais rien au monde ne pourrait désormais l'arrêter.

Il souleva sa tunique et exhiba son sexe. Elle regarda, horrifiée : elle n'en avait sans doute jamais vu un dans cet état. Sa virginité était authentique. Tant mieux.

« Amène le garçon ici, dit William à Walter. Je veux qu'il voie tout. » L'idée d'agir sous les yeux de Richard renforçait plus encore le plaisir.

Walter poussa Richard en avant et l'obligea à se mettre à genoux.

William écarta les jambes d'Aliena qui se débattait de toutes ses forces. Il se laissa tomber sur elle, en tâchant de la maîtriser, mais elle continuait à résister et il n'arrivait pas à la pénétrer. L'irritation gagnait, elle gâchait tout. Il se souleva sur un coude et du poing la frappa au visage. Elle poussa un cri et sa joue s'empourpra de fureur, mais sitôt qu'il essaya de la forcer, elle recommença à lui résister.

Walter aurait pu la maintenir, mais il retenait le garçon.

William eut une inspiration soudaine. « Walter, dit-il, coupe une oreille au garçon. »

Aliena se calma aussitôt. « Non ! dit-elle d'une voix rauque. Laissez-le tranquille... Ne lui faites pas de mal.

— Alors, dit William, ouvrez les jambes. »

Elle le dévisagea, les yeux exorbités devant l'horrible choix qu'on lui imposait. William savourait son angoisse. Walter, qui jouait parfaitement le jeu, tira son couteau et le posa contre l'oreille droite de Richard. Il hésita, puis d'un mouvement presque tendre, il coupa le lobe de l'oreille.

Richard poussa un hurlement. Du sang jaillit de la petite blessure. Le bout de chair tomba sur la poitrine haletante d'Aliena.

« Assez ! cria-t-elle. Bon. Je vais le faire. » Elle écarta les jambes.

William cracha dans sa main puis la glissa entre les jambes de la jeune fille. Il poussa ses doigts en elle. Elle cria de douleur, l'excitant plus encore. Il se coucha sur elle. Elle était allongée immobile, tendue, les yeux clos. Son corps luisait de la sueur de la lutte, mais elle frissonnait. William se plaça, puis hésita, savourant d'avance son plaisir et le supplice de la jeune fille. Il regarda les autres. Richard contemplait la scène avec horreur. Walter observait avidement.

« Ce sera ton tour ensuite, Walter », dit William.

Aliena eut un gémissement de désespoir.

William poussa soudain en avant de toutes ses forces. Il sentit une résistance. C'était une vraie vierge ! Et il la força encore, plus brutalement. C'était un peu douloureux, mais bien davantage pour elle. Elle hurla. Le visage d'Aliena devint blanc, sa tête s'affala de côté et elle s'évanouit ; William alors lâcha enfin sa semence en elle, riant de triomphe et de plaisir jusqu'à l'épuisement.

La tempête fit rage presque toute la nuit, puis cessa vers l'aube. Le calme soudain éveilla Tom le bâtisseur. Allongé dans le noir, écoutant le souffle lourd d'Alfred auprès de lui et celui plus discret de Martha de l'autre côté, il espérait un matin clair, afin de voir le soleil se lever pour la première fois après deux ou trois semaines nuageuses.

Il se leva et ouvrit la porte. Il faisait encore nuit : ils avaient le temps. Il poussa son fils du pied. « Alfred ! réveille-toi ! Il va y avoir un lever de soleil. »

Alfred poussa un grognement et s'assit sur son séant. Martha se retourna sans s'éveiller. Tom alla jusqu'à la table et ôta le couvercle d'un pot de terre. Il en tira une miche de pain à demi entamée et coupa deux épaisses tranches, une pour lui et une pour Alfred. Ils s'assirent sur le banc pour prendre leur déjeuner.

Il y avait de la bière dans la cruche. Tom en but une grande lampée et passa le récipient à Alfred. Agnès leur aurait fait utiliser des coupes, tout comme Ellen, mais il n'y avait plus de femme à la maison maintenant. Lorsque

Alfred eut bu tout son soûl, ils quittèrent la maison. Comme ils traversaient l'enclos du prieuré, le ciel virait du noir au gris. Tom avait d'abord pensé aller jusqu'à la maison du prieur et réveiller Philip, mais celui-ci avait eu la même idée que Tom et il était déjà là, dans les ruines de la cathédrale, vêtu d'un gros manteau, agenouillé sur la terre humide, en prière.

Il s'agissait de tracer une ligne est-ouest, précise, qui formerait l'axe autour duquel serait bâtie la nouvelle cathédrale.

Tom avait déjà tout préparé. Dans la terre, du côté est, il avait planté une pique de fer munie d'une petite boucle comme le chas d'une aiguille. La pique était presque aussi haute que Tom, si bien que le chas se trouvait au niveau de ses yeux. Il l'avait fixée en place avec un mélange de décombres et de mortier pour qu'on ne le déplaçât pas accidentellement. Ce matin il allait en planter une autre, juste à l'ouest de la première, du côté opposé du site.

« Prépare du mortier, Alfred », dit-il.

Alfred partit chercher du sable et de la chaux. Tom se rendit à sa cabane à outils près du cloître et y prit un second maillet et la seconde pique. Puis il se rendit à l'extrémité ouest du site où il attendit que le soleil se lève. Philip termina ses prières et vint le rejoindre, tandis qu'Alfred gâchait le sable et la chaux avec de l'eau.

Le ciel s'obscurcit. Les trois hommes étaient tendus. Ils guettaient tous le mur est de l'enceinte du prieuré. Enfin le disque rouge du soleil apparut en haut du mur.

Tom se déplaça afin de placer le bord du disque à travers la petite boucle formant le haut de la pique. Puis, tandis que Philip priait à haute voix en latin, Tom éleva la seconde pique pour la mettre contre le soleil. D'un geste ferme, il l'abaissa vers le sol et enfonça son bout pointu dans la terre humide, sans jamais quitter l'axe du soleil. Il prit le maillet à sa ceinture et enfonça soigneusement la pique dans la terre jusqu'à ce que son chas soit à hauteur de ses yeux. Il ferma un œil, regarda : le soleil brillait à travers les deux boucles. Les deux piques étaient disposées suivant une parfaite ligne est-ouest. Cette ligne fournirait donc l'orientation de la nouvelle cathédrale.

Il s'écarta pour laisser le prieur regarder lui-même.

« Parfait », dit Philip.

Tom acquiesça.

« Savez-vous quel jour on est ? demanda Philip.

— Vendredi.

— C'est aussi le jour du martyre de saint Adolphe. Dieu nous a envoyé un lever de soleil pour que nous puissions placer l'église le jour de la fête de notre patron. N'est-ce pas un bon signe ? »

Tom sourit. A son sens, le bon travail comptait plus que les bons présages. Mais il était content pour Philip. « En effet, dit-il, un très bon signe. »

VI

Aliena était déterminée à ne plus y penser.

Elle resta toute la nuit assise sur la pierre froide du sol de la chapelle, le dos au mur, à fixer l'obscurité. Au début, la scène infernale revenait sans cesse à son esprit, mais, peu à peu, la souffrance s'apaisa et elle put concentrer son attention sur le bruit de la tempête, la pluie qui tombait sur le toit de la chapelle et le vent qui hurlait sur les remparts du château abandonné.

Tout d'abord elle était nue. Quand les deux hommes avaient... quand ils avaient eu fini, ils étaient revenus à la table, la laissant allongée par terre, Richard en sang auprès d'elle. Les hommes s'étaient mis à manger et à boire, ne pensant plus à elle. Alors, saisissant leur chance, ils s'étaient enfuis de la pièce. La tempête avait commencé à ce moment-là ; ils avaient traversé en courant le pont sous une pluie torrentielle pour se réfugier dans la chapelle. Mais Richard était retourné presque aussitôt au donjon et dans la pièce où se trouvaient les hommes, pour reprendre son manteau et celui d'Aliena accrochés à une patère. Il était reparti en courant sans laisser à William et à son valet le temps de réagir.

Mais il ne lui parlait toujours pas. Il lui tendit son manteau et s'enroula dans les plis du sien, puis s'assit sur les dalles à quelques pieds d'elle, le dos appuyé contre le même mur. Elle aurait voulu qu'un être cher la prenne dans ses bras et la console, mais Richard se comportait comme si elle avait fait quelque chose de honteux ; et le pire, c'est qu'elle éprouvait la même impression. Elle se sentait aussi coupable que si c'était elle qui avait commis elle-même un péché. Elle comprenait très bien son refus de l'approcher.

Le froid lui plaisait ; il l'aidait à se sentir plus loin du monde, isolée, et semblait atténuer sa souffrance. Elle ne dormit pas, mais, au cours de la nuit, tous deux connurent une sorte de transe et demeurèrent un long moment assis, immobiles comme la mort.

La fin brusque de la tempête rompit le charme. Aliena s'aperçut qu'elle distinguait les fenêtres de la chapelle, de petites taches grises dans ce qui n'avait été jusque-là que totale obscurité. Richard se leva et se dirigea vers la porte. Elle le suivit des yeux, irritée d'être ainsi dérangée : elle aurait voulu rester assise contre le mur en se laissant mourir de froid ou de faim, car elle se sentait attirée par une longue dérive paisible vers une inconscience qui serait permanente. Puis il ouvrit la porte et la faible lueur de l'aube illumina son visage.

Aliena fut tirée de sa torpeur. Richard était méconnaissable. Il avait le visage gonflé, meurtri, couvert de sang séché. Aliena en aurait pleuré. Richard avait toujours été enclin aux bravades inutiles. Petit garçon, il caracolait dans le château sur un cheval imaginaire, faisant mine d'embrocher des gens sur une lance imaginaire. Les chevaliers de son père l'encourageaient toujours en feignant la peur face à son épée de bois. En réalité, un chat pouvait effrayer Richard. Mais hier soir, il avait fait de son mieux, ce qui lui avait valu une méchante correction. Elle allait maintenant devoir le soigner.

Elle se mit lentement debout. Elle était moulue, mais la douleur était moins forte. Elle songea à ce qui se passait dans le donjon. William et son valet avaient dû finir la cruche de vin au cours de la nuit et s'endormir. Sans doute se réveilleraient-ils au lever du soleil.

Alors, Richard et elle devraient être loin.

Elle se rendit à l'autre bout de la chapelle, vers l'autel. C'était un simple coffre de bois, peint en blanc, dépouillé de tout ornement. Elle s'y appuya et, d'une brusque poussée, le renversa.

« Qu'est-ce que tu fais ? dit Richard d'une voix blanche.

— C'était la cachette secrète de notre père, dit-elle. Il me l'a dit avant de partir. » A l'emplacement de l'autel se trouvait un ballot de tissu. Aliena l'ouvrit pour y trouver une épée avec son fourreau et sa ceinture, et un poignard redoutable d'un pied de long.

Richard s'approcha. Il ne savait guère manier l'épée. Il avait pris des leçons pendant un an, mais il était encore très gauche. Aliena toutefois ne pouvait assurément pas s'en servir, aussi la lui tendit-elle. Il boucla la ceinture à sa taille.

Aliena examina la dague. Elle n'avait jamais porté d'arme. Elle avait toujours eu jusqu'ici quelqu'un pour la protéger. Comprenant qu'elle aurait désormais besoin de ce redoutable poignard, elle se sentit impuissante. Elle n'était pas sûre de pouvoir jamais s'en servir. J'ai bien planté un épieu dans un cochon sauvage, songea-t-elle ; pourquoi ne pourrais-je pas planter cette dague dans un homme — quelqu'un comme William Hamleigh ? Elle frissonna à cette pensée.

Le fourreau de cuir qui servait d'étui à la dague s'attachait à la ceinture par une boucle, assez grande pour qu'Aliena y passe son mince poignet, comme un bracelet. Elle y glissa sa main gauche et cala le couteau sous sa manche. Il était si long qu'il dépassait son coude.

« Allons-nous-en, vite ! » dit Richard.

Aliena commença à marcher vers la porte, puis soudain s'arrêta. Au jour qui s'éclaircissait peu à peu, elle remarqua sur le sol de la chapelle deux objets dont elle reconnut la forme : des selles, l'une de taille moyenne et l'autre énorme. Elle pensa à William et à son valet arrivant la veille au soir, encore grisés de leur triomphe à Winchester et fatigués par le voyage, jetant nonchalamment leurs selles dans la chapelle avant de se précipiter vers le donjon. Comment auraient-ils imaginé qu'on puisse les voler ?

Aliena s'approcha de la porte et regarda dehors. Le ciel, sans nuages, n'avait pas encore de couleur. Dans la nuit, quelques bardeaux étaient tombés du toit de la chapelle. La cour était vide, à l'exception des deux chevaux qui broutaient l'herbe humide. L'un d'eux était un robuste destrier, d'où la taille de la selle, l'autre un étalon pommelé qui n'avait pas mauvaise allure. Aliena les observa longuement, puis ses yeux revinrent aux selles, puis aux chevaux.

« Qu'est-ce qu'on attend ? » demanda Richard d'une voix angoissée.

Aliena se décida. « Prenons leurs chevaux », dit-elle d'un ton résolu.

Richard s'affola. « Ils nous tueront.

— Ils ne pourront pas nous rattraper. Par contre, si nous partons à pied, ils nous poursuivront et nous rejoindront facilement. »

Elle n'était pas aussi assurée qu'elle le prétendait, mais il fallait encourager Richard. « Occupons-nous du cheval pommelé d'abord : il a l'air plus facile. Apporte-moi la selle normale. »

En hâte elle traversa la cour. Les chevaux étaient attachés par de longues cordes à des pans de murs noircis. Aliena prit le licol et tira doucement. Elle aurait préféré une bête plus petite et plus craintive, mais elle s'arrangerait de celle-ci. Richard prendrait le destrier.

L'animal, méfiant, couchait les oreilles. Malgré son impatience, Aliena se força à lui parler doucement et le cheval se calma. Elle lui prit la tête, lui caressa le museau ; puis Richard passa la bride et poussa le mors dans sa bouche. Aliena, soulagée, aida Richard à poser la petite selle qu'il fixa avec des geste rapides et sûrs. Tous deux avaient l'habitude des chevaux depuis leur enfance. Des sacoches étaient attachées de chaque côté de la selle du valet. Aliena espéra qu'elles contenaient quelque chose d'utile — une pierre à feu, du pain ou un peu de grain pour le cheval —, mais elle n'avait pas le temps de vérifier maintenant. Elle jeta un coup d'œil anxieux vers la passerelle qui menait au donjon. Personne. Le destrier avait regardé seller son compagnon et savait ce qui l'attendait, mais il n'était pas enclin à coopérer avec de parfaits étrangers. Il s'ébroua. « Chut ! » murmura Aliena. Elle saisit solidement le licol, tira énergiquement et, à contrecœur, le cheval céda. Mais, compte tenu de sa force, s'il était déterminé à résister, ils auraient du mal à le contrôler.

Quand le cheval fut immobilisé, sa corde enroulée autour des pierres du mur pour l'empêcher de s'écarter, Richard essaya de lui passer la bride. Le cheval secoua la tête et se déroba.

« Essaie de mettre d'abord la selle », dit Aliena. Elle parla à l'animal en tapotant son cou puissant tandis que Richard soulevait la pesante selle et sanglait. Le cheval semblait se soumettre. « Allons, sois gentil », dit Aliena d'un ton ferme, mais il ne s'y laissa pas prendre : il sentait percer l'angoisse sous l'apparente placidité de la jeune fille. Richard approcha la bride, le cheval renâcla et recula. « J'ai quelque chose pour toi », dit Aliena en plongeant une main dans la poche vide de son manteau. Ce fut suffisant. Le cheval baissa la tête et vint lui flairer la main, cherchant une friandise. Elle sentit sur sa paume la peau rugueuse de sa langue. Profitant de ce qu'il avait la tête baissée et la bouche ouverte, Richard lui passa la bride et le mors. Aliena lança un nouveau coup d'œil vers le donjon. Tout était silencieux.

« Monte », dit-elle à Richard.

Il passa, non sans mal, un pied dans un étrier bien haut pour lui et se hissa sur la puissante bête. Aliena détacha la corde.

Le cheval s'ébroua bruyamment.

Le cœur d'Aliena battit plus vite. Un pareil bruit pouvait s'entendre du donjon. Un homme comme William connaissait sûrement la voix de son cheval, surtout d'un cheval aussi cher que celui-ci. Et s'il était réveillé... Elle s'empressa de détacher l'autre bête de ses doigts maladroits d'impatience.

« Viens, Alie ! » appela Richard. Son cheval s'énervait. Il s'efforçait de le calmer. Il faudrait galoper une bonne demi-lieue pour le fatiguer. La bête se secoua de nouveau et fit un pas de côté.

Aliena eut enfin dénoué le nœud. Elle fut tentée de lâcher la corde, pour faire plus vite, mais du coup elle n'aurait plus aucun moyen d'attacher le cheval en cas de besoin ; aussi enroula-t-elle la longe tant bien que mal pour la fixer à une courroie de selle. Il lui fallut régler les étriers, à bonne hauteur pour les longues jambes du valet de William, mais trop bas pour elle quand elle serait en selle.

« Je ne peux pas retenir ce cheval plus longtemps », dit Richard d'une voix tendue.

Aliena n'était pas moins énervée. Elle mit le pied à l'étrier et sauta en selle, position fort douloureuse pour elle. Richard guida son cheval vers la porte et la monture d'Aliena suivit d'elle-même. Les étriers étaient hors d'atteinte : comme elle s'y attendait, elle dut se tenir en serrant les genoux. A peine avaient-ils fait trois pas qu'elle entendit un cri derrière elle. « Oh non ! » gémit-elle tout haut. Elle vit Richard talonner son cheval. L'énorme bête se mit pesamment au trot, et la monture d'Aliena suivit. Par chance, ce cheval paraissait habitué à imiter docilement le destrier — Aliena n'était pas en état de le contrôler elle-même. Richard poussa encore l'allure pour passer sous la voûte du poste de garde. Aliena entendit encore un autre cri, beaucoup plus près. Regardant par-dessus son épaule, elle aperçut William et son valet qui se précipitaient dans la cour.

Dès que le cheval de Richard vit les champs devant lui, il baissa la tête et fila au galop. Ils franchirent dans un bruit de tonnerre le pont-levis. Aliena sentit une main frôler sa cuisse et tenter de saisir les sangles de sa selle. Mais la tentative échoua. Ils étaient passés ! Le soulagement l'envahit, en même temps que la douleur. Le galop provoquait en elle des élancements qui lui rappelaient les coups que lui avait portés William la veille. Un filet tiède coulait sur sa cuisse. Elle ferma les yeux. Derrière ses paupières closes, l'horreur de la nuit se déroula dans sa mémoire. Tandis qu'ils fonçaient à travers les champs, elle répétait inlassablement, au rythme de son cheval : « Je ne me souviens pas, je ne me souviens pas, je ne me souviens pas. »

Son cheval inclina sur la droite. Elle rouvrit les yeux et vit que Richard avait quitté le sentier boueux pour prendre une longue côte à travers bois. Elle pensa qu'il voulait fatiguer au maximum le destrier avant de ralentir l'allure. Les deux bêtes seraient plus faciles à manier après une bonne course. Bientôt elle sentit sa propre monture qui commençait à flancher. Elle se cala dans la selle. Le cheval se mit au petit galop, puis au trot, puis au pas. Celui de Richard, qui avait encore de l'énergie à brûler, prit de l'avance. Aliena regarda derrière elle. Le château était à plus d'une demi-lieue et elle ne savait pas si elle distinguait ou non deux silhouettes arrêtées sur le pont-levis qui la regardaient. Ils devront aller loin pour trouver d'autres chevaux, songea-t-elle. Ils étaient en sûreté pour un moment.

Des picotements envahissaient ses mains et ses pieds à mesure qu'ils se réchauffaient. La chaleur montait du cheval comme d'un foyer et l'enveloppait d'un cocon d'air tiède. Richard ralentit enfin et elle le rejoignit. Au pas, ils s'engagèrent sous les arbres. Tous deux connaissaient bien ces bois, car ils y avaient passé le plus clair de leur vie.

« Où allons-nous ? » demanda Richard.

Aliena se figea. Où allaient-ils en effet ? Qu'allaient-ils faire ? Ils n'avaient pas de vivres, rien à boire et pas d'argent. Elle n'avait d'autre vêtement que le manteau qu'elle portait — pas de tunique, pas de camisole, pas de chapeau, pas de chaussures. Elle devait s'occuper de son frère — mais comment ?

Depuis trois mois, elle vivait dans un rêve. Elle savait, au fond, que la vie d'autrefois était finie mais elle avait refusé cette réalité. William Hamleigh l'avait réveillée. Elle ne doutait pas que le récit qu'il lui avait fait était vrai et que le roi Stephen avait fait Percy Hamleigh comte de Shiring ; mais peut-être le roi avait-il pris aussi des dispositions pour elle et pour Richard. C'était de son devoir et ils pouvaient certainement lui adresser une requête. Dans un cas comme dans l'autre, il fallait se diriger vers Winchester. Là, ils apprendraient exactement ce qu'il était advenu de leur père.

Elle réprima un sanglot : « Oh ! Père, à quel moment s'était-il trompé ? »

Depuis la mort de sa mère, son père s'était spécialement occupé d'elle, consacrant plus de temps que d'autres pères à leurs filles. Au fond, il se sentait coupable de ne pas s'être remarié, de ne pas lui avoir donné une nouvelle mère même s'il s'affirmait plus heureux avec le souvenir de sa mère qu'il ne pourrait l'être avec une autre femme.

Ces temps-là étaient finis.

« Où va-t-on ? répéta Richard.

— A Winchester. Voir le roi. »

Richard applaudit. « Oui ! Et quand nous raconterons ce que William et son valet ont fait la nuit dernière, le roi va sûrement... »

Une bouffée de rage irrésistible envahit le cœur d'Aliena. « Tais-toi ! » cria-t-elle. Les chevaux tressaillirent. Elle tira violemment sur les rênes. « Ne parle jamais de ça ! » Elle étouffait de fureur. « Nous ne dirons à personne ce qu'ils ont fait — à personne ! Jamais ! Jamais ! Jamais ! »

Les sacoches du valet contenaient un gros morceau de fromage bien dur, un reste de vin dans sa gourde, une pierre à feu, du petit bois, et une livre ou deux de graines mélangées qu'Aliena pensa destinées aux chevaux. Richard et elle mangèrent le fromage et burent le vin à midi tandis que les chevaux broutaient l'herbe rare et s'abreuvaient à un ruisseau clair. Elle ne saignait plus, mais elle avait le ventre endolori.

Ils avaient croisé d'autres voyageurs, auxquels, sur l'ordre d'Aliena, ils n'adressèrent pas la parole. Au premier regard, ils formaient un couple redoutable, Richard notamment, haut sur son cheval, avec son épée. Mais quelques paroles de conversation révéleraient qu'ils n'étaient que deux gosses abandonnés, donc vulnérables. Mieux valait éviter les risques.

Comme le jour commençait à tomber, ils cherchèrent un endroit où passer la nuit. Ils trouvèrent une clairière à une cinquantaine de toises de la route. Aliena donna du grain aux chevaux, tandis que Richard faisait un feu. S'ils avaient eu une marmite, ils auraient pu préparer du porridge avec l'avoine des chevaux. Mais ils durent se contenter de mâchonner des graines crues en attendant de trouver des marrons et de les faire rôtir.

Alors qu'elle réfléchissait, seule car Richard était allé ramasser du bois, une voix grave tout près d'elle la fit bondir de terreur. « Qui êtes-vous, jeune fille ? » Elle poussa un hurlement. Le cheval recula, effrayé. Aliena se retourna. Un homme sale et barbu, tout vêtu de cuir marron, s'approchait d'elle. « Ne me touchez pas ! cria-t-elle.

— Pas la peine d'avoir peur », dit-il.

Richard débouchait dans la clairière derrière l'étranger, les bras chargés de bois. Il s'arrêta, pétrifié. *Tire ton épée !* songea Aliena, mais il était trop affolé pour agir. Elle recula, essayant de mettre le cheval entre elle et l'inconnu. « Nous n'avons pas d'argent, dit-elle. Nous n'avons rien.

— Je suis garde forestier du roi », dit-il.

Aliena faillit s'évanouir. Un garde forestier était un serviteur royal payé pour faire respecter la loi dans la forêt. « Pourquoi ne l'avez-vous pas dit tout de suite, idiot ? cria-t-elle, furieuse maintenant. Je vous ai pris pour un hors-la-loi ! »

Stupéfait et quelque peu vexé, comme si elle l'avait insulté, il se contenta de remarquer : « Alors, vous devez être une dame de haute naissance.

— Je suis la fille du comte de Shiring.

— Le garçon est son fils, alors », dit le garde, qui s'était aperçu de la présence de Richard.

Celui-ci s'avança et laissa tomber son chargement. « C'est exact, dit-il. Quel est votre nom ?

— Brian. Vous comptez passer la nuit ici ?

— Oui.

— Tout seuls ?

— Oui. » Aliena se doutait de son étonnement, mais elle n'entendait pas donner la moindre explication.

— Et vous n'avez pas d'argent, dites-vous ? »

Aliena le toisa d'un air sévère. « Vous doutez de ma parole ?

— Oh non ! Je sais que vous êtes une noble rien qu'à vos manières. » Y aurait-il dans sa voix une nuance d'ironie ? « Si vous êtes seuls et sans le sou, continua-t-il, peut-être préféreriez-vous passer la nuit chez moi, ce n'est pas loin. »

Aliena n'avait aucunement l'intention de se mettre à la merci de cette brute. Elle allait refuser lorsqu'il ajouta : « Ma femme serait enchantée de vous donner à souper. Et j'ai un appentis bien chaud où vous pourriez dormir, si vous préférez être seuls. »

La présence d'une femme changeait tout. Il n'y avait aucun risque à accepter l'hospitalité d'une famille respectable. Aliena hésitait pourtant. Puis elle pensa à un feu dans la cheminée, à une écuelle de potage brûlant, à une coupe de vin et à un lit de paille sous un toit. « Nous vous serions reconnaissants, dit-elle. Nous n'avons rien à vous donner — je vous ai dit la vérité, nous n'avons pas d'argent — mais un jour nous reviendrons et nous vous récompenserons.

— Ça va », dit le garde. Il éteignit le feu.

Aliena et Richard remontèrent en selle. Le garde forestier tendit la main : « Donnez-moi les rênes. »

Indécis, les jeunes gens obéirent et l'homme s'enfonça dans la forêt, conduisant les chevaux.

Sa maison était plus éloignée qu'il ne l'avait indiqué. Ils avaient parcouru plus d'une lieue et demie et la nuit était tombée lorsqu'ils arrivèrent à une petite maison de bois avec un toit de chaume, au bord d'un champ. De la lumière filtrait derrière les volets, on sentait des odeurs de cuisine et Aliena mit pied à terre avec soulagement.

Au bruit des chevaux, la femme du garde se montra sur le seuil.

L'homme la renseigna : « Un jeune seigneur et une jeune dame tout seuls dans la forêt. Donne-leur quelque chose à boire. » Il se tourna vers Aliena. « Entrez. Je vais m'occuper des chevaux. »

Aliena n'aimait pas beaucoup son autorité péremptoire — elle préférait commander elle-même — mais elle n'avait pas la moindre envie de desseller son cheval. Aussi obéit-elle. Richard la suivit dans la maison enfumée mais chaude. Il y avait une vache attachée dans un coin. Aliena fut heureuse que l'homme eût parlé d'un appentis : elle n'aurait jamais dormi près du bétail. Une marmite bouillait sur le feu. Ils s'assirent sur un banc et la femme leur donna à chacun un bol de soupe qui sentait fort le gibier. Quand le visage de Richard parut à la lumière, elle s'écria, horrifiée : « Qu'est-ce qui vous est arrivé ? »

Richard ouvrait la bouche pour répondre, mais Aliena le devança. « Nous avons fait de mauvaises rencontres, dit-elle. Nous sommes en chemin pour aller voir le roi.

— Je comprends », dit l'épouse du garde. C'était une petite femme à la peau brune et au regard méfiant. Elle n'insista pas.

Aliena eut tôt fait d'engloutir sa soupe et, pour en avoir davantage, elle tendit son écuelle. La femme se détourna. Que signifiait cela ? Ne comprenait-elle pas le désir d'Aliena ? Ou bien n'avait-elle plus de soupe ? Aliena s'apprêtait à la rappeler vertement à l'ordre quand le garde entra. « Je vais vous montrer la grange où vous pourrez dormir », dit-il. Il prit une lampe pendue à un crochet auprès de la porte. « Venez avec moi. »

Aliena et Richard se levèrent : « Il y a encore une chose dont j'ai besoin. Pouvez-vous me donner une vieille robe ? Je n'ai rien sous ce manteau. »

La femme parut ennuyée. « Je vais voir ce que je peux trouver », murmura-t-elle.

Aliena se dirigea vers la sortie. Le garde lui lançait un regard bizarre, fixant son manteau comme si, à force, il pourrait finir par voir à travers. « Conduisez-moi ! » dit-elle sèchement. Il tourna les talons et franchit la porte.

Ils passèrent derrière la maison et traversèrent un potager. La lueur de la lampe éclaira une petite construction de bois, plus une cabane qu'une grange. En s'ouvrant, la porte heurta un tonneau d'eau de pluie. « Regardez, dit-il. Voyez si ça vous convient. »

Richard entra le premier. « Éclaire-moi, Aliena », dit-il. Celle-ci se tourna pour prendre la lampe des mains du garde. Au même instant, il la poussa avec violence. Elle trébucha sur le seuil et tomba par terre en heurtant son frère au passage. Tous deux se retrouvèrent sur le sol, dans le noir. La porte se referma brusquement. Ils entendirent dehors un bruit bizarre, comme si on poussait quelque chose devant la porte.

Aliena n'en revenait pas. « Qu'est-ce qui se passe ? » cria Richard.

Elle se redressa. L'homme était-il vraiment un honnête garde forestier ? Non, un hors-la-loi n'a pas une telle maison. Mais alors, pourquoi les avoir enfermés ? Avaient-ils enfreint une loi ? Avait-il deviné que les chevaux n'étaient pas les leurs ? Ou avait-il quelque motif malhonnête ?

« Aliena, pourquoi a-t-il fait ça ? gémit Richard.

— Je n'en sais rien », dit-elle d'un ton las. Elle n'avait plus l'énergie de se mettre en colère. Elle tenta de pousser la porte, qui ne bougea pas. Le garde avait dû poser le tonneau contre le battant. Elle tâta dans le noir les murs de la grange. Elle devina le bas du toit. Le bâtiment était construit en madriers plantés les uns contre les autres — une construction soignée. Peut-être était-ce le cachot du garde, où il enfermait les délinquants avant de les conduire au prévôt. « Impossible de sortir », annonça-t-elle. Elle s'assit. Le sol était sec, couvert de paille. « Nous sommes coincés ici jusqu'à ce qu'il nous ouvre », dit-elle d'un ton résigné. Richard vint s'asseoir à côté d'elle. Au bout d'un moment, ils s'allongèrent dos à dos. Aliena avait l'impression d'être trop meurtrie, trop effrayée, trop crispée pour s'endormir, mais elle tombait d'épuisement et, sans même s'en rendre compte, elle glissa dans un sommeil réparateur.

La porte qui s'ouvrit la réveilla, ainsi que la lumière du jour sur son visage. Elle se redressa aussitôt, effrayée, ne sachant plus où elle était ni pourquoi elle dormait à même le sol. Puis tout lui revint et la frayeur l'envahit de nouveau : que voulait le garde, au juste ? Mais ce n'était pas lui qui entrait ; la femme, bien qu'aussi grognon que la veille, apportait un morceau de pain et deux coupes.

Richard se redressa à son tour. Sans rien dire, elle leur tendit à chacun une coupe et la moitié du pain. Aliena se rendit compte alors qu'elle était affamée. Elle trempa son pain dans sa bière et se mit à manger.

Plantée sur le seuil, la femme les regardait manger. Puis elle tendit à Aliena ce qui avait l'air d'un bout de toile usé et jauni. Aliena le déplia : c'était une vieille robe.

« Mettez ça et allez-vous-en d'ici », dit-elle. Aliena, intriguée par ce mélange de bonté et de hargne, n'hésita pas à prendre la robe. Le dos tourné, elle ôta son manteau pour passer rapidement la robe par-dessus sa tête. Elle se sentait mieux.

La femme lui tendit une paire de vieux sabots de bois trop grands.

« Je ne peux pas monter à cheval avec des sabots », dit Aliena.

La femme eut un rire rauque. « Vous n'allez pas monter à cheval.

— Pourquoi ?

— Il a pris vos montures. »

Aliena sentit son cœur se serrer. C'était trop injuste ! La malchance s'acharnait sur eux. « Où les a-t-il emmenées ?

— Il ne me dit pas ces choses-là, mais à mon avis il est allé à Shiring. Il va vendre les bêtes, puis tâcher de savoir s'il y a davantage à gagner avec vous que le prix de vos chevaux.

— Alors pourquoi nous laissez-vous partir ? »

La femme toisa Aliena de la tête aux pieds. « Parce que je n'ai pas aimé la façon dont il vous a regardée quand il a su que vous étiez nue sous votre manteau. Vous ne comprenez peut-être pas ça maintenant, mais vous verrez plus tard. »

Aliena comprenait trop bien, mais elle ne répliqua pas.

« Il ne va pas vous tuer, dit Richard, en découvrant que vous nous avez laissés partir ? »

Elle eut un sourire cynique. « Il ne me fait pas peur, à moi. Maintenant filez. »

Ils sortirent. Malgré son mariage avec un homme brutal et sans cœur, cette femme avait réussi à conserver un minimum de décence et de compassion. « Merci pour la robe », fit Aliena gauchement.

La femme ne voulait pas de ses remerciements. Elle leur montra leur chemin : « Winchester, c'est par là. »

Ils s'éloignèrent sans regarder derrière eux.

Aliena n'avait jamais porté de sabots : les gens de sa classe avaient toujours des bottes de cuir ou des sandales. Lourds et inconfortables, ils pouvaient au moins l'isoler du sol glacé.

Ils marchèrent un temps en silence, puis Richard demanda : « Pourquoi ces choses-là nous arrivent-elles à nous ? »

La question découragea Aliena. Le monde était si cruel !

On les battait, on les dépouillait. Plus personne ne les protégeait. Nous avons été trop confiants, se dit-elle. Ils avaient vécu trois mois au château sans même barrer les portes ! Elle résolut désormais de ne se fier à personne.

« Marchons plus vite, dit-elle à Richard. Nous arriverons peut-être à Winchester avant la tombée de la nuit. »

Ils suivirent le sentier jusqu'à la clairière où ils avaient rencontré le garde. Les vestiges de leur feu étaient encore là. De là, ils trouvèrent facilement la route de Winchester, qu'ils avaient empruntée bien souvent. Une fois sur la route, ils avançaient plus vite. Depuis la tempête, le gel avait eu le temps de durcir la boue.

Le visage de Richard reprenait une apparence normale. La veille, il l'avait lavé dans l'eau froide d'un ruisseau au milieu des bois et avait fait disparaître presque tout le sang séché. Restait une vilaine croûte à la place du lobe de son oreille droite. Il avait les lèvres encore gonflées mais le reste de son visage n'était plus enflé.

Aliena regrettait la chaleur du cheval sous elle. Elle avait les mains et les pieds glacés. Le temps resta froid toute la matinée, puis vers midi la température monta un peu. Elle commençait à avoir faim.

Chaque fois qu'ils entendaient des chevaux ou apercevaient des silhouettes au loin, ils plongeaient dans les bois le temps de laisser passer ces voyageurs. Ils traversèrent en hâte des villages, sans parler à personne. Richard voulait mendier de la nourriture, mais Aliena l'en empêcha.

Vers la fin de l'après-midi, ils n'étaient plus très loin de leur destination et comme personne ne les avait importunés, ils commençaient à se détendre. C'est alors que sur une portion de route particulièrement désolée, voilà qu'un homme soudain jaillit des buissons et se dressa devant eux.

Ils n'eurent pas le temps de se cacher. « Ne t'arrête pas », dit Aliena à Richard, mais l'homme leur barra le chemin. Aliena regarda derrière elle, à la recherche d'une issue possible. Hélas ! Un autre gaillard surgit de la forêt et leur bloqua le passage.

« Qu'est-ce que c'est ? » grogna le premier d'une voix forte. C'était un gros homme au visage rougeaud, au ventre gonflé, à la barbe sale et en désordre, probablement un hors-la-loi. Il portait une lourde massue. Aliena le sentait capable de violence, et son cœur s'emplit de crainte.

« Laissez-nous tranquilles, dit-elle d'un ton suppliant. Nous n'avons rien qui vaille la peine d'être volé.

— Je n'en suis pas si sûr », ricana l'homme. Il fit un pas vers Richard. « Ça m'a l'air d'une belle épée, qui vaut bien quelques shillings.

— Elle est à moi ! » protesta Richard de la voix d'un enfant effrayé.

Que faire ? songea Aliena. Je suis une femme, Richard encore un jeune garçon. On peut nous faire subir n'importe quoi.

D'un mouvement étonnamment agile, le gros homme brandit soudain sa massue pour frapper Richard. Celui-ci tenta d'esquiver le coup qui visait sa tête, mais qui le toucha à l'épaule. Sous le choc, il tomba.

Soudain la rage s'empara d'Aliena. On l'avait traitée injustement, on avait abusé d'elle, on l'avait dépouillée, elle avait faim, froid. Son petit frère s'était fait rosser et mutiler moins de deux jours plus tôt. Sans même réfléchir, elle tira la dague de sa manche, fonça sur le bandit et plongea son couteau dans la panse ainsi offerte. « Laisse-le tranquille, chien ! » hurla-t-elle.

Elle le prit complètement par surprise. Jamais il n'aurait soupçonné la jeune fille armée. La pointe du couteau traversa la laine de sa tunique, la toile de sa camisole et buta sur la peau tendue de son ventre. Aliena éprouva une brusque répulsion, un moment d'horreur à l'idée de percer la peau humaine et de pénétrer dans la chair d'un être vivant ; mais la peur renforça sa détermination et elle enfonça le couteau dans les molles entrailles. La terreur la prit alors de ne pas réussir à le tuer. En ce cas sa vengeance serait terrible. Alors elle poussa plus fort, jusqu'à la garde.

L'homme n'était plus qu'un animal terrorisé. En poussant un cri de douleur, il lâcha sa massue et regarda le couteau planté dans son ventre. Aliena comprit en un éclair que l'homme savait sa blessure mortelle. Elle retira la main avec horreur. Le hors-la-loi recula en trébuchant. Subitement Aliena se souvint qu'un autre individu la menaçait par-derrière et la panique s'empara d'elle. Elle referma sa main sur la poignée du couteau et, quand elle tira de toutes ses forces, elle sentit la lame déchirer les entrailles du blessé. Du sang lui jaillit sur la main et l'homme se mit à hurler comme une bête en s'effondrant. Aliena pivota sur elle-même, brandissant son couteau d'une main ensanglantée, et fit face à l'autre bandit. En même temps, Richard se remettait sur ses pieds et dégainait son épée.

Le regard effaré de l'homme passa de l'un à l'autre, s'arrêta une seconde sur son ami mourant et, sans demander son reste, il tourna les talons et s'enfuit d'un bond dans les bois.

Aliena reprit son souffle, ayant peine à croire qu'ils avaient gagné.

Le blessé gisait sur le dos. Ses entrailles apparaissaient par la plaie de son ventre. Il avait les yeux grands ouverts, le visage crispé de douleur et de peur.

Richard ne retenait pas sa joie. « Tu l'as poignardé, Aliena, criait-il, tu les as eus ! »

Sa sœur le regarda. Il avait besoin d'une leçon. « Tue celui-ci », dit-elle.

Richard la dévisagea. « Quoi ?

— Tue-le, répéta-t-elle. Abrège ses souffrances, achève-le !

— Pourquoi moi ? »

Elle durcit volontairement sa voix. « Parce que tu te conduis en petit garçon et que j'ai besoin d'un homme. Parce que tu n'as jamais rien fait avec une épée que de jouer à la guerre. Il faut bien commencer. De quoi as-tu peur ? Cet homme est en train de mourir. Il ne te fera pas de mal. Prends ton épée. Force-toi : tue-le ! »

Richard hésitait, tenant son épée à deux mains.

« Comment ? »

L'homme se remit à hurler.

Aliena tapa du pied. « Je ne sais pas comment ! Coupe-lui la tête ou enfonce-lui ton épée dans le cœur ! N'importe quoi ! Mais qu'il se taise ! »

Richard semblait traqué. Il souleva son épée, puis l'abaissa de nouveau.

« Si tu ne le fais pas, dit Aliena, je vais te laisser seul, je le jure par tous les saints. Une nuit, je me lèverai et je partirai. Quand tu te réveilleras le matin, je ne serai plus là. Tue-le ! »

Richard brandit de nouveau son épée. De façon tout à fait inattendue, le mourant cessa de crier et essaya de se relever. Il roula sur un côté et se souleva sur un coude. Richard poussa un hurlement, moitié cri de terreur, moitié cri de guerre, et de toutes ses forces abattit son épée sur le cou de l'homme. L'arme était lourde, la lame bien aiguisée et elle pénétra profondément dans le cou du gros homme. Le sang jaillit comme d'une fontaine et la tête s'inclina grotesquement d'un côté. Le corps s'effondra sur le sol.

Aliena et Richard contemplèrent leur œuvre, abasourdis. De la buée montait du sang qui ruisselait dans l'air froid de l'hiver. Soudain Aliena ne supporta plus le spectacle. Elle se mit à courir, suivie de Richard.

Elle s'arrêta quand elle fut à bout de souffle et seulement alors s'aperçut qu'elle sanglotait. Elle continua d'un pas plus lent, sans cacher ses larmes à son frère.

Peu à peu elle se calma. Les sabots lui faisaient mal aux pieds. Elle les ôta et continua pieds nus, les sabots à la main. Winchester n'était plus bien loin.

Richard rompit le silence : « Nous sommes idiots.

— Pourquoi ? demanda Aliena machinalement.

— Cet homme. On l'a laissé là. Nous aurions dû prendre ses bottes. »

Aliena s'arrêta, horrifiée. Richard eut un petit rire. « Il n'y a pas de mal à ça, non ? » fit-il.

V

Aliena sentit l'espoir renaître en elle lorsque à la tombée de la nuit elle franchit la porte ouest qui donnait sur la grand-rue de Winchester. Elle avait cru périr dans la forêt et retrouvait maintenant la civilisation. Bien sûr la ville grouillait de voleurs et d'assassins mais en plein jour au moins, on était protégé. Dans la ville, il y avait des lois, et ceux qui ne les respectaient pas étaient bannis, mutilés ou pendus.

Un ou deux ans plus tôt, elle s'en souvenait, elle était passée dans cette rue avec son père. Ils étaient à cheval, naturellement : lui sur un nerveux étalon bai, elle sur un magnifique palefroi gris. Les gens s'écartaient sur leur passage. Huit ou dix serviteurs les avaient accueillis dans la maison qui leur appartenait, au sud de la ville. On avait tout nettoyé, étendu de la paille fraîche sur le sol et allumé les feux. Pendant leur séjour, Aliena avait changé chaque jour de toilette. Elle était chargée de veiller au bien-être de chaque visiteur, toujours bienvenu chez le comte : viande et vin pour les riches, pain et bière pour les plus pauvres, un sourire et une place au coin du feu pour les uns comme pour les autres. Son père était très sourcilleux en matière d'hospitalité, mais il n'excellait pas personnellement sur ce point : les gens le trouvaient souvent froid, distant. C'était Aliena qui apportait la chaleur et le sourire qui manquaient à son père.

Tout le monde respectait le comte. Les plus hauts personnages venaient le voir : l'évêque, le prieur, le prévôt, le chancelier du roi, les barons de la cour. Elle se demandait combien la reconnaîtraient aujourd'hui, marchant pieds nus dans la boue de cette même grand-rue. Cette pensée toutefois n'assombrissait pas son optimisme. Elle était de nouveau dans un monde régi par des règles et des lois, elle allait reprendre sa vie en main.

Ils passèrent devant leur ancienne maison, vide et verrouillée. Les Hamleigh ne s'en étaient donc pas encore emparés. Un moment Aliena fut tentée d'y pénétrer. C'est ma maison ! se dit-elle. Mais l'idée d'y passer la nuit lui rappela la façon dont elle avait vécu au château, les yeux fermés à la réalité. Elle poursuivit son chemin avec détermination.

L'autre avantage d'être en ville, c'était qu'il s'y trouvait un monastère. Les moines fournissaient toujours un lit à quiconque le demandait. Cette nuit, Richard et elle dormiraient sous un toit, au sec et à l'abri. Elle trouva la cathédrale et entra dans la cour du prieuré. Deux moines debout derrière un tréteau distribuaient du pain et de la bière à une centaine de nécessiteux. Aliena n'aurait jamais pensé que tant de gens mendiaient l'hospitalité des moines. Richard et elle prirent place dans la file. Étonnant, pensa-t-elle, de voir comment des gens qui en temps normal se battent pour un peu de nourriture gratis sont capables de rester tranquilles et en ordre à cause de la présence d'un moine. Elle et son frère reçurent leur souper et l'emportèrent dans l'hôtellerie. C'était un grand bâtiment de bois, une sorte de grange, sans meubles, vaguement éclairé par des torches, et où régnait la forte odeur d'un grand nombre de gens entassés. Ils s'assirent par terre pour manger. Le sol était couvert de roseaux pas trop frais. Aliena se demanda si elle devrait se présenter aux moines. Le prieur se souviendrait peut-être d'elle. Dans un aussi grand prieuré, il existait sûrement une autre hôtellerie pour les visiteurs de haut rang. Mais elle répugnait à se faire connaître. D'abord parce qu'elle craignait d'être éconduite, mais surtout par refus de remettre son sort entre les mains de quelqu'un d'autre. Bien qu'elle n'eût rien à craindre d'un prieur, elle se sentait plus à l'aise dans l'anonymat et la discrétion.

Les autres hôtes étaient pour la plupart des pèlerins, ou quelques artisans en déplacement — reconnaissables aux outils qu'ils portaient —, quelques colporteurs qui allaient de village en village vendre aux paysans des choses que ceux-ci ne pouvaient pas fabriquer eux-mêmes : épingles, couteaux, marmites, épices. Certains étaient accompagnés de leur femme et d'enfants bruyants, excités, qui couraient partout, se battaient, tombaient. Aliena en vit plusieurs, pas encore éduqués, uriner sur le sol. Ces choses-là étaient probablement sans importance dans une maison où bétail et humains partageaient la même pièce, mais, dans une salle commune, c'était plutôt écœurant, estima Aliena.

Elle se mit alors en tête que les gens la regardaient comme s'ils savaient qu'elle avait été déflorée. C'était ridicule, bien sûr. Elle s'assura qu'elle ne saignait pas. Mais chaque fois qu'elle regardait autour d'elle, elle surprenait quelqu'un qui lui lançait un coup d'œil pénétrant. Elle détournait aussitôt la tête ; un peu plus tard, c'était le tour d'un autre. Pourtant, il n'y avait rien à regarder : elle n'était pas différente d'eux, elle était aussi sale, aussi mal vêtue et aussi épuisée. Mais l'impression demeurait et elle finit par se mettre en colère. Il y avait un homme dont elle ne cessait de surprendre le regard, un pèlerin d'un certain âge avec une nombreuse famille. Elle finit par perdre patience et par lui crier : « Qu'est-ce que vous regardez ? Cessez de me dévisager ! »

Embarrassé, il détourna les yeux sans répondre.

« Aliena, fit doucement Richard, pourquoi as-tu dit ça ? »

Elle le fit taire.

Peu après le souper, les moines vinrent enlever les torches. Ils aimaient que leurs hôtes dorment de bonne heure. Cela les tenait éloignés le soir des tavernes et des bordels de la ville si bien qu'au matin ils étaient prêts à partir très tôt. Plusieurs hommes seuls quittèrent la salle quand on éteignit les lumières, se dirigeant sans doute vers les lieux de plaisir, mais la plupart des gens s'enroulèrent dans leurs manteaux sur le sol.

Aliena n'avait pas dormi dans une salle comme celle-là depuis des années. Enfant, elle avait toujours envié les gens d'en bas, qui passaient la nuit côte à côte devant le feu mourant, dans une salle pleine de fumée et des relents du dîner, gardés par les chiens. Il y avait là une chaleur humaine qu'on ne ressentait pas dans les vastes appartements de la famille du seigneur. En ce temps-là, elle avait souvent quitté son lit pour descendre en cachette dormir auprès d'une de ses servantes favorites, Madge la blanchisseuse ou la vieille Joan.

Une fois endormie, les odeurs de son enfance l'amenèrent à rêver de sa mère. En général, elle avait du mal à se la rappeler, mais cette fois, à sa surprise, elle distingua nettement son visage : les traits délicats, le sourire timide, le regard anxieux, elle la voyait marcher, un peu penchée de côté, comme si elle cherchait l'appui du mur, l'autre bras tendu pour assurer son équilibre. Elle entendait la voix de sa mère, cet étonnant contralto, toujours prêt à attaquer une chanson ou à partir d'un éclat de rire, qu'elle retenait trop souvent. Son rêve lui dit une chose qui n'avait jamais été claire pour elle : son père avait effrayé sa mère et si fortement réprimé sa joie de vivre qu'elle s'était desséchée avant de mourir telle une fleur sans eau. Cette vérité revint à l'esprit d'Aliena comme si elle l'avait toujours sue. Mais l'étonnant dans ce songe, c'est qu'elle était enceinte. Sa mère semblait ravie. Elles étaient assises toutes deux dans une chambre, le ventre d'Aliena était si distendu qu'elle devait s'asseoir les jambes un peu écartées et les mains croisées sur l'enfant attendu, dans la position traditionnelle de la future mère. A un moment, William Hamleigh déboucha dans la pièce, tenant à la main sa dague à la longue lame et Aliena comprit qu'il allait la lui plonger dans le ventre comme elle l'avait fait à l'homme dans la forêt. Elle poussa un tel hurlement qu'elle se réveilla ; elle se rendit compte alors que William n'était pas là, qu'elle n'avait pas crié, que le bruit n'était que dans sa tête.

Longtemps, elle resta éveillée en se demandant si elle était vraiment enceinte.

L'idée, depuis qu'elle lui était venue, la terrifiait. Ce serait abominable de porter le bébé de William Hamleigh.

Ou celui du valet, d'ailleurs. Elle n'aurait jamais de certitude là-dessus. Comment aimer ce bébé ? Chaque fois qu'elle le regarderait, il lui rappellerait l'horrible nuit. Elle se jura d'accoucher en secret, et de laisser le bébé mourir de froid dès sa naissance. Beaucoup de paysans agissaient ainsi lorsqu'ils avaient trop d'enfants. Sa résolution prise, elle replongea dans le sommeil.

Il faisait à peine jour quand les moines apportèrent le déjeuner. Le bruit éveilla Aliena, encore épuisée des soucis de la nuit.

Le petit déjeuner se composait de gruau chaud et salé. Aliena et Richard le dévorèrent en regrettant l'absence de pain. Aliena réfléchissait à ce qu'elle allait dire au roi Stephen. Elle était convaincue qu'il avait tout simplement oublié que le comte de Shiring avait deux enfants. Dès qu'ils se manifesteraient, il ne demanderait pas mieux que de veiller sur eux, pensa-t-elle. Toutefois, mieux valait qu'elle prépare quelques arguments. Elle ne plaiderait pas l'innocence de son père, évidemment : autant insinuer que le jugement du roi était mauvais. Elle ne protesterait pas non plus contre la nomination de Percy Hamleigh au rang de comte. Non, elle parlerait pour son frère et elle, elle ferait valoir leur innocence et elle demanderait au roi un domaine et le titre de chevalier. Ainsi subviendraient-ils à leurs modestes besoins et Richard se préparerait à devenir un soldat du roi. Un petit domaine lui permettrait de recevoir son père quand il plairait au roi de le libérer de prison. Bartholomew ne représentait plus une menace : il n'avait pas de titre, pas de partisans, pas d'argent. Elle rappellerait au roi que son père avait fidèlement servi son prédécesseur, Henry, oncle de Stephen. Elle parlerait sans violence, humble mais ferme, claire et simple.

Après le déjeuner, elle demanda à un moine où elle pourrait se laver le visage, requête assez inhabituelle et qui suscita l'étonnement du moine. Il lui montra une rigole d'eau claire et froide, non sans lui recommander de rester décente afin de ne pas troubler l'âme des frères. Aliena haussa les épaules. Ces moines faisaient le bien, certes, mais comme ils pouvaient parfois se montrer irritants !

Une fois rafraîchis et débarrassés de la poussière de la route, Aliena et Richard quittèrent le prieuré ; par la grand-rue ils montèrent jusqu'au château. Aliena espérait se gagner l'aide du chambellan responsable, qui ne l'oublierait pas dans la foule des gens importants. Elle pressa le pas. Un grand calme régnait encore à l'intérieur du château. Le roi Stephen séjournait-il à Winchester depuis si longtemps qu'il avait épuisé toutes les requêtes ? D'ordinaire il habitait la ville durant tout le carême, mais Aliena avait perdu la notion des dates en vivant avec les seuls Richard et Matthew, sans prêtre.

Un garde corpulent, avec une barbe grise, se tenait en faction au pied des escaliers du donjon. Aliena s'apprêtait à passer sans s'arrêter, comme elle en avait l'habitude quand elle venait avec son père, mais le garde abaissa sa lance devant elle. Aliena le toisa d'un regard impérieux.

« Où crois-tu que tu vas, ma fille ? dit le garde.

— Nous sommes ici pour présenter une requête au roi, dit-elle d'un ton glacial. Laisse-nous passer.

— Toi ? ricana le garde. Avec aux pieds une paire de sabots dont ma femme aurait honte ? Éloigne-toi.

— Garde, dit Aliena, laisse-moi passer. Chaque citoyen a le droit de présenter une requête au roi.

— Les pauvres, généralement, ne sont pas assez stupides pour user de ce droit...

— Nous ne sommes pas pauvres ! cria Aliena, furieuse. Je suis la fille du comte de Shiring, mon frère est son fils, alors laisse-nous passer ou tu finiras par croupir dans un cachot. »

Le garde perdit un peu de son assurance.

« Tu ne peux pas présenter ta requête au roi, car il n'est pas ici. Il est à Westminster. D'ailleurs tu devrais le savoir si tu es celle que tu prétends. »

Aliena se pétrifia. « Mais pourquoi à Westminster ? Il devait passer Pâques ici ! »

Cette réflexion prouva au garde qu'en effet, il ne s'agissait pas d'une fille des rues. « A Pâques, la cour se réunit à Westminster. Peut-être pour ne pas faire exactement comme le vieux roi. Ce n'est pas interdit, n'est-ce pas ? »

Il avait raison, bien sûr. Le désespoir envahit la jeune fille. Elle comptait tellement sur son idée ! Accablée, découragée, elle baissa la tête. Allons ! C'était un contretemps, pas une défaite. Une requête au roi n'était pas la seule façon de rétablir leur situation. Son autre projet était de connaître le sort de son père. Lui saurait quoi faire.

« Alors, dit-elle au garde, qui y a-t-il ici ? Des fonctionnaires royaux, je suppose ? Je voudrais voir mon père.

— Tu trouveras là-haut un clerc et un intendant, répondit le garde. Le comte de Shiring est ton père, dis-tu ?

— Oui, fit-elle, le cœur battant. Sais-tu quelque chose à son propos ?

— Je sais où il est. »

Aliena bondit.

« Où ? Où est-il ?

— Dans la prison, ici même, au château. »

Si près !

« Où se trouve la prison ? » demanda-t-elle en maîtrisant mal son impatience.

Le garde fit un geste du pouce par-dessus son épaule. « En descendant la colline, après la chapelle, face à la porte principale. » Maintenant qu'il avait démontré son autorité, le garde débordait de bonne volonté.

« Il vaudrait mieux voir le geôlier. Il s'appelle Odo et il a des poches profondes. »

Aliena ne comprit pas l'allusion aux poches profondes, mais ce n'était pas le moment d'y réfléchir. Jusqu'à cet instant, son père se trouvait dans un lieu vague, lointain, appelé « prison ». Et voilà que tout à coup, il était à côté d'elle dans ce château. Oubliant le roi, elle ne pensait plus qu'à retrouver son père si proche, à l'aider. Elle aurait voulu courir dans ses bras, l'entendre dire : « Tout va bien maintenant. Tout va s'arranger. »

Le donjon surmontait un tertre, dans un coin de l'enceinte. Aliena inspecta le reste du château. C'était un ensemble de bâtiments de pierre et de bois entouré de hautes murailles. En bas de la colline, avait dit le garde. Après la chapelle — elle repéra un petit bâtiment de pierre qui ressemblait à ça — et face à la porte principale. Cette grande porte s'ouvrait dans le mur extérieur pour permettre au roi d'entrer directement dans son château sans passer par la ville. En face, contre le mur d'enceinte, elle vit une petite construction de pierre qui pouvait bien être la prison.

Le frère et la sœur dévalèrent la pente. Aliena se demandait dans quel état elle allait retrouver le comte. Nourrissait-on les gens en prison ? Les prisonniers de son père avaient toujours eu du pain et du potage à Earlscastle, mais elle avait entendu dire qu'ailleurs les prisonniers étaient parfois maltraités.

Le cœur serré, elle traversa la cour, délimitée par les cuisines, les écuries, les casernements, deux chapelles. Maintenant qu'elle savait le roi absent, Aliena en notait distraitement au passage les preuves : cochons et moutons vagabondaient juste devant la porte, les hommes d'armes traînaient en interpellant insolemment les femmes qu'ils croisaient. Ce visible relâchement inquiétait Aliena. Négligeait-on aussi son père ? L'appréhension et la crainte l'envahirent.

La prison, un bâtiment de pierre un peu délabré, semblait avoir été la maison d'un fonctionnaire royal, chancelier ou bailli. Le premier étage, occupé jadis par la grande salle, était complètement en ruine, ayant perdu l'essentiel de son toit. Seul le magasin demeurait intact. Pas de fenêtre ; juste, entrouverte, une grande porte de bois cloutée de fer. Comme Aliena hésitait, une belle femme entre deux âges, vêtue d'un manteau de bonne qualité, passa devant elle et entra. Aliena et Richard la suivirent.

L'intérieur mal éclairé sentait la vieille poussière et la pourriture. Autrefois d'un seul tenant, le magasin avait été divisé en petits compartiments par des murs sommaires. Quelque part dans les profondeurs du bâtiment, un homme poussait une plainte monotone, comme celle d'un moine chantant le service. Juste derrière la porte, on trouvait une petite entrée, avec une chaise, une table et un feu à même le sol. Un gros homme à l'air stupide, une épée à la ceinture, balayait sans conviction. Il leva les yeux et accueillit la visiteuse. « Bonjour, Meg. » Elle lui donna un penny et disparut dans l'obscurité. L'homme regarda Aliena et Richard. « Qu'est-ce que vous voulez ?

— Je suis ici pour voir mon père, dit Aliena. Le comte de Shiring.

— Pas de comte ici, dit le geôlier. Juste Bartholomew.

— Au diable tes subtilités ! Où est-il ?

— Combien avez-vous ?

— Je n'ai rien, inutile d'attendre de l'argent.

— Si vous n'avez rien, vous ne pouvez pas voir votre père. »

Il se remit à balayer.

Aliena aurait voulu hurler. Son père était là, à sa portée, et voilà qu'on l'empêchait de le voir. Le geôlier était grand, armé : aucune chance de se débarrasser de lui. Meg avait donné un penny au geôlier, en effet. Ce devait être le prix d'entrée.

« Je vais trouver un penny, dit-elle, et je vous l'apporterai dès que je pourrai. Vous ne voulez pas nous laisser le voir maintenant, juste quelques instants ?

— Trouvez l'argent d'abord », dit le geôlier. Il leur tourna le dos. Aliena essayait de maîtriser ses larmes. Elle fut tentée de crier, d'appeler dans l'espoir que son père l'entendrait, mais elle se rendit compte qu'il risquait de s'inquiéter sans comprendre son message. Elle se dirigea vers la porte, furieuse de son impuissance. Sur le seuil elle se retourna.

« Comment va-t-il ? Dites-moi seulement... je vous en prie. Est-ce qu'il va bien ?

— Non, pas du tout, dit le geôlier. Il est mourant. Maintenant, sortez. »

Les yeux embués de larmes, Aliena sortit sans voir où elle allait. Soudain elle heurta quelque chose — un mouton ou un porc — et faillit tomber. Du coup, elle éclata en sanglots. Richard lui prit le bras et elle se laissa guider. Ils quittèrent le château par la grande porte, traversèrent les taudis et les petits champs des faubourgs et finirent par arriver dans une prairie où ils s'assirent sur une souche.

« Ne pleure pas, Aliena, je t'en prie », fit Richard d'un ton pitoyable.

Elle essaya de se contrôler et réfléchit. Elle savait où était son père : c'était déjà quelque chose. Mais il était malade ! Le geôlier, par cruauté, exagérait sans doute la gravité de son état. Il fallait trouver un penny et elle pourrait lui parler, se rendre compte par elle-même, lui demander conseil — pour Richard et pour elle-même.

« Comment trouver un penny, Richard ? fit-elle.

— Je ne sais pas.

— Nous n'avons rien à vendre. Personne ne voudrait nous prêter de l'argent. Nous ne sommes pas de taille à voler...

— Nous pourrions mendier », dit-il.

Pourquoi pas ? Un paysan, plutôt cossu, descendait la colline en direction du château, montant un robuste bidet noir. Aliena sauta sur ses pieds et courut jusqu'à la route. Dès que l'homme fut à sa hauteur, elle demanda : « Monsieur, voudriez-vous me donner un penny ?

— Fiche le camp », grogna l'homme qui d'un coup de talon mit sa monture au trot.

Elle revint à la souche. « Les mendiants demandent de la nourriture ou de vieux vêtements, fit-elle abattue. Jamais on ne leur donne d'argent.

— Alors, d'où vient l'argent ? demanda Richard naïvement.

— Le roi, expliqua Aliena, récolte les impôts ; les seigneurs, des loyers ; les prêtres, des dîmes. Les boutiquiers ont quelque chose à vendre. Les artisans reçoivent des salaires. Les paysans n'ont pas besoin d'argent parce qu'ils ont des champs.

— Les apprentis touchent des gages.

— Tout comme les ouvriers. Nous pourrions travailler.

— Pour qui ?

— Winchester est plein de petites manufactures de cuir et de tissu », dit Aliena. Son optimisme revenait. « Une ville est l'endroit idéal pour trouver du travail. » Elle se leva d'un bond. « Viens, allons-y ! »

Richard hésitait encore. « Je ne peux pas travailler comme un manant, dit-il. Je suis le fils d'un comte.

— Plus maintenant, dit sévèrement Aliena. Tu as entendu le geôlier. Tu ferais bien de te rendre compte que tu ne vaux pas mieux qu'un autre, maintenant. » Richard se renfrogna.

« Bon, je pars. Reste ici si tu veux. » Aliena s'éloigna. Elle connaissait les humeurs de son frère : elles ne duraient jamais longtemps.

Il la rattrapa en effet avant qu'elle eût atteint la ville. « Il ne faut pas m'en vouloir, dit-il. Je travaillerai. Je suis assez fort, en fait... Je ferai un très bon ouvrier. »

Elle lui sourit : « J'en suis sûre. » Elle n'y croyait pas, mais c'était inutile de le décourager.

Côte à côte, ils descendirent la grand-rue. Aliena réfléchissait : Winchester était construite suivant un plan très logique. La moitié sud, sur leur droite, était divisée en trois parties : d'abord le château, puis un quartier de riches demeures, puis l'enclos de la cathédrale et le palais de l'évêque dans le coin sud-est. La partie nord, sur leur gauche, était elle aussi divisée en trois : le quartier des Juifs, le centre occupé par les boutiques, et les ateliers dans le coin nord-est.

Aliena descendit vers l'est de la ville, puis ils prirent à

gauche dans une rue au milieu de laquelle coulait une rigole. D'un côté, se dressaient des maisons normales, pour la plupart en bois, certaines avec des parties en pierre. De l'autre côté s'alignaient des constructions improvisées, dont beaucoup n'étaient guère plus qu'un toit soutenu par des piquets et semblaient sur le point de s'écrouler. De place en place, un petit pont ou quelques planches franchissaient le ruisseau pour permettre l'accès aux bâtiments. Partout, à l'intérieur ou dans les cours, des hommes et des femmes se livraient à des travaux qui nécessitaient de grandes quantités d'eau : laver de la laine, tanner du cuir, fouler ou teindre du tissu, brasser de la bière et d'autres activités qu'Aliena ne connaissait pas. Une variété d'odeurs peu familières lui chatouillaient les narines, âcres et acides ; des odeurs de fumée et de soufre, de bois et de pourriture. Les gens avaient tous l'air extrêmement occupés. Alors que les paysans adoptaient toujours une allure mesurée, les ouvriers des ateliers ne levaient jamais la tête. Leur travail semblait absorber toute leur énergie. Pris par leurs tâches mystérieuses dans la pénombre de cabanes hétéroclites, ils évoquaient des démons agitant le contenu de leurs chaudrons dans le fond des Enfers.

Elle s'arrêta pour regarder fouler du tissu. Une robuste femme tirait de l'eau du ruisseau et la déversait dans une grande auge de pierre doublée de plomb. De temps en temps elle ajoutait une mesure de terre à foulon qu'elle prenait dans un sac. Au fond de l'auge, recouverte d'eau, se trouvait une pièce de tissu. Deux hommes armés de grands bâtons, qu'on appelait des foulons — Aliena le savait —, battaient le tissu : le but de ce travail était de faire rétrécir et épaissir le tissu en le rendant plus imperméable ; en même temps la terre à foulon rinçait la graisse de la laine. Au fond du local, s'entassaient des rouleaux de tissus non traités ainsi que des sacs de terre à foulon.

Aliena sauta la rigole et s'approcha du groupe. Les ouvriers travaillaient pieds nus sur le sol détrempé. En voyant qu'ils n'arrêtaient pas leur mouvement, elle demanda d'une voix forte : « Votre maître est-il ici ? »

La femme répondit en désignant du menton le fond du local. Aliena fit signe à Richard de la suivre et pénétra dans une cour où des longueurs de tissu séchaient sur des cadres en bois. Elle aperçut la silhouette d'un homme qui disposait les pièces. « Je cherche le maître », dit-elle.

Il se redressa. C'était un homme affreux, borgne, et légèrement bossu, comme si, après des années de travail penché sur les cadres de séchage, il ne pouvait plus se tenir droit. « Qu'est-ce qu'il y a ? dit-il.

— C'est vous le maître fouleur ?

— J'y travaille depuis plus de quarante ans, alors j'espère que je suis le maître, dit-il. Que voulez-vous ? »

Aliena devina qu'avec ce genre d'homme, mieux valait se montrer modeste. Elle prit un ton humble : « Mon frère et moi cherchons du travail. Voulez-vous nous employer ? »

Il y eut un silence tandis qu'il la toisait. « Par Jésus-Christ et tous les saints. Qu'est-ce que je ferais de vous ?

— Nous ferons n'importe quoi, dit Aliena d'un ton résolu. Nous avons besoin d'argent.

— Vous ne me servirez à rien », répondit-il d'un ton méprisant et il reprit son travail.

Aliena ne voulait pas s'avouer vaincue. « Pourquoi donc ? répliqua-t-elle vivement. Nous ne mendions pas. Nous voulons gagner de l'argent. »

Il se tourna vers elle. « S'il vous plaît... », insista-t-elle, bien qu'elle détestât mendier.

Il poussa un soupir d'impatience puis, comme s'il lui faisait une charité, bouffi de son importance, il concéda : « Très bien, je vais vous expliquer. Venez avec moi. »

Il les entraîna jusqu'à l'auge. Les ouvriers tiraient la pièce de l'eau, en la roulant au fur et à mesure. Le maître s'adressa à la femme : « Viens ici, Lizzie. Montre-nous tes mains. »

Elle approcha docilement et tendit les mains. Elles étaient rêches, rouges, et crevassées.

« Touchez-les », ordonna le maître à Aliena.

Elle obéit. La peau était froide comme de la neige, très rugueuse et — le plus frappant — incroyablement dure. Ses mains à elle lui parurent soudain douces, blanches, et fines.

Le maître reprit : « Elle a les mains dans l'eau depuis son enfance, elle est habituée. Vous, ce n'est pas pareil. Vous ne tiendriez pas une heure à ce travail. »

Aliena aurait voulu discuter, promettre de s'endurcir... mais elle n'était pas sûre d'y arriver. De toute façon, c'est Richard qui prit la parole. « Et moi ? dit-il. Je suis plus grand que ces hommes-là : je pourrais faire ce travail. »

En effet, Richard était plus grand et plus large de carrure

395

que les ouvriers. De plus, il savait mener un destrier, pensa Aliena, il devrait donc pouvoir battre du tissu.

Les deux hommes, qui terminaient de rouler la pièce, s'apprêtaient à l'emporter dans la cour à sécher. Le maître les arrêta. « Laisse le jeune seigneur sentir le poids de ce tissu, Harry. »

Le nommé Harry fit glisser le rouleau de son épaule sur celle de Richard, qui plia sous le poids et ne se redressa qu'au prix d'un puissant effort. Il pâlit, puis s'écroula à genoux, si bien que les extrémités du rouleau touchaient le sol. « Je ne peux pas », dit-il, hors d'haleine.

Les hommes éclatèrent de rire, le maître ricana d'un air triomphant ; le nommé Harry renvoya le tissu sur son épaule et l'emporta. « C'est un autre genre de force, dit le maître, qui vient quand on est obligé de travailler. »

Aliena bouillait de rage. On se moquait d'elle alors qu'elle ne demandait qu'à gagner honnêtement un penny. Le maître s'offrait une petite récréation à leurs dépens, mais jamais il ne l'emploierait, pas plus que Richard. « Merci de votre courtoisie », dit-elle d'un ton narquois, puis elle tourna les talons et s'éloigna.

Richard s'en voulait horriblement. « C'était lourd parce que c'était trempé ! dit-il. Je ne m'attendais pas à ça. »

Aliena se força à rester gaie pour maintenir le moral de Richard. « Il n'y a pas que ce travail-là, dit-elle en avançant dans la rue boueuse.

— Que pourrions-nous faire d'autre ? »

Elle ne répondit pas tout de suite. Ils atteignaient le quartier des maisons les plus pauvres, plutôt des appentis, construits contre le mur. Faute d'arrière-cours, la rue était très sale. Aliena sortit de ses réflexions. « Tu te rappelles, Richard, que des filles venaient au château, parfois, quand il n'y avait plus de place chez elles ? Père les acceptait toujours. Elles travaillaient aux cuisines, à la blanchisserie ou à l'écurie et Père leur donnait un penny pour les fêtes.

— Crois-tu que nous pourrions vivre au château de Winchester ? dit Richard, sceptique.

— Non. On ne prendra pas de domestiques pendant que le roi est absent. Mais il y a des gens riches dans la ville. Certains ont peut-être besoin de serviteurs.

— Ce n'est pas un travail d'homme. »

Aliena faillit le rembarrer sèchement : *Pourquoi ne trouves-tu pas des idées toi-même, au lieu de critiquer tout ce que je dis ?* Mais elle se mordit la langue et expliqua : « Il suffit que l'un de nous travaille assez pour gagner un penny, ensuite nous pourrons voir notre père et lui demander son aide.

— Très bien. » Richard n'était pas hostile à l'idée que, des deux, Aliena se charge de travailler.

Ils tournèrent à gauche et pénétrèrent dans le quartier de la ville qu'on appelait la Juiverie. Aliena s'arrêta devant une grande maison. « Les propriétaires doivent avoir des serviteurs, ici. »

Richard se montra scandalisé. « Tu ne travaillerais pas pour des Juifs ?

— Pourquoi pas ? On n'attrape pas l'hérésie des gens comme on attrape leurs puces, tu sais. »

Richard hocha la tête, navré, et la suivit à l'intérieur.

C'était une construction de pierre qui, comme la plupart des maisons de la ville, cachait derrière une façade étroite une grande profondeur : le hall d'entrée traversait toute la largeur du bâtiment. Un feu brûlait et l'odeur de la cuisine, pleine d'épices inconnues, fit venir l'eau à la bouche d'Aliena. Une jeune fille apparut du fond de la maison pour les accueillir. Elle avait la peau brune, les yeux marron et elle s'adressa à eux avec respect.

« Vous voulez voir l'orfèvre ?

— S'il vous plaît », dit Aliena comme si elle savait de qui il s'agissait. La jeune fille disparut et Aliena regarda autour d'elle. Naturellement, un orfèvre a besoin d'une maison de pierre, pour protéger son or. La porte du fond était faite de lourdes planches de chêne renforcées de fer. Les fenêtres étroites n'auraient pas laissé passer même un enfant. Ce devait être bien inquiétant d'avoir toute sa fortune en or ou en argent, tellement facile à voler en un instant ! Le comte Bartholomew possédait une sorte de richesse plus habituelle — des terres et un titre. N'empêche qu'il avait tout perdu en un jour, lui aussi.

L'orfèvre entra. Un petit homme brun qui les dévisagea comme s'il examinait une pièce de bijouterie pour en estimer la valeur avant de demander : « Vous avez quelque chose à vendre ?

— Vous nous avez bien jugés, orfèvre, dit Aliena. Vous avez deviné que nous sommes des gens bien nés soudain sans ressources. Mais nous n'avons rien à vendre. »

L'homme sembla s'inquiéter. « Si c'est un prêt que vous cherchez, je crains...

— Nous ne nous attendons pas à ce qu'on nous prête de l'argent, interrompit Aliena. De même que nous n'avons rien à vendre, nous n'avons rien à mettre en gage. »

L'orfèvre parut soulagé. « Comment puis-je vous aider, alors ?

— Voudriez-vous me prendre comme servante ? »

Il fit une grimace horrifiée. « Une chrétienne ? Certainement pas ! » dit-il en reculant instinctivement.

Aliena ne cacha pas sa déception. « Pourquoi pas ? s'enquit-elle d'un ton plaintif.

— Ce n'est pas possible. »

Elle se sentit offensée. L'idée qu'on trouvât sa religion repoussante l'humiliait. Elle se souvint avec amertume de la formule qu'elle avait employée avec Richard. « On n'attrape pas les religions des gens comme on attrape leurs puces, répliqua-t-elle.

— Les gens de la ville protesteraient. »

Cet argument ne manquait pas de bon sens.

« Alors, dit-elle, je pense que nous ferions mieux de chercher un riche chrétien.

— Essayez toujours, fit l'orfèvre d'un ton sceptique. Laissez-moi vous parler franchement. Un homme sage ne vous emploierait pas comme servante. Vous avez l'habitude de donner des ordres et vous trouveriez très dur d'en recevoir. »

Aliena ouvrait la bouche pour protester, mais d'un geste il l'arrêta. « Oh ! Je sais que vous êtes pleine de bonne volonté. Mais d'autres vous ont servie, et même aujourd'hui vous espérez au fond de vous-même que les choses s'arrangeront à votre convenance. Les gens de haute naissance font de pauvres domestiques. Ils sont indociles, pleins de ressentiment, étourdis, susceptibles, et ils s'imaginent travailler dur même quand ils en font moins que les autres : ils causent toujours des ennuis avec le reste du personnel. » Il haussa les épaules. « C'est mon expérience. »

Devant la première personne aimable qu'elle rencontrait depuis qu'elle avait quitté le château, Aliena en oublia presque son dépit.

« Mais que pouvons-nous faire ? reprit-elle.

— Je peux vous dire ce que ferait un Juif. Il trouverait quelque chose à vendre. Quand je suis arrivé dans cette ville, j'ai commencé par acheter des bijoux à des gens qui avaient besoin d'argent, puis j'en ai fondu l'or et je l'ai revendu aux monnayeurs.

— Mais où avez-vous trouvé l'argent pour acheter des bijoux ?

— J'ai emprunté à mon oncle — je lui ai d'ailleurs payé des intérêts.

— Personne ne nous prêtera d'argent ! »

L'orfèvre devint songeur. « Voyons, qu'aurais-je fait si je n'avais pas eu d'oncle ? Je crois que je serais allé dans la forêt ramasser des noix, pour les revendre aux ménagères qui n'ont pas le temps d'aller les cueillir elles-mêmes.

— Ce n'est pas la saison, protesta Aliena. Rien ne pousse en ce moment. »

L'orfèvre sourit. « Impatiente jeunesse, dit-il. Attendez un peu.

— Très bien. » Inutile de lui expliquer la situation de leur père. L'orfèvre avait fait de son mieux. « Merci de votre conseil.

— Adieu donc. » L'orfèvre repartit vers le fond de la maison, fermant derrière lui la lourde porte barrée de fer.

Aliena et Richard sortirent. Décidément, ils avaient passé la moitié de la journée à se faire éconduire. Aliena se décourageait. Ne sachant où aller, ils déambulèrent dans la Juiverie et se retrouvèrent dans la grand-rue. Aliena commençait à avoir faim — c'était l'heure du souper — et elle devinait que Richard souffrait aussi, sinon plus. Ils marchèrent sans but, enviant les rats bien nourris qui grouillaient dans les ordures, jusqu'au moment où ils atteignirent l'ancien palais royal. Là ils s'arrêtèrent, comme le faisaient tous les étrangers, pour regarder à travers les barreaux les monnayeurs qui fabriquaient des pièces. Aliena contempla les piles de pennies d'argent, songeant qu'elle n'en voulait qu'un seul et qu'elle ne parvenait pas à l'obtenir.

Bientôt, elle remarqua non loin une fille à peu près de son âge qui souriait à Richard d'un air amical. Aliena hésita, puis lui adressa la parole. « Vous habitez ici ?

— Oui », fit la fille. C'était Richard qui l'intéressait, pas Aliena.

« Notre père, balbutia Aliena, est en prison et nous essayons de trouver un moyen de nous procurer un peu d'argent pour acheter le geôlier. Savez-vous comment nous pourrions faire ? Nous sommes prêts à travailler dur. Nous ferons n'importe quoi. Avez-vous une idée ? »

La fille toisa longuement Aliena. « Je crois, dit-elle enfin. Je connais quelqu'un qui pourrait vous aider. »

Le cœur d'Aliena bondit de joie. Enfin elle entendait dire *oui*.

« Quand pouvons-nous le voir ? demanda-t-elle aussitôt.

— *La* voir.

— Comment ?

— C'est une femme. Vous pourrez sans doute la voir tout de suite si vous venez avec moi. »

Aliena et Richard échangèrent un regard. Leur chance tournait-elle enfin ?

La fille se mit en route et ils la suivirent jusqu'à une grande maison en bois de la grand-rue. La fille grimpa un escalier extérieur et leur fit signe.

En haut, il y avait une chambre à coucher. Aliena écarquilla les yeux : la pièce était plus somptueusement décorée et meublée qu'aucune salle du château, même du vivant de sa mère. Les murs étaient tendus de tapisseries, le plancher couvert de fourrures et le lit entouré de rideaux brodés. Dans un fauteuil large comme un trône siégeait une femme d'un certain âge, vêtue d'une robe magnifique. Elle avait dû être belle dans sa jeunesse, se dit Aliena, même si aujourd'hui son visage était ridé et ses cheveux clairsemés.

« C'est maîtresse Kate, annonça la fille. Kate, cette demoiselle n'a pas le sou et son père est en prison. »

Kate sourit. Aliena lui rendit son sourire, mais déjà elle se méfiait : quelque chose en Kate lui déplaisait. La femme reprit : « Emmène le garçon à la cuisine et donne-lui une chope de bière pendant que nous parlons. »

La fille obéit. Aliena se réjouissait à l'idée que Richard allait boire de la bière : peut-être lui donnerait-on quelque chose à manger aussi.

« Quel est ton nom ? interrogea Kate.

— Aliena.

— C'est peu courant. Mais j'aime bien. » Elle se leva, s'approcha tout près et prit dans sa main le menton d'Aliena. « Tu as un très joli visage. » Son haleine sentait le vin. « Ôte ton manteau. »

Aliena, surprise de cette entrée en matière, s'y soumit néanmoins. Après les refus de ce matin, elle ne voulait pas gâcher par mauvaise volonté la première chance qui se présentait. Elle se débarrassa de son manteau, le posa sur un banc et resta plantée dans la vieille robe de toile que lui avait donnée la femme du garde forestier.

Kate tourna autour d'elle, comme impressionnée. « Ma chère fille, tu n'auras plus jamais besoin d'argent ni d'autre chose. Si tu travailles pour moi, nous serons riches toutes les deux. »

Aliena fronça les sourcils. Que signifiait cela ? Tout ce qu'elle voulait, c'était aider à laver le linge, faire la cuisine ou raccommoder. Il ne s'agissait pas de faire la richesse de quelqu'un. « De quel genre de travail parlez-vous ? » dit-elle.

Debout derrière elle, Kate passa les mains sur les hanches d'Aliena, et les caressa. Ses seins se pressaient contre le dos de la jeune fille. « Tu as un corps magnifique, dit Kate. Et une peau ravissante. Tu es de haute naissance, n'est-ce pas ?

— Mon père était le comte de Shiring.

— Bartholomew ! Tiens, tiens. Je me souviens de lui... Non pas qu'il ait jamais été un de mes clients. Un homme très vertueux, ton père. Ah ! Je comprends pourquoi tu es sans ressources. »

Ainsi, Kate avait des clients. « Que vendez-vous ? » demanda Aliena.

Kate ne répondit pas directement. Elle repassa devant Aliena et la regarda en face. « Es-tu vierge, ma chère ? »

Aliena rougit violemment.

« Ne sois pas timide, dit Kate. Je vois que tu ne l'es pas. Eh bien, peu importe. Les vierges valent cher, mais, évidemment elles ne durent pas. »

Elle posa les mains sur les épaules d'Aliena et l'embrassa sur le front. « Tu es voluptueuse, même si tu ne le sais pas. Par tous les saints, tu es irrésistible. » Sa main glissa de la hanche d'Aliena à sa poitrine et prit doucement un sein, le pressant légèrement, puis Kate se pencha et posa un baiser sur les lèvres de la jeune fille.

En un éclair, Aliena comprit tout : pourquoi la fille avait souri à Richard devant l'atelier de la monnaie, où Kate trouvait son argent, ce qu'Aliena aurait à faire si elle travaillait pour elle, et quel genre de femme elle était. Qu'elle était stupide de ne pas avoir deviné plus tôt ! Un moment elle laissa Kate l'embrasser — ce n'était vraiment pas désagréable, bien différent des assauts de William Hamleigh — mais pour gagner de l'argent on lui demanderait autre chose. Elle se libéra de l'étreinte de Kate. « Vous voulez que je devienne une prostituée, dit-elle.

— Une dame de plaisir, ma chère, rectifia Kate. Se lever tard, porter chaque jour de belles toilettes, rendre les hommes heureux et devenir riche. Tu serais une des meilleures. Tu as une allure... Tu pourrais demander n'importe quoi, n'importe quoi. Crois-moi, je sais. »

Aliena frissonna. Il y avait toujours eu quelques prostituées au château — indispensables dans un endroit où vivaient tant d'hommes sans leurs épouses — et on les considérait plus bas encore que les balayeuses. Mais ce n'était pas cette humiliante condition qui faisait trembler Aliena de dégoût. C'était l'idée de voir des hommes comme William Hamleigh l'acheter pour un penny. Elle revit ce grand corps en train de la tenir clouée au sol, les jambes écartées, tremblante de terreur et de mépris en attendant qu'il la pénètre. Le souvenir de cette scène lui ôta toute assurance. Elle avait le sentiment que, si elle restait dans cette maison un instant de plus, tout allait recommencer. Affolée, elle recula. Elle avait peur d'offenser Kate, peur de la mettre en colère. « Je suis désolée, murmura-t-elle. Je vous en prie, pardonnez-moi, mais je ne pourrais pas faire ça, vraiment...

— Réfléchis ! lança Kate. Reviens si tu changes d'avis. Je serai toujours là.

— Merci », bredouilla Aliena. Elle trouva enfin la porte, l'ouvrit et dévala l'escalier, puis se précipita jusqu'à la cuisine. Sans oser franchir le seuil, elle appela : « Richard ! Richard, viens ! » Pas de réponse. L'intérieur était à peine éclairé et elle n'apercevait que quelques vagues silhouettes féminines. « Richard, où es-tu ? » hurla-t-elle.

Enfin il apparut, une chope de bière dans une main, une cuisse de poulet dans l'autre. « Qu'est-ce qu'il y a ? » dit-il, agacé d'être dérangé.

Elle le saisit par le bras et l'entraîna. « Sors d'ici, dit-elle. C'est un bordel ! »

Quelque part, un rire retentit.

« On pourrait te donner à manger, dit Richard.

— Elles veulent que je me prostitue ! cria-t-elle.

— Très bien, très bien », dit Richard. Il avala sa bière,

posa sa coupe sur le sol et fourra dans sa chemise les restes de la cuisse de poulet.

« Viens », répéta Aliena avec impatience. Son jeune frère ne semblait pas ému à l'idée qu'on voulût transformer sa sœur en prostituée, il semblait plutôt regretter une maison où on servait du poulet et de la bière à volonté.

A peine sortis de la maison, ils tombèrent sur une figure de connaissance, la femme bien mise qu'ils avaient vue à la prison, celle qui avait donné un penny au geôlier. Il l'avait appelée Meg. Elle regarda Aliena avec une curiosité mêlée de compassion. Aliena, fâchée et gênée, détourna les yeux. La femme lui adressa la parole.

« Vous avez des ennuis, n'est-ce pas ? »

Un accent de bonté dans la voix de Meg apprivoisa Aliena.

« Oui, dit-elle après un silence. De gros ennuis.

— Je vous ai vus à la prison. Mon mari y est : j'y vais tous les jours. Et vous ?

— Mon père est enfermé.

— Mais vous n'êtes pas entrés ?

— Nous n'avons pas d'argent pour payer le geôlier. »

Par-dessus l'épaule d'Aliena, Meg regarda la porte du bordel.

« C'est ici que vous essayez de trouver de l'argent ?

— Oui, mais j'ignorais...

— Ma pauvre petite, fit Meg. Mon Annie aurait eu votre âge si elle avait vécu... Pourquoi ne venez-vous pas à la prison avec moi demain matin ? A nous deux, nous verrons si nous pouvons persuader Odo de se conduire comme un chrétien et de prendre en pitié deux enfants sans ressources.

— Oh ! Ce serait merveilleux », s'écria Aliena, touchée.

Rien que cette proposition d'aide — sans garantie de succès — lui mettait les larmes aux yeux.

Meg reprit : « Avez-vous soupé ? »

— Non.

— Venez chez moi. Je vous donnerai du pain et de la viande. » Devant le regard méfiant d'Aliena, elle ajouta : « Et sans contrepartie. »

Aliena la crut. « Merci, dit-elle, vous êtes très bonne. Bien peu de gens ont été bons avec nous. Je ne sais pas comment vous remercier.

— Inutile, dit-elle. Venez donc. »

Le mari de Meg était un marchand de laine. Il achetait des toisons que lui apportaient les paysans de la campagne environnante, les entassait dans de grands sacs, dont chacun contenait la laine de deux cent quarante moutons, et les entreposait dans la grange, derrière sa maison. Une fois par an, quand les tisseurs flamands envoyaient leurs agents acheter la douce et solide laine anglaise, le mari de Meg vendait le tout et faisait expédier les sacs par Douvres et Boulogne jusqu'à Bruges et Gand, où l'on transformait la laine en draps de qualité supérieure qu'on vendait dans le monde entier à des prix bien trop élevés pour les paysans qui gardaient les moutons. Voilà ce que Meg raconta à Aliena et à Richard durant le souper, avec ce chaleureux sourire qui proclamait les vertus de la bonté.

On avait accusé son mari de tricher sur le poids, crime que la ville prenait très au sérieux, car sa prospérité était fondée sur une réputation d'honnêteté. A en juger par la façon dont Meg en parlait, Aliena pensa qu'il était sans doute coupable. L'absence du marchand n'avait pas changé grand-chose aux affaires, car Meg avait pris sa place. D'ailleurs, en hiver, il n'y avait guère à faire : elle s'était rendue jusqu'en Flandre pour assurer à tous les agents de son mari que l'entreprise fonctionnait normalement ; elle avait fait réparer la grange et profité des travaux pour l'agrandir. Quand la tonte commencerait, elle achèterait de la laine elle-même. Elle savait en juger la qualité et discuter un prix. Elle avait déjà été admise dans la guilde des marchands de la ville, malgré la tache qui souillait la réputation de son mari, car c'était une tradition chez les marchands de s'aider quand la famille d'un autre avait des ennuis et, au demeurant, il n'avait pas encore été reconnu coupable.

Richard et Aliena mangèrent sa nourriture et burent son vin, assis auprès du feu, en bavardant jusqu'à la tombée de la nuit. Ils retournèrent alors dormir au prieuré. Cette nuit-là, Aliena rêva de son père. Il était assis sur un trône dans la prison, aussi grand, pâle et autoritaire que jamais, et elle devait s'incliner devant lui comme s'il était le roi. Il l'accusait alors de l'avoir abandonné en prison pour aller vivre dans un bordel. Scandalisée par cette injustice, elle répliquait avec colère que c'était lui qui l'avait abandonnée. Elle allait ajouter qu'il l'avait laissée à la merci de William

Hamleigh, mais elle répugnait à raconter l'outrage ; c'est alors qu'elle apercevait William dans la pièce, assis sur un lit à manger des cerises. Il cracha dans sa direction un noyau qui vint lui frapper la joue. Son père sourit et William continua de lancer des cerises sur Aliena. Elles s'écrasaient sur son visage et sur sa robe. La jeune fille se mit à pleurer car, bien que la robe fût vieille, c'était la seule qu'elle possédait, et elle était maintenant toute souillée de jus de cerise, comme des taches de sang.

La tristesse de son cauchemar l'éveilla et elle reprit contact avec la réalité, non sans un grand soulagement.

La lueur de l'aube filtrait par les fentes des murs de l'hôtellerie. Tout autour d'elle, des gens s'éveillaient, commençaient à bouger. Les moines arrivèrent bientôt, ouvrirent les portes et les volets et les convièrent au déjeuner.

Aliena et Richard mangèrent en hâte, puis se rendirent à la maison de Meg qui était prête à partir. Elle avait préparé un ragoût de bœuf épicé qu'on réchaufferait pour le souper de son mari. Aliena demanda à Richard de se charger de la lourde marmite. Aliena aurait voulu avoir quelque chose à donner à leur père mais sans argent, qu'aurait-elle pu trouver ?

Ils remontèrent la grand-rue, entrèrent dans le château par la porte de derrière puis passèrent devant le donjon et descendirent la colline jusqu'à la prison. Aliena repensait aux paroles d'Odo : « Il est mourant. » Dévorée d'inquiétude, elle demanda à Meg : « Est-ce que mon père va mal ?

— Je ne sais pas, ma chérie, dit Meg. Je ne l'ai jamais vu.

— Le geôlier dit qu'il est mourant.

— Cet homme est mauvais comme la gale. Ce qui lui plaît, c'est de rendre les autres malheureux. D'ailleurs, vous serez bientôt fixés. »

Malgré les bonnes paroles de Meg, Aliena restait profondément soucieuse. Pleine d'appréhension, elle franchit le seuil de la prison et pénétra dans la pénombre malodorante.

Odo se réchauffait les mains au feu qui brûlait au milieu de l'entrée. Il salua Meg de la tête et reconnut Aliena. « Vous avez l'argent ? dit-il.

— Je paie pour eux, annonça Meg. Voici deux pennies, un pour moi et un pour eux. »

Une expression sournoise se peignit sur le visage stupide d'Odo. « C'est deux pence pour eux : un penny chacun.

— Ne soyez pas aussi dur, fit Meg. Laissez-les entrer, sinon j'avertis la guilde des marchands et vous perdrez votre place.

— Bon, bon, gardez vos menaces », bougonna-t-il. Il désigna une arche ouvrant sur un passage dans le mur de pierre sur leur droite. « Bartholomew est par là. »

Meg ajouta : « Il va falloir de la lumière. » Elle tira deux chandelles de la poche de son manteau, les alluma au feu, et en donna une à Aliena. « Courage », murmura-t-elle en l'embrassant. Puis elle s'éloigna rapidement sous la voûte opposée.

« Merci ! » cria Aliena, mais Meg avait déjà disparu dans les ténèbres.

Tenant haut la chandelle, elle suivit les indications d'Odo et se trouva dans un minuscule vestibule. La flamme éclaira trois grosses portes, chacune barrée de l'extérieur. « Droit devant vous ! » cria Odo.

Aliena se tourna vers son frère : « Richard, soulève la barre. »

Richard fit coulisser la lourde fermeture et la posa contre le mur. En adressant au ciel une prière silencieuse, Aliena poussa la porte.

La faible lueur de sa chandelle ne traversait pas l'obscurité épaisse de la cellule. Aliena scruta un moment les ténèbres qui sentaient les latrines. Une voix s'éleva : « Qui est-ce ?

— Père ? » chuchota Aliena. Elle distingua enfin une silhouette sombre assise sur le sol couvert de paille.

« Aliena ? » L'incrédulité faisait trembler sa voix. « C'est Aliena ? »

Au comble de l'émotion, elle s'approcha, brandissant la chandelle. La flamme éclaira un visage. Aliena eut un sursaut d'horreur.

Son père était méconnaissable.

Habituellement plutôt maigre, il avait maintenant l'air d'un squelette. Il était d'une saleté repoussante, vêtu de haillons. « Aliena ! fit-il. C'est toi ! » Son visage se crispa dans un sourire, une grimace de mort.

La jeune fille éclata en sanglots. Jamais elle n'aurait pu imaginer le choc qui l'attendait. Le monstre Odo avait dit la vérité : Bartholomew était mourant. Et, pourtant, il éprouvait encore de la joie à la voir. Incapable de surmonter l'angoisse qui l'étouffait, elle tomba à genoux, secouée de grands sanglots.

Son père s'avança péniblement vers elle et passa un bras autour de ses épaules. Il la caressa comme on console un enfant qui s'est écorché. « Ne pleure pas, dit-il doucement. Tu viens de rendre ton père si heureux. »

Aliena sentit qu'on lui enlevait sa chandelle. Son père reprit : « Et ce grand jeune homme, c'est mon Richard ?

— Oui, père », dit Richard d'une voix étranglée.

Aliena étreignit le comte et sentit son corps décharné, épuisé. Elle aurait voulu lui dire quelque chose, trouver des mots d'affection ou de réconfort, mais elle sanglotait si fort qu'elle n'arrivait pas à parler.

« Richard, continuait Bartholomew, comme tu as grandi ! As-tu de la barbe ?

— Elle commence à pousser, père, mais elle est très blonde. »

La voix du garçon trahissait son émotion. Au bord des larmes, il essayait de toutes ses forces de ne pas craquer devant son père. Il devait se montrer un homme.

A force de s'inquiéter pour Richard, Aliena cessa de pleurer. Au prix d'un gros effort, elle recouvra son calme. Elle serra encore une fois contre elle le corps sans forces de son père puis elle se dégagea et s'essuya les yeux.

« Allez-vous bien, tous les deux ? » demanda le vieil homme. Il parlait d'un ton lent et d'une voix faible. « Comment vous êtes-vous débrouillés ? Où avez-vous vécu ? On n'a rien voulu me dire — c'était la pire des tortures. Mais vous paraissez en bonne santé ! Quel bonheur ! »

La pire des tortures : Aliena se demanda s'il avait subi des sévices, mais elle ne lui posa pas la question : elle avait trop peur de la réponse.

« Nous allons bien, père », dit-elle, préférant le mensonge à une vérité effrayante pour lui et qui pèserait trop lourd sur ses derniers jours de vie. « Nous habitions le château, Matthew s'est occupé de nous.

— Vous ne pouvez plus habiter là-bas. Le roi a nommé comte ce gros porc de Percy Hamleigh : il va disposer du château. » Il connaissait donc la nouvelle, pensa Aliena. « Justement, dit-elle, nous l'avons quitté. »

La main de son père tâta sa robe, la vieille robe de toile

offerte par la femme du garde forestier. « Qu'est-ce que c'est ? s'étonna-t-il. Tu as vendu tes vêtements ? »

Ce ne serait pas facile de le tromper. Aliena décida de lui dire une partie de la vérité. « Nous avons quitté le château en hâte et nous n'avons pas de vêtements.

— Où est Matthew ? Pourquoi n'est-il pas avec vous ? »

Elle redoutait tellement cette question ! Elle hésita. Ce ne fut qu'une seconde ce silence, mais il la remarqua. « Allons ! N'essaie pas de me cacher la vérité ! dit-il en retrouvant un peu de son autorité d'autrefois. Où est Matthew ?

— Il a été tué par les Hamleigh, dit-elle. Mais ils ne nous ont fait aucun mal. » Elle retint son souffle. La croirait-il ?

« Pauvre Matthew, murmura le comte en secouant la tête. Il n'a jamais été un combattant. J'espère qu'il est allé droit au ciel. »

Vaguement soulagée, Aliena détourna la conversation de ce terrain dangereux. « Nous avons décidé de nous rendre à Winchester pour demander au roi de prendre des mesures en notre faveur, mais il...

— Inutile, interrompit son père. Il ne ferait rien pour vous. »

Aliena fut blessée du ton sec de la réplique. Après tout ce qu'elle avait fait, elle aurait voulu l'entendre dire : *Tu as bien agi*. Il avait toujours été prompt à corriger et lent à féliciter. Docilement, elle demanda : « Que devons-nous faire maintenant, père ? »

Il bougea un peu brusquement, ce qui provoqua un bruit de ferraille. Aliena comprit avec horreur qu'il était enchaîné. « J'ai caché un peu d'argent. Un heureux hasard. J'avais cinquante besants dans une ceinture sous ma chemise. Je les ai confiés à un prêtre.

— Cinquante ! » s'exclama Aliena. Cette pièce d'or frappée à Byzance, d'où son nom, valait vingt-quatre pennies d'argent. Cinquante valaient... Elle n'arrivait pas à le calculer. D'ailleurs, elle n'en avait jamais vu plus d'une à la fois.

« Quel prêtre ? demanda Richard, plus pratique que rêveur.

— Le père Ralph, de l'église Saint-Michaël près de la porte nord.

— On peut compter sur lui ? interrogea Aliena.

— Je l'espère. Je ne sais pas. Le jour où les Hamleigh m'ont emmené à Winchester, avant qu'on ne m'enferme ici, je me suis trouvé seul avec lui à peine quelques instants. C'était ma seule chance. Je lui ai remis la ceinture en le suppliant de la garder pour vous. Cinquante besants valent cinq livres d'argent. »

Cinq livres ! Cet argent transformerait leur existence. Ils ne seraient plus sans ressources ; ils pourraient acheter du pain et une paire de bottes pour remplacer ces pénibles sabots, et même un couple de poneys s'ils avaient besoin de voyager. Cela ne résolvait pas tous leurs problèmes, mais au moins éloignait ce sentiment effrayant de frôler constamment le gouffre. Libérée de l'obsession du lendemain, Aliena pourrait se consacrer à quelque chose de constructif, par exemple trouver le moyen de faire sortir leur père de son horrible prison. « Quand nous aurons l'argent, dit-elle, à qui faudra-t-il s'adresser pour obtenir votre libération ?

— Je ne sortirai pas d'ici, répondit-il brutalement. N'y pense pas. Si je n'étais pas déjà mourant, on m'aurait pendu. »

Aliena resta pétrifiée. Comment pouvait-il parler ainsi ?

« Tu es choquée ? reprit-il. Le roi veut se débarrasser de moi, mais en laissant agir la maladie, il n'aura pas ma mort sur la conscience.

— Père, intervint Richard, cet endroit n'est pas bien gardé pendant l'absence du roi. Je suis persuadé qu'avec l'aide de quelques hommes je pourrais vous faire sortir. »

Aliena n'y croyait pas. Richard n'avait ni les moyens ni l'expérience d'organiser une évasion. Il était trop jeune pour se trouver des complices efficaces. Cependant le comte n'exprima pas, comme Aliena le craignait, le moindre dédain pour une proposition si naïve. Il dit simplement : « Oublie ce projet. Si tu entres ici de force, je refuserai de partir avec toi. »

Aliena savait qu'il était inutile de discuter avec son père une fois sa décision prise. Pourtant, comment accepter qu'il finisse ses jours dans cette geôle puante ? Ne pourrait-elle trouver une façon d'améliorer sa lamentable situation ? « Eh bien, dit-elle tout haut, si vous êtes condamné à rester ici, nous allons nettoyer et apporter de la paille fraîche. Chaque jour nous vous apporterons une nourriture chaude.

Nous nous procurerons des chandelles et, pourquoi pas, une Bible. Vous aurez un feu...

— Arrête ! coupa le comte. Tu ne feras rien du tout. Je ne veux pas que mes enfants perdent leur vie à traîner dans une prison en attendant la mort d'un vieil homme. »

Les larmes montèrent aux yeux d'Aliena. « Mais nous ne pouvons pas vous laisser dans cet état ! »

Il ignora sa remarque, ce qui était sa réaction habituelle avec les gens qui se risquaient à le contredire. « Ta chère mère avait une sœur, votre tante Edith. Elle habite le village de Huntleigh, sur la route de Gloucester, avec son mari qui est chevalier. Allez là-bas. »

Aliena pensa aussitôt que cette solution leur permettrait de voir leur père de temps en temps. Tante Edith et oncle Simon... Elle ne les avait pas vus depuis la mort de leur mère. Elle gardait le vague souvenir d'une femme mince et nerveuse comme sa mère et d'un grand homme jovial qui mangeait et buvait beaucoup. « Ils voudront bien s'occuper de nous ? demanda-t-elle timidement.

— Bien sûr. Ce sont tes parents. »

La raison semblait suffisante, même pour une modeste famille de chevaliers. Bartholomew les rassura tout à fait, elle pouvait avoir confiance. « Que ferons-nous là-bas ? demanda-t-elle.

— Richard sera l'écuyer de son oncle et apprendra les arts de la chevalerie. Tu seras dame d'honneur de tante Edith jusqu'à ton mariage. »

Maintenant que son père prenait les choses en main, Aliena avait l'impression que la responsabilité de ces derniers jours avait été trop lourde pour elle, qu'elle avait porté pendant d'interminables lieues un fardeau dont elle ne mesurait le poids qu'au moment de le déposer enfin. L'autorité de son père, sa maîtrise de la situation, même alors qu'il était malade et prisonnier, la réconfortaient et adoucissaient son chagrin. Il était si fort, si sûr...

Avec autorité, il ajouta : « Avant de me quitter, je veux que vous prêtiez tous deux serment. »

Stupéfaite, Aliena se souvint qu'il leur avait toujours déconseillé de prêter serment. *Prêter serment, c'est mettre son âme en péril*, disait-il. *Ne faites jamais un serment à moins d'être capables de mourir plutôt que de vous parjurer*. Il en donnait lui-même un exemple éclatant : les barons de la conjuration n'avaient pas tenu leur parole et avaient accepté Stephen comme roi. Bartholomew avait refusé, préférant mourir que de ne pas respecter son serment.

« Donne-moi ton épée », dit-il à Richard.

Le garçon la lui tendit.

Leur père prit l'arme par la pointe.

« Agenouille-toi. »

Richard obéit.

« Pose les mains sur la garde. » Il marqua un temps, comme s'il rassemblait ses forces, puis sa voix retentit, profonde : « Jure par Dieu tout-puissant, par Jésus-Christ et tous les saints que tu n'auras pas de repos avant d'être comte de Shiring et seigneur de toutes les terres sur lesquelles je régnais. »

Aliena ne s'attendait certes pas à ces paroles. Un serment moral, un engagement de loyauté ou de respect à Dieu, oui. Mais il s'agissait là d'une tâche très précise, qui déterminait toute une vie.

Richard prit une profonde inspiration et répéta d'une voix qui tremblait un peu : « Je jure par Dieu tout-puissant, par Jésus-Christ et par tous les saints que je n'aurai pas de repos tant que je ne serai pas comte de Shiring et seigneur de toutes les terres sur lesquelles vous régniez. »

Leur père soupira comme s'il avait terminé une lourde tâche. Puis il se tourna vers Aliena et lui tendit la garde de l'épée.

« Jure par Dieu tout-puissant, par Jésus-Christ et par tous les saints que tu veilleras sur ton frère Richard jusqu'à ce qu'il ait accompli son vœu. »

Accablée, Aliena prit conscience que son destin venait d'être irrévocablement tracé, sans qu'elle ait la moindre liberté d'en discuter. Un destin de vengeance, notamment contre William Hamleigh qui perdrait son héritage s'ils accomplissaient leur serment. Des portes venaient de se fermer derrière elle et il ne lui restait qu'à avancer sur le chemin où son père venait de la placer. Elle posa sa main sur la garde de l'épée et, comme son frère, jura puis se signa. C'était fait. J'ai prêté serment, songea-t-elle, et je dois mourir plutôt que de me parjurer. Cette pensée lui apporta une sorte de rageuse satisfaction.

« Bien, dit leur père d'une voix brusquement affaiblie. Maintenant vous n'aurez plus à reparaître ici. »

Aliena ne voulait pas entendre de tels propos. « Oncle

Simon peut nous conduire de temps en temps, nous vous rendrons visite, vous ne manquerez de...

— Non, répliqua-t-il d'un ton sévère. Vous avez tous les deux une tâche à accomplir. Ne gaspillez pas vos forces à vous occuper d'un prisonnier. »

Malgré l'autorité hautaine qu'exprimaient les paroles du comte, Aliena ne put s'empêcher de protester contre la sévérité de sa décision. « Laissez-nous revenir juste une fois, pour vous apporter de quoi améliorer un peu... »

— Je n'ai besoin de rien.

— Je vous en prie...

— Jamais. »

Cet homme se montrait décidément aussi dur pour lui-même qu'il l'était avec autrui. Aliena céda. « Très bien, dit-elle dans un sanglot.

— Partez maintenant.

— Déjà ?

— Oui. Cette prison est un lieu de désespoir, de pourriture et de mort. Maintenant que je vous ai vus, et que je vous sais en bonne santé, que vous avez promis de rebâtir ce que nous avons perdu, je suis pleinement satisfait. La seule chose qui pourrait détruire mon bonheur serait que vous perdiez votre temps en allées et venues pour me rendre visite. Partez.

— Papa, non ! s'écria Aliena au désespoir.

— Écoute, dit le comte d'une voix adoucie. J'ai vécu une vie honorable. J'ai confessé mes péchés. Je suis prêt pour l'éternité. Priez pour mon âme. Allez. »

Aliena se pencha pour l'embrasser sur le front. Ses larmes ruisselaient sur le visage de son père. « Adieu, père chéri », murmura-t-elle.

Richard se baissa à son tour. « Adieu, père, dit-il d'une voix mal assurée.

— Que Dieu vous bénisse tous les deux et vous aide à accomplir vos vœux », dit leur père.

Richard lui laissa la chandelle. Sa sœur et lui se dirigèrent vers la porte. Sur le seuil, Aliena se retourna. Dans la lumière incertaine, le visage décharné du vieil homme était figé dans une expression de calme détermination qu'elle connaissait bien. Elle le fixa jusqu'au moment où les larmes obscurcirent sa vision. Puis elle se détourna, traversa le hall de la prison et déboucha à l'air libre.

VI

Richard ouvrait la marche. Aliena suivait, assommée de chagrin. C'était comme si leur père était déjà mort — pire même, car lui souffrait encore. Dans un brouillard, elle entendit Richard demander leur chemin. Elle marchait mécaniquement et s'arrêta quand il s'arrêta, devant une petite église en bois contre laquelle s'appuyait un taudis. D'un regard circulaire, Aliena découvrit un quartier pauvre de petites maisons croulantes et de rues crasseuses où des chiens affamés poursuivaient les rats parmi les ordures tandis que des enfants jouaient pieds nus dans la boue. « Ce doit être Saint-Michaël », dit Richard.

L'appentis qui jouxtait l'église était, supposèrent-ils, la maison du prêtre. Sa seule fenêtre était fermée par des volets, la porte, elle, grande ouverte. Ils entrèrent.

Un feu brûlait au milieu de l'unique pièce, meublée d'une table grossièrement taillée, de quelques tabourets et d'un tonneau de bière dans le coin. Des joncs couvraient le sol. Près du feu, un homme assis sur une chaise buvait à une grande coupe. D'une cinquantaine d'années, petit et mince, avec un nez rouge et des touffes de cheveux gris, il portait des vêtements ordinaires, un gilet sale sur une tunique marron, et des sabots.

« Père Ralph ? demanda Richard d'un ton hésitant.

— Et si c'était moi ? » répondit-il bizarrement.

Aliena soupira. Pourquoi les gens prenaient-ils tant de plaisir à compliquer un monde déjà si compliqué ? Découragée d'avance à l'idée d'affronter un mauvais caractère, elle laissa Richard s'expliquer : « C'est donc bien vous, n'est-ce pas ? »

La réponse vint par hasard. Une voix dehors cria : « Ralph ? Tu es là ? » Puis une femme d'un certain âge entra, donna au prêtre un quignon de pain et une grande écuelle qui sentait le ragoût de viande. Pour une fois, l'odeur de la cuisine ne fit pas saliver Aliena : elle était trop choquée pour avoir faim. La femme, sans doute une des paroissiennes de Ralph, était vêtue aussi pauvrement que lui. Le prêtre accepta la nourriture sans dire un mot et se mit à manger. La femme jeta un coup d'œil indifférent à Aliena et à Richard, puis disparut.

« Eh bien, dit Richard, père Ralph, je suis le fils de Bartholomew, l'ancien comte de Shiring. »

L'homme s'arrêta de manger. Son visage exprimait l'hostilité et un autre sentiment qu'Aliena n'arrivait pas à déchiffrer : peur ? remords ? Il reporta son attention sur son souper en marmonnant : « Que me voulez-vous ? »

Aliena tremblait d'anxiété.

« Vous savez ce que je veux, dit Richard. Mon argent. Cinquante besants.

— Je ne sais pas de quoi vous parlez ! »

Aliena le regarda, incrédule. Père avait laissé de l'argent pour eux à ce prêtre — il l'avait dit, c'était forcément la vérité.

Richard pâlit. « Expliquez-vous, demanda-t-il.

— Je le répète : je ne sais pas de quoi vous parlez. Maintenant, filez. » Il plongea sa cuiller dans le ragoût.

L'homme mentait, bien sûr ; mais que faire ? Richard insista : « Mon père vous a laissé cinquante besants en vous chargeant de me les remettre. Où sont-ils ?

— Votre père ne m'a rien donné.

— Il l'a dit lui-même.

— Il a menti. »

Si le comte était incapable d'une chose, c'était justement de mentir. Aliena à son tour prit la parole : « C'est vous le menteur. »

Ralph haussa les épaules. « Allez vous plaindre au prévôt.

— Vous aurez de graves ennuis si nous le faisons. Dans cette ville, on coupe les mains des voleurs. »

L'ombre de la peur passa brièvement sur le visage du prêtre, mais il répondit d'un ton de défi : « Ce sera ma parole contre celle d'un traître en prison — si votre père vit assez longtemps pour témoigner. »

Aliena dut admettre qu'il avait raison. On ne pouvait compter sur aucun témoin de l'affaire, puisqu'il s'agissait d'un secret. Cet argent ne devait pas tomber aux mains du roi ni de Percy Hamleigh, ni d'aucun des rapaces qui tournaient autour des possessions d'un homme ruiné. Comme dans la forêt, songea Aliena avec amertume, les gens pouvaient les dépouiller, Richard et elle, en toute impunité, car ils étaient les enfants d'un noble déchu. Pourquoi ai-je peur de ces hommes ? se demanda-t-elle avec colère. Pourquoi n'ont-ils pas peur de moi ?

Richard s'écarta légèrement et dit à voix basse : « Il a raison, n'est-ce pas ?

— Oui, répliqua-t-elle d'un ton mordant. Inutile de nous plaindre au prévôt. » La seule fois où des hommes avaient eu peur d'elle, c'était dans la forêt, quand elle avait poignardé le gros hors-la-loi. L'autre s'était enfui à toutes jambes. Ce prêtre ne valait pas mieux que le hors-la-loi. De plus, il était vieux et faible, sans doute peu habitué à affronter des adversaires décidés. Elle se résolut à tenter l'essai.

« Alors, demanda Richard, qu'allons-nous faire ? »

Aliena céda à une furieuse impulsion. « Brûler sa maison », dit-elle. Elle s'avança jusqu'au milieu de la pièce et de son sabot donna un coup de pied dans le feu, éparpillant les bûches rougeoyantes. La paille autour du feu s'enflamma aussitôt.

Ralph poussa un cri et fit mine de se lever de son siège. Son pain tomba, son ragoût se renversa sur ses genoux ; mais, sans lui laisser le temps de se mettre debout, Aliena était sur lui. Au paroxysme de la fureur, elle agissait sans réfléchir. Elle poussa le prêtre qui s'effondra sur le sol. Sans attendre elle se laissa tomber sur lui, les genoux sur sa poitrine, lui coupant le souffle. « Espèce de païen voleur, menteur et impie, hurla-t-elle tout contre son visage, je vais te faire griller ! »

Le prêtre jeta un regard affolé de côté. Richard avait dégainé son épée et la brandissait, prêt à frapper. Le visage du prêtre devint gris et il murmura : « Vous êtes le diable...

— C'est vous qui volez l'argent à de pauvres enfants ! »

A sa portée, elle avisa une bûche qui commençait à brûler à une seule extrémité. Elle l'attrapa par le côté intact et approcha du prêtre le bout enflammé. « Je vais te brûler les yeux l'un après l'autre. D'abord le gauche...

— Non, je vous en prie, murmura-t-il. Je vous en prie, ne me faites pas de mal. »

Aliena, malgré son excitation, s'étonnait de la rapidité avec laquelle il s'effondrait. Elle se rendit compte que les joncs brûlaient de plus en plus vite autour d'elle. « Alors, dit-elle, presque calmement, où est l'argent ? »

Le prêtre bégaya : « Dans l'église.

— Où exactement ?

— Sous la pierre derrière l'autel. »

Aliena se tourna vers Richard. « Garde-le pendant que je vais vérifier, dit-elle. S'il bouge, tue-le.

— Attention, répondit son frère, pris de panique, la maison va brûler sur nous. » Aliena alla jusqu'au coin de la pièce et ôta le couvercle du tonneau, qu'elle renversa. La bière se répandit sur le sol, mouillant les roseaux et éteignant les flammes.

Aliena sortit en courant. Elle avait vraiment failli brûler les yeux du prêtre et, loin d'en avoir honte, se laissait griser par un sentiment de puissance. Plus jamais on ne la traiterait en victime !

Elle se précipita jusqu'à l'église et secoua la porte. Elle était fermée par un petit verrou. Qu'à cela ne tienne. Elle tira la dague qu'elle cachait dans sa manche, glissa la lame dans l'entrebâillement de la porte. La serrure sauta, la porte s'ouvrit toute grande et Aliena pénétra à l'intérieur de l'édifice.

C'était une église extrêmement pauvre à peine décorée par quelques peintures rudimentaires sur les murs blanchis à la chaux, et dont l'autel constituait le seul mobilier. Dans un coin, la flamme d'une unique chandelle vacillait sous une petite effigie en bois, probablement saint Michaël.

Tranchant sur le sol en terre battue, on voyait une grande dalle de pierre derrière l'autel. La cachette manquait de discrétion mais qui aurait pris la peine de cambrioler une église visiblement aussi pauvre ? Aliena mit un genou en terre et poussa la pierre, qui ne bougea pas. Elle commença à s'inquiéter. On ne pouvait pas compter sur Richard pour maintenir Ralph indéfiniment. Le prêtre pouvait s'échapper, appeler à l'aide. Aliena eut un frisson d'angoisse en se rendant compte qu'elle faisait partie, maintenant, du camp des hors-la-loi.

Cette pensée lui redonna des forces. Dans un effort qui lui tira un gémissement, elle déplaça la pierre d'un pouce ou deux. Un trou apparut, profond d'un pied environ. Aliena s'acharna si bien qu'elle parvint à dégager un passage où elle plongea le bras. Sa main rencontra une large ceinture de cuir qu'elle extirpa de la cachette. « Voilà ! dit-elle tout haut. Je l'ai. » La fierté, l'orgueil même d'avoir triomphé du prêtre malhonnête et retrouvé l'argent de son père cédèrent vite la place à l'inquiétude : la ceinture semblait anormalement légère. Elle l'ouvrit et se mit à compter les pièces qu'elle entendait tomber : dix ! Dix besants valaient une livre d'argent. Où était le reste ? Le père Ralph l'aurait-il dépensé ? La rage l'étouffait. L'argent de son père représentait son seul bien au monde et il fallait qu'un voleur de prêtre lui en prenne les quatre cinquièmes ! Elle bondit hors de l'église. Dans la rue, un passant la regarda comme une bête curieuse. Sans s'en soucier, elle rejoignit la maison du prêtre.

Richard, assis sur le corps du père Ralph, tenait la lame de son épée sur la gorge de son prisonnier. Aliena franchit la porte en criant : « Où est le reste ?

— Parti », murmura le prêtre.

Elle s'agenouilla et approcha du visage en sueur la lame de son couteau.

« Parti comment ?

— Je l'ai dépensé », avoua-t-il, d'une voix que la peur rendait rauque.

Aliena aurait voulu le tailler en morceaux, mais à quoi cela mènerait-il ? Il fallait affronter la réalité.

D'une voix aiguë, elle cria : « Je te couperais bien une oreille si je pouvais la vendre pour un penny ! » Le prêtre s'agita, affolé.

Inquiet, Richard prit la parole : « Il a dépensé l'argent, on n'y peut rien. Emportons ce qui reste et partons. »

Il avait raison, se dit Aliena à regret. Sa colère se dissipait pour laisser place à l'amertume. Ils ne tireraient plus rien du prêtre et, plus ils s'attardaient, plus ils couraient le risque qu'on les surprenne. Elle remit les pièces d'or dans la ceinture et la boucla autour de sa taille sous son manteau. Un doigt braqué sur le prêtre, elle cracha : « Je reviendrai un jour pour te tuer. »

Puis elle sortit.

Richard la rattrapa dans la rue étroite. « Tu as été merveilleuse ! dit-il, tout excité. Tu l'as écrasé... et tu as l'argent ! »

Elle acquiesça d'un air morne. Maintenant que sa colère était calmée, elle se sentait abattue et malheureuse.

« On va acheter quelque chose ? demanda-t-il.

— Juste un peu de nourriture pour le voyage.

— Pas de chevaux ?

— Pas avec une livre !

— Quand même, nous pourrions t'acheter des bottes. »

Elle réfléchit. Les sabots la torturaient, mais le sol était trop froid pour marcher pieds nus. Des bottes, toutefois, coûtaient cher et elle répugnait à dépenser leur argent si vite. « Non, décida-t-elle. Je vivrai encore quelques jours sans bottes. Pour l'instant, gardons l'argent. »

Quoique déçu, Richard s'inclina. « Si tu veux. Mais on va acheter des provisions ?

— Du pain de son, du fromage et du vin.

— Prenons quelques tartes.

— C'est trop cher.

— Oh ! » Richard demeura un moment silencieux avant d'ajouter : « Tu es vraiment d'une humeur de chien aujourd'hui, Alie.

— Je sais », fit-elle en soupirant. Elle pensa : pourquoi suis-je ainsi ? Je devrais être fière. J'ai réussi à nous sortir du château, j'ai défendu mon frère, j'ai retrouvé mon père, j'ai maintenant notre argent.

Oui, mais j'ai aussi plongé un couteau dans le ventre d'un gros homme que j'ai demandé à mon frère de tuer, et j'ai approché un tison du visage d'un prêtre à qui j'ai failli arracher les yeux.

« C'est à cause de Père ? dit Richard gentiment.

— Non, pas du tout, répondit Aliena. C'est à cause de moi. »

Aliena regretta bientôt de ne pas avoir acheté des bottes.

Sur la route de Gloucester, elle porta les sabots jusqu'au moment où ils lui mirent les pieds en sang, puis elle marcha pieds nus mais bientôt elle ne put supporter le froid et elle chaussa de nouveau les sabots.

La région des collines était parsemée d'une multitude de petites fermes ; de pauvres paysans cultivaient un arpent d'avoine ou de blé, élevaient quelques bêtes décharnées. Aliena, lorsqu'elle pensa approcher de Huntleigh, s'arrêta à la lisière d'un village pour aborder un paysan en train de tondre un mouton dans une cour de ferme. Il avait bloqué la tête de la bête dans une sorte de carcan en bois et il coupait la laine avec un couteau à longue lame.

« Il est tôt pour tondre », remarqua Aliena.

Le paysan, un jeune homme aux cheveux roux, lui sourit. Il avait les manches retroussées sur des bras musclés. « Oui, mais j'ai besoin d'argent. Tant pis pour les moutons, je dois manger.

— Combien la laine rapporte-t-elle ?

— Un penny la toison. Malheureusement il faut que j'aille jusqu'à Gloucester pour les vendre, ce qui me fait

418

perdre une journée aux champs juste quand il y a le gros travail du printemps. »

Malgré ses misères, il paraissait plutôt de bonne humeur.

« Quel est ce village ? lui demanda Aliena.

— Les étrangers l'appellent Huntleigh », dit-il. Les paysans ne désignaient jamais leur village autrement que par l'expression « le village ». Les noms étaient réservés à l'usage des étrangers. « Qui êtes-vous ? demanda-t-il avec une franche curiosité. Qu'est-ce qui vous amène ici ?

— Je suis la nièce de Simon de Huntleigh, dit Aliena.

— Vraiment ? Eh bien, vous le trouverez dans la grande maison. Remontez quelques pas cette route, puis prenez le chemin à travers champs.

— Merci. »

Le village se blottissait au milieu des champs labourés comme dans un grand nid. Une vingtaine de petites habitations s'entassaient autour du manoir, lui-même guère plus grand que la demeure d'un paysan prospère. Tante Edith et oncle Simon n'étaient apparemment pas très riches. Un groupe d'hommes discutait devant le manoir, dont l'un, en veste écarlate, semblait être le seigneur. Aliena l'observa : elle n'avait pas vu son oncle Simon depuis douze ou treize ans, mais elle devinait que c'était lui — sauf que dans son souvenir de petite fille, il lui paraissait plus grand qu'aujourd'hui, plus chevelu et plus mince. A cet instant, il désigna un des deux chevaux qui se trouvaient là : « Il est très haut du garrot, cet animal. » Aliena reconnut aussitôt la voix râpeuse et un peu essoufflée.

Elle commençait à se détendre. Désormais son frère et elle seraient nourris, vêtus, soignés et protégés : fini le pain de son et le mauvais fromage, fini les nuits dans les granges et les journées sur les routes, une main sur l'épée. On allait lui donner un lit douillet, une nouvelle robe et du rôti de bœuf au souper.

Oncle Simon croisa le regard de la jeune fille, qu'il ne reconnut pas tout de suite. « Regardez-moi ça, dit-il à ses hommes. Une belle fille et un futur soldat qui viennent nous voir. » Puis son expression changea : ces nouveaux arrivants n'étaient pas de parfaits étrangers. « Je te connais, n'est-ce pas ?

— Oui, oncle Simon, dit Aliena, vous me connaissez. »

Il sursauta. « Par tous les saints ! La voix d'un fantôme ! »

Comme Aliena s'étonnait, il expliqua, en la dévisageant de près : « Ta mère avait la même voix, du miel coulant d'une jarre. D'ailleurs, tu es aussi belle qu'elle, par le Christ. » Il tendit la main pour lui toucher le visage et elle s'écarta aussitôt. « Ah ! Tu es aussi raide que ton fichu père, je vois. Je pense que c'est qui lui t'envoie ici, n'est-ce pas ? »

Aliena se hérissa. L'expression « ton fichu père » lui déplaisait. Mais des protestations n'auraient fait qu'aggraver les choses. Elle se mordit donc la langue et répondit docilement. « Oui. Il a dit que tante Edith s'occuperait de nous.

— Eh bien, il s'est trompé. Tante Edith est morte. Qui plus est, depuis la disgrâce de ton père, la moitié de mes terres sont passées à cette grosse brute de Percy Hamleigh. Les temps sont durs ici. Alors vous pouvez retourner d'où vous venez et rentrer à Winchester. Je ne veux pas de vous. »

Bouleversée, Aliena sentit le sol se dérober. « Nous sommes votre parenté ! » dit-elle, malgré l'air dur de son oncle.

Il s'adoucit imperceptiblement, mais sa réponse n'en fut pas moins ferme. « Tu n'es pas ma parenté. Tu étais la nièce de ma première femme. Même du vivant d'Edith, elle ne voyait jamais sa sœur, à cause de cet âne pompeux que ta mère avait épousé.

— Nous travaillerons, supplia Aliena. Nous sommes tous les deux prêts...

— Ne te fatigue pas. Je ne veux pas de toi ni de ton frère. »

Aliena, scandalisée, comprit que toute discussion était aussi inutile que les prières. Un échec de plus, qui ajoutait à son amertume. Une semaine plus tôt, devant un tel accueil, elle aurait éclaté en sanglots. Aujourd'hui, la violence remplaçait le chagrin ; elle avait envie de lui cracher au visage.

« Je m'en souviendrai, dit-elle, quand Richard sera comte et que nous reprendrons le château.

— Est-ce que je vivrai assez vieux pour le voir ? » fit-il en riant.

Pour mettre fin à leur humiliation, Aliena prit le bras de Richard.

« Allons-nous-en. Nous nous débrouillerons tout seuls. »

L'oncle Simon était déjà retourné à l'inspection de son cheval. Ses compagnons paraissaient un peu gênés. Aliena et Richard s'éloignèrent.

Lorsqu'ils furent hors de portée d'oreille, Richard ne retint plus ses gémissements. « Que faire ? Mais que faire ? répétait-il.

— Nous allons montrer à ces gens sans cœur que nous sommes meilleurs qu'eux », dit sa sœur d'un ton résolu. En réalité, elle ne se sentait aucun courage, seulement une immense haine pour l'oncle Simon, pour le père Ralph, pour Odo le geôlier, pour les hors-la-loi, pour le garde forestier et, par-dessus tout, pour William Hamleigh.

« Heureusement que nous avons un peu d'argent », dit Richard.

Ces malheureuses pièces ne dureraient pas éternellement. « Nous ne pouvons pas le dépenser sans réfléchir, objecta Aliena. Si nous l'utilisons pour acheter la nourriture, nous nous retrouverons vite sans ressources. Il faut en faire quelque chose.

— Moi, dit Richard, je trouve que nous devrions acheter un poney. »

Elle haussa le sourcil. Est-ce qu'il plaisantait ? « Nous n'avons pas de position, pas de titre et pas de terre, expliqua-t-elle avec impatience. Le roi refuse de nous aider. Nous ne pouvons pas nous faire engager comme ouvriers : la preuve, c'est qu'à Winchester personne n'a voulu de nous. Pourtant, il faut quand même gagner notre vie et faire de toi un chevalier.

— Je comprends... »

Sa réponse manquait tellement de conviction, qu'elle ne trompa pas la jeune fille, qui insista : « Il faut trouver une occupation qui nous nourrira et nous donnera au moins une chance de gagner assez d'argent pour t'acheter un bon cheval.

— Tu suggères que je m'engage comme apprenti artisan ? »

Aliena secoua la tête. « Tu dois devenir chevalier, pas charpentier. Avons-nous déjà rencontré quelqu'un qui mène une vie indépendante sans talent spécial ?

— Oui, s'écria aussitôt Richard. Meg, à Winchester. »

Il avait raison. Meg faisait le commerce de la laine, bien qu'elle n'eût jamais appris le métier. « Meg a un étal au marché. » Ils repassaient devant le paysan roux qui leur avait indiqué leur chemin. Ses quatre moutons tondus pais-saient dans le champ et il était en train de nouer des ballots de leur toison avec une corde de roseau. Il leva les yeux de son travail et leur fit un signe. Il allait bientôt apporter sa laine en ville et la livrer aux marchands. Des marchands avec pignon sur rue... ou pas ?

Une idée se formait dans l'esprit d'Aliena.

Elle se retourna brusquement.

« Où vas-tu ? » dit Richard.

Trop excitée pour lui répondre, elle s'appuya à la barrière de la cour. « Combien avez-vous dit que vous comptiez tirer de votre laine ? demanda-t-elle au berger.

— Un penny la toison, répéta-t-il.

— Mais vous perdrez votre journée en voyage d'ici à Gloucester et retour.

— C'est vrai, malheureusement.

— Si j'achetais votre laine, moi ? Ça vous éviterait le déplacement.

— Aliena ! intervint Richard. Nous n'avons pas besoin de laine !

— Tais-toi, Richard. » Avant d'expliquer son idée à son frère, elle voulait l'essayer sur le paysan.

« Ce serait bien obligeant, dit le paysan d'un air méfiant.

— Seulement, je ne pourrais pas vous offrir un penny la toison.

— Ah ! ah ! Je pensais bien qu'il y avait un hic.

— Je pourrais vous donner deux pence pour quatre toi-sons.

— Comment ! Elles valent un penny chacune ! protesta-t-il.

— A Gloucester. Nous sommes à Huntleigh. »

Il secoua la tête. « Je préfère perdre une journée aux champs et gagner mes quatre pence plutôt que de gagner une journée et perdre deux pence.

— Si je vous offre trois pence pour quatre toisons ?

— Je perds un penny.

— Mais vous économisez une journée de voyage. »

Le paysan roulait des yeux ahuris. « Je n'ai jamais rien entendu de pareil.

— C'est comme si j'étais charretier et que vous me don-niez un penny pour livrer votre laine au marché. » Elle trou-vait la lenteur du paysan exaspérante. « Le problème est de savoir si une journée de plus aux champs vaut pour vous un penny ou non ?

— Ça dépend de ce que je fais de la journée, dit-il d'un ton songeur.

— Aliena, intervint Richard, qu'allons-nous faire de quatre toisons ?

— Les vendre à Meg, évidemment, répondit-elle en haussant les épaules. Un penny chacune. Ainsi nous aurons gagné un penny.

— Il faudra faire tout le chemin jusqu'à Winchester pour un penny ?

— Idiot ! Nous achèterons de la laine à cinquante paysans et nous emporterons le tout à Winchester. Tu ne comprends pas ? Nous gagnerions cinquante pennies ! De quoi nous nourrir *et* économiser pour t'acheter un bon cheval ! »

Elle se retourna vers le paysan. Perplexe, il se grattait la tête. Aliena priait le ciel intérieurement de l'aider à convaincre cet homme d'accepter son offre. Ce serait la première étape vers l'accomplissement du vœu qu'elle avait fait à son père. Mais que les paysans étaient entêtés ! Elle mourait d'envie de le secouer par le collet. Au lieu de cela, elle plongea la main dans son manteau et fouilla dans sa bourse, où s'entassaient les pence d'argent qu'ils s'étaient procurés en échange des besants d'or. Elle montra trois pièces au paysan.

« Tenez, dit-elle. C'est à prendre ou à laisser. »

La vue de l'argent emporta la décision. « Marché conclu », dit-il en empochant l'argent.

Aliena sourit. Elle avait trouvé la solution.

Cette nuit-là, elle utilisa comme oreiller une toison roulée en boule. L'odeur du mouton lui rappela la maison de Meg.

Le lendemain matin, elle eut la preuve qu'elle n'était pas enceinte.

Les choses s'arrangeaient.

Quatre semaines après Pâques, Aliena et Richard entraient à Winchester aux côtés d'un vieux cheval tirant une charrette improvisée. Dedans, un énorme sac contenait deux cent quarante toisons, le chiffre exact que représentait un sac de laine normal.

Ce fut alors qu'ils découvrirent l'existence des taxes. Jusque-là, ils étaient toujours entrés dans la ville sans attirer l'attention, mais cette fois ils comprirent pourquoi les portes de la cité étaient étroites et constamment gardées par des agents des douanes. Chaque chargement qui entrait à Winchester devait acquitter un penny. Aliena et Richard disposaient encore de quelques pièces.

La plupart des toisons leur avaient coûté entre un demi et trois quarts de penny chacune. Plus six shillings pour le vieux cheval — ils avaient reçu la charrette en cadeau. Plus leur nourriture qui leur avait pris presque tout le reste de leur fortune. Ils étaient au bout de leurs ressources, mais, ce soir, ils auraient gagné une livre d'argent, *et* un cheval, *et* une charrette.

Le plan d'Aliena prévoyait de repartir acheter d'autres sacs de toisons aussi longtemps que durerait la tonte. A la fin de l'été, elle espérait un bénéfice suffisant pour acheter un cheval robuste et une nouvelle charrette.

Tout excitée, Aliena menait la vieille haridelle vers la maison de Meg, fière de démontrer qu'ils pouvaient se débrouiller seuls, son frère et elle, sans l'aide de personne. Le roi les avait écartés, la famille les reniait. Aliena n'éprouvait pas le moindre besoin d'un mari. Elle se sentait indépendante.

C'était Meg qui lui avait inspiré cette idée. Elle avait hâte de la revoir. Mais il leur fallut longtemps pour traverser la ville encombrée, puisque c'était jour de marché dans tout le centre. Enfin ils atteignirent la maison. Aliena entra dans le hall. Une femme se dressa devant elle, la prenant par surprise. Elle poussa un cri.

« Qu'est-ce que vous voulez ? dit la femme.

— Je suis une amie de Meg.

— Elle n'habite plus ici, lança sèchement la femme.

— Oh. » Aliena ne comprenait pas la rudesse de sa voix. « Où est-elle allée ?

— Elle est partie avec son mari qui a quitté la ville en disgrâce », expliqua la femme.

Aliena, affreusement déçue, sentit la panique s'emparer d'elle. Comment vendrait-elle sa laine ? A qui, en l'absence de Meg ?

« Quelle vilaine affaire ! reprit la femme. C'était un commerçant malhonnête et, si j'étais vous, je ne me vanterais pas de faire partie de ses amis. Allez, sortez. »

Aliena n'allait pas laisser calomnier son amie. « Peu m'importe ce que son mari a pu faire. Meg était une femme remarquable, bien supérieure aux voleurs et aux prostituées qui habitent cette ville puante », déclara-t-elle fermement avant de sortir sans laisser à la femme le temps de répliquer.

Sa victoire verbale ne lui donna qu'une consolation provisoire.

« Mauvaise nouvelle, annonça-t-elle à Richard. Meg a quitté Winchester.

— La personne qui habite là vend-elle aussi de la laine ?

— Je n'ai pas demandé. Elle était trop désagréable. »

Aliena, soudain, s'en voulait de sa susceptibilité.

« Qu'allons-nous devenir, Aliena ?

— Nous allons vendre les toisons, dit-elle. Viens au marché. »

La place du marché, entre la grand-rue et la cathédrale, bouillonnait d'une masse de gens qui se pressaient dans les étroites allées entre les éventaires, sans cesse bousculés par des charrettes comme celle d'Aliena. La jeune fille s'arrêta et grimpa sur son sac de laine pour repérer où étaient les marchands qui en vendaient. Elle n'en aperçut qu'un.

Avec une corde, l'homme avait délimité un grand espace au fond duquel se dressait une cabane, faite d'un léger cadre de bois sur lequel s'appuyaient des claies bouchées par des brindilles et des roseaux tressés. Il s'agissait de toute évidence d'une construction provisoire aménagée chaque jour de marché. Le marchand était un homme au visage boucané, amputé du bras gauche à la hauteur du coude. Au moignon était fixé un peigne de bois dont il se servait pour corder quelques brins des toisons qu'on lui proposait, tandis que de sa main droite, il en tâtait l'épaisseur, avant de proposer son prix. Pour les achats importants, valant de grosses sommes, il pesait les pièces de monnaie dans une balance.

Aliena se fraya un chemin à travers la foule jusqu'à l'éventaire. Un paysan proposait au marchand trois toisons plutôt minces attachées ensemble par une ceinture de cuir. « Pas bien fournies, remarqua l'acheteur. Trois farthings pièce. » Trois farthings, soit trois quarts de penny, c'était plutôt maigre mais le vendeur accepta l'offre. Le négociant lui tendit deux pièces et d'un geste vif et sûr coupa avec une hachette un troisième penny en quarts ; il donna un des quarts au paysan tout en recomptant l'addition. « Trois fois trois farthings font deux pence et un farthing. » Le paysan ôta la courroie qui entourait les toisons et les déposa devant le marchand.

Deux jeunes gens se présentèrent ensuite, traînant jusqu'au comptoir tout un sac de laine que le marchand examina avec soin. « Il y a la quantité, mais pas vraiment la qualité, dit-il. Une livre. »

Aliena le regarda peser une livre de pennies d'argent.

Comme des moines approchaient, tirant une grande charrette où s'entassaient plusieurs sacs, Aliena décida de traiter son affaire avant eux. Elle fit signe à Richard qui déchargea les ballots de laine et les apporta devant le marchand. Celui-ci examina la marchandise. « Qualité moyenne, dit-il. Une demi-livre.

— Quoi ? s'écria Aliena stupéfaite.

— Cent vingt pennies », répéta-t-il.

Aliena n'en croyait pas ses oreilles. « Mais vous venez de payer une livre pour un sac.

— Question de qualité.

— Vous avez payé une livre pour une qualité moyenne !

— Une demi-livre », répéta le marchand sans discuter davantage.

Les moines qui arrivaient encombraient peu à peu l'éventaire, mais Aliena n'avait pas l'intention de bouger. Elle jouait sa subsistance, ce qui n'était pas le cas du négociant.

« Dites-moi, insista-t-elle, elle n'a rien de mal cette laine, n'est-ce pas ?

— Non.

— Alors, donnez-moi ce que vous avez payé aux deux hommes tout à l'heure.

— Non.

— Pourquoi pas ? cria-t-elle.

— Parce que personne ne paie à une fille ce qu'on paierait à un homme. »

Aliena étouffait de rage. Une demi-livre, c'était moins que ce qu'elle avait payé elle-même. Accepter l'offre revenait à réduire à zéro tout son travail, renoncer à gagner sa vie et celle de son frère — bref, l'échec complet. Et pourquoi ? Parce que ce voleur refusait de payer à une fille le même prix qu'à un homme !

Plusieurs moines l'observaient. Exaspérée, elle s'écria : « Cessez de me regarder ! Traitez donc vos affaires avec ce païen de paysan.

— D'accord », répondit doucement l'un d'eux. Ils commencèrent à décharger leurs sacs.

« Prends les dix shillings, Aliena, conseilla Richard. Sinon, ce sac nous restera sur les bras. »

Aliena fixait d'un œil furieux le marchand qui examinait la laine des moines. « Qualité moyenne », déclara-t-il. Trouvait-il quelquefois de la laine de bonne qualité ? « Une livre et douze pence le sac. » Pourquoi avait-il fallu que Meg disparaisse ? songea Aliena. Si elle était restée, l'affaire était faite.

« Combien de sacs avez-vous ? demanda le négociant.

— Dix », répondit vivement un jeune moine en robe de novice, mais le principal de leur groupe rectifia : « Non, onze. »

Le novice eut l'air surpris, mais il se tut.

« Ça fait onze livres et demie, plus douze pence. » Le marchand se mit à peser les pièces.

« Je ne céderai pas, dit Aliena à Richard. Nous porterons la laine ailleurs... A Shiring, peut-être, ou à Gloucester.

— Tout ce chemin ! Et si nous n'arrivons pas à la vendre là-bas ? » Il avait raison : ils trouveraient peut-être le même accueil ailleurs. Ils n'avaient pas de statut, pas de protection, voilà le problème. Le négociant n'oserait pas insulter les moines, et même des paysans pauvres sauraient se défendre s'il les traitait injustement. Mais quel risque courait un homme contre deux adolescents seuls au monde ?

Pour chaque sac que les moines déposaient dans la cabane, le négociant comptait une livre d'argent et douze pence. Quand tout le chargement fut rentré, il restait un tas d'argent sur le comptoir.

« Ça ne fait que dix sacs », remarqua le négociant.

Le novice s'adressa au principal :

« Je vous l'avais dit, il y en a dix.

— Voici le onzième », répondit le principal en posant la main sur le sac d'Aliena, qui le considéra avec stupéfaction.

Le marchand n'était pas moins surpris. « Je lui ai offert une demi-livre, dit-il.

— Je le lui ai acheté, dit le moine. Et je vous l'ai vendu. » Il fit un signe et deux moines traînèrent dans la cabane le sac d'Aliena.

Dépité, le marchand tendit le dernier tas de pièces au principal qui remit l'argent à Aliena, encore abasourdie. Ce revirement de situation, si brusque, si inattendu la laissait sans réaction.

« Merci de votre aide, mon père, dit Richard.

— Rendez grâce à Dieu », répondit le moine.

Aliena, muette, serrait l'argent contre sa poitrine. Comment pourrait-elle remercier son sauveur ? C'était un homme petit et frêle, au regard intense. Ses mouvements étaient vifs, alertes, comme ceux d'un petit oiseau au plumage terne mais aux yeux brillants. Des yeux bleus. La frange de cheveux autour de sa tonsure laissait voir un peu de gris, mais son visage était jeune. Tout à coup Aliena se rendit compte que l'homme était vaguement familier. Où l'avait-elle déjà vu ?

Le moine paraissait penser la même chose. Ce fut lui qui parla le premier : « Vous ne vous souvenez pas de moi, mais je vous connais, dit-il. Vous êtes les enfants de Bartholomew, l'ancien comte de Shiring. Je sais que vous avez souffert de grandes infortunes et je suis heureux d'avoir l'occasion de vous aider. Je vous achèterai votre laine quand vous voudrez. »

Aliena aurait voulu l'embrasser. Non seulement il venait de la sauver, mais il assurait son avenir ! Elle retrouva enfin sa langue. « Je ne sais comment vous remercier, dit-elle. Dieu sait que nous avons besoin d'un protecteur.

— Eh bien, désormais vous en avez deux : Dieu et moi. »

Aliena était profondément émue. « Vous m'avez sauvé la vie et je ne sais même pas qui vous êtes...

— Mon nom est Philip, dit-il. Je suis le prieur de Kingsbridge. »

VII

Le jour où Tom le bâtisseur emmena les tailleurs de pierre à la carrière constitua un événement.

C'était quelques jours avant Pâques, quinze mois après l'incendie de l'ancienne cathédrale. Quinze mois pendant lesquels le prieur Philip avait amassé l'argent nécessaire.

Tom avait trouvé un forestier et un maître carrier à Salisbury, où le palais de l'évêque était presque terminé. Le forestier et ses hommes étaient maintenant au travail depuis deux semaines, choisissant et abattant de grands pins et des chênes parvenus à maturité. Les bois près de la rivière, en amont de Kingsbridge, avaient leur préférence car, le transport des matériaux sur les routes boueuses et sinueuses coûtant fort cher, on pouvait économiser beaucoup en faisant flotter les troncs le long du courant jusqu'au chantier. Le bois était sommairement élagué pour les montants des échafaudages, soigneusement taillé en gabarit pour les maçons et les sculpteurs ou — dans le cas des plus grands arbres — mis de côté pour servir plus tard de poutres. Chaque samedi soir, Tom payait les forestiers de leur travail de la semaine.

Le maître carrier, Otto le Noir, accompagné de ses deux fils, et deux ouvriers, l'un son cousin et l'autre son beau-frère, venaient de le rejoindre. Ce népotisme avait l'avantage de souder l'équipe.

Aucun artisan pour l'instant ne travaillait à Kingsbridge, sur le chantier lui-même, à l'exception de Tom et du charpentier du prieuré. Quand les matériaux seraient tous entassés, Tom engagerait les maçons. Alors commencerait la grande entreprise. Tom bondissait de joie à cette pensée : c'était ce qu'il espérait, ce à quoi il travaillait depuis dix ans.

Le premier maçon engagé, avait-il décidé, serait son propre fils Alfred. A seize ans, il avait acquis les connaissances de base : il était capable de tailler les pierres droit et de bâtir un vrai mur. Dès l'engagement conclu, Alfred toucherait plein salaire.

Quant au bébé Jonathan, il avait quinze mois et grandissait vite. Cet enfant robuste était la coqueluche de tout le monastère. Au début, Tom s'était inquiété de le voir soigné par l'innocent Johnny Huit Pence, mais celui-ci était aussi attentif qu'une mère, et plus disponible que la plupart d'entre elles pour s'occuper du bébé qu'on lui avait confié. Personne n'avait le moindre soupçon sur sa naissance. On ne saurait jamais, sans doute, que Tom était son père.

Martha, qui avait maintenant sept ans, souffrait de l'absence de Jack. C'était elle surtout qui préoccupait Tom car à son âge elle avait besoin d'une mère. Bien des femmes auraient volontiers épousé le bâtisseur et accepté la petite fille. Il n'était pas sans charme, il le savait, et sa subsistance semblait assurée maintenant que le prieur Philip avait entrepris le chantier. Déjà il avait quitté l'hôtellerie et s'était bâti lui-même une belle maison de deux pièces au village, avec une cheminée. Comme maître bâtisseur chargé de l'ensemble du projet, il recevrait normalement un salaire et des bénéfices qui feraient l'envie de bien des petits seigneurs. Mais il ne voulait personne d'autre qu'Ellen. Une veuve au village, une jolie femme rondelette, avec un visage souriant, une poitrine plantureuse, mère de deux enfants bien élevés, lui préparait des gâteaux, et l'avait embrassé tendrement à la fête de Noël. Elle était prête à l'épouser quand il le voudrait. Mais Tom savait qu'avec elle il serait malheureux, car il lui manquerait toujours l'excitation que lui apportait l'imprévisible, exaspérante, ensorcelante et passionnée Ellen.

Sa promesse de revenir un jour lui rendre visite, Tom était absolument certain qu'elle la tiendrait. D'ailleurs il s'y cramponnait avec obstination depuis un an maintenant qu'elle était partie. Dès qu'elle reviendrait, il lui ferait sa demande. Maintenant elle pourrait l'accepter : il n'était plus sans ressources, il pouvait nourrir sa famille et celle d'Ellen. Alfred et Jack devenus plus raisonnables avec l'âge sauraient s'entendre. Si Jack travaillait, Alfred ne serait pas jaloux, songea Tom. Il proposerait de prendre le garçon comme apprenti. Celui-ci avait montré de l'intérêt pour la construction, il n'était pas bête et, d'ici un an ou deux, il serait assez fort pour participer aux gros travaux. Restait l'autre problème : Jack savait lire, pas Alfred. Tom demanderait à Ellen de l'éduquer. Elle pourrait lui donner des leçons tous les dimanches. Les deux garçons se retrouveraient à égalité.

Ellen, il en était sûr, avait aimé vivre avec lui, malgré toutes leurs épreuves. Elle aimait son corps et elle aimait son esprit. Elle ne demanderait qu'à lui revenir. Parviendrait-il à aplanir les choses avec le prieur Philip, c'était une autre question. Ellen avait insulté gravement la religion du prêtre. Tom n'avait pas encore réfléchi à la manière de remédier à la situation.

En attendant, il employait toute son énergie intellectuelle à dresser le plan de la cathédrale. Otto et son équipe de tailleurs de pierre se construiraient un chalet à la carrière, où ils pourraient dormir la nuit. Une fois installés, ils bâtiraient de vraies maisons et les ouvriers mariés feraient venir leur famille.

De tous les arts de la construction, c'était le travail de carrier qui demandait le moins de talent et le plus de muscles. Le maître carrier décidait quelles zones seraient minées et dans quel ordre ; c'est lui qui disposait les échelles et les appareils de levage ; s'il fallait travailler sur une surface accidentée, il concevait un échafaudage ; il s'assurait que les outils étaient régulièrement entretenus par le forgeron. Pour extraire les pierres — travail relativement simple —, le carrier utilisait une pioche à tête de fer qui traçait dans le roc un premier sillon, qu'il creusait ensuite au ciseau et au marteau. Quand le sillon était assez grand, il y enfonçait un coin de bois. S'il avait bien calculé, la pierre se fendait exactement où il voulait.

Les ouvriers enlèveraient les pierres de la carrière en les portant sur des brancards ou en les soulevant avec une corde attachée à une grande roue. Installés dans le chalet, les tailleurs de pierre donneraient au bloc la forme réclamée par le maître bâtisseur. Le découpage et la sculpture seraient bien entendu exécutés à Kingsbridge.

La plus grosse difficulté resterait le transport. La carrière se trouvait à une journée de voyage du chantier. Un charretier prendrait à peu près quatre pence par voyage — et il ne pourrait pas transporter plus de huit ou neuf grosses pierres sans briser sa charrette ou tuer son cheval. Tom se promettait d'explorer la région à la recherche d'une voie d'eau éventuellement utilisable pour raccourcir le trajet.

Après avoir quitté Kingsbridge au lever du jour, Tom et ses compagnons avaient marché à bonne allure si bien qu'au milieu de l'après-midi ils approchaient de la carrière. A sa surprise, le bâtisseur entendit au loin le bruit du métal frappant la roche, comme si quelqu'un y travaillait. En théorie, la carrière appartenait au nouveau comte de Shiring, Percy Hamleigh, même si le prieuré de Kingsbridge avait le droit de l'exploiter. Peut-être, se dit Tom, le comte Percy entendait-il utiliser la carrière à son bénéfice en même temps que le prieuré. Le roi ne l'avait pas précisément interdit, mais ce voisinage causerait bien des inconvénients. Tom hâta le pas, impatient de découvrir ce qui se passait.

La route s'incurvait pour traverser un petit bois et se terminait au pied d'une colline, qui constituait la carrière elle-même, déjà entamée. A première vue, le travail ne serait pas trop difficile : une colline valait mieux qu'un puits, car c'est moins problématique de faire descendre des pierres d'en haut que de les extirper d'un trou.

La carrière était exploitée, aucun doute : on distinguait un chalet au pied de la colline, un robuste échafaudage montant à plus de vingt pieds et un tas de pierres attendant d'être ramassées. Tom compta au moins dix carriers. Détail inquiétant : deux hommes d'armes flânaient devant le chalet en s'amusant à jeter des pierres sur un tonneau.

« Ça ne me plaît pas », observa Otto, un homme à la peau sombre et aux manières rudes.

Tom s'inquiétait tout autant mais il ne le montra pas tout de suite. Il s'avança dans la carrière avec assurance et se dirigea d'un pas vif vers les deux hommes d'armes, qui reprirent en hâte une tenue convenable, l'air surpris et coupable. D'un coup d'œil, Tom nota qu'ils avaient chacun une épée et une dague, qu'ils portaient de lourds justaucorps de cuir, mais pas d'armure. Tom, avec son seul marteau de maçon accroché à la ceinture, n'était pas équipé pour se battre. Il marcha droit sur les deux hommes puis, à la dernière minute, fit un crochet pour les contourner et poursuivit jusqu'à la loge. Les sentinelles se regardèrent, se demandant ce qu'il fallait faire. De toute façon, c'était trop tard : Tom entrait dans la loge, un spacieux bâtiment en bois avec une cheminée. Des outils neufs étaient pendus au mur et on voyait dans le coin une grande pierre à affûter. Deux tailleurs s'affairaient avec des ciseaux. « Salut à vous, frères, dit Tom, utilisant la formule de politesse d'un artisan envers un autre. Qui est le maître ici ?

— C'est moi le maître carrier, dit l'un d'eux. Je suis Harold de Shiring.

— Je suis le maître bâtisseur de la cathédrale de Kingsbridge. Mon nom est Tom.

— Salut à toi, Tom le bâtisseur. Que viens-tu faire ici ? »

Tom examina Harold avant de répondre. Il était pâle, couvert de poussière, et plissait souvent ses petits yeux verts comme si la poussière le faisait pleurer. Nonchalamment appuyé à un banc, il n'était pas aussi détendu qu'il aurait voulu en avoir l'air. On le sentait nerveux, méfiant et plein d'appréhension. Il sait exactement pourquoi je suis ici, se dit Tom. « J'amène simplement mon maître carrier pour qu'il se mette au travail », répondit-il à haute voix.

Les deux hommes d'armes avaient rejoint Tom à l'intérieur. Otto et son équipe leur avaient emboîté le pas. Un ou deux des hommes de Harold entrèrent à leur tour, curieux de voir ce qui se passait.

« La carrière, dit Harold, appartient au comte. Si tu veux prendre de la pierre, il faudra le lui demander.

— Mais non, répliqua Tom. Quand le roi a donné la carrière au comte Percy, il a accordé en même temps au prieuré de Kingsbridge le droit d'y prendre de la pierre. Nous n'avons pas besoin d'autre permission.

— Nous ne pouvons pas l'exploiter tous, n'est-ce pas ?

— Peut-être que si. Je ne voudrais pas priver tes hommes de travail. Il y a une colline entière de pierre — assez pour bâtir deux cathédrales et davantage. Nous devrions pouvoir trouver un moyen d'organiser la carrière de façon à nous servir tous.

— Je ne suis pas d'accord, dit Harold. Je suis employé par le comte, j'ai priorité.

— Eh bien, moi, je suis employé de Kingsbridge, et mes hommes commencent à travailler ici demain matin, que ça te plaise ou non. »

Un des hommes d'armes intervint. « Vous ne travaillerez pas demain ni aucun autre jour. »

Jusqu'alors Tom s'était accroché à l'idée que, bien que Percy violât l'esprit de l'édit royal en exploitant la carrière lui-même, il finirait par respecter strictement la lettre de l'accord et permettre au prieuré de prendre de la pierre. Mais ces hommes d'armes avaient de toute évidence reçu la consigne de chasser les carriers du prieuré. Voilà qui changeait tout. Tom, désolé, se rendit compte qu'il n'aurait pas de pierres sans combat.

Le soldat qui avait parlé était un petit gaillard trapu d'environ vingt-cinq ans, à l'air belliqueux, stupide et entêté. Tom lui lança un regard de défi. « Qui êtes-vous ?

— Je suis bailli du comte de Shiring. Il m'a donné consigne de garder la carrière et c'est ce que je vais faire.

— Comment comptez-vous le faire ?

— Avec cette épée, dit-il en touchant le pommeau de l'arme accrochée à sa ceinture.

— Comment croyez-vous que réagira le roi quand on vous amènera devant lui pour avoir désobéi à son ordre ?

— Je prendrai mes risques.

— Voyons, vous n'êtes que deux, dit Tom d'un ton raisonnable. Nous sommes sept hommes et quatre garçons, munis de la permission du roi pour travailler ici. Si nous vous tuons, on ne nous pendra pas. »

Les deux hommes d'armes parurent reconsidérer la question mais, sans laisser à Tom le temps de pousser son avantage, Otto intervint : « Une minute, dit-il au bâtisseur. J'ai amené mes gars ici pour couper des pierres, pas pour se battre. »

Tom se crispa. Si les carriers n'étaient pas d'accord pour résister, c'était sans espoir. « Tu vas te laisser priver de travail par deux brutes ? » demanda-t-il, provocant.

Otto prit un air maussade. « Je ne vais pas me battre avec des hommes armés, répondit-il. Je gagne bien ma vie depuis dix ans et je ne suis pas en peine pour trouver du travail. D'ailleurs, je ne connais pas les droits ni les torts de chacun là-dedans... Pour moi, c'est ta parole contre la leur. »

Tom regarda le reste de son équipe. Les deux tailleurs de pierre avaient le même air buté que leur chef. A coup sûr, ils le suivraient : c'était leur père aussi bien que leur maître. Et Tom comprenait l'attitude d'Otto. D'ailleurs, s'il avait été à sa place, il aurait probablement adopté la même position.

Tom ne se déclara pas vaincu. « Il n'y aura pas de bataille, dit-il. Ils savent que le roi les pendra s'ils nous touchent. Allumons notre feu et installons-nous pour la nuit. Demain matin nous nous mettrons au travail. »

Un des fils d'Otto intervint : « Nous ne pourrons pas dormir avec ces brutes à proximité. »

Les autres l'approuvèrent.

« Nous ferons le guet », proposa Tom en désespoir de cause.

Otto secoua la tête. « Nous repartons ce soir. Maintenant. »

Tom regarda les hommes tour à tour et comprit qu'il était battu. Le matin encore, il vibrait d'un tel espoir qu'il avait du mal à croire à la réalité : ces coquins anéantissaient ses plans. Exaspéré, il ne put résister à lancer un dernier trait, « Tu t'opposes au roi, c'est dangereux, fit-il à l'intention de Harold. Dis-le au comte de Shiring. Et dis-lui que je suis Tom le bâtisseur, de Kingsbridge. Si jamais mes mains se posent autour de son gros cou, il n'en réchappera pas. »

Johnny Huit Pence confectionna pour le petit Jonathan une robe de moine en miniature avec manches larges et capuchon. Dans cette tenue, le petit bonhomme fit fondre le cœur de tous. Malheureusement, le capuchon ne cessait de tomber en avant, bouchant sa vision, et quand il se traînait à quatre pattes, la robe le gênait aux genoux.

Au milieu de l'après-midi, après la sieste (celle de Jonathan en même temps que celle des moines), le prieur Philip rencontra le bébé et Johnny Huit Pence dans la nef de l'église détruite, devenue le terrain de jeu des novices. C'était l'heure de leur récréation et Johnny les regardait courir, tandis que Jonathan examinait le réseau de pieux et de cordes avec lequel Tom le bâtisseur avait tracé le plan au sol du côté est de la future cathédrale. Le prieur avait beaucoup d'affection pour Johnny, qui compensait son manque de cervelle par un extraordinaire bon cœur ; il resta un moment auprès de lui, observant la course des novices.

Jonathan, branlant sur ses pieds, s'agrippait à un piquet que Tom avait planté là où se trouverait le porche. En suivant la corde attachée au piquet, aidé par ce support instable, il fit deux pas maladroits. « Il va bientôt marcher, dit Philip à Johnny.

— Il essaie beaucoup, mon père, mais le plus souvent il tombe sur le derrière. »

Philip s'accroupit, tendit les mains vers Jonathan. « Allons, viens ! »

Le bébé rit aux éclats, découvrant deux petites dents. Il fit un autre pas sans lâcher la corde, puis il braqua un doigt vers Philip, comme s'il s'indiquait à lui-même la direction et, dans un brusque élan d'audace, en trois pas périlleux, il traversa l'espace qui le séparait du prieur. Celui-ci le reçut dans ses bras. « Bien joué ! » s'écria-t-il. Il l'embrassa, aussi fier que s'il était lui-même l'auteur de cet exploit. Johnny n'était pas moins excité. « Il a marché ! Il a marché ! »

Certains moines avaient été scandalisés, Philip s'en souvenait, quand il avait amené à Kingsbridge Johnny et le bébé Jonathan. Huit Pence, en fait, ne posait pas de problème, dès l'instant qu'on n'oubliait pas qu'il s'agissait d'un enfant dans un corps d'homme. Quant à Jonathan, il avait surmonté toutes les oppositions par la seule force de son charme.

Le bébé n'avait pas été la seule cause d'agitation durant cette première année. Ayant cru voter pour un bon gestionnaire, les moines se sentirent dupés lorsque Philip lança un programme d'austérité destiné à réduire les dépenses quotidiennes du prieuré. Philip rappela qu'il avait clairement exposé que sa priorité irait à la nouvelle cathédrale. Les dignitaires monastiques aussi résistèrent à son projet de les priver de leur indépendance financière, même s'ils savaient pertinemment que, sans réforme, le prieuré courait à la ruine. Lorsque le prieur décida d'investir une grosse somme pour augmenter le troupeau de moutons du monastère, on atteignit presque l'unanimité. Heureusement l'évêque Waleran, qui aurait pu choisir d'encourager les rebelles, avait passé le plus clair de l'année en allées et venues entre son palais et Rome, si bien qu'au bout du compte les moines, en l'absence d'un meneur, n'avaient pas dépassé le stade des murmures.

Philip avait connu des instants de solitude, mais il restait convaincu que les résultats lui donneraient raison. Sa politique portait déjà ses fruits : le prix de la laine ayant de nouveau monté, on avait déjà commencé la tonte. Du coup, il pouvait se permettre d'engager les forestiers et les carriers. A mesure que la situation financière s'améliorait et que la construction de la cathédrale progressait, sa position de prieur se renforçait.

Il donna à Johnny Huit Pence une tape affectueuse sur la tête et se dirigea vers le chantier. Avec l'aide des serviteurs du prieuré et des plus jeunes moines, Tom et Alfred avaient commencé à creuser les fondations. Pour l'instant, elles atteignaient cinq ou six pieds de profondeur ; Tom avait expliqué un jour à Philip qu'il en faudrait jusqu'à vingt-cinq à certains endroits. On augmenterait le nombre d'ouvriers et le matériel de levage en fonction des besoins.

La nouvelle église, plus grande que l'ancienne, serait quand même encore modeste pour une cathédrale. Philip aurait voulu que ce fût la plus vaste, la plus haute, la plus riche, en un mot la plus belle cathédrale du royaume, mais en même temps il se réprimandait : il devait être reconnaissant d'avoir une église, quelle qu'elle fût.

Il entra dans la cabane de Tom et regarda le travail que celui-ci avait déjà exécuté sur bois. Pendant presque tout l'hiver, avec une mesure de fer et de fins ciseaux à calibres, il avait réalisé des modèles en bois qui serviraient de guide aux maçons pour tailler les pierres. Ce grand gaillard, avec ses grandes mains, était capable de sculpter des miniatures, avec des courbes parfaites, des coins impeccablement carrés et des angles précis. Le prieur examina aussi les dessins gravés sur du plâtre encadré de bois et devina que le gabarit qu'il tenait en main devait être celui des piliers de l'arcade, de robustes colonnes de pierre agrémentées de décorations en forme de tiges élancées.

Dans cinq ans, avait annoncé Tom, l'aile est serait terminée. Cinq ans, et Philip célébrerait les offices dans une nouvelle cathédrale. Mais l'argent lui causait de perpétuelles inquiétudes. Cette année, il avait difficilement réuni les sommes nécessaires pour prendre un modeste départ, car ses réformes étaient lentes à prendre effet ; mais l'année suivante, quand il aurait vendu la nouvelle laine de printemps, il engagerait de nouveaux artisans et on commencerait à construire pour de bon.

La cloche sonnait les vêpres. Philip quitta la petite cabane et, tandis qu'il se dirigeait vers l'entrée de la crypte, il aperçut, non sans étonnement, Tom le bâtisseur et les carriers qui passaient la porte du prieuré. Tom avait pourtant annoncé qu'il s'absentait pour une semaine ; quant aux carriers, ils devaient rester là-bas définitivement. Philip se hâta à leur rencontre.

Les hommes paraissaient fatigués et abattus, comme découragés. « Qu'y a-t-il ? demanda le prieur. Pourquoi êtes-vous ici ?

— Mauvaises nouvelles », répondit Tom le bâtisseur.

Philip bouillonna de fureur durant toutes les vêpres. La conduite du comte Percy était scandaleuse. Les instructions du roi ne comportaient aucune ambiguïté, le comte les avait entendues en personne.

Du pied droit, Philip frappait nerveusement le sol dallé de la crypte. On était en train de le voler. Pourquoi Percy ne viendrait-il pas, aussi bien, se servir dans le trésor de l'église ? Ce bandit défiait ouvertement Dieu et le roi.

Philip enrageait. S'il devait payer les pierres, alors qu'il travaillait déjà avec un budget des plus réduits, autant renoncer à la cathédrale. Ou, au mieux, attendre encore plusieurs années avant de réunir les sommes suffisantes. Cette pensée était insupportable.

Tout de suite après les vêpres, il convoqua d'urgence un chapitre et annonça la nouvelle aux moines.

Le prieur avait élaboré une technique pour mener les réunions du chapitre. Remigius, le sous-prieur, en voulait encore à Philip de l'avoir vaincu lors de l'élection et il laissait souvent paraître son ressentiment quand on discutait des affaires du monastère. C'était un homme conservateur, sans imagination et pédant. Ses opinions sur la gestion du prieuré étaient toujours en contradiction avec celles de Philip. Les frères qui avaient soutenu Remigius lors de l'élection avaient tendance à l'appuyer au chapitre : Andrew, le sacristain apoplectique ; Pierre, le prévôt, responsable de la discipline, dont l'étroitesse d'esprit convenait au poste qu'il occupait ; et John Small, le paresseux trésorier. Les partisans de Philip l'avaient toujours soutenu : Cuthbert le Chenu, le vieux cellérier ; le jeune Milius, à qui Philip avait confié le poste nouvellement créé de trésorier, responsable des finances du prieuré. Philip laissait toujours Milius s'empoigner avec Remigius. En général il avait discuté tous les points importants avec le trésorier avant la réunion ; quand ce n'était pas le cas, il pouvait compter sur Milius pour présenter une argumentation proche de celle qu'il aurait développée lui-même. Ce système de délégation permettait au prieur de se poser en arbitre impartial et, bien que Remigius l'emportât rarement, Philip acceptait parfois certains de ses arguments ou adoptait une partie de ses propositions pour maintenir l'impression d'égalité.

Les moines, qui s'étaient profondément réjouis quand Stephen avait donné au prieuré libre accès au bois et à la pierre, étaient aujourd'hui furieux et scandalisés que Percy osât défier les ordres du roi.

Quand le brouhaha s'apaisa, Remigius prit la parole : « Je me souviens d'avoir dit la même chose il y a un an, commença-t-il. Le pacte en vertu duquel la carrière, tout en restant propriété du comte, nous est accordée en exploitation m'a toujours paru peu satisfaisant. Nous devions insister pour obtenir la propriété totale. » Cette remarque, qui contenait une certaine tristesse, n'était pas faite pour calmer Philip. La totale propriété, il en était convenu avec lady Regan. C'est elle qui, à la dernière minute, l'en avait dépossédé. Il faillit souligner qu'il avait obtenu le meilleur accord possible et qu'il aimerait bien voir Remigius faire mieux dans le tortueux labyrinthe de la cour royale ; mais il se mordit la langue car après tout, c'était lui le prieur, et il devait en assumer la responsabilité.

Milius vint à son secours. « On peut regretter que le roi ne nous ait pas donné pleine propriété de la carrière, mais

438

le fait est là. La question qui se pose est donc : que faisons-nous dans ces conditions ?

— Il me semble que c'est assez évident, répliqua aussitôt Remigius. Nous ne pouvons pas chasser nous-mêmes les hommes du comte, il nous va donc falloir demander l'intervention du roi. Nous devons lui envoyer une députation pour le prier de faire appliquer sa charte. »

Il y eut un murmure approbateur. Andrew, le sacristain, ajouta : « Envoyons nos orateurs les plus sages et les plus éloquents. »

Philip comprit que Remigius et Andrew se voyaient déjà à la tête de la délégation.

« Quand le roi apprendra ce qui s'est passé, reprit Remigius, je ne pense pas que Percy Hamleigh reste encore bien longtemps comte de Shiring. »

Philip n'en était pas si sûr.

« Où est le roi ? demanda Andrew. Quelqu'un le sait-il ? »

Philip, qui s'était récemment rendu à Winchester, avait appris là-bas les déplacements du souverain. « Il est parti pour la Normandie, dit-il.

— Il faudra longtemps, remarqua Milius, pour le rattraper.

— La poursuite de la justice exige la patience, déclara pompeusement Remigius.

— Mais chaque jour que nous passons à poursuivre la justice, nous ne bâtissons pas notre nouvelle cathédrale », répliqua Milius. Son intonation montrait qu'il désapprouvait la facilité avec laquelle Remigius acceptait un retard dans le programme de construction. Philip était du même avis. Milius poursuivit : « Et ce n'est pas notre seul problème. Une fois que nous aurons trouvé le roi, il faudra obtenir une audience. Cela peut prendre des semaines. Après, il donnera peut-être à Percy l'occasion de se défendre... Nouveau délai...

— Comment Percy pourrait-il se défendre ? protesta Remigius.

— Je ne sais pas encore, répondit Milius, mais je m'attends à ce qu'il trouve quelque chose.

— Mais, au bout du compte, le roi devra tout de même s'en tenir à sa parole ! »

Une voix nouvelle s'éleva : « N'en soyez pas si sûr. » Tout le monde se tourna vers frère Timothy, le plus vieux moine du prieuré. Petit homme modeste, il parlait rarement, mais toujours à bon escient. Philip pensait parfois que c'était Timothy qui aurait dû être prieur. Lui, qui paraissait d'ordinaire plutôt somnolent, cette fois promenait sur les membres du chapitre un regard brillant de conviction. « Un roi est une créature de l'instant, dit-il. Il vit constamment sous la menace, menace des rebelles au sein de son propre royaume, menace des monarques voisins. Il lui faut des alliés. Le comte Percy est un homme puissant qui commande de nombreux chevaliers. Si le roi a besoin de Percy au moment où nous présenterons notre pétition, on nous éconduira, sans tenir aucun compte de la justice de notre cause. Le roi n'est pas parfait. Le seul vrai juge, c'est Dieu. » Il se renversa en arrière, s'adossa au mur et ferma les yeux comme s'il ne s'intéressait plus le moins du monde à l'accueil que recevrait son discours. Philip dissimula un sourire : Timothy avait exactement formulé ses propres craintes.

Remigius rageait de renoncer à un long et passionnant voyage en France, agrémenté d'un séjour à la cour ; d'un autre côté, il ne pouvait pas contredire la logique de Timothy. « Eh bien, dit-il platement, quelle solution avons-nous ? »

Philip réfléchissait en silence. Le prévôt du comté ne pourrait pas intervenir dans cette affaire : Percy était trop puissant pour dépendre de son autorité. On ne pouvait pas davantage compter sur l'évêque. Quoique embarrassé, Philip n'était pas disposé à s'avouer vaincu. Il reprendrait cette carrière, quitte à le faire lui-même...

Tiens, c'était une idée.

« Une minute », dit-il tout haut.

Cela impliquerait l'assistance de tous les frères valides du monastère... Il faudrait organiser l'affaire avec soin, comme une opération militaire sans armes... On prendrait des vivres pour deux jours...

« Je ne garantis pas le résultat, continua-t-il, mais ça vaut la peine d'essayer. Écoutez. »

Il leur exposa son plan.

Ils partirent presque aussitôt : trente moines, dix novices, Otto le Noir et son équipe de carriers, Tom le bâtisseur et Alfred, deux chevaux, une charrette. Quand la nuit tomba, ils allumèrent des lanternes pour éclairer la route. A minuit, ils s'arrêtèrent pour se reposer et pour dévorer le pique-nique préparé en hâte aux cuisines : poulet, pain blanc et vin rouge. Philip avait toujours estimé qu'une bonne nourriture devait récompenser le dur travail. Tout en marchant, ils chantaient l'office qu'ils auraient dû célébrer au prieuré.

Au plus fort de la nuit, Tom le bâtisseur, qui menait le cortège, leva une main pour l'arrêter et annonça à Philip : « Moins d'une demi-lieue jusqu'à la carrière.

— Bon. » Le prieur se tourna vers les moines. « Otez vos sabots et vos sandales, passez les bottes de feutre. » Lui-même enfila des bottes souples, comme en portaient les paysans l'hiver.

Il choisit deux novices. « Edward et Philémon, restez ici avec les chevaux et la charrette. Ne faites aucun bruit et attendez le plein jour pour nous rejoindre. Est-ce clair ?

— Oui, mon père, dirent-ils d'une même voix.

— Très bien. Quant aux autres, suivez Tom le bâtisseur dans le silence le plus total, je vous en prie. »

Le cortège se mit en marche.

Il soufflait un léger vent d'ouest et le bruissement du feuillage suffisait à couvrir le bruit de cinquante respirations et de cent bottes de feutre raclant le sol. Philip se sentait tendu. Au moment de le mettre en pratique, son plan lui paraissait risqué. Il récita une prière silencieuse.

La route tournait vers la gauche, puis la lueur dansante des lanternes éclaira vaguement un chalet de bois, un entassement de blocs de pierre, des échelles, des échafaudages et, au fond, le flanc sombre d'une colline cisaillée par les marques blanches dues aux carriers. Philip se demanda soudain si les hommes endormis dans le chalet avaient des chiens. Si oui, Philip perdrait l'avantage de la surprise et le plan serait compromis. Mais il était trop tard maintenant pour reculer.

Le groupe passa devant la loge. Philip retint son souffle, s'attendant à tout moment à une cacophonie d'aboiements. Mais il n'y avait pas de chiens.

Il fit arrêter ses gens au pied des échafaudages. Personne, nota le prieur avec fierté, n'avait rompu le silence.

Tom le bâtisseur et Otto le Noir commencèrent sans bruit à disposer autour du site les carriers divisés en deux groupes. L'un se rassembla près de la paroi rocheuse au niveau du sol. Les autres gravirent l'échafaudage. Quand ils furent tous en position, Philip, par gestes, ordonna aux moines de

441

se poster, debout ou assis, auprès des ouvriers. Lui-même se mit à l'écart, à mi-chemin entre le chalet et la paroi rocheuse.

Ils avaient calculé juste : l'aube se leva presque tout de suite. Philip tira une chandelle de sous son manteau, l'alluma à une lanterne puis, se tournant vers les moines, la leva en l'air. C'était le signal convenu. Chacun des quarante moines et novices alluma à son tour une chandelle. L'effet était spectaculaire. Le jour se leva sur une carrière habitée de silhouettes fantomatiques et muettes, élevant chacune une petite lumière vacillante.

Philip se tourna vers le chalet. Rien ne bougeait encore. Il s'installa pour attendre. Les moines excellaient à cet exercice. Rester immobile pendant des heures faisait partie de leur vie quotidienne. Mais les ouvriers et artisans, qui n'avaient pas le même entraînement, ne tardèrent pas à s'impatienter.

Ce furent leurs murmures ou les lueurs du jour qui éveillèrent les occupants de la loge. Philip entendit quelqu'un tousser et cracher, puis le grattement d'une barre qu'on soulevait derrière une porte. Il leva la main pour réclamer le silence total.

La porte du chalet s'ouvrit toute grande. Philip gardait la main en l'air. Un homme sortit en se frottant les yeux. Philip devina, d'après la description de Tom, que ce devait être Harold de Shiring. Tout d'abord, le maître carrier ne remarqua rien d'extraordinaire. Puis Philip abaissa la main. Quelque part derrière lui, le chantre lança une note et tous les moines aussitôt se mirent à chanter. Une étrange harmonie envahit la carrière.

L'effet fut immédiat. Harold écarquilla les yeux et resta bouche bée. Devant lui, un chœur spectral était apparu comme par magie, là, dans sa carrière. Un cri lui échappa. Il recula en trébuchant sur le seuil.

Philip se permit un sourire satisfait. Bon début. Toutefois, la crainte du surnaturel n'allait pas durer très longtemps. De nouveau, il fit un signe de la main. Les carriers aussitôt se mirent au travail et le choc du fer sur la roche vint ponctuer la musique du chœur.

Deux ou trois visages apparurent craintivement dans l'encadrement de la porte. Les hommes comprirent vite qu'ils avaient devant eux des moines ordinaires et des ouvriers, de vrais humains, pas des visions ou des esprits.

Ils sortirent donc du chalet pour mieux voir. Deux hommes d'armes apparurent, bouclant leur ceinturon. C'était le moment crucial. Qu'allaient-ils faire ? La vue de ces deux grands gaillards sales et barbus réveilla chez Philip le souvenir vivace des deux soldats qui avaient fait irruption dans sa maison, alors qu'il avait six ans, pour tuer sa mère et son père. Il éprouva soudain un chagrin inattendu pour les parents qu'il avait à peine connus. En regardant les hommes du comte Percy, il fut envahi de rage, de dégoût et de la farouche détermination de vaincre ces ruffians sans Dieu.

Pendant un moment, ils ne bougèrent pas. Peu à peu, tous les carriers du comte sortirent de la loge. Philip les compta : ils étaient douze, plus les deux hommes d'armes.

Le soleil pointa au-dessus de l'horizon.

Les carriers de Kingsbridge découpaient déjà des blocs de pierre. Si les hommes d'armes voulaient les arrêter, il leur faudrait porter la main sur les moines qui entouraient et protégeaient les ouvriers. Philip avait calculé que les sentinelles hésiteraient à troubler des moines en prière.

Pour l'instant, il ne s'était pas trompé : les hommes hésitaient. Les deux novices qu'on avait laissés derrière arrivèrent alors, conduisant les chevaux et la charrette. Ils regardèrent autour d'eux avec crainte. Philip leur indiqua du geste où ils devaient s'arrêter. Puis il se retourna, son regard croisa celui de Tom le bâtisseur, et il fit un signe de tête.

Plusieurs pierres coupées attendaient. Tom donna les instructions à quelques jeunes pour qu'ils les ramassent et les entassent dans la charrette. Les hommes du comte suivaient ce nouvel épisode avec intérêt. Les pierres, trop lourdes pour être soulevées par un seul homme, devaient être descendues de l'échafaudage par des cordes, puis, arrivées en bas, portées sur des brancards. Quand la première pierre atterrit dans la charrette, les hommes d'armes se rassemblèrent autour de Harold. Un autre bloc suivit bientôt. Les gardes s'approchèrent de la charrette. Un des novices, Philémon, y grimpa pour s'asseoir sur le chargement, d'un air de défi. Brave garçon ! songea Philip. Mais il tremblait presque d'appréhension.

Comme les gardes atteignaient la charrette, les quatre moines qui avaient porté les pierres se plantèrent devant, formant barrage. Philip retint son souffle. Les hommes d'armes s'arrêtèrent devant les moines. En même temps, ils posèrent la main sur le pommeau de leur épée. Les chants cessèrent.

Ils n'oseront pas, se dit Philip, manier l'épée contre des moines sans défense. Pourtant, quoi de plus facile pour eux, de grands et solides gaillards habitués aux massacres du champ de bataille, que de plonger leur lame dans ces corps dont ils n'avaient rien à craindre ? Mais ils craignaient peut-être le châtiment éternel. Redoutaient-ils le feu divin ? Sans doute. Mais aussi leur employeur, le comte Percy. Philip les vit hésiter. Les deux hommes se regardèrent. L'un secoua la tête. L'autre haussa les épaules. Ils s'éloignèrent de la carrière.

Le chantre attaqua une nouvelle note et les moines entonnèrent une hymne triomphante. Un cri de victoire monta des rangs des carriers de Kingsbridge. Philip poussa un soupir de soulagement. Un moment, il avait redouté le pire, maintenant il rayonnait de plaisir. La carrière était à lui. Il souffla sa chandelle et se dirigea vers la charrette. Il étreignit chacun des quatre moines qui avaient affronté les hommes d'armes et les deux novices encore émus. « Je suis fier de vous, dit-il avec chaleur. Et je suis persuadé que Dieu l'est aussi. »

Moines et carriers échangeaient poignées de main et congratulations. Otto le Noir vint vers Philip : « Bien joué, père Philip. Permettez-moi de vous dire que vous êtes un homme brave.

— Dieu nous a protégés », répondit le prieur. Son regard tomba sur les carriers du comte, qui formaient un petit groupe désolé devant la porte de leur chalet. Il ne voulait pas s'en faire des ennemis car le risque existait toujours que Percy les utilise pour provoquer d'autres troubles. Philip décida de leur parler.

Il prit Otto par le bras et l'entraîna vers le chalet. « La volonté de Dieu a été faite aujourd'hui, dit-il à Harold. J'espère qu'il n'y a pas chez vous de rancœur.

— Nous sommes sans travail, dit Harold. Ça entraîne la rancœur. »

Philip entrevit soudain comment se gagner les hommes de Harold. « Si vous voulez, dit-il brusquement, vous pouvez retrouver du travail aujourd'hui même. Travaillez pour moi. J'engage toute votre équipe. Vous n'aurez même pas à quitter votre chalet. »

Harold ne cacha pas son étonnement devant la tournure

444

des événements. Puis il retrouva son sang-froid : « A quel salaire ?

— Le tarif habituel, répondit Philip. Deux pence par jour pour les artisans, un penny pour les ouvriers, quatre pence pour vous et c'est vous qui payez vos apprentis. »

Harold se retourna vers ses collègues. Philip entraîna Otto à l'écart pour les laisser discuter entre eux. Philip n'avait pas vraiment les moyens d'engager douze hommes de plus. S'ils acceptaient son offre, il devrait remettre à plus tard le jour où il pourrait embaucher les maçons. Autrement dit, les pierres arriveraient plus vite qu'il ne pourrait les utiliser. Elles s'accumuleraient, ce qui n'était pas bon pour ses finances. Toutefois, mettre les carriers de Percy à la solde du prieuré constituait une défense habile. Si Percy voulait de nouveau exploiter lui-même la carrière, il devrait engager une nouvelle équipe, ce qui n'irait pas sans mal dès l'instant qu'on connaîtrait les événements du jour. Autre remarque : si dans l'avenir Percy tentait un autre stratagème pour fermer la carrière, Philip disposerait d'une réserve de pierres.

Harold discutait vivement avec ses hommes. Enfin, il les laissa et revint vers Philip. « Qui commandera, si nous travaillons pour vous ? Moi, ou votre maître carrier ?

— C'est Otto qui commande », dit Philip sans hésitation. Harold assurément ne pouvait pas le faire, au cas où sa parole reviendrait à Percy. Quant à maintenir deux maîtres, c'était la dispute assurée. « Vous pouvez toujours diriger votre propre équipe, dit Philip à Harold. Mais Otto sera au-dessus de vous. »

Harold, déçu, retourna vers ses hommes. La discussion se poursuivit. Tom le bâtisseur vint rejoindre Philip et Otto. « Votre plan a marché, mon père, dit-il avec un large sourire. Nous avons repris possession de la carrière sans verser une goutte de sang. Vous êtes étonnant. »

Philip aurait volontiers acquiescé, mais il se rendit compte qu'il était menacé du péché d'orgueil. « C'est Dieu qui a fait le miracle, corrigea-t-il.

— Le père Philip, dit Otto, a proposé d'engager Harold et ses hommes pour travailler avec moi.

— Vraiment ! » Tom fronça les sourcils. Seul le maître bâtisseur recrutait sa main-d'œuvre, pas le prieur.

« Je n'aurais pas cru qu'il en avait les moyens.

— Je ne les ai pas, reconnut Philip. Mais je ne veux pas

voir ces hommes traîner sans rien faire, en attendant que Percy trouve un autre moyen de reprendre la carrière. »

Tom parut songeur, puis il hocha la tête. « Et ça ne nous fera pas de mal d'avoir une réserve de pierres au cas où Percy réussirait. »

Philip se réjouit que Tom comprenne ce qu'il avait fait. Harold de son côté semblait arriver à un accord avec ses hommes. Il revint vers Philip : « Voudrez-vous me payer les gages et me laisser distribuer l'argent comme je le juge bon ? »

Philip hésitait. Le maître carrier risquait de prendre plus que sa part. Il se déroba : « C'est au maître bâtisseur de décider.

— La pratique est assez courante, dit Tom. Si c'est le vœu de votre équipe, j'accepte.

— Dans ce cas, nous sommes d'accord », dit Harold.

Harold et Tom échangèrent une poignée de main. « Ainsi, dit, Philip, chacun a ce qu'il veut. Bravo !

— Il y a quelqu'un qui n'a pas ce qu'il veut, dit Harold.

— Qui donc ?

— Regan, la femme du comte Percy. Quand elle va apprendre la nouvelle, le sang va couler. »

VIII

Il n'y avait pas chasse ce jour-là, aussi les jeunes d'Earlscastle jouaient-ils à l'un des jeux favoris de William Hamleigh : la pierre au chat. Le château abritait toujours un grand nombre de chats ; un de plus ou de moins ne changeait rien.

On fermait les portes et les volets de la salle du donjon, puis on repoussait les meubles contre le mur pour que le chat ne profite d'aucune cachette ; ensuite, on disposait une pile de pierres au milieu de la pièce. Le chat, un vieux matou grisonnant, sentait dans l'air la soif du sang et restait assis près de la porte, guettant l'occasion de filer.

Chaque joueur devait mettre un penny dans le pot pour chaque pierre qu'il lançait et c'était celui qui lançait la pierre fatale qui emportait le pot.

Tandis qu'ils tiraient au sort dans quel ordre ils allaient jouer, le chat commença à s'agiter et à courir dans la pièce.

Walter prit le premier tour. C'était un avantage car, le chat, même méfiant, ne connaissait pas la nature du jeu et risquait d'être pris par surprise. Le dos tourné à l'animal, Walter choisit sur le tas une pierre qu'il dissimula dans sa main ; puis il se retourna lentement et soudain la lança. Raté. La pierre heurta la porte avec un bruit sourd, le chat sursauta et détala. Les joueurs ricanèrent.

C'était moins facile de lancer en second, car le chat était encore frais et léger sur ses pattes ; plus tard il serait fatigué, peut-être blessé. Un jeune écuyer, pierre en main, regarda la bête courir autour de la pièce en cherchant une issue et attendit qu'elle ralentisse ; puis il lança la pierre. Il avait bien visé, mais le chat put esquiver. Les jeunes gens grognèrent.

Le chat s'affolait. Le joueur suivant, un chevalier plus âgé, fit d'abord semblant de lancer pour voir dans quelle direction le chat s'enfuyait puis, visant un peu en avant de l'animal, il projeta sa pierre. Les autres applaudirent à cette manœuvre, mais l'animal s'arrêta pile avant qu'elle retombe.

Désespérée, la bête essaya de se glisser derrière un coffre de chêne dans un coin. Le quatrième joueur saisit l'occasion : il lança sans attendre son projectile sur le chat immobile et le frappa à la croupe. Des acclamations s'élevèrent. Le chat, renonçant à se cacher, se remit à courir dans la salle. Il boitait et se déplaçait moins vite.

C'était maintenant à William. Pour fatiguer encore la bête, il commença à crier, l'obligeant à courir plus vite ; puis il feignit de lancer, ce qui eut le même effet. Qu'un autre joueur lanterne ainsi, on l'aurait hué. Mais William était le fils du comte, aussi attendit-on patiemment. Le chat ralentit, souffrant visiblement. William prit son élan mais le chat se plaqua soudain contre le mur, près de la porte. Au moment où William lançait, la porte s'ouvrit toute grande et un prêtre en noir apparut. William ne put retenir son geste, mais le chat jaillit de la pièce comme une flèche d'un arc et disparut. Le prêtre poussa un cri d'effroi en rassemblant les plis de sa robe. Les jeunes gens éclatèrent de rire.

William reconnut le prêtre : c'était l'évêque Waleran.

Ce rival de la famille tremblait devant un chat ! William redoubla de rire.

L'évêque retrouva immédiatement son sang-froid. Rouge de colère, il braqua sur William un doigt accusateur : « Vous souffrirez un éternel tourment dans les profondeurs de l'enfer », grinça-t-il.

Le rire de William s'étrangla dans sa gorge. Sa mère lui avait donné tellement de cauchemars, quand il était petit, en lui racontant ce que les démons faisaient aux damnés que depuis il avait horreur de seulement en entendre parler. « Taisez-vous ! » cria-t-il à l'évêque. Le silence tomba dans la pièce. William dégaina son couteau et s'avança vers Waleran. « Ne venez pas prêcher ici, serpent ! » Waleran n'avait pas l'air du tout effrayé, simplement intrigué, comme si cela l'intéressait d'avoir découvert la faiblesse de William ; la colère du jeune homme augmenta : « Je vais vous faire taire, moi... »

Il ne se contrôlait plus. Heureusement une voix dans l'escalier derrière lui l'arrêta. « William ! Assez ! »

C'était son père.

William laissa retomber son bras et rengaina son poignard. Waleran avança dans la salle. Un autre prêtre le suivait et ferma la porte derrière lui : le doyen Baldwin.

« Je suis surpris de vous voir, évêque, dit Percy.

— Parce que la dernière fois que nous nous sommes rencontrés, vous avez aidé le prieur de Kingsbridge à me duper ? Je pense que vous devez être en général un homme qui pardonne. » Son regard glacé vint un moment se poser sur William, puis revint à son père. « Mais je n'ai pas de rancune quand c'est contre mes intérêts. Il faut que nous parlions. »

Percy acquiesça. « Venez. Toi aussi, William. »

L'évêque Waleran et le doyen Baldwin gravirent l'escalier qui menait aux appartements du comte, suivis de William. Celui-ci, quoique déçu que le chat se fût échappé, comprit qu'il avait eu de la chance aussi : s'il avait touché l'évêque, il aurait pu être pendu. N'empêche : il y avait quelque chose dans les façons délicates et précieuses de Waleran que William abhorrait.

Ils entrèrent tous dans la chambre de Percy, l'endroit même où William avait violé Aliena. Cette scène revivait en lui chaque fois qu'il s'y retrouvait : le corps blanc et généreux de la jeune fille, la crainte sur son visage, ses hurlements, l'expression horrifiée de son petit frère lorsqu'il l'avait obligé à regarder et puis — coup de maître —

la permission qu'il avait ensuite accordée à Walter de profiter d'elle. Il regrettait de ne pas l'avoir gardée prisonnière ici pour la posséder chaque fois qu'il en aurait envie.

Depuis lors, il n'avait jamais cessé de penser à elle. Il avait même essayé de la retrouver. Un garde forestier, pris en train d'essayer de vendre le destrier de William à Shiring, avait avoué sous la torture l'avoir volé à une fille répondant à la description d'Aliena. Du geôlier de Winchester William avait appris qu'elle avait rendu visite à son père avant sa mort. Enfin son amie, maîtresse Kate, la propriétaire d'un bordel qu'il fréquentait, lui avait dit qu'elle avait proposé à Aliena une place dans sa maison. Là, il avait perdu sa piste. « Ne te laisse pas obséder, mon petit Willie, avait dit Kate gentiment. Tu veux de beaux seins et des cheveux longs ? Nous avons de quoi. Prends Betty et Millie ensemble ce soir, quatre seins bien ronds rien que pour toi, pourquoi pas ? »

Mais ni Betty ni Millie n'avaient l'innocence, la peau blanche et l'expression de frayeur qui l'excitaient. En fait, il n'avait plus connu de vraie satisfaction avec une femme depuis cette fois avec Aliena, ici, dans la chambre de son père.

Il chassa cette pensée de sa tête. L'évêque Waleran parlait à sa mère. « Vous savez, je suppose, que le prieur de Kingsbridge a pris possession de votre carrière ? »

Ils l'ignoraient. William était stupéfait et sa mère folle de rage. « Quoi ? s'écria-t-elle. Comment cela ? »

— Apparemment vos hommes d'armes ont réussi à écarter les carriers, mais le lendemain au réveil ils ont trouvé la carrière envahie de moines contre lesquels ils n'ont pas osé porter la main. Le prieur Philip a même engagé vos carriers qui travaillent maintenant en parfaite harmonie avec les siens. Je suis surpris que les hommes d'armes ne soient pas venus vous faire leur rapport.

— Où sont-ils, ces couards ? cria Regan rouge de colère. Je vais m'occuper d'eux... Ils se couperont eux-mêmes les parties...

— Je comprends qu'ils ne se soient pas présentés..., dit Waleran.

— Peu importe les hommes d'armes, intervint Percy. Ce ne sont que des soldats. Le seul responsable, c'est ce prieur. Je n'aurais jamais pensé qu'il puisse nous jouer un pareil tour. Il s'est montré plus malin que nous, voilà tout.

449

« — Exactement, dit Waleran. Avec ses airs d'innocence, il est astucieux comme un rat. »

William trouvait que Waleran aussi ressemblait pas mal à un rat, un rat noir au nez pointu, aussi rusé que le prieur Philip.

« Nous ne pouvons pas le laisser faire, reprit Regan. Les Hamleigh n'acceptent pas la défaite. Il faut humilier ce prieur. »

Percy hésitait. « Ce n'est qu'une carrière, dit-il. Le roi, en effet...

— Ce n'est pas qu'une carrière, c'est l'honneur de la famille, objecta Regan. Peu importe ce qu'a dit le roi. »

William était d'accord avec sa mère. Philip de Kingsbridge avait défié les Hamleigh : il fallait l'écraser. Si les gens n'ont pas peur de vous, on ne vaut rien. Et il ne voyait pas pourquoi c'était si difficile. « Envoyons quelques hommes chasser les carriers du prieur ! » suggéra-t-il.

Percy secoua la tête. « C'est une chose de faire obstacle aux désirs du roi, comme nous l'avons fait en exploitant la carrière nous-mêmes ; c'en est une autre d'attaquer des ouvriers autorisés par sa permission expresse. Je pourrais y perdre le comté. »

William dut se rendre à ce point de vue. Père était parfois trop prudent, mais en général il avait raison.

« J'ai une suggestion à faire », dit l'évêque Waleran. William ne doutait pas que ce vieux renard eût un tour dans sa large manche brodée. « Je pense que la cathédrale ne devrait pas être bâtie à Kingsbridge. »

William, déconcerté par cette remarque, ne voyait pas le rapport, pas plus que son père. Mais les yeux de sa mère s'agrandirent et elle dit d'un ton songeur : « C'est une idée intéressante.

— La plupart des cathédrales, poursuivit Waleran, étaient construites autrefois, du temps du premier roi Guillaume, dans des villages comme Kingsbridge. Mais depuis soixante ou soixante-dix ans, on les construit beaucoup plus dans des grandes villes. Kingsbridge est un petit village perdu. Il n'y a rien là qu'un monastère délabré, pas assez riche pour entretenir une cathédrale, encore moins pour en bâtir une.

— Où souhaiteriez-vous, vous, la bâtir ? demanda Regan.

— A Shiring. C'est un gros bourg de mille habitants ou

davantage qui possède un marché, une foire annuelle de la laine. De plus, il est situé sur la grand-route. Si nous faisons tous deux campagne dans ce sens — l'évêque et le comte réunis — nous pourrions aboutir.

— Mais si la cathédrale était à Shiring, dit Père, les moines de Kingsbridge ne pourraient pas s'en occuper.

— Justement, coupa Regan avec impatience. Sans la cathédrale, Kingsbridge n'est rien. Le prieuré retomberait dans l'obscurité, et Philip du même coup. C'est tout ce qu'il mérite.

— Qui s'occuperait de la nouvelle cathédrale ? insista Percy.

— Un nouveau chapitre de chanoines, dit Waleran. Désigné par moi. »

William sortait de sa surprise et commençait à comprendre la pensée de Waleran : en installant la cathédrale à Shiring, Waleran en prendrait en même temps le contrôle.

« Et l'argent ? demanda Percy. Qui paierait pour la nouvelle cathédrale, sinon le prieuré de Kingsbridge ?

— Je crois que nous ne tarderons pas à constater que l'essentiel des biens du prieuré est consacré à la cathédrale, dit l'évêque. Si la cathédrale se bâtit ailleurs, les biens suivront. Ainsi, quand le roi Stephen a divisé le vieux comté de Shiring, il a donné les fermes des collines au prieuré de Kingsbridge, ainsi que nous le savons ; c'était pour aider à financer la nouvelle cathédrale. Si quelqu'un d'autre la construit il transférera ces terres au nouveau bâtisseur. Les moines protesteront, bien sûr, mais l'examen de leur charte réglera le problème. »

Le tableau s'éclaircissait. Non seulement, grâce à ce stratagème, Waleran s'assurait le contrôle de la cathédrale, mais il mettait la main, en plus, sur presque toutes les richesses du prieuré.

Père pensait la même chose. « C'est un plan parfait pour vous, évêque. Qu'y a-t-il là-dedans pour moi ? »

Ce fut Regan qui répondit à sa place. « Vous ne voyez pas ? dit-elle avec agacement. Vous possédez Shiring. Songez à la prospérité que connaîtrait la ville grâce à la cathédrale. Les centaines d'artisans et d'ouvriers au travail pendant des années devront bien vivre quelque part. Ils paieront un loyer, achèteront de la nourriture et des vêtements sur votre marché. Puis viendront les chanoines qui régiront la cathédrale ; plus les fidèles qui, à Pâques et à la

Pentecôte, se retrouveront à Shiring au lieu de Kingsbridge pour les grandes messes, et les pèlerins... Ils dépensent tous de l'argent. » Ses yeux brillaient de cupidité. William ne se souvenait pas de l'avoir vue aussi enthousiaste depuis longtemps. « Si nous menons bien notre affaire, nous ferons de Shiring une des villes les plus importantes du royaume ! »

Qui sera à moi, songea William. Quand père mourra, je serai comte.

« Très bien, dit Percy. Philip sera ruiné, vous aurez le pouvoir, évêque, et moi la richesse. Comment faisons-nous ?

— En théorie, la décision de changer l'emplacement de la cathédrale revient à l'archevêque de Canterbury.

— Pourquoi "en théorie" ? demanda sèchement Regan.

— Parce qu'il n'y a pas d'archevêque pour l'instant. William de Corbeil est mort à Noël et le roi Stephen n'a pas encore désigné son successeur. Nous savons toutefois qui a des chances : notre vieux Henry de Winchester. Il veut ce poste ; le pape lui en a déjà confié l'intérim ; de plus, son frère est le roi.

— Est-il de vos amis ? demanda Percy. Il n'a pas fait grand-chose pour vous quand vous essayiez d'obtenir ce comté, me semble-t-il.

— Il m'aidera s'il le peut, fit Waleran en haussant les épaules. Il faudra qu'on lui présente l'affaire de façon convaincante.

— Il ne voudra pas se faire de puissants ennemis juste au moment où il compte obtenir le titre d'archevêque, observa Regan.

— Exact. Mais Philip ne représente pas grand-chose. On ne le consultera sans doute pas sur le choix de l'archevêque.

— Alors, pourquoi Henry ne vous donnerait-il pas satisfaction ? demanda William.

— Parce qu'il n'est pas l'archevêque — pas encore ; il sait qu'on le surveille durant son intérim. Il a tout intérêt à prendre les décisions judicieuses et pas seulement pour rendre service à ses amis. Il en aura tout loisir *après* l'élection.

— Donc, dit Regan en réfléchissant, le mieux qu'on puisse espérer, c'est qu'il écoute notre affaire d'une oreille sympathique. Quels sont nos arguments ?

— Philip est incapable de bâtir une cathédrale ; pas nous.

— Comment le démontrer ?

— Êtes-vous allé récemment à Kingsbridge ?

— Non.

— J'y étais pour Pâques, fit Waleran en souriant. Les travaux n'ont pas encore commencé. Tout ce qu'on voit, c'est un bout de terrain délimité par des piquets et des cordes, représentant le plan au sol du futur édifice. Les fondations à peine commencées n'atteignent que quelques pieds. Un maçon et son apprenti, le charpentier du prieuré et de temps en temps un moine ou deux travaillent sur place. Tout cela ne va pas très loin. J'aimerais que l'évêque Henry voie l'état de la situation. »

Regan hocha la tête d'un air pensif. William devait reconnaître que le plan était bon, même si l'idée de collaborer avec l'abominable Waleran Bigod lui déplaisait souverainement.

« Nous expliquerons d'abord à Henry, reprit Waleran, que Kingsbridge est une petite ville vraiment insignifiante, de même que son pauvre monastère. Puis nous lui montrerons en allant sur le chantier qu'il a fallu plus d'un an pour creuser quelques malheureux trous ; ensuite nous l'emmènerons à Shiring pour qu'il fasse lui-même la différence.

— Henry acceptera-t-il ? demanda Regan avec inquiétude.

— Nous pouvons toujours le lui proposer, répondit l'évêque. Je l'inviterai à venir visiter le chantier, à la Pentecôte, dans son rôle d'archevêque. Nous le flatterons en montrant que nous le considérons déjà comme l'archevêque.

— Il faut garder Philip dans l'ignorance de notre plan, observa Percy.

— Je ne pense pas que ce soit possible, répliqua Waleran. L'évêque ne pourra pas faire une visite surprise à Kingsbridge : cela paraîtrait très bizarre.

— Mais si Philip est averti de la visite de l'évêque Henry, il fera peut-être l'effort nécessaire pour avancer les travaux.

— Avec quoi ? Il n'a pas d'argent, surtout maintenant qu'il a engagé vos carriers. Les carriers ne savent pas construire. » Waleran secoua la tête avec un sourire satisfait. « En réalité, il ne peut rien faire. »

Philip, tout d'abord, se réjouit à l'idée que l'évêque de

Winchester vienne à Kingsbridge. Cela signifiait, bien sûr, une messe en plein air, qu'on célébrerait à l'emplacement de l'ancienne cathédrale. En cas de pluie, le charpentier du prieuré construirait un abri provisoire au-dessus de l'autel pour protéger l'évêque ; les fidèles pouvaient bien se faire mouiller. Cette visite semblait un acte de foi de la part de l'évêque Henry, la preuve qu'il considérait toujours Kingsbridge comme une cathédrale et que l'absence d'une véritable église n'était qu'un problème temporaire.

Puis il commença à s'interroger sur les mobiles de Henry. Habituellement, un évêque visitait un monastère quand il avait besoin pour lui et son entourage de trouver où manger, boire et se loger gratis. Or Kingsbridge était connu — pour ne pas dire renommé — pour la simplicité de sa chère et l'austérité de son confort. Dans ce domaine les réformes de Philip avaient simplement fait passer le niveau d'épouvantable à juste suffisant. Par ailleurs Henry était le plus riche prélat du royaume, aussi ne choisissait-il sûrement pas Kingsbridge pour en goûter la cuisine et les vins. Or Philip savait que cet homme ne faisait rien sans raison.

Plus Philip y pensait, plus il soupçonnait une machination de l'évêque Waleran. Il s'attendait à voir Waleran débarquer à Kingsbridge un jour ou deux après avoir reçu sa lettre, pour discuter des arrangements pratiques concernant la visite de Henry et s'assurer que ce dernier serait content et impressionné ; comme les jours passaient et que Waleran ne se montrait toujours pas, les appréhensions de Philip ne firent que s'accentuer.

Toutefois, même dans ses crises de plus grande méfiance, il n'aurait pu imaginer la traîtrise qui éclata dix jours avant la Pentecôte, grâce à une lettre du prieur de la cathédrale de Canterbury. Comme Kingsbridge, Canterbury était une cathédrale dirigée par les moines bénédictins. Or les moines s'aident toujours entre eux s'ils le peuvent. Le prieur de Canterbury, qui travaillait évidemment en étroite collaboration avec l'archevêque intérimaire, avait appris que Waleran avait invité Henry à Kingsbridge dans le seul but de le persuader de déplacer le diocèse et la nouvelle cathédrale à Shiring.

Philip crut défaillir. C'était un mouvement abominablement habile de Waleran et Philip n'avait rien deviné.

Son manque d'intuition le désespérait. Il savait pourtant

quel traître était Waleran. L'évêque avait essayé de le duper un an plus tôt, dans l'affaire du comté de Shiring. Jamais il n'oublierait la colère de Waleran quand Philip avait fini par l'emporter sur lui. Il revoyait son visage bouffi de rage lorsqu'il avait dit : *Je jure par tout ce qui est sacré que jamais vous ne bâtirez votre église.* Avec le temps, la menace s'était atténuée et Philip avait baissé sa garde. Voilà que surgissait la preuve brutale que Waleran n'avait pas la mémoire courte.

« L'évêque Waleran affirme que vous n'avez pas d'argent et qu'en quinze mois vous n'avez rien réussi à bâtir, écrivait le prieur de Canterbury. Il compte que l'évêque Henry verra par lui-même que la cathédrale ne sera jamais réalisée si on en laisse le soin au prieuré de Kingsbridge. Il souligne que c'est maintenant qu'il faut prendre une décision avant d'engager des travaux qui ne verront jamais leur fin. »

Waleran, trop habile pour user de mensonges, préférait l'exagération. En fait Philip avait accompli beaucoup de choses : il avait déblayé les ruines, approuvé les plans, commencé les fondations, fait abattre des arbres et tailler des pierres. Mais rien de cela n'était encore spectaculaire pour un visiteur. Que d'énormes obstacles il avait surmontés, pourtant ! Il avait réformé les finances du prieuré, obtenu du roi un don important en terres et vaincu le comte Percy dans l'affaire de la carrière.

Tant d'injustice le désolait.

Tenant à la main la lettre arrivée de Canterbury, il s'approcha de la fenêtre pour regarder le chantier. Les pluies de printemps l'avaient transformé en une mer de boue. Deux jeunes moines, le capuchon rabattu sur la tête, apportaient des madriers du bord de la rivière. Tom le bâtisseur avait conçu un engin fait d'une corde et d'une poulie pour extraire les tonneaux pleins de terre du trou des fondations. On tournait le treuil tandis que son fils Alfred, au fond du trou, emplissait les barils de boue. En voyant les lieux, en observant ces hommes attelés à des tâches sans résultat apparent, un visiteur non professionnel n'aurait jamais vu là une future cathédrale.

Philip revint à son bureau. Que faire ? Un moment, il fut tenté de baisser les bras. Que l'évêque Henry prenne sa décision, songea-t-il. Si la cathédrale doit être bâtie à Shiring, qu'il en soit ainsi. Que l'évêque Waleran en prenne le contrôle et l'utilise à ses fins ; qu'elle apporte prospérité à la ville de Shiring et à la dynastie maudite des Hamleigh. Que la volonté de Dieu soit faite.

Au fond de lui-même, il savait, bien sûr, qu'il ne laisserait pas les choses se passer ainsi. Le saint devoir de Philip était de faire tout ce qu'il pouvait pour empêcher la cathédrale de tomber aux mains d'individus cyniques et immoraux qui l'exploiteraient pour accroître leur propre grandeur. Il fallait absolument montrer à l'évêque que son programme de construction avançait bien et que Kingsbridge avait l'énergie et la détermination nécessaire pour le mener au bout.

Premièrement, il fallait tout mettre en œuvre pour que le chantier fasse plus d'effet. Il fallait réquisitionner tous les moines sans exception durant les dix jours qui restaient avant la Pentecôte. Peut-être parviendraient-ils à creuser jusqu'au fond le trou des fondations pour permettre à Tom et à Alfred d'y poser les premières pierres. Si au moins une partie des fondations atteignait le niveau du sol de façon que Tom pût commencer à élever un mur, ce serait un peu mieux que le tableau actuel, mais guère. Ce qu'il aurait fallu à Philip, c'était cent ouvriers, en pleine activité. Or il n'avait pas de quoi en payer dix.

L'évêque Henry arrivant un dimanche, personne ne travaillerait, à moins que Philip ne coopte l'assemblée des fidèles. Il aurait sa centaine d'ouvriers. Il s'imagina en train de leur annoncer une nouvelle forme d'office de la Pentecôte : au lieu de chanter des hymnes et de dire des prières, nous allons creuser des trous et porter des pierres. Ils seraient stupéfaits. Ils...

Eh bien, ils coopéreraient peut-être de tout cœur.

Il fronça les sourcils. Ou bien je suis fou, se dit-il, ou bien j'ai trouvé la solution.

Il réfléchit encore : à la fin de la messe, je me lève et j'annonce que la pénitence d'aujourd'hui pour la remise de tous les péchés consiste en une demi-journée de travail sur le chantier de la cathédrale. Au souper, on distribuera du pain et de la bière.

Ils le feront. Bien sûr qu'ils le feront.

Pourquoi ne pas tester l'idée sur quelqu'un d'autre ? Il pensa à Milius, mais l'écarta aussitôt. Ils se ressemblaient trop. Il lui fallait un point de vue différent. Il décida d'en parler à Cuthert le Chenu, le cellérier. Il se drapa dans son manteau, tira le capuchon pour se protéger le visage de la pluie et sortit.

Il gagna en hâte le chantier boueux, salua Tom au passage d'un geste amical et traversa la cour des cuisines. Cette partie du monastère comprenait maintenant un poulailler, une étable et une laiterie, car Philip n'aimait pas dépenser de l'argent pour des denrées que les moines pouvaient se procurer eux-mêmes, comme les œufs et le beurre.

Dans le magasin du cellérier, derrière la cuisine, il huma l'air sec et parfumé de l'odeur des herbes et des épices rassemblées par Cuthbert. Ce dernier était en train de compter des gousses d'ail. Philip constata, non sans chagrin, que Cuthbert vieillissait : sa chair semblait se réduire sous la peau.

« Trente-sept, dit tout haut Cuthbert. Voulez-vous une coupe de vin ?

— Non, merci. » Le vin dans la journée le rendait paresseux et irritable. D'ailleurs saint Benoît recommandait aux moines de boire avec modération. « C'est votre avis que je veux, pas vos victuailles. Venez vous asseoir. »

Traçant son chemin entre les caisses et les barils, Cuthbert trébucha sur un sac, se rattrapa de justesse et vint s'asseoir sur un tabouret à trois pieds devant Philip. Le magasin n'était plus aussi bien rangé qu'autrefois, observa le prieur. Une idée le frappa.

« Avez-vous des problèmes de vue, Cuthbert ?

— Mes yeux ne sont plus ce qu'ils étaient, mais ça ira », répondit le moine laconiquement.

Pour ne pas le blesser, car il semblait susceptible sur ce sujet, Philip n'en dit pas davantage, mais nota dans sa tête de commencer à former un remplaçant pour le cellérier. « J'ai reçu une lettre très inquiétante du prieur de Canterbury », dit-il et il expliqua à Cuthbert le plan de l'évêque Waleran. Il conclut en disant : « La seule façon, à mon avis, de donner au chantier l'apparence d'une ruche bourdonnante, c'est d'y mettre les fidèles au travail. Voyez-vous une objection ? »

Cuthbert ne réfléchit pas longtemps. « Au contraire, c'est une excellente idée, dit-il aussitôt.

— Ce n'est pas très orthodoxe, n'est-ce pas ? dit Philip.

— Ça s'est déjà vu.

— Vraiment ? dit Philip, surpris et ravi. Où cela ?

— Dans différents endroits, d'après ce que j'ai entendu dire.

— Et ça réussit ? fit Philip, tout excité.

— Parfois. Ça dépend sans doute du temps.

— Comment s'y prend-on ? Le prêtre fait-il une annonce à la fin de la messe ?

— C'est plus compliqué, répondit Cuthbert. L'évêque ou le prieur envoient des messagers aux églises de la paroisse pour annoncer que la remise des péchés peut s'obtenir en travaillant au chantier.

— Parfait, acquiesça Philip avec enthousiasme. Nous pourrons réunir un plus grand nombre de fidèles que d'habitude, attirés par la nouveauté.

— Ou moins, objecta Cuthbert. Les gens préfèrent généralement donner de l'argent ou brûler un cierge que de passer toute la journée à barboter dans la boue et à porter de lourdes pierres.

— Ah ! dit Philip, soudain découragé. Après tout, ce n'est peut-être pas une si bonne idée.

— Quelles autres solutions avez-vous ?

— Aucune.

— Alors il faut essayer celle-ci en espérant que tout ira bien.

— C'est cela, dit Philip. Espérer que tout ira bien. »

IX

La nuit précédant le dimanche de la Pentecôte, Philip ne ferma pas l'œil.

Le soleil avait brillé toute la semaine — une chance car un plus grand nombre de gens se porteraient volontaires par beau temps — mais, à la tombée de la nuit le samedi soir, il s'était mis à pleuvoir. Le prieur resta éveillé, écoutant avec consternation les gouttes frapper sur le toit et le vent siffler dans les arbres. Il avait le sentiment d'avoir assez prié : maintenant Dieu devait être parfaitement au courant des circonstances.

Le dimanche précédent, chaque moine du prieuré s'était rendu dans les églises de la paroisse pour annoncer aux fidèles qu'ils pouvaient obtenir la rémission de leurs péchés en travaillant sur le chantier de la cathédrale. Le dimanche de Pentecôte, ils obtiendraient le pardon des péchés de l'an passé ; ensuite un jour de travail vaudrait une semaine de péchés de routine, à l'exclusion du meurtre et du sacrilège. Philip lui-même s'était réservé les quatre églises de Shiring, tandis qu'il chargeait deux moines de visiter le plus possible des innombrables petites églises de Winchester. La ville était à deux jours de voyage, mais les gens n'hésiteraient pas — espérait Philip — à utiliser les six jours de vacances de Pentecôte pour répondre à l'appel. Au total, des milliers de gens avaient entendu le message. Restait à savoir combien se laisseraient convaincre.

Toute la semaine, le monastère entier avait travaillé sur le chantier. Le beau temps et les longues journées du début de l'été avaient facilité les choses. On avait fini les fondations du mur côté est du chœur. Côté nord, il ne restait plus que les pierres à poser. Tom avait construit quantité d'appareils de levage en prévision des dizaines de volontaires qu'on attendait pour creuser le reste. En outre, la berge de la rivière disparaissait sous la masse de bois envoyée au fil de l'eau par les forestiers. Il faudrait le monter, ainsi que les pierres de la carrière, jusqu'au chantier. Il y avait du travail pour des centaines de gens.

Mais viendraient-ils ?

A minuit, Philip se leva et sous la pluie gagna la crypte pour les matines. Après l'office, l'averse cessa. Au lieu de se recoucher, il resta assis à lire. Ces temps-ci, il n'avait que les quelques heures entre minuit et l'aube à consacrer à l'étude et à la méditation, sa journée étant prise intégralement par l'administration du monastère et du chantier.

Il avait du mal à se concentrer car ses pensées revenaient sans cesse à la journée qui s'annonçait. En un jour, il jouait le travail d'une année, et davantage encore. Il se demandait parfois s'il ne péchait pas par orgueil ; puis il pensait à tous les gens qui dépendaient de lui, attendaient sa protection, la sécurité de leur emploi : les moines, les serviteurs du prieuré, les carriers, Tom et Alfred, les villageois de Kingsbridge et les fidèles de toute la région. Waleran ne se soucierait pas d'eux comme le faisait Philip. Non, ce n'était pas la volonté de Dieu que l'évêque Waleran l'emportât dans cette épreuve. Il y avait trop d'âmes dans la balance de la justice.

L'aube enfin se leva et Philip rejoignit les moines à la crypte pour l'office de prime. Ils étaient tous nerveux et agités, conscients que la journée serait cruciale pour leur avenir. Le sacristain célébra hâtivement l'office et pour une fois Philip lui pardonna.

Au sortir de la crypte, ils constatèrent, en se rendant au réfectoire pour le déjeuner, que le ciel était bleu et clair. Dieu leur envoyait le temps pour lequel ils avaient tant prié, c'était un bon début.

Tom le bâtisseur n'était pas tranquille, lui non plus. Tout son avenir dépendait d'une petite journée de quelques heures. Philip lui avait montré la lettre du prieur de Canterbury. Il avait tout de suite compris que, si la cathédrale se construisait à Shiring, Waleran engagerait son propre maître bâtisseur. Il ne se risquerait pas à employer un partisan de Philip, pas plus qu'à se servir de ses plans. Pour Tom, c'était Kingsbridge ou rien. La seule occasion qu'il aurait dans sa vie de bâtir une cathédrale se trouvait aujourd'hui gravement menacée.

Le matin, on l'invita à assister au chapitre avec les moines. Cela arrivait de temps en temps, lorsqu'on devait discuter du programme de construction, pour lequel il fallait son avis éclairé sur les questions de plans, de coût, ou de dates. Aujourd'hui, on parlerait des dispositions à prendre pour organiser les travailleurs volontaires... s'il s'en présentait. Tom voulait transformer le chantier en ruche bourdonnante d'activité pour le moment où l'évêque Henry arriverait.

Il écouta machinalement les épîtres et les prières sans comprendre les mots latins, tout en pensant à ses projets du jour. Puis Philip lui demanda d'esquisser l'organisation du travail.

« Je m'occuperai d'élever le mur est de la cathédrale, pendant qu'Alfred posera les pierres des fondations ailleurs, commença Tom. Il faut avancer au maximum ces travaux de base.

— De combien d'hommes aurez-vous besoin tous les deux pour vous aider ? demanda Philip.

— Pour Alfred, deux ouvriers qui lui apporteront les pierres provenant des ruines de l'ancienne église. Il lui faudra aussi quelqu'un pour préparer le mortier. Quant à moi, j'aurai besoin aussi d'un fabricant de mortier et de deux ouvriers. Alfred peut utiliser n'importe quelles pierres dans les fondations, dès l'instant qu'elles sont plates dessus et dessous, mais les miennes doivent être impeccablement taillées, puisqu'elles formeront le mur extérieur. J'ai fait venir deux tailleurs de pierre de la carrière.

— Votre travail, dit Philip, ne manquera pas d'impressionner l'évêque Henry. Mais la plupart des volontaires creuseront les fondations, je suppose ?

— C'est exact. Sauf les deux parties sur lesquelles Alfred et moi travaillerons, partout ailleurs on n'en est encore qu'à quelques pieds de profondeur. Les moines manœuvreront les treuils — j'ai expliqué le fonctionnement à plusieurs d'entre vous — et les volontaires empliront les tonneaux. »

Remigius intervint :

« Et si nous avons plus de volontaires que nécessaire ?

— Nous pouvons en employer tant qu'il s'en présentera, à peu près sans limite, répondit Tom. Si on manque de treuils, les gens transporteront la terre dans des seaux et des paniers. Le charpentier se tient prêt à confectionner des échelles supplémentaires : nous avons le bois qu'il faut.

— Mais le trou des fondations ne peut pas accueillir un nombre illimité de travailleurs, insista Remigius.

— Plusieurs centaines, en tout cas, dit Tom avec agacement. C'est un énorme trou.

— Du reste, renchérit Philip, il y a d'autres travaux à faire que de creuser.

— En effet, dit Tom. Il faut transporter le bois et les pierres du bord de la rivière jusqu'au chantier. Vous, les moines, vous vérifierez que les matériaux sont déposés au bon endroit sur le site : les pierres près des trous des fondations, mais à *l'extérieur* de l'église, là où elles ne gêneront pas ; le charpentier vous dira où entasser le bois.

— Croyez-vous, demanda Philip, que parmi les volontaires se trouveront quelques professionnels qualifiés ?

— Peut-être bien. J'espère même qu'il se trouvera quelques artisans. Les charpentiers peuvent bâtir des chalets en prévision du travail d'hiver. Les maçons tailleront les pierres et poseront les fondations. Si on a la chance d'avoir un forgeron, nous lui demanderons d'utiliser la forge du village pour fabriquer des outils. Ce serait extrêmement utile. »

Milius, le trésorier, prit la parole : « Tout cela est très

clair. J'aimerais que nous commencions. Quelques villageois sont déjà sur place, attendant qu'on leur donne des instructions. »

Pourtant Tom n'avait pas terminé. Il lui restait à dire quelque chose d'important, mais de délicat, et il cherchait les mots appropriés. Les moines risquaient de se montrer arrogants avec les volontaires, de les heurter. Or il fallait que la journée se passe dans la joie et la bonne humeur.

« J'ai déjà eu l'occasion de travailler avec des volontaires, commença le bâtisseur. Il est important de ne pas... de ne pas les traiter comme des serviteurs. Même si nous pensons qu'ils espèrent une récompense céleste et qu'ils doivent donc faire plus d'effort que pour de l'argent, rappelons-nous qu'ils voient peut-être les choses autrement. Eux, ils ont l'impression de travailler pour rien, de nous rendre un grand service. Si nous nous montrons ingrats, ils travailleront lentement, mal, ou pas du tout. Il vaut mieux les mener d'une main légère. »

Il surprit le regard de Philip et vit que le prieur réprimait un sourire. « Très juste, dit celui-ci. Si nous les traitons bien, nos volontaires seront heureux, l'atmosphère détendue — ce qui fera sur l'évêque Henry une impression positive. » Il fit le tour des moines assemblés. « S'il n'y a plus de question, commençons. »

Sous la protection du prieur Philip, Aliena avait connu une année de sécurité et de prospérité. Elle et son frère avaient parcouru la campagne, achetant ici et là des toisons aux paysans, pendant tout le printemps et l'été passés, toisons qu'ils vendaient à Philip chaque fois qu'ils avaient un sac plein. Ils avaient terminé la saison avec cinq livres d'argent.

Leur père était mort quelques jours à peine après leur visite, ce qu'Aliena n'avait appris qu'à Noël. Grâce à de nombreux pots-de-vin, payés avec son argent si durement gagné, elle avait retrouvé sa tombe dans le cimetière des pauvres à Winchester. Là, devant cette simple sépulture, elle pleura beaucoup, pas seulement pour lui mais pour la vie qu'ils avaient menée ensemble, une vie exempte de risques et de soucis, une vie qu'elle ne retrouverait jamais plus. Elle lui avait dit adieu avant sa mort : en quittant la prison, elle savait qu'elle ne le reverrait jamais. D'un autre côté, il ne la quittait pas, car elle était liée par le serment qui déterminait sa vie et qu'elle était résignée à exécuter pour respecter la volonté de son père.

Durant l'hiver, Richard et Aliena vécurent dans une petite maison adossée au mur du prieuré de Kingsbridge. Ils construisirent une charrette en achetant les roues au charron de Kingsbridge, et au printemps ils firent acquisition d'un jeune bœuf pour la tirer. La saison de la tonte battait maintenant son plein et déjà ils avaient gagné plus que le prix du bœuf et de la charrette neuve. L'année suivante, Aliena envisageait d'employer un homme pour l'aider. Il serait temps de chercher pour Richard un poste de page dans la maison d'un petit seigneur où il commencerait son apprentissage de chevalier.

Tous ses projets, tout son avenir dépendaient du prieur Philip.

Comme une fille de dix-huit ans sans protection, elle était encore une proie facile pour les voleurs et pour bien des marchands. Elle avait tenté sa chance auprès des négociants de Shiring et de Gloucester, juste pour voir comment ils réagiraient, et, comme la première fois, on lui avait offert moitié prix. Le but qu'elle poursuivait en secret, c'était de posséder un jour son propre magasin et de vendre tout son stock aux acheteurs flamands ; mais ce temps-là était encore loin. En attendant, pensa-t-elle une fois de plus, elle dépendait de Philip.

Et la position du prieur était devenue précaire.

Richard ne voulait pas travailler sur le chantier de la cathédrale le dimanche de Pentecôte, mais Aliena l'avait sermonné et forcé à accepter. Peu après le lever du soleil, tous deux firent les quelques pas qui les séparaient de l'enclos du prieuré. Presque tout le village était déjà là : trente ou quarante hommes, certains avec leurs épouses et leurs enfants. D'abord Aliena s'étonna de tant de bonne volonté, puis réfléchit que le prieur Philip était leur seigneur et que, quand un seigneur demande des volontaires, on est probablement mal avisé de refuser. Au cours de l'année précédente, elle avait beaucoup élargi son expérience et sa connaissance du genre humain. Tandis que Tom le bâtisseur donnait leurs instructions aux villageois, Richard rejoignit Alfred, le fils de Tom. Ils avaient à peu près le même âge, à un an près, et ils jouaient au ballon avec les autres garçons du village chaque dimanche. La petite fille, Martha, était là aussi, mais la femme, Ellen, et le drôle de petit garçon aux cheveux roux avaient disparu. Aliena se rappelait l'époque où Tom et sa famille étaient apparus à Earlscastle, sans ressources alors. Et, comme elle, ils avaient été sauvés par le prieur Philip.

On donna une pelle à Aliena et à Richard et on leur montra où creuser. La terre était humide, mais le soleil ne tarderait pas à sécher la surface. Aliena se mit au travail avec énergie. Malgré la présence de cinquante personnes sur le chantier, le résultat n'était pas très spectaculaire.

Aliena, quoique musclée, plus mince et plus solide à force d'arpenter les routes et de soulever de lourds ballots de laine brute, s'apercevait que creuser lui faisait quand même bien mal au dos. Elle poussa un soupir de soulagement quand le prieur Philip agita une clochette pour annoncer une pause. Des moines apportèrent du pain frais de la cuisine et servirent de la petite bière. Le soleil chauffait, maintenant, et certains des hommes se mirent torse nu.

Au cours de ce repos, un groupe d'étrangers apparut à la porte. Aliena les regarda avec espoir. Ils n'étaient qu'une poignée, mais peut-être annonçaient-ils une grande foule. Ils s'approchèrent de la table où l'on distribuait le pain de la bière et le prieur Philip les accueillit. « D'où venez-vous ? » demanda-t-il tandis qu'ils engloutissaient avec gratitude une chope de bière.

« De Horsted », répondit l'un d'eux, s'essuyant la bouche sur sa manche. Bonne nouvelle : Horsted était un village de deux ou trois cents habitants, à quelques lieues de Kingsbridge. Avec un peu de chance, on pouvait compter sur une centaine d'autres volontaires.

« Combien serez-vous ? » demanda Philip.

L'homme parut surpris de la question. « Il n'y a que nous quatre », répondit-il.

Durant l'heure suivante, les volontaires se succédèrent par petits groupes si bien que vers le milieu de la matinée soixante-dix ou quatre-vingts travailleurs s'activaient, y compris les villageois. Puis on ne vit plus personne pendant longtemps.

Ce n'était pas assez.

Philip regardait Tom construire son mur. Quand un ouvrier lui apportait une pierre, il commençait par en vérifier la rectitude grâce à un instrument de fer en forme de L. Il étalait alors une couche de mortier sur le mur avec la pointe de sa truelle, posait dessus la nouvelle pierre et grattait le surplus de mortier. Pour bien placer la pierre, il se guidait avec un fil tendu entre les deux contreforts qu'il avait déjà édifiés. Philip remarqua que la pierre était presque aussi lisse sur le dessus et le dessous que sur la face qui se verrait. Il en demanda la raison à Tom. « Une pierre ne doit jamais en toucher une autre, répondit le maçon. C'est à cela que sert le mortier.

— Pourquoi ne doivent-elles jamais se toucher ?

— Pour éviter les fissures, dit Tom en se redressant. Si vous marchez sur un toit d'ardoises, votre pied va passer à travers, mais si vous posez une planche en travers du toit, vous pouvez marcher sans endommager les ardoises. La planche répartit le poids. C'est ce que fait le mortier. »

Philip découvrait les mystères de ce métier passionnant, d'autant que Tom était capable d'en expliquer avec précision tous les détails.

La partie la plus rugueuse de la pierre faisait face à l'intérieur de l'église. Philip se rappela que Tom comptait bâtir un mur à double paroi, avec une cavité entre les deux, si bien que le dos des pierres serait caché.

Quand le maçon avait posé la première pierre sur son lit de mortier, il prenait son niveau : c'était un triangle de fer attaché au sommet par une courroie de cuir et portant des marques à la base. Au bout de la courroie était fixé un plomb, si bien qu'elle pendait toujours droit. Il posait la base de l'instrument sur la pierre et observait comment pendait la courroie de cuir. Si elle penchait d'un côté ou de l'autre de la ligne centrale, il tapait sur la pierre avec son marteau jusqu'à la mettre exactement de niveau. Il déplaçait alors l'instrument pour lui faire chevaucher le joint entre les deux pierres voisines et s'assurer que la partie supérieure restait bien dans l'alignement. Enfin, il tournait l'instrument de côté pour s'assurer que le bloc ne penchait ni d'un côté ni de l'autre. Philip n'avait jamais imaginé le temps qu'il fallait pour placer convenablement une seule pierre.

Son regard parcourut l'ensemble du chantier. Il était si étendu que quatre-vingts personnes s'y perdaient. Si actifs que fussent les volontaires, leurs efforts semblaient futiles dans ce vaste espace. Philip constatait que la centaine d'hommes qu'il avait espérée n'aurait même pas suffi.

A cet instant, un nouveau petit groupe franchit la porte

et Philip se força à aller les accueillir avec un sourire. Inutile de leur annoncer que leurs efforts seraient vains. De toute façon, ils obtiendraient le pardon de leurs péchés.

Ils étaient douze, bientôt suivis de deux autres. Peut-être après tout atteindrait-on la centaine vers midi, à l'arrivée de l'évêque, pensa le prieur.

« Dieu vous bénisse tous », leur dit-il. Il allait leur expliquer où commencer à creuser lorsqu'il fut interrompu par un appel. « Philip ! »

Il fronça les sourcils. Il avait reconnu la voix de frère Milius, mais même Milius appelait Philip « père » en public. Il regarda dans la direction d'où venait la voix. Milius se balançait sur le mur du prieuré dans une attitude assez peu digne d'un moine. D'une voix calme mais qui portait bien, Philip ordonna : « Frère Milius, descendez. » A son étonnement, Milius resta à sa place et cria : « Venez voir ça ! »

Les nouveaux arrivants allaient avoir piètre opinion de l'obéissance monastique, songea Philip, mais il était curieux de savoir ce qui avait à ce point excité Milius qu'il en avait oublié ses manières. « Venez m'expliquer cela, Milius, dit-il d'un ton qu'il réservait d'ordinaire aux novices bruyants.

— Il faut que vous voyiez vous-même ! » cria Milius.

Agacé, mais ne voulant pas réprimander son plus proche collègue devant des étrangers, il se résigna à sourire et à faire ce que demandait Milius. Il traversa le terrain boueux, passa devant l'écurie et sauta sur le petit mur. « A quoi rime cette attitude ? siffla-t-il.

— Regardez ça ! » dit Milius en tendant le doigt.

Suivant son geste, Philip porta les yeux au-dessus des toits du village, au-delà de la rivière, jusqu'à la route. Tout d'abord, il n'y crut pas. Entre les champs verdoyants, la route n'était qu'une masse solide de gens, par centaines, qui se dirigeaient vers Kingsbridge. « Qu'est-ce que c'est ? fit-il sans comprendre. Une armée ? » Puis il se rendit compte que, bien sûr, c'étaient des volontaires. Son cœur sauta de joie. « Regardez-les ! cria-t-il. Ils sont cinq cents... mille... plus !

— Mais oui ! dit Milius exùltant de joie. Ils sont venus !

— Nous sommes sauvés ! »

Philip avait oublié sa colère contre Milius. Il n'avait d'yeux que pour la masse qui emplissait la route jusqu'au pont et dont les rangs se déroulaient à travers le village jusqu'à la porte du prieuré. Ils commençaient d'ailleurs à se déverser sur le chantier, attendant les ordres. « Alleluia ! » cria Philip.

Il ne suffisait pas de se réjouir : il fallait guider ces gens. Il sauta à bas du mur. « Venez ! cria-t-il à Milius. Rappelez tous les moines chargés de gros travaux : nous allons avoir besoin d'eux comme contremaîtres. Dites au cuisinier de cuire tout le pain qu'il peut et de rouler quelques tonneaux de bière de plus. Il va nous falloir davantage de seaux et de pelles. Nous devons occuper tout le monde avant l'arrivée de l'évêque Henry ! »

Pendant l'heure suivante, Philip déploya une activité frénétique. D'abord, pour dégager le terrain, il affecta une bonne centaine de volontaires à l'acheminement des matériaux encore en attente au bord de la rivière. Dès que Milius eut rassemblé un groupe de moines pour les encadrer, il commença à en envoyer bon nombre vers les fondations. Ils se trouvèrent bientôt à court de pelles, de barils et de seaux. Philip ordonna qu'on apportât de la cuisine toutes les marmites et il chargea quelques hommes de confectionner des caisses et des paniers rudimentaires pour transporter la terre. Devant le manque d'échelles et d'appareils de levage, ils aménagèrent une longue rampe à une extrémité de la plus grande fosse.

Philip se rendit compte qu'il avait oublié un point important ; où déverser l'énorme quantité de terre qui provenait des fondations ? Il fallait improviser. Le prieur décida qu'on déverserait la terre sur un terrain rocheux proche de la rivière. Peut-être deviendrait-il cultivable un jour ?

Bernard l'interrompit, affolé, pour annoncer qu'il n'avait nourri que deux cents personnes au plus alors qu'il y en avait sûrement au moins mille. « Faites un feu dans la cour de la cuisine et préparez de la soupe dans une cuve, dit Philip. Coupez la bière d'eau. Utilisez toutes les réserves. Demandez à quelques villageois de préparer de la nourriture sur leur propre foyer. Inventez ! » Et il s'éloigna pour donner ses ordres de déblaiement.

Soudain quelqu'un lui tapa sur l'épaule et lui dit en français : « Prieur Philip, puis-je avoir un moment votre attention ? »

C'était le doyen Baldwin, l'adjoint de Waleran Bigod.

Philip se retourna et d'un coup aperçut le groupe des

visiteurs, à cheval et somptueusement vêtus qui contemplaient avec stupéfaction la scène. Il reconnut l'évêque Henry, un petit homme trapu à l'air pugnace, sa coupe de cheveux monastique contrastant étrangement avec son somptueux manteau rouge brodé. Auprès de lui se trouvait l'évêque Waleran, vêtu de noir comme toujours, dissimulant mal sa consternation sous son air habituel de froid mépris. Il y avait le gros Percy Hamleigh, son robuste fils William et son horrible femme, Regan. Percy et William semblaient abasourdis, mais Regan avait compris tout de suite la stratégie de Philip et blêmissait de rage.

Philip s'approcha de l'évêque Henry et constata à sa grande surprise que celui-ci le regardait avec beaucoup d'intérêt, mais aussi de l'étonnement, de la curiosité et une sorte de respect amusé. Il avait à peu près le même âge que Philip, mais son teint coloré et sa robuste silhouette le faisaient paraître plus âgé.

Philip prit son cheval par la bride et baisa la main baguée que tendait Henry. L'évêque mit pied à terre, imité par le reste de son escorte. Philip appela deux moines pour mener les chevaux à l'écurie.

« Eh bien, père Philip, dit l'évêque, je suis venu vérifier certains rapports prétendant que vous n'êtes pas capable de faire construire une nouvelle cathédrale ici, à Kingsbridge. » Il marqua un temps, considéra les centaines de travailleurs, puis son regard revint à Philip. « On dirait que j'ai été mal informé. »

Philip sentit son cœur battre plus fort. Henry ne pouvait être plus clair : il avait gagné.

Le prieur se tourna vers l'évêque Waleran qui maîtrisait de plus en plus mal sa fureur d'avoir été une fois de plus vaincu. Philip s'agenouilla, baissant la tête pour cacher son expression de triomphe, et baisa la main de Waleran.

Tom se réjouissait de construire enfin un mur. Il y avait si longtemps qu'il ne l'avait pas fait, qu'il y avait oublié la profonde tranquillité qu'on éprouve à poser une pierre sur l'autre suivant des lignes parfaitement droites et à regarder monter l'édifice.

A l'arrivée du gros flot de volontaires, il s'était rendu compte que le plan de Philip allait réussir. Sa joie augmenta. Ces pierres allaient constituer la cathédrale de Tom et ce mur, qui n'avait maintenant qu'un pied de haut, fini-rait par atteindre le ciel. Tom avait le sentiment de naître à une nouvelle vie.

Il sut tout de suite quand l'évêque Henry arriva. Comme une pierre qu'on laisse tomber dans une mare, un frémisse-ment parcourut la masse des travailleurs à l'arrivée du cor-tège. Tom n'interrompit pas son travail. Il n'était jamais à l'aise avec les gens bien vêtus, mais il lui fallait apparaître sage et compétent, calme et assuré, le genre d'homme à qui l'on confie volontiers la tâche complexe de diriger un vaste et coûteux projet de construction.

Il guettait les visiteurs et posa sa truelle lorsque le groupe approcha. Le prieur Philip conduisit l'évêque Henry jus-qu'au maçon et Tom s'agenouilla pour baiser sa main. « Tom, dit Philip, est notre bâtisseur, envoyé à nous par Dieu le jour où la vieille église a brûlé. »

Tom s'agenouilla ensuite devant l'évêque Waleran, puis examina le reste de l'escorte. Lui, le maître bâtisseur, ne devait pas se montrer servile. Il reconnut Percy Hamleigh, pour qui il avait jadis construit la moitié d'une maison. « Mon seigneur Percy », dit-il en s'inclinant. Il reconnut l'abominable femme de Percy. « Ma dame Regan. » Puis son regard tomba sur le fils. Il se souvenait que William avait failli renverser Martha avec son grand destrier et comment il avait essayé d'acheter Ellen dans la forêt. Quel triste individu ! Mais Tom arbora un masque poli. « Jeune seigneur William, je vous salue. »

L'évêque Henry le suivait attentivement des yeux. « Avez-vous tracé vos plans, Tom le bâtisseur ?

— Oui, mon seigneur évêque. Voulez-vous les regar-der ?

— Très certainement.

— Si vous voulez bien venir par ici. »

Henry acquiesça et Tom l'emmena jusqu'à sa cabane, à quelques pas de là. Il sortit le plan au sol, tracé dans le plâtre sur un grand cadre de bois de quatre pieds de long, l'appuya contre la paroi de la cabane et recula.

C'était un moment délicat. La plupart des gens ne savaient pas lire un plan, mais les évêques et les seigneurs avaient horreur de l'avouer, aussi fallait-il leur en expliquer le concept d'une façon qui ne révélât pas leur ignorance au reste du monde. Ceux qui savaient déchiffrer un plan se sentaient insultés quand un simple bâtisseur prétendait leur donner des leçons.

Tom désigna nerveusement le cadre : « Voici le mur que je suis en train de construire.

— Oui, la façade est, de toute évidence », dit Henry. Bon : il savait parfaitement lire un plan. « Pourquoi n'y a-t-il pas de bas-côtés dans les transepts ?

— Par économie, s'empressa de répondre Tom. Toutefois, nous ne commencerons pas à les construire avant cinq ans, et si le monastère continue de prospérer comme il l'a fait durant la première année sous le prieur Philip, il se peut que nous puissions nous permettre des transepts avec des bas-côtés. » Ayant à la fois glissé une louange pour Philip et répondu à la question, Tom était assez content de lui.

Henry approuva de la tête. « Il est raisonnable de faire des plans modestes en laissant des possibilités d'extension. Montrez-moi l'élévation. »

Tom sortit la coupe, sans commentaire maintenant qu'il savait Henry capable de comprendre ce qu'il regardait. Il en eut la confirmation lorsque Henry dit : « Les proportions sont agréables.

— Merci », dit Tom. L'évêque semblait ravi. Tom ajouta :

« C'est une cathédrale modeste, mais elle sera plus claire et plus belle que l'ancienne.

— Combien de temps faudra-t-il pour la terminer ?

— Quinze ans, en travaillant sans arrêt.

— Ce qui n'est jamais le cas. Pouvez-vous me montrer à quoi elle ressemblera de l'extérieur ? »

Tom comprit. « Vous voulez voir une esquisse ?

— Certainement. » Tom revint à son mur, suivi de l'évêque et de l'escorte. Il s'agenouilla sur sa planche et étala le mortier en couche uniforme dont il lissa la surface. Puis, de la pointe de sa truelle, il traça une vue de l'église côté ouest. Il avait confiance en son talent. D'ailleurs, l'évêque, son escorte, tous les moines et les volontaires qui se trouvaient là regardaient, fascinés. En quelques instants, il eut terminé un dessin de la façade ouest, avec ses trois porches voûtés, sa grande fenêtre et ses tourelles. C'était simple, mais impressionnant.

« Remarquable, dit l'évêque Henry quand le dessin fut terminé. Que la bénédiction de Dieu s'ajoute à votre talent. »

470

Tom sourit. Voilà qui valait une nomination.

Le prieur Philip intervint : « Mon seigneur évêque, voulez-vous prendre un rafraîchissement avant de célébrer la messe ?

— Avec joie. »

Tom était soulagé. L'épreuve était terminée et il l'avait passée haut la main. Pendant que le groupe s'éloignait, Philip serra le bras de Tom et lui souffla avec une jubilation retenue : « Bien joué ! »

Tom poussa un soupir. Il se sentait ravi et fier. L'évêque Henry était plus qu'impressionné : il était abasourdi, malgré son calme apparent. De toute évidence, Waleran l'avait préparé à un spectacle de désolation et d'inactivité, si bien que la réalité avait été d'autant plus frappante. Au bout du compte, la malice de Waleran s'était retournée contre lui et avait servi au triomphe de Philip et de Tom.

Il savourait sa victoire lorsqu'il entendit une voix familière.

« Bonjour, Tom le bâtisseur. »

Il se retourna et aperçut Ellen.

Ce fut à son tour de rester sans voix. La cathédrale lui avait tellement occupé l'esprit que de toute la journée il n'avait pas pensé une fois à elle. Il la contempla avec ravissement. Elle était la même que le jour de son départ : mince, brune, avec des cheveux qui s'agitaient comme des vagues et ces yeux d'or au regard lumineux. Elle lui sourit de cette bouche aux lèvres pleines qui donnait à Tom si fort envie de l'embrasser.

Il désirait follement la prendre dans ses bras, mais il se maîtrisa. D'une voix sourde, il parvint à articuler : « Bonjour, Ellen. » Un jeune homme qui l'accompagnait dit : « Bonjour, Tom. »

Tom le regarda avec curiosité.

« Tu ne te souviens pas de Jack ? fit Ellen.

— Jack ! » Le garçon avait changé. Il était un peu plus grand que sa mère maintenant, et il avait ce physique anguleux qui fait dire aux grands-mères qu'un garçon a grandi trop vite. Il avait toujours les cheveux roux, la peau blanche et les yeux verts, mais ses traits s'étaient ordonnés de façon plus séduisante et peut-être un jour serait-il même beau.

Le regard de Tom revint à Ellen. Il aurait voulu dire : *Tu m'as manqué. Je ne peux pas te dire à quel point tu m'as manqué.* Au lieu de cela, il demanda : « Alors, où étais-tu ?

— Nous avons vécu comme toujours, dans la forêt, dit-elle.

— Et qu'est-ce qui t'a fait revenir justement aujourd'hui ?

— Nous avons entendu parler de ton appel aux volontaires et nous étions curieux de savoir comment tu allais. Je n'ai pas oublié ma promesse, tu sais.

— Je suis si heureux, dit Tom, j'avais tellement envie de te voir. »

Elle semblait sur ses gardes. « Ah ? »

C'était le moment qu'il attendait depuis un an et voilà maintenant qu'il avait peur. Jusqu'alors il vivait dans l'espoir, mais si elle le repoussait aujourd'hui, il l'aurait perdue à jamais. Il n'osait pas commencer. Le silence se prolongeait. Il prit une profonde inspiration. « Écoute, dit-il brusquement. Je veux que tu reviennes avec moi. Je t'en prie, ne dis rien avant de m'avoir écouté... S'il te plaît.

— D'accord, fit-elle d'un ton neutre.

— Philip est un très bon prieur. Le monastère s'enrichit sans cesse grâce à sa gestion. J'ai ici un travail sûr. Nous n'aurons plus jamais, je te le promets, à arpenter les routes.

— Ce n'était pas ça...

— Je sais, mais écoute encore.

— Très bien.

— J'ai bâti dans le village une maison avec deux chambres et une cheminée, et je peux l'agrandir. Nous ne serions pas obligés d'habiter le prieuré.

— Philip est propriétaire du village.

— Philip actuellement me doit beaucoup, fit Tom, désignant d'un grand geste la scène. Il sait que sans moi il n'aurait jamais pu réussir. Si je lui demande de te pardonner ce que tu as fait et de considérer ton année d'exil comme une pénitence suffisante, il acceptera. Il ne peut pas me refuser ça, surtout aujourd'hui.

— Et les garçons ? dit-elle. Est-ce que je dois regarder Alfred faire couler le sang de Jack chaque fois qu'il est en colère ?

— Je crois que j'ai la solution, dit Tom. Alfred est maintenant maçon. Je prendrai Jack comme apprenti. De cette façon, Alfred ne reprochera pas son oisiveté à Jack. Toi, tu peux apprendre à lire et à écrire à Alfred, pour que les deux garçons se trouvent sur un pied d'égalité : tous deux des travailleurs, tous deux instruits.

— Tu as beaucoup réfléchi, n'est-ce pas ? dit-elle.

— Oui. »

Il attendit sa réaction. Il ne savait pas plaider, il savait seulement exposer la situation. Il avait l'impression d'avoir prévu toutes les objections possibles. Il fallait qu'elle accepte ! Mais elle hésitait encore. « Je ne suis pas sûre », dit-elle.

Il perdit patience. « Oh ! Ellen, ne dis pas ça. » Il avait peur d'éclater en sanglots tellement il avait la gorge serrée. « Je t'aime tant, je t'en prie, ne repars pas, supplia-t-il. La seule chose qui m'a soutenu, c'est l'espoir que tu reviendrais. Je ne peux pas supporter de vivre sans toi. Tu ne vois donc pas que je t'aime de tout mon cœur ? »

Elle changea aussitôt. « Alors, pourquoi ne l'as-tu pas dit ? » murmura-t-elle en s'approchant de lui. Il la prit dans ses bras. « Je t'aime aussi, espèce d'idiot », dit-elle.

Il se sentait défaillir de joie. Elle m'aime vraiment, elle m'aime, songea-t-il. Il la serra très fort, puis se recula un peu. « Ellen, veux-tu m'épouser ? »

Il y avait des larmes dans ses yeux, mais elle souriait aussi.

« Oui, Tom, je veux bien t'épouser. »

Il l'attira à lui et l'embrassa. Depuis un an, il en rêvait. Il ferma les yeux, se concentra sur la délicieuse sensation des lèvres pleines d'Ellen contre les siennes. Elle avait la bouche légèrement entrouverte et les lèvres humides. C'était un baiser délicieux. Puis une voix retentit à côté d'eux : « Ne l'avale pas, bon Dieu ! »

Il s'écarta. « Attention, nous sommes dans une église ! »

— Je m'en fiche », dit-elle joyeusement et elle l'embrassa de nouveau.

Le prieur Philip les avait encore une fois dupés, songeait William avec amertume tandis que, assis dans la maison du prieur, il buvait le vin coupé d'eau de Philip et croquait les gâteaux de la cuisine du prieuré. Il lui avait fallu un moment pour comprendre l'éclat et l'ampleur de la victoire du moine. L'évêque Waleran ne s'était pas trompé dans sa première estimation de la situation : c'était vrai que Philip avait peu d'argent et qu'il aurait de grandes difficultés à bâtir une cathédrale à Kingsbridge. Mais, malgré les obstacles, le rusé prieur avait obstinément progressé, engagé un maître bâtisseur, commencé la construction et, à partir de rien, rassemblé une masse de main-d'œuvre suffisante pour éblouir l'évêque Henry. Lequel avait été dûment impressionné, d'autant plus que Waleran lui avait auparavant peint un tableau des plus sombres.

Ce maudit moine le savait, qu'il avait gagné ! Il n'arrivait pas à effacer de son visage ce sourire triomphant. Il était maintenant en grande conversation avec l'évêque Henry, parlant avec animation de races de moutons, du prix de la laine. Henry l'écoutait attentivement, avec respect même, ignorant grossièrement le père et la mère de William, pourtant bien plus importants qu'un simple prieur.

Philip regretterait cette journée. Personne ne pouvait l'emporter sur les Hamleigh sans le payer fort cher. Bartholomew de Shiring, qui les avait insultés, était mort dans la cellule d'un traître. Philip ne s'en tirerait pas mieux.

Tom le bâtisseur était un autre gaillard qui allait regretter de s'être dressé sur le chemin des Hamleigh. William n'avait pas oublié comment le maçon l'avait défié à Durstead, en retenant son cheval par la bride et en l'obligeant à payer les ouvriers. Aujourd'hui il l'avait cavalièrement appelé « jeune seigneur William ». De toute évidence il entretenait les meilleurs rapports avec Philip, et désormais il bâtissait des cathédrales et non plus des manoirs. Il allait apprendre que mieux valait se mettre du côté des Hamleigh que de s'allier à leurs ennemis.

William fulmina intérieurement jusqu'au moment où l'évêque Henry se leva et annonça qu'il était prêt à célébrer l'office. Le prieur Philip fit signe à un novice qui partit en courant et, quelques instants plus tard, une cloche se mit à sonner. Ils quittèrent tous la maison, l'évêque Henry en tête, puis l'évêque Waleran, puis le prieur Philip, puis les laïques. Les moines qui attendaient dehors se mirent en rang derrière Philip, formant une procession. Les Hamleigh durent fermer la marche.

Les volontaires emplissaient une moitié de l'enclos du prieuré. Henry monta sur une plate-forme dressée au milieu du chantier, les moines s'alignèrent derrière lui, là où serait le chœur de la nouvelle cathédrale. Les Hamleigh et les autres laïques de l'entourage de l'évêque se dirigèrent vers ce qui deviendrait la nef.

Comme ils prenaient place, William aperçut Aliena.

Elle avait bien changé. Elle portait des vêtements modestes, des sabots de bois, et la masse de boucles qui encadrait sa tête était humide de sueur. Mais c'était bien Aliena, si belle qu'il sentit sa gorge se dessécher. Il la contempla, incapable de détourner son regard, tandis que l'office commençait et qu'un millier de voix s'élevaient à l'unisson dans l'enceinte du prieuré pour célébrer Dieu le Père.

Sans doute se sentit-elle intensément observée, car elle parut troublée, s'agita d'un pied sur l'autre, puis jeta des coups d'œil autour d'elle comme si elle cherchait quelqu'un. Elle finit par croiser le regard de William. Une expression d'horreur se peignit sur son visage et elle se recroquevilla à sa place, bien qu'elle fût à plus de vingt pas de lui et séparée par des douzaines de fidèles. Sa peur la rendait encore plus désirable et William sentit son corps réagir comme il ne l'avait pas fait depuis un an. Elle rougit, baissa les yeux comme si elle avait honte, échangea quelques mots avec un garçon auprès d'elle — c'était le frère, bien sûr, se dit William, se rappelant ce visage mêlé à des souvenirs si érotiques —, puis elle tourna les talons et disparut dans la foule.

William était désolé. Il fut tenté de la suivre, mais comment faire en pleine messe, en présence de ses parents, de deux évêques, de quarante moines et d'un millier de fidèles ? Il se retourna donc vers le chœur, déçu. Il avait perdu sa chance de découvrir où elle vivait.

Même disparue, elle emplissait encore ses pensées. Puis il remarqua que son père semblait agité. « Regardez ! disait-il à Regan. Regardez cette femme ! »

William crut tout d'abord que Père parlait d'Aliena. Mais lorsqu'il suivit la direction qu'il indiquait, il vit une femme, d'une trentaine d'années, pas aussi voluptueuse qu'Aliena, mais arborant un air sauvage fort séduisant. Elle parlait avec Tom, le maître bâtisseur, et William pensa que c'était sans doute sa femme, celle qu'il avait essayé d'acheter dans la forêt voilà plus d'un an. Mais comment son père la connaissait-il ?

« C'est elle ? » dit Percy.

Comme si elle les avait entendus, la femme tourna la tête et les regarda bien en face. William revit alors ses yeux dorés au regard pénétrant.

« C'est bien elle, mon Dieu », souffla Regan.

Le visage rubicond de Percy pâlit et ses mains se mirent à trembler. « Le Christ nous protège, dit-il. Je croyais qu'elle était morte. »

William nageait en pleine perplexité.

Ce moment, Jack le redoutait depuis des mois. Cela faisait longtemps, il le savait, que Tom le bâtisseur manquait à sa mère. Elle avait le caractère moins gai qu'autrefois ; son regard souvent était rêveur et lointain ; la nuit on l'entendait parfois gémir. Jack avait toujours su qu'elle retournerait vers lui. Et maintenant elle avait accepté de rester.

Cette idée lui faisait horreur.

Ils avaient toujours été heureux ensemble, tous les deux. Il aimait sa mère et sa mère l'aimait. Il n'existait personne d'autre entre eux. La vie dans la forêt manquait d'intérêt, c'était vrai. Il regrettait la fascination des foules et des villes qu'il avait connues lors de son bref séjour dans la famille de Tom. Martha aussi lui manquait. Bizarrement, il avait lutté contre l'ennui de la vie de la forêt en rêvant à la jeune fille qu'il appelait la Princesse, bien qu'il sût que son nom était Aliena. C'était vrai aussi qu'il aimait travailler avec Tom et apprendre les secrets du bâtiment. Mais il ne serait plus libre. Des gens le commanderaient. Il lui faudrait travailler, qu'il en eût envie ou non. Et il devrait partager sa mère avec le reste du monde.

Assis sur le mur près de la porte du prieuré, il ruminait ces tristes pensées quand il eut la stupéfaction de voir apparaître la Princesse.

Il cligna les yeux. Elle se frayait une chemin à travers la foule, se dirigeant vers la porte, l'air désemparé. Elle était encore plus belle que dans son souvenir. Autrefois, elle avait un corps de jeune fille rond et voluptueux, vêtu de riches vêtements. Aujourd'hui, elle paraissait plus mince, plus femme que jeune fille. La simple robe de toile trempée de sueur qu'elle portait collait à son corps, révélant des seins généreux, un ventre plat, des hanches étroites et de longues jambes. Son visage était maculé de boue et ses cheveux décoiffés. Elle semblait bouleversée par quelque chose, effrayée aussi, mais l'émotion rendait son visage encore plus séduisant. Captivé, Jack senti dans ses reins un élan qu'il n'avait encore jamais éprouvé.

Il la suivit machinalement, la rattrapa dehors, dans la rue. Il se dégageait d'elle une odeur musquée, l'odeur du travail. Il se rappela qu'autrefois elle sentait les fleurs. « Quelque chose ne va pas ? demanda-t-il.

— Non, rien », répondit-elle brièvement en hâtant l'allure.

Jack lui emboîta le pas.

« Vous ne vous souvenez pas de moi. La dernière fois que nous nous sommes rencontrés, vous m'avez expliqué comment se fabriquent les bébés.

— Oh ! taisez-vous et allez-vous-en », cria-t-elle.

Il s'arrêta, déçu. Elle l'avait traité comme un enfant agaçant. Que valaient ses treize ans à lui, comparés aux dix-huit ans de la Princesse ?

Il la vit aller jusqu'à une maison, prendre une clé pendue à une courroie autour de son cou et ouvrir la porte.

Elle habitait là !

Voilà qui changeait tout.

Soudain la perspective de quitter la forêt pour habiter Kingsbridge ne lui parut plus si terrible. Il verrait la Princesse chaque jour. Cela compenserait bien des choses.

Il resta planté là, à observer la porte, mais elle ne réapparut pas. Il ne voulait pas bouger. Il se sentait empli d'une émotion nouvelle. Rien ne lui semblait plus important, sauf la Princesse. Il ne pensait plus qu'à elle. Il était ensorcelé. Il était possédé.

Il était amoureux.

ALIENA

TROISIÈME
PARTIE

1140-1142

I

La putain que choisit William n'était pas très jolie, mais elle avait des seins lourds et sa masse de cheveux bouclés le séduisit. Elle s'approcha de lui en balançant les hanches et il vit qu'elle était un peu plus âgée qu'il ne l'avait cru, peut-être vingt-cinq ou trente ans. Si sa bouche avait un sourire innocent, ses yeux étaient durs et calculateurs. Ce fut ensuite à Walter de faire son choix : une fille petite, à l'air vulnérable — silhouette garçonnière et poitrine plate. Quand William et Walter se furent décidés, les quatre autres chevaliers entrèrent.

William les avait amenés au bordel parce qu'ils avaient besoin de détente. Ils ne s'étaient pas battus depuis des mois. L'inaction leur pesait et les rendait nerveux.

La guerre civile qui avait éclaté un an plus tôt entre le roi Stephen et sa rivale Maud — la prétendue impératrice — connaissait maintenant une pause. William et ses hommes avaient suivi Stephen dans tout le sud-ouest de l'Angleterre. Sa stratégie était énergique, mais capricieuse. Plein d'un formidable enthousiasme, il attaquait une place forte de Maud mais, s'il ne remportait pas une victoire immédiate, il se lassait et abandonnait. Côté rebelles, ce n'était pas Maud en personne qui dirigeait les troupes, mais son demi-frère, Robert, comte de Gloucester. Stephen n'avait pas encore réussi à lui imposer une confrontation. La guerre se traînait, indécise, avec beaucoup de mouvements et peu de vraies batailles. Les hommes finissaient par s'impatienter.

Des paravents divisaient le bordel en petites chambres, meublées chacune d'une simple paillasse. William et ses chevaliers y entraînèrent les femmes qu'ils avaient choisies. La putain de William ajusta les rideaux, puis aussitôt baissa le haut de sa chemise. Elle avait une poitrine lourde, marquée de veines apparentes comme celle d'une femme qui a nourri des enfants. Un peu déçu, William l'attira néanmoins vers lui et commença à la caresser, pressant ses seins, pinçant les boutons. « Doucement », protesta-t-elle. Elle l'enlaça, se blottit contre lui, et bientôt glissa la main entre ses cuisses.

William lâcha un juron. Son corps ne réagissait pas.

« Ne t'inquiète pas », murmura la putain. Ce ton d'indulgence le mit en colère. Cependant, il ne dit rien et la laissa agir : elle s'écarta de lui, s'agenouilla puis, relevant la tunique de William, elle le prit dans sa bouche.

Tout d'abord, il aima la sensation qu'elle lui donnait et s'abandonna au plaisir naissant. Mais soudain, de nouveau il perdit tout intérêt. Même le fait de regarder la fille en train de s'activer — ce qui l'excitait d'habitude — n'eut aucun effet. Il s'énervait, ce qui n'arrangeait rien.

La fille releva la tête. « Essaie de te détendre », dit-elle gentiment. Elle reprit son action, mais avec tant d'énergie qu'elle faillit le blesser. Il la gifla du revers de la main et elle tomba de côté, le souffle coupé.

« Sale maladroite », grommela-t-il. La fille, recroquevillée sur la paillasse à ses pieds, le regardait avec crainte. Incapable de maîtriser son irritation, il lui lança un coup de pied au hasard, qu'elle reçut en plein ventre. Il y mit plus de force qu'il ne croyait et elle se plia en deux de douleur.

C'est alors que William sentit que son corps réagissait enfin.

Il s'agenouilla, fit rouler la fille sur le dos et la chevaucha. La jupe retroussée jusqu'à la taille découvrit une toison épaisse et bouclée. Peu à peu, tandis que William se caressait en regardant le corps offert, la crainte se dissipa dans les yeux de la fille. Mais sa passivité exaspéra William qui lui envoya un coup de poing en pleine figure.

Elle poussa un hurlement et fit un mouvement pour se dégager, mais il pesait sur elle de tout son poids, la clouant au sol. Devant le spectacle de sa victime qui hurlait et se débattait, il eut enfin une érection. Il voulut lui ouvrir les cuisses, mais elle résista.

A cet instant, on écarta le paravent et Walter entra, vêtu en tout et pour tout de ses bottes et d'une camisole, sous laquelle son sexe dardait, énorme. Deux autres chevaliers le suivaient : Gervase le Vilain et Hugh la Hache.

« Tenez-la-moi ! » ordonna William.

Les trois hommes s'agenouillèrent autour de la prostituée et l'immobilisèrent. William s'apprêta à la posséder, mais il suspendit son mouvement, savourant d'avance son plaisir.

« Que s'est-il passé, seigneur ? demanda Walter.

« Elle a changé d'avis quand elle a vu la taille de mon arme », dit William avec un sourire satisfait.

Ils éclatèrent tous de rire. William, excité par la présence des spectateurs, pénétra brutalement la fille et se mit à la besogner.

« Vous m'avez interrompu, dit Walter, juste au moment où j'allais opérer.

— Utilise sa bouche, proposa William. Elle aime ça.

— Bonne idée ! »

Walter empoigna la fille par les cheveux pour lui soulever la tête. Terrifiée, incapable de lutter, la prostituée se laissa faire. Il n'était plus nécessaire de la maintenir, aussi Gervase et Hugh s'écartèrent-ils et se contentèrent de regarder, fascinés par le spectacle. Ils n'avaient sans doute jamais vu une femme travaillée par deux hommes en même temps. William non plus, du reste. Il était terriblement, étrangement excité. Walter semblait aussi au paroxysme du plaisir. Haletant, il ne tarda pas à jouir, suivi de près par William qui explosa avec un cri rauque.

Ils se relevèrent les yeux brillants, William proposa aux deux chevaliers de prendre leur tour : il avait envie d'assister à une nouvelle performance.

Gervase et Hugh hésitèrent. « J'ai une petite qui m'attend », dit Hugh. « Moi aussi », ajouta Gervase.

La prostituée se redressa et rajusta sa robe. Son expression était impénétrable. William lui tapota l'épaule : « Ce n'était pas si affreux, tout de même ? » Elle se planta devant lui et, les yeux dans les siens, elle plissa les lèvres et cracha. William sentit sur son visage couler un liquide tiède et poisseux, la semence de Walter qu'elle avait gardée dans sa bouche. Pris de rage, William leva la main pour frapper la fille mais elle disparut derrière le paravent. Walter et les deux chevaliers éclatèrent de rire. A contrecœur, William se résigna, pour préserver sa dignité, à prendre la chose à la légère et il se força à rire aussi.

Ils sortirent ensemble de la petite chambre, sous le regard anxieux des filles du bordel qui avaient entendu des cris et redoutaient la violence des chevaliers.

L'un des écuyers de William attendait près de la porte, mal à l'aise. Ce jeune garçon n'avait sans doute jamais mis les pieds dans un bordel. Ne sachant s'il devait se joindre à l'hilarité générale, il se mit à sourire nerveusement.

« Que fais-tu là, tête d'idiot ? demanda William.

« — Un message est arrivé pour vous, seigneur, dit l'écuyer.

— Eh bien, qu'est-ce que tu attends ? De quoi s'agit-il ?

— Je suis désolé, seigneur, murmura le garçon, affolé.

— Pourquoi es-tu désolé, petite merde ? rugit William. Donne-moi ce message !

— Votre père est mort, seigneur », balbutia l'écuyer qui éclata en sanglots.

William se figea, abasourdi. Mort ? se répéta-t-il intérieurement. « Mais il est en parfaite santé ! » cria-t-il sans réfléchir. Même s'il n'était plus capable de se battre sur les champs de bataille, ce qui n'avait rien de surprenant chez un homme de près de cinquante ans, il n'était pas malade ! William se rappelait Père la dernière fois qu'il l'avait vu : robuste, le visage rouge, sanguin et coléreux, plein de vie... Il se rendit compte, avec un serrement de cœur, qu'il ne l'avait pas vu depuis près d'un an.

« Que s'est-il passé ? demanda-t-il à l'écuyer. Que lui est-il arrivé ?

— Une attaque, seigneur », sanglota l'écuyer.

Une attaque. William commençait à cerner la réalité. Père était mort. Ce grand gaillard solide et irascible gisait, impuissant et glacé, quelque part sous une dalle de pierre.

« Il va falloir que je rentre, murmura William.

— Vous devez d'abord demander au roi de vous libérer, fit doucement Walter.

— C'est vrai, répondit William d'un ton absent. Il faut que je demande la permission.

— Si vous voulez, je vais m'occuper de la tenancière, proposa Walter.

— D'accord. » William lui tendit sa bourse. Quelqu'un lui jeta son manteau sur les épaules. Walter murmura quelque chose à la propriétaire du bordel et lui donna l'argent. Hugh la Hache ouvrit la porte ; ils sortirent tous les quatre.

En silence, ils traversèrent les rues de la petite ville. William se sentait étrangement détaché, comme s'il marchait sur un nuage. La réalité de cette mort lui échappait. Mais il devait se reprendre. Le quartier général du roi était proche.

En l'absence de château ou d'hôtel de ville, Stephen tenait cour dans l'église, une simple petite bâtisse en pierre, dont les murs intérieurs étaient peints en rouge vif, bleu et orange. On avait allumé un feu et le beau roi à la chevelure fauve était assis devant, sur un trône de bois, les jambes allongées dans son attitude habituelle. Il portait une tenue de soldat, hautes bottes et tunique de cuir, mais une couronne remplaçait le casque.

William et Walter se frayèrent un chemin au milieu de la foule des quémandeurs massés près de la porte de l'église, adressèrent un signe de tête au garde qui tenait le public à l'écart et pénétrèrent au sein du cercle des intimes. Stephen parlait avec un comte nouvellement arrivé, mais, en apercevant William, il s'interrompit aussitôt.

« William, mon ami, tu es au courant ? »

William s'inclina. « Oui, mon roi. »

Stephen lui tendit la main. « Je pleure avec toi », dit-il. Il prit William dans ses bras et l'embrassa. Ce témoignage d'affection fit venir les premières larmes aux yeux de William. « Il faut que je vous demande la permission d'aller chez moi, dit-il.

— Je te l'accorde, évidemment, mais pas d'un cœur joyeux, dit le roi. Ton bras solide nous manquera.

— Merci, seigneur.

— Je t'accorde aussi la garde du comté de Shiring et tous les revenus qui en proviennent jusqu'à ce que soit réglé le problème de la succession. Rentre chez toi enterrer ton père et reviens-nous aussi vite que tu le peux. »

William s'inclina et se retira, tandis que le roi, pensif, reprenait sa conversation avec le comte. Les courtisans se rassemblèrent autour de William, compatissant à sa peine. Tandis qu'il écoutait leurs condoléances, la signification des paroles du roi le frappa soudain. Il lui avait accordé la garde du comté *jusqu'à ce que le problème de la succession soit réglé*. Quel problème ? William était le seul enfant de son père. Où pouvait-il y avoir un problème ? Il aperçut parmi l'assistance un jeune prêtre, un des clercs les mieux informés de l'entourage du roi. Discrètement, il le prit à part : « Joseph, savez-vous de quoi parle le roi, à propos de la succession de mon père ?

— Il y a un autre prétendant au comté.

— Un autre prétendant ? » répéta William stupéfait. Il n'avait pas de demi-frère, ni de frères illégitimes, ni de cousins... « Qui est-ce ? »

Joseph désigna un personnage qui leur tournait le dos, au milieu de l'escorte du comte nouvellement arrivé. Il portait la tenue d'un écuyer.

« Mais ce n'est même pas un chevalier ! lança William d'une voix forte. Mon père était le comte de Shiring ! »

L'écuyer se retourna. « Mon père aussi était comte de Shiring. »

William d'abord ne le reconnut pas. Il vit un beau jeune homme aux larges épaules d'environ dix-huit ans, bien vêtu et armé d'une belle épée. Son attitude reflétait l'assurance, même l'arrogance. Mais, surtout, il fixait sur William un regard si brûlant, si haineux que celui-ci recula.

Le visage, il le connaissait. Les traits avaient changé, mais ils lui étaient familiers. Où l'avait-il vu ? Soudain, William remarqua une vilaine cicatrice à l'oreille droite du jeune homme : on lui avait coupé le lobe. En un éclair il revit un petit morceau de chair blanche tombant sur la poitrine haletante d'une jeune fille terrifiée. Il entendit le hurlement de douleur du jeune garçon. C'était Richard, le fils du traître Bartholomew, le frère d'Aliena ! Le petit garçon que William avait contraint à contempler le spectacle de sa sœur violée par deux fois était devenu un homme redoutable, dont le regard bleu clair luisait du désir de vengeance. Soudain William eut peur.

« Vous vous souvenez, n'est-ce pas ? » dit Richard d'un ton volontairement neutre, incapable cependant de masquer la froide fureur qui l'animait.

« Je me souviens, reconnut William.

— Moi aussi, William Hamleigh, dit Richard. Moi aussi. »

William était assis dans le grand fauteuil, au bout de la table, où autrefois se tenait son père. Il avait toujours su qu'un jour il occuperait cette place et qu'alors il se sentirait immensément puissant. En réalité, l'appréhension le tenaillait de se voir comparé à son père et de ne pas savoir imposer le respect à ses gens.

Il observa sa mère, assise à sa droite. Il avait souvent étudié autrefois la façon dont elle jouait sur les craintes et les faiblesses de son mari pour le manipuler à sa guise. Il se jura de ne pas la laisser agir de même avec lui.

A sa gauche se tenait Arthur, un homme grisonnant, aux manières douces, autrefois bailli du comte Bartholomew. Aussitôt devenu comte, Père l'avait engagé car il connaissait bien le domaine. William s'en était toujours méfié :

ceux qui ont servi d'autres gens restent souvent trop attachés à leur premier maître et à leurs anciennes habitudes.

« Le roi Stephen ne peut pas accorder à Richard le titre de comte, c'est impossible, dit Mère d'un ton furieux. Un malheureux écuyer !

— Je ne comprends même pas comment il en est arrivé là, renchérit William avec agacement. Je croyais qu'Aliena et lui n'avaient plus un sou. Mais il porte de beaux vêtements et une bonne épée. Où a-t-il trouvé l'argent ?

— Il s'est installé marchand de laine, dit Mère. Il a tout l'argent dont il a besoin. Ou plutôt sa sœur : il paraît que c'est Aliena qui dirige l'affaire. »

Aliena. Elle était donc derrière tout cela. William ne l'avait jamais complètement oubliée, mais, depuis qu'il avait rencontré Richard, elle occupait constamment ses pensées, elle l'obsédait, aussi fraîche et belle, aussi vulnérable et désirable que jamais. William la détestait pour l'emprise qu'elle gardait sur lui.

« Ainsi, dit-il en feignant le détachement, Aliena est riche aujourd'hui ?

— Plutôt, oui. Mais toi, voilà un an que tu te bats pour le roi. Il ne peut pas te refuser ton héritage.

— Apparemment, répliqua William, Richard ne s'est pas mal battu, lui aussi, j'ai fait mon enquête. Son courage a attiré l'attention du roi, malheureusement pour moi. »

L'expression de Mère passa du mépris à la réflexion.

« Alors il a vraiment une chance, déclara-t-elle.

— Je le crains.

— En ce cas, il faut trouver le moyen de le combattre.

— Comment ? » demanda William. Aussitôt prononcée, il regretta sa question. Lui qui avait décidé d'interdire à sa mère toute initiative, il lui en offrait l'occasion sur un plateau.

« Retournons auprès du roi avec un groupe plus nombreux de chevaliers, des armes neuves, de meilleurs chevaux, des écuyers et des hommes d'armes en quantité. »

William aurait aimé pouvoir la contredire, mais il reconnaissait qu'elle avait raison. Au bout du compte, le roi accorderait le comté à celui qui promettait d'être son partisan le plus efficace. Peu lui importerait de savoir qui dans l'affaire avait tort ou raison.

« Ce n'est pas tout, poursuivit Mère. Tu dois soigner ton apparence, adopter l'allure et le comportement d'un comte.

Le roi te verra déjà dans le rôle et ta nomination coulera de source. »

William s'étonna naïvement : « L'allure et le comportement d'un comte ? Que dois-je faire ?

— Exprime plus souvent ton avis. Aie une opinion sur tout : sur la façon dont le roi doit poursuivre la guerre, sur la tactique appropriée à chaque bataille, sur la situation politique dans le Nord et — c'est le plus important — sur les compétences et la loyauté des autres comtes. Si tu parais puissant, le roi te donnera tout naturellement encore plus de puissance. »

Tant de subtilité laissait William sceptique. « Je crois que la taille de mon armée comptera davantage », dit-il. Il se tourna vers le bailli. « Combien y a-t-il dans mon trésor, Arthur ?

— Rien, seigneur », répondit le bailli placidement.

William sursauta.

« Qu'est-ce que vous racontez ? Il y a forcément quelque chose. Combien ? »

Arthur ne se démonta pas, sûr de lui.

« Seigneur, répondit-il sans crainte, il n'y a absolument pas d'argent dans le trésor. »

William se retint de passer sa colère sur l'innocent bailli. « Nous parlons du comté de Shiring, s'écria-t-il assez fort pour attirer l'attention des convives. Le comté de Shiring est riche !

— Seigneur, dit Arthur calmement, l'argent arrive régulièrement, bien sûr. Mais il repart aussitôt, surtout en temps de guerre. »

William examina le visage pâle et bien rasé. Arthur n'était-il pas trop poli pour être honnête ? Son teint lisse, sa calme assurance ne cachaient-ils pas une noire hypocrisie ? Comment savoir ? Les yeux de William, si perçants fussent-ils, ne possédaient pas le pouvoir de sonder le cœur d'un homme.

Mère, comme si elle devinait les pensées de son fils, le rassura : « Arthur est de toute confiance, dit-elle à haute voix sans se préoccuper de la présence du bailli. Il est vieux, paresseux et ancré dans ses habitudes, mais il est honnête. »

Accablé, William constatait qu'à peine assis dans le fauteuil du maître, déjà, comme par magie, il voyait fondre

490

son pouvoir. La malédiction tombait sur lui. D'une voix morne, il demanda : « Comment mon père est-il mort ?

— Durant presque toute l'année, répondit Mère, il a été malade. Je voyais bien qu'il laissait les choses aller, mais je n'arrivais pas à lui redonner la moindre énergie. »

Avec surprise, William découvrait que le pouvoir de sa mère avait ses limites. Elle n'était pas toute-puissante. Il se tourna vers Arthur. « Nous possédons quelques-unes des meilleures terres du royaume. Comment se fait-il que les caisses soient vides ?

— Certaines fermes ont des difficultés, et plusieurs locataires n'ont pas payé leur loyer.

— Pourquoi ?

— Une raison que j'entends fréquemment citer, c'est que les jeunes gens, plutôt que de travailler la terre, préfèrent partir pour la ville.

— Il faut les en empêcher ! »

Arthur haussa les épaules, fataliste. « Sitôt qu'un serf a vécu un an dans une ville, il devient citoyen. C'est la loi.

— Et les locataires qui ne payent pas ? Qu'en faites-vous ?

— Que peut-on faire ? dit Arthur. Si l'on confisque leur bétail, ils ne pourront définitivement plus payer. On n'a pas le choix : il faut attendre patiemment qu'une bonne récolte leur permette de se rattraper. »

Décidément, Arthur acceptait l'échec avec une belle insouciance et trop de philosophie, songea William, profondément contrarié. S'obligeant à rester calme, il insista : « Si tout le monde s'installe en ville, nos loyers sur les maisons de Shiring devraient rapporter de l'argent frais, il me semble ?

— Bizarrement, non, dit Arthur. Il y a beaucoup de maisons vides à Shiring. Les gens doivent aller ailleurs.

— Ou bien ils vous mentent, rétorqua William. Vous allez m'annoncer, je suppose, que le revenu du marché de Shiring et de la foire aux toisons a baissé lui aussi ?

— Justement...

— Pourquoi n'augmentez-vous pas les loyers et les impôts ?

— Nous l'avons fait, seigneur, sur l'ordre de votre défunt père, mais le revenu n'en a pas moins baissé. »

William explosa.

« Je ne comprends pas ! Avec un domaine aussi peu productif, comment Bartholomew s'en tirait-il ? »

A cette question encore, Arthur avait une réponse toute prête. « Il avait la carrière. Autrefois, elle rapportait beaucoup d'argent.

— Et maintenant, elle est aux mains de ce damné moine. » William tapa du pied. Juste au moment où il avait besoin d'afficher son prestige, il apprenait qu'il était sans un sou. La situation devenait très dangereuse pour lui. En lui confiant la garde d'un comté, le roi lui imposait une sorte de mise à l'épreuve. Qu'il se présente à la Cour avec une poignée de miséreux en guise d'armée, le roi l'accuserait d'ingratitude et d'infidélité, sinon de trahison.

Non. Le tableau peint par Arthur ne reflétait pas l'exacte réalité. William était sûr que les gens le volaient — et qu'ils en ricanaient sans doute derrière son dos. Il ne le tolérerait pas. On allait voir de quel bois il se chauffait. Le sang coulerait avant qu'il accepte la défaite.

« Vous avez une excuse pour tout, dit-il froidement à Arthur. Ce que je constate, c'est que vous avez laissé cette propriété décliner pendant la maladie de mon père, au moment où vous auriez dû être le plus vigilant.

— Mais, seigneur... »

William haussa le ton. « Taisez-vous, ou je vous fais fouetter. » Arthur pâlit et resta silencieux. « Dès demain, continua William, nous entamons une tournée du comté. Nous visiterons chaque village que je possède et nous secouerons tout ce petit monde. Vous ne savez peut-être pas comment traiter des paysans geignards et menteurs, mais moi, si. Nous allons bientôt découvrir si oui ou non mon comté s'est appauvri. Si vous m'avez menti, je jure devant Dieu que vous serez le premier de tout un cortège de pendus. »

Avec Arthur, il emmena son valet, Walter et les quatre chevaliers qui combattaient à ses côtés depuis un an : Gervase le Vilain, Hugh la Hache, Gilbert de Rennes et Miles les Dés. Quatre grands gaillards violents, toujours prêts à se battre, qui montaient les meilleurs chevaux et voyageaient armés jusqu'aux dents pour faire peur aux paysans. Un homme qui ne fait pas peur, estimait William, est un homme sans défense.

Dans la brûlante journée de fin d'été, le blé se dressait

en lourds épis dans les champs. La profusion de toutes ces richesses visibles exaspérait la colère de William. Tant d'abondance et pas d'argent ! On le volait, c'était sûr. Il allait faire peur aux paysans pour que personne n'ose plus s'y risquer.

Il avait décidé de commencer par Northbrook, un petit village situé à une certaine distance du château et peuplé à la fois de serfs et d'hommes libres. Les serfs qui appartenaient à William ne pouvaient rien entreprendre sans sa permission. D'autre part, ils lui devaient un certain nombre de jours de travail au cours de l'année, plus une part de leurs récoltes. Les hommes libres, eux, lui payaient simplement un loyer, en espèces ou en nature. Cinq locataires étaient en retard. Peut-être croyaient-ils échapper aux poursuites parce qu'ils étaient loin du château. Eh bien ! On commencerait les opérations par eux.

Le soleil était haut lorsque, après une longue chevauchée, ils approchèrent du village. Vingt ou trente maisons se groupaient au milieu de trois grands champs, maintenant couverts de chaume. Quand William et ses hommes arrivèrent, ils trouvèrent la plupart des villageois réunis sous un groupe de trois grands chênes, en train de dîner à l'ombre des arbres. Les cavaliers, dans un nuage de poussière, s'immobilisèrent devant les paysans.

Ils se levèrent précipitamment, avalant de travers leur pain noir, les yeux irrités par la poussière qui les aveuglait. Le regard méfiant de William, cependant, observait un étrange manège. Un homme d'un certain âge, avec une barbe noire, s'adressait d'une voix douce mais pressante à une jeune fille bien en chair, accompagnée d'un bébé rondelet aux joues rouges. Un jeune homme vint les rejoindre, mais l'ancien eut tôt fait de l'écarter. A ce moment, la jeune femme s'éloigna vers les maisons et disparut dans le halo de poussière. Cette scène avait un caractère furtif qui intriguait fort William. Il regretta l'absence de Mère qui aurait su l'expliquer.

Ramenant son attention aux paysans, il déclara d'une voix forte : « Cinq de mes locataires, ici, ont des arriérés de loyer, n'est-ce pas, Arthur ?

— Oui, seigneur.

— Qui est le plus en retard ?

— Athelstan n'a rien payé depuis deux ans. Mais il a eu beaucoup de malchance avec ses cochons... »

William l'interrompit. « Lequel de vous est Athelstan ? »

Un homme de haute taille, d'environ quarante-cinq ans, s'avança. Il avait les épaules voûtées, les cheveux clairsemés et les yeux larmoyants.

« Pourquoi ne paies-tu pas ton loyer ? demanda William.

— Seigneur, c'est une bien petite terre. Je n'ai personne pour m'aider maintenant que mes garçons sont partis travailler en ville, et puis les cochons ont eu la fièvre... »

William l'interrompit.

« Tes garçons sont partis en ville, dis-tu. Où sont-ils allés ?

— A Kingsbridge, seigneur, pour travailler à la nouvelle cathédrale. Ils veulent se marier et ma terre ne fera pas vivre trois familles. »

William rangea dans sa mémoire l'information concernant la cathédrale de Kingsbridge et reprit : « Ta terre est assez grande pour faire vivre une famille, en tout cas, et malgré cela tu ne paies pas ton dû. »

Athelstan se mit à expliquer le cas de ses cochons. William le fixait d'un œil mauvais sans écouter. Je sais pourquoi tu n'as pas payé, songeait-il ; tu savais que ton seigneur était malade et tu as tenté de le duper en profitant de sa faiblesse. Les quatre autres délinquants avaient certainement fait le même pari. Eh bien, ils allaient recevoir une leçon. « Gilbert et Hugh, saisissez-vous de ce paysan et tenez-le solidement », ordonna-t-il.

Athelstan, désemparé, parlait toujours. Les deux chevaliers mirent pied à terre et s'approchèrent. Son histoire de fièvre porcine n'intéressait pas le seigneur. Les chevaliers le prirent par les bras. Il pâlit de frayeur.

Du même ton froid et coupant, William s'adressa à Walter. « As-tu tes gants en cotte de mailles ?

— Oui, seigneur.

— Mets-les et donne une leçon à Athelstan. Mais assure-toi qu'il vivra pour répandre la nouvelle.

— Bien, seigneur. » Walter tira de sa sacoche de selle une paire de gantelets de cuir renforcés d'une fine maille métallique le long des doigts. Il les enfila lentement. Les villageois, figés de peur, observaient Athelstan qui se mit à gémir.

Walter descendit de cheval, se dirigea vers l'homme et lui décocha au creux de l'estomac un coup de son poing couvert du gantelet. On entendit un bruit horrible. Athelstan se plia en deux, le souffle coupé au point de ne pouvoir même émettre un cri. Gilbert et Hugh le redressèrent et Walter le frappa au visage. Du sang coula de sa bouche et de son nez. Une des spectatrices, probablement son épouse, se mit à hurler en agrippant Walter : « Assez ! Laissez-le ! Ne le tuez pas ! »

Walter l'écarta. Deux autres femmes la maîtrisèrent tandis qu'elle continuait de hurler et de se débattre. Les paysans regardèrent dans un silence révolté Walter rosser systématiquement Athelstan jusqu'au moment où celui-ci, le corps inerte, le visage couvert de sang, les yeux clos, perdit connaissance.

« Laisse-le », dit William.

Gilbert et Hugh lâchèrent Athelstan qui s'effondra sur le sol et ne bougea plus. Son épouse, libérée par les femmes qui la maintenaient, se précipita sur lui en sanglotant. Walter ôta ses gantelets, puis essuya le sang et les bouts de chair accrochés à la maille. William, qui ne s'intéressait déjà plus à sa victime, inspectait le village. Il aperçut une construction en bois de deux étages, apparemment neuve, bâtie au bord du ruisseau.

« Qu'est-ce que c'est ? demanda-t-il à Arthur.

— Je ne l'ai jamais vue, seigneur », répondit le bailli avec nervosité.

William était persuadé qu'il mentait. « C'est un moulin à eau, n'est-ce pas ? »

Arthur haussa les épaules, mais son indifférence ne trompa pas William. « Je ne vois pas ce que ça pourrait être d'autre, juste au bord du torrent », dit le bailli.

Comment osait-il montrer une telle insolence après avoir vu le paysan battu presque à mort sur les ordres du maître ? « Est-ce que mes serfs ont le droit de bâtir des moulins sans ma permission ? demanda William.

— Non, seigneur.

— Sais-tu *pourquoi* c'est interdit ?

— Parce qu'ils doivent apporter leur grain aux moulins du seigneur et payer le meulage.

— Et que le seigneur en tire profit.

— Oui, seigneur. »

Avec le ton condescendant qu'on adopte pour expliquer quelque chose d'élémentaire à un enfant un peu niais, Arthur continua : « Mais s'ils paient une amende pour avoir bâti illégalement un moulin, le seigneur tirera tout de même son profit. »

William, irrité par la supériorité de son bailli, répliqua sèchement : « Mais non, il n'en profitera pas de la même façon. L'amende n'est jamais aussi élevée que les droits réguliers des paysans. C'est pourquoi ils préfèrent bâtir quand même des moulins. Et c'est pourquoi, d'ailleurs, mon père ne le leur permettait pas. » Sans laisser à Arthur le temps de répondre, il talonna son cheval et galopa jusqu'au moulin. Ses chevaliers suivirent, ainsi que le cortège des villageois effarés.

William sauta à terre. Le bâtiment était parfaitement reconnaissable : une grande roue à aubes tournait sous la pression du courant et entraînait un axe qui s'enfonçait dans le mur latéral du moulin. C'était une solide construction de bois faite pour durer. Son bâtisseur s'attendait manifestement à en user librement pendant des années.

Le meunier, planté sur le seuil de la porte ouverte, arborait une expression savamment calculée d'innocence blessée. Dans la pièce, derrière lui, s'entassaient des sacs de blé. Il s'inclina poliment devant son seigneur, mais n'y avait-il pas un rien de mépris dans son attitude ? Une fois de plus, William eut la pénible impression que ces misérables se moquaient de lui. Il interpella violemment le meunier. « Qu'est-ce qui t'a fait croire que tu pourrais t'en tirer ? Tu me crois stupide, sans doute ? C'est ce que tu penses ? » Il frappa l'homme au visage.

Le meunier poussa un cri de douleur, un peu forcé, et s'effondra théâtralement sur le sol.

William l'enjamba et entra. L'axe de la roue à aubes était relié par un jeu d'engrenages en bois à la meule qui occupait l'étage supérieur. Le grain par un conduit tombait sur l'aire. La partie qui supportait le poids de la meule était soutenue par quatre épais madriers (pris à n'en pas douter sans autorisation dans la forêt de William). Si on les sciait, tout l'édifice s'écroulerait.

William ressortit. Hugh la Hache portait, attachée à sa selle, l'arme qui lui avait valu son surnom. « Donne-moi ta hache d'armes. » Hugh obéit. William rentra dans le moulin et se mit à attaquer les madriers de soutien.

Une grande satisfaction le saisit quand il sentit la lame de la hache s'enfoncer dans le pilier élevé avec tant de soin pour le voler de son droit de meulage. Ils ne riront plus de moi, maintenant, songea-t-il avec rage.

Walter entra à son tour et regarda la scène. William avait taillé une profonde encoche dans le premier madrier et le second était bien entamé. La plate-forme supérieure commença à trembler sous l'énorme poids de la meule. « Trouve-moi une corde », dit William. Walter sortit.

William entailla encore les deux autres piliers aussi profond qu'il pouvait, à la limite du danger. L'édifice semblait prêt à s'écrouler. Walter revint avec la corde demandée, que William attacha à l'un des madriers, puis il tira l'autre bout dehors et le passa au cou de son destrier.

Les paysans ne disaient mot.

Une fois la corde fixée, William appela le meunier. Celui-ci s'approcha avec son air d'innocent injustement traité.

« Gervase, dit William, ligote-le et pousse-le à l'intérieur. »

Le meunier fit un bond pour s'échapper, mais Gilbert l'arrêta d'un croche-pied, puis lui lia les mains et les pieds avec des courroies de cuir. Les deux chevaliers l'emportèrent, se débattant et implorant miséricorde.

Un des villageois s'avança face à William. « Vous ne pouvez pas faire ça, déclara-t-il. C'est un meurtre. Même un seigneur n'a pas le droit d'assassiner les gens. »

William braqua sur lui un doigt tremblant de rage. « Si tu ouvres encore la bouche, je t'envoie dedans avec lui. »

L'homme, un moment, parut prêt à le défier, puis il se ravisa et rentra dans les rangs.

Les chevaliers sortirent du moulin. William fit avancer son cheval jusqu'à ce que la corde soit tendue. A l'intérieur, le meunier hurlait. C'était le cri d'un homme en proie à une mortelle terreur, un homme qui savait que dans un instant il serait broyé.

Le cheval secoua la tête, gêné par la corde qui lui serrait l'encolure. William le frappa sur la croupe pour l'obliger à tirer, puis ordonna à ses chevaliers : « Halez cette corde ! » Les quatre hommes saisirent la corde et tirèrent avec le cheval. Les villageois protestaient sourdement, mais la peur les empêchait d'intervenir. Arthur, un peu à l'écart, semblait en proie à un malaise.

Les cris du meunier redoublaient, de plus en plus aigus.

William imaginait la terreur qui devait envahir le malheureux attendant sa mort horrible. Pas un de ces paysans n'oubliera jamais la vengeance des Hamleigh, songea-t-il avec satisfaction.

Le madrier craqua bruyamment, puis se brisa dans un terrible fracas. Le cheval bondit en avant et les hommes de William lâchèrent la corde. Un coin du toit s'effondra. Les femmes se mirent à gémir. Les murs de bois du moulin frémirent ; les hurlements du meunier déchiraient l'air ; dans une sorte d'explosion l'étage supérieur céda. Au même instant, le cri du meunier s'arrêta brutalement. Le sol entier trembla quand la meule atterrit sur l'aire de battage. Les murs se fendirent, le toit se creusa : le moulin n'était plus qu'un amoncellement de bois à brûler, recouvrant un cadavre. William commença à se sentir mieux.

Quelques villageois se précipitèrent vers les débris pour les fouiller frénétiquement. S'ils espéraient retrouver le meunier vivant, ils allaient être déçus. Son corps ne devait pas être beau à voir. Tant mieux.

William promena un regard circulaire sur l'assemblée et, de nouveau, remarqua la fille et le bébé potelé, un peu en arrière de la foule. De nouveau, il eut l'impression qu'elle essayait de ne pas se faire remarquer. Déjà tout à l'heure, l'homme à la barbe noire — sans doute son père — s'était efforcé de la cacher aux regards. Il faudrait résoudre ce mystère avant de quitter le village. Comme il croisait le regard de la jeune fille, il fit un signe dans sa direction. Machinalement, elle regarda derrière elle, espérant qu'il s'adressait à quelqu'un d'autre. « Toi, dit William. Viens ici. »

L'homme à la barbe noire poussa un grognement.

« Qui est ton mari, ma fille ? demanda William.

— Elle n'a p... », dit le père.

Mais il avait parlé trop tard, car la fille eut le temps de répondre : « Edmund.

— Tu es donc mariée. Qui est ton père ?

— C'est moi, dit l'homme à la barbe noire. Theobald.

William se tourna vers Arthur. « Theobald est-il un homme libre ?

— C'est un serf, seigneur.

— Quand la fille d'un serf se marie, n'est-ce pas le privilège du seigneur à qui elle appartient de la posséder le soir du mariage ? »

Arthur ne put s'empêcher d'exprimer son désaccord : « Seigneur ! Cette coutume primitive n'est plus appliquée par ici de mémoire d'homme !

— Exact, dit William. A la place, le père paie un dédommagement. Combien Theobald a-t-il payé ?

— Il n'a pas encore payé, seigneur, mais...

— Pas payé ! Et voilà la fille déjà avec un gros bébé !

— Seigneur, intervint Theobald, elle attendait un enfant d'Edmund avant le mariage. De plus, nous n'avions pas l'argent. Mais nous pouvons vous payer maintenant car la moisson est rentrée. »

William sourit à la fille. « Fais-moi voir ce bébé. »

Elle le dévisageait avec crainte.

« Allons. Donne-le-moi. »

Paralysée de peur, elle n'arrivait pas à obéir. William s'approcha et lui prit doucement l'enfant. La mère, les yeux fous de terreur, ne résista pas.

Le bébé se mit à hurler. William le berça un moment, puis le saisit d'une main par les chevilles et d'un geste rapide, le lança en l'air aussi haut qu'il put.

Le père se précipita, bras tendus, pour le rattraper.

La fille poussa un hurlement de folie et regarda son bébé s'envoler dans les airs. William saisit sa robe à pleines mains et tira dessus, découvrant un corps rose et ferme.

Le père rattrapa le bébé qui n'avait pas de mal, la fille s'éloigna en courant, mais William la rejoignit et la jeta à terre. Le père tendit le bébé à une femme et se dirigea vers William.

« Comme on ne m'a pas donné mon dû le soir des noces et que le dédommagement n'a pas été versé, je vais prendre maintenant ce à quoi j'ai droit. »

L'homme se jeta sur lui. William tira son épée, l'homme s'arrêta.

William regarda la fille qui gisait sur le sol, s'efforçant de couvrir sa nudité de ses mains. Sa peur l'excitait. « Quand j'en aurai fini, mes chevaliers prendront ma suite », annonça-t-il avec un sourire satisfait.

II

En trois ans, Kingsbridge était devenue méconnaissable. William n'y était pas venu depuis le dimanche de Pentecôte où Philip et son armée de volontaires avaient déjoué les plans de Waleran Bigod. On comptait alors quarante ou cinquante maisons de bois groupées autour de la porte du prieuré ou bien étalées le long du sentier boueux qui descendait de la colline au pont. Aujourd'hui, les maisons étaient au moins trois fois plus nombreuses. Formant une frange brune autour du mur de pierre grise du prieuré, elles emplissaient entièrement l'espace entre le bâtiment et la rivière. Certaines paraissaient assez grandes. Dans l'enceinte même du prieuré, s'élevaient de nouveaux bâtiments de pierre. Quant aux murs de l'église, ils montaient rapidement. Deux nouveaux quais longeaient la rivière. Kingsbridge était devenue une ville.

Ce que William vit en entrant confirma un soupçon qui grandissait dans son esprit depuis son retour de la guerre. Tout au long de ses tournées de villages, tandis qu'il percevait les arriérés de loyers et terrorisait les serfs, il entendait incessamment parler de Kingsbridge. Les jeunes gens qui ne possédaient pas de terre allaient travailler là-bas ; des familles prospères envoyaient leurs fils à l'école du prieuré ; de petits fermiers vendaient leurs œufs et leurs fromages aux ouvriers du chantier ; tous ceux qui le pouvaient s'y rendaient aux jours fériés, alors même que la cathédrale n'existait pas encore.

Justement, on était à la Saint-Michel, qui cette année tombait un samedi. La douce matinée du début de l'automne offrait un temps agréable pour voyager, il y aurait donc du monde. William comptait découvrir ce qui attirait les foules à Kingsbridge.

Ses hommes de main chevauchaient avec lui. A eux six, ils avaient fait du bon travail. La nouvelle de la tournée de William s'était répandue dans les villages avec une stupéfiante rapidité et, en quelques jours, les gens savaient à quoi s'attendre. Dès l'approche de William annoncée, on envoyait les enfants et les jeunes femmes se cacher dans les bois. Le seigneur Hamleigh était ravi d'inspirer tant de peur aux gens : ils resteraient à leur place.

Comme la troupe approchait de Kingsbridge, William

mit son cheval au galop et les autres suivirent. Une arrivée spectaculaire qui impressionnait toujours. Les gens s'écartaient sur les côtés de la route ou sautaient dans les champs pour laisser la route libre aux puissants destriers.

Le groupe franchit la passerelle de bois sans se soucier du garde chargé de prélever le péage, mais se trouva vite forcé de marquer le pas car l'étroite rue, devant eux, était bloquée par une charrette chargée de barils de chaux et tirée par deux bœufs tranquilles.

Tout en suivant au ralenti l'attelage dans la pente. William examinait les alentours. Des maisons neuves, bâties à la hâte, occupaient les espaces entre les anciennes. Il remarqua une rôtisserie, une taverne, une forge et une échoppe de cordonnier. L'atmosphère de prospérité, incontestable, rendait William envieux.

Le groupe arriva à la suite de la charrette devant les portes du prieuré. Ce n'était pas le genre d'entrée auquel William était accoutumé et il eut un pincement d'angoisse à l'idée qu'on allait se moquer de lui. En fait, personne ne les remarqua.

Contrastant avec la ville peu animée, l'enceinte du prieuré bourdonnait d'activité. William tira sur les rênes. D'abord déconcerté par une telle foule et tant d'animation, il remarqua immédiatement le marché à l'ouest de l'enceinte. Les éventaires s'alignaient en rangées bien droites, délimitant des allées où grouillaient des centaines de personnes, achetant des vivres et du vin, des chapeaux et des chaussures, des couteaux, des ceintures, des canetons, des chiots, des marmites, des boucles d'oreilles, de la laine, du fil, de la corde et des douzaines d'autres articles. Ce marché débordait de prospérité.

Quoi d'étonnant, songea William avec amertume, que le marché de Shiring déclinât ? Les loyers payés par les marchands, les péages prélevés sur les fournisseurs et les impôts sur les ventes qui auraient dû aller grossir le trésor du comte de Shiring emplissaient les coffres du prieuré de Kingsbridge !

Un marché ne pouvait pas fonctionner sans une licence du roi. William aurait juré que le prieur Philip n'en avait pas. Sans doute escomptait-il qu'il pourrait la demander dès qu'il se ferait prendre, comme le meunier de North brook. Hélas, William savait bien qu'il ne donnerait pas une leçon à Philip aussi aisément qu'aux serfs de ses villages.

Au-delà du marché s'étendait une zone de calme. Jouxtant le cloître, à la place de la croisée de la vieille église, se dressait un autel sous un auvent devant lequel un moine aux cheveux blancs lisait des psaumes. De l'autre côté de l'autel, des moines chantaient des hymnes. Vu l'heure, il s'agissait des nones, un service réservé aux moines, songea William. Le travail et le commerce cesseraient pour la grand-messe de la Saint-Michel qui réunirait tout le monde.

A l'autre bout de l'enclos, on était en train de construire l'aile est de la cathédrale. C'était à quoi le prieur Philip dépensait les bénéfices du marché, songea William avec amertume. Les murs avaient déjà trente ou quarante pieds de haut et l'on commençait à distinguer les contours des fenêtres et le dessin de l'arcade. Des échafaudages compliqués s'accrochaient à la maçonnerie dans un équilibre précaire, comme des nids de mouettes sur une falaise abrupte. Les ouvriers s'affairaient sur l'étendue du chantier. Quelque chose d'inhabituel dans leur allure intrigua William, jusqu'au moment où il comprit que c'étaient leurs habits de couleur vive. Il ne s'agissait pas de travailleurs réguliers. Un jour de Saint-Michel, la main-d'œuvre payée était en vacances. Ces gens-là étaient des volontaires.

Mais combien étaient-ils ? Des centaines d'hommes et de femmes transportaient des pierres, taillaient des madriers, roulaient des tonneaux et soulevaient des chargements de sable. Jamais William n'aurait imaginé un tel nombre de gens prêts à s'échiner sans un sou de salaire, pour le seul pardon de leurs péchés.

Le malin prieur avait bien joué, reconnut William avec un certain dépit. Les volontaires qui venaient travailler à la cathédrale dépensaient leur argent au marché. Les gens qui fréquentaient le marché donneraient quelques heures à la cathédrale pour racheter leurs péchés. Une main lavait l'autre.

William poussa son cheval et traversa le cimetière pour atteindre le chantier, curieux de l'observer de plus près.

Les huit massives colonnes de l'arcade se groupaient de part et d'autre du site en quatre paires opposées. De loin, William avait cru deviner les arcs arrondis reliant chaque colonne à la suivante, mais il se rendit compte qu'ils n'étaient pas encore construits : ce qu'il avait vu, c'était le coffrage en bois, de la même forme, qui servirait de cadre provisoire où reposeraient les pierres le temps que le mortier sèche.

Parallèles à l'arcade, les murs extérieurs des bas-côtés montaient, coupés à intervalles réguliers d'ouvertures pour les fenêtres. A mi-chemin entre chaque ouverture, un contrefort jaillissait de l'alignement du mur. Les extrémités ouvertes des murs non terminés laissaient voir qu'il s'agissait de doubles parois séparées par un espace. La cavité était comblée avec des décombres et du mortier.

Quant à l'échafaudage, il était constitué de robustes poteaux reliés par des tréteaux transversaux en souples baliveaux et en roseaux tressés.

On avait dépensé là beaucoup d'argent, estima William.

Il poursuivait sa visite en contournant le chœur, suivi de ses chevaliers qui l'avaient rejoint. Contre le mur se dressaient des appentis de bois, des ateliers et ouvroirs pour les artisans. La plupart étaient fermés en ce jour férié chômé par les maçons et les charpentiers. Toutefois, le maître maçon et le maître charpentier assuraient la direction des travailleurs volontaires et leur indiquaient où entasser les pierres, le bois, le sable et la chaux qu'ils transportaient à partir du bord de la rivière.

A la réflexion, William conclut que le prieur Philip était grandement responsable du déclin du comté de Shiring. Les fermes perdaient leurs jeunes qui s'embauchaient au chantier de construction et Shiring — le joyau du comté — se trouvait peu à peu éclipsé par la nouvelle ville de Kingsbridge en plein développement. Les résidents payaient leur loyer à Philip et non à William ; quant aux utilisateurs du marché, ils produisaient des revenus pour le prieuré et non pour le comté. De plus, Philip avait à sa disposition le bois, les élevages de moutons et la carrière qui autrefois enrichissaient le comte Percy.

William et ses hommes revinrent jusqu'au marché. Il avait beau pousser son cheval dans la foule, les gens ne s'écartaient pas craintivement sur son chemin. Personne ici n'avait peur de lui, ce qui l'inquiétait et le troublait.

William était à mi-chemin de la dernière allée quand il aperçut Aliena.

Il s'arrêta brusquement, pétrifié.

Ce n'était plus la mince jeune fille en sabots, nerveuse, effrayée, qu'il avait vue ici même à la Pentecôte trois ans plus tôt. Son visage s'était épanoui, elle avait l'air sain, heureux. Ses yeux noirs pétillaient de bonne humeur et ses boucles dansaient autour de son visage lorsqu'elle bougeait.

Elle était si belle que William se sentit vaciller de désir. Elle portait une robe cramoisie, richement brodée et des bagues brillaient à ses doigts. Une femme plus âgée l'accompagnait un peu en retrait, comme une servante. Plutôt riche, avait dit Mère ; voilà donc comment Richard était devenu écuyer et avait pu rallier l'armée du roi Stephen, équipé d'armes imposantes. Dire qu'il l'avait quittée sans ressources, littéralement sans un sou. Comment avait-elle fait ?

Elle n'avait plus l'air de la jeune fille qu'il avait connue. Mais William avait vingt-quatre ans, elle devait donc avoir vingt et un ans aujourd'hui. Plus rien en elle ne subsistait de l'enfant. C'était une femme mûre.

Elle leva la tête et le vit.

La dernière fois qu'ils avaient échangé un regard, elle avait rougi de honte et s'était enfuie. Cette fois, elle ne cilla pas.

Il esquissa un sourire complice. Une expression d'indicible mépris se peignit sur le visage d'Aliena.

William se sentit mal à l'aise. Elle était toujours aussi hautaine, elle le méprisait, exactement comme cinq ans plus tôt. Il l'avait humiliée et violée, mais elle n'avait plus peur de lui. Il aurait voulu lui parler, lui dire qu'il la désirait autant que la première fois. Mais il n'osait pas. Horriblement gêné, il se détourna et fit repartir son cheval ; la foule ralentissait son avance et il sentait sur sa nuque le regard d'Aliena qui le brûlait.

Lorsque, enfin, il sortit de la place du marché, ce fut pour se trouver devant le prieur Philip.

Le petit Gallois se tenait droit, les mains sur les hanches, le menton agressivement pointé. Il n'était pas aussi maigre qu'autrefois et ses rares cheveux viraient prématurément au gris, constata William. Il ne paraissait plus trop jeune pour sa tâche. Ses yeux bleus brillaient de colère. « Lord William ! » cria-t-il d'un ton de défi.

William chassa de son esprit la pensée d'Aliena. Il avait d'autres chats à fouetter, concernant Philip. « Je suis heureux de vous rencontrer, prieur.

— Moi de même, dit Philip, mi-fâché, mi-intrigué.

— Vous avez ouvert un marché ici, dit William avec agressivité.

— Et alors ?

— Je ne crois pas que le roi Stephen ait jamais autorisé un marché à Kingsbridge. A ma connaissance, ni lui ni un autre roi.

— Comment osez-vous... ? commença Philip.

— Moi ou n'importe qui...

— Vous ! cria Philip en lui coupant la parole. Comment osez-vous venir ici parler d'autorisation... vous qui au cours du dernier mois avez ravagé ce comté en brûlant, en volant, en violant et en commettant un meurtre, sinon davantage !

— Quel rapport... ?

— Comment osez-vous pénétrer d'autorité dans un monastère et parler de loi ? » hurla Philip. Il fit un pas en avant, le doigt tendu vers William, dont le cheval fit un écart. Subjugué, William ne trouva rien à répliquer. Une foule de moines, de travailleurs et de badauds s'étaient rassemblés, attirés par la discussion. Philip continuait sur sa lancée : « Après ce que vous avez fait, il ne vous reste qu'une chose à dire : Mon père, j'ai péché ! Vous devriez vous agenouiller dans ce prieuré ! Vous devriez implorer le pardon, si vous voulez échapper au feu de l'enfer. »

William pâlit. L'enfer l'emplissait toujours d'une terreur incontrôlable. Il essaya désespérément d'interrompre le flot de paroles de Philip. « Et votre marché ? Et votre marché ? » répétait-il machinalement.

Philip, en proie à une colère divine, ne l'écoutait pas. « Demandez pardon pour les horreurs que vous avez commises ! cria-t-il. A genoux ! A genoux, ou vous brûlerez en enfer ! »

William perdit contenance. Il savait qu'il aurait dû se confesser depuis longtemps, car il avait tué bien des hommes à la guerre, sans parler des péchés qu'il avait commis durant sa tournée du comté. Oserait-il mourir sans confession ?

Philip avançait vers lui. « A genoux ! »

William fit reculer son cheval. Il lança alentour un regard désespéré. La foule se refermait sur lui. Ses chevaliers, derrière, ne bougeaient pas, déconcertés, incapables d'affronter une menace spirituelle lancée par un moine désarmé. William atteignait le comble de l'humiliation. Après la rencontre d'Aliena, c'en était trop. Il tira sur les rênes de son puissant destrier qui se cabra dangereusement. La foule s'écarta devant les redoutables sabots dressés. William

505

l'éperonna et la bête plongea en avant. Les badauds s'écartèrent. Brûlant de honte, William s'enfuit par la porte du prieuré, escorté de ses chevaliers, comme une meute de chiens grondants chassés par un simple gourdin.

William confessa ses péchés, apeuré et tremblant, sur les dalles froides de la petite chapelle du palais de l'évêque. L'évêque Waleran l'écouta en silence énumérer les meurtres, les violences et les viols dont il se déclarait coupable. Tout en se confessant, William ne pouvait refréner son mépris pour le dédaigneux évêque, avec ses mains blanches et soignées croisées sur son cœur, et ses narines translucides qui frémissaient comme si une mauvaise odeur flottait dans l'air poussiéreux. William était au supplice d'implorer l'absolution de Waleran, mais ses péchés étaient si lourds qu'aucun prêtre ordinaire ne les aurait absous. Agenouillé, vaincu par la peur, il écoutait Waleran lui ordonner de brûler à perpétuité un cierge dans la chapelle d'Earlscastle, avant de déclarer ses péchés pardonnés.

La peur se dissipa lentement, comme un brouillard qui fond au soleil. Ils sortirent de la chapelle dans l'atmosphère enfumée de la grande salle et s'assirent auprès du feu. L'automne tournait à l'hiver et il faisait froid dans la grande maison de pierre. Un aide cuisinier apporta du pain chaud aux épices, parfumé de miel et de gingembre. William commença enfin à sentir un certain bien-être l'envahir. L'éclaircie dura peu. Bientôt, il se souvint des autres problèmes. Richard, le fils de Bartholomew, revendiquait le comté et William était trop pauvre pour lever une armée capable d'impressionner le roi. Il avait ramassé beaucoup d'argent au cours de sa tournée, mais pas assez pour ses besoins. Il soupira. « Ce damné moine boit le sang du comté de Shiring », dit-il.

Waleran prit un peu de pain dans sa longue main pâle aux doigts longs comme des serres. « Je me demandais combien de temps il vous faudrait pour parvenir à cette conclusion. »

Waleran avait tout compris bien avant William. Il était tellement supérieur. William aurait préféré ne pas lui parler. Mais il lui fallait l'opinion de l'évêque sur un point de droit. « Le roi n'a jamais autorisé un marché à Kingsbridge, n'est-ce pas ?

— A ma connaissance, non.

— Alors, Philip viole la loi. »

Waleran haussa ses épaules osseuses drapées de noir. « En théorie, oui. »

Malgré le flegme de Waleran, William poursuivit : « Il faut l'arrêter. »

L'évêque eut un sourire délicat. « On ne peut pas le traiter comme on traite un serf qui a marié sa fille sans autorisation. »

William s'empourpra. Waleran se servait de la confession qu'il venait de faire. « Comment, alors ? » Waleran resta songeur. « Les marchés sont la prérogative du roi. A une époque plus paisible, sans doute aurait-il réglé ce problème lui-même. » William eut un rire méprisant. Malgré toute son habileté, Waleran ne connaissait pas le roi aussi bien que lui-même. « Serait-ce en temps de paix, le roi ne me remercierait pas de lui dénoncer un marché qui fonctionne sans son accord.

— Eh bien, son adjoint, pour régler les problèmes locaux, c'est le prévôt de Shiring.

— Que peut-il faire ?

— Assigner le prieuré devant la cour du comté. »

William secoua la tête. « C'est la dernière chose que je souhaite. Le tribunal imposerait une amende, le prieuré la paierait et le marché continuerait. Autant donner carrément une autorisation.

— Le malheur, c'est qu'il n'y a pas vraiment de raisons de refuser à Kingsbridge l'existence d'un marché.

— Mais si ! s'écria William avec indignation. Un marché à Kingsbridge retire une importante part de négoce au marché de Shiring.

— Shiring est à une pleine journée de voyage de Kingsbridge.

— Les gens ne reculeront pas devant une longue marche. »

Waleran hocha la tête sans conviction. William comprit qu'il n'était pas d'accord. L'évêque reprit : « Selon la tradition, un homme passe un tiers de sa journée à se rendre au marché, un tiers au marché et le troisième à rentrer chez lui. Un marché vaut donc pour les gens qui se trouvent à un tiers de journée de voyage, autrement dit quelque deux lieues et demie. Si deux marchés se trouvent à plus de cinq lieues l'un de l'autre, ils ne se font pas concurrence. Shiring est à six lieues et demie de Kingsbridge. D'après l'usage,

Kingsbridge a droit à son marché et le roi devrait l'accorder.

— Le roi fait ce qu'il veut », balbutia William, agacé. Il ne connaissait pas cet usage. La position du prieur Philip se renforçait.

« D'ailleurs, reprit Waleran, nous n'aurons pas affaire au roi, mais au prévôt. » Il fronça les sourcils. « Le prévôt peut donner l'ordre au prieuré de fermer un marché qui n'a pas l'autorisation du roi.

— Quel intérêt ? riposta William. Personne ne se soucie d'un ordre qui ne contient pas de menace.

— Philip, peut-être. »

William haussa un sourcil. « Pourquoi le ferait-il ? »

Un sourire moqueur se dessina sur les lèvres pâles de Waleran. « Comment vous l'expliquer ? Philip croit à la loi. Pour lui, la loi est souveraine.

— Stupide, répliqua William avec impatience. Le roi est le roi.

— Je vous ai dit que vous ne comprendriez pas. »

Les sous-entendus de Waleran exaspéraient William. Il se leva et s'approcha de la fenêtre. Dehors, par-dessus la colline voisine, il aperçut les travaux de terrassement entamés par Waleran quatre ans plus tôt. Waleran espérait alors payer la construction de son château avec les revenus du comté de Shiring. Philip avait ruiné ses plans et l'herbe qui repoussait sur les monticules de terre, les broussailles qui envahissaient le fossé asséché témoignaient de son échec. Waleran avait espéré bâtir avec la pierre provenant de la carrière du comté de Shiring, carrière que Philip maintenant exploitait pour la cathédrale. « Si je reprenais ma carrière, songea tout haut William, je pourrais l'utiliser comme caution et emprunter de l'argent pour lever une armée.

— Pourquoi ne le faites-vous pas ? » dit Waleran.

William secoua la tête. « J'ai déjà essayé.

— Et Philip vous a pris de court. Mais il n'y a plus de moines là-bas, maintenant. Vous pourriez envoyer une équipe d'hommes qui chasseraient facilement les tailleurs de pierres.

— Comment empêcherais-je Philip de revenir à la charge, comme il l'a fait la dernière fois ?

— Bâtissez une haute clôture autour de la carrière et installez-y une garde permanente. »

Pourquoi pas ? se dit William. Cela réglerait son problème une bonne fois pour toutes. Mais quel était le mobile de Waleran en lui conseillant cela ? Mère l'avait prévenu de se méfier de cet évêque sans scrupules. « Ce qu'il ne faut pas oublier sur Waleran Bigod, avait-elle dit, c'est que tout ce qu'il fait est soigneusement calculé. Rien de spontané, rien de négligent, rien de superflu. Et surtout, rien de généreux. » Mais Waleran détestait Philip, il avait juré de l'empêcher de bâtir sa cathédrale. C'était un motif suffisant.

William regarda Waleran d'un air songeur. Depuis qu'il avait été nommé évêque très jeune, il n'avait pas progressé. Kingsbridge était un diocèse insignifiant et pauvre, sur lequel Waleran avait sûrement compté comme un premier pas vers de plus hautes destinées. Depuis c'était le prieur, et non l'évêque, qui amassait gloire et fortune. Waleran se fanait à l'ombre de Philip, exactement comme William. Ils avaient tous les deux de bonnes raisons de vouloir le détruire.

William se résolut encore une fois à surmonter le mépris que lui inspirait Waleran, préférant sauvegarder ses intérêts à long terme.

« Très bien, dit-il. Pourquoi pas ? Mais imaginez que Philip aille se plaindre au roi ?

— Vous prétendrez que vous vouliez punir Philip d'avoir ouvert un marché sans autorisation », insinua Waleran.

William hocha la tête. « Tous les prétextes seront bons si je peux réunir une armée suffisante pour retourner à la guerre. »

Les yeux de Waleran brillèrent de malice. « J'ai la conviction que Philip ne peut pas construire sa cathédrale en achetant la pierre au prix du marché. Que la construction s'arrête, et c'est le déclin de Kingsbridge. Voilà de quoi résoudre tous vos problèmes, William. »

William, pour rien au monde, n'aurait exprimé la moindre gratitude. « Vous détestez vraiment Philip, n'est-ce pas ? dit-il, renvoyant la balle dans le camp de l'évêque.

— Il encombre mon chemin », dit Waleran. Mais William avait aperçu la farouche brutalité sous les manières calmes et calculatrices de l'évêque. Il revint aux problèmes pratiques. « Il doit y avoir trente carriers là-bas, certains avec leurs femmes et leurs enfants, dit-il.

— Et alors ?

— Le sang va peut-être couler. »

Waleran fit la moue. « Vraiment ? dit-il. Il faudra donc que je vous donne l'absolution. »

III

Ils partirent alors qu'il faisait encore nuit afin d'arriver à l'aube. Les torches allumées rendaient les chevaux nerveux. En plus de Walter et de ses quatre chevaliers, William avait emmené six hommes d'armes. Derrière eux marchaient une douzaine de paysans qui creuseraient le fossé et dresseraient la clôture.

William croyait fermement aux soigneux préparatifs militaires — c'était pourquoi ses hommes et lui étaient si précieux au roi Stephen — mais, cette fois, il n'avait pas préparé de plan de bataille. L'opération s'annonçait si facile qu'il trouvait ridicule, même humiliant, de la considérer comme un vrai combat. Quelle résistance opposerait une poignée de tailleurs de pierre et leurs familles ? D'ailleurs, William ne se rappelait-il pas avoir entendu dire que le chef carrier s'appelait Otto ? Oui, Otto le Noir avait refusé de se battre le jour où Tom le bâtisseur avait emmené pour la première fois ses hommes à la carrière.

Un frisquet matin de décembre se leva. Des lambeaux de brume s'accrochaient aux arbres comme de la lessive de pauvres. William détestait cette époque de l'année. Il faisait froid au réveil, sombre en fin d'après-midi et l'humidité imprégnait tout le château. On servait trop de viandes et de poissons salés. Sa mère était de mauvaise humeur, les domestiques maussades. Ses chevaliers devenaient querelleurs. Au fond, cette petite expédition leur ferait du bien. A lui aussi : il avait déjà pris ses dispositions pour emprunter deux cents livres aux Juifs de Londres, la carrière servant de garantie. A la fin de la journée, son avenir serait assuré.

Lorsqu'ils furent arrivés à une demi-lieue environ de la carrière, le convoi stoppa. William choisit deux hommes qu'il envoya devant, à pied, en éclaireurs. « S'il y a une sentinelle ou des chiens, recommanda-t-il, préparez-vous un arc et une flèche sur la corde. »

Un peu plus loin la route s'incurvait vers la gauche, puis s'arrêtait brusquement au pied du flanc abrupt d'une colline mutilée : la carrière. Quand le groupe arriva en vue du site, tout était calme. Au bord du chemin, les éclaireurs de William maintenaient un garçon affolé — un apprenti qu'on avait posté là en sentinelle — et à leurs pieds un chien saignait à mort, une flèche dans le cou.

Le petit groupe s'arrêta sans prendre de précautions pour se dissimuler. William du regard inspecta les lieux. Depuis la dernière fois qu'il l'avait vue, la colline avait sensiblement rétréci. Des échafaudages s'élevaient contre la paroi jusqu'aux zones inaccessibles et on devinait des échelles plongeant dans un puits profond ouvert au pied de la falaise. Les blocs taillés ou encore bruts s'entassaient au bord de la route, où deux solides chariots de bois, aux roues énormes, attendaient de partir avec leur chargement. Les alentours disparaissaient sous une couche de poussière grisâtre, même les buissons et les arbres. On avait déblayé une grande surface de bois — mes bois, enragea William — où se dressaient maintenant dix ou douze constructions — les unes flanquées d'un petit jardin potager, les autres d'une porcherie. En somme, un petit village.

William s'adressa à la sentinelle : « Combien y a-t-il d'hommes ici, mon garçon ? »

Bien qu'affolé, l'enfant avait l'air courageux. « Vous êtes lord William, n'est-ce pas ?

— Réponds-moi, garçon, ou je te fais sauter la tête avec cette épée. »

L'adolescent pâlit, mais répondit d'un ton vibrant de défi : « Vous comptez voler la carrière au prieur Philip ? »

William sentit la rage monter en lui. Comment, c'était tout l'effet qu'il faisait à un enfant décharné, au menton encore lisse ? Pourquoi tout le monde se croit-il capable de me défier ? pensa-t-il, furieux. « Cette carrière est à moi ! cria William. Le prieur Philip n'est plus rien. Oublie-le et ne compte plus sur lui, désormais. Alors, combien d'hommes ? »

Au lieu de répondre, le garçon détourna la tête et se mit à hurler : « A l'aide ! Attention ! Attaque ! Attaque ! »

William porta la main à son épée. Un visage effrayé apparu dans l'entrebâillement d'une porte le fit hésiter.

Abandonnant l'apprenti, il arracha une torche à un de ses hommes et éperonna son cheval.

Au galop, brandissant sa torche, il atteignit les premières maisons, suivi de ses hommes qui le talonnaient. La porte de la cabane la plus proche s'ouvrit et un homme aux yeux rougis de sommeil, vêtu d'une camisole, apparut sur le seuil. William lança le brandon enflammé par-dessus sa tête : il atterrit sur le sol, derrière le villageois hébété, dans la paille qui s'enflamma aussitôt. Avec un cri de triomphe, William continua sa chevauchée.

Derrière lui, ses hommes chargeaient en poussant des hurlements. Les torches volaient sur les toits de chaume. Les portes s'ouvraient et, terrifiés, des hommes, des femmes et des enfants se jetaient dehors en criant. Ils tournaient en rond, les yeux fous, au milieu du martèlement des sabots, tandis que l'incendie se développait partout. William, à bout de souffle, s'arrêta un instant pour observer la scène. Les animaux domestiques s'étaient échappés : un cochon chargeait aveuglément pendant qu'une vache, plantée au milieu du désastre, agitait d'un côté et de l'autre sa tête stupide. Les jeunes gens les plus belliqueux, déroutés, affolés, ne réagissaient pas. L'aube était le meilleur moment pour de telles attaques. Les gens ensommeillés, à moitié dévêtus, perdaient toute contenance, tout pouvoir de réaction.

Un homme à la peau sombre et aux cheveux noirs ébouriffés sortit à son tour d'une cabane, ses bottes aux pieds, en lançant des ordres brefs. Ce devait être Otto le Noir. William n'entendait pas ce qu'il disait, mais il devinait à ses gestes qu'il indiquait aux femmes de regrouper les enfants et d'aller se cacher dans les bois. Et les hommes ? Que préparaient-ils ? William le sut très vite : deux jeunes gens se précipitaient vers une cabane bâtie à l'écart des autres, s'y engouffrèrent et en sortirent chargés de lourdes massues de tailleurs de pierre. Plusieurs autres les imitèrent. William en conclut qu'il s'agissait d'une remise à outils où les villageois allaient se fournir d'armes pour se battre.

Trois ans plus tôt, Otto avait refusé de combattre pour Philip. Pourquoi aujourd'hui changeait-il d'avis ? En tout cas, il se condamnait à mort : William eut un sourire sinistre et dégaina son épée.

Six ou huit hommes armés de massues et de haches à

long manche lui faisaient face. William éperonna son cheval et chargea le groupe rassemblé devant la porte de la cabane à outils. Les hommes bondirent de côté pour l'éviter, mais en abattant son épée, il réussit à entailler profondément l'épaule d'un combattant. L'homme lâcha sa hache en hurlant.

William s'éloigna au galop, puis tourna bride dans une volée de poussière. Le souffle rauque, il exultait dans l'ardeur de la bataille, n'éprouvant aucune peur, rien que de l'excitation. Il fit signe à ses hommes de le rejoindre, puis chargea de nouveau les tailleurs de pierre. Les ouvriers ne pouvaient pas esquiver aussi facilement six chevaliers qu'un seul. William frappa deux d'entre eux et d'autres tombèrent sous les épées de ses hommes.

William n'eut pas le temps de voir combien, ni s'ils étaient morts ou seulement blessés.

Lorsqu'il revint à la charge, il vit qu'Otto avait ordonné à ses ouvriers de se disperser entre les maisons en feu. La tactique était habile : dispersés, ils obligeraient les chevaliers à se séparer pour les poursuivre et les éviteraient ainsi plus facilement, d'autant que les chevaux avaient peur des flammes.

Il fallait s'occuper d'Otto. C'était lui le cœur de la lutte. Il encourageait les tailleurs de pierre en même temps qu'il les organisait. Dès qu'il tomberait, tous les autres renonceraient.

William retint son cheval et chercha des yeux l'homme à la peau sombre. La plupart des femmes et des enfants avaient disparu, à l'exception de deux gosses de cinq ans plantés au milieu du champ de bataille et qui pleuraient en se tenant la main. Des silhouettes à pied, poursuivies par des chevaux, couraient entre les maisons en feu. Surpris et contrarié, William constata qu'un de ses hommes gisait sur le sol, ensanglanté, blessé d'un coup de marteau. Dans son orgueil, William n'avait pas imaginé qu'il puisse y avoir des victimes parmi les siens.

Une femme éperdue apparut entre les brasiers en criant quelque chose que William n'entendit pas. Quand elle aperçut les deux enfants, elle se précipita vers eux et les prit chacun sous un bras. Dans sa fuite, elle faillit heurter de plein fouet l'un des chevaliers de William, Gilbert de Rennes. Gilbert leva son épée pour la frapper. Mais Otto jaillit soudain de derrière une cabane en brandissant une cognée.

Il la maniait avec habileté et la lame traversa de part en part la cuisse de Gilbert si fort qu'elle vint s'enfoncer dans le bois de la selle. La jambe tranchée glissa sur le sol et Gilbert tomba de cheval en hurlant.

Il ne combattrait plus jamais.

Gilbert était un précieux compagnon d'armes. Fou de rage, William éperonna sa monture. La femme et les enfants avaient disparu. Otto se débattait pour dégager sa hache de la selle de Gilbert. Il leva les yeux et vit William arriver. Il avait le temps de s'échapper, mais il s'acharna sur sa hache. Au moment où elle cédait, William atteignait le tailleur de pierre, l'épée levée. Sans reculer, Otto brandit son arme. En un éclair, William comprit que la hache allait blesser le cheval avant que lui-même fût en position de frapper. Il tira désespérément sur les rênes et le cheval se cabra, en détournant sa tête. Le tranchant de la hache s'enfonça dans les muscles puissants de l'encolure. Un jet de sang jaillit et le cheval s'écroula. William se dégagea juste avant que le corps massif ne heurte le sol.

Il écumait. Ce destrier qui lui avait coûté une fortune, qui avait survécu avec lui à toute une année de guerre civile, voilà qu'il le perdait sous la hache d'un carrier ! Il sauta par-dessus le corps et plongea furieusement sur Otto, l'épée en avant.

Otto ne se montra pas un adversaire facile. Il tenait sa cognée à deux mains et se servait du manche en cœur de chêne pour écarter l'épée de William. Ce dernier frappait de plus en plus dur, cherchant à faire reculer le carrier. Malgré son âge, Otto n'était que muscles et les coups de William l'ébranlaient à peine. Le jeune seigneur brandit son épée à deux mains pour plus d'efficacité. De nouveau, le manche de la hache s'interposa, mais cette fois la lame de William s'enfonça dans le bois. Otto en profita pour avancer et William dut battre en retraite, tirant sur son épée avec l'énergie du désespoir. Enfin, il dégagea sa lame au moment où Otto arrivait sur lui.

Tout à coup William craignit pour sa vie.

Otto leva sa cognée. William esquiva. Son talon heurta une racine, il trébucha, bascula par-dessus le corps de son cheval et atterrit dans une mare de sang tiède, sans toutefois lâcher son épée. Otto se dressa devant lui, énorme, la hache au bout de ses bras tendus. Quand la lourde masse s'abattit, William, dans un effort surhumain, roula de côté.

Il sentit le vent de la lame fendre l'air au ras de son visage. Il se releva d'un bond et fonça sur le tailleur de pierre.

Un soldat se serait écarté avant de dégager son arme et de se ressaisir, sachant qu'un homme n'est jamais plus vulnérable que lorsqu'il vient de frapper un coup manqué. Mais Otto n'était pas un soldat, rien qu'un brave homme courageux. Une main sur le manche de sa cognée, il recherchait encore son équilibre, le corps entièrement exposé. Dans sa hâte William frappa sans ajuster et la chance le servit. La pointe de son épée transperça la poitrine d'Otto. William donna une poussée qui enfonça la lame entre les côtes. Otto ouvrit la main qui s'agrippait à la hache et sur son visage apparut une expression que William connaissait bien. Son regard s'agrandit de surprise, sa bouche s'ouvrit sur un cri muet et sa peau vira au gris. Ainsi réagissaient tous les blessés à mort. William appuya encore sur la lame, pour plus de sûreté, puis l'arracha. Les yeux d'Otto roulèrent dans leurs orbites, une tache rouge s'étala sur le devant de sa chemise et il s'écroula.

William se retourna vers le champ de bataille. Deux tailleurs de pierre s'enfuyaient, sans doute terrifiés par la mort de leur chef. Tout en courant, poursuivis par les chevaliers, ils interpellaient les autres. Le combat tournait à la retraite.

William, immobile, reprit son souffle. Ces maudits carriers s'étaient bien battus ! Son regard tomba sur Gilbert qui gisait dans une flaque de sang, les yeux fermés. William posa une main sur sa poitrine : le cœur ne battait plus. Gilbert était mort.

William fit le tour des maisons qui brûlaient encore, et compta les corps : trois tailleurs de pierre, plus une femme et un enfant qui semblaient avoir été piétinés par les chevaux. Trois des hommes d'armes de William étaient blessés, quatre chevaux tués ou estropiés.

En finissant son inspection, il revint auprès du cadavre de son destrier. Il avait aimé ce cheval-là mieux qu'il n'aimait la plupart des gens. Lui que les batailles excitaient, sombrait cette fois dans la mélancolie. Quel gâchis ! Il ne s'agissait que de chasser quelques travailleurs désarmés, et le résultat aboutissait à un carnage.

Les chevaliers qui avaient poursuivi les tailleurs de pierre jusqu'aux bois durent tourner bride, arrêtés par les broussailles que les chevaux ne pouvaient pas franchir. En rejoignant William, Walter découvrit le corps de Gilbert. Il se signa. « Gilbert a tué plus d'hommes que moi, dit-il simplement.

— Il n'en existe pas tellement comme lui que je puisse me permettre d'en perdre un dans une querelle avec un fichu moine, marmonna William d'un ton amer. Sans parler des chevaux.

— Quelle échauffourée, soupira Walter. Ces gens-là ont montré plus d'ardeur que les rebelles de Robert de Gloucester ! »

William secoua la tête avec écœurement en regardant les cadavres éparpillés autour d'eux. « Quel idéal servaient-ils donc en se battant ainsi ? » demanda-t-il.

IV

Au lever de l'aube, quand la plupart des frères avaient gagné la crypte pour l'office de prime, il ne restait plus que deux personnes dans le dortoir : Johnny Huit Pence, qui balayait le sol d'un bout à l'autre de la longue salle, et Jonathan, dans un coin, qui jouait à l'école.

Le prieur Philip s'arrêta sur le seuil pour observer l'enfant. A bientôt cinq ans, c'était un petit garçon alerte et plein d'assurance, mais aussi d'une gravité enfantine qui charmait tout le monde. Johnny continuait à l'habiller en moine miniature. Aujourd'hui Jonathan imitait le maître des novices, faisant la leçon à un groupe imaginaire de disciples. « C'est mal, Godfrey ! lança-t-il sévèrement aux bancs vides. Puni. Pas de souper pour toi si tu ne connais pas tes verbes ! » Philip eut un sourire attendri. Il n'aurait pas aimé plus profondément un fils. Jonathan lui donnait une joie sans mélange, comme rien d'autre dans sa vie.

L'enfant courait dans le prieuré tel un jeune chiot, caressé et gâté par tous les moines. La plupart d'entre eux le traitaient comme un animal familier, un jouet amusant ; mais pour Philip et Johnny, il était infiniment plus que cela. Johnny l'aimait comme une mère et Philip, bien qu'il essayât de le dissimuler, se sentait le père du jeune garçon. Le prieur lui-même avait été élevé dès son plus jeune âge par un abbé plein de bonté, et cela lui semblait la chose la plus naturelle du monde que de tenir le même rôle envers Jonathan. Il ne le taquinait pas comme le faisaient les moines, il lui racontait des récits bibliques, éveillait son esprit par des jeux intelligents et surveillait son éducation.

Il s'avança dans la pièce et en souriant vint s'asseoir sur le banc avec les élèves imaginaires.

« Bonjour, mon père », dit gravement Jonathan, habitué par Johnny à se montrer d'une scrupuleuse politesse.

« Ça te plairait d'aller à l'école ? demanda Philip.

— Je sais déjà le latin, remarqua fièrement l'enfant.

— Vraiment ?

— Oui. Écoute : *Omnius pluvius buvius tuvius nomine patri amen.* »

Philip se retint de rire. « Ça fait la musique du latin, mais ce n'est pas tout à fait ça. Frère Osmond, le maître des novices, t'apprendra à le parler convenablement. »

Jonathan fut un peu déconfit. « Mais je peux courir vite, vite, regarde ! » dit-il. Il démarra à toute vitesse sur ses petites jambes et piqua une course d'un bout de la salle à l'autre.

« Magnifique ! dit Philip. Un champion.

— Oui... Je peux encore aller plus vite...

— Pas maintenant. Écoute-moi un moment. Je vais partir quelque temps.

— Vous serez rentré demain ?

— Non, pas si tôt.

— Le jour d'après ?

— Pas même. »

Jonathan se tut, perplexe, incapable d'imaginer un futur plus lointain que le surlendemain. « Qu'est-ce que vous allez faire ? demanda-t-il d'une petite voix.

— Il faut que je voie le roi.

— Oh... » Le roi n'évoquait rien pour le petit garçon.

« J'aimerais que pendant mon absence tu ailles à l'école. Ça te plairait ?

— Oui !

— Tu as près de cinq ans. Ton anniversaire tombe la semaine prochaine, car tu nous es arrivé le premier jour de l'année.

— D'où est-ce que je venais ?

— De Dieu. Toutes choses viennent de Dieu. »

Jonathan, sans bien comprendre, sentait que la réponse ne suffisait pas. « Mais où j'étais avant ? insista-t-il.

— Je ne sais pas. »

Jonathan fronça les sourcils avec un air sérieux inattendu sur son jeune visage insouciant. « Je devais être quelque part », murmura-t-il comme pour lui-même.

Un jour, pensa Philip, il faudrait lui expliquer les mystères de la naissance... Il grimaça. Qui s'en chargerait ? Enfin, heureusement ce n'était pas encore le moment. Il changea de sujet. « Pendant mon absence, je veux que tu apprennes à compter jusqu'à cent.

— Je sais compter, assura Jonathan. Un, deux, trois, quatre, cinq, six, sept, huit, neuf, dix, onze, douze, treize, quatorze, pinze, veize, ozett...

— Pas mal, dit Philip. Frère Osmond t'en apprendra davantage. Tu iras sagement dans la salle d'école et tu feras tout ce qu'il te dira.

— Je vais être le meilleur de la classe ! promit Jonathan.

— Nous verrons. » Philip s'émerveillait toujours des manières de l'enfant, de son développement, de la façon dont il apprenait les choses, des phases qu'il traversait. Cette récente passion pour le latin, le calcul ou la course signifiait-elle un prélude nécessaire au véritable apprentissage ? Dieu sait ce qu'Il fait. Tout a un sens. Un jour Jonathan serait un homme. Quelle sorte d'homme ? Soudain, Philip se sentit impatient de voir Jonathan grandir. Mais il faudrait autant de temps que pour construire la cathédrale.

« Alors, donne-moi un baiser et dis-moi au revoir. »

Jonathan se hissa sur la pointe des pieds, visage levé et Philip posa un baiser sur la joue si douce. « Au revoir, mon père, dit Jonathan.

— Au revoir, mon fils. »

Le prieur, au passage, serra affectueusement le bras de Johnny Huit Pence et sortit.

Les moines, quittant la crypte, se dirigeaient vers le réfectoire. Philip prit la direction opposée et descendit dans le sanctuaire afin de prier pour la réussite de sa mission.

Son cœur s'était brisé en apprenant ce qui s'était passé à la carrière. Cinq victimes, dont une petite fille ! Philip s'était caché chez lui pour pleurer comme un enfant. Cinq de ses ouailles frappées à mort par William Hamleigh et sa meute de brutes. Philip connaissait toutes les victimes : Harry de Shiring, qui avait jadis été le carrier de lord Percy ; Otto le Noir, l'homme à la peau sombre qui dirigeait la carrière depuis le début ; Marc, le magnifique fils d'Otto ; la femme de Marc, Alwen, qui jouait des airs le soir sur des clochettes à moutons ; et Norma, la petite fille d'Otto, sept ans, la prunelle de ses yeux. De braves gens, craignant Dieu, travailleurs, qui avaient le droit d'attendre paix et justice de leur seigneur. William les avait massacrés comme un renard égorge des poules. Il y avait de quoi faire pleurer les anges.

Philip s'était vite ressaisi pour courir à Shiring réclamer justice. Le shérif Eustache avait refusé tout net de prendre la moindre mesure. « Lord William a une véritable petite armée : comment voulez-vous que je l'arrête ? Le roi a besoin de chevaliers pour renforcer sa lutte contre Maud : que dira-t-il si je jette en prison l'un de ses meilleurs vassaux ? Si je me risquais à accuser William de meurtre, ou bien ses chevaliers me tueraient sur-le-champ, ou bien je serais pendu quelques jours plus tard comme traître par le roi Stephen. »

La première victime d'une guerre civile, c'est la justice, avait conclu Philip. Pour comble, le shérif lui avait annoncé que William avait officiellement porté plainte contre le marché illégal de Kingsbridge.

Si ridicule, si invraisemblable que fût la situation — William commettant un meurtre impunément et en même temps accusant Philip pour des histoires d'administration — Philip se sentait désemparé. En effet, il n'avait pas la permission de tenir un marché et, à strictement parler, il se trouvait dans son tort. Mais tout de même, il était le prieur de Kingsbridge. Son seul bien, c'était son autorité morale. William pouvait rassembler une armée de chevaliers ; l'évêque Waleran utiliser ses amis haut placés ; le shérif revendiquer l'autorité du roi ; Philip, lui, n'avait qu'un pouvoir : celui de définir le bien et le mal. S'il perdait cette autorité-là, il se retrouverait vraiment sans défense. Il avait donc ordonné la fermeture du marché.

La situation était vraiment désespérée.

Les finances du prieuré s'étaient améliorées de façon spectaculaire grâce, d'une part, à un contrôle plus strict, et d'autre part aux gains sans cesse croissants provenant du marché et de l'élevage des moutons ; chaque penny, Philip le consacrait sans exception à la construction. Il avait même lourdement emprunté aux Juifs de Winchester, un emprunt qu'il avait encore à rembourser. Voilà maintenant que d'un seul coup il perdait son libre approvisionnement en pierres, ses revenus du marché, et le nombre de ses travailleurs volontaires — dont beaucoup venaient principalement pour le marché — n'allait pas tarder à diminuer. Il allait devoir congédier la moitié des bâtisseurs et abandonner ainsi l'espoir de terminer la cathédrale de son vivant. Il n'était pas du tout préparé à un tel échec.

Était-il responsable de cette crise ? S'était-il montré trop confiant, trop ambitieux ? Le shérif Eustache le lui avait fait comprendre. « Vous êtes trop grand pour vos bottes, Philip, lui avait-il dit avec colère. Vous dirigez un petit monastère, vous êtes un petit prieur, mais vous voulez gouverner l'évêque, le comte et le shérif. Eh bien, ce n'est pas possible. Nous sommes trop puissants pour vous. Tout ce que vous obtenez, c'est ennui sur ennui. »

Eustache était un homme laid aux dents inégales, légèrement louchon, et vêtu d'une robe jaune sale ; il n'empêche, ses mots avaient frappé Philip au cœur. Il en venait à penser avec consternation que les carriers ne seraient pas morts si lui-même ne s'était pas fait un ennemi de William Hamleigh. Mais comment ne serait-il pas l'ennemi de William ? S'il renonçait, davantage de gens souffriraient, des gens comme le meunier que William avait tué, ou la fille du serf que lui et ses chevaliers avaient violée. Philip n'avait pas d'autre choix que poursuivre la lutte. Donc aller voir le roi.

Il détestait cette idée. Il n'avait approché le souverain qu'une fois auparavant, quatre ans plus tôt à Winchester, et, bien qu'il eût obtenu ce qu'il voulait, il se trouvait très mal à l'aise à la cour royale. Tous ces gens rusés, sans scrupules, qui entouraient le roi et se disputaient son attention et ses faveurs, Philip les trouvait méprisables. Ils manigançaient pour acquérir une fortune et une position qu'ils ne méritaient pas. Quel jeu jouaient-ils ? Lui, en tout cas, n'en connaissait pas les règles. Dans son monde, la meilleure façon d'obtenir quelque chose, c'était de la mériter, pas de courtiser le donateur.

Aujourd'hui, hélas, il n'avait d'autre solution que d'accepter leur code et de tenter la partie. Seul le roi pouvait lui accorder l'autorisation de tenir un marché. Seul le roi pouvait sauver la cathédrale.

Il termina ses prières et quitta la crypte. Le soleil se levait dans une lueur rosée qui baignait les pierres grises de l'église naissante. Les bâtisseurs se réveillaient avec les premiers rayons et, déjà, ils ouvraient leurs ateliers, affûtant leurs outils et préparant la première cuve de mortier. Pour l'instant, la perte de la carrière n'avait pas encore retardé la construction : ils avaient pris de l'avance et ils disposaient maintenant d'un stock de plusieurs mois.

Le moment du départ était venu. Toutes les dispositions étaient prises. Philip aurait un compagnon de voyage : Richard, le frère d'Aliena. Après s'être battu un an comme écuyer, Richard venait d'être fait chevalier par le roi. Il était rentré chez lui pour se rééquiper et il partait maintenant rejoindre l'armée royale.

Aliena avait étonnamment réussi comme marchande de laine. Elle ne vendait plus à Philip, mais traitait directement avec les acheteurs flamands. Cette année, elle avait même proposé d'acheter toute la production du prieuré. Elle aurait payé moins que les Flamands, mais Philip aurait eu l'argent plus tôt. Philip avait refusé mais rien que la possibilité de faire cette offre prouvait la réussite de la jeune fille.

Une petite foule s'était rassemblée pour dire adieu aux voyageurs. Richard montait un destrier bai qui avait bien dû coûter vingt livres à Aliena. Il était devenu un beau jeune homme aux épaules larges, ses traits réguliers marqués seulement par une vilaine cicatrice à l'oreille droite : on pensait généralement qu'un accident d'escrime lui avait coupé le lobe droit. Magnifiquement vêtu de rouge et de vert, il tenait une épée neuve, tout comme sa lance, sa hache d'armes et sa dague. Un second cheval qu'il menait par la bride portait ses bagages. Deux hommes d'armes à cheval et un écuyer monté sur un bidet constituaient son escorte.

Aliena pleurait. Philip n'aurait su dire si elle regrettait le départ de son frère, fière néanmoins qu'il eût si bonne allure, ou si elle craignait de ne plus le voir revenir. La plupart des jeunes du village se bousculaient pour saluer Richard. C'était leur héros. Les moines aussi n'avaient pas manqué de venir souhaiter bon voyage à leur prieur.

Les garçons d'écurie amenèrent deux bêtes, un palefroi sellé pour Philip et un mulet chargé de son modeste bagage — essentiellement des vivres pour le voyage. Les bâtisseurs déposèrent leurs outils et s'approchèrent, menés par Tom le barbu et son rouquin de beau-fils, Jack.

Philip étreignit cérémonieusement Remigius, le sous-prieur, et fit des adieux plus chaleureux à Milius et à

Cuthbert, puis enfourcha sa monture. Il allait rester juché sur cette selle inconfortable chaque jour quatre semaines durant, se dit-il sans joie. Une fois installé, il bénit l'assemblée qui, d'une même voix — moines, bâtisseurs et villageois — lui cria adieu en agitant la main. Côte à côte, Richard et le prieur franchirent les portes de l'enceinte.

Ils descendirent l'étroite rue qui traversait le village, saluant les gens sur le pas de leur porte, passèrent le pont de bois et s'engagèrent sur la route à travers champs. Philip se retourna : le soleil levant brillait à la place ménagée pour la fenêtre sur la façade est de la nouvelle cathédrale. S'il échouait dans sa mission, cette fenêtre ne serait jamais terminée. Après tout ce qu'il avait subi pour en arriver jusquelà, Philip ne pouvait maintenant supporter l'idée de la défaite. Il tourna le dos au chantier et concentra son attention sur la route devant lui.

Lincoln était bâtie sur une colline. De loin, les voyageurs distinguèrent les tours de la cathédrale et les remparts du château. Ils se croyaient encore à plus d'une lieue quand, à la stupéfaction de Philip, ils se trouvèrent devant une porte de la ville. Les faubourgs devaient être immenses, songeat-il, et la population se compter par milliers d'habitants.

A Noël, Lincoln avait été prise par Ranulf de Chester, l'homme le plus puissant du nord de l'Angleterre et parent de l'impératrice Maud. Stephen avait depuis lors reconquis la ville, mais les troupes de Ranulf tenaient toujours le château fort. Dès leur arrivée, Philip et Richard apprirent non sans étonnement que Lincoln avait l'étrange privilège d'abriter deux armées rivales à l'intérieur de ses murs.

Au cours des quatre semaines qu'ils avaient passées ensemble, Philip ne s'était guère attaché à Richard. Le frère d'Aliena, un jeune homme coléreux, haïssait les Hamleigh et ne pensait qu'à se venger ; de plus, il parlait comme si Philip partageait ses sentiments. Mais il y avait une différence : Philip abhorrait les Hamleigh pour la manière dont ils traitaient leurs sujets, alors que l'obsession de Richard ne le laisserait en paix que lorsqu'il aurait détruit les Hamleigh. Ses mobiles étaient purement égoïstes.

Quoique courageux et toujours prêt à se battre, à d'autres égards Richard se montrait faible. Il déconcertait ses hommes d'armes en les traitant parfois comme des égaux, parfois en domestiques. A la fin du voyage, Philip avait désormais son opinion : Aliena valait dix fois Richard.

Ils passèrent devant un grand lac couvert de bateaux ; puis, au pied de la colline, ils franchirent la rivière qui formait la limite sud de la ville proprement dite. Lincoln vivait de la navigation. De l'autre côté du pont, se trouvait un marché aux poissons. Ils franchirent une autre porte gardée et, laissant derrière eux les faubourgs, pénétrèrent dans la ville. Une rue étroite et incroyablement encombrée gravissait la colline droit devant eux. Les maisons qui se pressaient de chaque côté étaient tout ou partie en pierre, signe d'une richesse considérable. Pour épouser la pente raide, le rez-de-chaussée des maisons accusait un décalage de plusieurs pieds d'un côté à l'autre. La partie inférieure abritait toujours l'échoppe d'un artisan ou une boutique. Les seuls places découvertes étaient les cimetières auprès des églises et les marchés aux grains, aux volailles, à la laine, au cuir... Philip et Richard, suivis de leur petite escorte, se dégagèrent tant bien que mal un chemin dans la foule dense des habitants de la ville, des hommes d'armes, des animaux et des charrettes. Philip constata avec étonnement que la rue elle-même était pavée. Quelle richesse ici, songea-t-il, pour qu'on recouvre la rue de pierre, comme si c'était un palais ou une cathédrale. La chaussée était glissante d'ordures et d'excréments d'animaux, mais c'était bien préférable aux torrents de boue qui en hiver constituaient les artères des villages.

Au sommet de la colline, après une autre porte ils pénétrèrent au cœur de la ville où l'atmosphère, soudain, leur parut différente : apparemment plus calme, mais en réalité très tendue. A leur gauche se trouvait l'entrée du château fort. La grande porte bardée de fer qui fermait la voûte était soigneusement cadenassée. Des silhouettes évoluaient derrière les meurtrières du poste de garde et des sentinelles armées patrouillaient sur les remparts ; sous le faible soleil, leurs casques en acier bruni luisaient. Philip les regarda aller et venir. Pas de conversations entre eux, pas de bousculades ni de rires, pas de sifflets ni de cris pour appeler les filles qui passaient : ils étaient aux aguets et ils avaient peur.

A la droite de Philip, à moins de deux cents toises de la porte du château, se dressait la façade ouest de la cathédrale. Philip remarqua que, malgré la proximité du château, on avait installé le quartier général du roi. Un cordon de sentinelles bordait l'étroite route qui menait des maisons

523

des chanoines à l'église. Le cimetière avait tout d'un camp retranché, avec des tentes, des feux de camp et des chevaux qui broutaient l'herbe. Pas de bâtiment monastique : la cathédrale de Lincoln n'était pas desservie par des moines, mais par des prêtres appelés chanoines, qui vivaient dans des logis proches de l'église.

Entre la cathédrale et le château s'étendait un espace désert. Philip se rendit compte qu'aussi bien les gardes du côté du roi que les sentinelles sur les remparts ne les quittaient pas des yeux. Ils se trouvaient exactement entre les deux armées, sans doute à l'endroit le plus dangereux de Lincoln. Comme Richard et ses compagnons avaient déjà avancé, Philip s'empressa de les suivre.

Les sentinelles du roi les laissèrent passer : Richard était bien connu. Philip ne put s'empêcher d'admirer la façade de la cathédrale. Elle avait un énorme portail principal et de chaque côté des arches impressionnantes. On aurait dit la porte du paradis. Philip décida aussitôt de prévoir de grandes arches sur la façade ouest de la cathédrale de Kingsbridge.

Abandonnant les chevaux à la garde de l'écuyer, Philip et Richard traversèrent le campement et pénétrèrent dans la cathédrale. Il y avait à l'intérieur une foule encore plus épaisse qu'à l'extérieur. Dans les bas-côtés transformés en écuries, des centaines de chevaux étaient attachés aux colonnes. Des hommes armés emplissaient la nef, au milieu des feux de camp et des litières. On parlait anglais, français et un peu flamand. Troublé, et même choqué, Philip nota que les chevaliers réunis là jouaient de l'argent aux dés. Sa gêne augmenta encore à l'apparition de femmes vêtues bien légèrement pour l'hiver, apparemment peu farouches avec les hommes — presque, songea le prieur, comme des pécheresses ou même, Dieu leur pardonne, des prostituées.

Pour éviter ce spectacle, il leva les yeux vers le plafond en bois, magnifiquement peint. Quelle imprudence, pensa Philip. Avec tous ces gens qui faisaient du feu dans la nef, c'était l'incendie assuré. Il suivit Richard dans la foule. Lui semblait fort à l'aise dans ce milieu, l'air assuré, plein de confiance, s'inclinant devant les barons et les seigneurs, saluant les chevaliers de grandes claques dans le dos.

La partie est de la cathédrale, délimitée par des cordes, restait réservée aux prêtres. La croisée servait pour l'instant de résidence au roi. Une rangée de gardes, puis une foule de courtisans, puis un cercle de comtes protégeaient le roi Stephen, qui siégeait au centre sur un trône de bois. Comme il avait vieilli depuis sa dernière rencontre avec Philip, cinq ans plus tôt à Winchester ! L'inquiétude avait creusé des rides sur son beau visage et saupoudré de gris ses cheveux fauves, il avait maigri à la suite de cette année de combats.

Tandis que Stephen poursuivait une discussion animée avec ses comtes, Richard s'avança au centre et s'inclina cérémonieusement. D'un coup d'œil, le roi le reconnut et claironna d'une voix tonnante : « Richard de Kingsbridge ! Je suis heureux de te voir revenu.

— Merci, mon seigneur », dit Richard.

A son tour Philip s'approcha et s'inclina.

« Tu prends des moines comme écuyers, maintenant ? » demanda le roi. Les courtisans éclatèrent de rire.

« Seigneur, dit Richard, voici le prieur de Kingsbridge. » Stephen toisa Philip et son visage s'éclaira.

« Bien sûr, je connais le prieur... Philip. » Son intonation, néanmoins, manquait de chaleur. « Venez-vous vous battre pour moi ? » Les rires redoublèrent.

Philip se félicitait que le roi se fût rappelé son nom. D'un ton ferme, il déclara : « Je suis ici parce que l'œuvre divine de Kingsbridge a besoin d'une aide urgente de mon seigneur le roi.

— Il faudra m'expliquer cela, interrompit Stephen. Venez me voir demain, j'aurai plus de temps à vous consacrer. » Il se retourna vers les comtes et reprit sa conversation. Richard s'inclina avant de se retirer, imité par Philip.

Le lendemain, Philip ne parla pas au roi Stephen. Ni le surlendemain. Ni le jour d'après.

Le premier soir, il s'était installé dans une taverne, mais l'odeur constante de la viande qui rôtissait l'importunait, ainsi que le rire des femmes de mauvaise vie. Il n'y avait malheureusement pas de monastère en ville. En temps normal, l'évêque aurait accueilli le prêtre, mais le roi occupait le palais épiscopal et toutes les maisons autour de la cathédrale étaient bourrées des membres de l'entourage de Stephen. La deuxième nuit, Philip quitta la ville, dépassa le village de Wigford et un peu plus loin trouva un monastère qui comprenait un hospice pour les lépreux. Là, il trouva du pain noir et de la petite bière pour souper, un matelas dur à même le sol, le silence du crépuscule jusqu'à minuit, les offices aux petites heures du matin et un déjeuner de porridge sans sel. Il n'en demandait pas plus.

Chaque matin il se rendait à la cathédrale, muni de la précieuse charte qui garantissait au prieuré l'usufruit de la carrière de pierre. Jamais le roi ne remarquait sa présence.

Il savait pourquoi on le faisait attendre : le torchon brûlait entre l'Église et le roi. Stephen n'avait pas tenu les promesses généreuses qu'on lui avait arrachées au début de son règne. Il s'était fait un ennemi de son frère, l'habile évêque Henry de Winchester, en soutenant un autre candidat au poste d'archevêque de Canterbury — décision qui n'avait pas moins déçu Waleran Bigod, car celui-ci comptait s'élever dans le sillage de Henry. Mais le pire aux yeux de l'Église, c'est que Stephen avait fait arrêter l'évêque Roger de Salisbury, plus les deux neveux de celui-ci — respectivement évêques de Lincoln et d'Ely — le tout dans la même journée, sous le prétexte qu'ils bâtissaient des châteaux sans l'autorisation du roi. Devant ce sacrilège, des protestations unanimes s'étaient élevées des cathédrales et des monastères de tout le pays. Stephen avait durci sa position : en tant qu'hommes de Dieu, les évêques n'avaient pas besoin d'un château fort, estimait-il ; s'ils choisissaient d'en construire, c'est qu'ils s'attendaient à être traités autrement qu'en hommes de Dieu. Stephen était aussi sincère que naïf.

L'Église et le roi avaient fini, plus ou moins à contrecœur, par signer une paix toute relative. Mais Stephen n'était plus pressé d'entendre les pétitions des saints hommes, aussi Philip dut-il patienter. Il en profita pour méditer, ce qu'il n'avait plus guère le temps de faire en tant que prieur. Soudain, il se retrouvait désœuvré pendant des heures entières, ce qu'il mit à profit pour réfléchir.

Un matin — le septième de son séjour à Lincoln — qu'il méditait sur le sublime mystère de la Trinité, il eut tout à coup conscience d'une présence auprès de lui. On l'observait, et on lui parlait.

« Est-ce votre habitude de dormir les yeux ouverts ? » demandait Stephen, mi-amusé, mi-agacé.

Philip tressaillit et s'inclina en reconnaissant le roi.

« Pardonnez-moi, seigneur, je réfléchissais.

— C'est votre affaire. Bon, je veux emprunter vos vêtements.

— Comment ? fit Philip, à qui la surprise faisait oublier les manières.

— Je veux inspecter le château. Si je suis habillé en moine, on ne m'attaquera pas. Venez... entrez dans cette chapelle et ôtez votre robe. »

Philip n'avait qu'une camisole sous sa robe. « Mais, seigneur, je n'ai rien d'autre...

— J'oubliais votre vertu de pudeur, à vous les moines ! » Stephen claqua des doigts pour appeler un jeune chevalier. « Robert... prête-moi ta tunique, vite. »

Le chevalier interrompit sa conversation avec une jeune fille pour ôter d'un geste rapide sa tunique qu'il tendit au roi en s'inclinant. Se retournant vers la fille, il esquissa un geste vulgaire qui provoqua le rire de ses amis.

Philip se glissa dans la petite chapelle de saint Dunstan, murmura une hâtive prière pour demander pardon au saint, puis échangea son habit contre la courte tunique écarlate du chevalier. Il se trouva tout drôle : lui qui depuis l'âge de six ans portait la tenue monastique se sentait maintenant étrangement déguisé. Il sortit de la chapelle et remit sa robe de moine à Stephen qui se hâta de l'enfiler.

« Venez avec moi, si vous voulez. Vous me parlerez de la cathédrale de Kingsbridge », proposa le roi, à la stupéfaction de Philip. Pris au dépourvu, le prieur eut d'abord le réflexe de refuser. Les sentinelles qui gardaient les remparts du château pourraient lui décocher leurs flèches maintenant qu'il n'avait plus la protection de ses vêtements religieux. Mais l'occasion d'un tête-à-tête avec le roi, où il aurait tout son temps pour expliquer les problèmes de la carrière et du marché, ne se présenterait peut-être jamais plus. Il fallait saisir la chance.

Stephen prit son manteau pourpre orné de fourrure blanche au col et à l'ourlet. « Mettez cela, ordonna-t-il à Philip. Vous détournerez de moi les flèches des archers. »

Muets, les courtisans observaient la scène.

Philip se rendit compte que le roi lui donnait une leçon. Lui, le prieur, qui n'avait rien à faire dans un camp armé, ne pouvait compter bénéficier de privilèges aux dépens de ceux qui risquaient leur vie pour le roi. Ce raisonnement présentait une certaine justesse, et Philip savait que s'il ne voulait pas rentrer en abandonnant tout espoir de carrière ou de marché, il fallait qu'il accepte le défi. Il prit une profonde inspiration. « Que la volonté de Dieu soit faite.

S'Il l'ordonne, je mourrai pour sauver le roi. » Puis il enfila le manteau pourpre.

Un murmure de surprise monta de la foule. Le roi Stephen lui-même semblait étonné. A l'unanimité on s'attendait à voir Philip renoncer. Du coup, il regretta brièvement son héroïsme. Mais il ne pouvait plus faire marche arrière.

Comme Stephen se dirigeait vers la porte nord, suivi de Philip, quelques courtisans firent mine de les accompagner, mais Stephen les congédia d'un geste. « Un moine attirerait les soupçons si on le voyait escorté d'une cour royale. » Il abaissa sur sa tête le capuchon de la robe religieuse et ils passèrent dans le cimetière.

Pendant qu'ils traversaient le camp, des regards curieux se posèrent sur le somptueux manteau de Philip : les hommes, qui le prenaient pour un baron, s'étonnaient de ne pas le reconnaître. Gêné, Philip avait l'impression de se rendre coupable d'une sorte d'imposture. Quant à Stephen, personne ne s'y intéressait.

Au lieu de se rendre directement à la porte principale, ils suivirent un labyrinthe d'étroites allées et sortirent par l'église Saint-Paul, à un angle du château. Philip constata que les murs de la citadelle s'élevaient sur d'épais remparts de terre, entourés d'un fossé à sec. Une bande d'une vingtaine de toises de large séparait la douve des bâtiments les plus proches. Stephen s'avança sur l'herbe en direction de l'ouest, longeant l'arrière des maisons pour se tenir à couvert de la zone dégagée, tandis que Philip, à sa gauche, se tenait entre le roi et le château. Cet espace dégagé permettait aux archers de repérer tout arrivant et, le cas échéant, de le viser de leurs flèches. Philip n'avait pas peur de mourir, il avait peur de la souffrance. Une flèche devait faire horriblement mal. Cette pensée l'obsédait.

« Effrayé, Philip ? demanda Stephen.

— Terrifié », répondit sincèrement le prieur. Puis, la peur lui faisant perdre son respect habituel, il ajouta cavalièrement : « Et vous ? »

Le roi rit de cet aplomb. « Un peu », avoua-t-il.

Alors qu'il tenait sa chance de défendre la cathédrale, le péril qui le menaçait l'empêchait de se concentrer. Son regard ne quittait pas le château dont il scrutait les remparts, guettant l'homme qui s'apprêterait à bander un arc.

Le château occupait toute la partie sud du cœur de la ville ; l'un de ses murs faisait office de muraille, si bien que pour contourner entièrement l'édifice, il fallait sortir de la ville. Stephen et Philip débouchèrent dans le faubourg de Newland. Un vent âpre et froid fouettait les champs nus derrière les maisons. Stephen désigna une petite porte dans la muraille : « Je suppose, dit-il, que c'est par là que Ranulf de Chester s'est échappé quand j'ai pris la ville. »

Philip se décontractait un peu. Il y avait du monde sur le chemin et les remparts de ce côté étaient moins sévèrement gardés car les occupants du château redoutaient une attaque côté ville, et non pas côté campagne. Philip se jeta à l'eau. « Si je suis tué, dit-il au roi, pouvez-vous m'assurer que vous autoriserez le marché de Kingsbridge et que vous obligerez William Hamleigh à rendre la carrière aux moines ? »

Stephen ne répondit pas tout de suite. Ils avancèrent encore vers l'angle sud-ouest du château et regardèrent le donjon. De là où ils se trouvaient, l'édifice paraissait absolument imprenable. Bientôt, ils rentrèrent par une autre porte dans la basse ville en suivant le flanc sud du château. De nouveau le danger. De nouveau la peur des flèches. Le manteau pourpre qui couvrait Philip et cette promenade le long des murailles ne pouvaient que le désigner comme suspects. Pour oublier son angoisse, Philip observa le donjon. Le mur était percé de petits orifices qui servaient d'évacuation pour les latrines, les ordures et les déchets qui tombaient tout simplement au pied des murs et y attendaient de pourrir. C'est ce qui expliquait la puanteur ambiante. Ils passèrent rapidement.

Philip et Stephen avaient contourné trois côtés du carré et atteignaient maintenant une tour plus petite. Le roi avait-il oublié la question ? Le prieur n'osait pas insister, de crainte d'agacer et d'offenser le roi.

Ils atteignirent la grand-rue qui coupait la ville par le milieu et tournèrent encore mais, alors que Philip commençait à se sentir soulagé, ils franchirent une autre porte et se trouvèrent bientôt dans la zone déserte entre la cathédrale et le château. Philip, horrifié, vit le roi s'arrêter là et se poster de telle façon qu'il pouvait examiner le château par-dessus l'épaule du prieur. Le dos de Philip, drapé d'hermine et de pourpre, offrait la plus vulnérable des cibles au poste de garde hérissé de sentinelles et d'archers. Aussi raide qu'une statue, il s'attendait à recevoir d'une minute à l'autre une flèche ou un javelot entre les épaules. Malgré le vent glacé, il transpirait.

« Je vous ai donné cette carrière il y a des années, n'est-ce pas ? dit soudain Stephen.

— Pas exactement, articula Philip, les dents serrées. Vous nous avez donné le droit d'extraire les pierres pour la cathédrale. La carrière, vous l'avez accordée à Percy Hamleigh. William, le fils de Percy, a attaqué mes tailleurs de pierre, tuant cinq personnes — dont une femme et un enfant — et il nous empêche d'accéder à la carrière.

— Il ne devrait pas agir ainsi, surtout s'il espère le titre de comte de Shiring », murmura Stephen d'un ton songeur.

Philip éprouva un début d'espoir. Mais déjà le roi reprenait : « Du diable si je vois le moyen d'entrer dans ce château !

— Je vous prie d'obliger William à respecter les accords, insista Philip. Il vous défie et vole Dieu. »

Stephen, comme s'il n'entendait pas, suivit son idée. « Je ne crois pas qu'ils aient beaucoup d'hommes là-dedans, dit-il du même ton pensif. Ils sont presque tous sur les remparts, sûrement pour nous impressionner. Au fait, qu'est-ce que c'est que cette histoire de marché ? »

Tout cela faisait partie de l'épreuve, estima Philip : l'obliger à rester debout en terrain découvert, le dos tourné à une horde d'archers, subir les caprices de son discours... Il s'essuya le front avec la manchette en fourrure du manteau royal. « Monseigneur, chaque dimanche des gens viennent de tout le comté pour entendre la messe à Kingsbridge et travailler gratis sur le chantier de la cathédrale. Quand nous avons commencé, quelques hommes et femmes à l'esprit entreprenant apportaient des choses à vendre : des pâtés, du vin, des chapeaux et des couteaux utiles aux volontaires. Ainsi, peu à peu, un marché s'est développé. Je vous demande maintenant de lui accorder votre licence.

— Paierez-vous les droits ? »

Rien de plus normal, Philip en convenait, mais il savait aussi qu'on en dispensait souvent les religieux. « Oui, seigneur, je les paierai — à moins que vous ne souhaitiez nous octroyer la licence sans paiement, pour la plus grande gloire de Dieu. »

Pour la première fois, Stephen regarda Philip droit dans les yeux. « Vous êtes un homme courageux. Vous ne tremblez pas de savoir l'ennemi derrière vous pendant que vous discutez avec moi. »

Philip lui rendit son regard. « Si Dieu décide que ma vie

est finie, rien ne peut me sauver, dit-il avec plus d'assurance qu'il n'en éprouvait réellement. Mais si Dieu veut que je vive pour bâtir la cathédrale de Kingsbridge, dix mille archers ne m'abattront pas.

— Bien dit ! » reconnut Stephen et, donnant une claque sur l'épaule de Philip, il se tourna vers la cathédrale. Les jambes molles, Philip le suivit, de mieux en mieux à chaque pas qui l'éloignait du château. Il avait, semblait-il, brillamment passé l'épreuve. Mais il devait encore obtenir du roi un engagement sans ambiguïté. D'un instant à l'autre, il allait de nouveau plonger dans la foule des courtisans. Alors qu'ils passaient la ligne des sentinelles, Philip prit son courage à deux mains. « Monseigneur roi, demanda-t-il, si vous vouliez écrire une lettre au shérif de Shiring... »

Il fut brutalement interrompu par l'un des comtes qui surgit, tout agité, en criant : « Robert de Gloucester est en chemin, monseigneur !

— Quoi ? Où est-il ?

— Tout près. Une journée au plus...

— Pourquoi n'ai-je pas été prévenu ? J'ai posté des hommes partout !

— Il est passé par le chemin de Fosse, puis il a quitté la route pour traverser par la pleine campagne.

— Qui l'accompagne ?

— Tous les comtes et les chevaliers de son camp qui ont perdu leurs terres au cours des deux dernières années. Ranulf de Chester également...

— Évidemment. Le chien de traître.

— Il a rameuté tous ses chevaliers de Chester, plus une horde de Gallois rapaces...

— Combien d'hommes en tout ?

— Environ un millier.

— Diable... C'est cent de plus que nous. »

Parmi les barons qui s'étaient rassemblés, l'un prit la parole. « Seigneur, s'il vient par la pleine campagne, il lui faudra franchir la rivière au gué...

— Bien dit, Edward ! s'écria Stephen. Emmenez-y vos hommes et voyez si vous pouvez tenir la place. Il vous faut des archers aussi.

— A quelle distance sont-ils exactement, quelqu'un le sait-il ? interrogea Edward.

— Très près, selon l'éclaireur, répondit le premier comte. Ils pourraient arriver au gué avant vous.

— Je pars, déclara Edward en faisant demi-tour.

— Le brave ! » dit le roi Stephen. Il frappa du poing droit contre sa paume gauche. « Je vais enfin rencontrer Robert de Gloucester sur le champ de bataille. Je regrette de ne pas avoir plus d'hommes. Enfin... un avantage de cent combattants, ce n'est pas grand-chose. »

Philip écoutait en silence. Si près d'obtenir l'accord de Stephen... il n'entendait pas renoncer même si le roi avait à présent l'esprit ailleurs. Il fit glisser de ses épaules le manteau pourpre et dit au souverain : « Peut-être devrions-nous chacun reprendre notre vrai personnage, monseigneur ? »

Stephen acquiesça d'un air absent. Un courtisan passa derrière lui et l'aida à ôter son habit de moine. Philip lui passa le manteau en ajoutant : « Seigneur, vous sembliez bien disposé envers ma requête. »

Stephen fronça les sourcils, irrité. Il allait dire quelque chose quand une nouvelle voix s'éleva.

« Monseigneur ! »

Le cœur de Philip se serra. William Hamleigh !

« William, mon garçon ! dit le roi de ce ton cordial qu'il employait souvent avec ses guerriers. Tu arrives juste à temps ! »

William s'inclina : « Monseigneur, j'ai amené cinquante chevaliers et deux cents hommes de mon comté. »

Philip sentit ses espoirs s'évanouir en fumée.

Stephen, visiblement ravi, congratulait le jeune homme. « Quel brave tu es ! dit-il avec chaleur. Tu m'apportes un sérieux avantage sur l'ennemi ! »

Un bras passé autour des épaules de William, il s'éloigna avec lui en lui parlant à l'oreille.

Philip, immobile, les regarda un moment. Il avait frôlé le succès de près, mais l'armée de William comptait plus que la justice, songea-t-il amèrement.

Le courtisan qui avait aidé le roi à ôter son habit de moine tendit sa robe à Philip. Celui-ci la prit machinalement et l'enfila, profondément déçu. En contemplant les trois grands portails de la cathédrale, il pensait à son espoir d'en bâtir de pareils à Kingsbridge. Hélas ! Le roi Stephen prenait le parti de William Hamleigh. Le choix était simple : la justice contre la victoire. Philip contre William. L'évêque avait échoué.

Il ne lui restait qu'une chance : que le roi Stephen perde la bataille qui s'annonçait.

V

Tandis que l'évêque célébrait la messe dans la cathédrale, le ciel commença à virer du noir au gris. Les chevaux étaient sellés, les chevaliers vêtus de leur cotte de mailles, on avait nourri les hommes d'armes et servi à tous une mesure de vin pour leur donner du courage.

William Hamleigh était agenouillé dans la nef avec les autres chevaliers et les comtes, tandis que, sur les bas-côtés, les destriers piaffaient et renâclaient. La peur et l'excitation étourdissaient le jeune Hamleigh. Si le roi remportait la victoire, le nom de William y serait à jamais associé, grâce aux renforts qu'il avait amenés pour faire pencher la balance. Si le roi perdait... Tout pouvait arriver. Il frissonna.

Stephen se tenait devant, vêtu d'une robe blanche immaculée, un cierge à la main. Au moment précis de l'Élévation, le cierge se brisa, la flamme s'éteignit. William frissonna : mauvais présage ! Un prêtre apporta un nouveau cierge que Stephen reçut avec un sourire nonchalant, mais l'impression d'un horrible avertissement surnaturel persista dans l'esprit de William. En regardant autour de lui, il vit que les autres partageaient son sentiment.

Aussitôt après le service, le roi aidé d'un valet passa son armure. Sa cotte de mailles qui lui descendait aux genoux était faite de morceaux de cuir sur lesquels on avait cousu des anneaux de fer. Cette sorte de tunique était fendue jusqu'à la taille pour qu'il pût s'asseoir à cheval. Quand le valet la lui eut solidement attachée à la gorge, Stephen coiffa un bonnet ajusté prolongé par un large capuchon de mailles qui lui couvrait les cheveux et protégeait son cou. Il mit par-dessus un casque de fer muni d'un nasal. A ses bottes de cuir, on voyait des revers en mailles et des éperons.

Cependant les comtes s'étaient rassemblés autour de lui. Suivant le conseil de sa mère, William se comportait comme s'il était déjà l'un d'eux, bousculant la foule pour s'approcher du roi. Dans le brouhaha des répliques échangées, il se rendit compte qu'ils essayaient de persuader Stephen de se retirer et d'abandonner Lincoln aux rebelles.

« Vous tenez plus de territoires que Maud, vous pouvez lever une armée plus grande, observa un homme âgé en qui William reconnut lord Hugh. Dirigez-vous au sud, trouvez des renforts, revenez et écrasez nos ennemis. »

Après l'incident du cierge brisé, William aurait presque souhaité lui-même la retraite, mais le roi ne l'entendait pas de cette oreille. « Nous sommes assez forts pour les écraser maintenant, dit-il avec entrain. Où est passée votre ardeur ? » Il boucla une ceinture chargée d'une épée d'un côté et d'une dague de l'autre, toutes deux protégées de fourreaux en bois et en cuir.

« Les armées sont trop équilibrées, renchérit un homme aux cheveux courts et grisonnants, le comte de Surrey. L'aventure est trop risquée. » C'était le dernier argument à employer avec Stephen, William le savait. Le roi avait l'âme très chevaleresque. « Trop équilibrées ? répéta-t-il avec mépris. Justement, je préfère un combat égal. » Il passa les gantelets de cuir recouverts de mailles. Le valet lui tendit un long bouclier de bois renforcé de cuir, dont il passa la courroie autour de son cou et qu'il ajusta à sa main gauche.

« Nous n'avons pas grand-chose à perdre en nous retirant maintenant, insista Hugh. Nous ne sommes même pas maîtres du château.

— Vous voudriez que je laisse passer ma chance de rencontrer Robert de Gloucester sur le champ de bataille ? dit Stephen. Voilà deux ans qu'il m'évite. Maintenant que j'ai l'occasion de régler une fois pour toutes mon compte avec ce traître, je ne vais pas reculer sous prétexte que nous sommes de la même force. »

Un garçon d'écurie lui amena son cheval déjà prêt. Comme Stephen allait monter en selle, une certaine agitation du côté de la porte ouest attira l'attention ; un chevalier remonta la nef en courant, couvert de boue et de sang. Il apportait de mauvaises nouvelles, William l'aurait juré. Comme l'homme s'inclinait devant le roi, on reconnut un des hommes d'Edward dépêchés pour garder le gué. « Nous sommes arrivés trop tard, seigneur, dit le messager tout essoufflé. L'ennemi a traversé la rivière. »

Un vilain signe de plus. William sentit le froid de l'angoisse tomber sur lui. Il n'y avait plus que des champs vides, maintenant, entre l'ennemi et la ville de Lincoln.

Stephen, momentanément abattu, retrouva vite son sang-froid. « Peu importe ! dit-il. Nous n'en rencontrerons nos adversaires que plus tôt ! » Et il sauta en selle. Le valet lui tendit une lance· en bois terminée par une pointe de fer aiguisée, qui, avec la hache d'armes accrochée à sa selle, complétait son armement. Le roi claqua la langue et le cheval se mit en marche.

Derrière lui, les comtes, les barons et les chevaliers lui emboîtèrent le pas et ce fut une procession qui quitta la cathédrale, à laquelle, dehors, les hommes d'armes se joignirent. Beaucoup, en proie à la peur de ce qui les attendait, auraient bien renoncé. Mais la solennité de l'instant, l'atmosphère presque cérémonieuse, le regard des habitants de la ville, tout cela interdisait à quiconque·de se dérober.

Pendant la traversée de la ville, la troupe s'accrut d'une centaine d'hommes : boulangers bedonnants·et tisserands myopes, brasseurs rougeauds, piètrement armés et montant de pauvres bidets. Leur présence témoignait du peu de popularité de Ranulf.

L'armée ne pouvant passer devant le château, sous le tir des archers postés aux créneaux, elle quitta la ville par la porte nord, qu'on appelait l'arche de Newport, avant d'obliquer vers l'ouest. C'était là qu'on allait s'affronter.

William inspecta le terrain d'un regard expert. Bien que la colline au sud de la ville descendît en pente abrupte vers la rivière, ici, sur le flanc ouest, une longue corniche menait doucement jusqu'à la plaine. William se rendit compte que Stephen avait choisi un excellent point stratégique de défense car, de quelque côté que s'approchât l'ennemi, il se trouverait toujours en contrebas de l'armée du roi.

Stephen avait parcouru près de deux cents toises depuis la sortie de la ville, lorsque deux éclaireurs, remontant la pente à toute allure, se dirigèrent vers lui. William s'approcha pour ne rien manquer de leur rapport.

« L'ennemi avance rapidement, seigneur », dit l'un des messagers.

William tourna son regard vers la plaine. En effet, une masse noire en mouvement se distinguait au loin :

l'ennemi ! William frissonna. La peur le tenaillait. Elle ne le lâcherait qu'au moment du combat.

« Quel est leur dispositif ? demanda Stephen.

— Ranulf et les chevaliers de Chester forment le centre, seigneur, expliqua l'éclaireur. Ils sont à pied. »

Pour en savoir tant, observa William, l'homme avait dû pénétrer jusque dans le camp ennemi et espionner les ordres de marche. Joli sang-froid...

« Ranulf au centre ? dit Stephen. C'est donc lui le chef, pas Robert !

— Robert de Gloucester tient le flanc gauche, avec un groupe d'hommes qu'on appelle les Déshérités », poursuivit l'éclaireur.

William connaissait leur existence. Ils tenaient leur nom du fait qu'ils avaient perdu toutes leurs terres depuis le début de la guerre civile.

« Ainsi, reprit Stephen d'un ton songeur, Robert a confié à Ranulf le commandement de l'opération ? Dommage. Je connais bien Robert — j'ai quasiment grandi avec lui — et je pourrais deviner sa tactique. Mais Ranulf est un étranger pour moi. Peu importe. Qui tient le flanc droit ?

— Les Gallois, seigneur.

— Des archers, je suppose. » Les hommes de la Galle du Sud avaient la réputation d'être de fins tireurs.

« Pas ceux-là, corrigea l'éclaireur. C'est une foule déchaînée, des créatures au visage peint, qui chantent des chansons barbares et sont armés de marteaux et de massues. Très peu possèdent des chevaux.

— Ils doivent venir de Galle du Nord, conclut Stephen. Ranulf leur a sûrement promis un beau pillage. Dieu protège Lincoln s'ils pénètrent à l'intérieur des murs. Mais non ! Ils n'entreront pas. Comment t'appelles-tu, éclaireur ?

— Roger dit Lackland, déclara l'homme.

— Lackland ? Tu recevras dix arpents, pour ta peine.

— Merci, seigneur ! s'écria l'homme, ravi.

— Allons. » Stephen se tourna vers ses comtes. William, tendu, attendait de connaître le rôle que le roi allait lui confier. « Où est mon seigneur Alan de Bretagne ? » Alan poussa son cheval en avant. Il dirigeait une force de mercenaires bretons, des hommes déracinés qui se battaient pour leur solde et n'étaient loyaux qu'à eux-mêmes.

« Je vais te mettre avec tes braves Bretons en première ligne, sur ma gauche », annonça Stephen.

« William comprit la sagesse de cette mesure : les mercenaires bretons contre les aventuriers gallois, c'était brigands
contre brigands.

« William d'Ypres, appela Stephen.

— Monseigneur ? » Un homme brun montant un destrier noir leva sa lance. Il menait un autre groupe de mercenaires, des Flamands, à peine plus fiables que les Bretons,
disait-on.

« Tu seras sur ma gauche aussi, dit Stephen, derrière les
Bretons d'Alan. »

Les deux chefs de mercenaires tournèrent bride et s'en
furent organiser leurs hommes. William se demandait
encore où serait sa place. Il n'avait aucune envie d'être en
première ligne. Il s'était déjà assez distingué en amenant
son armée. Une bonne position sans risque, à l'arrière-
garde, lui conviendrait parfaitement.

Le roi poursuivit : « Mes seigneurs de Worcester, Surrey,
Northampton, York et Hertford, avec vos chevaliers, vous
formerez mon flanc droit. »

William, une fois de plus, reconnut l'intelligence du dispositif. Les comtes et leurs chevaliers, pour la plupart montés, feraient face à Robert de Gloucester et aux Déshérités
qui le soutenaient, également à cheval.

Cependant William commençait à s'inquiéter de n'être
pas dans les rangs des comtes. Le roi ne l'aurait quand
même pas oublié ?

« Je tiendrai le centre, à pied, avec des fantassins »,
annonça Stephen.

Pour la première fois, William s'insurgea intérieurement.
Mieux valait rester à cheval aussi longtemps qu'on pouvait.
Mais puisque Ranulf, paraît-il, combattait à pied, son sens
exagéré de l'équité obligeait Stephen à affronter son adversaire sur un mode d'égalité.

« Je prendrai avec moi William de Shiring et ses hommes », déclara le roi.

William devait-il se réjouir ou s'inquiéter ? C'était un
grand honneur d'être ainsi choisi — Mère serait enchantée
— mais outre qu'il occuperait la position la plus dangereuse, cela signifiait aussi qu'il serait en permanence sous
l'œil du roi. Il devrait cacher ses craintes, attaquer l'ennemi
sans hésiter. William, qui ne se battait que contraint et
forcé, selon sa tactique de prédilection, se trouvait pris au
piège.

« Les loyaux citoyens de Lincoln fermeront la marche »,
annonça enfin Stephen. Cette décision relevait de la prudence et du bon sens militaire. Les civils ne serviraient à
grand-chose nulle part, sinon à l'arrière où ils feraient quelques dégâts en subissant un minimum de pertes.

William brandit la bannière de Shiring. Encore une idée
de sa mère. Il n'y avait pas droit, à strictement parler, il
n'était pas officiellement comte ; mais les hommes qui
l'accompagnaient étaient habitués à suivre cet étendard —
du moins William l'affirmerait-il si on l'interrogeait. De
plus, à la fin de la journée, si la bataille se déroulait bien,
il serait peut-être comte.

Ses hommes se groupèrent autour de lui, Walter, en premier comme toujours — présence solide et rassurante —
ainsi que Gervase le Vilain, Hugh la Hache et Miles les
Dés. Gilbert, tué lors de l'incident de la carrière, avait été
remplacé par Guillaume de Saint-Clair, un jeune homme au
frais visage et à l'air mauvais.

Dans la foule des combattants qui se mettaient en place,
William aperçut avec un sursaut de colère Richard de
Kingsbridge, portant une armure flambant neuve et montant
un superbe destrier. Il accompagnait le comte de Surrey.
Bien qu'il n'eût pas réuni une armée comme l'avait fait
William, il ne manquait pas d'allure, et s'il faisait de grandes choses dans cette bataille décisive, rien ne l'empêcherait d'obtenir la faveur du souverain. Les batailles
ménagent d'imprévisibles surprises, tout comme les rois.

Et si Richard était tué ? Quelle chance ! William désirait
cette mort plus fort qu'il n'avait jamais désiré aucune
femme.

Il regarda à l'horizon. La masse ennemie grossissait.

Du toit de la cathédrale, Philip voyait Lincoln déployée
devant lui comme une carte. Au sommet de la colline, la
vieille ville entourait la cathédrale, avec ses rues droites,
ses jardins soignés et le château fort dans l'angle sud-ouest.
La partie plus neuve, bruyante et surpeuplée, occupait la
pente abrupte qui reliait la vieille ville à la rivière Withan.
Ce quartier, qui d'ordinaire bourdonnait d'activités, restait
aujourd'hui enveloppé d'un lourd silence comme d'un lin-
ceul. Tout le monde avait grimpé sur les toits pour suivre
la bataille. La rivière, qui venait de l'est, suivait le pied de
la colline avant de s'élargir en un vaste port naturel qu'on

appelait l'étang de Brayfield, entouré de quais et couvert de bateaux et de canots. Un canal, le Fosdyke, partait de l'étang de Brayfield jusqu'à la rivière Trent, avait-on expliqué à Philip. En le découvrant ainsi d'en haut, Philip s'émerveillait de son tracé parfaitement rectiligne sur des lieues. D'après ce qui se disait, il aurait été creusé longtemps auparavant, dans l'ancien temps.

Le canal formait la lisière du champ de bataille. Philip regarda l'armée du roi Stephen sortir de la ville en un cortège désordonné et se former lentement en trois colonnes sur la crête. Philip reconnaissait les comtes, sur sa droite, à leurs tenues plus colorées, leurs tuniques rouges et jaunes et leurs bannières éclatantes. C'était aussi les plus actifs, montant et descendant la colline, donnant des ordres, tenant des consultations et tirant des plans. A la gauche du roi, sur la pente qui descendait jusqu'au canal, le groupe d'hommes vêtus de gris terne et de brun disposait de moins de chevaux et s'agitait moins. A coup sûr, des mercenaires. Par-delà l'armée de Stephen, là où le canal se perdait dans les haies, l'armée rebelle envahissait le champ comme un essaim d'abeilles. Ils avançaient d'un mouvement imperceptible, mais inexorable. Que valaient ces forces ? De prime abord, tout indiquait que les deux camps s'équilibraient.

Philip ne pouvait rien faire pour influencer le dénouement — situation qu'il avait en horreur. Il essaya de se calmer, de faire preuve de fatalisme. Si Dieu voulait une nouvelle cathédrale à Kingsbridge, il donnerait à Robert de Gloucester la victoire sur le roi Stephen. Alors Philip demanderait à l'impératrice Maud, victorieuse, de le laisser reprendre possession de la carrière et de rouvrir le marché. En revanche, si Stephen devait l'emporter, Philip n'aurait qu'à accepter la volonté de Dieu, renoncer à ses plans ambitieux et laisser Kingsbridge retomber une fois de plus dans l'obscurité.

C'était cela que Philip n'arrivait pas à admettre. De toutes ses forces, il voulait la victoire de Robert.

L'armée rebelle fit halte à une demi-lieue environ de la première ligne du roi. C'était exaspérant de pouvoir en contempler la masse sans en discerner les détails. William aurait voulu savoir si ces gens étaient bien armés, pleins d'entrain et d'agressivité, ou bien fatigués et peu désireux de se battre. Ils continuaient d'avancer lentement, tandis que ceux de l'arrière, poussés par la même angoisse que William, se pressaient vers l'avant pour découvrir l'ennemi.

Dans l'armée de Stephen, les comtes et leurs chevaliers attendaient, bien en ligne sur leurs montures, leurs lances prêtes, comme s'ils étaient à un tournoi au moment de commencer les joutes. Non sans regret, William renvoya tous les chevaux de son contingent, en ordonnant aux écuyers non pas de les ramener à la ville mais de les garder à l'arrière — au cas où on en aurait besoin : pour faire retraite, pensa-t-il sans le dire. Si le combat tournait mal, mieux valait s'enfuir que mourir.

La bataille semblait ne jamais devoir commencer. Le vent tomba, les chevaux se calmèrent, sinon les hommes. Le roi Stephen ôta son casque pour se gratter la tête. William commençait à s'énerver. Il ne redoutait pas de se battre mais l'attente lui donnait la nausée.

Soudain, sans raison apparente, une sorte d'électricité passa dans l'atmosphère. Un cri de guerre monta de quelque part. Les chevaux piaffèrent. Des acclamations fusèrent, noyées aussitôt par le tonnerre des sabots. La bataille commençait. William sentit l'âcre odeur de sueur et de peur.

D'abord, tout ne fut que confusion. A pied, William ne distinguait que son environnement immédiat. Les comtes, sur la droite, avaient dû engager la bataille en chargeant l'ennemi. Presque aussitôt une clameur monta sur la gauche et William vit en se retournant que les hommes à cheval de l'armée des mercenaires bretons éperonnaient leurs montures. Comme en écho une cacophonie de hurlements à glacer le sang s'éleva de la section correspondante de l'armée ennemie : la canaille galloise. Impossible de savoir qui avait l'avantage.

William ne voyait plus Richard. Des douzaines de flèches jaillissaient comme un envol d'oiseaux de derrière les lignes ennemies et pleuvaient alentour. William brandit son bouclier au-dessus de sa tête.

C'est alors que le roi Stephen chargea. William dégaina son épée et se précipita, ordonnant à ses hommes de le suivre. Mais les cavaliers, à droite et à gauche, qui s'étaient dispersés en attaquant, s'interposèrent entre l'ennemi et lui.

Sur sa gauche, retentissait un fracas assourdissant de fer contre fer ; l'air s'emplissait d'une odeur métallique qu'il connaissait bien. Les comtes et les Déshérités s'affrontaient

avec tant de violence qu'on ne discernait plus qu'un tourbillon d'hommes et de chevaux se heurtant, chargeant et
s'effondrant. Impossible de distinguer le hennissement des
bêtes des cris de guerre des hommes. Ici et là, dans le brouhaha, William percevait les horribles gémissements des
blessés agonisants. Si seulement Richard pouvait en faire
partie !

A sa gauche, au désespoir de William, les Bretons battaient en retraite devant les haches et les massues des Gallois déchaînés qui, poussant des hurlements, se piétinaient
entre eux dans leur ardeur à attaquer l'ennemi. L'idée du
pillage promis les excitait comme des fous. Les Bretons,
qui devaient se contenter de la perspective d'une autre
semaine de solde, se défendaient avec moins d'enthousiasme et cédaient du terrain. William cracha par terre,
écœuré. ·

Il enrageait de n'avoir pas encore porté le moindre coup.
Il était entouré de ses chevaliers, et devant lui se trouvaient
les chevaux des comtes et les Bretons. Il poussa en avant,
sur le côté du roi. On se battait de toutes parts. Des chevaux
écroulés, des hommes au corps à corps mus par une férocité
de chats sauvages, le chaos assourdissant des épées et
l'écœurante odeur du sang transformaient la plaine en enfer.
Mais William et le roi Stephen restaient pour le moment
coincés dans une zone de calme.

Philip, bien qu'il vît toute la scène, n'y comprenait rien.
Des hommes tombaient et mouraient, d'autres triomphaient
et continuaient à se battre. Mais qui l'emportait, qui perdait ? Le prieur n'aurait pas su le dire, et c'était exaspérant.

A cet instant, sur la gauche du champ de bataille, un
grand mouvement se fit. Des hommes dévalaient la pente
vers le canal, des mercenaires vêtus de toile bise et, pour
autant que Philip pût les reconnaître, des hommes du roi,
poursuivis par les guerriers hauts en couleurs de l'armée
attaquante. On entendait d'ici les hurlements de victoire des
Gallois. Une bouffée d'espoir gonfla le cœur de Philip : les
rebelles tenaient la victoire !

De l'autre côté, sur la droite, là où combattaient les cavaliers, l'armée du roi ne semblait pas en meilleure posture.
D'abord imperceptible, le mouvement s'affirma, puis se
précipita ; et, sous les yeux mêmes de Philip, la retraite
se transforma en déroute. Par dizaines, les hommes du roi

tournaient bride et commençaient à fuir le champ de bataille.

Philip aurait sauté de joie : telle était donc la volonté de Dieu !

Cependant, si les rebelles avançaient sur les deux flancs, le centre tenait toujours bon. Autour du roi Stephen on se battait avec plus d'acharnement que dans le camp adverse. Les troupes du roi réussiraient-elles à renverser la situation ? Et si Stephen et Robert de Gloucester s'affrontaient l'un l'autre ? Un combat singulier entre deux chefs décidait souvent du sort de la bataille, quel que fût l'état du combat sur le terrain. Philip refréna son enthousiasme : rien n'était encore fini.

Et, justement, la situation se renversa avec une incroyable rapidité. Un moment, les deux armées étaient à égalité, luttant farouchement ; l'instant d'après, les hommes du roi cédaient du terrain. William, au désespoir, se rendit compte que sur sa gauche les mercenaires bretons dévalaient la colline, poursuivis jusque dans le canal par les Gallois. Sur sa droite, les comtes, malgré leurs destriers et leurs bannières, rompaient le combat et essayaient de s'échapper vers Lincoln. Seul le centre tenait : le roi Stephen, au cœur de la mêlée, abattait sa lourde épée de tous les côtés, tandis que les hommes de Shiring luttaient autour de lui comme des loups. La situation demeurait instable. Si les flancs continuaient à reculer, le roi finirait encerclé. Mais le roi était plus brave que sage et il ne lâcherait pas prise tant qu'il serait en vie.

William sentit soudain la bataille se déplacer vers la gauche. Les mercenaires flamands, arrivant par-derrière, tombèrent sur les Gallois qui durent renoncer à poursuivre les Bretons sur la pente de la colline pour faire demi-tour et se défendre. La mêlée sombra dans la confusion. Puis les hommes de Ranulf de Chester réagirent en attaquant les Flamands qui, du coup, se trouvèrent coincés entre les hommes de Chester et les Gallois.

Le roi Stephen encourageait ses troupes, les poussait en avant. William pensa que Ranulf avait peut-être commis une erreur. Si les forces du roi pouvaient disposer maintenant des hommes de Ranulf, ce serait au tour de celui-ci de se trouver coincé sur ses deux flancs.

Brusquement, comme un de ses chevaliers qui le protégeait tombait devant lui, William se retrouva au cœur de la bataille. Un robuste homme du Nord, brandissant une épée pleine de sang, plongea sur lui. William l'esquiva sans mal : il était frais, au contraire de son adversaire déjà épuisé. William visa le visage de l'homme, manqua son coup et para un second assaut. Il éleva son épée aussi haut que possible, s'exposant délibérément à un coup de poignard : ainsi qu'on pouvait s'y attendre, l'autre avança et William profita de son mouvement pour abattre son épée, qu'il tenait à deux mains, sur l'épaule de l'ennemi. Sous le choc l'armure se fendit et la clavicule se fracassa.

William connut un moment de griserie, débarrassé de toute peur. D'une voix tonitruante, il rugit : « Venez, chiens ! Approchez ici ! »

Deux combattants, prenant la place du chevalier à terre, se lancèrent simultanément contre William qui réussit tout juste à les contenir, mais fut obligé de céder du terrain.

William sentit une poussée sur sa droite. Un de ses attaquants le délaissa pour répondre à l'assaut d'un homme au visage rougeaud, armé d'un couperet, et l'air d'un boucher en folie. William n'avait donc plus qu'un adversaire sur lequel il fonça et qui, affolé, essaya de frapper William à la tête. Celui-ci esquiva le coup et plongea sa lame dans la cuisse de son ennemi, juste sous la frange de la courte cotte de mailles. L'homme s'écroula.

Un instant libéré, William s'arrêta, le souffle court. Alors qu'il croyait l'armée du roi en déroute, les soldats s'étaient repris et de nouveau personne n'avait l'avantage. Sur sa droite, les citoyens de Lincoln menaient courageusement bataille à l'ennemi. Certes, ils défendaient leurs propres maisons, ce qui leur donnait une énergie particulière. Mais, depuis que les comtes, sur ce flanc droit, avaient fait défection, qui donc les avait ralliés ? Sa question trouva aussitôt réponse : consterné, il vit Richard de Kingsbridge, dressé sur ses étriers, encourager du geste et de la voix les villageois. William sentit son cœur se serrer. Si le roi remarquait la conduite de Richard, c'en était fini de ses plans à lui, William. Juste à cet instant, Stephen déboucha sur les lieux et fit un signe de félicitation au valeureux Richard. William poussa un juron.

Le ralliement des habitants de la ville soulagea un peu la pression qui s'exerçait sur le roi, mais pas pour longtemps. Sur le flanc gauche, les hommes de Ranulf ayant mis en déroute les mercenaires flamands, Ranulf s'attaquait maintenant au centre de la formation. En même temps, les Déshérités se regroupaient contre le groupe de Richard et des civils. La bataille reprit avec plus de rage.

Attaqué par un énorme gaillard armé d'une hache, William para le coup au dernier moment. L'autre récidiva. Chaque fois que la hache s'abattait, William bondissait en arrière. Avec horreur, il se rendit compte que toute l'armée reculait comme lui. Sur sa gauche, les Gallois remontaient la colline et, chose inhabituelle dans un combat de chevaliers, commençaient à lancer des pierres. C'était ridicule, mais efficace, car il fallait en même temps regarder les cailloux qui volaient et se défendre contre les adversaires. L'ennemi semblait augmenter. Les hommes du roi seraient-ils surpassés par le nombre ? Un sentiment de désespoir envahit William. Une peur folle lui serra la gorge, car il comprit que la bataille était très près d'être perdue et lui-même en danger de mort. Le roi ferait mieux d'ordonner la retraite. Pourquoi s'obstinait-il à se battre ? Folie ! Il allait se faire tuer — ils allaient tous se faire tuer ! La hache de son adversaire se dressa soudain très haut au-dessus de la tête de William. Mû par un providentiel instinct guerrier, au lieu de reculer comme il l'avait fait jusque-là, il bondit en avant et plongea droit sur le géant. La pointe de son épée s'enfonça dans le cou de l'homme, juste sous le menton. William poussa de toutes ses forces. Les yeux de l'homme se fermèrent. En proie à un soulagement proche de l'extase, William retira son épée et sauta en arrière pour éviter la hache que venaient de lâcher les mains mortes de l'homme.

A quelques pas sur sa gauche, William vit le roi qui abattait de toutes ses forces son épée sur le casque d'un adversaire. Son arme s'y brisa comme une brindille. Eh bien, voilà, songea William résigné, la bataille est terminée. Le roi va ordonner la retraite et se préparer pour combattre un autre jour. A peine s'était-il formulé cette pensée rassurante qu'il vit son espoir déçu. Un habitant de la ville tendait au roi une hache de bûcheron à long manche. Sous l'œil consterné de William, Stephen empoigna l'arme et reprit le combat.

William hésita un instant. Allait-il s'enfuir ? Sur sa droite, Richard, à pied, se démenait comme un diable, bondissant en avant, abattant avec son épée tout ce qui se trouvait à sa portée, frappant à gauche, à droite, au centre, aveuglément, furieusement. Non, William ne pouvait pas déserter quand son rival se battait encore.

Un homme de petite taille en armure légère, incroyablement rapide, fonçait sur lui, l'épée étincelant au soleil. Comme leurs lames se heurtaient, William comprit qu'il avait affaire à un redoutable combattant. Une fois de plus, l'ombre de la mort obscurcit son esprit et la certitude de l'issue fatale de cette bataille lui ôta son énergie. Mécaniquement, il esquivait les coups d'estoc et de taille qui le visaient, sans jamais trouver l'occasion de placer la violente botte qui fracasserait l'armure de son attaquant. L'espace d'une seconde, il entraperçut une ouverture, mais l'ennemi esquiva en plongeant en avant. Au même moment, William sentit son bras gauche s'engourdir. Il était blessé ! La peur lui tordait le ventre. Inexorablement, il reculait, pressé par l'avance de l'adversaire avec l'impression que le sol se dérobait sous lui. Son bouclier, que son bras gauche inutile ne pouvait plus tenir, pendait à son cou. L'autre sentit la victoire et appuya son attaque. William vit planer la mort au-dessus de lui. Une terreur insurmontable l'envahit.

C'est alors que Walter surgit à son côté.

William recula encore d'un pas. Walter brandit son épée à deux mains. Surpris, le petit homme tomba, fauché comme une jeune pousse. Etourdi de soulagement, au bord de l'évanouissement, William posa une main sur l'épaule de Walter.

« Nous avons perdu ! lui cria celui-ci. Allons-nous-en ! »

William se redressa. Le roi continuait à se battre, malgré tout. Si seulement il acceptait maintenant de s'enfuir, il pourrait regagner le Sud où il aurait tout loisir de rassembler une autre armée. Mais plus il combattait, plus se multipliaient les risques qu'il soit capturé, même tué. Résultat : Maud serait reine.

William et Walter cédaient peu à peu du terrain. Pourquoi le roi s'acharnait-il si stupidement ? Voulait-il donner la preuve de son courage ? Cette orgueilleuse vaillance causerait sa perte. Une fois de plus William eut la tentation d'abandonner le roi. Mais Richard de Kingsbridge ne démordait pas, tenant le flanc droit comme un roc ; son épée tournoyait et fauchait tout ce qui s'approchait de lui.

« On ne s'en va pas encore ! dit William à Walter. Regarde le roi ! »

Ils reculèrent pas à pas. Le combat perdait de l'intensité

à mesure que les hommes comprenaient que le sort de la bataille était joué et qu'il devenait inutile de prendre des risques. William et Walter croisèrent l'épée avec deux chevaliers, mais sans grands risques de part et d'autre. On assenait des coups violents, les uns avançant, les autres se défendant, mais personne ne s'exposait vraiment au danger.

Un bruit tout proche les fit sursauter. Une grosse pierre jaillie du champ venait de frapper le casque du roi. Celui-ci trébucha et tomba à genoux. L'adversaire de William tourna la tête, vit la scène et se mit à crier. La hache d'armes tomba des mains du roi. Un chevalier ennemi se précipita sur lui et lui arracha son casque. « Le roi ! hurla-t-il d'un ton triomphant. J'ai le roi ! »

William, Walter et toute l'armée royale firent demi-tour et détalèrent.

Philip jubilait. La retraite, partie du centre de l'armée royale, se propageait jusqu'aux flancs. En quelques instants, on ne vit plus que le dos des fuyards.

Voilà qui récompensait le roi Stephen de son injustice !

Les attaquants ne renonçaient pas à poursuivre les vaincus. Sur les arrières de l'armée du roi, quarante ou cinquante chevaux sans cavalier attendaient en réserve, tenus par des écuyers. Les premiers fuyards sautèrent en selle et piquèrent, dos à Lincoln, vers la rase campagne.

Philip s'interrogea sur le sort du roi.

Les citoyens de Lincoln descendaient des toits. On rassemblait enfants et animaux. Les familles se barricadaient dans leurs maisons, fermant les volets, verrouillant les portes. Il y eut une certaine agitation autour des bateaux du lac : certains essayaient de s'échapper par la rivière. Des groupes affolés commençaient à arriver à la cathédrale pour s'y réfugier.

A chaque entrée de la ville, on se précipitait pour tirer sur les lourdes portes les barres de fer qui les protégeaient. Soudain, sortant du château, apparurent des hommes de Ranulf de Chester. Ils se divisèrent aussitôt en équipes, suivant évidemment un plan préparé, et chacun se dirigea vers une porte de la ville, abattant au passage ceux qui se trouvaient sur leur chemin. Puis ils rouvrirent les portes pour laisser entrer les rebelles vainqueurs.

Philip quitta le toit de la cathédrale, imité par les chanoines qui l'avaient rejoint pour observer le combat. Sur le seuil qui donnait accès à la tourelle, ils rencontrèrent l'évêque et les archidiacres qui s'étaient postés plus haut dans la tour. Philip remarqua que l'évêque Alexandre tremblait de peur. Dommage : c'était le moment de montrer son courage...

A pas prudents, ils descendirent l'étroit escalier en spirale et débouchèrent dans la nef du côté ouest. Se pressaient déjà dans l'église une centaine de citoyens tandis que d'autres affluaient par les trois grands porches. Dehors, Philip vit deux chevaliers pénétrer dans la cour de la cathédrale, souillés de sang et de boue, revenant droit du champ de bataille. En apercevant l'évêque, l'un d'eux cria : « Le roi est prisonnier ! »

Philip sentit son cœur bondir. Le roi Stephen n'était pas simplement vaincu, il était aux mains des rebelles ! Les forces royales allaient sûrement s'effondrer maintenant dans tout le royaume. Les conséquences de cette nouvelle situation se bousculaient dans l'esprit de Philip, mais avant qu'il ait pu ordonner ses pensées, il entendit l'évêque Alexandre crier : « Fermez les portes ! »

Philip bondit, outré : « Non ! hurla-t-il. Vous ne pouvez pas faire ça ! »

L'évêque le dévisagea, blanc de peur et d'affolement. Il ne se rappelait pas très bien qui était Philip. Depuis leur rencontre officielle de courtoisie, ils ne s'étaient plus parlé. Enfin, la mémoire lui revint. « Ce n'est pas votre cathédrale, prieur Philip, c'est la mienne. Fermez les portes ! » Plusieurs prêtres se précipitèrent pour obéir.

Philip ne pouvait croire à cette manifestation d'égoïsme et de cynisme chez un homme d'Église. « Vous ne pouvez pas empêcher les gens d'entrer, insista-t-il avec colère. Ils vont se faire massacrer !

— Si nous ne fermons pas les portes, c'est nous tous qui serons tués ! » cria Alexandre.

Philip l'empoigna par le plastron de sa robe : « Rappelez-vous qui vous êtes, siffla-t-il. Ce n'est pas à nous d'avoir peur... surtout de la mort. Reprenez-vous.

— Débarrassez-moi de lui ! » hurla Alexandre en proie à la panique.

Des chanoines écartèrent Philip de force. Celui-ci les apostropha :

« Vous ne voyez donc pas ce qu'il fait ?

— Si vous êtes si brave, répliqua un chanoine, sortez donc protéger ces malheureux ! »

Philip se dégagea : « C'est exactement ce que je vais faire », lança-t-il.

Il se retourna. La lourde porte centrale tournait lentement sur ses gonds. Trois prêtres s'escrimaient à vouloir la fermer tandis que dehors on luttait pour se glisser par l'ouverture de plus en plus étroite. Philip parvint à se couler dans l'interstice au moment où le battant claquait sourdement derrière lui.

Une petite foule rassemblée sous le porche frappait à la porte, suppliant qu'on la laisse entrer. Mais la cathédrale restait muette.

Philip fut soudain pris de peur. La panique qu'il lisait sur les visages autour de lui l'effrayait. Il se sentit trembler. Un souvenir éclata dans sa mémoire : à six ans, déjà, il avait rencontré une armée victorieuse et l'horreur qu'il avait éprouvée renaissait en lui, intacte. Il revécut le moment où les soldats avaient surgi dans la maison de ses parents. Figé sur place, il essaya de maîtriser son angoisse, tandis que la foule tourbillonnait autour de lui. Depuis longtemps il n'était plus tourmenté par ce cauchemar. Mais à présent il revoyait les assassins aux yeux assoiffés de sang, la façon dont l'épée avait cloué sa mère au sol, l'horrible spectacle des entrailles de son père s'échappant de son ventre. Un moine franchit la porte, une croix à la main, et les hurlements cessèrent. Et Philip se souvint, comme s'il venait de s'éveiller d'un rêve, qu'il n'était plus un enfant terrifié, qu'il était un homme fait, un moine. Et, tout comme l'abbé Peter les avait sauvés son frère et lui vingt-sept ans plus tôt, de même aujourd'hui, Philip, fortifié par la foi et protégé par Dieu, allait venir à l'aide de ceux qui craignaient pour leur vie.

Dans un brouillard, il se força à faire un pas en avant ; le second fut moins malaisé et le troisième presque facile.

Lorsqu'il atteignit la rue qui menait à la porte ouest, il se heurta à une masse d'habitants qui s'enfuyaient et faillit être renversé. Des hommes et des garçons couraient avec des ballots contenant leurs précieuse possessions, de vieilles gens se débattaient pour ne pas être étouffés, des filles hurlaient, des femmes portaient dans leurs bras des enfants en pleurs. Philip recula un peu sous la pression du flot, puis il fit front. Tout le monde se dirigeait vers la cathédrale. Il aurait voulu les avertir qu'elle était fermée, qu'ils feraient mieux de rester chez eux et de barrer leur porte, mais chacun criait et personne n'écoutait.

Il progressa lentement dans la rue, à contre-courant de la foule. Il n'avait fait que quelques pas lorsque déboula un groupe de quatre cavaliers. C'étaient eux, la cause de cette bousculade. Des gens se plaquèrent contre les murs des maisons, mais nombre d'autres, incapables de s'écarter à temps, tombèrent sous les sabots des chevaux. Philip, horrifié, assista impuissant à la scène avant de se réfugier dans une venelle pour ne pas se faire écraser lui-même. Quelques instants plus tard, les cavaliers avaient disparu.

Plusieurs corps gisaient sur le sol. Comme Philip sortait de son abri, il vit un homme d'âge moyen vêtu d'un manteau cramoisi essayant de ramper malgré une jambe blessée. Philip traversa la rue pour l'aider ; mais il n'eut pas le temps d'arriver que deux hommes avec casque de fer et bouclier de bois se dressèrent devant lui. « Jake, celui-ci est vivant », annonça l'un des soldats.

Philip frissonna : leur attitude, leur voix, leur tenue et même leurs visages, c'étaient ceux des deux hommes qui avaient tué ses parents.

« Il rapportera une rançon : regarde-moi ce manteau rouge », dit le nommé Jake. Il porta les doigts à sa bouche et siffla. Un troisième larron arriva en courant. « Emporte Manteau Rouge au château et attache-le. » Le troisième passa les bras sous les épaules du blessé pour le traîner. L'homme poussait un hurlement de douleur chaque fois que ses jambes heurtaient les pierres. « Arrêtez ! » cria Philip. Surpris, les hommes s'arrêtèrent pile, regardèrent le moine et éclatèrent de rire ; puis ils se remirent en marche.

Philip protesta de toutes ses forces, en vain. Les soldats ne lui prêtèrent pas la moindre attention. Désemparé, Philip les regarda brinquebaler le blessé sur les pavés. Un autre homme d'armes sortit d'une demeure, vêtu d'un long manteau de fourrure et portant sous son bras six assiettes d'argent. Jake l'aperçut et remarqua le butin. « Ce sont des logis de riches, dit-il à son camarade. On devrait en visiter un. » Ils s'approchèrent d'une maison de pierre et attaquèrent à la hache la porte fermée à clé.

Philip se sentait impuissant, mais pas disposé à renoncer. Toutefois Dieu ne l'avait pas mis à ce poste pour défendre les biens des riches, aussi laissa-t-il là Jake et ses compagnons et se hâta-t-il vers la porte ouest. D'autres soldats arrivaient en courant dans la rue et parmi eux des hommes bruns et trapus au visage peint, vêtus de peau de mouton et armés de massues : des guerriers gallois, comprit Philip, et il eut honte de venir du même pays que ces sauvages. Il se colla contre un mur et tenta de passer inaperçu.

Deux pillards surgirent d'une maison de pierre en tirant par les jambes un homme à la barbe blanche coiffé d'une calotte. L'un d'eux pointa un couteau sur la gorge du vieillard en criant :

« Où est ton argent, Juif ?

— Je n'ai pas d'argent », gémit le malheureux.

Personne ne le croirait, se dit Philip. La richesse des Juifs de Lincoln était célèbre ; d'ailleurs, l'homme vivait dans une maison de pierre.

Un autre mercenaire apparut, traînant une femme par les cheveux. Elle avait une quarantaine d'années — sans doute la femme du Juif. Le premier cria : « Dis-nous où est l'argent, ou je lui enfonce mon épée dans le ventre. » Il souleva la jupe de la femme, dévoilant sa toison grisonnante sur laquelle il pointa une longue dague.

Philip allait intervenir, mais le vieil homme céda aussitôt. « Ne lui faites pas de mal ; l'argent est derrière, s'empressa-t-il de dire. Il est enterré dans le jardin, auprès du tas de bois... Je vous en prie, laissez-la. »

Les trois hommes rentrèrent en courant dans la maison. La femme aida l'homme à se relever. Un autre groupe de cavaliers arriva dans un bruit de tonnerre et Philip se jeta de côté pour les éviter. Lorsqu'il se releva, les deux Juifs avaient disparu.

Un jeune homme en armure surgit de la rue, trois ou quatre Gallois sur ses talons et qui le rattrapèrent juste au moment où il arrivait à la hauteur de Philip. Le premier des poursuivants brandit son épée et toucha le fugitif aux jarrets. Ce qui ne paraissait pas une blessure profonde suffit à faire trébucher le jeune homme qui tomba sur le sol. Un des Gallois se précipita en brandissant une hache de guerre.

Bouleversé, Philip s'avança et cria : « Arrêtez ! »

L'homme leva sa hache.

Philip se jeta sur lui.

L'homme abattit sa cognée, mais Philip le repoussa à la dernière minute. La lame heurta le pavé à un pied de la tête de sa victime. L'agresseur, retrouvant son équilibre, contempla Philip avec stupeur. Philip soutint son regard sans trembler, regrettant de ne pouvoir se rappeler un seul mot de gallois. Avant qu'il n'ait esquissé le moindre mouvement, les deux autres poursuivants arrivèrent et l'un d'eux fonça sur Philip et l'envoya bouler sur le sol. Cela lui sauva sans doute la vie, car lorsqu'il reprit ses esprits, tout le monde l'avait oublié. Les Gallois étaient en train de massacrer le malheureux jeune homme avec une incroyable sauvagerie. Philip parvint à se relever, hélas trop tard : les marteaux et les cognées ne frappaient plus qu'un cadavre. Il leva les yeux vers le ciel et cria avec fureur : « Si je ne peux sauver personne, pourquoi m'avez-vous envoyé ici ? »

Comme en réponse, il entendit un hurlement venant d'une maison voisine, un bâtiment sans étage, en pierre et en bois, beaucoup moins somptueux que ceux qui l'entouraient. La porte était grande ouverte. Philip se précipita à l'intérieur. Il y avait deux pièces séparées par une arche et de la paille sur le sol. Une femme avec deux petits enfants était blottie dans un coin, terrifiée. Au centre, trois hommes d'armes faisaient face à un petit homme chauve. Une jeune femme d'environ dix-huit ans gisait sur le sol. Sa toilette était déchirée et l'un des soldats, agenouillé sur sa poitrine, lui écartait les cuisses. Le chauve essayait manifestement d'empêcher les gredins de violer sa fille. Comme Philip entrait, le père se jeta sur l'un des soldats qui le repoussa. Le père recula en trébuchant. Le soldat plongea son épée dans le ventre du père. La femme dans le coin se mit à hurler comme une âme perdue.

« Arrêtez ! » cria Philip une fois de plus.

Ils le regardèrent tous comme s'il était fou.

De son ton le plus autoritaire, il lança : « Si vous commettez ce crime, vous irez tous en enfer ! »

Celui qui venait de tuer le père leva son épée pour frapper Philip.

« Une minute, dit l'homme qui maintenait toujours les jambes de la fille. Qui es-tu, moine ?

— Je suis Philip de Gwynedd, prieur de Kingsbridge, et je vous commande au nom de Dieu de laisser cette fille tranquille, si vous tenez à votre âme immortelle.

— Un prieur... C'est bien ce que je pensais, dit le soldat toujours accroupi. Il vaut une bonne rançon. »

Le premier rengaina son épée. « Va là-bas dans le coin avec la femme, à ta place, ordonna-t-il.

— Ne portez pas la main sur la robe d'un moine », dit Philip. Il essayait de prendre un ton menaçant, mais on percevait un accent désespéré dans sa voix.

« Emmène-le au château, John », dit l'homme à califourchon sur la fille et qui semblait être le chef.

« Va au diable ! répliqua John, je veux la sauter d'abord. » Il saisit Philip par le bras et, avant que celui-ci ait pu résister, le projeta dans le coin. Philip s'écroula par terre auprès de la mère.

Le nommé John souleva le devant de sa tunique et s'allongea sur la jeune fille.

La mère, détournant la tête, éclata en sanglots.

« Je ne vais pas accepter çà ! » dit Philip. Il se releva et empoigna le violeur par les cheveux, l'écartant du corps de la fille. L'homme poussa un rugissement de douleur.

Le troisième leva une massue. Philip vit le coup arriver, mais trop tard. La massue s'abattit sur sa tête. Une explosion horrible, et tout devint noir. Il perdit connaissance avant de toucher le sol.

On emmena les prisonniers au château où on les enferma dans des cages. C'étaient de robustes constructions de bois, comme des maisons en miniature, longues de six pieds et larges de trois, à peine un peu plus hautes que la tête d'un homme. Au lieu de murs pleins, elles comportaient des poteaux verticaux à intervalles rapprochés, qui permettaient au geôlier de voir à l'intérieur. En temps normal, quand on les utilisait pour y enfermer des voleurs, des meurtriers et des hérétiques, on ne mettait qu'une ou deux personnes par cage. Aujourd'hui, on entassait les rebelles à huit ou dix et il restait encore des prisonniers. Le surplus des captifs, attachés les uns aux autres avec des cordes, était parqué dans un coin de l'enceinte. Ils auraient pu s'échapper sans trop de difficultés, mais ils ne le faisaient pas, parce qu'ils étaient plus à l'abri ici que dehors, dans la ville.

Philip, assis dans le coin d'une cage, en proie à une violente migraine, se traitait d'imbécile. Il avait échoué. Au bout du compte, il s'était montré aussi inutile que ce couard d'évêque Alexandre. Il n'avait pas sauvé une seule âme ni même évité un seul coup. Les citoyens de Lincoln n'auraient pas été plus mal lotis sans lui. Contrairement à

552

l'abbé Peter, il s'était révélé incapable d'arrêter la violence. Je ne suis tout simplement pas l'homme qu'était le père Peter, songea-t-il.

Pire encore : dans ses vains efforts pour aider les gens de la ville, il avait sans doute gâché sa seule chance d'obtenir des concessions de Maud lorsqu'elle deviendrait reine. Il était maintenant prisonnier de son armée. On le soupçonnerait donc d'avoir adopté la cause du roi Stephen. Le prieuré de Kingsbridge devrait payer une rançon pour la libération de Philip. Il était tout à fait probable que l'histoire viendrait aux oreilles de Maud qui verrait dès lors Philip du plus mauvais œil ! Il se sentait malade, déçu et plein de remords.

Durant toute la journée, on amena d'autres prisonniers. Le flux s'arrêta vers la tombée de la nuit, mais le sac de la ville se poursuivit à l'extérieur des murs du château : Philip entendit les cris, les hurlements, les fracas de la destruction. Vers minuit, le bruit cessa, sans doute parce que les soldats étaient trop ivres de vin volé, et rassasiés de viols et de brutalité. Quelques-uns parvinrent en titubant au château, se vantant de leurs exploits, se querellant entre eux et vomissant sur l'herbe ; ils finirent par s'écrouler, inconscients, et s'endormir.

Philip dormit aussi, recroquevillé dans un coin de la cage, tassé contre les barreaux de bois. Il s'éveilla à l'aube, frissonnant de froid, rompu, mais sa violente migraine s'était atténuée en une douleur sourde. Il se leva pour se dégourdir les jambes et agita les bras pour se réchauffer. Le château grouillait de gens. Les écuries débordaient de dormeurs occupant les stalles, tandis que les chevaux étaient attachés dehors. Des jambes dépassaient par la porte de la boulangerie et du magasin de la cuisine. Les quelques soldats restés à peu près sobres avaient planté leurs tentes à même la terre. On voyait des chevaux partout. Dans le donjon — un château à l'intérieur du château, édifié sur un monticule —, à l'abri de ses puissants murs de pierre qui protégeaient une demi-douzaine de constructions en bois, les comtes et les chevaliers du camp vainqueur cuvaient leur victoire.

Philip réfléchissait aux conséquences de cette bataille. Était-ce la fin de la guerre ? On pouvait le supposer. Sauf si Matilda, comtesse de Boulogne et épouse de Stephen, décidait de continuer la lutte : dès le début de la guerre, aidée de ses chevaliers français, elle s'était emparée du château de Douvres et contrôlait maintenant, au nom de son mari, une grande partie du Kent. Toutefois, elle aurait du mal à obtenir le soutien des barons pendant l'emprisonnement de Stephen. Même si elle réussissait à tenir le Kent pendant quelque temps, il était peu probable qu'elle fasse d'autres conquêtes.

Quant à Maud, ses problèmes n'étaient pas tous résolus. Il fallait d'abord qu'elle consolide sa victoire militaire, qu'elle obtienne l'approbation de l'Église et qu'elle soit couronnée à Westminster. Elle aurait besoin pour aboutir de beaucoup de détermination et de sagesse.

Les choses tournaient plutôt bien pour Kingsbridge ; ou plutôt tourneraient bien si Philip pouvait être libéré et la vérité rétablie. Il ne s'agissait pas qu'il passe pour un partisan de Stephen.

Malgré l'absence de soleil, l'air se réchauffa en même temps que le ciel s'éclaircissait. Les compagnons de cage de Philip s'éveillèrent peu à peu, gémissant de douleur : les coups et les blessures de la veille s'aggravaient du froid et de l'engourdissement d'une nuit glacée, sans autre abri que le toit et les barreaux d'une cage. Certains prisonniers étaient de riches citoyens, d'autres des chevaliers capturés au cours de la bataille. Quand tout le monde fut à peu près réveillé, Philip demanda à la cantonade : « Quelqu'un sait-il ce qu'il est advenu de Richard de Kingsbridge ? » Il espérait, pour Aliena, que Richard avait survécu.

Un homme dont la tête enveloppée dans un pansement taché de sang, dit : « Il s'est battu comme un lion : c'est lui qui a rallié les habitants de la ville quand les choses ont mal tourné.

— Est-il vivant ou mort ? »

L'homme secoua lentement sa tête blessée. « Je l'ai perdu de vue à la fin.

— Et William Hamleigh ? » Philip souhaita intérieurement une réponse négative.

« Il était au côté du roi pendant presque tout le temps, mais au moment de la débâcle, il s'est enfui. Je l'ai vu traverser le champ à cheval, loin devant la troupe.

— Ah ! » Déçu, Philip se résigna à affronter de nouveaux problèmes.

Le silence retomba dans la cage. Dehors, les soldats commençaient à bouger, soignant leur gueule de bois, comptant leur butin, s'assurant que leurs otages étaient tous là et réclamant leur déjeuner. Philip se demanda si on allait nourrir les prisonniers. Il le faudra bien, se dit-il, car à quoi serviraient des captifs morts de faim ? On n'échange pas des cadavres contre une rançon. Mais où trouverait-on les vivres nécessaires ? D'ailleurs, pensa-t-il par association d'idées, combien de temps allait-il rester ici ? Ses vainqueurs enverraient un message à Kingsbridge pour réclamer une rançon. En réponse, les frères désigneraient un des leurs pour négocier sa libération. Qui ? Milius serait le meilleur, mais Remigius qui, en tant que sous-prieur, dirigeait le couvent en l'absence de Philip, pourrait préférer un de ses compagnons, ou encore venir lui-même. Remigius prendrait son temps : il était incapable, même dans son propre intérêt, de décisions rapides. L'affaire risquait de durer des mois. Philip s'assombrit.

Certains prisonniers furent plus chanceux. Dès le lever du soleil, des épouses, des enfants, des parents des captifs commencèrent à se présenter au château, craintivement d'abord et en hésitant, puis avec plus d'assurance, pour négocier la rançon de ceux qui leur étaient chers. Ils discutaient un moment, déploraient leur pauvreté, offraient des bijoux de pacotille ou des babioles ; puis, une fois l'accord établi, ils allaient chercher la rançon convenue, le plus souvent en espèces. Le butin s'entassait et les cages se vidaient.

Vers midi, la moitié des prisonniers étaient partis. Sûrement les gens du pays, supposa Philip. Les autres venaient de villes lointaines, sans doute des chevaliers ralliés de partout à Stephen. Philip en eut confirmation quand le gouverneur du château fit le tour des cages en demandant les noms des restants. La plupart étaient originaires du Sud. A l'occasion de cet appel, Philip remarqua qu'une des cages contenait un homme seul, entravé, comme si on avait voulu renforcer sa détention. Il fallut quelques minutes à Philip pour le reconnaître.

« Regardez ! dit-il à ses trois compagnons de cage. Cet homme, là-bas, tout seul. Est-ce bien celui que je crois ? »

Les autres examinèrent le détenu. « Par le Christ, fit l'un deux. C'est le roi ! »

Philip contempla un moment l'homme aux cheveux fauves, couvert de boue, les mains et les pieds entravés inconfortablement dans des étaux de bois. Un homme comme les autres. Hier, c'était le roi d'Angleterre. Hier, il refusait une licence de marché à Kingsbridge. Aujourd'hui, il ne pouvait pas se mettre debout sans l'autorisation d'autrui. Cet homme avait ce qu'il méritait, mais Philip ne pouvait s'empêcher de le plaindre.

Au début de l'après-midi, on distribua à manger. Il s'agissait des restes refroidis du dîner préparé pour les combattants, mais les prisonniers se jetèrent dessus avec avidité. Philip laissa les autres se servir les premiers car il considérait la faim comme une faiblesse à laquelle il fallait savoir résister. De plus tout jeûne imposé lui donnait l'occasion de mortifier sa chair.

Pendant que ses compagnons d'infortune grattaient consciencieusement le fond de leur écuelle, l'attention de Philip fut attirée par une certaine agitation du côté du donjon. Un groupe de personnages imposants en sortit. Comme ils descendaient les marches et traversaient l'enceinte du château fort, Philip remarqua que deux d'entre eux marchaient en avant des autres et qu'on les traitait avec déférence. Renulf de Chester et Robert de Gloucester, sans doute. Philip était incapable de les reconnaître. Les comtes s'approchèrent de la cage de Stephen.

« Bonjour, cousin Robert », dit le roi, soulignant lourdement le mot *cousin*.

Le plus grand des deux hommes prit l'air navré. « Je n'avais pas l'intention de te laisser passer la nuit entravé. J'avais ordonné qu'on te fasse sortir, mais mon ordre n'a pas été suivi. Enfin, tu as survécu... »

Un homme en tenue ecclésiastique se détacha du groupe et s'approcha de la cage de Philip. Celui-ci, fasciné par le dialogue entre Stephen et les comtes, ne lui prêta pas attention. Mais le prêtre demanda d'une voix forte :

« Lequel de vous est le prieur de Kingsbridge ?

— C'est moi », dit Philip.

Le prêtre s'adressa à l'un des soldats qui gardaient les cages. « Relâche cet homme. »

Philip était intrigué. Il n'avait jamais vu ce prêtre de sa vie. Comment connaissait-il son existence, sa présence dans cette cage ? Sa joie de quitter sa prison se mêlait d'une certaine appréhension sur le sort qui l'attendait.

« C'est mon prisonnier ! protesta le soldat.

— Plus maintenant, dit le prêtre. Libère-le.

— Et ma rançon ? » insista le garde d'un ton agressif.

556

Le prêtre à son tour haussa le ton. « Cet homme n'est ni un combattant de l'armée du roi, ni un citoyen de cette ville, si bien que tu as commis un crime en l'emprisonnant. Ensuite, comme c'est un moine, un homme de Dieu, tu es coupable de sacrilège. Enfin, la reine Maud veut que tu les relâches. Son conseiller a donné des ordres et, si tu refuses, c'est toi qui finiras dans cette cage, plus vite que tu ne peux cligner un œil, alors obéis ! »

Le soldat s'exécuta en grommelant.

Philip se rongeait les sangs. Il avait nourri le faible espoir que Maud n'apprendrait jamais son emprisonnement ici. Hélas, cet espoir venait de s'évanouir. Avec le sentiment de toucher le fond, il sortit de la cage.

« Venez avec moi », dit le prêtre.

Philip le suivit. « On va me libérer ? demanda-t-il d'une petite voix.

— Je suppose, répondit le prêtre qui parut surpris par la question. Vous ignorez qui vous allez rencontrer ?

— Je n'en ai pas la moindre idée.

— Alors, fit le prêtre en souriant, je vous laisse la surprise. »

Ils traversèrent la cour et gravirent la longue volée de marches qui menaient sur la hauteur et à la porte du donjon. Philip avait beau se creuser la cervelle, il ne comprenait pas pourquoi Maud et son conseiller s'intéressaient à lui.

A la suite du prêtre, il franchit la porte. Le donjon était entouré de maisons à un étage, bâties contre le mur. Au milieu, une cour minuscule avec un puits. Le prêtre entraîna Philip dans une des maisons.

Un autre prêtre se tenait debout devant le feu, le dos tourné à la porte. Il avait la même stature que Philip, petite et frêle, et les mêmes cheveux noirs, mais pas de tonsure et pas encore de tempes grises. Quelque chose parut à Philip très familier dans cette silhouette. Il n'osait croire à sa chance, mais malgré lui un large sourire éclaira son visage.

Le prêtre se retourna. Il avait les mêmes yeux bleu clair que le prieur, et le même sourire. Il tendit les bras. « Philip, dit-il seulement.

— Ah ! Dieu soit loué ! s'écria Philip, stupéfait. Francis ! » Les deux frères s'étreignirent et les yeux de Philip s'emplirent de larmes.

La salle de réception du château royal de Winchester avait beaucoup changé. Les chiens avaient disparu, tout comme le simple trône de bois du roi Stephen, les bancs et les peaux de bêtes accrochées au mur. Au lieu de cela, on voyait des tentures brodées, des tapis somptueusement colorés, des coupes de confiseries et des chaises peintes. La pièce sentait les fleurs.

Philip n'était jamais à son aise à la cour royale. A fortiori, une cour royale féminine le mettait dans un état de fébrile anxiété. La reine Maud représentait son seul espoir de récupérer l'exploitation de la carrière et de rouvrir le marché, mais qui lui garantissait que cette femme hautaine et volontaire prendrait la juste décision ?

Maud siégeait sur un trône doré orné de sculptures délicates. Elle était grande et mince, avec des yeux sombres au regard fier et des cheveux noirs, lisses et brillants. Par-dessus sa robe de couleur jacinthe, elle portait une pelisse, un manteau de soie tombant jusqu'aux genoux, serré à la taille et évasé vers le bas : ce style, inconnu en Angleterre avant son arrivée, était aujourd'hui largement imité. Comment aurait-on pu imaginer que cette femme resplendissante avait été mariée onze ans une première fois, puis une deuxième fois depuis quatorze ans, alors qu'on ne lui en donnait pas quarante ? Philip, contrairement à la majorité des gens qui s'extasiaient sur sa beauté, la trouvait plutôt anguleuse et peu aimable ; mais il était piètre juge de la séduction féminine.

Philip, Francis, William Hamleigh et l'évêque Waleran s'inclinèrent devant elle, puis attendirent. Elle les ignora et continua de parler à une dame d'honneur. La conversation semblait plutôt futile, car les deux femmes riaient de bon cœur, mais Maud ne s'interrompit pas pour accueillir ses visiteurs.

Francis, bien qu'il travaillât étroitement avec elle et la vît presque chaque jour, n'était pas de ses intimes. C'était Robert, le frère de Maud et l'ancien employeur de Francis qui le lui avait cédé à son arrivée en Angleterre, car elle avait besoin d'un excellent conseiller. Sous cette raison officielle se cachait aussi un motif secret : Francis assurait la liaison entre le frère et la sœur et gardait l'œil sur l'impétueuse Maud. Dans la vie pleine de traîtrise de la cour royale, c'était courant de voir frères et sœurs se trahir. Le véritable rôle de Francis était d'interdire à Maud toute manigance. Maud le savait et l'acceptait mais ses rapports avec Francis n'en demeuraient pas moins délicats.

Deux mois s'étaient écoulés depuis la bataille de Lincoln, deux mois très favorables à Maud. L'évêque Henry l'avait accueillie à Winchester (trahissant ainsi son propre frère, le roi Stephen), puis avait réuni un grand concile d'évêques et d'abbés qui l'avaient élue reine ; à l'heure actuelle, elle négociait avec la ville de Londres pour organiser son couronnement à Westminster. Le roi David d'Écosse, son oncle, était en route pour lui rendre une visite officielle, d'un souverain à un autre.

D'après Francis, Waleran avait persuadé William Hamleigh de changer de camp pour prêter serment d'allégeance à Maud. William venait maintenant toucher sa récompense. Quant à l'évêque Henry, il avait l'appui inconditionnel de Waleran, de Kingsbridge.

Les quatre hommes attendaient toujours. C'était la première fois que Philip voyait Maud. Son aspect ne le rassura pas : malgré son allure royale, il lui trouva l'air d'une écervelée.

Quand Maud jugea bon de terminer son bavardage, elle promena sur les visiteurs un regard supérieur, qui traduisait le peu d'importance qu'elle leur accordait. Elle dévisagea Philip avec insistance, au point qu'il en fut gêné, puis elle parla : « Alors, Francis, m'avez-vous amené votre jumeau ?

— Madame, dit Francis, je vous présente mon frère Philip, le prieur de Kingsbridge. »

Philip s'inclina une nouvelle fois. « Un peu vieux et trop grisonnant pour être un jumeau de Francis, madame. » C'était le genre de remarque banale, empreinte d'une modestie excessive, que les courtisans semblaient trouver amusante. Mais Maud lança à Philip un regard glacial qui le décida à renoncer à toute démonstration de charme mondain.

Elle passa à William. « Et voici le comte de Shiring, qui s'est vaillamment battu contre mon armée à la bataille de Lincoln, mais qui a maintenant reconnu son erreur. »

William s'inclina et eut la sagesse de rester muet.

Elle revint à Philip. « Vous me demandez de vous accorder une licence pour tenir un marché ?

— Oui, madame.

— Madame, reprit Francis, les revenus du marché seront entièrement consacrés à la construction de la cathédrale.

— Quel jour de la semaine voulez-vous tenir ce marché ? demanda-t-elle.

— Le dimanche. »

Elle haussa ses sourcils épilés. « Vous autres, saints hommes, vous opposez généralement aux marchés le dimanche, jour consacré à l'église plutôt qu'au commerce.

— Pas dans notre cas, expliqua Philip. Les gens viennent travailler sur le chantier de construction, assister à un service et ils en profitent pour faire leurs achats et leurs ventes.

— Vous tenez donc déjà ce marché ? » demanda-t-elle sèchement.

Philip comprit trop tard son erreur.

Francis vola à son secours. « Non, madame, ils ne tiennent pas de marché pour l'instant. Les choses ont commencé de façon informelle, mais le prieur Philip y a mis un terme en attendant d'obtenir cette licence. »

C'était presque la vérité. Maud d'ailleurs parut l'accepter. Philip, en silence, demanda pardon au ciel pour le mensonge de Francis.

« Il n'y a pas d'autre marché dans la région ? demanda Maud.

— Si, intervint le comte William, à Shiring. Le marché de Kingsbridge nous a retiré des chalands.

— Shiring est à huit lieues de Kingsbridge, si je ne me trompe !

— Madame, reprit Francis, la règle est que les marchés doivent être distants d'au moins six lieues. A cet égard, Kingsbridge et Shiring ne sont pas concurrents. »

Elle hocha la tête, disposée apparemment à accepter la version de Francis sur ce point de droit. Pour l'instant, songea le prieur, l'affaire ne se présentait pas trop mal.

« Vous demandez aussi, reprit Maud, le droit de prendre des pierres dans la carrière du comte de Shiring.

— Nous avons ce droit depuis bien des années, mais récemment le comte William a chassé nos carriers, tuant cinq...

— Qui vous a donné le droit de prendre de la pierre ? coupa-t-elle.

— Le roi Stephen...

— L'usurpateur ! »

Francis s'empressa d'intervenir : « Madame, le prieur Philip considère naturellement comme nuls tous les édits du prétendant Stephen tant qu'ils n'ont pas été ratifiés par vous. » Philip s'empêcha de protester, comprenant qu'il serait malavisé d'intervenir.

« J'ai fermé la carrière, balbutia William, en représailles pour la tenue de ce marché illégal ! »

C'était stupéfiant, se dit Philip, comment un cas flagrant d'injustice pouvait prendre l'apparence d'un débat équilibré entre les deux parties dès lors qu'on l'exposait devant un tribunal.

« Toute cette querelle, reprit Maud, a surgi parce que la décision première de Stephen était stupide. »

Pour la première fois l'évêque Waleran prit la parole. « Sur ce point, madame, je suis entièrement d'accord avec vous, dit-il avec onctuosité.

— C'était chercher les ennuis que d'accorder la carrière à une personne et l'exploitation à une autre, dit-elle. La carrière doit appartenir à l'un ou à l'autre. »

C'était vrai, reconnut Philip. Si elle respectait l'esprit de la décision première de Stephen, la carrière reviendrait à Kingsbridge.

Maud reprit : « Ma décision est que cette carrière doit appartenir à mon noble allié, le comte de Shiring. »

Philip crut défaillir. La construction de la cathédrale ne pourrait pas continuer sans le libre accès à la carrière. Il faudrait suspendre les travaux le temps qu'il trouve de l'argent pour acheter des matériaux. Tout cela pour le caprice d'une écervelée ! Il bouillait de colère.

William salua : « Merci, madame.

— Toutefois, dit Maud, Kingsbridge aura droit de marché comme Shiring. »

Philip respira un peu mieux. Le marché ne paierait pas complètement la pierre, mais c'était un gros appoint. Il allait devoir recommencer à courir après l'argent, comme au début, mais au moins il pouvait continuer.

Maud avait donné demi-satisfaction à chacun. Peut-être après tout n'avait-elle pas la tête si vide.

« Droit de marché comme à Shiring, madame ? répéta Francis.

— C'est ce que j'ai dit. »

Philip ne comprenait pas l'arrière-pensée de Francis. C'était couramment qu'on établissait une licence sur le modèle d'une autre. C'était équitable et cela évitait des écritures. Philip n'aurait qu'à s'appuyer exactement sur ce que disait la charte de Shiring. Peut-être y découvrirait-il des restrictions ou des privilèges inattendus.

« Ainsi, conclut Maud, vous avez tous les deux obtenu quelque chose. Le comte William a la carrière et le prieur Philip le marché. En retour, chacun de vous me paiera cent livres. » Elle se détourna.

Philip demeura abasourdi. Cent livres ! Le prieuré pour l'instant n'avait même pas cent pennies. Où allait-il trouver l'argent ? Il faudrait des années au marché pour rapporter cent livres. C'était un coup terrible qui remettait en cause et repoussait indéfiniment le programme de construction. Le prieur regardait Maud fixement mais elle s'était replongée dans sa conversation avec sa dame d'honneur. Francis donna un coup de coude à son frère qui ouvrit la bouche pour parler, mais Francis l'arrêta, un doigt sur les lèvres. « Mais... », commença Philip. Francis secoua la tête avec insistance.

Le prieur savait que Francis avait raison. Il courba les épaules, vaincu, désemparé, se retourna et s'éloigna de la présence royale.

Francis ne put cacher son étonnement quand Philip lui fit visiter le prieuré de Kingsbridge. « Il y a dix ans, c'était un trou, dit-il cavalièrement. Tu lui as vraiment donné vie. »

Il aimait tout spécialement la bibliothèque que Tom avait terminée pendant que Philip était à Lincoln. Petite construction voisine de la salle capitulaire, elle avait de grandes fenêtres, un foyer avec une cheminée, une rangée de bureaux et un grand placard pour les livres. Quatre des frères étaient déjà au travail, debout derrière des lutrins, écrivant sur des feuilles de parchemin avec des plumes d'oie. Trois d'entre eux faisaient des travaux de copie : l'un les psaumes de David, un autre l'Évangile selon saint Matthieu, et le troisième la règle de saint Benoît. En outre, frère Timothy rédigeait une histoire d'Angleterre mais, comme il avait commencé depuis la création du monde, Philip craignait que le vieux moine ne la terminât jamais. La bibliothèque était petite — Philip n'avait pas voulu distraire trop de pierres de la cathédrale — mais douillette, sèche et bien éclairée. « Le prieuré manque cruellement de livres et comme ils sont horriblement coûteux à acheter, il ne nous reste plus qu'à copier pour constituer notre collection », expliqua Philip.

Dans le magasin se trouvait un atelier où un vieux moine enseignait à deux novices comment tendre une peau de mouton pour en faire du parchemin, comment relier les feuilles pour bâtir un volume et comment fabriquer de l'encre.

« Tu vas bientôt pouvoir vendre aussi tes livres, observa Francis.

— Oh oui ! La bibliothèque sera plusieurs fois amortie. »

Ils quittèrent le bâtiment et traversèrent le cloître. C'était l'heure d'étude : la plupart des moines lisaient, quelques-uns méditaient, activité qui ressemblait fort à un petit somme, comme le fit remarquer Francis avec une pointe d'ironie. Dans un coin, une vingtaine d'écoliers récitaient des verbes latins. Philip s'arrêta, en désigna un du doigt. « Tu vois le petit garçon au bout du banc ?

— Celui qui écrit sur une ardoise en tirant la langue ? dit Francis.

— C'est le bébé que tu as trouvé dans la forêt.

— Lui ! Mais il est méconnaissable !

— Il a cinq ans et demi. »

Francis hocha la tête avec étonnement. « Le temps passe si vite. Comment va-t-il ?

— Les moines le gâtent trop, mais il s'en tirera. Nous nous sommes bien tirés nous-mêmes d'un cas semblable.

— Qui sont les autres élèves ?

— Soit des novices, soit des fils de marchands ou de seigneurs de la région qui viennent apprendre à écrire et à compter. »

Sortant du cloître, ils débouchèrent sur le chantier. Un des murs de la nouvelle cathédrale était maintenant plus qu'à demi bâti. La vaste double rangée de puissants piliers atteignait quarante pieds de haut et tous les arcs qui les reliaient étaient terminés. Au-dessus de l'arcade, la tribune prenait forme. De chaque côté, on avait monté les murs inférieurs des bas-côtés, avec leurs arcs-boutants. Philip montra à son frère comment les maçons relieraient la partie supérieure de ces arcs-boutants au sommet de la tribune par des demi-arches permettant ainsi au contrefort de supporter le poids du toit.

Francis paraissait réellement impressionné. « C'est toi qui as réalisé tout ça, Philip, dit-il. La bibliothèque, l'école, la nouvelle église, et même ces maisons neuves dans la ville... Tout cela grâce à toi. »

Philip, touché, songea que personne ne lui avait jamais dit une chose pareille. Si on lui posait la question, il répondait que Dieu avait béni ses efforts. Mais, au fond de son cœur, il savait que Francis avait raison. Cette ville bourdonnante et prospère, c'était sa création.

Tom le bâtisseur les aperçut et s'approcha. « Vous avez fait d'étonnants progrès, lui dit Philip.

— Oui, mais regardez cela. » Tom désigna un coin de l'enceinte du prieuré, où on déposait la pierre livrée de la carrière. Là où d'habitude des centaines de blocs s'entassaient en rangées régulières, on n'en voyait plus qu'environ vingt-cinq éparpillées sur le sol. « Malheureusement, nos progrès signifient que nous avons bientôt épuisé notre stock de pierres. »

L'enthousiasme de Philip retomba d'un coup. Son œuvre était en péril à cause de l'injuste décision de Maud.

Les trois hommes longèrent le côté nord du chantier. La plupart des artisans maçons travaillaient à leurs établis, sculptant les pierres au marteau et au ciseau. Philip s'arrêta derrière un artisan pour étudier son travail. Avec un marteau léger et un petit ciseau, le maçon sculptait sur un chapiteau des feuilles, un motif subtil et des plus délicats. Surpris, Philip reconnut le jeune Jack, le beau-fils de Tom. « Je croyais que Jack était toujours apprenti, dit-il.

— En effet. » Tom continua son chemin et, quand ils furent hors de portée d'oreille, il reprit : « Ce garçon est remarquable. Il y a des hommes ici qui taillaient déjà la pierre avant qu'il soit né et aucun d'eux ne lui arrive à la cheville. » Il eut un rire un peu embarrassé. « Dire qu'il n'est même pas mon propre fils ! »

Le fils de Tom, Alfred, maintenant maître maçon, avait sa propre équipe d'apprentis et d'ouvriers, mais il ne se chargeait pas des travaux délicats. Philip se demanda ce que Tom en pensait au fond de son cœur.

Le maçon pensait à autre chose. Il aborda le problème de la licence à payer. « Heureusement, le marché va rapporter beaucoup d'argent, remarqua-t-il.

— Oui, mais pas assez. On peut espérer une cinquantaine de livres par an au début. »

Tom hocha la tête, préoccupé. « Ça paiera tout juste la pierre.

— Ce serait parfait si je n'avais pas cette taxe de cent livres à payer à Maud !

— Et la laine ? »

La laine qui s'accumulait dans les granges de Philip, une fois vendue à la foire aux toisons de Shiring dans quelques semaines, rapporterait une centaine de livres. « C'est avec ce bénéfice-là que je vais payer Maud. Mais il ne me restera rien pour les gages des artisans pendant les douze mois à venir.

— Vous ne pouvez pas emprunter ?

— Je l'ai déjà fait. Les Juifs ne prêteront pas davantage. Je me suis renseigné à Winchester. Ils ne prêtent d'argent que s'ils savent compter sur un remboursement assuré.

— Et Aliena ? »

Philip sursauta. Jamais il n'avait pensé à lui emprunter de l'argent. Elle avait plus de laine que lui dans ses granges, en effet. La foire aux toisons lui rapporterait environ deux cents livres. « Elle a besoin de son argent pour vivre. Quant à prêter de l'argent, les chrétiens ne peuvent pas percevoir d'intérêt. Si elle me prêtait quelque chose, elle n'aurait plus rien pour commercer. Encore que... » Tandis qu'il parlait une nouvelle idée se forgeait dans sa tête. Il se souvint qu'Aliena avait proposé de lui acheter toute sa production de laine d'un coup. Peut-être pourraient-ils mettre au point quelque chose... « Je crois que je vais lui parler quand même, dit-il. Elle est chez elle en ce moment ?

— Je pense que oui... Je l'ai vue ce matin.

— Viens, Francis. Je vais te faire rencontrer une remarquable jeune femme. » Ils quittèrent Tom et gagnèrent en hâte la ville. Aliena possédait deux maisons côte à côte adossées au mur ouest du prieuré. Elle vivait dans l'une et utilisait l'autre comme entrepôt. La jeune femme était riche. Il devait bien y avoir un moyen pour elle d'aider le prieuré à payer le droit exorbitant que réclamait Maud. Une vague idée se formait dans l'esprit de Philip.

Aliena était dans la grange, occupée à surveiller le

déchargement d'un char à bœufs où s'entassaient des sacs de laine. Elle portait une pelisse de brocart, comme celle de la reine Maud, et les cheveux relevés sous une coiffe de lin blanc. D'un air autoritaire, comme toujours, elle guidait les deux hommes qui procédaient au déchargement en suivant ses ordres sans poser de questions. Tout le monde la respectait — et pourtant, chose étrange, elle n'avait pas d'amis proches. Elle accueillit Philip avec joie. « Quand nous avons entendu parler de la bataille de Lincoln, nous avons tous craint que vous ne soyez tué ! » dit-elle. Une sincère inquiétude se lisait dans ses yeux et Philip fut ému de penser que des gens s'étaient souciés de son sort. Il fit les présentations.

« Vous a-t-on rendu justice, à Winchester ? demanda Aliena.

— Pas exactement, répondit Philip. La reine Maud nous a accordé le marché, mais refusé la carrière. L'un compense plus ou moins l'autre. Mais elle réclame cent livres pour la licence du marché. »

Aliena demeura stupéfaite. « C'est terrible ! Lui avez-vous dit que le revenu du marché passait entièrement dans la construction de la cathédrale ?

— Oh oui !

— Où allez-vous trouver cent livres ?

— J'ai pensé que vous pourriez peut-être nous aider.

— Moi ? fit Aliena, prise au dépourvu.

— Dans quelques semaines, quand vous aurez vendu votre laine aux Flamands, vous aurez deux cents livres ou davantage. »

Aliena se troubla. « Je vous les donnerais de bon cœur, mais j'en ai besoin pour me procurer ma marchandise l'année suivante.

— Vous vous rappelez que vous vouliez m'acheter ma laine en bloc ?

— Oui, mais il est trop tard maintenant. Je voulais le faire au début de la saison. D'ailleurs, vous allez bientôt pouvoir la vendre vous-même.

— Je pensais... dit Philip. Est-ce que je pourrais vous vendre la production de l'année prochaine ? »

Elle fronça les sourcils. « Vous ne l'avez pas encore.

— Pourrais-je vous la vendre avant de l'avoir ?

— Je ne vois pas comment.

— C'est bien simple. Vous me donnez l'argent maintenant. Je vous donne la laine l'an prochain. »

Cette proposition dérouta Aliena. Jamais on n'avait encore traité de cette façon. Le système n'était pas moins nouveau pour Philip aussi : il venait de l'inventer.

Songeuse, Aliena reprit lentement : « Si j'achète maintenant, ce sera à un prix inférieur à ce que vous obtiendriez normalement l'an prochain. D'ailleurs, le prix de la laine montera sûrement d'ici là. Ça a été le cas tous les ans depuis que je suis dans le métier.

— En somme, je perds un peu, et vous gagnez un peu, dit Philip. Mais moi je m'assure encore un an de chantier.

— Et l'année prochaine ?

— Je ne sais pas. Peut-être vous proposerai-je la laine de l'année suivante. »

Aliena hocha la tête sans répondre.

Philip lui prit les mains et la regarda dans les yeux. « Si vous acceptez, Aliena, vous sauvez la cathédrale », dit-il avec ferveur.

La jeune femme avait l'air grave. « Vous m'avez sauvée jadis, n'est-ce pas ?

— En effet.

— Je ferai la même chose pour vous.

— Dieu vous bénisse ! » Débordant de gratitude, il la serra dans ses bras. Puis il eut conscience de la situation et se dégagea hâtivement. « Je ne sais comment vous remercier, dit-il. Je me croyais fini. »

Aliena se mit à rire : « Je ne crois pas que je mérite une telle gratitude. Je trouve mon avantage à cet arrangement, vous savez.

— Je l'espère.

— Buvons une coupe de vin ensemble pour sceller le marché, dit-elle. Le temps que je paye le charretier, j'arrive ! »

La charrette était débarrassée, les ballots de laine soigneusement empilés. Philip et Francis sortirent tandis qu'Aliena payait son dû au charretier. Comme le soleil descendait à l'horizon, les ouvriers du chantier regagnaient leurs maisons. Philip retrouvait son enthousiasme. Malgré tous les obstacles, il continuait.

« Dieu bénisse Aliena !

— Tu ne m'avais pas dit qu'elle était si belle, observa Francis.

— Belle ? Sans doute, oui... »

Francis éclata de rire. « Philip, tu es aveugle ! C'est une des plus belles femmes que j'aie jamais vues. Elle a de quoi damner un prêtre. »

Philip regarda sévèrement son frère. « Te rends-tu compte de tes paroles ?

— Pardon. »

Aliena ferma la grange à clé. Puis, tous trois, ils entrèrent chez elle. Sa maison était vaste, faite d'une pièce principale et d'une chambre séparée. Il y avait un tonneau de bière dans le coin, un jambon entier pendu à une poutre et une nappe de toile blanche sur la table. Une servante entre deux âges versa du vin d'une flasque dans des gobelets d'argent. Aliena vivait confortablement. Tout de même, une telle beauté, se demanda Philip, pourquoi n'a-t-elle pas trouvé un mari ? Les prétendants ne manquaient pas : elle avait été courtisée par tous les jeunes gens du comté, mais elle les avait tous éconduits. Il aurait tellement voulu la voir heureuse !

Aliena, elle, pensait encore aux détails pratiques : « Je ne disposerai pas de l'argent avant la fin de la foire aux toisons, dit-elle lorsqu'ils eurent bu à leur contrat.

— Maud attendra bien jusque-là ? demanda Philip à Francis.

— Combien de temps ?

— La foire a lieu dans trois semaines. »

Francis acquiesça. « Je lui expliquerai. Elle attendra. »

Aliena dénoua sa coiffe et secoua ses boucles brunes en poussant un soupir las. « Les journées sont trop courtes, dit-elle. Je n'arrive pas à tout faire. Il faut que j'achète davantage de laine, mais je dois trouver d'autres charretiers pour transporter la marchandise à Shiring.

— L'an prochain, dit Philip, vous en aurez davantage.

— Je voudrais amener ici les acheteurs flamands ici. Ce serait bien plus facile pour tous que d'apporter toute notre laine à Shiring.

— Vous le pouvez », intervint Francis.

Aussi étonné qu'Aliena, Philip réagit le premier : « Comment ? Que veux-tu dire ?

— Organisez votre propre foire aux toisons. »

Philip comprit très vite. « Tu crois que nous en avons le droit ?

— Maud vous a donné exactement les mêmes droits que

Shiring. C'est moi-même qui ai rédigé ta charte. Si Shiring peut avoir sa foire aux toisons, toi aussi.

— Oh ! s'écria Aliena, ce serait merveilleux. Plus de transport jusqu'à Shiring ! Nous traiterions les affaires ici et on expédierait la laine directement dans les Flandres.

— Ce n'est pas tout, ajouta Philip, tout excité. Une foire aux toisons rapporte autant en une semaine qu'un marché du dimanche en un an. Nous ne commencerons pas cette année, bien sûr, c'est trop tard pour lancer l'information. Mais nous annoncerons la nouvelle à la foire de Shiring, nous donnerons la date de la nôtre, nous préviendrons tous les acheteurs...

— Ça va changer les choses à Shiring, remarque Aliena. Vous et moi sommes les plus gros vendeurs de laine du comté. Si nous nous retirons tous les deux, la foire de Shiring perdra la moitié de son importance.

— William Hamleigh va mal réagir si ses revenus diminuent, dit Francis. Attendons-nous à une grosse colère ! »

Philip ne put maîtriser un frisson de répugnance.

« Et alors ? répliqua Aliena. Si Maud nous a donné la permission, nous ne risquons rien. William ne peut pas s'opposer à notre projet, n'est-ce pas ?

— J'espère que non, dit Philip avec ferveur. J'espère que non. »

VII

Le jour de la Saint-Augustin, le travail cessait à midi. La plupart des bâtisseurs accueillaient la cloche avec un soupir de soulagement. Ils travaillaient en général du lever au coucher du soleil, six jours par semaine, aussi avaient-ils bien besoin du repos qu'on leur accordait les jours fériés. Mais Jack était trop absorbé dans son travail pour entendre le signal.

Il adorait tirer de la pierre dure des formes douces et rondes. La pierre avait sa volonté à elle et, s'il essayait de la forcer, elle se défendait : le ciseau glissait ou s'enfonçait trop profondément. Mais une fois qu'il avait appris à connaître le bloc qu'il avait devant lui, il pouvait en faire ce qu'il voulait. Plus la tâche était difficile, plus elle le fascinait. Il trouvait maintenant que les sculptures décoratives réclamées par Tom étaient trop faciles. Les zig-zags, les losanges, les festons, les spirales, les simples moulures l'ennuyaient, et même les feuilles devenaient monotones. Il avait envie de sculpter du feuillage qui eût l'air naturel, de copier les différentes formes de feuilles : chêne, frêne et bouleau... Malheureusement Tom ne le lui permettait pas. Mais, surtout, il rêvait de scènes représentant des histoires : Adam et Ève, David et Goliath, le jour du Jugement, des monstres, des démons, des êtres humains dans le plus simple appareil. Il n'osait pas en demander la permission.

Tom vint lui-même l'interrompre. « C'est férié, mon garçon, dit-il. D'ailleurs, j'ai besoin de toi pour m'aider à mettre de l'ordre. Tous les outils doivent être rangés avant le dîner. »

Jack posa son marteau et son ciseau, puis rangea avec soin, dans la cabane de Tom, la pierre sur laquelle il travaillait ; ensuite il fit le tour du chantier avec Tom. Les autres apprentis balayaient les éclats de pierre, le sable, les miettes de mortier séché, les copeaux qui jonchaient le chantier. Tom ramassa ses compas et ses niveaux, tandis que Jack récupérait les mesures et les fils à plomb. Ils emportèrent le tout dans la cabane. C'était là que Tom entreposait ses perches, de longues tiges de fer, de section carrée et parfaitement droites ; toutes exactement de même longueur. Il les gardait dans un râtelier spécial en bois, fermé à clé. C'étaient ses bâtons de mesure.

Jack garda une même idée en tête tout en poursuivant la tournée du chantier, ramassant aux passage des cuves à mortier et des pelles. « Quelle est la longueur d'une perche ? » demanda-t-il finalement. Les maçons qui l'entendirent se mirent à rire. Ils trouvaient souvent ses questions déconcertantes. Edward le Petit, un vieux maçon rabougri, à la peau boucanée et au nez crochu, répondit : « Une perche est une perche », et les rires redoublèrent. Ils aimaient taquiner les apprentis, surtout si cela leur donnait l'occasion de faire étalage de leurs connaissances. Jack avait horreur qu'on se moquât de son ignorance, mais la curiosité l'emportait toujours chez lui. « Je ne comprends pas, dit-il humblement.

— Un pouce est un pouce, un pied est un pied, et une perche est une perche », répondit Edward.

Une perche était donc une unité de mesure. « Combien y a-t-il de pieds dans une perche ?

— Ah ! ah ! Ça dépend. Dix-huit à Lincoln, seize dans les Midlands. »

Tom précisa d'une voix calme : « Sur ce chantier, il y a quinze pieds dans une perche.

— A Paris, dit une femme maçon d'un certain âge, on n'utilise pas la perche, rien que la toise qui fait six pieds.

— Tout le plan de l'église, expliqua Tom à Jack, est calculé en perches. Va m'en chercher une, je vais te montrer. Il est temps que tu connaisses ces choses-là. » Il donna la clé à Jack.

Il entra dans la cabane où il choisit une perche au ratelier. Avec surprise, il découvrit qu'elle était très lourde. Tom aimait bien expliquer les choses et Jack adorait écouter. L'organisation du chantier de construction représentait un motif compliqué, comme le tissage d'un manteau de brocart ; son enthousiasme grandissait à mesure qu'il comprenait.

Tom se tenait dans le bas-côté, à l'extrémité ouverte du chœur à demi construit, à l'emplacement de la croisée. Il prit la perche et la posa sur le sol, pour qu'elle couvre la largeur du bas-côté. « Du mur extérieur jusqu'au milieu du pilier de l'arcade, cela fait une perche. » Il prit la mesure suivante. « De là jusqu'au milieu de la nef, encore une perche. » Il fit basculer la perche et elle atteignit le milieu du pilier opposé. « La nef a deux perches de large. » Il la retourna et elle arriva jusqu'au mur du bas-côté opposé. « Toute l'église a quatre perches de large.

— Oui, renchérit Jack. Et chaque baie doit mesurer une perche de long. » Tom s'étonna. « Qui t'a dit cela ?

— Personne. Les baies des bas-côtés sont carrées, donc, si elles ont une perche de large, elle doivent avoir une perche de long. Et les baies de la nef ont la même longueur que celles des bas-côtés, évidemment.

— Évidemment, dit Tom. Tu devrais être philosophe, mon garçon. » Il y avait dans sa voix un mélange de fierté et d'irritation. Il était content que Jack comprît rapidement, et irrité de voir ce jeune garçon pénétrer si facilement les mystères de l'architecture.

Trop absorbé par ses découvertes, Jack ne prêta pas attention à l'humeur de Tom. « Alors, dit-il, le chœur a quatre perches de long. L'église tout entière aura douze perches quand elle sera terminée. » Une autre question lui vint à l'esprit : « Quelle sera la hauteur ?

— Six perches de haut. Trois pour l'arcade, une pour la tribune et deux pour les fenêtres hautes.

— Pourquoi mesure-t-on en perches ? Pourquoi pas bâtir à l'œil, comme une maison ?

— D'abord, parce que c'est plus économique. Tous les arcs de l'arcade étant identiques, nous pouvons réutiliser les coffrages. Moins on a de formes et de tailles de pierres différentes, moins il faut préparer de gabarits, et ainsi de suite. D'autre part, ce système simplifie toutes les étapes de notre travail depuis l'élaboration du plan — tout est basé sur un carré d'une perche de côté — jusqu'à la peinture des murs : on estime plus facilement la quantité de blanc de chaux quand on connaît les surfaces à peindre. On commet moins d'erreurs. Ce qui coûte le plus cher dans une construction, ce sont les erreurs. Enfin, et c'est important, les calculs de mesures permettent de respecter les proportions. La proportion, c'est le cœur de la beauté. »

Jack acquiesça, enchanté. La difficulté de mener à bien une opération aussi ambitieuse et complexe que la construction d'une cathédrale le passionnait. L'idée que les principes de la régularité de la répétition pouvaient tout à la fois simplifier la construction et aboutir à un édifice harmonieux le séduisait. Mais il doutait que la proportion fût au cœur de la beauté. Il avait le goût des choses folles et désordonnées : les hautes montagnes, les vieux chênes et la chevelure d'Aliena.

Il dévora avidement son dîner, puis quitta le village en direction du nord. En ce début d'été, la journée était chaude, il marchait pieds nus. Depuis que sa mère et lui étaient venus s'installer définitivement à Kingsbridge et qu'il avait commencé à travailler, il retournait de temps en temps dans la forêt. Il aimait dépenser son énergie, courir et sauter, grimper aux arbres et abattre des canards avec sa fronde. Il fallait qu'il s'habitue à ce nouveau corps, plus grand et plus fort, qui était le sien maintenant. Quand il était fatigué, il se promenait en pensant à différentes questions : pourquoi la proportion était l'essence de la beauté, comment les bâtiments tenaient debout et à quoi ressemblait le corps d'Aliena.

Depuis des années, il l'adorait de loin. L'image qu'il gardait d'elle, c'était la première qu'il avait vue, lorsqu'elle descendait l'escalier qui menait à la grande salle d'Earlscastle. A ce moment-là, il avait vu en elle une princesse de conte. Elle était restée depuis une figure lointaine. Elle parlait au prieur Philip, à Tom le bâtisseur, à Malachi le Juif et aux autres riches et puissants de Kingsbridge. Jack n'avait jamais eu l'occasion de lui adresser la parole. Il se contentait de la regarder en train de prier à l'église, montant son palefroi ou assise au soleil devant sa maison, vêtue de coûteuses fourrures en hiver, de la toile la plus fine en été, ses cheveux défaits encadrant son beau visage. Avant de s'endormir, il pensait à ce que serait son corps sans vêtements. Il l'imaginait nue et l'embrassait tendrement sur la bouche.

Depuis quelques semaines, il souffrait de ses rêveries sans espoir. Il ne lui suffisait plus de voir Aliena de loin, de surprendre ses conversations avec d'autres et d'imaginer des caresses qu'il ne faisait jamais. Il avait besoin de réalité.

Plusieurs filles de son âge auraient pu répondre à ses désirs. Les apprentis discutaient souvent entre eux des filles, faisaient mille suppositions sur les chances qu'ils pourraient avoir avec l'une ou l'autre. En fait, la plupart des jeunes filles entendaient rester vierges jusqu'à leur mariage, comme le voulait l'Église. N'empêche qu'on pouvait faire certaines choses sans danger, c'était du moins ce que prétendaient les apprentis. De leur côté, les filles trouvaient Jack un peu étrange — elles avaient sans doute raison, estimait-il — mais une ou deux parmi elles aimaient cette étrangeté séduisante.

Un dimanche, après l'église, il avait engagé la conversation avec Edith, la sœur d'un camarade apprenti ; mais quand il lui avait parlé de son bonheur à sculpter la pierre, elle s'était mise à pouffer. Le dimanche suivant, il était allé se promener dans les champs avec Ann, la blonde fille du tailleur. Ils n'avaient pas beaucoup parlé, mais il l'avait embrassée, puis ils s'étaient allongés dans un champ d'orge vert. Il l'avait caressée, elle lui avait rendu ses baisers avec enthousiasme. Puis, soudain, elle s'était écartée et lui avait dit : « La fille à qui tu penses, qui est-ce ? » Stupéfait, Jack avait pris conscience qu'en effet, à cet instant précis, il pensait à Aliena. Il avait essayé de détourner la conversation, mais Ann avait insisté : « Je ne sais pas qui c'est, mais elle a de la chance. » Ils étaient rentrés ensemble à Kingsbridge puis à nouveau, avant de se séparer, Ann avait ajouté : « Ne cherche pas à l'oublier, tu perdrais ton temps. C'est d'elle que tu as envie, alors tente ta chance. » Elle lui avait souri tendrement en disant : « Tu es mignon. Ce ne sera peut-être pas aussi difficile que tu le penses. »

Tant de gentillesse avait éveillé ses remords, d'autant plus que c'était une des filles qui plaisaient le plus aux apprentis. Leurs conversations, leurs plaisanteries sur le sujet lui semblaient maintenant si puériles qu'il en était gêné. Quant à la femme à laquelle il pensait, s'il avait révélé son nom à Ann, celle-ci n'aurait peut-être pas été aussi encourageante. Jack et Aliena formaient le couple le plus invraisemblable que l'on pût concevoir. Aliena avait vingt-deux ans, lui dix-sept ; c'était la fille d'un comte, lui était un bâtard ; c'était une riche marchande de laine, lui un apprenti sans le sou. Pire encore : elle était connue pour le nombre de prétendants qu'elle avait évincés. Tous les jeunes seigneurs du comté, les fils aînés de tous les riches marchands étaient venus à Kingsbridge lui faire la cour, et tous étaient repartis déçus. Comment Jack aurait-il eu la moindre chance, lui qui n'avait rien à offrir que lui-même ?

Aliena et lui partageaient au moins une chose : ils aimaient la forêt. Ce goût les mettait à part. Les gens préféraient en général les champs et les villages, réputés plus sûrs. Mais Aliena allait souvent se promener dans les bois près de Kingsbridge ; il existait même un endroit isolé où elle aimait s'arrêter et s'asseoir. Jack l'y avait vue une ou deux fois. Elle ne l'avait pas aperçu : il marchait sans bruit, comme il l'avait appris dans son enfance lorsque la forêt devait le nourrir.

Il se dirigeait vers la clairière d'Aliena sans la moindre idée de ce qu'il ferait s'il la trouvait. Il rêvait de s'allonger à côté d'elle et de caresser son corps. Lui parler ? Mais que dirait-il ? Les filles de son âge, il pouvait les taquiner. Par exemple, il avait agacé Edith tout un après-midi en lui faisant croire que son frère racontait des horreurs sur son compte. Ann, il l'avait abordée sans détours : « Aimerais-tu te promener avec moi dans les bois ? » Mais, lorsqu'il essayait d'imaginer une façon d'aborder Aliena, le vide se faisait dans son esprit. D'abord, pour lui, elle appartenait à la génération précédente, si grave, si responsable. Elle ne l'avait pas toujours été, il le savait : à dix-sept ans, elle aimait bien s'amuser. Depuis, elle avait subi de terribles épreuves. Mais la jeune fille gaie devait exister encore chez cette femme grave, ce qui, pour Jack, la rendait plus fascinante.

Il arrivait près de l'endroit favori d'Aliena. Dans la chaleur du jour, la forêt était silencieuse. Lui-même marchait sans bruit dans les buissons. Il voulait devancer ses regards. Il n'était pas encore sûr d'avoir le courage de l'aborder, il craignait une rebuffade. Le premier jour de son retour à Kingsbridge, ce dimanche de Pentecôte où les volontaires s'étaient présentés pour travailler à la cathédrale, il lui avait parlé sans trouver les mots qu'il fallait. Depuis c'était à peine s'il lui avait adressé la parole en quatre ans. Il ne voulait pas répéter cette erreur.

Soudain, en se penchant derrière le tronc d'un hêtre, il l'aperçut.

Elle avait choisi un endroit charmant. Une petite chute d'eau coulait dans une mare profonde entourée de pierres couvertes de mousse. Le soleil brillait sur les bords. A quelques pas en arrière, dans l'ombre des hêtres, Aliena était assise et lisait un livre.

Jack n'en revenait pas. Une femme en train de lire ? En plein air ? Seuls les moines lisaient, et encore seulement la messe ! Le livre d'Aliena avait un aspect inhabituel, il était bien plus petit que les volumes de la bibliothèque du prieuré ; on l'aurait cru spécialement conçu pour une femme. Sa surprise l'emporta sur sa timidité. Il se fraya un chemin à travers les buissons et déboucha dans sa clairière. « Qu'est-ce que vous lisez ? » demanda-t-il sans s'annoncer.

Aliena sursauta et leva la tête vers lui. Il vit qu'il l'avait effrayée. Il comprit sa maladresse : une fois encore il risquait de l'avoir froissée. Aliena porta la main droite à sa manche gauche. Il se rappela qu'autrefois elle y dissimulait un poignard. Mais alors elle le reconnut et sa peur disparut aussi rapidement qu'elle avait surgi. Elle parut soulagée puis — pour le désespoir de Jack — légèrement agacée. Il se sentit comme un intrus et faillit tourner les talons pour replonger dans la forêt. Mais, craignant de ne pas retrouver l'occasion de lui parler, il affronta son regard distant et murmura : « Je suis désolé de vous avoir effrayée. »

— Tu ne m'as pas effrayée », répondit-elle vivement.

Il savait qu'elle disait faux, mais il ne voulut pas insister. Il répéta sa question : « Qu'est-ce que vous lisez ? »

Elle jeta un coup d'œil au volume relié posé sur son genoux et son expression changea. Une sorte de mélancolie passa sur son visage. « Mon père a trouvé ce livre lors de son dernier voyage en Normandie. Il me l'a rapporté. Quelques jours plus tard, on le jetait en prison. »

Jack s'approcha pour regarder la page ouverte. « C'est en français ! s'écria-t-il.

— Comment le sais-tu ? s'étonna-t-elle. Tu sais lire ?

— Oui. Mais je croyais que tous les livres étaient en latin.

— Presque tous. Celui-ci est différent. C'est un poème qui s'appelle "Le roman d'Alexandre". »

Jack pensait : Enfin... je lui parle ! C'est merveilleux ! Mais que dire maintenant ? Comment continuer ? Il chercha ses mots. « Euh... de quoi parle-t-il ?

— C'est l'histoire d'un roi du nom d'Alexandre le Grand et on y raconte comment il a conquis des pays merveilleux en Orient où des pierres précieuses poussent dans les vignes et où les plantes parlent. »

Jack en oublia sa timidité : « Comment les plantes peuvent-elles parler ? Elles ont des bouches ?

— Le livre ne le dit pas.

— Vous croyez que c'est une histoire vraie ? »

Elle le regarda avec intérêt et il contempla ses beaux yeux sombres. « Je ne sais pas, dit-elle, je me demande toujours si les histoires sont vraies. La plupart des gens s'en moquent : ils aiment simplement les histoires.

— Sauf les prêtres. Ils croient toujours que les histoires sacrées sont vraies.

— Oh ! Mais elles sont vraies... »

Jack doutait autant des histoires saintes que des autres ; mais sa mère, qui lui avait enseigné le scepticisme, lui avait aussi appris la discrétion. Il ne s'attarda pas sur ce point. Par ailleurs, il s'efforçait de ne pas regarder le corps d'Aliena, de ne pas montrer son trouble. Il chercha à reprendre la conversation. « Je connais beaucoup d'histoires. Je connais "La chanson de Roland", et "Le pèlerinage de Guillaume d'Orange"...

— Comment les connais-tu ?

— Je peux les réciter.

— Comme un trouvère ?

« — C'est quoi un trouvère ?

— Un voyageur qui raconte des histoires. »

Jack faisait là une autre découverte. « Je n'en ai jamais entendu parler.

— Il y en a beaucoup en France. Quand j'étais enfant, j'allais souvent dans ce pays. J'adorais les trouvères.

— Mais comment font-ils ? Ils s'installent dans la rue pour raconter leurs histoires ?

— Parfois oui. Ils vont dans les grandes salles des châteaux les jours de fête. Ils se produisent sur les marchés et dans les foires. Ils donnent le spectacle aux pèlerins devant les églises. Les grands barons ont parfois leurs propres trouvères. »

Jack eut soudainement conscience de tenir avec Aliena une véritable discussion comme jamais il ne pourrait le faire avec aucune autre fille de Kingsbridge. Aliena et lui étaient les seuls de cette ville, à part sa propre mère, à connaître les romans de chevalerie français. Ils partageaient alors un même intérêt ! Cette pensée le troubla tellement qu'il perdit le fil de ses pensées et se retrouva muet.

Par bonheur, elle poursuivait. « D'ordinaire, le trouvère joue du violon en récitant l'histoire. Il joue vite, des notes aiguës pour les batailles, lentement et doucement quand deux personnages sont amoureux, saccadé quand c'est drôle.

— J'aimerais bien savoir jouer du violon, dit-il, pensif.

— Tu sais vraiment réciter des histoires ? » demanda-t-elle.

Il n'arrivait pas à croire qu'elle s'intéressait sincèrement à sa personne, que ses questions s'adressaient à lui. La curiosité embellissait encore les traits d'Aliena. « C'est ma mère qui m'a appris, dit-il. On vivait dans la forêt, nous deux tout seuls. Elle me répétait sans cesse les mêmes histoires.

— Mais comment peux-tu t'en souvenir ? Certaines sont si longues qu'il faut des jours pour les raconter entièrement.

— Je ne sais pas. C'est comme suivre son chemin dans la forêt. On n'a pas toute la forêt dans l'esprit, mais en chaque endroit on sait quelle direction prendre. » En regardant le texte de son livre, un autre détail le frappa. Il s'assit sur l'herbe auprès d'Aliena pour vérifier de plus près. « Les rimes sont différentes », dit-il.

Elle ne comprenait pas ce qu'il voulait dire. « Différentes ?

— Plus riches. Dans "La chanson de Roland", le mot *cheval* rime avec *manne* ou avec *balle*. Dans votre livre, *cheval* rime avec *val*, mais pas avec *manne* ; *armure* rime avec *murmure* mais pas avec *amour*. C'est une façon complètement différente de rimer. Mais c'est mieux. Beaucoup mieux. J'aime bien ces rimes-là.

— Voudrais-tu... » Elle semblait hésiter. « Voudrais-tu me réciter un peu de "La chanson de Roland" ? »

Jack se déplaça légèrement pour mieux la voir. L'intensité de son regard, la flamme qui brillait dans ses yeux ensorcelants faisaient monter en lui une émotion qui lui serrait la gorge. Il toussa, puis commença.

Charles le roi, notre empereur, le Grand,
est resté sept ans tout pleins en Espagne :
il a conquis jusqu'à la mer la terre haute.
Il n'y a pas de château qui résiste devant lui ;
il n'est resté ni mur ni cité à forcer,
hors Saragosse, qui est sur une montagne.
Le roi Marsile la tient, qui n'aime pas Dieu,
il sert Mahomet et invoque Apollon :
il ne peut empêcher que le malheur ne l'atteigne là-bas.

Jack s'arrêta. « Tu la connais pas cœur ! s'exclama Aliena. C'est vrai ! Comme un trouvère.

— Vous avez vu pour les rimes ?

— Oui, mais peu importe, c'est l'histoire que j'aime. Récite-m'en davantage », dit-elle.

Jack crut qu'il allait s'évanouir tant son bonheur était grand. « Si vous voulez », répondit-il d'une voix à peine audible. Il la regarda dans les yeux et entama la seconde strophe.

VIII

Le premier jeu du soir de la Saint-Jean était celui du pain aux devinettes. Comme souvent, il contenait une part de superstition qui mettait Philip mal à l'aise. Mais s'il fallait proscrire tous les rites liés aux anciennes religions, la moitié des traditions disparaîtrait — ou plutôt continuerait en cachette. Philip pratiquait donc une tolérance discrète et n'intervenait qu'en cas d'excès.

Les moines avaient dressé des tables sur l'herbe au bout de l'enclos du prieuré. Les aides-cuisiniers transportaient déjà à travers la cour des marmites fumantes. Le prieur, en tant que seigneur du manoir, devait célébrer les jours de fêtes importantes par des réjouissances offertes à ses locataires. La politique de Philip était la suivante : générosité en ce qui concernait la nourriture, modération pour les boissons. Aussi servait-il de la petite bière et pas de vin. Il y avait pourtant toujours cinq ou six incorrigibles qui réussissaient à s'enivrer à mort chaque fois.

Les notables de Kingsbridge étaient assis à la table de Philip : Tom le bâtisseur et sa famille ; les maîtres artisans, y compris Alfred, le fils aîné de Tom ; les marchands, parmi lesquels Aliena, mais pas Malachi le Juif, qui se joindrait aux festivités plus tard, après le service.

Philip réclama le silence pour dire le *Benedicite* ; puis il tendit à Tom la miche de pain aux devinettes. A mesure que les années passaient, Philip appréciait de plus en plus le maçon. Rares étaient ceux qui disaient ce qu'ils pensaient et faisaient ce qu'ils disaient. Tom réagissait aux surprises, aux crises et aux désastres en pesant calmement les conséquences, en estimant les dégâts, en prévoyant la meilleure façon de réagir. Philip lui portait une réelle affection. Tom ne ressemblait plus guère à l'homme qui était venu au prieuré cinq ans plus tôt, pour quémander du travail. C'était alors un être épuisé, hagard et si maigre que ses os semblaient prêts à percer sa peau tannée par les intempéries. Son corps avait repris forme, surtout depuis le retour de sa compagne, les muscles habillaient désormais sa grande carcasse et le désespoir avait depuis longtemps disparu de son regard. Il était vêtu avec soin d'une tunique de drap de Lincoln vert, de chaussures de cuir souple et d'une ceinture à boucle d'argent.

Il revenait aussi à Philip de poser la question à laquelle répondrait la pain aux devinettes. « Combien faudra-t-il d'années, dit-il, pour terminer la cathédrale ? »

Tom mordit une bouchée de pain. A la pâte avait été mêlées de petites graines dures et, au fur et à mesure que Tom les recrachait dans sa main, chacun comptait tout haut. Trente ! Philip fit mine d'être consterné. Tom hocha la tête : « Il va falloir que je vive encore tout ce temps-là ! » Tout le monde se mit à rire.

Tom passa le pain à Ellen. Philip se méfiait beaucoup de cette femme. Comme la reine Maud, elle exerçait un pouvoir magique sur les hommes, contre lequel Philip ne pouvait rien. Le jour où elle avait été chassée du prieuré, elle avait commis un acte épouvantable, que Philip n'évoquait encore qu'avec peine. Pensant ne jamais la revoir, à sa grande horreur il avait dû non seulement la recevoir à son retour, mais encore — Tom l'avait tellement supplié — lui pardonner. Le maçon avait habilement démontré que, si Dieu pouvait pardonner le péché d'Ellen, Philip n'avait pas le droit de refuser. Le prieur, pourtant, soupçonnait la femme de ne pas éprouver un grand repentir. Mais Tom avait présenté sa requête le jour même où les volontaires étaient venus sauver la cathédrale et le moine s'était vu contraint d'accéder au vœu de Tom. Le couple avait été marié dans l'église paroissiale, un petit bâtiment de bois au village, qui existait depuis plus longtemps que le prieuré. Depuis lors, Ellen avait eu une conduite irréprochable et n'avait donné à Philip aucune raison de regretter sa décision. Néanmoins, elle continuait de le mettre mal à l'aise.

Tom posa la question : « Combien y a-t-il d'hommes qui t'aiment ? »

Elle prit ostensiblement une minuscule bouchée de pain, ce qui provoqua de nouveaux rires. Les questions avaient toujours tendance à glisser vers les plaisanteries douteuses. Philip savait qu'en son absence elles tourneraient carrément à la grivoiserie.

Ellen compta trois grains. Tom feignit d'être scandalisé. « Je vais vous dire qui sont mes trois amoureux », dit Ellen. Philip pria intérieurement pour qu'elle garde un minimum de discrétion. « Le premier est Tom. Le second est Jack. Et le troisième, Alfred. » On applaudit à sa repartie et le pain continua de circuler. Ce fut le tour de Martha, la fille de

Tom, une enfant timide, d'une douzaine d'années. Le pain lui annonça trois maris, ce qui semblait bien peu probable.

Martha passa le pain à Jack et, dans le mouvement, Philip surprit la lueur qui brillait dans ses yeux. Son demi-frère était pour elle un héros.

Ce Jack intriguait Philip. Après avoir été un enfant plutôt laid, avec des cheveux roux, une peau pâle et des yeux verts un peu exorbités, ses traits s'étaient ordonnés et avaient pris un tour tellement séduisant qu'on se retournait parfois pour le dévisager. Mais, de caractère, il se montrait aussi difficile que sa mère. Manœuvre d'un tailleur de pierre, il avait lamentablement échoué. Au lieu de fournir régulièrement le mortier et les pierre, il se dépêchait de préparer de quoi tenir la journée et filait à ses occupations. On ne le revoyait plus. Un jour, considérant qu'aucune des pierres du chantier ne convenait à la sculpture qu'il avait à faire, il était allé sans rien dire à personne jusqu'à la carrière pour choisir lui-même celle qui lui plaisait. Il l'avait rapportée, sur un poney emprunté, deux jours plus tard. Mais on lui pardonnait volontiers ses excentricités, d'abord pour ses qualités de sculpteur, ensuite pour sa sympathie, un trait, selon Philip, qu'il n'avait certainement pas hérité de sa mère. Le prieur avait réfléchi à l'avenir du garçon. S'il entrait dans l'Église, il pourrait fort bien finir évêque.

Martha posa la question à Jack : « Combien d'années avant que tu te maries ? »

Jack rompit un tout petit morceau de pain : il avait hâte, apparemment, de trouver l'âme sœur. Avait-il quelqu'un en vue ? se demanda Philip qui l'avait vu faire. Dépité, Jack se retrouva la bouche pleine de grains et, à mesure que l'assemblée les comptait, le rouge lui montait au visage. Le total se chiffrait à trente et un. « Ah non ! J'aurai quarante-huit ans ! » protesta-t-il. Tout le monde rit et applaudit à la rapidité de ce calcul mental. Même Milius l'économe n'aurait pas fait mieux.

Jack était assis auprès d'Aliena, Philip se rendit compte qu'il les avait vus ensemble plusieurs fois cet été. C'était sans doute leur intelligence exceptionnelle qui les réunissait. A Kingsbridge, rares étaient ceux qui pouvaient se mettre au niveau d'Aliena. Et Jack, malgré toute son indiscipline, était plus mûr que les autres apprentis. Philip restait néanmoins intrigué par leur amitié car, à leur âge, cinq ans constituaient une grande différence.

A son tour Jack passa le pain à Aliena et lui renvoya la question : « Dans combien d'années vous marierez-vous ? »

Il y eut des grognements déçus. On attendait une question différente, car le jeu était un exercice d'esprit et de raillerie. Mais Aliena, connue pour le nombre de prétendants qu'elle avait évincés, fit rire tout le monde en prenant une énorme bouchée de pain, indiquant par là que le mariage n'était pas son souci immédiat. Mais son stratagème ne réussit pas : elle ne recracha qu'un seul grain.

Si elle devait se marier l'an prochain, songea Philip, le futur époux n'était encore pas apparu sur la scène. De toute façon, il ne croyait pas au pouvoir de prédiction du pain. Aliena mourrait plutôt vieille fille — encore que, d'après la rumeur, elle n'était plus fille, car le bruit courait en effet qu'elle avait été séduite, ou violée, par William Hamleigh.

Aliena passa le pain à son frère Richard, mais Philip n'entendit pas la question. Il pensait toujours à Aliena. Cette année, comme le prieur lui-même, elle n'avait pas réussi à vendre toute sa laine. Le surplus n'était pas très important — moins d'un dixième du stock de Philip et moins encore pour Aliena — mais il le ressentait comme un échec décourageant. D'autre part, il avait craint que, dans ces conditions, elle ne revienne sur l'accord conclu pour l'année suivante, mais elle s'en était tenue aux termes de leur marché et lui avait versé cent sept livres.

La grande nouvelle annoncée à la foire aux toisons de Shiring — l'ouverture l'année suivante de la foire de Kingsbridge — avait reçu un accueil généralement favorable, surtout que les loyers et péages exigés par William Hamleigh à la foire de Shiring étaient exorbitants. Philip comptait fixer des taux plus bas. Pour l'instant, le comte William n'avait pas fait connaître sa réaction.

Dans l'ensemble, Philip estimait que les perspectives du prieuré étaient plus brillantes qu'elles ne le paraissaient six mois plus tôt. Il avait résolu le problème causé par la fermeture de la carrière et avait déjoué la tentative de William visant à obtenir la fermeture de son marché dominical, qui prospérait de nouveau et payait la pierre fort coûteuse provenant d'une carrière des environs de Marlborough. Malgré la crise, et après avoir frôlé la catastrophe, la construction de la cathédrale s'était poursuivie sans interruption. Restait encore un point noir : Maud n'était toujours pas couronnée. Bien qu'elle exerçât le pouvoir et qu'elle eût l'approbation des évêques, son autorité, tant qu'il n'y avait pas de couronnement dans les règles, ne reposait que sur sa puissance militaire. Quant à la femme de Stephen, elle tenait toujours le Kent et la position de la ville de Londres était ambiguë. Un simple coup de malchance, une maladresse pouvaient la renverser, tout comme la bataille de Lincoln avait détruit Stephen. Alors ce serait de nouveau l'anarchie.

Philip se gourmanda : il ne fallait pas tomber dans le pessimisme.

Le jeu était terminé et, autour de la table, on commençait à faire ripaille. Il y avait là des hommes et des femmes honnêtes, au cœur généreux, qui travaillaient dur et n'oubliaient pas l'église. Dieu veillerait sur eux.

Ils engloutirent un potage de légumes, du poisson cuit au four, parfumé au poivre et au gingembre, du canard rôti et une crème artistement colorée de rayures rouges et vertes. Après le dîner, chacun transporta son banc jusqu'à l'église inachevée pour assister à la pièce.

Les charpentiers avaient confectionné deux paravents, qu'on disposa dans les bas-côtés pour fermer l'espace entre le mur extérieur et le premier pilier de l'arcade, de façon à cacher efficacement la dernière baie de chaque bas-côté. Les moines qui devaient tenir un rôle attendaient derrière ces cloisons de toile pour faire leur entrée au milieu de la nef. Celui qui jouait saint Adolphus, un novice imberbe au visage d'ange, était allongé sur une table tout au fond de la nef, enveloppé dans un linceuil, faisant semblant d'être mort en se retenant de pouffer.

Philip nourrissait à l'égard de la pièce une certaine réticence, comme à l'égard du pain aux devinettes. Le propos pourrait si facilement basculer dans l'irrévérence et la vulgarité ! Mais les gens aimaient tellement le théâtre que, s'il n'avait pas donné la permission, ils auraient joué leur pièce à eux, en dehors de l'église, et sans sa surveillance. Tous les risques en ce cas étaient à craindre. D'ailleurs, les plus acharnés étaient les moines qui tenaient un rôle. Se déguiser, prendre la personnalité de quelqu'un d'autre, jouer jusqu'à la caricature parfois, leur fournissait une sorte de détente, nécessaire dans une vie par ailleurs si solennelle.

Avant la pièce, Philip présida un bref service au cours duquel il fit alors un court exposé de la vie sans péché et des œuvres miraculeuses de saint Adolphus. Puis il gagna sa place dans le public et s'installa pour suivre la représentation.

De derrière le paravent de gauche apparut une haute silhouette vêtue d'un assemblage de tissus de couleur vive, maintenus avec des épingles. Il avait le visage peint et portait une grosse sacoche. C'était le riche Barbare. Un murmure d'admiration salua son déguisement, suivi par une vague de rires lorsque les gens reconnurent l'acteur dissimulé sous ce costume : c'était le gros frère Bernard, le cuisinier, que tout le monde connaissait et aimait. Il arpenta la scène à plusieurs reprises pour laisser à chacun le loisir de l'admirer, puis se précipita vers les petits enfants du premier rang, provoquant des cris de joie et de frayeur ; ensuite il se glissa jusqu'à l'autel, jetant des regards partout comme pour s'assurer qu'il était bien seul et cacha derrière la table la sacoche. Il se tourna vers le public, lui lança un clin d'œil complice et dit d'une voix forte : « Ces idiots de chrétiens auront peur de voler mon argent, car ils s'imaginent qu'il est sous la protection de saint Adolphus. Ah ! ah ! » Là-dessus, il se retira derrière l'écran.

Du côté opposé entra un groupe de hors-la-loi, vêtus de haillons, brandissant des épées de bois et des hachettes, le visage barbouillé de suie et de craie. Ils firent le tour de la nef, l'air farouche jusqu'au moment où l'un d'eux aperçut la sacoche derrière l'autel. Une discussion s'ensuivit : fallait-il la voler ou non ? Le bon hors-la-loi affirmait que ce larcin leur porterait malheur ; le mauvais hors-la-loi prétendait qu'un saint mort ne pouvait pas leur faire grand mal. Ils finirent par prendre l'argent et se retirèrent dans un coin pour le compter.

Le Barbare revint, chercha partout son magot et, ne le trouvant pas, se mit à hurler de rage. Il tendit le poing vers la tombe de saint Adolphus et maudit le saint qui n'avait pas protégé son trésor.

C'est alors qu'Adolphus se leva de sa tombe.

Le Barbare tressaillit de terreur. Sans se soucier de lui, le saint se dirigea vers les hors-la-loi. D'un geste spectaculaire, il les anéantit l'un après l'autre rien qu'en les visant du doigt. Les bandits simulèrent les affres de la mort, se roulèrent sur le sol, prirent des postures grotesques en faisant d'horribles grimaces.

Le saint n'épargna que le bon hors-la-loi qui replaça

l'argent derrière l'autel. Sur quoi Adolphus se tourna vers le public et déclara : « Prenez garde, vous tous, à ne jamais mettre en doute le pouvoir de saint Adolphus ! »

L'auditoire acclama et battit des mains. Les acteurs restèrent un moment plantés au milieu de la nef, souriant d'un air embarrassé. Le but apparent de la pièce, bien sûr, était d'illustrer une leçon de morale, mais Philip savait que les parties préférées du public, c'étaient les passages comiques : la rage du Barbare et la mort des hors-la-loi.

Quand les applaudissements cessèrent, Philip se leva, remercia les acteurs et annonça que les courses allaient bientôt commencer dans le pâturage au bord de la rivière.

Ce fut ce jour-là que le jeune Jonathan, du haut de ses cinq ans, découvrit qu'il n'était pas, finalement, le plus rapide coureur de Kingsbridge. Il s'inscrivit à la course des enfants, vêtu de sa petite robe de moine, et provoqua des hurlements de rire lorsqu'il la retroussa jusqu'à sa taille et se mit à courir, son petit derrière exposé aux regards de tous. Mais les concurrents étaient des enfants plus âgés et Jonathan termina parmi les derniers. Son expression, lorsqu'il comprit qu'il avait perdu, était si bouleversée et si déçue que Tom en eut le cœur brisé pour lui. Il le prit dans ses bras pour le consoler.

Les liens entre Tom et l'orphelin du prieuré n'avaient cessé de se resserrer. Le maçon passait toute la journée dans l'enceinte où Jonathan courait librement, aussi était-ce inévitable qu'il y eût entre eux de nombreuses rencontres ; Tom était à l'âge où ses enfants n'avaient plus le tendre charme des premières années, mais pas encore l'âge de le faire grand-père. C'est alors qu'on s'attache parfois au bébé des autres. Personne au village ne se doutait qu'il y avait à cela une secrète raison.

Les gens soupçonnaient plutôt Philip d'être le vrai père de l'enfant. C'était une supposition bien plus naturelle — même si à Philip elle eût paru scandaleuse et sacrilège.

Jonathan repéra Aaron, le fils aîné de Malachi, et s'échappa des bras de Tom pour aller jouer avec son ami, sa déception aussitôt oubliée.

Pendant que se déroulaient les courses d'apprentis, Philip vint s'asseoir sur l'herbe auprès de Tom. C'était une chaude journée ensoleillée et la sueur perlait sur le crâne rasé du prieur. L'admiration que le maçon portait à Philip s'affirmait d'année en année. Tout en regardant les jeunes gens disputer leur course, les vieux somnolant à l'ombre et les enfants qui s'ébattaient dans la rivière, il réalisa que c'était lui, Philip, qui maintenait le bateau à flot. Il régnait sur le village, rendait la justice, décidait de l'emplacement des maisons à bâtir et réglait les querelles. Il donnait du travail à la plupart des hommes et à un grand nombre des femmes aussi, soit au chantier, soit comme domestiques au prieuré. C'était lui d'ailleurs qui gérait le prieuré, le centre nerveux de toute l'organisation. Il luttait contre les barons rapaces, négociait avec les monarques et tenait l'évêque à distance. Tous ces gens bien nourris qui s'amusaient au soleil devaient une partie de leur prospérité à Philip. Tom lui-même en était le premier exemple.

Le maçon était très conscient de la profonde clémence dont Philip avait fait montre envers Ellen. C'était vraiment difficile pour un moine de lui pardonner ce qu'elle avait fait. Mais Tom y attachait une telle importance. Quand Ellen était partie, la joie qu'il éprouvait à construire la cathédrale s'était trouvée assombrie par la solitude. Depuis son retour, il se sentait complet. Elle était toujours entêtée, exaspérante, querelleuse et intolérante ; mais au fond tout cela était sans importance. Il y avait en elle une passion qui se consumait comme la chandelle d'une lanterne et qui éclairait sa vie à lui.

Tom et Philip regardaient une course où les garçons marchaient sur les mains. Ce fut Jack qui l'emporta. « Ce garçon est exceptionnel, dit Philip.

— Ils ne sont pas nombreux ceux qui peuvent marcher si vite et si longtemps dans cette position, renchérit Tom.

— C'est vrai, dit Philip en riant, mais je ne pensais pas à ses talents d'acrobate.

— Je sais. » L'habileté de Jack était depuis longtemps une source tout à la fois de plaisir et de souffrance pour Tom. Jack avait une curiosité toujours en éveil — ce qui manquait à Alfred — et Tom aimait enseigner à Jack les trucs du métier. Mais le garçon n'avait aucune modestie et tenait tête aux aînés. Mieux vaut souvent dissimuler sa supériorité, ce que Jack n'avait pas encore appris, même après son expérience avec Alfred.

« Il faudrait l'instruire », reprit Philip.

Tom fronça les sourcils. Jack était instruit, puisqu'il était apprenti.

« Que voulez-vous dire ?

« — Il devrait apprendre à perfectionner son écriture, étudier la grammaire latine et lire les philosophes anciens. »

Tom fut plus encore déconcerté. « Pour quoi faire ? Il va être maçon. »

Philip le regarda dans les yeux. « En êtes-vous sûr ? C'est un garçon qui ne fait pas toujours ce à quoi on s'attend. »

Tom n'avait jamais songé à cette perspective. A la réflexion, les jeunes prenaient parfois des orientations imprévues : des fils de comtes qui refusaient de se battre, des enfants royaux qui entraient au monastère, des bâtards de paysans qui devenaient évêques. Jack était de ceux-là. « Alors, reprit Tom, que croyez-vous qu'il va faire ?

— Tout dépend de ce qu'il apprend, dit Philip. Moi, je le voudrais pour l'Église. »

Tom s'étonna : Jack semblait peu fait pour devenir clerc. Secrètement il était aussi un peu blessé. Lui qui comptait voir Jack devenir maître maçon serait profondément déçu si le garçon choisissait une autre voie.

Philip, sans remarquer sa réaction, reprit : « Dieu a besoin que les meilleurs et les plus brillants jeunes gens travaillent pour lui. Regardez ces apprentis, qui jouent à sauter le plus haut : tous sont capables de faire de bons charpentiers, maçons ou tailleurs de pierre. Mais combien pourraient prétendre devenir évêques ? Un seul : Jack. »

Oui, songea Tom, si Jack avait l'occasion de faire carrière dans l'Église, aidé d'un puissant protecteur en la personne de Philip, son devoir lui commanderait de suivre ce chemin, au bout duquel l'attendraient plus de richesses et de pouvoir qu'il n'en aurait comme simple maçon. A contrecœur, Tom demanda :

« Vous avez un plan précis ?

— Je veux que Jack devienne novice.

— Moine ? » Pour un garçon qui renâclait contre la discipline d'un chantier de construction, la règle monastique ne serait pas à proprement parler sa vocation.

« Il passera le plus clair de son temps à étudier, dit Philip. Il apprendra tout ce que notre maître des novices peut lui enseigner et, en outre, je lui donnerai des leçons moi-même. »

Quand un garçon entrait dans un ordre monastique, la coutume voulait que les parents fassent une généreuse donation au monastère. Tom se demandait ce que cette proposition allait lui coûter.

Philip devina ses pensées. « Vous ne serez pas obligés de faire un don au prieuré, dit-il. Il suffira que vous donniez un fils à Dieu. »

Ce que Philip ignorait, c'était que Tom avait déjà donné un fils à Dieu, du moins au prieuré : le petit Jonathan, qui était pour l'heure en train de patauger au bord de la rivière, sa robe une fois de plus retroussée autour de sa ceinture. Mais le maçon devait taire ses sentiments. De toute évidence, Philip tenait beaucoup à Jack. Sa proposition était généreuse et constituait une chance extraordinaire pour Jack. Un père aurait donné son bras droit pour offrir à son fils une telle carrière. Avec un petit pincement de dépit, Tom ne put s'empêcher de regretter que son beau-fils, et non Alfred son fils naturel, soit le bénéficiaire de cette merveilleuse occasion. Mais il maîtrisa aussitôt cette pensée indigne. Il devait se réjouir, encourager Jack et espérer que le garçon supporterait sans trop de difficulté le régime monastique.

« Il faudrait s'en occuper tout de suite, ajouta Philip. Avant qu'il ne tombe amoureux d'une fille. »

Tom hocha la tête. De l'autre côté de la prairie, la course des femmes atteignait son point culminant. Tom les regardait vaguement en réfléchissant. Ellen était en tête, Aliena sur ses talons. Ce fut Ellen qui franchit la ligne la première, les bras levés dans un geste victorieux.

Tom la montra du doigt. « Ce n'est pas moi qu'il faut convaincre, dit-il à Philip. C'est elle. »

Aliena n'en revenait pas. Ellen l'avait battue ! Elle était très jeune pour être mère d'un garçon de dix-sept ans, mais elle avait quand même au moins dix ans de plus qu'Aliena. Les deux femmes se sourirent, haletantes, mouillées de sueur. Aliena nota les jambes minces et musclées d'Ellen, son corps ferme, sans le moindre excès de graisse. Toutes ces années passées dans la forêt l'avaient sculptée.

Jack vint féliciter sa mère pour sa victoire. Il y avait une grande tendresse entre eux, Aliena le sentait. Pourtant, comme ils étaient différents ! Ellen était petite, brune, avec des yeux brun doré profondément enfoncés dans leurs orbites tandis que Jack était roux aux yeux verts. C'est qu'il ressemblait à son père, conclut logiquement Aliena, ce père dont on ne parlait jamais, le premier mari d'Ellen.

Cette ressemblance, pensait Aliena, faisait de Jack le souvenir permanent du mari disparu. Voilà pourquoi Ellen aimait tant son fils, tout ce qui lui restait d'un homme qu'elle avait sûrement adoré. Sur ce point, la ressemblance physique pouvait être extraordinairement puissante. Richard, le frère d'Aliena, lui rappelait parfois leur père, par un regard ou un geste, et dans ces moments-là elle sentait monter en elle une vague d'affection. Dommage que Richard n'ait pas, par contre, le caractère de son père.

Aliena se reprocha sa sévérité. Richard était allé à la guerre, il avait combattu bravement — c'était tout ce qu'on lui demandait. Pourquoi Aliena avait-elle ce sentiment diffus d'insatisfaction ? Elle avait la richesse, la sécurité, une maison et des domestiques, de beaux vêtements, de jolis bijoux, on la respectait dans la ville. Si on lui avait posé la question, elle aurait répondu qu'elle était heureuse. Mais, sous la surface, se dissimulait un profond malaise. Certains matins, elle se demandait si c'était vraiment important de choisir quelle robe mettre, quels bijoux... Personne ne se souciait de son aspect, pourquoi s'en préoccuperait-elle ? Par un étrange phénomène, elle était devenue plus consciente de son corps. Quand elle marchait, elle sentait le poids de sa poitrine. Quand elle allait à la plage des femmes au bord de la rivière pour se baigner, elle éprouvait une gêne pour les poils de son corps. A cheval, elle avait un contact curieux avec la selle. C'était très bizarre, un peu comme si un voyeur l'espionnait sans cesse, cherchant à la deviner sans ses vêtements, et ce voyeur, c'était elle-même.

Encore essoufflée, elle s'allongea sur l'herbe, à la recherche de fraîcheur. Son esprit vagabond se fixa sur un problème plus immédiat. Cette année elle n'avait pas vendu toute sa laine. Elle n'était pas seule dans ce cas : la plupart des marchands étaient repartis avec des toisons invendues, notamment le prieur Philip. Philip ne semblait pas se tracasser, mais Aliena se faisait beaucoup de souci. Qu'allait-elle faire de toute cette laine ? Si elle la gardait jusqu'à l'année suivante, le problème risquait de se poser de nouveau, et plus gravement. De plus, la laine brute ne manquerait pas de se détériorer. Elle se dessécherait, deviendrait cassante et difficile à travailler.

Si son commerce périclitait, Richard en subirait les conséquences. Le statut de chevalier coûtait très cher. Le destrier, qu'elle avait payé vingt livres, avait souffert à la bataille de Lincoln et n'était plus bon à grand-chose. Richard en aurait bientôt besoin d'un autre. Aliena pouvait encore se permettre cette grande brèche dans ses économies. Situation inhabituelle pour un chevalier, Richard dépendait de sa sœur. Depuis que le roi Stephen l'avait fait chevalier, il était dans le camp perdant. Pour qu'il puisse reconquérir le comté, le commerce d'Aliena devait continuer à prospérer.

Dans ses pires cauchemars, elle se voyait perdant tout son argent. Elle se retrouvait avec Richard sans ressources, proie de prêtres malhonnêtes, de nobles lubriques et de hors-la-loi sans pitié. Ils finissaient tous les deux dans le cachot puant où elle avait vu pour la dernière fois son père, moribond, enchaîné au mur.

Une fois, en revanche, elle avait fait un rêve de bonheur : Richard et elle vivaient ensemble au château, leur ancienne demeure. Richard gouvernait aussi sagement que l'avait fait leur père et Aliena l'aidait, accueillant les visiteurs importants, prodiguant l'hospitalité, assise à sa gauche à la grande table pour le dîner. Elle s'était réveillée souriante — et inexplicablement insatisfaite.

Elle secoua la tête pour chasser son humeur mélancolique et revint à la question la plus urgente. Le mieux était de ne rien faire. Elle emmagasinerait le surplus de laine jusqu'au marché suivant, et à ce moment-là, si elle ne pouvait pas vendre son stock, elle supporterait la perte. Elle pourrait encore se le permettre. Toutefois, si la même chose se reproduisait d'année en année, elle ne tiendrait pas longtemps. Il faudrait trouver une autre solution. Elle avait déjà essayé de vendre la laine à un tisserand de Kingsbridge, sans succès car il avait assez de réserves.

Comme son regard errait machinalement sur le groupe de femmes qui commentaient leur course, l'idée lui vint soudain que la plupart d'entre elles savaient tisser la laine brute. C'était un travail ennuyeux mais simple que les paysans pratiquaient depuis toujours. Il fallait laver les toisons, les peigner pour les démêler, puis les filer. Après quoi, on tissait le fil. Le tissu obtenu, un peu lâche, était foulé pour le resserrer et donner une étoffe épaisse avec laquelle on confectionnait des vêtements. Les femmes de Kingsbridge accepteraient sans doute ce travail pour un penny par jour. Mais combien de temps leur faudrait-il ? Et quel prix atteindrait le tissu terminé ?

Elle résolut de faire un essai. S'il était concluant, elle se mettrait en quête d'ouvrières qui travailleraient durant les longues soirées d'hiver.

Elle se redressa, excitée par sa nouvelle idée. Jack, allongé à côté d'Ellen, surprit le regard d'Aliena, sourit furtivement et détourna la tête, comme gêné d'avoir été surpris à la regarder. Drôle de garçon, plein d'idées et d'imagination ! Aliena se souvenait encore de lui quand il n'était qu'un petit enfant un peu bizarre, qui posait toujours d'étranges questions. Aujourd'hui il semblait si différent qu'on l'aurait cru venu de nulle part, comme une fleur qui apparaît un matin là où la veille il n'y avait que terre nue. Tout d'abord, il avait embelli. En fait, songea-t-elle avec un petit sourire amusé, les filles le trouvaient sans doute très beau garçon. Il avait un sourire irrésistible. De plus, il était intelligent, brillant, original. Elle avait découvert que non seulement il connaissait plusieurs récits en entier — dont certains de plusieurs milliers de vers —, mais il était capable aussi d'en inventer lui-même, si bien qu'elle ne savait jamais s'il récitait ou s'il improvisait. Il était curieux de tout, intrigué par des choses que les autres tenaient pour acquises. Un jour il lui avait demandé d'où venait l'eau de la rivière. « Chaque seconde, des milliers de gallons d'eau passent par Kingsbridge, jour et nuit, mois après mois, année après année, depuis toujours, avant la naissance de nos parents, avant celle des parents de nos parents. D'où vient-elle ? Y a-t-il quelque part un énorme lac qui alimente la rivière ? Il faudrait qu'il soit aussi grand que toute l'Angleterre ! Et s'il s'asséchait ? » Voilà le genre de questions qu'il posait, et d'autres plus fantaisistes. Aliena adorait les conversations avec Jack. La plupart des habitants de Kingsbridge ne pouvaient parler que d'agriculture et d'adultère, deux sujets qui ne l'intéressaient pas plus l'un que l'autre — sauf le prieur Philip, bien sûr, mais il ne bavardait pas souvent, toujours occupé avec le chantier, les moines ou le marché. Aliena soupçonnait Tom le bâtisseur d'être lui aussi d'une grande intelligence, mais il pensait plus qu'il ne parlait. Malgré sa jeunesse, Jack était une merveilleuse découverte. En fait, quand elle s'absentait de Kingsbridge, elle s'était surprise plus d'une fois à attendre avec impatience le moment de rentrer pour le retrouver.

De Jack, sa pensée vint à Ellen. Quelle étrange femme elle devait être, elle qui avait élevé son enfant dans la forêt !

Après avoir un peu parlé avec elle, Aliena lui avait trouvé un esprit du même genre que son fils. Ellen était une femme indépendante, qui en voulait à la vie de la façon dont elle l'avait traitée.

Sur la lancée de ses réflexions Aliena se tourna vers elle et lui demanda : « Vous, Ellen, où avez-vous appris les histoires que raconte votre fils ?

— Du père de Jack », répondit-elle spontanément. Puis une expression méfiante se peignit sur son visage et Aliena comprit qu'elle ne devait pas aller plus loin. Elle changea de sujet. « Savez-vous filer ?

— Bien sûr, tout le monde sait, non ?

— Aimeriez-vous le faire pour de l'argent ?

— Peut-être. A quoi pensez-vous ? »

Aliena expliqua son idée. Ellen n'était pas à court d'argent, bien sûr, mais c'était Tom qui le gagnait et Aliena se doutait qu'Ellen aimerait bien en rapporter elle-même.

Cette hypothèse se révéla justifiée. « Oui, j'essaierais bien », dit Ellen.

Alfred, le beau-fils d'Ellen, arrivait. Comme son père, c'était une sorte de géant. Son visage se dissimulait derrière une barbe en broussaille, ses yeux rapprochés lui donnaient un air rusé. Il savait lire, écrire et compter, mais sans plus. Devenu maçon, il avait sa propre équipe de compagnons et d'apprentis. Alfred bénéficiait d'un avantage spécial : son père étant le maître bâtisseur de la cathédrale de Kingsbridge, il était toujours sûr de trouver du travail pour ses hommes.

Il s'assit sur l'herbe près des deux femmes. Ses pieds énormes étaient chaussés de lourdes bottes de cuir, grises de poussière. Il parlait rarement et Aliena ne cherchait pas à entrer en conversation avec lui : il semblait plutôt ennuyeux.

Comme pour lui-même, Alfred marmonna : « Il devrait y avoir une église en pierre. »

Il suivait une pensée qu'il était seul à connaître. Aliena réfléchit un moment puis demanda : « Vous parlez de l'église paroissiale ?

— Oui », dit-il comme si c'était évident.

L'église paroissiale servait beaucoup, car la crypte de la cathédrale que les moines utilisaient était exiguë pour la population de Kingsbridge de plus en plus nombreuse.

Cette église paroissiale n'était qu'un vieil édifice de bois couvert d'un toit de chaume, au sol en terre battue.

« Vous avez raison, dit Aliena. Nous devrions avoir une église de pierre. »

Alfred se taisait, ayant dit ce qu'il avait à dire.

Ellen, qui avait l'habitude de son laconisme, insista : « Quelle idée as-tu en tête, Alfred ?

— Au fond, demanda-t-il, comment se font les églises ? Je veux dire : si on veut une église en pierre, qu'est-ce qu'on fait ?

— Aucune idée, dit Ellen en haussant les épaules.

— Vous pourriez former une guilde paroissiale », suggéra Aliena.

Une guilde paroissiale était une association de gens qui organisaient de temps en temps un banquet et recueillaient entre eux de l'argent, en général pour acheter les cierges de l'église ou pour assister les veuves et les orphelins du voisinage. Les petits villages n'avaient pas de guilde, mais Kingsbridge n'était plus un village.

« Comment cela ? reprit Alfred.

— Les membres de la guilde paieraient la nouvelle église, expliqua Aliena.

— Alors il faut fonder une guilde », conclut Alfred.

Aliena se demanda si elle ne l'avait pas mal jugé. Jusqu'à présent il ne lui avait jamais paru très pieux, mais ce désir de bâtir une nouvelle église révélait peut-être des profondeurs cachées. Puis elle réfléchit qu'Alfred étant le seul entrepreneur de construction de Kingsbridge, il était sûr de se voir confier le chantier. Il n'était peut-être pas intelligent, mais il ne manquait pas d'astuce.

Néanmoins l'idée lui plaisait. Kingsbridge devenait une ville et une ville a besoin de plus d'une église. Dans le cas de Kingsbridge, une deuxième église dégagerait la ville de la tutelle absolue du monastère. Pour le moment Philip était sans conteste seigneur et maître. C'était un tyran bienveillant, mais un tyran quand même. Un jour les marchands de la ville pourraient trouver commode de disposer d'une autre église.

« Aliena, demanda Alfred, pourriez-vous expliquer aux autres ce que c'est que la guilde ? »

Aliena n'avait guère envie d'échanger la compagnie d'Ellen et de Jack pour celle d'Alfred, mais son idée d'église la séduisait. D'ailleurs, ç'aurait été un peu grossier de refuser. « Avec plaisir », dit-elle, et elle s'éloigna avec lui.

Le soleil se couchait. Les moines avaient allumé le feu de joie et servaient la bière traditionnelle relevée de gingembre. Jack avait envie de poser une question à sa mère maintenant qu'ils étaient seuls, mais il hésitait. Quelqu'un se mit à chanter. A coup sûr Ellen allait se joindre au chœur, aussi Jack lança-t-il tout à trac : « Est-ce que mon père était un trouvère ? »

Ellen haussa les sourcils, surprise mais pas fâchée. « Qui t'a appris ce mot-là ? dit-elle. Tu n'as jamais vu de trouvère.

— Aliena. Autrefois elle allait en France avec son père. »

Sa mère contempla le feu de l'autre côté de la prairie que l'ombre envahissait. « Oui, c'était un trouvère. C'est lui qui m'a récité tous ces poèmes comme je te les ai dits à toi. Maintenant tu les récites à Aliena ?

— Oui, murmura Jack, intimidé.

— Tu l'aimes vraiment, n'est-ce pas ?

— Ça se voit ? »

Elle sourit tendrement. « Seulement à mes yeux de mère je crois. Elle est beaucoup plus âgée que toi, tu sais.

— Cinq ans.

— Tu l'auras quand même. Tu es comme ton père. Il séduisait toutes les femmes qu'il voulait. »

Jack était heureux d'entendre parler de son père, il voulait en savoir davantage ; mais, à son vif agacement, Tom apparut et s'assit près d'eux. « J'ai parlé au prieur Philip de Jack », dit-il sans préambule. Son ton léger cachait une certaine tension. Jack pressentit des ennuis. « Philip dit qu'il faudrait faire l'éducation de ce garçon. »

La réaction de sa mère fut, comme on pouvait s'y attendre, indignée. « Mais il est éduqué ! dit-elle. Il sait lire et écrire l'anglais et le français, il sait compter, il peut réciter des livres entiers de poésie...

— Voyons, ne te bute pas, répliqua fermement Tom. Philip n'a pas dit que Jack était un ignorant. Bien au contraire. Il dit que Jack est si intelligent qu'il devrait étudier davantage. »

Jack n'appréciait pas du tout ces compliments, lui qui partageait la méfiance de sa mère envers les gens d'Église. Ces amabilités cachaient sûrement un piège quelque part.

« Davantage ? fit Ellen avec mépris. Qu'est-ce que ce moine veut qu'il apprenne de plus ? Je vais te le dire : la théologie. Le latin. La rhétorique. La métaphysique. Et zut.

— Ne va pas si vite, fit Tom avec calme. Si Jack accepte l'offre de Philip, s'il va à l'école et apprend à écrire comme un bon clerc, s'il étudie le latin, la théologie et tous ces sujets que tu traites par le mépris, il pourra travailler auprès d'un comte ou d'un évêque, il pourra même finir en homme riche et puissant. Tous les barons ne sont pas fils de barons, comme on dit. »

Le regard d'Ellen se durcit. « S'il accepte l'offre de Philip, as-tu dit. Qu'est-ce que Philip propose exactement ?

— Que Jack entre comme novice...

— Plutôt mourir ! » cria Ellen en bondissant sur ses pieds. « Cette maudite Église ne va pas me voler mon fils ! Ces traîtres de prêtres menteurs m'ont pris son père, mais ils ne l'auront pas, lui ! Je planterais plutôt un poignard dans le ventre de Philip, ma parole, je le jure par tous les dieux. »

Tom connaissait les colères d'Ellen, qui ne l'impressionnaient plus autant qu'au début. Il reprit tranquillement : « Pourquoi réagis-tu si mal ? On propose à ce garçon une magnifique occasion. »

Jack était intrigué. *Ces traîtres de prêtres menteurs ont pris son père.* A quoi sa mère faisait-elle allusion ?

Il s'apprêta à le lui demander, mais elle lui coupa la parole.

« Il ne sera pas moine ! hurla-t-elle.

— S'il ne veut pas être moine, il n'y est pas forcé. »

Ellen bougonna : « Ce satané prieur s'arrange toujours pour parvenir à ses fins... »

Tom se tourna vers Jack. « Il est temps que tu dises quelque chose, mon garçon. Sais-tu ce que tu veux faire de ta vie ? »

Jack avait déjà pensé à ce problème, et la réponse vint sans hésitation, comme s'il avait pris sa décision depuis longtemps. « Je veux être un maître bâtisseur comme toi, dit-il. Je bâtirai la plus belle cathédrale que le monde ait jamais vue. »

Le cercle rouge du soleil plongea derrière l'horizon et la nuit tomba. C'était le moment du dernier rituel du soir de la Saint-Jean : les vœux flottants. Jack avait un bout de chandelle et un morceau de bois tout prêts. Il regarda Ellen et Tom. Tous deux le dévisageaient, songeurs : l'assurance avec laquelle il avait parlé de son avenir les avait surpris. Ce qu'ils ignoraient, c'est que Jack s'était surpris lui-même.

Le garçon sauta sur ses pieds et traversa la prairie jusqu'au feu de joie. Il alluma une brindille sèche aux flammes, fit fondre la base de sa chandelle et la colla au morceau de bois ; puis il alluma la mèche. Les autres participants en faisaient autant. Ceux qui n'avaient pas les moyens de se payer une chandelle fabriquaient une sorte de bateau avec de l'herbe sèche et des roseaux, et tressaient les herbes ensemble au milieu pour faire une mèche.

Jack vit Aliena près de lui : la lueur rouge du feu animait son visage ; elle semblait plongée dans ses pensées. Pris d'une brusque impulsion, il dit : « Quel est votre vœu, Aliena ? »

Elle lui répondit aussitôt : « La paix. » Et, sans attendre de commentaires, elle s'éloigna.

Jack se demanda s'il avait raison de l'aimer. Elle éprouvait de la sympathie pour lui — ils étaient devenus amis —, mais l'idée d'échanger ne serait-ce qu'un baiser était aussi loin des pensées d'Aliena qu'elle obsédait l'esprit de Jack.

Quand tout le monde fut prêt, on s'agenouilla au bord de la rivière. Brandissant leurs lumières vacillantes, les assistants formulèrent intérieurement leur vœu. Jack ferma les yeux et se représenta Aliena, nue sur un lit, qui lui tendait les bras et l'attirait à elle. Puis tous déposèrent avec soin leurs lumières sur l'eau. Si le radeau improvisé coulait ou si la flamme s'éteignait, cela signifiait qu'on ne verrait jamais son vœu exaucé. Dès que Jack eut lâché le sien, la petite embarcation s'éloigna, la base en bois devint vite invisible et l'on ne distingua plus que la flamme. Il la suivit intensément quelque temps, puis il en perdit la trace parmi les centaines de lumières qui dansaient, tanguaient à la surface de l'eau, vœux vacillants partis au gré du courant jusqu'au tournant de la rivière où ils disparurent.

Tout cet été-là, Jack se fit conteur pour Aliena.

Ils se retrouvaient le dimanche, d'abord de temps en temps, puis régulièrement, dans la clairière, auprès de la petite cascade. Il lui parlait de Charlemagne et de ses chevaliers, de Guillaume d'Orange et des Sarrasins. Quand il racontait, Jack était totalement absorbé par ses récits.

Aliena aimait voir les expressions se succéder sur son visage. Il s'indignait en parlant d'injustice, la traîtrise le consternait, il vibrait en évoquant la bravoure d'un chevalier et une mort héroïque l'émouvait aux larmes ; et ses émotions étaient contagieuses, si bien qu'elle aussi en était toute remuée. Certains poèmes étaient trop longs pour qu'il les récitât en un seul après-midi ; lorsqu'il devait conter une histoire en plusieurs épisodes, il s'interrompait toujours au moment le plus passionnant, si bien qu'Aliena passait toute la semaine dans l'impatience de connaître la suite.

Sans bien saisir elle-même pourquoi, elle ne soufflait mot à personne de ces rencontres. D'ailleurs, qui aurait compris le plaisir qu'elle prenait à écouter réciter des poèmes ? Elle laissait donc croire qu'elle partait pour sa promenade habituelle du dimanche ; et, sans la consulter, Jack en faisait autant. Bientôt, leurs rencontres prirent une tournure secrète. Moins ils en parlaient, moins ils pourraient en parler. Et c'est ainsi que leurs rendez-vous devinrent clandestins.

Un dimanche, pour changer, Aliena à son tour lut à Jack *Le Roman d'Alexandre*. Contrairement aux poèmes que disait le jeune homme, pleins d'intrigues, de hautes politiques et de soudains trépas au combat, le roman d'Aliena évoquait des histoires d'amour et de magie. Jack se passionna pour le genre nouveau et, le dimanche suivant, il se lança dans un récit de son invention, inspiré du même style.

C'était une chaude journée de la fin d'août. Aliena portait des sandales et une robe de toile légère. Dans la forêt tranquille, silencieuse, on n'entendait que le ruissellement de la cascade et les intonations variées de la voix de Jack. Le récit commençait de façon conventionnelle par la description d'un brave chevalier, grand et fort, redoutable au combat et armé d'une épée magique, à qui l'on confiait une tâche difficile : voyager jusqu'à une lointaine terre d'Orient pour en rapporter une vigne qui produisait des rubis. Mais l'intrigue dévia bientôt de son cours habituel. Le chevalier ayant été tué, le récit se concentra sur son écuyer, un brave jeune homme de dix-sept ans sans le sou, désespérément amoureux de la fille du roi, une belle princesse inaccessible. L'écuyer fit le vœu d'accomplir la tâche dont on avait chargé son maître, bien qu'il fût jeune, inexpérimenté et ne possédât qu'un poney pie et un arc.

Au lieu de vaincre un ennemi d'un formidable coup

d'épée magique, comme le faisait d'ordinaire le héros de ces histoires, l'écuyer menait des combats désespérés qu'il ne remportait que par chance ou par ingéniosité, échappant plusieurs fois à la mort d'un cheveu. Il était terrifié par les ennemis qu'il affrontait — contrairement aux chevaliers sans peur de Charlemagne —, mais il ne se détournait jamais de sa mission. Hélas ! Sa tâche, comme son amour, semblait désespérée.

Aliena fut plus captivée par le personnage de l'écuyer qu'elle ne l'avait été par celui du maître. Elle craignait pour lui quand il s'aventurait en territoire ennemi, sursautait dès que l'épée d'un géant le menaçait et soupirait lorsqu'il s'allongeait pour prendre du repos en rêvant à la princesse lointaine. L'amour était constamment au centre du récit.

Pour finir, à la stupéfaction de toute la cour, il rapportait la vigne productrice de rubis. « Mais l'écuyer ne se souciait guère, dit Jack avec un petit geste méprisant, de tous ces barons et de tous ces comtes. Il ne s'intéressait qu'à une personne. Cette nuit-là, il se glissa dans sa chambre, évitant les gardes avec une ruse qu'il avait apprise lors de son voyage en Orient. Il arriva auprès du lit et contempla le visage de sa bien-aimée. » En parlant, Jack regardait Aliena dans les yeux. « Elle s'éveilla aussitôt, mais elle n'eut pas peur. L'écuyer lui prit doucement la main. » Jack, pour mimer l'histoire, prit la main d'Aliena et la serra dans les siennes. Elle, hypnotisée par l'intensité du regard de Jack et la description vibrante de l'amour de l'écuyer, se laissa faire sans protester.

« Il lui dit : "Je vous aime tendrement" et l'embrassa sur les lèvres. » Jack se pencha et embrassa Aliena. Ses lèvres effleurèrent celles de la jeune femme avec une infinie douceur. Il reprit aussitôt son récit. « La princesse s'endormit », continua-t-il. Pendant qu'il poursuivait l'histoire, Aliena prenait conscience peu à peu de ce qui venait d'arriver. Elle sentait encore le contact des lèvres de Jack sur les siennes, comme dans un rêve.

« Le lendemain, l'écuyer demanda au roi la main de la princesse, en récompense de ses loyaux services et du succès de sa mission. » Jack m'a embrassée machinalement, pensait Aliena. Cela faisait partie de l'histoire. Il ne se rend même pas compte de ce qu'il a fait. « Le roi refusa. L'écuyer avait le cœur brisé. Les courtisans rirent beaucoup de lui. Le jour même, l'écuyer quitta le pays, monté sur son poney pie ; mais il fit le vœu qu'un jour il reviendrait et que ce jour-là il épouserait la belle princesse. » Jack s'arrêta et lâcha la main d'Aliena.

« Et alors ? questionna Aliena impatiemment.

— Je ne sais pas, répondit Jack. Je n'y ai pas encore réfléchi. »

Tous les notables de Kingsbridge s'inscrivirent à la guilde de la paroisse, fiers de participer au développement de la ville et flattés d'avoir été sollicités.

Après avoir recruté le maximum de membres, Aliena et Alfred organisèrent, pour la mi-septembre, le premier dîner de la guilde. Les grands absents étaient le prieur Philip, qui manifestait une certaine hostilité à l'entreprise, sans toutefois l'interdire ; Tom, qui déclina l'invitation pour ne pas froisser Philip, et Malachi, exclu à cause de sa religion.

Pendant ce temps, Ellen avait tissé une balle d'étoffe avec le surplus de laine d'Aliena. Le tissu était rude et terne, mais assez bon pour une robe de moine ; le cellérier du prieuré, Cuthbert le Chenu, l'avait acheté. Le prix, quoique modeste, représentait pourtant le double de ce qu'avait coûté la laine et, même après avoir payé Ellen un penny par jour, Aliena avait gagné la moitié d'une livre. Comme Cuthbert ne demandait qu'à acheter d'autre tissu au même prix, Aliena acheta à Philip son surplus de laine pour ajouter à son propre stock, et trouva une douzaine d'autres ouvrières prêtes à le tisser. Ellen accepta une nouvelle commande, mais refusa de fouler l'étoffe, car ce travail était vraiment trop dur. La plupart des ouvrières étaient du même avis.

Aliena comprenait leur réticence. Elle avait l'expérience de ce très dur labeur. Elle se souvenait du jour où Richard et elle étaient allés trouver un maître fouleur de Winchester pour lui demander du travail. Le fouleur employait deux hommes qui martelaient le tissu à coups de batte dans une auge tandis qu'une femme versait l'eau. La femme avait montré à Aliena ses mains rouges et écorchées. Quand les hommes avaient posé un ballot de tissu mouillé sur l'épaule de Richard, il en était tombé à genoux. En général, les gens foulaient de petites quantités, juste de quoi faire leurs vêtements, pour eux-mêmes et leur famille, mais seuls les hommes robustes pouvaient faire ce travail-là toute la journée. Aliena décida de dispenser les tisserandes de cette corvée.

Elle engagerait des hommes spécialement pour le foulage ou bien elle s'adresserait à un maître fouleur de Winchester.

Le dîner de la guilde eut lieu dans l'église en bois. Ce fut Aliena qui organisa le repas. Chacun des membres de l'association, dont la plupart avaient au moins une servante, se chargea de la préparation d'un plat. Alfred et ses hommes construisirent une longue table en bois. Ils fournirent aussi de la bière forte et un tonneau de vin.

Le jour de la réunion, tout le monde s'assit autour de la table. Pour respecter l'égalité qui devait régner entre les membres de l'association, personne ne présida. Aliena portait une robe de soie rouge foncé ornée d'une broche d'or et de rubis et une pelisse gris foncé aux manches larges à la dernière mode. Le prêtre de la paroisse dit le Bénédicité, ravi de l'initiative qui lui apportait une église neuve — donc un supplément de prestige et de revenus.

Alfred présenta son budget et son calendrier pour la construction du temple. Il parlait comme s'il était lui-même l'auteur du projet, mais Aliena savait que Tom en avait conçu l'essentiel. La construction prendrait deux ans et coûterait quatre-vingt-dix livres ; Alfred proposa que les quarante membres de la guilde versent chacun six pence par semaine. La somme dépassait légèrement les prévisions et Aliena remarqua quelques grimaces sur certains visages — il faudrait donc compter avec des défaillants. Mais dans l'ensemble, les participants acceptèrent les conditions.

Aliena, quant à elle, paierait son dû sans difficultés. Parcourant du regard la table, elle se rendit compte qu'elle était sans doute la plus riche de l'assistance, et l'une des rares femmes. Il y avait aussi une brasseuse, connue pour fabriquer une bonne bière bien forte, une femme tailleur qui employait deux couturières et quelques apprentis, et la veuve d'un cordonnier, qui continuait l'affaire de son mari. Aliena était la plus jeune de l'assistance, Alfred d'un ou deux ans son cadet.

Aliena pensa à Jack. Il lui manquait. Elle attendait toujours la suite de l'histoire du jeune écuyer. Aujourd'hui, jour férié, elle aurait voulu le retrouver dans la clairière. Peut-être aurait-elle un peu de temps plus tard.

Autour de la table, on parlait de la guerre civile. La femme de Stephen, la reine Matilda, s'était battue plus vaillamment qu'on ne l'aurait cru : elle venait de prendre la ville de Winchester. Robert de Gloucester, frère de l'impé-ratrice Maud et commandant en chef de ses forces militai-res, était son prisonnier. Cette capture était un coup presque aussi dur pour Maud que la capture de Stephen l'avait été pour les loyalistes. Chacun avait son opinion sur la direc-tion que la guerre allait prendre, et les discussions allaient bon train.

Enflammés par le vin et la bière, plus forte que celle du prieur Philip, les convives devenaient plus bruyants à mesure que le repas avançait. Le prêtre de la paroisse était d'autant moins capable de les modérer qu'il buvait lui-même autant que les autres. Alfred, assis auprès d'Aliena, finit par quitter son humeur morose pour se joindre aux libations. Quant à Aliena, elle n'aimait guère les boissons fortes et elle se contenta d'une coupe de cidre à la fin de son dîner.

Lorsque tous les plats furent raclés jusqu'à la dernière miette, quelqu'un proposa un toast à Alfred et Aliena. Le jeune homme ne put s'empêcher de montrer son plaisir. Puis, on se mit à chanter. Aliena s'impatientait : quand allait-elle pouvoir enfin s'échapper ?

Alfred rayonnait : « Nous nous sommes bien débrouillés tous les deux, tout de même.

— Voyons, fit Aliena en souriant, combien d'entre eux paieront encore six pence par semaine dans un an d'ici. »

Alfred ne voulait pas qu'on lui gâche sa joie. « Nous nous sommes bien débrouillés, répéta-t-il. Nous formons une bonne équipe. » Il leva sa coupe vers elle et but. « Vous ne trouvez pas ?

— Si, bien sûr, répondit-elle pour lui faire plaisir.

— J'ai été heureux, poursuivit-il, d'arranger ça avec vous... Je veux dire la guilde.

— Moi aussi, affirma-t-elle poliment.

— Vraiment ? Je suis très content. »

Elle le regarda avec plus d'attention. Il devenait un peu insistant, pensa-t-elle. Pourtant, dans ses paroles claires et précises, il n'y avait pas la moindre trace d'ivresse. « C'était très bien », dit-elle d'un ton neutre.

Il posa une main sur son épaule. Elle avait horreur qu'on la touche, mais elle s'était habituée à ne pas réagir brutale-ment. « Dites-moi une chose, reprit-il en baissant la voix. Quelles qualités demanderiez-vous à un mari ? » Il ne va tout de même pas me demander de l'épouser, songea-t-elle avec consternation. Elle répondit, comme d'habitude : « Je n'ai pas besoin de mari... J'ai assez de soucis avec mon frère.

— Mais vous avez besoin d'amour », murmura-t-il.

Elle marmonna quelque chose d'incompréhensible. Alfred leva la main pour l'empêcher de répondre, une habitude masculine qu'elle trouvait particulièrement exaspérante. « Ne me dites pas que vous n'avez pas besoin d'amour, reprit-il. Tout le monde en a besoin. »

Elle le regarda droit dans les yeux. Elle savait qu'on la considérait comme une originale, car la plupart des jeunes filles avaient hâte de se marier. Celles qui restaient célibataires, comme elle, à vingt-deux ans, touchaient au désespoir. Alfred était jeune, robuste, prospère : pas une fille de Kingsbridge ne l'aurait refusé. L'espace d'un moment, l'idée l'effleura de céder. Mais la perspective de vivre avec Alfred, de souper avec lui chaque soir, d'aller à l'église avec lui et de mettre au monde ses enfants l'horrifiait. Elle préférait la solitude. Elle secoua la tête. « N'y pensez plus, Alfred, dit-elle d'un ton ferme. Je n'ai pas besoin d'amour. »

Il n'était pas homme à se décourager. « Je vous aime, Aliena, dit-il. J'ai été vraiment heureux de travailler avec vous. J'ai besoin de vous. Voulez-vous être ma femme ? »

Voilà, il l'avait dit. Elle regrettait qu'il ait parlé, car cela signifiait qu'elle devrait le repousser formellement et fermement. Par expérience, elle savait que la douceur n'aboutissait qu'à l'inverse du but recherché : les hommes prenaient un refus aimable comme un signe d'indécision et redoublaient d'insistance. « Non, je ne veux pas, dit-elle. Je ne vous aime pas et je n'ai pas pris grand plaisir à travailler avec vous. Je ne vous épouserais pas même si vous étiez le seul homme sur terre. »

Aliena était sûre de n'avoir rien fait pour l'encourager. Elle l'avait traité comme un associé à part égale, avait écouté ses avis, avait discuté avec lui franchement et directement. Elle avait rempli ses responsabilités et comptait sur lui pour en faire autant.

Blessé, déçu, il balbutia : « Comment pouvez-vous dire des choses pareilles ? »

Elle soupira. Elle était désolée, mais devinait à l'avance ses réactions : bientôt il serait indigné et se conduirait comme si elle avait porté contre lui une injuste accusation ;

pour finir, il se convaincrait qu'elle l'avait gratuitement insulté et il deviendrait désagréable. Tous les prétendants éconduits ne se comportaient pas ainsi, mais Alfred appartenait à la mauvaise catégorie. Il fallait qu'elle parte.

Elle se leva. « Je respecte votre proposition et je vous remercie de l'honneur que vous me faites, dit-elle. Veuillez respecter mon refus et ne plus me poser la question.

— Je suppose que vous filez voir mon morveux de demi-frère, dit-il d'un ton mordant. Je ne crois pas qu'il puisse vous apporter grand-chose. »

Aliena rougit, embarrassée. Ainsi, on avait remarqué son amitié pour Jack. Elle pouvait compter sur Alfred pour l'interpréter à sa manière. Eh bien oui, elle courait voir Jack, et elle ne laisserait pas Alfred l'en empêcher. Elle s'approcha à toucher son visage. D'un ton calme et décidé, elle dit : « Allez au diable. » Puis elle tourna les talons et partit, le laissant muet de stupeur.

Le prieur Philip tenait cour de justice dans la crypte une fois par mois. Depuis que la ville s'était développée, les infractions s'étaient multipliées. La nature du crime aussi avait changé. Jadis la plupart des délits concernaient la terre, les moissons ou le bétail. Un paysan cupide essayait subrepticement de déplacer la limite d'un champ de façon à étendre sa terre aux dépens d'un voisin ; un ouvrier volait un sac de blé à la veuve pour laquelle il travaillait ; une pauvre femme accablée d'enfants allait traire une vache qui n'était pas à elle. Maintenant, la plupart des affaires concernaient l'argent, constatait Philip, alors qu'il rendait la justice en ce premier jour de décembre. Des apprentis volaient de l'argent à leurs maîtres, un mari faisait main basse sur les économies de sa belle-mère, des marchands passaient de la fausse monnaie et des femmes riches escroquaient des servantes un peu simples à peine capables de compter leurs gages hebdomadaires. Ces délits n'existaient pas à Kingsbridge cinq ans plus tôt, parce que personne alors n'avait beaucoup d'argent.

Philip condamnait presque tous les coupables à une amende. Il pouvait aussi les faire fouetter, entraver ou emprisonner dans la cellule située sous le dortoir des moines, mais ces châtiments-là étaient plus rares et réservés surtout aux actes de violence. Il avait le droit de faire pendre les voleurs. D'ailleurs le prieuré possédait une robuste potence, mais il ne l'avait jamais utilisée — pas encore —, et il entretenait secrètement l'espoir de ne jamais avoir à le faire. Les crimes les plus graves — meurtres, braconnage sur les chasses royales et vols de grand chemin — étaient jugés à la cour du roi à Shiring, présidée par le prévôt, et le prévôt Eustache avait la pendaison facile.

Philip avait à juger sept affaires de grains moulus illégalement. Le prieuré venait de bâtir un nouveau moulin à eau auprès de l'ancien pour répondre aux besoins supplémentaires. La loi, de même que dans tous les manoirs, interdisait aux paysans de moudre chez eux ; ils devaient s'adresser au seigneur et le payer. Ces dernières années, comme la demande était trop forte pour le vieux moulin souvent en panne, Philip avait laissé passer bon nombre de moutures illicites ; il était temps d'y mettre le holà.

Il fit inscrire sur une ardoise les noms des contrevenants et les lut lentement, en commençant par le plus riche. « Richard Longacre, tu utilises deux hommes pour actionner ta grande meule, me dit notre meunier, frère Franciscus. »

Un fermier à l'air prospère s'avança d'un pas. « Oui, mon seigneur prieur. Et maintenant elle est cassée.

— Paie soixante pence. Enid Brewster, tu avais une meule à main dans ta brasserie. Eric Enidson a été vu en train de l'utiliser, et il est accusé aussi.

— Oui, seigneur, dit Enid, une femme avec un visage rougeaud et de puissantes épaules.

— Où est la meule à main maintenant ? lui demanda Philip.

— Je l'ai jetée dans la rivière, seigneur. »

Philip n'en croyait pas un mot, mais comment prouver le mensonge pour l'instant ?

« Vingt-quatre pence d'amende, et douze pour ton fils. Walter Tanner ? »

Philip continua la liste, infligeant aux gens des amendes proportionnelles à la gravité de leurs opérations illégales. Il arriva au dernier nom, celui d'une femme des plus pauvres. « Veuve Goda ? »

Une vieille femme au visage de fouine en vêtements noirs usés se présenta.

« Frère Franciscus t'a vue moudre du grain avec une pierre.

« — Je n'avais pas un penny pour le moulin, seigneur, dit-elle amèrement.

— Tu avais quand même un penny pour acheter du grain, dit Philip. Tu seras donc punie comme les autres.

— Vous voudriez que je meure de faim ? » lança-t-elle sur le ton du défi.

Philip poussa un soupir. Il regrettait que le frère Franciscus n'eût pas fermé les yeux sur la veuve Goda en infraction. « Quand quelqu'un est-il mort de faim à Kingsbridge pour la dernière fois ? » demanda-t-il. Son regard parcourut les citoyens assemblés. « Qui se souvient du dernier mort de faim ? » Il marqua un temps, comme s'il attendait une réponse, puis reprit : « Vous constaterez, je pense, que c'était avant mon arrivée.

— Dick Shorthouse, dit la veuve Goda. L'hiver dernier. »

Philip se rappelait très bien l'homme, un mendiant qui dormait dans les porcheries et les étables. « Dick s'est effondré ivre mort dans la rue à minuit. Il est mort de froid sous la neige, rétorqua-t-il. Il n'est pas mort de faim. D'ailleurs, s'il avait été en état de marcher jusqu'au prieuré, il ne serait pas mort de froid non plus. N'essaie pas de m'impressionner, si tu as faim, viens me demander la charité. Et si tu es trop fière pour cette démarche, si tu préfères violer la loi, accepte le châtiment comme tout le monde. Tu entends ?

— Oui, seigneur, répliqua la vieille femme d'un ton maussade.

— Un farthing d'amende, déclara Philip. La séance est levée. »

A un mois de Noël, les travaux de la nouvelle cathédrale avaient beaucoup ralenti. Les bords et les sommets de la maçonnerie inachevée étaient couverts de paille et de fumier, provenant des écuries du prieuré, pour protéger du gel les murs neufs. Les maçons ne pouvaient pas bâtir en hiver à cause du froid car, expliquait Tom, les murs bâtis en hiver s'effondraient. En réalité, ce n'était pas tant à cause du gel. Comme le mortier mettait plusieurs mois à sécher, la coupure de l'hiver le laissait bien durcir avant qu'on y pose la maçonnerie de l'année nouvelle. C'était aussi l'origine d'une superstition qui voulait que bâtir plus de vingt pieds en une seule année portait malheur. Au-dessus de cette hauteur, la base risquait d'être déformée par le poids qui pesait sur elle avant que le mortier soit sec.

Philip fut surpris de voir tous les maçons dehors, réunis là où serait le chœur de l'église. Ils avaient fabriqué une arche de bois semi-circulaire qu'ils avaient plantée verticalement, étayée de chaque côté par des poteaux. Cette pièce faisait partie de ce qu'ils appelaient le coffrage : elle était destinée à soutenir la construction de l'arche de pierre. Pour l'instant, les maçons faisaient un essai : ils assemblaient les pierres de l'arche au niveau du sol, sans mortier, pour s'assurer qu'elles s'emboîtaient parfaitement. Apprentis et manœuvres posaient les pierres suivant le coffrage tandis que les maçons les surveillaient d'un œil critique.

Philip croisa le regard de Tom. « Où ira cette arche ? demanda-t-il.

— Sur la galerie de la tribune. » Philip leva les yeux. L'arcade avait été terminée l'an dernier et la galerie au-dessus serait terminée l'année prochaine. Il ne resterait plus qu'à bâtir la partie supérieure, avec les fenêtres hautes, avant le toit. Maintenant que les murs avaient été protégés pour l'hiver, les maçons taillaient les pierres, les préparant pour le travail de l'année suivante. Si cette arche convenait, les pierres seraient taillées suivant le même modèle pour toutes les autres.

Les apprentis, parmi lesquels se trouvait Jack, le beau-fils de Tom, étaient chargés des côtés qu'ils bâtissaient avec des pierres taillées en coin qu'on appelait les voussures. Bien que l'arche fût destinée à être placée haut dans l'église, elle serait pourtant ornée de moulures décoratives ; une fois les pierres rassemblées, les sculptures s'ajusteraient exactement en donnant l'impression que l'arche était constituée d'une suite de boucles semi-circulaires, en pierres empilées l'une sur l'autre, alors qu'en fait il s'agissait de coins placés côte à côte.

Philip regarda Jack mettre en place la clé de voûte. L'arc était maintenant terminé. Quatre maçons armés de lourds marteaux firent sauter les coins qui soutenaient le coffrage de bois. Dans un effondrement spectaculaire, l'armature de bois s'écroula. Malgré l'absence de mortier entre les pierres, l'arc resta debout. Tom le bâtisseur poussa un soupir de satisfaction.

Quelqu'un tira sur la manche de Philip. Un jeune moine

s'adressait à lui timidement : « Mon père, vous avez un visiteur. Il vous attend dans votre maison.

— Merci, mon fils. » Philip quitta le chantier en pensant que, si les moines avaient installé le visiteur dans la maison du prieur, c'est qu'il s'agissait de quelqu'un d'important. Il traversa l'enclos et entra chez lui.

C'était son frère, Francis. Philip l'étreignit chaleureusement. « Est-ce qu'on t'a offert quelque chose à manger ? demanda Philip. Tu as l'air épuisé.

— On m'a donné du pain et de la viande, merci. J'ai passé l'automne à chevaucher entre Bristol, où le roi Stephen était emprisonné, et Rochester, où l'on retenait le comte Robert.

— Tu as dit *était* ? »

Francis acquiesça. « J'ai négocié un échange : Stephen contre Robert. Ça s'est fait à la Toussaint. Le roi Stephen est maintenant de retour à Winchester. »

Philip s'étonna. « Il me semble que l'impératrice Maud a perdu au change : elle a donné un roi pour un comte ? »

Francis secoua la tête : « Sans Robert, elle est désemparée. Personne ne l'aime. Personne ne lui fait confiance. Il fallait absolument qu'elle retrouve son soutien. La reine Matilda a été habile. Elle a exigé en échange le roi Stephen, rien de moins. Au bout du compte, elle a eu ce qu'elle voulait. »

Philip s'approcha de la fenêtre. La pluie avait commencé à tomber, une pluie froide en rafales qui assombrissait les hauts murs de la cathédrale et faisait luire les toits de chaume des maisons d'artisans.

« Quelles conséquences ? demanda-t-il.

— Maud est redevenue simple prétendante au trône. Après tout, Stephen a été officiellement couronné, alors que Maud jamais, enfin, pas tout à fait.

— Mais c'est Maud qui m'a accordé la licence pour le marché.

— Oui. C'est ennuyeux.

— Ma licence n'est pas valable ?

— Si. Elle a été octroyée normalement par une souveraine approuvée par l'Église. Le fait qu'elle n'ait pas été couronnée ne change rien. Seulement Stephen pourrait dénoncer le contrat.

— C'est le marché qui paie la pierre, dit Philip pris

d'angoisse. Sans cela, je ne peux pas construire. Quelle catastrophe !

— Je suis navré.

— Et mes cent livres ? »

Francis haussa les épaules. « Stephen te conseillera de te les faire rembourser par Maud. »

Philip était effondré. « Tout cet argent, dit-il. C'était l'argent de Dieu et je l'ai perdu.

— Tu ne l'as pas encore perdu, remarqua Francis. Stephen ne va peut-être pas annuler ta licence. Il ne s'est jamais beaucoup intéressé aux marchés.

— Le comte William va s'empresser de faire pression sur lui.

— William a changé d'allégeance, tu te souviens ? Il s'est rangé dans le camp de Maud. Il n'aura plus guère d'influence auprès de Stephen.

— J'espère que tu as raison, dit Philip avec ferveur. Je prie le ciel que tu aies raison. »

Quand il commença à faire trop froid pour rester assise dans la clairière, Aliena prit l'habitude de se rendre le soir à la maison de Tom le bâtisseur. Alfred était en général à la taverne, si bien que la famille comprenait Tom, Ellen, Jack et Martha. Grâce à la réussite de Tom, ils avaient maintenant des meubles confortables, un bon feu et des chandelles en abondance. Ellen et Aliena travaillaient au tissage. Tom dessinait des plans et des diagrammes avec une pierre épointée, sur des morceaux d'ardoise polie. Jack faisait semblant de fabriquer une ceinture, d'affûter des couteaux ou de tresser un panier, mais il passait plus de temps à contempler furtivement le visage d'Aliena à la lueur des chandelles et à guetter chacun de ses mouvements.

Ils riaient beaucoup ensemble. Aliena était en général si réservée que c'était pour Jack une joie de la voir se détendre, un peu comme s'il la surprenait dans son intimité. Il ne cessait d'inventer des choses pour l'amuser. Il imitait les artisans sur le chantier, singeant l'accent d'un maçon français ou la démarche sautillante d'un forgeron. Un jour, il inventa un récit comique de la vie des moines, les gratifiant de péchés appropriés à chacun : l'orgueil pour Remigius, la gourmandise pour Bernard le cuisinier, l'ivrognerie pour l'hôtelier et la concupiscence pour Pierre le prévôt. Martha se pliait de rire et même Tom le taciturne esquissait un sourire.

Un soir, Aliena déclara : « Je ne sais pas si je parviendrai à vendre tout ce tissu. »

La surprise fut générale. Ellen dit : « Alors pourquoi le tissons-nous ?

— Je n'ai pas perdu espoir, dit Aliena. Je suis seulement inquiète. »

Tom leva le nez de son ardoise. « Je croyais que le prieuré était prêt à tout acheter ?

— Ce n'est pas ça le problème. Je ne trouve personne pour le foulage, et le prieuré ne veut pas de draps en tissage mou. Personne d'autre non plus, d'ailleurs. »

Ellen intervint : « Le foulage est un travail épuisant. Je ne suis pas étonnée que personne ne veuille le faire.

— Vous ne pouvez pas plutôt engager des hommes ? suggéra Tom.

— Pas dans une ville prospère comme Kïngsbridge. Les hommes ont assez de travail. Dans les gros bourgs, il y a des fouleurs professionnels, mais la plupart d'entre eux travaillent en exclusivité pour des tisserands auxquels ils sont liés. D'ailleurs, cela coûterait trop cher de transporter l'étoffe jusqu'à Winchester et retour.

— C'est bien ennuyeux, reconnut Tom en se remettant à son dessin.

— Dommage qu'on ne puisse pas faire faire le travail par des bœufs », remarqua Jack.

L'assistance éclata de rire.

« Pourquoi ne pas essayer d'apprendre à un bœuf à bâtir des églises, aussi ? dit Tom.

— Ou à utiliser un moulin, insista Jack sérieusement. Il y a quelquefois des moyens faciles d'accomplir les travaux les plus durs.

— Elle veut fouler le tissu, pas le moudre », dit Tom.

Jack continuait sa pensée. « On utilise des appareils de levage et des treuils pour soulever des pierres jusqu'en haut des échafaudages.

— Ah, s'exclama Aliena, s'il existait quelque mécanisme ingénieux pour fouler ce drap, ce serait merveilleux. »

Jack avait une telle envie de rendre service à Aliena qu'il résolut de trouver coûte que coûte un moyen.

« J'ai entendu parler, dit lentement Tom, d'un moulin à

eau qu'on utilisait pour actionner le soufflet d'une forge...
mais je ne l'ai jamais vu fonctionner.

— Vraiment ? dit Jack. Voilà qui me donne raison !

— La roue d'un moulin tourne, une meule tourne aussi,
c'est pourquoi l'une peut entraîner l'autre ; mais le bâton
d'un fouleur monte et descend. On ne peut pas utiliser une
roue à eau ronde pour actionner un bâton qui monte et qui
descend.

— Justement : un soufflet monte et descend.

— C'est vrai, c'est vrai... Mais je n'ai jamais vu cette
forge, j'en ai seulement entendu parler. »

Jack essayait de se représenter mentalement la machine-
rie d'un moulin. La force de l'eau faisait tourner la roue,
dont l'axe était relié à une autre roue, à l'intérieur du moulin. Celle-ci, verticale, comportait un engrenage qui s'insé-
rait dans l'engrenage d'une troisième roue posée à plat,
laquelle faisait tourner la meule. « Une roue verticale peut
actionner une roue horizontale, murmura Jack, réfléchissant
tout haut.

— Jack, fit Martha en riant, Arrête ! Si les moulins pouvaient fouler le tissu, des petits malins y auraient déjà
pensé. »

Jack ignora l'interruption. « On pourrait fixer les fouloirs
à l'axe de la meule, dit-il. Il suffirait d'étaler le tissu à plat
là où battent les fouloirs.

— Mais les fouloirs ne frapperaient qu'une fois, puis se
coinceraient. Tout s'arrêterait.

— Il doit y avoir un moyen, fit Jack avec entêtement. Il
faut qu'il y en ait un.

— Il n'y a aucun moyen, conclut Tom, du ton qu'il utilisait pour clore un sujet de conversation.

— Je parie pourtant que si », marmonna Jack. Tom fit
semblant de ne pas entendre.

Le dimanche suivant, Jack disparut. Après la messe du
matin à l'église, puis le déjeuner à la maison, comme
d'habitude, il ne se montra plus, même pas à l'heure du
souper. Aliena était dans sa cuisine, à préparer un épais
potage de jambon aux choux et aux poivrons quand Ellen
parut, à la recherche de son fils.

« Je ne l'ai pas vu depuis la messe, dit Aliena.

— Il a disparu après le déjeuner, expliqua Ellen. Je
croyais qu'il était avec vous. »

Aliena se sentit un peu embarrassée qu'Ellen eût fait si facilement cette supposition. « Vous êtes inquiète ?

— Une mère est toujours inquiète, répondit Ellen avec un petit sourire.

— S'est-il disputé avec Alfred ? demanda nerveusement Aliena.

— J'ai posé la même question. Alfred dit que non. » Ellen poussa un soupir. « Je ne pense pas qu'il lui soit arrivé un accident. Il a déjà fait ce genre de chose. Je ne l'ai jamais obligé à des heures régulières. »

Plus tard dans la soirée, juste avant l'heure du coucher, Aliena alla jusqu'à la maison de Tom voir si le garçon avait réapparu. Pas de Jack. Elle alla se coucher, inquiète. Richard étant à Winchester, elle était seule. Son esprit était en proie à des obsessions. Jack aurait pu tomber dans la rivière, se noyer ou Dieu sait quoi. Quelle catastrophe pour Ellen ! Jack était son seul fils. Les larmes montaient aux yeux d'Aliena en imaginant le chagrin d'Ellen sans Jack. C'est stupide, se dit-elle : je pleure sur la peine de quelqu'un d'autre à propos d'un événement qui n'est pas arrivé. Elle se reprit et essaya de penser à autre chose. Son grand problème, c'était le surplus de tissu. En temps normal, elle pouvait passer la moitié de la nuit à s'inquiéter de ses affaires, mais ce soir-là, ses pensées revenaient sans cesse à Jack. Et s'il s'était cassé la jambe, et s'il gisait dans la forêt, incapable de bouger ?

Elle finit par sombrer dans un sommeil agité et s'éveilla aux premières heures du jour, encore fatiguée. Elle jeta son lourd manteau sur sa chemise de nuit, passa ses bottes fourrées et partit à sa recherche.

Il n'était pas dans le jardin derrière la taverne, où l'on voyait souvent des hommes endormis qui ne mouraient pas de froid grâce à la chaleur du tas de fumier. Elle alla vers le pont et suivit précautionneusement la berge jusqu'à un tournant de la rivière où on déposait les détritus. Une famille de canards picorait parmi les bouts de bois, les chaussures éculées, les couteaux rouillés et les ordures pourrissant sur la rive. Dieu merci, Jack n'y était pas.

Elle remonta la colline pour pénétrer dans l'enclos du prieuré où les bâtisseurs de la cathédrale commençaient leur journée de travail. Elle trouva Tom dans sa cabane. « Est-ce que Jack est revenu ? » demanda-t-elle, pleine d'espoir.

Tom secoua la tête. « Pas encore. »

En sortant, elle croisa le maître charpentier, l'air soucieux. « Tous les marteaux ont disparu, dit-il à Tom.

— C'est drôle, remarqua Tom. Je cherchais moi-même un marteau et je n'ai pu en trouver un seul. »

Alfred passa la tête par l'entrebâillement de la porte et dit : « Où sont tous les maillets des maçons ? »

Tom se gratta la tête. « On dirait que tous les marteaux du chantier se sont volatilisés », dit-il, perplexe. Puis son expression changea. « Je parie que Jack est derrière tout ça. »

Bien sûr, songea Aliena. Les marteaux. Le foulage. Le moulin. Sans dire ce qu'elle pensait, elle quitta la cabane de Tom, traversa hâtivement l'enclos du prieuré jusque vers l'endroit où un canal dérivé de la rivière actionnait les deux moulins, l'ancien et le tout nouveau. Comme elle l'avait deviné, la roue du vieux moulin tournait. Elle entra. Ce qu'elle vit tout d'abord la déconcerta et l'effraya. Une rangée de marteaux étaient alignés, fixés sur une perche horizontale. Apparemment de leur propre initiative, ils levaient la tête, comme des chevaux devant leur mangeoire, puis ils retombaient tous ensemble et frappaient simultanément en produisant un fracas assourdissant. Ellen poussa un cri de surprise. Les marteaux levèrent la tête, comme s'ils l'avaient entendue, puis frappèrent de nouveau. Ils martelaient une longueur de son tissu baignant dans un pouce ou deux d'eau au fond d'une auge de bois dont se servaient les fabricants de mortier sur le chantier. En fait, les marteaux étaient en train de fouler le tissu ! Mais comment fonctionnaient-ils ? La perche à laquelle étaient fixés les marteaux se déplaçait parallèlement à l'axe de la roue du moulin ; une planche fixée à l'axe tournait en même temps que celui-ci et poussait les manches des marteaux si bien que, par contrecoup, les têtes se relevaient. La planche, continuant son mouvement de rotation, libérait les manches. Alors les marteaux s'abaissaient et venaient frapper le tissu dans l'auge. Jack avait réussi son impossible pari : le foulage du tissu par la mécanique du moulin.

Elle entendit sa voix. « Les marteaux doivent être alourdis pour frapper avec plus de force. » Enfin elle le vit, épuisé et triomphant.

« Je crois que j'ai résolu votre problème, dit-il avec un sourire timide.

— Je suis si heureuse ! Tout le monde se faisait un terrible souci. Tu nous as valu une belle angoisse », s'écria-t-elle. Sans réfléchir, elle lui jeta les bras autour du cou et l'embrassa. Ce fut un baiser très bref, à peine effleuré. Mais dans le mouvement Jack enlaça la taille d'Aliena, la serrant doucement contre lui. Une seule pensée occupait son esprit : il était sain et sauf. Elle le regarda dans les yeux et une vague d'émotion la saisit. Tout son corps réagissait au contact du jeune homme.

« Vous vous inquiétiez pour moi ? demanda-t-il avec étonnement.

— Je n'ai pas dormi de la nuit... », dit-elle avec un sourire.

Soudain Jack eut l'air profondément grave. Aliena sentait son cœur battre et son souffle s'accélérer. Derrière elle, les marteaux frappaient à l'unisson, ébranlant à chaque coup la structure de bois du moulin et elle avait l'impression de sentir la vibration au plus profond d'elle-même.

« Je vais bien, dit-il. Tout va bien.

— Je suis si heureuse », répéta-t-elle dans un murmure.

Elle vit le visage de Jack se pencher vers le sien, elle sentit le contact de leurs deux bouches. Son baiser était très doux. Il avait des lèvres pleines et une barbe légère d'adolescent. Elle ferma les yeux pour mieux savourer cette sensation. Elle entrouvrit les lèvres, leurs langues se rencontrèrent. Aliena aurait voulu crier de joie. Elle se blottit contre le corps de Jack, pressant sa douce poitrine contre son torse musclé, son ventre contre ses hanches dures. Le soulagement de l'avoir retrouvé laissait place à un flot de sensations nouvelles. La proximité du corps de Jack l'emplissait d'une sorte d'extase qui l'étourdissait. Elle lui caressa le dos. Elle aurait voulu toucher sa peau nue, elle aurait voulu être nue aussi. Sans réfléchir, elle darda sa langue entre les lèvres de Jack, qui poussa un gémissement de délice étouffé.

La porte du moulin s'ouvrit brusquement. Réveillée en sursaut comme par une gifle, Aliena s'écarta d'un bond. Le sens de la réalité lui revint, en même temps que la honte de ce qu'ils avaient fait. Elle se retourna, mortifiée. Alfred se tenait sur le seuil de la porte. Alfred ! Lui qu'elle avait refusé avec dédain. Voilà qu'il venait de la surprendre à se conduire comme une débauchée. Elle rougit violemment. Alfred la dévisageait avec une expression mêlée de désir et de mépris, quelque chose qui lui rappela William Hamleigh. Elle en voulait à tout le monde : à Alfred de la traiter de haut, à elle-même de lui donner une raison de le faire et à Jack d'en être responsable.

Elle chercha le regard de Jack. Elle savait que sa colère se lisait sur son visage, mais elle n'arrivait pas à la maîtriser. L'expression de bonheur qui animait le visage de Jack tourna au désarroi. Aliena était trop bouleversée pour s'en émouvoir. Elle lui en voulait de l'avoir mise dans cette situation. Vive comme l'éclair elle le gifla. Il ne bougea pas, mais elle lut dans ses yeux le désespoir. Incapable de supporter sa douleur, elle se détourna et courut vers la porte. Le bruit sourd et incessant des marteaux résonnait dans sa tête. Alfred s'écarta, intimidé. Elle passa devant lui sans le regarder et, dehors, trouva Tom le bâtisseur, avec un petit groupe d'ouvriers du chantier, venu voir au moulin ce qui se passait. Aliena les croisa en courant sans leur adresser une parole. D'ailleurs les hommes s'intéressaient moins à elle qu'au bruit de martèlement qui venait du moulin. Certes, Jack avait résolu le problème du foulage, pensa-t-elle, mais l'idée qu'il avait passé toute la nuit à travailler pour elle ne fit qu'accroître son désarroi. Elle passa en flèche devant l'écurie, franchit la porte du prieuré et s'engouffra dans la rue, glissant dans la boue, et ne s'arrêta pas jusque chez elle. Richard était là, assis à la table de la cuisine, devant une miche de pain et une coupe de bière. « Le roi Stephen est en marche, dit-il. La guerre a recommencé. Il me faut un nouveau cheval. »

IX

Pendant les trois mois qui suivirent, ce fut à peine si Aliena adressa trois mots à Jack.

Le garçon avait le cœur brisé. Elle l'avait embrassé avec passion, c'était une certitude. Et ils s'embrasseraient encore, bientôt, même si elle avait fui. Il marchait dans une sorte de brouillard exquis, en se répétant intérieurement : Aliena m'aime ! Aliena m'aime ! Elle l'avait caressé, avait pressé ses seins contre lui. Lorsqu'elle commença à l'éviter, il crut tout d'abord qu'elle était simplement embarrassée. Elle ne pouvait tout de même pas nier qu'elle l'aimait après ce baiser. Il lui laissa le temps de surmonter sa timidité. Avec l'aide du charpentier du prieuré, il fabriqua pour le vieux moulin un système plus robuste et plus durable. Aliena put faire fouler son tissu. Elle le remercia sincèrement, mais sa voix était froide et ses yeux évitaient ceux de Jack.

Après plusieurs jours, puis plusieurs semaines, Jack dut admettre que les choses avaient changé. Une vague de désillusion déferla sur lui et il eut l'impression qu'il allait s'y noyer. Il était déconcerté. Dans son désarroi il regrettait de ne pas être plus âgé, de ne pas avoir plus d'expérience avec les femmes pour savoir si l'attitude d'Aliena était normale ou pas, provisoire ou permanente. Devait-il passer outre et affronter la jeune femme ? Terrorisé aussi à l'idée de dire ce qu'il ne fallait pas et d'aggraver la situation, il ne fit rien. Et puis ce sentiment constant d'être repoussé commença à l'éprouver et il se sentit bientôt stupide et impuissant. Il se reprocha d'avoir trop facilement cru que la femme la plus désirable et la plus inaccessible du comté allait s'éprendre de lui, un garçon banal. Il l'avait amusée un moment avec ses histoires et ses plaisanteries, mais dès qu'il l'avait embrassée comme un homme, elle avait fui. Quel imbécile il était d'avoir espéré autre chose !

Après s'être bien convaincu, pendant une semaine ou deux, de sa bêtise, la colère le prit. Il devenait irritable à son travail et on commençait à se méfier de lui. Il se comportait méchamment avec sa demi-sœur, Martha, qui en était aussi blessée que lui-même l'était par Aliena. Les dimanches après-midi, désœuvré il gaspillait ses gages à parier sur les combats de coqs. Toute sa passion se déversait dans son travail. Il sculptait des pierres en saillie, des chapiteaux, des encorbellements. Les encorbellements étaient traditionnellement ornés de feuilles, mais aussi, souvent, représentaient un homme qui semblait tenir l'arc à deux mains ou le soutenir sur son dos. Jack modifia légèrement le motif habituel, et il obtint une silhouette humaine étrangement tordue dans une expression de douleur, condamnée, semblait-il, à une agonie éternelle sous l'énorme poids de la pierre. Jack savait que c'était du beau travail : personne d'autre ne pouvait sculpter un personnage aussi plein d'émotion. Lorsque Tom vit le travail, il hésita entre l'admiration pour un visage aussi expressif et le rejet d'un style si peu conforme à la tradition. Quant à Philip, il fut très impressionné. Mais Jack ne se souciait pas de leur opinion : il estimait que ceux qui n'aimaient pas son œuvre étaient simplement aveugles.

Un lundi de carême — une humeur maussade régnait depuis trois semaines parce qu'on n'avait pas le droit de manger de viande —, Alfred arriva au travail, l'air triomphant. La veille, il était allé à Shiring. Jack ne savait pas ce qu'il y avait fait, mais de toute évidence le résultat était satisfaisant.

A la pause du milieu de matinée, Enid Brewster ouvrit au milieu du chœur un tonneau de bière pour les ouvriers. Alfred sortit un penny de sa poche et dit : « Eh, Jack fils de Tom, va me chercher un pichet de bière. »

Que signifie cette histoire de père ? songea Jack qui préféra ignorer la demande d'Alfred. Un des charpentiers, un homme plus âgé du nom de Peter, intervint : « Fais ce qu'on te dit, apprenti.

— Je ne suis pas le fils de Tom, protesta Jack. Tom est mon beau-père et Alfred le sait bien.

— Obéis quand même, insista Peter. Un apprenti est sous les ordres de son maître artisan. »

A contrecœur, Jack prit l'argent d'Alfred et se plaça dans la file d'attente. « Mon père s'appelait Jack Shareburg, déclara-t-il d'une voix forte. Vous pouvez m'appeler Jack Jackson, si vous voulez faire la différence entre moi et Jack Blacksmith.

— Jack le bâtard me paraît plus approprié, dit Alfred.

— Savez-vous, lança Jack, pourquoi Alfred ne lace jamais ses bottes ? » Tous les regards se portèrent sur les pieds d'Alfred. C'était vrai, ses lourdes bottes pleines de boue, conçues pour être lacées haut avec des cordons, bâillaient largement. « C'est pour qu'il puisse trouver rapidement ses doigts de pieds... au cas où il aurait besoin de compter au-dessus de dix... » Les artisans sourirent, les apprentis pouffèrent. Jack tendit à Enid le penny d'Alfred en échange d'une cruche de bière, qu'il porta à Alfred et lui tendit en s'inclinant d'un air bouffon. Alfred ne réagit pas à la plaisanterie : il avait d'autres tours dans son sac. Jack s'éloigna pour aller boire sa bière avec les apprentis, espérant qu'Alfred s'en tiendrait là.

Ce ne fut pas le cas. Bientôt Alfred le rejoignit : « Si

Jack Shareburg était mon père, je ne le crierais pas sur les toits. Tu ne sais donc pas qui c'était ?

— Un trouvère », répondit Jack. Malgré son air assuré, il redoutait ce qu'Alfred allait dire. « Évidemment, reprit-il, tu ignores ce qu'est un trouvère.

— C'était un voleur, déclara Alfred.

— Oh ! Tais-toi, imbécile. » Jack but une gorgée de bière, qui eut du mal à passer. Alfred avait sûrement une raison de parler comme il le faisait.

« Tu sais comment il est mort ? » insista Alfred.

Ça y est, songea Jack : voilà ce qu'il a appris à Shiring, voilà la raison de ce sourire stupide. Il s'obligea à se tourner vers Alfred. « Non, je ne sais pas comment mon père est mort, Alfred, mais je pense que tu vas me le dire.

— Il a été pendu par le cou, comme le sale voleur qu'il était. »

Jack ne put retenir une exclamation. Il savait d'instinct qu'Alfred disait vrai. Alfred ne pouvait pas avoir inventé pareille chose. Et Jack comprit dans un éclair toutes les réticences de sa mère. Depuis des années il redoutait en secret quelque révélation de ce genre. Il s'était toujours accroché à l'idée qu'il n'était pas un bâtard, qu'il avait un vrai père avec un vrai nom. En fait, il pressentait quelque chose d'inavouable, qui lui ferait honte.

Alfred souriait, très content de lui. L'effet de sa révélation l'avait comblé d'aise. Son expression exaspéra Jack. Il était assez pénible pour Jack de savoir que son père avait été pendu, mais qu'Alfred s'en réjouisse dépassait les bornes. Sans réfléchir, Jack lança sa bière au visage d'Alfred.

Les autres apprentis, qui avaient observé la dispute des deux demi-frères, reculèrent précipitamment de quelques pas. Alfred s'essuya le visage, poussa un rugissement de colère et décocha un coup de poing avec une surprenante rapidité pour un gaillard de sa taille. Le coup toucha Jack à la joue, avec une telle violence qu'au lieu de lui faire mal, il l'engourdit. Jack n'eut pas le temps de réagir que déjà l'autre poing le frappait en plein ventre. La douleur fut terrible. Il eut l'impression que jamais il ne retrouverait son souffle. Il s'effondra sur le sol. Au moment où il touchait terre, Alfred lui décocha dans la tête un coup de sa lourde botte et, pendant un moment, il ne vit rien qu'une lumière éblouissante.

En roulant sur lui-même il parvint à se remettre debout,

mais en se redressant, Jack sentit qu'on l'empoignait. C'était Alfred qui revenait à charge. Il avait peur, maintenant. Alfred serait sans pitié. Si Jack ne parvenait pas à s'échapper, l'autre allait le réduire en bouillie. La poigne d'Alfred était si forte que Jack n'arrivait pas à se libérer, puis Alfred prit son élan pour frapper encore et Jack en profita pour lui échapper. Alfred se précipita à sa poursuite. Jack contourna un baril de chaux qu'il renversa au passage si bien que son contenu se répandit devant les pas d'Alfred. Celui-ci eut le réflexe de sauter par-dessus le tonneau, mais il tomba de plein fouet sur une barrique d'eau qui à son tour se renversa. L'eau au contact de la chaux se mit à bouillir et à siffler. Les bâtisseurs, voyant gâcher ce coûteux matériel, poussèrent des cris de protestation. Jack courait, toujours courbé en deux sous la douleur et à moitié aveuglé par le coup de pied qu'il avait reçu dans la tête. Alfred qui arrivait sur ses talons lui fit un croche-pied. Jack s'étala de tout son long. Je vais mourir, pensa-t-il en s'écroulant. Alfred va me tuer. En rampant, il se réfugia sous une échelle appuyée contre l'échafaudage. Alfred arrivait sur lui. Jack se sentait comme un lapin traqué. Ce fut l'échelle qui le sauva. Comme Alfred plongeait dessous, Jack repassa par-devant et escalada les barreaux, comme projeté par une catapulte.

Il sentit l'échelle trembler car Alfred montait derrière lui. D'ordinaire, il était plus rapide, mais là, encore assommé et hors d'haleine, il peinait douloureusement. Arrivé en haut, il sauta sur l'échafaudage et trébucha contre le mur. Les pierres avaient été posées le matin même et le mortier était encore humide. Au moment où Jack les heurta, tout un pan du mur se déplaça et trois ou quatre pierres glissèrent dans le vide. Jack crut qu'il allait partir avec elles. Il vacilla au bord de la planche et vit les grosses pierres tomber en tournoyant de plus de quatre-vingts pieds de haut, pour aller s'écraser sur les toits des chalets au pied du mur. Il se redressa, espérant qu'il n'y avait personne en bas. Alfred cependant parvenait en haut de l'échelle et s'avançait vers lui sur le fragile échafaudage.

Il était rouge et haletant, les yeux chargés de haine. Jack ne doutait pas que dans cet état Alfred était capable de tuer. S'il met la main sur moi, songea-t-il, il va me jeter dans le vide. Il battit en retraite. Il marcha dans quelque chose de mou et se rendit compte que c'était un tas de mortier. Pris d'une soudaine inspiration, il se baissa, en saisit une poignée qu'il jeta dans les yeux d'Alfred. Aveuglé, Alfred s'arrêta et secoua la tête pour essayer de s'en débarrasser. Jack avait enfin une chance de s'échapper. Il courut jusqu'au bout de la plate-forme de l'échafaudage, comptant descendre, traverser en courant l'enclos du prieuré et se cacher dans la forêt. Mais il constata avec horreur qu'il n'y avait pas d'échelle à l'autre bout de la plate-forme. Il ne pouvait pas descendre non plus par l'échafaudage car celui-ci n'atteignait pas le sol : il était bâti sur des poutrelles fixées dans les trous du mur. Jack était pris au piège.

Il se retourna. Alfred avançait vers lui. Il y avait peut-être une autre issue.

Du côté inachevé du mur, là où le chœur allait rejoindre le transept, chaque rangée de maçonnerie était plus courte d'une demi-pierre que celle d'en dessous, créant ainsi un escalier fort raide de marches étroites qu'utilisaient parfois les manœuvres les plus audacieux pour monter jusqu'à la plate-forme. Le cœur serré, Jack s'avança prudemment jusqu'au bord. Une nausée lui souleva le cœur. Derrière lui, Alfred arrivait. Il mit le pied sur la première marche.

Jack ne comprenait pas pourquoi Alfred se montrait si téméraire, lui qui n'avait jamais été courageux. On aurait dit que la haine émoussait sa peur du danger. Comme il descendait après lui ce vertigineux escalier, Alfred gagnait du terrain. Ils étaient encore à plus de douze pieds du sol quand Jack se rendit compte qu'Alfred allait l'atteindre. Désespéré, il sauta sur le toit de chaume du chalet des charpentiers. Il rebondit de là sur le sol, mais en tombant il se tordit la cheville et s'écroula.

Les secondes qu'il avait perdues dans sa chute avaient permis à Alfred d'atteindre le sol et de courir jusqu'au chalet. Un instant, Jack, qui s'était redressé, resta appuyé le dos au mur. Alfred s'arrêta, attendant de voir de quel côté il allait sauter. Jack fit un pas et recula dans le chalet. Il n'y avait pas un artisan à l'intérieur, car ils étaient tous réunis autour du tonneau de bière d'Enid. Sur les établis se trouvaient les marteaux, les scies, les ciseaux et le bois avec lequel ils travaillaient. Au milieu du plancher, un grand morceau de coffrage destiné à bâtir un arc ; et au fond, contre le mur de l'église, un feu alimenté par les copeaux et les déchets de bois. Pas d'issue. Jack se retourna pour affronter Alfred. Il était traqué. Un moment la terreur le paralysa. Puis la peur céda la place à la colère. Peu m'importe si je me fais tuer, mais Alfred n'en sortira pas indemne. Il n'attendit pas qu'Alfred commence ; il baissa la tête et chargea de tout son poids.

Alfred s'attendait à tout, sauf à cela. Le front de Jack le heurta en pleine bouche. Malgré son petit gabarit, il éprouvait tant de rage que ses forces en étaient décuplées. En retrouvant son équilibre, Jack vit qu'Alfred avait les lèvres en sang et il en éprouva une grande satisfaction.

Le temps qu'Alfred, pris de court, réagisse, Jack avisa un grand marteau posé contre un établi. Comme Alfred reprenait ses esprits et fonçait sur lui, ce dernier souleva la lourde masse et l'abattit de toutes ses forces. Alfred esquiva le coup, mais l'avantage était passé à Jack. Encouragé, il renouvela son attaque, savourant déjà le bruit des os broyés par la lourde masse. Malgré toute son énergie, une fois de plus il manqua Alfred ; mais il heurta le poteau qui soutenait le toit du chalet.

Ce n'était pas une construction très solide. Personne n'y habitait. Sa seule fonction était de permettre aux charpentiers de travailler quand il pleuvait. Le poteau heurté par le marteau se déplaça. Les murs étaient des claies fragiles de branchages entrelacés qui ne supportaient aucun poids : le toit de chaume fléchit. Alfred leva un regard inquiet. Jack souleva son marteau. Alfred recula, trébucha sur un tas de madriers et tomba lourdement assis. Jack brandit son arme pour assener le coup final, mais ses bras soudain furent bloqués par une poigne robuste. Derrière lui se tenait le prieur Philip, pâle de colère, qui lui arracha le marteau des mains.

D'un seul coup, le toit du chalet s'effondra. En tombant dans le feu, le chaume bien sec s'enflamma aussitôt et en un instant le bâtiment n'était plus qu'un brasier. On oublia Alfred et Jack pour concentrer tous les efforts à la lutte contre l'incendie. Jack, à l'écart, regardait le désastre, ahuri et désemparé. Est-ce que j'allais vraiment fracasser la tête d'Alfred avec un marteau ? songea-t-il, incrédule. Toute la scène lui semblait irréelle. Il était encore hébété quand, à force d'eau et de terre, le feu finit par céder.

Essoufflé par l'effort, le prieur Philip désigna le gâchis. « Regardez-moi ça, dit-il à Tom, furieux. Un chalet démoli. Le travail des charpentiers ruiné. Un tonneau de chaux gâché et une partie de la nouvelle maçonnerie détruite. »

Tom était en mauvaise posture : son rôle consistait aussi à faire régner l'ordre sur le chantier et Philip le rendait responsable des dégâts. Que les coupables fussent les fils du bâtisseur aggravait encore son cas.

Tom posa la main sur le bras de Philip.

« Nous allons régler cela », annonça-t-il.

Philip ne se calma pas. « C'est moi qui vais régler cela, lança-t-il. Je suis le prieur. Vous travaillez tous pour moi.

— Alors, laissez les maçons délibérer avant de prendre une décision, dit Tom d'un ton apaisant. Peut-être proposerons-nous une idée qui vous semblera acceptable. Sinon, vous ferez comme il vous plaira. »

De toute évidence, Philip répugnait à laisser l'autorité lui échapper, mais la tradition était du côté de Tom : les maçons faisaient eux-mêmes leur discipline. Après réflexion, Philip accepta : « Très bien. Mais, quoi que vous décidiez, je ne veux plus que vos deux fils travaillent ensemble sur ce chantier. L'un d'eux doit partir. » Blanc de colère, il s'éloigna à grands pas.

Sans un regard pour Jack et Alfred, Tom tourna les talons et entra dans la plus grande loge des maçons.

Désemparé, Jack mesurait l'étendue du problème. Quand les maçons avaient à juger l'un d'entre eux, c'était en général pour des délits comme l'ivrognerie au travail, le vol de matériaux de construction : le châtiment le plus courant consistait en une amende. Des apprentis qui se bagarraient étaient généralement condamnés à être entravés toute une journée. Mais Alfred n'était pas un apprenti. D'ailleurs les batailles ne faisaient pas de tels dégâts. La loge pouvait aussi chasser un membre qui acceptait de travailler pour un salaire inférieur au minimum fixé. Elle pouvait punir celui qui commettait l'adultère avec l'épouse d'un autre maçon — un cas que Jack n'avait jamais connu. Enfin, on pouvait fouetter les apprentis, mais ce châtiment était plutôt évoqué comme une menace. Jack ne l'avait jamais vu exécuter.

Les maîtres maçons se rassemblèrent dans la loge de bois, assis sur des bancs adossés au mur du fond — lequel était en fait un côté de la cathédrale. Lorsqu'ils furent tous installés, Tom prit la parole : « Notre employeur est en colère, non sans raison. Cet incident a causé de graves dégâts. Pis encore, il nous déshonore, nous autres maçons. Il faut nous montrer fermes envers les coupables. C'est la seule façon de retrouver notre réputation de bâtisseurs fiers et disciplinés, maîtres de nous-mêmes comme de notre art.

— Bien dit, lança Jack le Noir, accompagné d'un murmure approbateur.

— Je n'ai vu que la fin du combat, reprit Tom. Quelqu'un l'a-t-il vu commencer ?

— C'est Alfred qui a provoqué le garçon », expliqua Peter le charpentier, celui qui avait conseillé à Jack d'obéir quand Alfred lui avait demandé de la bière.

Un jeune maçon du nom de Dan, qui travaillait pour Alfred, intervint : « Jack a jeté sa bière à la tête d'Alfred.

— Mais on l'avait gravement provoqué, objecta Peter. Alfred a insulté le père naturel de Jack. »

Tom regarda Alfred. « C'est vrai ?

— J'ai dit que son père était un voleur, répondit Alfred. C'est vrai. Il a été pendu à Shiring. C'est le prévôt Eustache qui me l'a dit hier.

— On ne peut demander, reprit Jack le Noir, à un maître artisan de tenir sa langue pour faire plaisir aux apprentis. »

Il y eut un murmure d'approbation. Jack comprit avec consternation qu'il n'allait pas s'en tirer facilement. Peut-être suis-je condamné à être un criminel comme mon père, songea-t-il. Peut-être finirai-je moi aussi au bout d'une corde.

Peter le charpentier, qui semblait plutôt prendre le parti de Jack, poursuivit : « Quand même, Alfred a tout fait pour mettre l'apprenti en colère.

— L'apprenti doit être puni, répliqua Jack le Noir.

— Je ne le nie pas, approuva Peter. J'estime simplement que l'artisan doit être puni aussi. Les maîtres artisans devraient utiliser la sagesse de leur âge pour faire régner la paix et l'harmonie sur un chantier. S'ils provoquent des bagarres, ils manquent à leur devoir. »

On semblait être d'accord sur ce point, mais Dan, le partisan d'Alfred, argumenta : « Si on commence à pardonner aux apprentis parce que l'artisan s'est montré dur, où allons-nous ? Les apprentis trouvent toujours les maîtres durs. Si on discute là-dessus, on se retrouvera avec des maîtres qui n'adresseront jamais la parole à leurs apprentis de crainte que les gamins les frappent pour manque de courtoisie. »

Ce discours, à l'écœurement de Jack, rallia de nombreux suffrages. Quelle punition allait-on décider pour lui ? Il n'avait pas d'argent. L'idée d'être fixé au pilori l'horrifiait : qu'est-ce qu'Aliena penserait de lui ? Mais ce serait encore pire d'être fouetté.

« Nous ne devons pas oublier, reprit Tom, que notre employeur aussi a son avis là-dessus. Il déclare ne plus vouloir qu'Alfred et Jack travaillent ensemble sur le chantier.

— Pourrait-on le faire changer d'avis ? » interrogea Peter.

Tom réfléchit un moment. « Non », conclut-il.

Jack sentit son cœur se serrer. Il n'avait pas pris au sérieux l'ultimatum du prieur Philip.

Dan reprit : « Si l'un d'eux doit s'en aller, je pense que la question ne se pose pas de savoir lequel. » Dan était l'un des maçons qui travaillaient pour Alfred, plutôt que directement pour le prieuré. Si Alfred partait, Dan devrait sans doute partir aussi.

Une fois de plus, Tom prit le temps de répondre : « Non, la question ne se pose pas. » Il regarda Jack. « C'est Jack qui doit partir. »

Jack se rendit compte qu'il avait sous-estimé les conséquences de la bagarre. Mais il ne parvenait pas à croire à son expulsion brutale. Que serait la vie sans la cathédrale de Kingsbridge ? Depuis qu'Aliena lui battait froid, il ne s'intéressait plus qu'à son travail. Il ne pouvait pas le quitter !

Peter le charpentier proposa : « Le prieuré pourrait accepter un compromis : une suspension d'un mois pour Jack. »

Oh oui ! songea Jack. S'il vous plaît !

« Ça ne suffit pas, protesta Tom. Nous devons agir avec fermeté. Le prieur Philip n'acceptera pas l'indulgence.

— Alors qu'il en soit ainsi, dit Peter en renonçant à discuter. Cette cathédrale va perdre le plus talentueux de ses jeunes tailleurs de pierre, tout cela parce qu'Alfred ne peut pas s'empêcher de dégoiser. » Plusieurs maçons approuvèrent. Encouragé, Peter ajouta : « Je te respecte, Tom le bâtisseur, plus que je n'ai jamais respecté aucun maître bâtisseur pour qui j'ai travaillé, mais il faut bien dire que tu as un faible pour ta tête de mule d'Alfred.

— Pas d'insulte, je te prie, déclara Tom. Tenons-nous en aux faits.

— Très bien, dit Peter. Je maintiens donc qu'Alfred doit être puni.

— Je suis d'accord, reconnut Tom à la surprise générale.

— Pourquoi ? fit Alfred, indigné. Pour avoir battu un apprenti ?

— Ce n'est pas ton apprenti, c'est le mien, répondit Tom. Tu as fait plus que le battre. Tu l'as poursuivi dans tout le chantier. Si tu l'avais laissé s'enfuir, la chaux n'aurait pas été répandue, la maçonnerie n'aurait pas été endommagée et la loge des charpentiers n'aurait pas brûlé. Tu pouvais régler tes affaires ailleurs. »

Les maçons acquiescèrent.

Dan, qui semblait défendre les maçons d'Alfred, intervint : « J'espère que vous ne proposez pas l'exclusion d'Alfred de la loge. Pour ma part, je m'opposerai à cette décision.

— Non, riposta Tom. C'est déjà regrettable de perdre un apprenti de talent. Je ne veux pas perdre aussi un bon maçon qui dirige une équipe solide. Alfred doit rester... Mais j'estime qu'il doit être mis à l'amende. »

Les hommes d'Alfred poussèrent le même soupir de soulagement.

« Et une lourde amende, renchérit Peter.

— Une semaine de gages, proposa Dan.

— Un mois, répliqua Tom. Je doute que le prieur Philip se contente de moins. » Plusieurs approuvèrent.

« Sommes-nous tous d'accord là-dessus, frères maçons ? demanda Tom, utilisant la forme traditionnelle.

— Oui, répondirent-ils en chœur.

— Alors je vais informer le prieur de notre décision. Retournez au travail. »

Jack les regarda sortir, consterné. Alfred lui lança un regard triomphant. Tom attendit qu'ils fussent seuls pour dire à Jack : « J'ai fait de mon mieux pour toi... J'espère que ta mère le comprendra.

— Tu n'as jamais rien fait pour moi ! éclata Jack. Tu n'as jamais été capable de me nourrir, de m'habiller ni de me loger. Nous étions heureux jusqu'à ce que tu arrives, et après nous avons toujours eu faim.

— Mais au bout du compte...

— Tu ne veux même pas me protéger de cette brute stupide que tu appelles ton fils !

— J'ai essayé...

— Tu n'aurais même pas de travail si je n'avais pas incendié la vieille cathédrale !

— Qu'est-ce que tu dis ?

— Oui, c'est moi qui ai mis le feu à la vieille cathédrale. »

Tom pâlit d'un seul coup. « C'était la foudre...

— Il n'y a pas eu de foudre. C'était une nuit splendide. Et personne n'avait fait de feu dans l'église non plus. C'est moi qui ai incendié le toit.

— Mais pourquoi ?

— Pour que tu aies du travail. Sinon ma mère serait morte dans la forêt.

— Elle...

— C'est ce qui est arrivé à ta première femme, non ? »

Le visage de Tom s'affaissa. Brusquement, il parut beaucoup plus âgé. Jack se rendit compte qu'il l'avait blessé profondément. Il avait emporté la discussion, mais sans doute perdu un ami. Il se sentait amer et triste.

« Fiche-moi le camp d'ici », murmura le bâtisseur.

Jack partit.

Au bord des larmes, il longea les grands murs de la cathédrale. En quelques instants, sa vie avait été dévastée. A la porte du prieuré, il se retourna et regarda en arrière. Il avait tant de projets. Il voulait réaliser un portail, il voulait persuader Tom de placer des anges de pierres auprès des fenêtres hautes, il avait élaboré une conception nouvelle pour bâtir les arcades des transepts, qu'il n'avait montrée à personne encore. Rien. Il ne ferait rien. C'était si injuste.

Il rentra à la maison dans un brouillard de larmes. A la table de la cuisine, sa mère apprenait à écrire à Martha avec une pierre aiguisée et une ardoise. Surprise de le voir arriver, Martha dit : « Ce n'est pas déjà l'heure du dîner. »

Ellen se rendit compte qu'un malheur avait frappé. « Qu'y a-t-il ? demanda-t-elle d'un ton anxieux.

— Je me suis battu avec Alfred et on m'a chassé du chantier, annonça Jack d'un ton lugubre.

— On n'a pas chassé Alfred ? » demanda Martha.

Jack secoua la tête.

« Ce n'est pas juste ! affirma Martha.

— A propos de quoi, interrogea sa mère d'un ton las, vous êtes-vous battus, cette fois ?

— Est-ce que mon père a vraiment été pendu à Shiring pour vol ? » demanda Jack.

Martha sursauta.

Ellen s'était soudain assombrie. « Ce n'était pas un voleur, dit-elle. Mais oui, il a été pendu à Shiring. »

Jack en avait assez des énigmes à propos de son père. « Pourquoi ne me dis-tu jamais la vérité ? lança-t-il brutalement.

— Parce que je ne peux pas la supporter ! » répliqua Ellen. Et, devant Jack interloqué, elle éclata en sanglots.

Il n'avait jamais vu sa mère pleurer. Elle était toujours si forte. Il était prêt à s'effondrer à son tour. Il prit une profonde inspiration et insista. « Si ce n'était pas un voleur, pourquoi l'a-t-on pendu ?

— Je ne sais pas ! cria sa mère. Lui non plus. On l'a accusé d'avoir volé une coupe précieuse.

— Où cela ?

— Ici... au prieuré de Kingsbridge.

— A Kingsbridge ! C'est le prieur Philip qui l'a accusé ?

— Mais non, mais non, c'était bien avant l'époque de Philip. » Elle regarda Jack à travers ses larmes. « Ne remue pas tout ce passé. Ne tombe pas dans ce piège. Tu pourrais occuper le restant de tes jours à réparer un tort qui a été fait avant ta naissance. Je ne t'ai pas élevé pour que tu gâches ta vie à te venger. »

Jack fit le vœu qu'un jour il saurait tout, quoi qu'il arrive. Mais d'abord il voulait consoler sa mère, qu'elle cesse de pleurer. Il s'assit auprès d'elle sur le banc et passa un bras autour de ses épaules. « Allons, il va falloir que je pense à autre chose qu'à la cathédrale, maintenant.

— Qu'est-ce que tu vas faire, Jack ? demanda Martha.

— Je ne sais pas. Je ne peux plus vivre à Kingsbridge. »

Martha était en plein désarroi. « Mais pourquoi ?

— Alfred a essayé de me tuer et Tom m'a chassé du chantier. Je ne vais pas continuer à vivre avec eux. D'ailleurs, je suis un homme. Je dois quitter ma mère.

— Qu'est-ce que tu vas faire ? répéta sa sœur.

— La seule chose que je connaisse, dit Jack en haussant les épaules, c'est la construction.

— Tu pourrais travailler à une autre église.

— J'aimerai peut-être un jour une autre cathédrale autant que j'aime celle-ci », dit-il d'un ton désespéré, tout en pensant : Mais jamais je n'aimerais une autre femme comme j'aime Aliena.

626

« Comment Tom a-t-il pu prendre une telle décision ? dit Ellen, outrée.

— Je ne crois pas qu'il le voulait vraiment, soupira Jack. Le prieur Philip a fait savoir qu'il ne nous autorisait plus Alfred et moi à travailler ensemble sur le chantier.

— Alors c'est ce maudit moine qui a tout déclenché ! explosa Ellen. Je jure...

— Il était très énervé par les dégâts que nous avons commis.

— Je me demande si on pourrait le raisonner...

— Que veux-tu dire ?

— Dieu est miséricordieux, paraît-il... Les moines devraient l'être aussi.

— Tu crois qu'il faut que je supplie Philip ? demanda Jack un peu surpris.

— Je pourrais sans doute lui parler moi-même, dit-elle.

— Toi ! » Pour que sa mère envisage d'implorer la miséricorde de Philip, il fallait qu'elle soit profondément bouleversée.

« Qu'en penses-tu ? » demanda-t-elle.

Tom était convaincu que Philip ne pardonnerait pas, songea Jack. Il avait promis que la loge se montrerait ferme, il ne pouvait pas après cela implorer la pitié. Mais sa mère n'était pas dans la même position. Jack commença à espérer un peu plus. Peut-être après tout ne serait-il pas obligé de partir. Peut-être pourrait-il rester à Kingsbridge près de la cathédrale et d'Aliena. Son amour lui semblait perdu, mais néanmoins l'idée de s'en aller et de ne jamais la revoir lui faisait horreur.

« D'accord, acquiesça-t-il, allons implorer le prieur Philip. Nous n'avons à perdre que notre fierté. »

Sa mère passa son manteau et ils s'en allèrent, laissant Martha seule dans la plus grande inquiétude.

Jack se rendit compte, en marchant à côté de sa mère, qu'il la dominait de toute sa hauteur. Frappé de la trouver si petite, il en fut soudain tout attendri. Elle était toujours prête à se battre pour lui comme une tigresse. Il la prit dans ses bras et l'étreignit. Elle lui sourit comme si elle devinait ses pensées.

Ils entrèrent dans l'enclos du prieuré et se dirigèrent vers la maison du prieur. Ellen frappa à la porte. Tom était là avec le prieur Philip. Jack comprit tout de suite que Tom n'avait pas parlé à Philip de l'incendie de l'ancienne cathédrale. C'était un soulagement. Il ne le ferait sans doute jamais. Ce secret-là était à l'abri.

Tom manifesta une certaine angoisse, sinon de la frayeur, en voyant apparaître la mère de Jack. N'avait-il pas dit : *J'ai fait de mon mieux pour toi, j'espère que ta mère s'en rendra compte ?* La dernière fois que Jack et Alfred s'étaient battus, Ellen avait quitté Tom. Recommencerait-elle ?

Philip n'avait plus l'air en colère. La décision de la loge l'avait apaisé. Peut-être même éprouvait-il quelque remords pour sa sévérité.

« Je suis venue vous demander miséricorde, prieur Philip », commença Ellen.

Tom parut soulagé.

« J'écoute, dit Philip.

— Vous décidez, continua Ellen, d'éloigner mon fils de tout ce qu'il aime : sa maison, sa famille et son travail. » Et de la femme que j'adore, songea Jack.

« Vraiment ? répliqua Philip. Je croyais qu'il avait simplement été exclu de son travail.

— Il n'a jamais appris aucun autre métier que la construction, et il n'y a pas d'autre chantier à Kingsbridge pour lui. Le défi que représentait cette immense église, c'est sa vie. Il ira partout où se bâtit une cathédrale. Il ira à Jérusalem s'il y a là-bas de la pierre à sculpter. » Comment sait-elle tout cela ? se demanda Jack. Il avait à peine eu le temps d'y penser lui-même, mais c'était vrai. Elle ajouta : « Je ne le reverrai peut-être jamais. » La voix tremblait un peu et il songea avec émerveillement à quel point elle l'aimait. Jamais elle ne supplierait ainsi pour elle-même, il le savait.

Philip n'avait pas l'air contrarié, mais ce fut Tom qui répondit : « Nous ne pouvons pas laisser Jack et Alfred travailler sur le même chantier, déclara-t-il avec obstination. Ils se battront de nouveau. Tu le sais.

— Alfred pourrait partir », suggéra Ellen.

Tom leva vers elle un regard triste. « Alfred est mon fils.

— Mais il a vingt ans et il est mauvais comme un ours ! » Malgré sa voix ferme, Ellen avait les joues trempées de larmes. « Il ne s'intéresse pas plus à cette cathédrale que moi : il trouverait son bonheur à bâtir des maisons pour des bouchers et des boulangers à Winchester ou à Shiring.

— La loge ne peut pas chasser Alfred et garder Jack, répondit Tom. D'ailleurs la décision est prise.

— Mais c'est une mauvaise décision ! »

Philip intervint. « Il y a peut-être une autre solution. »

Tous les regards se tournèrent vers lui.

« Une façon pour Jack de rester à Kingsbridge et de se consacrer à la cathédrale sans risquer la querelle avec Alfred. » Jack respira plus vite. C'était trop beau !

« J'ai besoin de quelqu'un qui travaille avec moi, poursuivit Philip. Je passe trop de temps à régler des détails de construction. J'ai besoin d'une sorte d'assistant qui tiendrait le rôle de secrétaire de chantier. Il réglerait la plupart des problèmes lui-même, ne me transmettant que les questions les plus importantes. Il suivrait également les entrées et les sorties de fonds et de matériaux bruts, il se chargerait de payer les fournisseurs et les charretiers, de régler les gages. Jack sait lire et écrire, il compte plus vite que n'importe qui...

— Et il connaît tous les aspects de la construction, intervint Tom. J'y ai veillé. »

Jack avait la tête qui tournait. Il allait rester ! En tant que secrétaire du chantier, il ne pourrait pas sculpter, mais il surveillerait toute la construction de la cathédrale au nom de Philip. C'était une proposition stupéfiante. Il traiterait avec Tom sur un pied d'égalité. Il s'en savait capable. Et Tom le savait aussi.

Restait un problème non résolu. Jack l'exprima tout haut. « Je ne peux plus vivre avec Alfred.

— Il est temps, intervint Ellen, qu'Alfred ait sa maison, de toute façon. Peut-être que, s'il nous quittait, il penserait plus sérieusement à trouver une épouse.

— Tu cherches toujours des raisons de te débarrasser d'Alfred, protesta Tom avec colère. Je ne vais pas mettre mon propre fils à la porte de ma maison !

— Vous ne comprenez pas, reprit Philip. Vous n'avez pas vraiment saisi ma proposition. Jack n'habiterait pas avec vous. »

Il marqua un temps. Jack devina ce qui allait suivre.

« Jack vivrait ici, au prieuré », précisa Philip. Il fronça les sourcils comme s'il s'adressait à des écoliers incapables de suivre ses explications.

Jack, lui, avait compris. Il se rappela les paroles de sa mère, l'année passée, au soir de la Saint-Jean : *Ce rusé prêtre a l'art de toujours arriver à ses fins.* Elle avait raison. En fait, Philip renouvelait l'offre qu'il avait faite alors, mais sous une forme déguisée. Jack avait à choisir entre deux maux : quitter Kingsbridge et abandonner tout ce qu'il aimait ; ou bien rester et perdre sa liberté.

« Mon secrétaire, bien entendu, ne peut pas être un laïc, conclut Philip du ton de quelqu'un qui énonce une évidence. Il faudra que Jack devienne moine. »

X

La nuit d'avant la foire aux toisons de Kingsbridge, le prieur Philip veilla comme d'habitude après l'office de minuit. Mais, au lieu de lire et de méditer dans sa maison, il fit le tour de l'enceinte du prieuré. C'était une tiède nuit d'été, avec un brillant clair de lune et on y voyait fort bien sans l'aide d'une lanterne.

Tout l'enclos était occupé par la foire, à l'exception des bâtiments monastiques et du cloître, lieux sacrés. Aux quatre coins, on avait creusé de grandes latrines pour que le reste de l'enclos ne fût pas complètement souillé et on les avait dissimulées derrière des rideaux de toile. Des centaines d'éventaires s'alignaient sur la place. Les plus simples n'étaient rien d'autre que de rudimentaires comptoirs en bois posés sur des tréteaux. La plupart, un peu plus perfectionnés, comportaient une enseigne avec le nom du propriétaire et une image de ses marchandises, une table séparée pour la pesée et une resserre ou un placard fermé à clé pour ranger les stocks. A côté de certains éventaires des tentes permettaient de se protéger de la pluie ou de traiter tranquillement les affaires. Les comptoirs plus raffinés ressemblaient à de petites maisons avec de larges réserves, plusieurs tables et des chaises permettant au négociant d'offrir l'hospitalité à ses clients importants. Le premier des menuisiers envoyé par les marchands était apparu une bonne semaine avant l'ouverture de la foire, et la construction de l'éventaire commandé avait demandé quatre jours de travail, plus deux pour le rangement des marchandises.

A l'origine Philip avait prévu de disposer les éventaires en deux grandes avenues sur le côté ouest de l'enceinte, à peu près comme au marché hebdomadaire ; mais il avait vite compris que ce ne serait pas suffisant. Les deux avenues longeaient donc aussi le côté nord de l'église, puis viraient à l'est jusqu'à la maison de Philip ; il y avait même d'autres éventaires à l'intérieur de l'église inachevée, dans les travées entre les colonnes. Les commerçants n'étaient pas tous des marchands de laine : on vendait de tout à cette foire, depuis du pain de son jusqu'à des rubis.

Philip arpenta les allées baignées de clair de lune. Tout était prêt. On n'autoriserait plus d'autres stalles. Le prieuré avait déjà recueilli plus de dix livres en droits et taxes. Les seules denrées nouvelles qu'on pourrait apporter le jour de la foire étaient des produits fraîchement cuits, du pain, des tartes chaudes et des pommes au four. Même les barils de bière avaient été livrés la veille.

Au cours de sa promenade, Philip fut observé par des douzaines d'yeux entrouverts et salué par des grognements ensommeillés. Les marchands qui ne voulaient pas laisser sans garde leurs précieuses marchandises dormaient près de leurs éventaires ou — dans le cas des négociants plus riches — laissaient des serviteurs sur place. Philip ne savait pas encore avec exactitude combien d'argent la foire lui rapporterait, mais ce serait à coup sûr un succès et il espérait dépasser sa première estimation de vingt-cinq livres. Il y avait eu des moments, ces derniers mois, où il avait craint de devoir annuler la foire. La guerre civile traînait en longueur, sans que Stephen ni Maud ne prennent l'avantage, mais on n'avait toujours pas révoqué sa licence. William Hamleigh avait bien essayé de saboter l'entreprise de diverses façons. Il avait circonvenu le prévôt pour qu'il l'interdise, mais le shérif, après avoir demandé des ordres à l'un ou l'autre monarque, n'avait reçu aucune réponse. William avait interdit à ses propres métayers de vendre leur laine à Kingsbridge ; mais la plupart traitaient déjà avec des marchands comme Aliena plutôt que d'aller faire eux-mêmes le commerce de leurs toisons, si bien que le principal effet de cette interdiction avait été d'apporter un supplément d'affaires à la jeune femme. Enfin, le comte avait annoncé qu'il réduisait les loyers et les droits de la foire à Shiring pour les ramener au niveau de ceux de Philip ; mais cette annonce était arrivée trop tard car les grands négociants avaient déjà fait leurs plans.

Maintenant, alors que le ciel s'éclaircissait au matin du grand jour, William ne pouvait faire plus. Les vendeurs étaient prêts, les acheteurs n'allaient pas tarder à arriver. William constaterait au bout du compte, pensait Philip, que la foire aux toisons de Kingsbridge causait moins de dommages à celle de Shiring qu'il ne le craignait. Les ventes de laine s'accroissaient chaque année et il y avait assez d'affaires pour animer deux foires.

Il avait fait tout le tour de l'enceinte en passant aussi par les moulins et le vivier. Il resta là un moment, à regarder l'eau couler devant les deux moulins silencieux. Celui qui servait maintenant exclusivement à fouler le tissu rapportait beaucoup d'argent et ceci grâce au jeune Jack. Il avait un esprit ingénieux qui bénéficierait beaucoup au prieuré. Jack paraissait s'être bien adapté à la vie de novice, même s'il avait tendance à considérer les offices comme une corvée qui l'éloignait de la construction de la cathédrale. Mais il s'y ferait. La vie monastique avait une influence sanctifiante. Philip croyait que Dieu avait élu ce garçon et, tout au fond de son esprit, il nourrissait un secret espoir : un jour Jack le remplacerait comme prieur de Kingsbridge.

Jack se leva à l'aube et quitta sans bruit le dortoir avant l'office de prime pour aller procéder à une dernière inspection du chantier. L'air matinal était clair et frais, comme l'eau pure d'un torrent. Ce serait une journée chaude et ensoleillée, bonne pour les affaires, bonne pour le prieuré.

Il suivit les murs de la cathédrale, s'assurant que tous les outils et les ouvrages encore inachevés étaient bien enfermés dans les resserres. Tom avait fait dresser de légères palissades de bois autour des tas de madriers et de pierres pour protéger les matériaux de dégâts accidentels causés par des visiteurs négligents ou pris de boisson. On ne voulait pas voir des têtes brûlées grimper sur l'édifice, aussi avait-on prudemment caché les échelles, les escaliers en spirale bâtis dans l'épaisseur des murs étaient fermés par des portes provisoires et les extrémités des murs en cours de construction protégées par des blocs de bois. Tout au long de la journée quelques maîtres artisans patrouilleraient le chantier pour prévenir le moindre dégât.

Jack trouvait toujours une façon ou une autre d'échapper

à un maximum d'offices religieux. Il découvrait constamment quelque chose à faire sur le chantier. Sans partager la haine que vouait sa mère à la religion chrétienne, il traitait le catholicisme avec une certaine indifférence. Il prenait soin d'assister à un office tous les jours, en général celui que suivait le prieur Philip ou le maître des novices, les deux dignitaires du monastère le plus susceptibles de remarquer sa présence ou son absence. Mais il n'aurait jamais pu supporter d'assister à tous. La vie de moine était la plus étrange et la moins naturelle qu'on pût imaginer. Les moines passaient la moitié de leur vie à s'imposer des souffrances et un inconfort qu'ils auraient pu facilement éviter, et l'autre moitié à marmonner à toutes les heures du jour et de la nuit des prières dans des églises vides. Ils renonçaient délibérément à tout ce qui était agréable : les filles, le sport, les fêtes et la vie de famille. Jack avait bien remarqué que les plus heureux d'entre eux avaient trouvé une activité qui leur apportait de grandes satisfactions : enluminer des manuscrits, écrire l'histoire, faire la cuisine, étudier la philosophie ou — par exemple Philip — transformer un village endormi comme Kingsbridge en une ville prospère.

Jack n'aimait pas Philip, mais il appréciait fort de travailler avec lui. Pas plus que sa mère il n'éprouvait de sympathie pour les professionnels de Dieu. La piété de Philip l'embarrassait ; il n'aimait pas son innocence obstinée et se méfiait de sa tendance à croire que Dieu prendrait soin de tout ce que lui-même, Philip, ne pourrait pas régler. Néanmoins, c'était agréable de collaborer avec lui : ses ordres étaient clairs, il laissait Jack prendre des décisions et ne reprochait jamais à ses serviteurs les erreurs que lui-même commettait.

Jack n'était novice que depuis trois mois. On ne lui demanderait pas de prononcer ses vœux avant neuf mois encore — les trois vœux de pauvreté, de célibat et d'obéissance. Le vœu de pauvreté recouvrait une réalité un peu particulière. Si les moines n'avaient pas de possession ni d'argent personnels, ils vivaient comme des seigneurs plus que comme des paysans : bonne table, vêtements chauds, belles habitations de pierre. Le célibat n'était pas un problème, songea Jack amèrement. Il avait trouvé une certaine satisfaction à annoncer lui-même à Aliena qu'il entrait au monastère. Elle avait paru choquée et vaguement coupable.

Maintenant, chaque fois qu'il éprouvait cette irritabilité que suscite le manque de compagnie féminine, il pensait à la façon dont Aliena l'avait traité — leurs rendez-vous secrets dans la forêt, leurs soirées d'hiver, les deux fois où il l'avait embrassée — et puis il se rappelait sa soudaine froideur, sa dureté de roc. Jamais plus il ne fréquenterait les femmes. Voilà pour le célibat. Quant au vœu d'obéissance, c'était le plus difficile. Jack acceptait volontiers de recevoir des ordres de Philip, car il était intelligent et organisé. Mais obéir à cet imbécile de sous-prieur, Remigius, à cet ivrogne d'hôtelier ou au pompeux sacristain dépassait ses forces.

Il envisageait quand même de prononcer ses vœux. Il les respecterait plus ou moins, selon les circonstances. Tout ce qui l'intéressait, c'était la cathédrale. Les problèmes d'approvisionnement, de construction et de gestion l'absorbaient sans relâche. Un jour, il aidait Tom à concevoir une méthode pour vérifier que le nombre de pierres livrées sur le chantier correspondait au nombre de pierres quittant la carrière — problème délicat, car la durée du trajet variait entre deux et quatre jours et les occasions de vol ne manquaient pas. Une autre fois, les maçons venaient se plaindre à lui que les menuisiers ne faisaient pas convenablement leur travail. Les difficultés les plus ardues concernaient la technique : comment, par exemple, élever des tonnes de pierres jusqu'en haut des murs avec des machines improvisées fixées à de frêles échafaudages ? Tom le bâtisseur discutait avec Jack d'égal à égal. Apparemment, il avait pardonné à Jack ce violent discours où le jeune homme lui avait reproché de n'avoir jamais rien fait pour lui. Et Tom se comportait comme s'il avait oublié le secret de l'incendie. Ils travaillaient ensemble dans la bonne humeur et les journées passaient vite. Même les ennuyeux offices paraissaient moins longs car Jack avait toujours l'esprit occupé par quelque délicate question en cours. Ses connaissances augmentaient rapidement. Au lieu de passer des années à tailler des pierres, il apprenait à concevoir les plans d'une cathédrale. On n'aurait pu rêver meilleur enseignement pour quelqu'un qui voulait devenir maître bâtisseur. Pour cela, Jack était prêt à bâiller durant autant de matines qu'on voudrait.

Le soleil pointait par-dessus le mur est de l'enceinte. Tout était en ordre sur le chantier. Les négociants qui avaient passé la nuit avec leurs marchandises commençaient à plier leurs couvertures et à sortir leurs articles. Les premiers clients n'allaient pas tarder. Un boulanger passa devant Jack, portant sur sa tête un plateau chargé de miches fraîches. L'odeur du pain lui fit venir l'eau à la bouche. Il fit demi-tour et regagna le monastère, se dirigeant vers le réfectoire où on allait bientôt servir le déjeuner.

Les premiers clients étaient les parents des marchands et les gens de la ville, tous curieux d'assister à la première foire aux toisons de Kingsbridge, mais peu disposés à acheter. Les plus économes s'étaient bourrés de pain de son et de porridge avant de partir de chez eux pour éviter d'être tentés par les plats fortement épicés et vivement colorés qui s'offraient sur les éventaires. Les enfants se promenaient partout les yeux écarquillés, éblouis par ces étalages pleins d'attrait. Une prostituée optimiste et matinale, aux lèvres rouges comme ses bottes, trottinait en décochant des sourires engageants à des hommes entre deux âges, mais à cette heure-là, elle ne trouvait pas preneur.

Aliena observait le spectacle de derrière son comptoir, l'un des plus grands. Au cours des semaines précédentes, elle avait pris livraison de toute la production annuelle de toisons du prieuré de Kingsbridge — la laine pour laquelle elle avait payé cent sept livres l'été d'avant. Elle avait aussi, comme toujours, acheté aux fermiers, plus nombreux cette année que d'habitude, à cause de l'interdiction faite par William Hamleigh à ses locataires d'aller vendre directement à la foire de Kingsbridge. Parmi les marchands auxquels ils s'étaient adressés, c'était Aliena qui avait fait le plus d'affaires. Elle avait si bien réussi qu'elle était à court d'argent liquide et qu'elle avait dû emprunter quarante livres à Malachi. Aujourd'hui, dans l'entrepôt derrière son éventaire, elle avait cent soixante sacs de laine brute, provenant de quarante mille moutons, qui lui avaient coûté plus de deux cents livres. Mais elle les vendrait pour trois cents, ce qui représentait un bénéfice suffisant pour payer les gages d'un maçon qualifié pendant plus d'un siècle. L'ampleur même de son affaire la stupéfiait chaque fois qu'elle pensait en chiffres.

Elle ne s'attendait pas à voir ses acheteurs avant midi. Il n'y en aurait que cinq ou six, qui se connaissaient tous entre eux. Elle offrirait à chacun une coupe de vin et bavarderait un moment avec eux. Ensuite, elle leur montrerait sa laine. L'acheteur lui demanderait d'ouvrir un sac ou deux — jamais, bien sûr, celui qui était en haut de la pile. Il tirerait du fond du sac une poignée de laine dont il effilocherait les brins pour en déterminer la longueur, les frotterait entre le pouce et l'index pour s'assurer de leur douceur et les reniflerait. Enfin, il proposerait pour tout le stock un prix ridiculement bas, qu'Aliena refuserait. Elle lui ferait sa proposition, qu'il refuserait à son tour. Ils prendraient donc un autre verre de vin.

Aliena observerait le même rituel avec tous ses acheteurs. A midi, elle offrirait à dîner à tous ceux qui se trouveraient là. Quelqu'un proposerait de prendre une grande quantité de laine à un prix à peine supérieur à ce qu'Aliena avait payé pour l'acheter. Elle répliquerait en baissant un peu le prix qu'elle demandait. En début d'après-midi, les affaires commenceraient à se conclure. La première se ferait à un prix relativement bas. Les autres marchands demanderaient de traiter au même prix, ce qu'Aliena refuserait. Son prix monterait au fil des heures.

Aujourd'hui elle récolterait plus d'argent que jamais. D'une part, elle avait deux fois plus à vendre, d'autre part les prix de la laine s'envolaient. Elle comptait acheter à Philip, cette fois encore en avance, sa production de l'année et elle avait le secret projet de se faire bâtir une maison de pierre, avec des caves spacieuses pour entreposer la laine, une salle commune élégante et confortable et une jolie chambre en étage rien que pour elle. Son avenir était assuré et elle était certaine de pouvoir aider Richard aussi longtemps qu'il aurait besoin d'elle. Parfait.

Aussi ne comprenait-elle pas elle-même pourquoi elle se sentait si étrangement malheureuse.

Cela faisait quatre ans, presque jour pour jour, qu'Ellen était revenue à Kingsbridge. Les quatre meilleures années de la vie de Tom.

La douleur de la mort d'Agnès s'était atténuée. Elle était toujours là, mais il n'avait plus l'impression qu'à tout moment il risquait d'éclater en sanglots sans raison apparente. Il continuait à tenir avec elle des conversations imaginaires, où il lui racontait les enfants, le prieur Philip, la cathédrale ; mais ces conversations étaient moins fréquentes. Le souvenir doux-amer qu'il gardait de sa femme n'entachait pas son amour pour Ellen. Il savait vivre dans le présent. Voir Ellen, lui parler et dormir avec elle étaient des joies quotidiennes.

Il avait été profondément blessé, le jour de la bagarre entre Alfred et Jack, que ce dernier l'accuse de ne s'être jamais occupé de lui. Accusation qui l'avait même frappé davantage que la terrifiante révélation à propos de l'incendie de l'ancienne cathédrale. Cet aveu l'avait torturé des semaines, au bout desquelles il avait conclu que Jack avait tort. Tom avait fait de son mieux, on ne pouvait pas lui en demander davantage.

La construction de la cathédrale était le travail le plus profondément satisfaisant qu'il eût jamais accompli. Il était responsable du dessin et de l'exécution. Personne n'intervenait et il n'y avait personne non plus d'autre que lui pour subir des reproches si les choses se passaient mal. A mesure que les puissants murs s'élevaient, avec leurs arcs élégants, leurs gracieuses moulures et leurs sculptures raffinées, il pouvait se dire : c'est moi qui ai fait tout cela et je l'ai fait bien.

Son cauchemar de se retrouver sur la route sans travail, sans argent et sans moyen de nourrir ses enfants lui semblait très lointain, maintenant qu'il avait enfoui sous la paille de la cuisine un gros coffre plein à éclater de pièces d'argent. Il frissonnait encore au souvenir de cette froide nuit où Agnès avait donné naissance à Jonathan, avant de mourir. Non, rien d'aussi épouvantable n'arriverait plus jamais.

Il se demandait parfois pourquoi Ellen et lui n'avaient pas eu d'enfants. Tous deux avaient montré dans le passé qu'ils en étaient capables et les occasions ne manquaient pas à Ellen d'être enceinte ; même après quatre ans de vie commune, ils faisaient encore l'amour presque chaque soir. Il n'en éprouvait toutefois pas de profond regret : le petit Jonathan était la prunelle de ses yeux.

Il savait par expérience que la meilleure façon de profiter d'une foire était de s'y promener avec un jeune enfant, aussi emmena-t-il Jonathan y faire un tour vers le milieu de la matinée, alors que la foule commençait à grossir. Vêtu de son habit de moine miniature, Jonathan était une attraction à lui tout seul. Il avait récemment réclamé de se faire tondre et Philip avait accédé à son désir — Philip, qui était aussi attaché à l'enfant que Tom — si bien qu'il avait tout à fait l'air d'un petit moine.

Pour animer la foire, il y avait des jongleurs, des acrobates et des musiciens qui faisaient leurs numéros puis passaient un chapeau ; des diseurs de bonne aventure, des chirurgiens et des prostituées en quête de chalands ; des épreuves de force, de lutte et des jeux de hasard. Les gens arboraient leurs costumes les plus colorés et ceux qui pouvaient se le permettre s'étaient aspergés de parfum et avaient huilé leurs cheveux. On dépensait sans compter et l'air retentissait du tintement des pièces de monnaie.

Les combats d'ours allaient commencer. Jonathan, qui n'en avait jamais vu, était passionné d'avance. Le pelage de l'animal, d'un marron grisâtre, était marqué de plusieurs cicatrices, signe qu'il avait survécu à un précédent affrontement. Une lourde chaîne passée autour de sa taille était fixée à un pieu solidement enfoncé dans le sol et il tournait en rond aussi loin que le lui permettait la chaîne, regardant d'un air mauvais la foule qui attendait. Tom crut distinguer une lueur rusée dans l'œil de la bête. S'il avait été d'un tempérament joueur, il aurait parié sur l'ours.

Des aboiements frénétiques s'élevaient d'un coffre fermé à clé, posé à côté. Les chiens qui y étaient enfermés sentaient leur ennemi. De temps en temps, l'ours s'arrêtait et grognait en regardant le coffre, et les aboiements reprenaient de plus belle.

Le propriétaire des animaux, le montreur d'ours, prenait interminablement les paris. Jonathan s'impatientait et Tom allait renoncer au spectacle quand enfin l'homme ouvrit la serrure du coffre. L'ours se dressa sur ses pattes arrière et se mit à rugir. Son maître cria quelque chose et lâcha les chiens.

Cinq lévriers jaillirent, légers et rapides, et leurs gueules ouvertes révélaient des dents acérées. Ils se précipitèrent sur l'ours. Celui-ci agita vers eux ses pattes massives. Il frappa un chien qui partit en vol plané ; les autres reculèrent.

La foule se rapprochait. Tom chercha des yeux Jonathan : il s'était glissé au premier rang, mais assez loin de l'animal. L'ours avait eu l'intelligence de revenir vers le piquet pour donner du mou à sa chaîne, si bien que, quand il bondirait, elle ne l'arrêterait pas dans son élan. Mais les chiens étaient malins aussi. Après leur première attaque dispersée, ils se regroupèrent, puis se déployèrent en cercle. L'ours, très agité, tournait sur lui-même pour essayer de voir de tous les côtés à la fois.

Un des chiens fonça avec énergie. L'ours se porta à sa rencontre et lança un coup de patte. Le chien eut tôt fait de battre en retraite, les quatre autres attaquèrent en même temps de toutes parts. L'ours pivota pour les frapper. La foule poussa des acclamations quand trois des lévriers plantèrent leurs dents dans la chair de son dos. L'ours se dressa avec un grognement de douleur et les chiens détalèrent, puis aussitôt renouvelèrent la même manœuvre. Tom crut que l'ours allait une nouvelle fois s'y laisser prendre. Le premier chien se précipita à portée de son adversaire, l'ours riposta et le chien recula ; mais quand les autres lévriers attaquèrent, l'ours était prêt : il se retourna vivement, plongea vers le chien le plus proche et lui balaya le flanc de sa patte. La foule applaudit aussi fort l'ours qu'elle avait acclamé les chiens. Les griffes acérées de l'ours avaient déchiré la peau satinée, laissant trois profondes marques ensanglantées. Le chien se mit à japper pitoyablement et abandonna le combat pour lécher ses plaies.

Les quatre chiens restants tournaient avec prudence autour de l'ours, lançant parfois une attaque mais battant en retraite avant la riposte dangereuse. Puis un chien attaqua de front avec la rapidité de l'éclair et, évitant la patte de l'ours, lui sauta à la gorge. La foule se déchaîna. Le chien planta ses crocs pointus dans le cou massif. Les autres chiens attaquèrent à leur tour. L'ours se mit debout, frappant la bête qui le tenait à la gorge, puis retomba sur ses pattes et roula sur le sol. Pendant un moment, Tom ne put distinguer ce qui se passait : on ne voyait que de la fourrure qui s'agitait. Enfin, trois lévriers bondirent hors d'atteinte et l'ours se remit à quatre pattes, laissant un chien sur le sol, écrasé.

La foule était tendue. L'ours avait mis deux adversaires hors de combat, il en restait trois ; mais il saignait du dos, du cou et des pattes de derrière, et il paraissait effrayé. L'odeur du sang se mêlait à celle de la sueur des spectateurs. Les chiens ne jappaient plus et tournaient sans bruit autour de l'ours. Eux aussi semblaient avoir peur, mais le goût du sang dans la gueule leur donnait envie d'une mise à mort.

L'attaque recommença de la même façon : un chien se précipita, puis recula. L'ours donna un coup de patte sans conviction et pivota pour faire face au second lévrier. Mais celui-là aussi s'arrêta dans son élan et recula hors de portée ; le troisième chien l'imita. Ils avançaient puis reculaient, l'un après l'autre, obligeant l'ours à bouger sans cesse et à tourner. A chaque assaut ils approchaient un peu plus et les griffes de l'ours étaient plus près de les saisir. Les spectateurs, qui devinaient ce qui allait se passer, ne maîtrisaient plus leur excitation. Jonathan toujours au premier rang, à quelques pas de Tom, paraissait impressionné et un peu apeuré. Le regard du maçon se reporta sur le combat, juste à temps pour voir les griffes de l'ours rater un chien tandis qu'un autre passait entre les pattes de derrière de l'énorme bête et mordait son ventre tendre. L'ours poussa un hurlement. Le chien se dégagea et s'enfuit. Un autre le relaya. L'ours lui donna un coup de patte, le manquant de quelques pouces, puis le même chien revint l'attaquer au ventre. Cette fois, il provoqua une grande plaie ensanglantée à l'abdomen de l'énorme bête qui se redressa et retomba sur ses quatre pattes. Tom crut un moment que le combat était fini, mais il se trompait. L'ours avait encore des ressources. Quand le chien suivant arriva, l'ours fit semblant de le frapper, tourna la tête, vit le second chien qui approchait, fit volte-face avec une rapidité surprenante et lui assena un coup puissant qui l'envoya voler en l'air. La foule poussa des rugissements ravis. Le chien retomba comme un sac de viande. Tom l'observa un moment. Il vivait encore, incapable de bouger, le dos brisé. L'ours ne s'en occupa pas, car il était hors de combat.

Il ne restait maintenant que deux chiens en lice. Ils s'avancèrent à plusieurs reprises, battant aussitôt en retraite, jusqu'au moment où les ripostes de l'ours perdirent de l'énergie. Ils se mirent alors à l'encercler, tournant de plus en plus vite. L'ours pivotait d'un côté, puis de l'autre, s'efforçant de les surveiller en même temps. Épuisé, saignant abondamment, c'était à peine s'il pouvait rester sur ses pattes. Les chiens continuèrent leur ronde en cercles sans cesse plus étroits. La terre sous les puissantes pattes de l'ours n'était plus qu'une boue rouge. La fin s'annonçait. Les deux chiens foncèrent en même temps, l'un à la gorge, l'autre au ventre de l'ours. Dans un dernier élan désespéré, celui-ci frappa le chien qui lui mordait le cou. Il y eut un horrible ruissellement de sang. La foule acclama. Tom crut tout d'abord que le chien avait tué l'ours, mais c'était le contraire. Le chien s'effondra sur le sol, la gorge ouverte. Pendant ce temps, le dernier chien avait ouvert le ventre de l'ours dont les entrailles maintenant pendaient à l'extérieur. L'animal donnait de faibles coups de patte que le chien évita sans mal avant de reprendre son assaut et d'aller mordre à pleines dents les intestins de l'ours. Les hurlements de la foule atteignaient leur paroxysme. Des entrailles de l'ours monta une répugnante puanteur. La bête rassembla ses dernières forces et frappa le chien. Le coup porta, mais la blessure sanglante sur son dos était superficielle. Le chien comprit que l'ours était à bout de forces, aussi revint-il à l'attaque, déchiquetant le ventre de son adversaire jusqu'au moment où le grand animal finit par fermer les yeux et s'écrouler, mort.

Le montreur d'ours prit par le collier le chien victorieux. Le boucher de Kingsbridge et son apprenti sortirent de la foule et entreprirent aussitôt de dépouiller l'ours. Ceux qui avaient gagné leurs paris réclamèrent d'être payés. Chacun voulait caresser le chien survivant. Tom chercha des yeux Jonathan : introuvable.

Durant tout le combat, l'enfant était demeuré à quelques pas de lui. Quand avait-il disparu ? Probablement au plus fort de la bataille, quand Tom se concentrait sur le spectacle. Il s'en voulait horriblement. Il fouilla des yeux les alentours. Il dominait la foule d'une tête et Jonathan, de son côté, était facile à repérer avec sa robe de moine et son crâne tondu ; mais on ne le voyait nulle part. L'enfant ne risquait pas grand-chose dans l'enceinte du prieuré. Ce que Tom craignait, c'est qu'il tombe sur des spectacles que le prieur Philip préférerait lui éviter : par exemple des prostituées accommodant leurs clients contre le mur d'enceinte. Machinalement, Tom leva les yeux vers l'échafaudage dressé sur le chantier et là, à son horreur, il aperçut la petite silhouette en robe de moine.

Il connut un moment de panique. Il voulut crier : *Ne bouge pas, tu vas tomber !* mais ses paroles se seraient perdues dans le brouhaha de la foire. Écartant la foule, il courut vers la cathédrale. Jonathan gambadait le long de l'échafaudage, occupé à quelques jeux imaginaires, inconscient du risque qui le guettait de glisser et de tomber de quatre-vingts pieds.

L'échafaudage reposait sur de lourds madriers insérés dans des trous du mur et qui dépassaient d'environ six pieds. On disposait en travers de robustes poteaux qu'on fixait par des cordes, puis on posait sur ces cadres des tréteaux de branches flexibles et de roseaux tressés. On accédait normalement à cet échafaudage, qui ne reposait donc pas sur le sol, par les escaliers de pierre en spirale bâtis dans l'épaisseur des murs. Mais ces escaliers ayant été barrés pour la journée, comment Jonathan avait-il grimpé là-haut ? Il n'y avait pas d'échelle, non plus. Aurait-il escaladé le mur inachevé ?

Tom arriva au pied du bâtiment, les yeux toujours fixés sur le petit garçon insouciant, tout en haut au-dessus de lui. De toutes ses forces, il l'appela : « Jonathan ! »

Autour de lui, les gens, surpris, suivirent son regard et repérèrent l'enfant. Une petite foule se rassembla.

Jonathan chercha au-dessous de lui, aperçut Tom et agita la main. « Descends ! » cria le maçon.

Jonathan s'apprêta à obéir, puis, quand il aborda la descente du mur et les marches abruptes qu'il devrait emprunter, il s'arrêta net. « Je ne peux pas ! » cria-t-il.

Tom n'avait plus qu'à monter lui-même le chercher. « Ne bouge pas, j'arrive ! » cria-t-il. Écartant les blocs de bois qui barraient l'accès des premières marches, il se mit à grimper.

Le mur avait quatre pieds de large à la base, mais, tout en haut, il n'était plus épais que de deux pieds, ce qui était assez large pour s'y promener à condition d'avoir les nerfs solides. Tom n'avait pas le vertige. Il suivit le mur, sauta sur l'échafaudage et prit Jonathan dans ses bras. « Petit idiot », dit-il d'une voix qui vibrait de tendresse. Jonathan se serra contre lui.

La descente fut plus difficile car, s'il n'avait pas peur pour lui-même, la charge de l'enfant dans ses bras multipliait le risque et Tom transpirait d'angoisse. Il atteignit enfin le niveau de la galerie où le mur s'élargissait et il s'arrêta pour laisser son cœur reprendre un rythme normal.

Au-delà de l'enceinte du prieuré, Kingsbridge s'étendait à ses pieds, puis les champs, et plus loin quelque chose apparut qui l'étonna. Un nuage de poussière s'élevait sur la route menant à Kingsbridge, à moins d'un quart de lieue. Clignant les yeux, Tom finit pas distinguer une importante troupe d'hommes à cheval, qui approchaient de la ville au grand trot. Il pensa d'abord à un très riche marchand, ou un groupe de marchands, suivis d'une importante escorte. Mais ils n'avaient pas l'air de négociants. D'ailleurs, ils étaient vraiment trop nombreux. Certains d'entre eux chevauchaient des destriers, la plupart étaient casqués et tous armés jusqu'aux dents.

Le sang de Tom ne fit qu'un tour. « Par le Christ, qui c'est, ceux-là ? dit-il tout haut.

— Il ne faut pas dire par le Christ », lui reprocha Jonathan.

Tom dévala les marches. La foule applaudit lorsqu'il sauta sur le sol, mais il ne s'arrêta pas. Où étaient Ellen et les enfants ? Il regarda autour de lui, en vain. Jonathan avait beau se débattre dans ses bras, Tom le tenait serré. D'abord mettre son petit garçon à l'abri. Ensuite, il s'occuperait des autres. Il fendit la cohue pour gagner la porte qui menait au cloître. Elle était fermée de l'intérieur pendant la durée de la foire. Tom frappa à coups de poing. « Ouvrez ! Ouvrez ! » Aucune réponse.

Peut-être n'y avait-il personne dans le cloître. Qu'à cela ne tienne. Il posa Jonathan par terre, prit son élan et d'un coup de son grand pied botté frappa la porte qui s'ouvrit sous le choc. De l'autre côté, se trouvait un moine d'un certain âge, abasourdi. Tom poussa Jonathan à l'intérieur. « Gardez-le avec vous, dit-il au vieux moine. Ça va chauffer. »

Le moine acquiesça sans comprendre et prit la main de Jonathan.

Tom referma la porte sur lui. Les autres, maintenant. Il devait les retrouver dans une foule d'un millier de personnes.

Il grimpa sur un tonneau de bière vide et du regard balaya la foule. Pas de famille, aucun visage connu. Un coup d'œil au-delà des toits des maisons lui apprit que les cavaliers arrivaient au pont. C'étaient tous des hommes d'armes, brandissant des torches. Épouvanté, Tom comprit qu'il allait y avoir un massacre.

Jack apparut soudain près de lui, l'air interrogateur. « Pourquoi es-tu perché sur un tonneau ?

— Il faut s'attendre à de la bagarre ! Où est ta mère ?

— A l'éventaire d'Aliena.

— Alfred et Martha ?

« — Martha est avec maman. Alfred assiste à un combat de coqs. Qu'y a-t-il ?

— Regarde toi-même. » Tom aida Jack à grimper sur le tonneau. Les cavaliers avaient franchi le pont et entraient dans le village. « Seigneur, dit Jack. Qui c'est ? »

Tom repéra leur chef, un grand gaillard monté sur un destrier. Ses cheveux jaunes et sa robuste stature désignaient sans erreur possible William Hamleigh.

Dès que les cavaliers atteignirent les premières maisons, ils tendirent leurs torches vers les toits de chaume. « Ils incendient la ville ! s'écria Jack.

— Ça va être pire que tout ce qu'on peut imaginer, dit Tom. Descends. » Ils sautèrent à terre.

« Je vais chercher mère et Martha, annonça Jack.

— Emmène-les au cloître, ordonna Tom. Ce sera le seul endroit sûr. Si les moines protestent, n'en tiens pas compte.

— Et s'ils verrouillent la porte ?

— Je viens de faire sauter le verrou. Dépêche-toi ! Je vais chercher Alfred. Va ! »

Jack se précipita. Quant à Tom, il fonça vers l'arène des coqs, bousculant les gens sans douceur sur son passage, ignorant les protestations et les insultes. Déjà la fumée des maisons en flammes apportée par le vent atteignait l'enceinte du prieuré. Dans un rien de temps, ce serait la panique.

L'arène des combats de coq, près de la porte du prieuré, était envahie d'une foule nombreuse et bruyante. Au centre, on avait creusé dans le sol un trou de quelques pieds de large. Deux coqs s'y battaient à coups de bec et d'ergots en fer dans un tourbillon de plumes et de sang. Alfred, au premier rang, ne perdait pas un détail du combat, encourageait de ses cris l'un ou l'autre des malheureux volatiles. Tom se fraya un chemin jusqu'à lui et l'empoigna par l'épaule. « Viens ! cria-t-il.

— J'ai six pence sur le noir ! répondit Alfred.

— Il faut partir d'ici ! » hurla Tom. Au même instant, une bouffée de fumée balaya l'arène. « Tu ne sens pas le feu ? »

Le mot tant redouté alerta quelques spectateurs alentour, qui reniflèrent l'air ambiant avec attention.

« La ville est en feu ! » cria Tom.

Un mouvement de panique parcourut la foule qui se dispersa en courant dans toutes les directions. Dans l'arène le coq noir avait tué le brun, mais personne ne s'en souciait plus. Alfred s'était lancé sans réfléchir droit devant lui. Tom le rattrapa. « Au cloître ! dit-il. C'est le seul endroit sûr. »

La fumée qui arrivait maintenant en bouffées épaisses provoqua l'épouvante. On criait, on s'agitait, mais personne ne savait comment s'opposer à l'incendie. Tom constata que les gens se bousculaient à la porte du prieuré, dans un passage trop étroit qui formait goulet. De toute façon, ils n'étaient pas plus en sûreté là-bas qu'ici. Mais la foule grossissait, imitant aveuglément les premiers fugitifs, si bien qu'Alfred et Tom se retrouvèrent à contre-courant d'une marée humaine déferlant dans la direction opposée. Puis, brusquement, le courant se renversa et la foule revint dans leur direction. Tom comprit vite la raison de ce changement : les premiers cavaliers débouchaient dans l'enceinte du prieuré.

Spectacle terrifiant. Les énormes montures, affolées par la foule, se cabraient et chargeaient, piétinant les gens sous leurs sabots. Les cavaliers, armés et casqués, brandissaient des torches et des massues, avec lesquelles ils abattaient hommes, femmes et enfants, en même temps qu'ils mettaient le feu aux éventaires, aux vêtements et aux cheveux des malheureux. Tout le monde criait. Un autre groupe de cavaliers passa la porte en écrasant tout sur son passage. Tom cria à l'oreille d'Alfred : « Va au cloître ! Je veux m'assurer que les autres sont passés. Cours ! » Il lui donna une bourrade et Alfred disparut.

Comme Tom tentait de se diriger tant bien que mal vers l'éventaire d'Aliena, il trébucha sur une masse qui gisait au sol et tomba. Grommelant, il se remit à genoux mais, avant qu'il ait pu se redresser, il vit un destrier foncer sur lui, oreilles couchées et naseaux frémissants. Tom nota ses yeux terrifiés. Dressé au-dessus de la tête du cheval, le maçon reconnut le visage congestionné de William Hamleigh, tordu par une grimace de haine triomphante. La dernière image qui vint à l'esprit de Tom fut celle du corps d'Ellen. Il pensa qu'il aimerait encore la tenir entre ses bras. Puis le choc d'un énorme sabot le toucha en plein milieu du front. Il ressentit une épouvantable douleur qui lui fit éclater le crâne et tout devint noir.

Quand Aliena sentit la fumée, elle crut que le dîner qu'elle préparait se mettait à brûler.

Trois acheteurs flamands discutaient autour de la table disposée en plein air devant son entrepôt. C'étaient des hommes corpulents, à la barbe noire, qui parlaient anglais avec un fort accent allemand et portaient des vêtements du drap le plus fin. L'affaire se présentait bien. Avant d'engager la vente, elle avait décidé de servir le déjeuner afin de donner aux acheteurs le temps de s'impatienter. Néanmoins, elle serait soulagée quand toute cette fortune en laine serait devenue propriété de quelqu'un d'autre. Elle déposa devant les Flamands le plat de côtes de porc grillées au miel. La viande était cuite à point, brune et croustillante. Elle versa à chacun un gobelet de vin. C'est à ce moment qu'un des acheteurs huma l'air, puis ils échangèrent des regards anxieux. Aliena se glaça de peur. Le feu était le cauchemar des marchands de laine. Ellen et Martha l'aidaient à servir le dîner. « Est-ce que vous sentez la fumée ? » demanda-t-elle.

Elles n'eurent pas le temps de répondre que Jack surgit, une expression égarée sur son doux visage. Aliena n'était pas habituée à le voir en vêtement de moine, les cheveux tondus. Elle eut brusquement l'envie de le prendre dans ses bras et de chasser par ses baisers les plis soucieux qui barraient son front. Mais elle se reprit bien vite, honteuse au souvenir de la scène qui s'était déroulée six mois plus tôt dans le vieux moulin. Elle rougissait encore chaque fois qu'elle évoquait cet incident dans sa mémoire.

« Ça va mal, cria-t-il. Il faut tous nous réfugier au cloître. »

Elle se figea. « Que se passe-t-il... un incendie ?

— Le comte William avec ses hommes d'armes... »

Aliena sentit brusquement tomber sur elle un froid de tombe. William. Encore.

« Ils ont mis le feu à la ville, répéta Jack. Tom et Alfred sont au cloître. Venez avec moi, je vous en prie. »

Sans cérémonie, Ellen laissa choir le bol de légumes qu'elle s'apprêtait à déposer sur la table devant un acheteur flamand ébahi. « Très bien », dit-elle. Elle saisit Martha par le bras. « Allons-y. »

Aliena lança un regard affolé vers son entrepôt. Elle avait là-dedans des centaines de livres de laine brute qu'il lui fallait absolument protéger du feu... Mais comment ? Elle croisa le regard de Jack, qui attendait sans bouger. Les acheteurs quittèrent précipitamment la table. « Va-t-en, Jack. Il faut que je m'occupe de mon éventaire, dit-elle.

— Jack, cria Ellen... Viens !

— Un instant. » Il se tourna vers Aliena.

Ellen hésita, déchirée entre la nécessité de sauver Martha et le désir d'attendre Jack. Elle l'appela encore une fois.

Jack se tourna vers elle. « Mère ! Emmène Martha !

— D'accord, dit-elle. Mais je t'en prie, fais vite ! » Elle entraîna Martha.

Des hurlements venaient de la porte du prieuré. La fumée était partout. Aliena, le ventre noué par la peur, restait paralysée devant son entrepôt. Tout son travail de six ans était entassé là.

« Aliena ! insista Jack. Venez au cloître... Nous serons en sûreté là-bas !

— Je ne peux pas ! cria-t-elle. Ma laine !

— Au diable votre laine !

— C'est tout ce que j'ai !

— Ça ne vous servira à rien si vous êtes morte !

— Mais j'ai mis tant d'années à en arriver là...

— Aliena ! Je vous en prie ! »

Des cris de terreur retentirent à côté de l'éventaire. Les cavaliers avaient pénétré dans l'enclos du prieuré, sans se soucier des gens qu'ils piétinaient, mettant le feu aux étals. Les gens terrorisés se bousculaient dans leurs efforts désespérés pour échapper à la charge des chevaux et aux brandons. La foule se pressait contre la frêle barrière de bois qui protégeait le devant de l'éventaire d'Aliena avec tant de force qu'elle s'écroula. Avec elle, plusieurs personnes basculèrent et renversèrent table, plats de nourriture et coupes de vin. Jack et Aliena reculèrent. Deux cavaliers chargèrent, l'un brandissant une massue, l'autre une torche enflammée. Jack passa devant Aliena pour la protéger. La massue s'abattit vers la tête d'Aliena, mais Jack avait levé au-dessus d'elle un bras protecteur et la masse vint le frapper au poignet. Elle sentit le coup, mais ce fut lui qui encaissa le choc. Derrière l'attaquant, le deuxième cavalier ne la lâchait pas du regard.

C'était William Hamleigh.

Aliena poussa un hurlement.

L'homme la considéra longuement, la torche flambant dans la main, une lueur de triomphe illuminant ses yeux. Puis il éperonna son cheval et le poussa dans l'entrepôt.

« Non ! » hurla Aliena.

Rageusement, elle tenta de se dégager de la bousculade, frappant ceux qui la gênaient, y compris Jack. Elle finit par se libérer et se précipita dans l'entrepôt. William, penché sur sa selle, approchait sa torche des sacs de laine entassés. « Non ! » hurla-t-elle encore. Elle se jeta sur lui pour essayer de le faire tomber de cheval. Il la repoussa violemment, elle trébucha. De nouveau, la torche effleura les sacs de laine qui se mirent à brûler en dégageant une odeur âcre. Le cheval se cabra et hennit de terreur. Soudain, Jack surgit, écarta Aliena. William tourna sur place et jaillit hors de l'entrepôt. Aliena se releva. Avec un sac vide elle se mit à étouffer les flammes. « Aliena, dit Jack, vous allez vous asphyxier ! » La chaleur devenait insupportable. Elle agrippa un sac de laine encore intact et le traîna à l'abri. Tout à coup, un horrible crépitement, une chaleur intense au visage la firent hurler de terreur : ses cheveux avaient pris feu. Au même instant Jack se jeta sur elle, lui entoura la tête de ses bras et la serra contre lui. Ils tombèrent. Jack desserra son étreinte. Elle sentait le roussi, mais sa chevelure était sauvée. Jack avait le visage cramoisi et plus de sourcils. Il saisit Aliena par un pan de sa robe et la traîna dehors. Elle eut beau se débattre, il ne la lâcha pas jusqu'au moment où ils furent dehors. Elle continuait à lutter, fixant d'un regard fou le feu qui consumait toutes ces années de travail et de soucis, toute sa fortune. Enfin ses forces l'abandonnèrent. Elle se laissa couler par terre et se mit à hurler.

Dans le magasin situé sous la cuisine du prieuré, Philip faisait ses comptes avec Cuthbert le Chenu lorsque le vacarme extérieur les alerta. Cuthbert et lui échangèrent un regard surpris et d'un même mouvement sortirent voir ce qui se passait. A peine la porte franchie, ils se retrouvèrent au milieu d'une émeute.

Philip n'en crut pas ses yeux. Les gens couraient partout, affolés, trébuchant et se bousculant, en proie à la panique. Les hommes et les femmes criaient, les enfants pleuraient. L'air était rempli de fumée. A part la porte principale, la seule issue pour quitter l'enceinte du prieuré était la brèche qui séparait les bâtiments de la cuisine du moulin. Là il n'y avait pas de mur, mais un profond fossé qui amenait l'eau du vivier jusqu'à la brasserie. Philip voulut prévenir les malheureux de prendre garde au fossé, mais personne n'écoutait plus personne.

Le prieur se rendit compte tout de suite de l'ampleur du drame. Un incendie dans un lieu réduit envahi de centaines de gens c'était la promesse d'une tragédie. Que faire ? D'abord voir où on en était. Il grimpa quatre à quatre les marches jusqu'à la porte de la cuisine. Ce qu'il découvrit l'emplit de terreur. La ville entière était en feu.

Un cri de désespoir lui échappa.

Qu'était-il arrivé ?

Les cavaliers qui chargeaient la foule avec leurs brandons enflammés lui donnèrent la réponse : il ne s'agissait pas d'un accident. D'abord il pensa que les deux camps de la guerre civile avaient pris Kingsbridge comme champ de bataille. Pourquoi ? Mystère, cependant les hommes d'armes, en fait, attaquaient les citoyens, ils ne se battaient pas entre eux. Il ne s'agissait pas d'un combat, mais d'un massacre.

Un grand gaillard blond, chevauchant un puissant destrier, menait sa bande à travers la foule. William Hamleigh.

La haine monta à la gorge de Philip. Une telle tuerie, une telle destruction à cause de l'orgueil et de la cupidité de cet individu ! A demi fou, il cria de toute la force de sa voix : « Je t'ai vu, William Hamleigh ! »

Le comte, à ces mots qui avaient dominé le tumulte de la foule, retint son cheval et croisa le regard de Philip.

« Ta place est en enfer ! » hurla Philip.

La soif de sang congestionnait le visage de William. Même la menace qu'il redoutait le plus au monde avait perdu tout effet sur lui. Il brandissait sa torche en l'air comme une bannière. « C'est ici, l'enfer, moine ! » répliqua-t-il. Et, éperonnant son cheval, il repartit au galop.

Jack lâcha Aliena et se releva. Sa main droite engourdie lui remit en mémoire le coup destiné à la tête d'Aliena et qu'il avait reçu à sa place. Puisse cette douleur durer toute la vie, pensa-t-il, et entretenir mon souvenir...

L'entrepôt n'était qu'un brasier rugissant. Tout autour, d'innombrables incendies faisaient rage. Le sol était jonché de corps ensanglantés, convulsés ou inertes. Le craquement des flammes résonnait dans un silence de mort. La foule avait disparu, abandonnant derrière elle les cadavres et les blessés. Jack était profondément choqué. Il n'avait jamais vu un champ de bataille, mais ce ne pouvait être pire.

Aliena pleurait. Jack posa sur ses épaules une main réconfortante qu'elle repoussa vivement. Il lui avait sauvé la vie, mais que lui importait ? Sa fortune, son existence venaient de partir en fumée. Jack la regarda pensivement, infiniment triste. Avec ses cheveux ratatinés elle avait perdu sa beauté rayonnante, mais il l'aimait toujours. Il souffrait de la voir si désemparée et d'être incapable de la réconforter.

Maintenant qu'elle ne pouvait plus entrer dans l'entrepôt, il s'inquiéta pour le reste de sa famille. Aussi abandonna-t-il Aliena pour partir à sa recherche.

Il avait mal au visage. Portant une main à sa joue, il déclencha sous ses doigts une douleur cuisante. Il était sûrement fortement brûlé. Les corps qui jonchaient le sol ralentissaient sa marche. Il aurait voulu faire quelque chose pour les blessés, mais il ne savait par où commencer. En tout cas, il ne reconnut aucun visage familier parmi les victimes. Sa mère et Martha s'étaient réfugiées au cloître bien avant le gros de la foule, songea-t-il. Tom avait-il retrouvé Alfred ? Il accéléra le pas. Ce fut alors qu'il vit le maçon.

Le grand corps de son beau-père était étendu de tout son long sur le sol boueux, parfaitement immobile. On reconnaissait son visage, toujours paisible, jusqu'aux sourcils ; au-dessus, il avait le front ouvert et le crâne défoncé. Jack réprima une nausée, refusant de croire ses yeux : Tom ne pouvait pas être mort. Pourtant ce corps qu'il voyait devant lui ne vivait plus. Il détourna la tête, puis se força à regarder de nouveau. Tom était bien mort.

Jack s'agenouilla près du cadavre. Il éprouvait le besoin de faire quelque chose, de dire quelque chose, et il comprit pour la première fois pourquoi on prie pour les morts. « Tu vas manquer terriblement à maman », dit-il tout haut. Il se souvint du violent discours qu'il avait adressé à Tom le jour où il s'était battu avec Alfred. « Ce n'était pas vrai, Tom, dit-il en sanglotant. Tu ne m'as pas fait défaut. Tu m'as nourri, tu t'es occupé de moi et tu as rendu ma mère heureuse, vraiment heureuse. » Mais ce que Tom lui avait donné de plus important, ce n'était ni le gîte ni le couvert. Tom lui avait offert quelque chose d'unique, quelque chose qu'aucun autre homme ne lui aurait donné, que même son propre père n'aurait pas pu lui offrir ; quelque chose qui s'appelait passion, talent, art et mode de vie. « Tu m'as donné la cathédrale, murmura Jack au mort allongé près de lui. Merci. »

QUATRIÈME
PARTIE

1142-
1145

I

La prophétie de Philip gâchait le triomphe de William : au lieu d'éprouver satisfaction et jubilation, il ne pouvait se défaire de l'obsession qui le poursuivait : l'enfer l'attendait.

Sa réponse railleuse au prieur, il la devait à l'excitation du combat. Mais quand tout fut terminé, quand il eut emmené ses hommes loin de la ville en flammes ; quand leurs chevaux et leurs battements de cœur eurent repris une allure normale ; quand il eut le temps de repenser au raid et de songer au nombre de gens qu'il avait blessés, brûlés et tués... alors il se souvint du visage terrible de Philip et de son doigt braqué vers les entrailles de la terre, il se souvint de ses funestes paroles : *Ta place est en enfer !*

Lorsque la nuit tomba, il était au plus bas. Ses hommes d'armes revivaient l'attaque, commentaient les grands moments et savouraient le massacre. Mais bientôt la morosité de leur chef les réduisit à un silence maussade. Ils passèrent cette nuit-là dans le manoir d'un des plus gros fermiers de William. Au souper, les hommes s'enivrèrent sans joie. Le fermier, sachant les besoins qu'éprouvent les hommes après une bataille, avait convoqué quelques prostituées de Shiring ; exceptionnellement, les affaires ne furent pas brillantes. William ne ferma pas l'œil de la nuit, tremblant à l'idée qu'il pourrait mourir dans son sommeil et se réveiller au milieu de l'enfer.

Le lendemain matin, au lieu de rentrer à Earlscastle, il s'en alla voir l'évêque Waleran. Celui-ci n'était pas à son palais quand ils arrivèrent, mais le doyen Baldwin annonça à William qu'il l'attendait dans l'après-midi. William passa la journée dans la chapelle, les yeux fixés sur la croix de l'autel et frissonnant malgré la chaleur de l'été.

Lorsque Waleran, drapé dans sa robe noire, entra en trombe dans la chapelle, William lui aurait baisé les pieds. Pourtant l'évêque ne se montra guère accueillant. « Que faites-vous ici ? » demanda-t-il d'un ton glacial.

William se leva, s'efforçant de dissimuler la terreur qui

l'habitait derrière un air assuré. « Je viens d'incendier la ville de Kingsbridge...

— Je sais, interrompit Waleran. On ne m'a parlé que de cela toute la journée. Qu'est-ce qui vous a pris ? Vous êtes fou ? »

La réaction de l'évêque prit William complètement au dépourvu. Il n'avait pas demandé à Waleran son accord avant l'attaque, tant il était sûr que celui-ci l'approuverait : Waleran détestait tout ce qui se rapportait à Kingsbridge, et surtout le prieur Philip. William s'attendait à des félicitations, à des remerciements. « Je viens de ruiner votre plus grand ennemi, dit William. J'ai besoin maintenant de confesser mes péchés.

— Vous faites bien, dit Waleran. On dit que plus de cent personnes ont été brûlées vives. » Il frissonna. « Quelle horrible mort !

— Je suis prêt à me confesser », répéta William.

Waleran secoua la tête. « Je ne pense pas que je puisse vous donner l'absolution. » Un cri échappa aux lèvres de William. « Pas d'absolution ?

— Vous savez que l'évêque Henry de Winchester et moi avons pris de nouveau le parti du roi Stephen. Je ne crois pas que le roi me verrait d'un bon œil absoudre de ses crimes un partisan de la reine Maud.

— Enfin, Waleran, c'est vous qui m'avez persuadé de changer de camp ! »

Waleran haussa les épaules. « Eh bien, changez une fois de plus. »

C'était donc là le plan de Waleran. Il voulait que William fasse serment d'allégeance à Stephen. L'horreur qu'il avait montrée en apprenant l'incendie de Kingsbridge était une feinte, une attitude lui permettant de négocier. William se sentit grandement soulagé : Waleran au fond ne lui refuserait pas implacablement l'absolution. Mais lui, William, avait-il envie de changer encore de bannière ? Pendant un moment, il s'efforça d'y réfléchir froidement.

« Tout l'été Stephen n'a cessé de remporter des victoires, poursuivit Waleran. Maud supplie son mari de revenir de Normandie pour l'aider, mais il refuse. Le courant est de notre côté. »

L'horreur de la situation apparut à l'esprit de William : l'Église refusait de l'absoudre de ses crimes ; le shérif l'accusait de meurtre ; le roi Stephen victorieux appuyait les décisions du shérif et de l'Église ; William se retrouverait bientôt jugé et pendu...

« Faites comme moi et suivez l'évêque Henry. Il sait de quel côté le vent souffle, insista Waleran. Si tout se passe bien, Winchester deviendra un archevêché dont Henry sera l'archevêque — sur un pied d'égalité avec celui de Canterbury. A la mort de Henry, qui sait ? , je pourrais être moi-même le prochain archevêque. Après cela... eh bien, il y a déjà des cardinaux anglais... Peut-être un jour y aura-t-il un pape anglais... »

William fixait Waleran, hypnotisé malgré sa terreur par l'ambition sans retenue qui se révélait dans les propos et sur le visage en général impénétrable de l'évêque. Waleran pape ? Tout était possible. Mais les conséquences immédiates des aspirations de l'évêque étaient plus importantes. William voyait bien qu'il n'était qu'un pion dans le jeu de Waleran. Celui-ci avait accru son prestige auprès de l'évêque Henry en promenant William et les chevaliers de Shiring dans l'un ou l'autre camp de la guerre civile. C'était le prix que le comte devait payer pour voir l'Église fermer les yeux sur ses crimes.

« Vous voulez dire... », commença-t-il d'une voix étranglée. Il toussa et reprit : « Vous voulez dire que vous m'entendrez en confession si je prête serment d'allégeance à Stephen ? »

La lueur qui brillait dans les yeux de Waleran s'éteignit, son visage redevint impassible. « C'est exactement ce que je veux dire », déclara-t-il.

William n'avait pas le choix, mais de toute façon il ne voyait aucune raison de refuser. Il était passé dans le camp de Maud quand elle semblait l'emporter, il était tout prêt à déserter maintenant que Stephen semblait prendre le dessus. D'ailleurs, il aurait consenti à tout pour être libéré de cette épouvantable crainte de l'enfer. « Eh bien, dit-il sans plus d'hésitation, j'accepte. Mais entendez-moi en confession, vite.

— Très bien, dit Waleran. Prions. »

Tandis qu'ils expédiaient rondement les formalités de la confession, William sentit le fardeau du remords tomber de ses épaules. Enfin il pouvait se réjouir de son triomphe. Lorsqu'il sortit de la chapelle, ses hommes virent aussitôt son changement d'humeur et l'acclamèrent à pleine voix. William leur annonça qu'ils allaient de nouveau se battre pour le roi Stephen, selon la volonté de Dieu exprimée par l'évêque Waleran, et cette déclaration leur donna l'occasion de nouvelles libations. Waleran fit venir du vin.

Alors qu'ils attendaient le dîner, William suggéra : « Stephen devrait maintenant me confirmer dans mon comté.

— Il le devrait, reconnut Waleran. Cela ne veut pas dire qu'il le fera.

— Enfin, je me suis rangé à ses côtés !

— Richard de Kingsbridge ne l'a jamais quitté, lui. »

William se permit un sourire satisfait. « Je crois m'être débarrassé de la menace de Richard.

— Comment cela ?

— Richard n'a jamais eu de terres. Sa seule façon d'entretenir un train digne d'un chevalier, c'est d'utiliser l'argent de sa sœur.

— C'est peu orthodoxe, mais jusqu'à maintenant le système a bien fonctionné.

— Seulement maintenant sa sœur n'a plus d'argent. J'ai mis le feu à son entrepôt hier. Elle n'a plus la moindre ressource. Richard non plus. »

Waleran hocha la tête. « Dans ce cas, il disparaîtra de la scène, c'est une simple question de temps. A ce moment-là, le comté vous reviendra sans conteste. »

Le dîner était prêt. Les hommes d'armes de William s'assirent en bout de table et commencèrent à conter fleurette aux blanchisseuses du palais. William tenait le haut bout avec Waleran et ses archidiacres. Maintenant qu'il était détendu, le comte enviait ses hommes et les blanchisseuses. Les archidiacres n'étaient pas une compagnie très amusante.

Le doyen Baldwin offrit à William un plat de petits pois. « Lord William, dit-il, comment empêcherez-vous d'autres initiatives comme celle du prieur Philip ? Je veux dire : ouvrir sa propre foire aux toisons ? »

William ne cacha pas la surprise que lui causait cette question. « Personne n'oserait, tout simplement !

— Un autre moine, peut-être pas ; mais un comte, oui.

— Il lui faudrait une licence.

— Il pourrait l'obtenir s'il combattait dans les rangs de Stephen.

— Pas dans ce comté.

— Baldwin a raison, William, intervint l'évêque Waleran. Votre comté est encerclé de villes où pourrait se tenir une foire à la laine : Wilton, Devizes, Wells, Marlborough, Wallingford...

— J'ai brûlé Kingsbridge, je peux brûler une autre ville », répliqua William avec irritation. Il but une gorgée de vin. Cela le mettait en fureur de voir déprécier sa victoire.

Waleran rompit un petit pain frais qu'il reposa sur la table sans le manger. « Kingsbridge est une cible facile, commença-t-il. Il n'y a pas de murailles, pas de château, pas même une grande église où les gens puissent se réfugier. De plus, la ville est gouvernée par un moine sans chevaliers ni hommes d'armes. Kingsbridge est sans défense. Ce n'est pas le cas de la plupart des autres villes.

— Une fois la guerre civile terminée, ajouta le doyen Baldwin, quel qu'en soit le vainqueur, vous ne pourrez plus incendier une ville comme Kingsbridge sans en supporter les conséquences. Ce serait enfreindre la paix du roi. En temps normal, aucun souverain ne laisserait passer cela. »

William devait malgré lui reconnaître leurs arguments.

« Alors j'ai peut-être agi pour rien », dit-il. Il reposa son couteau. L'estomac noué par la tension, il n'arrivait plus à manger.

« Bien sûr, reprit Waleran, la ruine d'Aliena laisse une sorte de vide. »

William ne comprenait pas.

« Cette année, expliqua patiemment l'évêque, presque toute la laine du comté lui a été vendue. Que se passera-t-il l'année prochaine ?

— Je ne sais pas. »

Waleran poursuivit du même ton songeur. « A l'exception du prieur Philip, tous les producteurs de laine, à des lieues à la ronde, sont ou bien des fermiers du comte ou bien des fermiers de l'évêque. Vous avez le titre de comte, moi, je suis l'évêque. Si nous obligions tous nos fermiers à nous vendre leurs toisons, nous contrôlerions les deux tiers du commerce de la laine dans le comté. Nous la vendrions à la foire aux toisons de Shiring. Il ne resterait plus assez d'affaires pour justifier la création d'une autre foire, même si quelqu'un obtenait une licence. »

C'était une brillante idée. William l'adopta aussitôt. « Et nous gagnerions autant d'argent qu'Aliena, observa-t-il.

— En effet. » Waleran prit délicatement une bouchée de la viande posée devant lui et la mastiqua d'un air songeur.

« Ainsi, vous avez brûlé Kingsbridge, ruiné votre pire ennemie et créé pour vous-même une nouvelle source de revenus. Joli travail pour une seule journée ! »

William avala une grande goulée de vin dont la chaleur irradia aussitôt son ventre. Au bout de la table une brunette potelée souriait d'un air coquet à deux de ses hommes. Son œil s'alluma. Peut-être la prendrait-il ce soir. D'avance, il voyait la scène : il l'entraînerait dans un coin, la jetterait par terre, soulèverait ses jupes. Alors le visage d'Aliena lui apparaîtrait ; l'expression de terreur et de désespoir qu'elle avait eue quand sa laine était partie en fumée suffirait à l'exciter. Il sourit à cette perspective et se coupa une autre tranche de gibier.

Le prieur Philip ne se remettait pas de la catastrophe qui s'était abattue sur Kingsbridge. L'effet de surprise, la brutalité de l'assaut, les horribles scènes de panique, l'épouvantable massacre et sa propre impuissance devant le désastre, tout cela le laissait abasourdi comme par un coup de massue.

Le pire, c'était la mort de Tom le bâtisseur. Passé maître dans tous les aspects de son art, il devait diriger la construction de la cathédrale jusqu'à son achèvement. De plus, c'était le plus proche ami de Philip en dehors du monastère. Le prieur éprouvait un profond sentiment de vide : il ne comprenait plus rien, il ne pouvait plus rien. L'administration d'une ville de la taille de Kingsbridge le dépassait. Abattu, déprimé, il restait toute la journée dans sa maison du prieuré à regarder la chandelle brûler sur le petit autel. En proie aux plus sombres pensées, il se trouvait incapable d'agir.

Ce fut le jeune Jack qui prit les choses en main. Il fit porter les cadavres dans la crypte, installer les blessés dans le dortoir des moines et organisa des cantines d'urgence, pour les rescapés, dans la prairie de l'autre côté de la rivière. Par chance, le temps doux permettait de dormir en plein air.

Le lendemain du massacre, Jack réunit les habitants encore hébétés et les répartit en équipes de travail chargées de déblayer les cendres et les débris accumulés dans l'enceinte du prieuré, tandis que Cuthbert le Chenu et Milius l'économe se procuraient du ravitaillement dans les fermes environnantes. Le deuxième jour, on enterra les morts : cent quatre-vingt-treize nouvelles tombes prirent place dans le cimetière, à l'intérieur du prieuré.

Philip se contentait de transmettre les ordres que Jack lui suggérait. Ensemble, ils firent le compte des dégâts : la plupart des citoyens survivants avaient perdu tout ce qu'ils possédaient, généralement un simple taudis et quelques meubles. Les récoltes étaient encore sur pied, le bétail au pâturage et les économies des gens là où elles avaient été enterrées — le plus souvent sous l'âtre, à l'abri du feu qui avait ravagé la ville. Les marchands dont les stocks avaient brûlé étaient les plus touchés. Certains étaient ruinés, comme Aliena ; ceux qui possédaient une partie de leur fortune en pièces d'argent prendraient un nouveau départ.

Jack proposa de reconstruire la ville sans tarder.

Sur le conseil du jeune homme, Philip donna la permission extraordinaire de couper librement du bois dans les forêts du prieuré pour rebâtir les maisons, droit accordé pour une semaine. Pendant ce temps-là, Jack incita Philip à tracer le plan de la nouvelle ville ; ce travail ranima l'imagination de Philip et le tira de sa dépression.

Quatre jours, sans interruption, il travailla sur son plan. Il prévoyait de grandes maisons, autour des murs du prieuré, pour les riches artisans et les boutiquiers. Se rappelant le quadrillage des rues de Winchester, il dessina le nouveau Kingsbridge sur le même principe. Des artères droites, assez larges pour que deux chariots puissent se croiser, descendraient jusqu'à la rivière, coupées par des rues transversales plus étroites. Chaque parcelle constructible aurait vingt-quatre pieds de large, dimension suffisante pour la façade d'une maison de ville. La profondeur de cent vingt pieds laisserait l'espace d'une cour avec lieux d'aisance, potager, écurie, étable ou porcherie. Puisque le pont avait brûlé, on en construirait un autre à un endroit mieux situé, tout au bout de la nouvelle grand-rue. La route qui traverserait la ville relierait donc le pont au sommet de la colline, en passant devant la cathédrale, comme à Lincoln. Il y aurait tout un nouveau quartier de petites maisons groupées autour du nouveau quai. Le quartier le plus pauvre occupait un espace en aval du prieuré, de façon que le manque d'hygiène auquel les malheureux étaient contraints ne risque pas de souiller l'approvisionnement en eau du monastère.

Malgré l'effet bénéfique de ce travail sur son état moral,

Philip n'était pas guéri de sa colère et de son chagrin. Ce William Hamleigh ne pouvait être que le diable incarné : qui d'autre aurait pu faire tant de mal ? Ses crimes dépassaient ce qu'il était humainement possible d'imaginer. Le prieur retrouvait la même alternance d'espoir et de consternation sur les visages de ses paroissiens. Tandis qu'ils choisissaient leur parcelle sur le tracé que Jack et les moines avaient délimité par des piquets et des cordes, on entendait de temps en temps quelqu'un dire avec accablement : « A quoi bon tous ces efforts si tout cela doit encore brûler l'année prochaine ? » S'il y avait eu quelque espoir de justice, si l'on avait pu espérer voir les coupables punis, peut-être les victimes n'auraient-elles pas souffert de ce désespoir inconsolable ; mais, bien que Philip eût écrit à Stephen, à Maud, à l'évêque Henry, à l'archevêque de Canterbury et au pape, il savait qu'en temps de guerre il n'y avait guère de chances de réussir à traîner en justice un homme aussi puissant que William.

Les parcelles les plus importantes étant les plus demandées, en dépit des loyers élevés, Philip modifia son plan pour en augmenter le grand nombre. Dix jours après l'incendie, de nouvelles maisons de bois se dressaient déjà sur tous les terrains. Encore une semaine et la plupart étaient terminées. Ce premier ouvrage accompli, le travail reprit sur le chantier de la cathédrale. Les boutiques rouvrirent et on revit les petits fermiers apporter leurs œufs et leurs légumes en ville ; les filles de salle et les blanchisseuses retrouvèrent du travail chez les négociants et les artisans. Ainsi, de jour en jour, Kingsbridge renaissait à la vie.

Il y avait eu tant de morts que chaque famille avait perdu au moins l'un des siens : un enfant, une mère, un mari, une sœur. Le petit Jonathan errait dans le prieuré comme une âme en peine et Philip se rendit compte que Tom lui manquait : ils avaient passé tant de temps ensemble ! Dès lors, Philip prit soin de réserver chaque jour une heure au petit garçon de six ans, pour lui raconter des histoires, et écouter son babil.

Philip écrivit aux abbés de tous les grands monastères bénédictins d'Angleterre et de France : il avait besoin d'un maître bâtisseur pour remplacer Tom. Le mieux placé pour recommander un bon maître maçon était l'évêque, car au cours de ses nombreux voyages il avait l'occasion de voir quantité de chantiers. Mais Philip ne pouvait pas compter sur l'évêque Waleran pour l'aider.

Tandis que le prieur attendait les réponses des abbés consultés, les artisans se tournèrent d'instinct vers Alfred pour demander des instructions. Alfred était le fils de Tom, c'était un maître maçon et il avait depuis quelque temps son équipe à demi autonome sur le chantier. Il lui manquait malheureusement le cerveau de Tom, mais il avait de l'instruction et de l'autorité et il s'installa peu à peu dans la brèche laissée par la mort de son père.

Très vite pourtant, les problèmes et les réclamations se multiplièrent sur le chantier, de préférence, comme par un fait exprès, quand Jack était introuvable : nul n'ignorait à Kingsbridge combien les demi-frères se détestaient. Le résultat fut que Philip se trouva de nouveau harcelé par d'incessants problèmes de détail.

Malgré les difficultés, au fur et à mesure des semaines qui passaient, Alfred acquit de plus en plus d'assurance. Un jour, il vint trouver Philip. « Vous ne préféreriez pas qu'on fasse une voûte dans la cathédrale ? » demanda-t-il.

Le projet de Tom prévoyait un plafond en bois au centre de l'église et des voûtes de pierre sur les bas-côtés plus étroits. « On avait choisi un plafond en bois, répondit le prieur, par mesure d'économie.

— L'ennui, observa Alfred, c'est qu'un plafond de bois brûle très facilement. Une voûte de pierre, non. »

Philip réfléchit un moment, se demandant s'il n'avait pas sous-estimé Alfred. Il ne s'attendait pas à voir celui-ci prendre une initiative pour modifier le plan de son père. C'était plutôt le genre de Jack. La perspective d'une église à l'abri des incendies ne manquait pas d'intérêt, surtout depuis que toute la ville avait brûlé.

En écho à ces pensées, Alfred ajouta : « Le seul bâtiment rescapé de l'incendie, c'est la nouvelle église paroissiale. »

Cette nouvelle église — bâtie par Alfred — avait une voûte de pierre, en effet. Philip s'inquiéta cependant d'un autre point : « Les murs existants supporteraient-ils le poids supplémentaire d'une voûte de pierre ?

— Il faudrait renforcer les arcs-boutants. Ils seraient un peu plus épais, voilà tout. »

Il avait vraiment réfléchi à tout, nota Philip. « Et le coût ?

— Bien sûr, c'est une dépense supplémentaire, à la longue, car il faudra trois ou quatre années de plus pour terminer l'église. Mais les frais annuels ne changeront pas. »

L'idée plaisait de plus en plus à Philip. « Cela signifie-t-il que nous devrons attendre encore un an avant de pouvoir utiliser le chœur pour les offices ? objecta-t-il encore.

— Non. Pierre ou bois, nous ne pouvons pas attaquer le plafond avant le printemps prochain, car il faut que les fenêtres hautes durcissent avant de recevoir une charge importante. Le plafond de bois serait construit en quelques mois de moins, mais, dans tous les cas, le chœur aura un toit à la fin de l'année prochaine. »

Philip pesa longuement le pour et le contre : d'un côté, l'avantage d'avoir un toit à l'abri du feu, de l'autre, l'inconvénient de quatre années supplémentaires de construction — donc quatre années supplémentaires de frais. Mais la dépense se répartirait dans le temps alors que la garantie de sécurité, on l'aurait tout de suite. « Je vais en discuter en chapitre avec les frères, dit-il. Mais cela me paraît une bonne idée. »

Alfred le remercia. Après son départ, Philip resta songeur : avait-il vraiment besoin, après tout, de chercher un nouveau maître bâtisseur ?

Kingsbridge fêta bravement la fête du Pain le 1er août. Le matin, chaque famille de la ville fit cuire sa miche. La moisson venant de rentrer, la farine était peu chère et abondante. Ceux qui n'avaient pas leur propre four apportèrent leur pain à la maison d'un voisin, aux grands fours du prieuré ou aux deux boulangers de la ville, Peggy Baxter et Jack-atte-Noven. A midi, l'air embaumait l'odeur de pain frais, aiguisant l'appétit. On disposa les miches sur des tables dressées dans la prairie, où chacun vint les admirer. Il n'y en avait pas deux pareilles. Certaines étaient fourrées aux fruits et aux épices, d'autres aux prunes, aux raisins, au gingembre, au sucre, à l'oignon, à l'ail et à d'autres choses. On voyait des pains colorés en vert avec du persil, en jaune avec du jaune d'œuf, en rouge avec du santal ou en violet avec du tournesol. Il y en avait de toutes les formes : des triangles, des cônes, des boules, des étoiles, des ovales, des pyramides, des flûtes, et même des huit. D'autres, plus fantaisistes, avaient la forme de lapins, d'ours, de singes et de dragons, et même de maisons et de châteaux. Mais, de l'avis unanime, la palme revenait au pain confectionné par Ellen et Martha, et qui représentait la cathédrale terminée, selon les plans du maçon disparu : Tom.

Le chagrin d'Ellen avait été terrible. Elle avait gémi, nuit après nuit, sans que nul puisse la consoler. Aujourd'hui encore, après deux mois de chagrin, elle avait les yeux creux et le regard égaré. Martha lui apportait toute l'aide qu'elle pouvait et leur collaboration, pour la confection de la cathédrale en pain, lui avait procuré une sorte d'apaisement.

Aliena passa un long moment à regarder l'œuvre d'Ellen, l'esprit vague. Elle n'avait d'enthousiasme pour rien. Quand la dégustation commença, elle passa de table en table, l'air absent, sans rien goûter.

Elle prenait encore tous ses repas au monastère lorsqu'elle pensait à s'alimenter. Il avait fallu que le prieur Philip la raisonne, qu'Alfred lui fournisse le bois et lui prête quelques-uns de ses maçons pour qu'elle accepte de rebâtir une maison.

Malgré sa lassitude, son absence d'énergie, elle savait que cette fête du Pain n'était qu'un semblant. On avait rebâti la ville, les gens vaquaient à leurs occupations comme avant, mais le massacre avait jeté sur eux une ombre irrémédiable et elle sentait, sous l'animation apparente, un courant de peur. La plupart des gens jouaient la comédie mieux qu'Aliena, mais, en vérité, elle savait qu'ils avaient comme elle le sentiment que tout cela ne durerait pas et que tout ce qu'ils construisaient maintenant risquait d'être de nouveau détruit.

Comme elle déambulait sans but entre les tables, son frère Richard apparut, tenant son cheval par la bride. Bien avant le massacre, il était déjà parti se battre pour Stephen. Aussi fut-il stupéfait de ce qu'il trouva. « Que diable est-il arrivé ? dit-il à sa sœur. Je ne reconnais pas notre maison... Toute la ville a changé !

— William Hamleigh a fait irruption le jour de la foire aux toisons avec une troupe d'hommes d'armes. Ils ont incendié la ville », expliqua Aliena d'une voix morne.

Richard pâlit et la cicatrice à son oreille droite devint livide. « William ! murmura-t-il. Ce démon !

— Nous avons une autre maison, continua Aliena du même ton neutre. Ce sont les hommes d'Alfred qui me l'ont bâtie. Elle est beaucoup plus petite, et se trouve en bas, auprès du nouveau quai.

« — Et toi ? s'inquiéta Richard. Comment vas-tu ? Qu'est-il arrivé à tes cheveux ?

— Ils ont pris feu.

— William n'a tout de même pas... »

Aliena secoua la tête. « Pas cette fois. »

Une jeune fille apporta à Richard du pain salé. Il en prit en morceau qu'il garda en main sans y goûter. Il était atterré.

« En tout cas, reprit Aliena, je suis heureuse que tu sois sain et sauf.

— Stephen marche sur Oxford, reprit-il, où Maud se terre. La guerre pourrait se terminer bientôt. Mais il me faut une nouvelle épée. Je suis venu chercher de l'argent. » Il mordit dans le pain. Les couleurs revinrent à son visage. « Pardieu, que c'est bon. Tu pourras me faire cuire un peu de viande plus tard ? »

Aliena se crispa intérieurement. Elle appréhendait sa réaction et n'avait pas la force de l'affronter. « Je n'ai pas de viande, murmura-t-elle.

— Eh bien, va en chercher chez le boucher !

— Ne te fâche pas, Richard, dit-elle en commençant à trembler.

— Je ne me fâche pas, répliqua-t-il avec irritation. Qu'est-ce que tu as ?

— Toute ma laine a brûlé dans l'incendie », annonça-t-elle sans le regarder.

Il fronça les sourcils et d'un geste nerveux jeta le croûton de pain qui lui restait. « Toute la laine ?

— Oui.

— Mais tu dois bien avoir de l'argent.

— Rien.

— Comment ? Tu avais un grand coffre plein de pièces enterré sous le plancher...

— Pas en mai. J'avais tout dépensé pour acheter la laine... jusqu'au dernier penny. J'ai même emprunté quarante livres au pauvre Malachi, que je ne peux pas rembourser. Je ne peux certainement pas t'acheter une nouvelle épée. Je ne peux même pas acheter un morceau de viande pour ton dîner. Nous sommes sans un sou.

— Alors comment vais-je continuer à servir le roi ? » cria-t-il, furieux. Son cheval dressa les oreilles et fit un écart.

« Je n'en sais rien ! » Aliena était au bord des larmes. « Ne crie pas, tu fais peur au cheval. » Elle se mit à pleurer.

« C'est William Hamleigh le coupable, marmonna Richard entre ses dents. Un de ces jours, je le saignerai comme un gros porc, je le jure par tous les saints. »

Alfred vint vers eux, sa barbe broussailleuse parsemée de miettes, un quignon de pain aux prunes à la main. « Essayez ça, dit-il à Richard.

— Je n'ai pas faim », répliqua celui-ci d'un ton hargneux.

Alfred regarda Aliena. « Qu'est-ce qu'il y a ? »

Ce fut Richard qui répondit. « J'apprends que nous sommes ruinés. »

Alfred hocha la tête. « Tout le monde a perdu quelque chose, mais Aliena a perdu tout ce qu'elle avait.

— Vous vous rendez compte de ce que ça signifie pour moi ? dit Richard en s'adressant à Alfred. Ma vie est finie. Si je ne peux pas remplacer mes armes, payer mes hommes ni acheter de chevaux, alors je ne peux pas me battre pour le roi Stephen. Ma carrière de chevalier est terminée... et je ne serai jamais comte de Shiring.

— Aliena pourrait épouser un homme riche, suggéra Alfred.

— Elle les a tous éconduits, fit Richard avec un rire méprisant.

— L'un d'entre eux pourrait renouveler sa demande.

— Mais oui, répliqua Richard avec une grimace ironique. Envoyons des lettres à tous les prétendants qu'elle a repoussés, pour leur dire qu'elle a perdu sa fortune et qu'elle est maintenant prête à reconsidérer...

— Assez », dit Alfred en posant une main sur le bras de Richard. Richard se tut. Alfred se tourna vers Aliena. « Vous souvenez-vous de ce que je vous ai dit, voilà un an, au premier dîner de la guilde de la paroisse ? »

Aliena sentit son cœur se serrer. Alfred n'allait pas recommencer ! Elle n'aurait pas la force de le supporter.

« Je m'en souviens, dit-elle. Et j'espère que vous vous souvenez de ma réponse.

— Je vous aime toujours », dit Alfred.

Richard n'en crut pas ses oreilles.

Alfred reprit : « Je veux toujours vous épouser. Aliena, voulez-vous être ma femme ?

— Non ! » s'écria-t-elle. Elle aurait voulu s'expliquer,

ajouter quelque chose qui rendrait sa décision définitive et irréversible, mais elle était trop lasse. Son regard alla d'Alfred à Richard puis revint à Alfred et tout d'un coup elle se sentit défaillir. Elle se détourna, s'éloigna rapidement et traversa le pont pour retourner en ville.

Elle aurait tué Alfred pour avoir renouvelé sa demande devant Richard. Elle aurait tellement préféré que son frère reste dans l'ignorance. Depuis trois mois que l'incendie avait eu lieu, Alfred ne s'était pas manifesté. On aurait dit qu'il avait attendu Richard pour parler.

Elle traversait d'un pas rageur les nouvelles rues désertées par les habitants qui étaient tous réunis au prieuré. La maison d'Aliena se dressait dans le quartier des pauvres, le long du quai. Malgré la modération du loyer, elle ne savait pas comment elle le paierait.

Richard la rattrapa à cheval, mit pied à terre et marcha près d'elle. « Toute la ville sent le bois frais, dit-il sur le ton de la conversation, et tout est si propre ! »

Aliena, qui s'était habituée au nouvel aspect de la ville, la regarda avec les yeux neufs de son frère qui la voyait pour la première fois. Le feu avait emporté le bois humide et pourri des vieux bâtiments, les toits de chaume encrassés par des années de cuisine, les anciennes écuries empestées et les tas de boue à l'odeur fétide. On avait remarqué la notable diminution des maladies depuis l'incendie, constatation qui venait confirmer une théorie défendue par de nombreux philosophes, selon laquelle c'étaient les vapeurs nauséabondes qui causaient la maladie.

Richard disait quelque chose.

« Quoi ? répliqua Aliena, l'esprit ailleurs.

— Je ne savais pas qu'Alfred t'avait proposé le mariage l'an dernier, répéta Richard.

— Tu avais des choses plus importantes en tête. C'était l'époque où Robert de Gloucester a été fait prisonnier.

— Alfred a été bien bon de te bâtir une maison.

— C'est vrai. Tiens, la voici. » Elle s'attendait à sa déception et le plaignait : pour lui qui était né dans le château d'un comte, même la grande maison qu'ils possédaient avant l'incendie marquait sa déchéance. Maintenant, il devrait s'habituer au genre d'habitation réservée aux ouvriers et aux veuves.

Elle prit son cheval par la bride. « Viens. Il y a de la place derrière pour ton destrier. » Elle guida l'énorme bête à travers l'unique pièce de la maison et le fit ressortir par la porte du fond. Elle attacha le cheval à un poteau de la clôture et entreprit de le débarrasser de sa lourde selle de bois. La plupart des gens avaient creusé des latrines, planté des légumes et bâti une porcherie ou aménagé un poulailler dans leur cour. Celle d'Aliena était encore intacte.

Richard ne s'attarda pas dans la maison, où il n'y avait pas grand-chose à regarder, et rejoignit Aliena dehors. « La maison est un peu nue... Il n'y a pas de meubles, pas de casseroles, pas d'écuelles...

— Je n'ai pas d'argent, répéta-t-elle une fois de plus.

— Tu n'as rien fait pour le jardin non plus, dit-il en promenant autour de lui un regard dépité.

— Je n'ai pas le courage », dit-elle avec agacement ; puis, lui tendant la grande selle, elle entra dans la maison.

Elle s'assit sur le sol, le dos au mur. Il faisait frais dans la pièce. Elle entendait Richard s'occuper de son cheval. Un museau pointa hors de la paille, sous ses yeux. Un rat. Des milliers de rats et de souris avaient péri dans l'incendie, mais on commençait maintenant à en revoir apparaître. Elle chercha du regard quelque chose pour tuer l'animal, mais elle n'avait rien sous la main et d'ailleurs le rat disparut.

Qu'est-ce que je vais faire ? songea-t-elle. Je ne peux pas vivre ainsi le restant de mes jours. La seule idée d'entamer une nouvelle entreprise l'épuisait. Autrefois elle avait réussi à vaincre la pénurie, mais l'énergie qu'elle avait dû déployer, plus la ruine de ses efforts avaient eu raison de son courage. Désormais elle vivrait une existence passive, contrôlée par quelqu'un qui prendrait les décisions à sa place. Elle pensa à maîtresse Kate, à Winchester, qui l'avait embrassée sur les lèvres et caressée. Elle se rappela ses paroles : « Ma chère fille, tu n'auras plus jamais besoin de rien si tu travailles pour moi. Nous serons riches toutes les deux. » Non, pas ça. Jamais.

Richard rentra, chargé des sacs de selle. « Si tu ne peux rien faire toi-même, trouve quelqu'un pour s'occuper de toi, dit-il.

— Tu es là.

— Je ne peux pas m'occuper de toi ! protesta-t-il.

— Pourquoi pas ? fit-elle dans une flambée de colère. Je me suis bien occupée de toi, moi, six longues années !

— Je faisais la guerre... Toi, tu t'es contentée de vendre de la laine... »

667

Et de poignarder un hors-la-loi, ajouta-t-elle intérieurement ; de jeter par terre un prêtre malhonnête ; de te nourrir, te vêtir et te protéger quand tu te mordais les poings de peur. Sa colère retomba, vaincue elle aussi, et elle sourit. « Je plaisantais, bien sûr. »

Il grommela, un peu désemparé par l'attitude de sa sœur, et secoua la tête avec irritation. « De toute façon, tu ne devrais pas repousser si vite Alfred.

— Oh ! Au nom du ciel, tais-toi.

— Qu'est-ce que tu lui reproches ?

— Je ne reproche rien à Alfred. Tu ne comprends donc pas ? C'est moi qui ne vais pas bien. »

Il braqua un doigt sur elle. « Ce que tu as, c'est que tu es foncièrement égoïste. Tu ne penses qu'à toi. »

C'était si monstrueusement injuste qu'elle ne ressentit aucune colère. Les larmes lui montèrent aux yeux. « Comment peux-tu dire ça ? protesta-t-elle.

— Tout s'arrangerait si seulement tu acceptais d'épouser Alfred, mais tu refuses.

— Si j'épousais Alfred, cela ne t'aiderait pas.

— Mais si.

— Comment ?

— Alfred m'a promis qu'il m'aiderait si j'étais son beau-frère. Il faudrait que je réduise un peu mes frais, notamment le nombre de mes hommes d'armes, mais je pourrais m'acheter un destrier et de nouvelles armes et engager un écuyer.

— Quand ? fit Aliena, stupéfaite. Quand t'a-t-il promis cela ?

— A l'instant. Au prieuré. »

Aliena rougit d'humiliation. De son côté, Richard se sentit un peu honteux. Les deux hommes avaient négocié sa personne comme des maquignons. Aliena se leva et, sans un mot, quitta la maison.

Elle remonta jusqu'au prieuré et y pénétra en sautant par-dessus le fossé auprès du vieux moulin. L'enceinte était déserte, comme elle s'y attendait, le chantier de la cathédrale silencieux. C'était l'heure où les moines étudiaient ou se reposaient. Tous les citoyens festoyaient dans la prairie. Elle poursuivit jusqu'au cimetière, au-delà du chantier. Les tombes entretenues avec soin, avec leurs croix de bois toutes neuves et leurs bouquets de fleurs fraîches révélaient que la ville ne s'était pas encore remise du massacre. Elle s'arrêta auprès de la tombe en pierre de Tom, ornée d'un simple ange de marbre sculpté par Jack. Il y a sept ans, songea-t-elle, mon père avait arrangé un mariage parfaitement raisonnable. William Hamleigh n'était pas vieux, il n'était pas laid et il n'était pas pauvre. N'importe quelle fille de ma position l'aurait accepté avec soulagement. Mais je l'ai refusé et tous les malheurs ont suivi : notre château attaqué, mon père jeté en prison, mon frère et moi ruinés : même l'incendie de Kingsbridge et la mort de Tom sont les conséquences de mon obstination.

Et voilà que je refuse encore une proposition parfaitement raisonnable, songea-t-elle. Qu'est-ce qui me donne le droit d'être si difficile ? Ma délicatesse a causé assez d'ennuis. Je devrais accepter Alfred et me réjouir de ne pas être obligée de travailler pour maîtresse Kate.

Elle quitta la tombe et se dirigea vers le chantier. A l'exception du toit, le chœur était terminé et les bâtisseurs s'apprêtaient à entamer l'étape suivante : les transepts. Le plan en était déjà tracé sur le sol avec des piquets et des cordes, et on avait commencé à creuser les fondations. Les grands murs devant elle jetaient de longues ombres sous le soleil de fin d'après-midi. Malgré la douceur du jour, il faisait froid dans la cathédrale. Aliena regarda longuement la série d'arches gracieuses et ressentit quelque chose de profondément satisfaisant dans le rythme régulier de leur succession.

Si Alfred voulait vraiment aider Richard, Aliena tenait encore une chance d'exaucer le vœu qu'elle avait prononcé en présence de son père. Elle pourrait soutenir Richard jusqu'au jour où il aurait reconquis son comté. Au fond de son cœur, elle savait que c'était la solution. Seulement elle ne pouvait pas la supporter.

Elle suivit le bas-côté, laissant sa main traîner sur le mur, sur la rude texture des pierres. Sous les fenêtres, le mur était décoré d'une arcade aveugle, comme une rangée d'arcs comblés. Ils ne servaient qu'à ajouter au sentiment d'harmonie qu'on éprouvait en regardant l'édifice. Tout dans la cathédrale de Tom était prévu. Et ma vie ? pensa Aliena. Était-elle dessinée d'avance, comme un plan d'architecture ? Et elle, Aliena ? Agissait-elle comme un maçon imbécile et borné qui prétendrait mettre une fontaine au milieu du chœur ?

Dans un coin de l'église, une porte basse menait à un

étroit escalier en spirale. Dans un brusque élan, Aliena la franchit et grimpa les marches. Bientôt elle ne vit plus la porte et pas encore le haut de l'escalier. Un malaise la saisit : cet escalier cessait-il de monter ? Enfin elle déboucha sur la galerie surplombant le bas-côté. Elle s'assit au bord d'une arche, appuyée au pilier. La pierre froide lui caressait la joue. L'idée lui vint que si elle tombait, elle pourrait se tuer. Non, tout juste se briser les jambes et rester là à souffrir jusqu'au moment où quelqu'un la découvrirait.

Elle décida de monter plus haut, à la galerie supérieure. Elle revint à l'escalier et s'y engagea. L'étage suivant était plus court mais son cœur battait fort lorsqu'elle arriva en haut. Elle s'engagea dans le passage à claire-voie et le longea jusqu'à une baie. Se cramponnant au pilier qui divisait la fenêtre en deux, elle plongea son regard vers les soixante-quinze pieds de vide qui s'ouvraient sous elle et se mit à trembler.

Des pas résonnèrent dans l'escalier en colimaçon. Elle reprit sa respiration, comme après une longue course. Quelqu'un l'avait suivie ? Les pas se rapprochaient. Elle lâcha le pilier et resta vacillante au bord du vide. Une silhouette apparut : Jack.

« Qu'est-ce que vous faites ? demanda-t-il, étonné.

— Je... Je venais voir l'avancement de vos travaux. »

Il désigna le chapiteau au-dessus de la tête d'Aliena. « C'est moi qui ai fait cela. »

Elle leva les yeux. Dans la pierre était sculpté un homme qui semblait soutenir sur son dos le poids de l'arche. Son corps se crispait de douleur. Aliena le contempla. Elle n'avait jamais rien vu de pareil. Sans réfléchir, elle dit : « C'est exactement ce que je ressens. »

Jack s'approcha d'elle et lui prit le bras avec douceur mais fermeté. « Je sais », dit-il.

Elle regarda le vide. L'idée de tomber d'aussi haut lui donnait la nausée. Jack la tira par le bras. Elle se laissa entraîner.

Ils reprirent l'escalier et ressortirent sur le chantier. Aliena flageolait. « J'étais en train de lire dans le cloître, dit Jack. Machinalement j'ai levé les yeux et je vous ai vue dans l'encadrement de la baie. »

Elle regarda son jeune visage, si plein d'inquiétude et de tendresse ; et elle sut pourquoi elle avait fui pour venir chercher ici la solitude. Elle avait envie de l'embrasser et elle lut dans ses yeux un désir qui répondait au sien. Chaque fibre de son corps lui disait de se jeter dans les bras de Jack. Elle aurait voulu dire : *Je t'aime comme un orage, comme un lion, comme une rage impuissante* ; mais, au lieu de cela, elle dit : « Je crois que je vais épouser Alfred. »

Jack accusa le coup en blêmissant. Son visage s'assombrit, s'imprégnant d'une antique et sage tristesse qui dépassait ses jeunes années. Elle crut qu'il allait pleurer, mais il n'en fit rien. Au contraire, il y avait de la fureur dans son regard. Il ouvrit la bouche pour parler, hésita, puis d'une voix froide comme le glacial vent du nord, il dit : « Vous auriez mieux fait de vous jeter dans le vide. » Tournant les talons, il repartit vers le monastère.

Je l'ai perdu pour toujours, songea Aliena, et elle eut l'impression que son cœur allait éclater.

II

On avait vu Jack quitter le cloître le jour de la fête du Pain. Ce n'était pas en soi un délit bien grave, mais le novice s'était fait surprendre à plusieurs reprises. Cette fois, l'affaire semblait plus sérieuse, car elle mettait en cause une femme non mariée. On discuta du cas au chapitre le lendemain et on ordonna à Jack une réclusion rigoureuse. Autrement dit, il était consigné dans les limites des bâtiments monastiques, du cloître et de la crypte. Chaque fois qu'il se déplaçait de l'un à l'autre, il devait être accompagné.

La peine ne le toucha guère. Il était si accablé par la déclaration d'Aliena que rien d'autre ne comptait. On aurait pu le condamner à la flagellation, il n'y aurait pas prêté davantage attention.

Bien sûr, il n'était plus question maintenant pour lui de travailler à la cathédrale ; de toute façon, son plaisir avait à peu près disparu depuis qu'Alfred dirigeait les travaux. Jack passait ses après-midi libres à lire. Son latin s'était amélioré, il pouvait comprendre presque tous les textes, mais lentement. Si modeste que fût la bibliothèque, elle possédait divers ouvrages de philosophie et de mathématiques, où Jack se plongeait avec enthousiasme.

Pourtant, la plupart de ses lectures étaient décevantes. Elles contenaient des pages de généalogies, de récits répétitifs de miracles accomplis par des saints morts depuis longtemps et d'interminables spéculations théologiques. Le premier livre qui lui plut vraiment racontait l'histoire du monde, depuis la création jusqu'à la fondation du prieuré de Kingsbridge. D'abord Jack eut l'impression de tout savoir, sans exception. Puis il commença à mesurer les limites du livre. Le monde ne se bornait pas à Kingsbridge et à l'Angleterre. Il se passait toutes sortes d'événements ailleurs aussi, en Normandie, en Anjou, à Paris, à Rome, en Éthiopie et à Jérusalem, dont il n'était pas question dans l'ouvrage. Néanmoins, après cette lecture, Jack découvrit que le passé est constitué d'éléments en rapport les uns avec les autres, que le monde n'est pas un mystère flou mais un ensemble fini, que l'esprit peut appréhender.

Ce qui le passionnait, c'étaient les énigmes. Un philosophe posait la question de savoir pourquoi un être faible peut déplacer une lourde pierre du moment qu'il utilise un levier. Ce qui paraissait normal à Jack jusqu'à présent se mettait à le tourmenter. Il avait passé plusieurs semaines de suite à la carrière et il savait que, quand on ne pouvait pas bouger une pierre avec un levier d'un pied de long, la solution était généralement d'en utiliser un plus grand. Pourquoi le même homme était-il incapable de déplacer la pierre avec un instrument court, mais réussissait avec un outil long ? Cette question en amenait une foule d'autres. Les bâtisseurs de cathédrales utilisaient un énorme treuil pour hisser les grosses pierres et les madriers jusqu'au toit. La charge au bout de la corde était bien trop lourde pour qu'un homme pût la soulever à mains nues, mais ce même homme pouvait faire tourner la poulie où s'enroulait la corde et hisser la charge jusqu'en haut. Comment était-ce possible ?

Ces réflexions l'occupaient et le distrayaient, mais jamais suffisamment pour qu'il oublie Aliena. Ses pensées revenaient inlassablement à elle. Il passait des heures dans le cloître, un gros livre posé sur un lutrin devant lui, en évoquant le jour où, dans le vieux moulin, il l'avait embrassée. Il se souvenait avec acuité de ce baiser, du doux contact de leurs lèvres, de la grisante sensation de la langue d'Aliena dans sa bouche. Il se souvenait de ses seins et de son ventre contre lui. Le souvenir était si intense que c'était comme s'il revivait la scène chaque fois.

Pourquoi avait-elle changé ? Il était toujours persuadé que ce baiser était la réalité et que la froideur qu'elle lui avait montrée par la suite était feinte. Il était sûr de la connaître. Elle était aimante, sensuelle, romanesque, imaginative et chaleureuse. Mais aussi impétueuse et irréfléchie, volontairement dure, mais jamais froide ni cruelle. Cela ne lui ressemblait pas d'épouser pour son argent un homme qu'elle n'aimait pas. Elle serait malheureuse, malade de tristesse et de regret, il le savait et elle dans son cœur devait le savoir aussi.

Un jour qu'il était dans la bibliothèque, un serviteur du prieuré qui balayait le sol s'arrêta devant lui, appuyé sur son balai, et dit : « Alors, il va y avoir une grande fête dans votre famille ? »

Jack leva les yeux de la carte du monde, dessinée sur une grande feuille de vélin. Le serviteur était un vieil homme noueux, trop faible maintenant pour de gros travaux. Sans doute confondait-il Jack avec quelqu'un d'autre. « Quelle fête, Joseph ?

— Vous ne savez pas ? Votre frère se marie.

— Je n'ai pas de frère », dit Jack machinalement. Mais son cœur s'était glacé.

« Votre beau-frère, alors, dit Joseph.

— Non, je ne savais pas. » Les dents serrées, il se força à poser la question : « Qui épouse-t-il ?

— Aliena. »

Ainsi elle était allée jusqu'au bout. Jack avait toujours nourri le secret espoir qu'elle changerait d'avis. Il détourna les yeux pour que Joseph ne vît pas le désespoir sur son visage. « Eh bien, eh bien, dit-il en essayant de cacher son émotion.

— Oui... Elle se donnait des grands airs, celle-là, jusqu'au jour où elle a tout perdu dans l'incendie.

— Est-ce que... Est-ce que tu sais quand ?

— Demain. Ils se marient dans la nouvelle église qu'Alfred a construite. »

Demain ! Aliena allait épouser Alfred demain ! Jack n'avait jamais vraiment cru que cela arriverait. Et voilà que la réalité s'abattait sur lui comme un coup de tonnerre. Aliena se mariait demain. La vie de Jack se terminerait donc demain. Ses yeux revinrent à la carte posée devant lui. Qu'importait que le centre du monde fût Jérusalem ou Wallingford ? Serait-il plus heureux s'il savait comment fonctionnent les leviers ? Il avait dit à Aliena qu'elle aurait mieux fait de se jeter dans le vide plutôt que d'épouser Alfred. Ce qu'il aurait dû faire c'était de s'y jeter lui-même.

Il détestait le prieuré. La vie de moine lui répugnait. S'il ne pouvait pas travailler à la cathédrale et si Aliena en épousait un autre, il n'avait plus de but dans la vie.

Le pire, c'était qu'elle serait malheureuse avec Alfred, il le savait. Ce n'était pas seulement parce qu'il haïssait son demi-frère. Il connaissait des jeunes filles qui se satisfe- raient de lui. Edith, par exemple, celle qui avait ricané quand Jack lui avait expliqué combien il aimait sculpter la pierre. Edith serait heureuse de flatter Alfred et de lui obéir aussi longtemps qu'il rapporterait de l'argent et qu'il aime- rait leurs enfants. Mais Aliena, elle, souffrirait chaque minute de leur mariage. Elle mépriserait le manque de finesse d'Alfred, elle maudirait sa brutalité, elle serait écœurée de sa mesquinerie et ne supporterait jamais sa len- teur d'esprit. Ce mariage serait pour elle un enfer.

Pourquoi ne s'en rendait-elle pas compte ? Jack était déconcerté. Que se passait-il dans l'esprit d'Aliena ? Sept ans plus tôt, elle avait fait sensation en refusant d'épouser William Hamleigh et voilà qu'aujourd'hui elle acceptait passivement la demande d'un maçon simple et grossier. A quoi pensait-elle ?

Jack devait le savoir. Il fallait qu'il lui parle. Au diable le monastère !

Il roula la carte, la rangea dans le placard et se dirigea vers la porte. Joseph s'étonna. « Vous partez ? Je croyais que vous deviez rester ici jusqu'à ce que le prévôt vienne vous chercher.

— Le prévôt peut aller au diable », dit Jack en passant la porte.

Comme il débouchait dans l'allée du cloître, il tomba sur le prieur Philip qui arrivait du chantier. « Jack ! Qu'est-ce que cela signifie ? Oublies-tu ta pénitence ? »

Jack ne supportait plus la discipline monastique. Sans répondre à Philip, il se dirigea vers le passage qui menait aux petites maisons du nouveau quai. Hélas ! Ce n'était pas son jour de chance. Au même moment apparut frère Pierre, le prévôt, suivi de ses deux adjoints. Ils aperçurent Jack et s'arrêtèrent net, une expression d'indignation stupéfaite sur le visage lunaire de Pierre.

« Frère Pierre ! cria Philip. Arrêtez ce novice ! »

Pierre tendit la main pour bloquer Jack, qui le repoussa. Rouge de colère, Pierre empoigna Jack par le bras. Celui-ci se dégagea en décochant au moine un coup de poing sur le nez. Il poussa un cri et ses deux adjoints bondirent sur le fugitif.

Jack se débattait comme un forcené et il allait se libérer quand Pierre, un peu remis du choc, vint en renfort. A eux trois, ils parvinrent à plaquer Jack au sol et à l'y maintenir. Lui continuait de lutter, furieux de voir cette vermine monastique l'empêcher de faire ce qui comptait vraiment pour lui : parler à Aliena. Les deux adjoints, assis sur lui, lui interdisaient tout mouvement. Pierre essuyait sur la manche de son habit le sang qui coulait de son nez. Philip rejoignit le groupe.

Visiblement, il n'avait jamais été aussi en colère. « Je ne tolérerai cette attitude de personne, dit-il d'une voix de fer. Tu es un novice et tu vas m'obéir. » Il se tourna vers Pierre. « Emmenez-le dans la salle d'obédience.

— Non ! cria Jack. Vous n'avez pas le droit !

— Pas le droit ! » Philip eut un ricanement de rage.

La salle d'obédience était une petite cellule sans fenêtre située dans le magasin sous le dortoir, à côté des latrines. Elle servait surtout à emprisonner les délinquants en attente de comparution devant la cour du prieur ou de transfert à la prison du shérif à Shiring ; mais elle servait de temps en temps de cellule de punition pour les moines qui avaient commis de graves délits disciplinaires, notamment des actes impurs avec les domestiques du prieuré.

Ce n'était pas le cachot que redoutait Jack — c'était le fait qu'il ne pourrait pas sortir voir Aliena. « Vous ne comprenez pas ! hurla-t-il à Philip. Il faut que je parle à Aliena ! »

Il n'aurait pas pu dire pire. La colère de Philip passa à la fureur. « C'est pour lui avoir adressé la parole que tu es puni ! lui rappela-t-il.

— Mais il faut que je lui parle tout de suite, c'est urgent !

— La seule chose urgente, c'est d'apprendre à craindre Dieu et d'obéir à tes supérieurs.

— Vous n'êtes pas mon supérieur, espèce de crétin ! Vous n'êtes rien pour moi. Lâchez-moi, bon sang !

— Emmenez-le », dit Philip d'un ton glacial.

Un petit rassemblement s'était formé autour de l'incident. Quelques moines aidèrent à maintenir Jack par les bras et les jambes. Il gigotait comme un poisson pris à l'hameçon, mais ils étaient trop nombreux. On le transporta jusqu'à la porte de la salle d'obédience. Quelqu'un l'ouvrit. La voix de frère Pierre retentit cruellement : « Jetez-le là-dedans ! » A peine eut-il atterri sur le sol de pierre, meurtri de toutes parts, qu'il se précipitait contre la porte, qui se ferma juste comme il en touchait le loquet. De l'autre côté la lourde barre de fer glissa contre le pan de bois, la clé tourna dans la serrure.

Jack se jeta contre la porte et la martela de toutes ses forces : « Laissez-moi sortir ! criait-il comme un fou. Il faut que je l'empêche d'épouser cette brute ! Laissez-moi sortir ! » Dehors, c'était le silence. Il continua à appeler tant qu'il eut de la voix, puis ses cris se transformèrent en gémissements, puis en un rauque murmure et il se mit à pleurer des larmes de rage.

La cellule n'était pas totalement obscure : grâce au peu de lumière qui filtrait sous la porte, il distinguait vaguement les détails du cachot. Il en fit le tour en tâtant les murs. Ses doigts devinaient des marques du ciseau sur les pierres, qui indiquaient que la cellule avait été bâtie très anciennement. Elle avait environ six pieds carrés, avec une colonne dans un coin et un plafond voûté : de toute évidence elle faisait autrefois partie d'une pièce plus vaste et on l'avait murée pour en faire une prison. Sur une paroi, il y avait un espace comme une ouverture pour une meurtrière, mais elle était solidement bouchée et de toute façon beaucoup trop étroite pour permettre à quiconque de s'y glisser. Le sol dallé était humide. Jack perçut le bruit régulier d'un torrent et il comprit que la canalisation qui traversait le prieuré du vivier jusqu'aux latrines devait passer sous la cellule, ce qui expliquait pourquoi le sol était en pierre et non en terre battue.

Épuisé, il s'assit sur le sol, le dos au mur, et fixa le rai de lumière qui passait sous la porte, exaspérant rappel de la liberté. Comment en était-il arrivé là ? Pris au piège... Il n'avait jamais cru au monastère, il n'avait jamais pensé dédier sa vie à Dieu en qui il ne croyait pas vraiment. Il était devenu novice car c'était la solution d'un problème immédiat, une façon de rester à Kingsbridge, près de ceux qu'il aimait, tout en conservant la possibilité, croyait-il, de partir s'il en avait envie. Mais maintenant qu'il voulait se dégager, qu'il le voulait plus que tout, il ne pouvait pas : il était prisonnier. J'étranglerai le prieur Philip dès que je serai sorti d'ici, songea-t-il, même si l'on doit me pendre.

Quand allait-on le relâcher ? Il entendit la cloche sonner le souper. Les moines avaient assurément résolu de le laisser là toute la nuit. Sans doute en ce moment même discutaient-ils de son cas. Le pire châtiment qu'il encourait, c'était le cachot pendant une semaine : il ne doutait pas que Pierre et Remigius réclameraient une ferme punition. D'autres, qui l'aimaient bien, pourraient se contenter d'une nuit de cellule. Et Philip ? Le prieur aimait bien Jack, mais après une telle scène, et surtout après les paroles prononcées par Jack, Philip ne pouvait plus prendre son parti. Il laisserait les durs l'emporter. Son seul espoir, c'était qu'on décide de l'expulser immédiatement du monastère, ce qui du point de vue des moines serait la condamnation la plus sévère. Si seulement cela arrivait ! Jack aurait encore une chance de parler à Aliena avant le mariage. Mais Philip n'accepterait jamais cette solution, Jack en était sûr. Ce serait pour le prieur un insupportable constat d'échec.

Sous la porte la lumière déclinait. Une question saugrenue se formula dans l'esprit du prisonnier. Comment se soulageait-on de ses besoins naturels dans ce cachot ? Ce n'était pas le genre des moines de négliger ce genre de chose. Il se remit à inspecter le sol, pouce par pouce, et repéra un petit trou dans un coin. Le bruissement de l'eau plus fort à cet endroit indiquait la présence au-dessous de la canalisation souterraine.

En même temps qu'il faisait cette découverte, un volet s'ouvrit dans la porte. Jack bondit sur ses pieds. On déposa une écuelle et un croûton de pain sur le rebord de la petite fenêtre. Jack ne pouvait pas distinguer le visage du visiteur. « Qui est-ce ? dit-il.

— Je ne suis pas autorisé à vous parler », dit l'homme d'une voix neutre, mais que Jack reconnut : c'était un vieux moine du nom de Luke.

« Luke, savez-vous combien de temps je dois rester ici ? » cria Jack.

L'autre répéta la formule : « Je ne suis pas autorisé à vous parler.

— Je vous en prie, Luke, dites-le-moi si vous le savez ! » supplia Jack, d'un ton tellement angoissé que le vieux Luke répondit dans un souffle : « Pierre a réclamé une semaine, mais Philip a ramené la peine à deux jours. » Le guichet se referma.

« Deux jours ! fit Jack, désespéré. Mais d'ici là elle sera mariée ! »

Il n'y eut pas de réponse.

Jack restait immobile, le regard perdu dans le vide. Ses yeux s'emplirent de larmes et il s'allongea sur le sol. Il n'y avait rien d'autre à faire. Il était enfermé dans ce trou jusqu'à lundi et, lundi, Aliena serait la femme d'Alfred, couchée dans le lit d'Alfred, possédée par Alfred. Cette pensée lui donnait des haut-le-cœur.

Comme un automate, Jack s'approcha en tâtonnant du guichet et trouva l'écuelle : elle contenait de l'eau. Il mit un petit morceau de pain dans sa bouche, mais il n'avait pas faim et il le mâchonna interminablement avant de l'avaler. Il but le reste de l'eau et se recoucha.

Il ne dormit pas vraiment, mais sombra dans une sorte de torpeur. Dans un rêve douloureux, il revivait les dimanches après-midi qu'il avait passés avec Aliena, l'été d'avant, lorsqu'il lui racontait l'histoire de l'écuyer amoureux de la princesse partant en quête de la vigne dont les fruits étaient des joyaux.

La cloche de minuit le tira de son assoupissement. Il avait l'habitude maintenant des horaires monastiques et à minuit il se sentait pleinement éveillé. Il se représenta les moines sortant de leurs lits et formant les rangs pour la procession qui les conduirait du dortoir à l'église. Ils étaient juste au-dessus de Jack mais il n'entendait rien. Bientôt, ce fut la cloche des laudes. Le temps passait vite, trop vite. Demain Aliena serait mariée.

Au petit matin, malgré son désespoir, il s'endormit pour de bon.

Il s'éveilla en sursaut. Il y avait quelqu'un dans la cellule. La panique le paralysa.

Le cachot était plongé dans un noir absolu. Le bruit de l'eau semblait plus fort. « Qui est là ? dit-il d'une voix tremblante.

— C'est moi... N'aie pas peur.

— Mère ! » murmura-t-il. Il ne se demandait pas comment elle était arrivée là, tellement il se sentait soulagé. « Comment as-tu su que j'étais ici ?

— Le vieux Joseph est venu me raconter l'affaire, répondit-elle.

— Doucement ! Les moines vont t'entendre.

— Non, sûrement pas. Ici tu peux chanter et crier de toutes tes forces sans qu'on entende rien au-dessus. Je le sais, je l'ai fait... »

Il avait la tête si pleine de questions qu'il ne savait pas par où commencer. « Comment es-tu entrée ici ? Est-ce que la porte est ouverte ? » Il la chercha, les mains tendues devant lui. « Oh... tu es trempée !

— La canalisation d'eau passe juste en dessous. Il y a une dalle mal assujettie dans le sol.

— Comment le savais-tu ?

— Ton père a passé dix mois dans cette cellule, dit-elle d'une voix pleine d'amertume.

— Mon père ? Dans *cette* cellule ? Dix mois ?

— C'est lui qui m'a renseignée.

— Mais pourquoi était-il ici ?

— Nous ne l'avons jamais su, répondit-elle durement. Il a été enlevé ou arrêté — il ne l'a jamais compris exactement — en Normandie, et amené ici. Il ne parlait ni l'anglais ni le latin, il n'avait aucune idée de l'endroit où il était. Il a travaillé aux écuries environ un an... C'est là que je l'ai rencontré. » La mélancolie adoucit sa voix. « Je l'ai aimé dès l'instant où j'ai posé les yeux sur lui. Il était si doux, il avait l'air si effrayé et si malheureux ; pourtant il chantait comme un oiseau. Personne ne lui avait parlé depuis des mois. Il était si content quand j'ai dit quelques mots en français que je crois qu'il est tombé amoureux de moi rien que pour ça. » Sa voix vibra de nouveau. « Au bout d'un certain temps, on l'a enfermé dans cette cellule. C'est alors que j'ai découvert un moyen d'y entrer. »

Jack ne put s'empêcher de penser qu'il avait dû être conçu ici même, sur ces dalles froides. Cette idée le gênait tellement qu'il bénit l'obscurité qui les empêchait de se voir, sa mère et lui. « Tout de même, demanda-t-il, mon père avait dû faire quelque chose qui justifie son arrestation ?

— Il n'a jamais su quoi. D'ailleurs, pour finir, on a

machiné un crime. Quelqu'un lui a donné une coupe incrustée de joyaux en lui disant qu'il pouvait s'en aller. Une demi-lieue plus loin, il était arrêté et accusé d'avoir volé la coupe. On l'a pendu. » Elle se mit à sangloter.

« Qui est responsable du jugement ?

— Le shérif de Shiring, le prieur de Kingsbridge... Peu importe !

— Et la famille de mon père ? Il devait avoir des parents, des frères et des sœurs...

— Oui, il avait une grande famille, là-bas en France.

— Pourquoi ne s'est-il pas échappé pour retourner auprès d'eux ?

— Il a essayé une fois. On l'a repris et ramené. C'est là qu'on l'a mis au cachot. Bien sûr, il aurait pu profiter de ma découverte pour s'enfuir d'ici, mais il ne savait pas comment rentrer chez lui, il ne parlait pas un mot d'anglais et il était sans un sou. Ses chances semblaient trop minces. Malgré tout, il aurait dû le faire, étant donné ce qui est arrivé ensuite. Mais sur le moment, nous n'avons jamais supposé qu'on le pendrait. »

Jack prit Ellen dans ses bras. Elle était toute mouillée et frissonnait. Elle devait absolument ressortir et aller se sécher. Avec un coup au cœur, il se rendit compte que, si elle pouvait sortir, lui aussi. Son souhait était exaucé : il pourrait parler à Aliena avant son mariage ! « Montre-moi le chemin », dit-il brusquement.

Elle sécha ses larmes. « Tiens mon bras, je vais te guider. »

Il sentit qu'elle se penchait. « Laisse-toi descendre dans le conduit, dit-elle. Respire un grand coup et plonge sous l'eau. Attention : va bien à contre-courant, sinon tu te retrouveras dans la latrine des moines. Même si tu as du mal à garder ta respiration, reste calme et continue d'avancer. Tu t'en tireras. » Elle descendit encore un peu et il perdit contact. A son tour il se glissa dans le trou. Ses pieds touchèrent l'eau. Quand ils se posèrent sur le fond de la canalisation, ses épaules étaient encore dans la cellule. Avant de disparaître, il tira la dalle et la remit en place, songeant avec malice que les moines seraient bien intrigués lorsqu'ils découvriraient la cellule vide.

L'eau était glacée. Il prit une profonde inspiration, s'accroupit sous l'eau et avança contre le courant. Il allait

aussi vite qu'il le pouvait. Tout en progressant, il se représentait les bâtiments qui défilaient au-dessus de lui. Il passait sous le couloir, puis le réfectoire, la cuisine et la
boulangerie. Par l'extérieur, ce n'était pas loin, mais dans
ce conduit d'eau, le trajet lui parut durer une éternité. Il eut
le réflexe de faire surface mais sa tête heurta la voûte du
tunnel. Un tourbillon de panique l'étourdit et il se rappela
que sa mère l'avait prévenu. Il était presque au bout. En
effet, il distingua devant lui un halo lumineux. Le jour se
levait. Il avança, à bout de souffle, jusqu'à la lumière, puis
il se redressa et aspira goulûment l'air frais. Quand il eut
retrouvé son calme, il se hissa hors du fossé.

Sa mère s'était déjà changée. Elle avait apporté des
habits secs pour lui aussi. Bien pliés sur la berge s'alignaient des vêtements qu'il n'avait plus portés depuis six
mois : une chemise de toile, une tunique de laine verte, des
chausses grises et des bottes de cuir. Sa mère essora sa robe
mouillée tandis que Jack s'habillait.

Il jeta dans le fossé sa tenue de moine. Il ne la porterait
plus jamais.

« Que comptes-tu faire maintenant ? lui demanda sa
mère.

— Aller chez Aliena.

— Maintenant ? Il est trop tôt !

— Je ne peux pas attendre. »

Elle hocha la tête. « Va doucement. Elle est meurtrie. »

Jack se pencha et enlaça Ellen, la serra contre lui. « Tu
m'as libéré de prison, dit-il en riant. Quelle mère tu fais ! »

Elle sourit, les yeux trop brillants. Jack l'étreignit pour
lui dire adieu et s'éloigna.

Bien que le soleil fût levé, il ne rencontra personne parce
que c'était dimanche et que les gens s'octroyaient une
grasse matinée. Jack se demanda s'il ne devrait pas se
cacher. Le prieur Philip avait-il le droit de poursuivre un
novice fugitif hors du monastère ? Même s'il avait ce droit,
aurait-il envie de l'exercer ? Jack ne pouvait pas répondre.
En tout cas, à Kingsbridge, Philip était la loi personnifiée.
Jack l'avait défié, il fallait donc s'attendre à des représailles. Il y réfléchirait plus tard. Sa seule préoccupation
concernait les minutes à venir.

Il arriva devant la petite maison d'Aliena. Et si Richard
était là ? Tout serait gâché. Il alla jusqu'à la porte et
frappa doucement.

Il tendit l'oreille. Rien ne bougeait à l'intérieur. Il frappa plus fort et cette fois il entendit un bruit de paille froissée : quelqu'un se réveillait. « Aliena ! » chuchota-t-il. Il l'entendit venir jusqu'à la porte. Une voix incertaine dit : « Oui ?

— Ouvrez la porte !

— Qui est-ce ?

— Jack !

— Jack ! »

Il y eut un trou de silence. Jack attendit.

Aliena appuya sa joue contre le bois rugueux de la porte. Ça n'est pas possible, pensait-elle ; pas aujourd'hui, pas maintenant.

La voix reprit, insistante : « Aliena, je vous en prie, ouvrez la porte, vite ! S'ils m'attrapent, ils me remettront en cellule ! »

Aliena avait entendu parler de l'affaire — le sujet de conversation de toute la ville. Il s'était donc échappé. Et il était venu droit chez elle. Son cœur se mit à battre plus fort. Elle ne pouvait pas le chasser.

Elle souleva la barre et ouvrit la porte.

Jack souriait. Ses cheveux roux tout mouillés étaient plaqués sur sa tête, comme après un bain. Il portait des vêtements civils au lieu de sa robe de moine. Il avait l'air heureux, comme si rien de meilleur ne pouvait lui arriver que cette rencontre. Puis il se rembrunit et dit : « Vous avez pleuré.

— Pourquoi êtes-vous venu ici ? dit-elle.

— Il fallait que je vous voie.

— Je me marie aujourd'hui.

— Je sais. Est-ce que je peux entrer ? »

C'était mal de le laisser entrer, elle le savait ; mais l'idée lui vint que ce soir elle serait la femme d'Alfred et qu'elle n'aurait plus jamais l'occasion de bavarder en tête à tête avec Jack. Elle ouvrit la porte en grand. Jack entra et elle remit la barre en place.

Ils étaient face à face. Maintenant elle se sentait gênée. Jack la contemplait avec un désir désespéré, comme un homme mourant de soif pourrait regarder une cascade inaccessible. « Ne me fixez pas ainsi, dit-elle en détournant la tête.

— Ne l'épousez pas, supplia Jack sans préambule.

— Il le faut.

— Vous serez malheureuse.

— Je suis déjà malheureuse.

— Regardez-moi, je vous en prie. »

Elle se tourna vers lui et leva les yeux.

« Je vous en prie, dites-moi pourquoi cette décision, dit-il.

— Pourquoi devrais-je l'expliquer ?

— A cause de la façon dont vous m'avez embrassé dans le vieux moulin. »

Elle baissa les yeux, rouge jusqu'aux oreilles. Elle s'était laissée aller ce jour-là et depuis n'avait cessé d'en éprouver de la honte. Maintenant Jack se servait contre elle de sa propre faiblesse. Elle était sans défense.

« Après, reprit-il, vous avez complètement changé envers moi. »

Elle gardait les yeux baissés.

« Nous étions de tels amis, poursuivit-il sans pitié. Tout l'été, dans la clairière, auprès de la cascade... les histoires que je racontais... Nous étions si heureux. C'est là que je vous ai embrassée, une autre fois. Vous vous souvenez ? »

Elle s'en souvenait, bien sûr, même si elle s'empêchait d'y penser. Le cœur gonflé de chagrin, Aliena regarda Jack, les yeux pleins de larmes.

« Ensuite, j'ai inventé un système avec le moulin pour que vous fouliez votre tissu, continua-t-il. J'étais si content de pouvoir vous aider. Vous étiez folle de joie. Nous nous sommes embrassés encore, mais ce n'était pas un petit baiser, comme le premier. Celui-là était... passionné. » Oh ! Dieu, oui, il l'était, songea-t-elle. Son souffle s'accéléra ; elle aurait voulu qu'il se taise, mais il insistait. « Nous nous sommes serrés très fort. Nous nous sommes embrassés un long moment. Vous avez ouvert les lèvres...

— Arrêtez ! cria-t-elle.

— Pourquoi ? fit-il brutalement. Où est le mal ? Pourquoi avez-vous changé après ?

— Parce que j'ai eu peur ! » dit-elle spontanément et elle éclata en sanglots, le visage enfoui dans les mains. Elle sentit que Jack enlaçait ses épaules secouées de sanglots. Elle ne protesta pas, alors il la prit doucement dans ses bras. Elle inclina son front contre la tunique de Jack, puis passa les bras autour de sa taille.

Jack posa ses lèvres sur les cheveux d'Aliena — de vilains cheveux, courts et hirsutes, qui n'avaient pas encore repoussé après l'incendie — et il la caressa comme un enfant qu'on console. Elle aurait voulu rester là pour toujours. Mais il l'écarta pour pouvoir la regarder. « Pourquoi avez-vous peur ? »

La raison, elle ne pouvait pas la lui révéler. Elle secoua la tête et fit un pas en arrière ; mais il la retint par les poignets, pour la garder près de lui.

« Écoutez, Aliena, dit-il. Je veux que vous sachiez combien ces derniers temps ont été durs pour moi. Vous paraissiez m'aimer, puis soudain me détester, et maintenant vous allez épouser mon beau-frère. Je ne comprends pas. Je ne comprends rien à ces choses-là, je n'ai jamais été amoureux avant vous. Tout est si douloureux... Je n'arrive pas à trouver les mots pour l'exprimer. Vous devriez au moins essayer de m'expliquer pourquoi il faut que je subisse tout cela ? »

Aliena non plus ne trouvait pas les mots. Dire qu'elle lui avait fait tant de mal alors qu'elle l'aimait si fort ! Elle avait honte de la façon dont elle l'avait traité, lui qui n'avait eu que des bontés pour elle. Elle avait gâché sa vie. Oui, il avait droit à une explication. Elle se raidit. « Jack, il m'est arrivé quelque chose voilà longtemps. Quelque chose de vraiment horrible, quelque chose que je me suis efforcée d'oublier pendant des années. Je ne voulais plus y penser, mais quand vous m'avez embrassée dans le moulin, le passé m'est revenu et je n'ai pas pu le supporter.

— Qu'est-ce que c'était ? Qu'est-ce qui vous est arrivé ?

— Après l'emprisonnement du comte mon père, nous avons vécu au château, Richard et moi, seuls avec un intendant du nom de Matthew. Une nuit, William Hamleigh est arrivé et nous a jetés dehors. »

Jack plissa les yeux. « Et alors ?

— Il a tué le pauvre Matthew. »

Il savait qu'elle dissimulait quelque chose. « Pourquoi ? demanda-t-il.

— Que voulez-vous dire ?

— Pourquoi ont-ils tué votre intendant ?

— Parce qu'il voulait les empêcher... » Les larmes ruisselaient sur son visage et elle se sentait la gorge si serrée qu'elle pouvait à peine parler, comme si les mots l'étranglaient. Elle secoua désespérément la tête et essaya de se dégager, mais Jack ne la lâchait pas.

D'une voix douce comme un baiser, il reprit : « Les empêcher de faire quoi ? »

Tout à coup, son secret lui échappa et déferla comme un torrent. « Ils m'ont forcée, fit-elle. Le valet de William me maintenait et lui s'est allongé sur moi. Je me débattais, alors ils ont coupé un bout de l'oreille de Richard en disant qu'ils continueraient si je ne cédais pas. » Elle sanglotait maintenant, soulagée au-delà de toute expression de pouvoir enfin en parler. Elle regarda Jack dans les yeux, mettant toute sa confiance en lui, avoua ce qui la minait depuis si longtemps. « Alors, j'ai écarté les jambes et William m'a violée pendant que le valet obligeait Richard à regarder.

— Je suis désolé, murmura Jack. J'avais entendu des rumeurs, mais je n'avais jamais pensé... Aliena chérie, comment ont-ils pu ? »

Elle ne pouvait plus s'arrêter. « Et puis, quand William en a eu fini, ça a été le tour du valet. »

Jack ferma les yeux. Son visage était pâle et tendu.

Aliena poursuivit : « Alors, vous comprenez, quand nous nous sommes embrassés, j'ai eu envie de faire l'amour avec vous et j'ai revu William et son valet. Je me suis sentie si méprisable, si effrayée que j'ai préféré partir. Voilà pourquoi j'ai été si froide avec vous et que je vous ai rendu si malheureux. Je vous demande pardon.

— Je vous pardonne », murmura-t-il. Il l'attira et elle se laissa aller contre lui, dans ses bras si réconfortants. Sans relever la tête, d'une voix anxieuse, elle demanda tout bas : « Je vous dégoûte ? » Il rit doucement. « Je vous adore. » Il se pencha sur son visage et baisa ses lèvres.

Aliena se figea. Jack l'embrassa encore. Le contact de ses lèvres était très doux. Aliena se détendit, lui rendit un faible écho de son baiser. Elle sentit son souffle tiède sur son visage. Encouragé, il entrouvrit la bouche. Aliena recula aussitôt.

Jack se rembrunit. « C'est si terrible ? »

En vérité, elle se rassurait peu à peu. Quand elle lui avait raconté l'odieuse vérité, il n'avait pas reculé de dégoût, il était même plus tendre et plus doux que jamais. Elle n'avait plus peur. Il n'y avait dans le désir de Jack rien de menaçant, rien de violent ni d'incontrôlable, il n'y avait ni brutalité, ni haine, ni domination, au contraire. Ses baisers étaient un plaisir partagé.

Les lèvres de Jack s'entrouvrirent et elle sentit le bout de sa langue. Elle se crispa. Très doucement, il l'incita à écarter un peu les lèvres. Elle se détendit.

Elle renversa la tête en arrière et ferma les yeux. La bouche de Jack vint sur la sienne. Elle écarta les lèvres, hésita, puis nerveusement darda sa langue dans la bouche du jeune homme. La merveilleuse sensation qu'elle avait éprouvée la dernière fois, dans le vieux moulin, elle la retrouva intacte. Elle se sentait prise du besoin de le serrer contre elle, de toucher sa peau, de sentir ses muscles, d'être en lui et de l'avoir en elle.

Le souffle court et précipité, ils se regardèrent. Jack tenait le visage d'Aliena entre ses deux mains. Elle lui caressait les bras, le dos, elle sentait ses muscles forts et noueux. Le jeune homme avait le visage rose de désir et de plaisir. Il l'embrassa doucement dans le cou, ce qui la fit gémir de bien-être, puis sa bouche en caressant la peau d'Aliena descendit vers sa gorge délicate. Ses seins étaient tendus sous la rude toile de sa chemise, et incroyablement sensibles. Jack en saisit la pointe entre ses lèvres, au travers du tissu. Elle tressaillit. La sensation était aussi vive que si elle avait été nue.

S'agenouillant devant elle, Jack enfouit son visage au creux de son ventre. Aliena frémit. Une chaleur inaccoutumée gagnait ses reins. Jack releva la chemise de la jeune femme jusqu'à sa taille. Aliena retint sa respiration, un peu gênée. Mais Jack posa doucement un baiser sur la toison bouclée de son sexe, comme si c'était la plus jolie chose du monde.

Aliena tomba à genoux, haletante et la gorge sèche, en proie à un brûlant désir de lui. Timidement, elle glissa la main sous sa tunique. Jamais elle n'avait touché un sexe d'homme. C'était chaud, sec et dur comme du bois. Jack ferma les yeux et poussa un gémissement sourd tandis que du bout des doigts elle le caressait légèrement. Puis, soulevant la tunique de Jack, elle l'embrassa, tout comme il l'avait fait pour elle, en un doux effleurement des lèvres.

Soudain, Aliena eut envie d'être nue. Elle se releva et, sous le regard de Jack, ôta sa chemise qu'elle jeta par terre. Elle se sentait un peu embarrassée, mais c'était une sensation agréable, exquisement indécente. Jack, fasciné, contemplait ses seins. « Ils sont si beaux », dit-il. Il avança la main et les caressa délicatement. Elle baissa les yeux pour suivre ses mouvements. Puis, brusquement, elle lui prit les deux mains et les pressa sur sa poitrine. « Plus fort, murmura-t-elle d'une voix rauque. Je veux te sentir plus fort. »

Ces mots enflammèrent le jeune homme et ses caresses devinrent plus précises, plus impérieuses. Aliena, folle de plaisir, se tendait vers lui, offrant ses seins dont il pinçait délicieusement la pointe. Elle gémissait, haletait. « Déshabille-toi, demanda-t-elle tout bas, je veux te regarder. »

Il se débarrassa en un clin d'œil de sa tunique, de sa camisole, de ses bottes et de ses chausses. Aliena observa ce corps, mince et blanc, avec des épaules et des hanches osseuses. Il semblait sec et agile, jeune et frais. Son sexe se dressait dans une toison châtain. Elle eut envie soudain de l'embrasser partout. Elle se pencha et effleura de ses lèvres les petits boutons de sa poitrine plate, les suça doucement : elle voulait qu'il ressentît autant de plaisir qu'il lui en avait donné. Jack lui caressait les cheveux en murmurant des paroles incompréhensibles.

Elle le voulait en elle, vite.

« Jack, demanda-t-elle, es-tu vierge ? »

Il acquiesça, non sans embarras.

« Je suis heureuse, murmura-t-elle avec ferveur. Mon Dieu ! Que je suis heureuse ! »

Elle lui prit la main et la guida entre ses jambes. Le contact de ses doigts sur son sexe gonflé et sensible la fit tressaillir. « Viens à l'intérieur », dit-elle. Il glissa un doigt en elle et la découvrit humide de désir. « Là, dit-elle dans un souffle, c'est là qu'il faut aller. » Elle s'allongea sur la paille.

Jack se coucha auprès d'elle, appuyé sur un coude, et baisa sa bouche. Elle sentit son sexe l'effleurer, puis il s'arrêta. « Qu'y a-t-il ? demanda-t-elle.

— J'ai peur de te faire mal.

— Ne t'inquiète pas, viens, répondit-elle fiévreusement. J'ai tellement envie de toi que peu m'importe d'avoir mal. »

Il la pénétra un peu. En effet, elle avait mal, plus qu'elle ne s'y attendait. Mais la douleur ne dura pas et elle se sentit merveilleusement comblée. En avançant les hanches, elle aida Jack dans son mouvement. « Je n'aurais jamais cru que c'était si doux », murmura-t-elle en souriant d'émerveillement. Il ferma les yeux comme si c'était trop de bonheur à supporter.

Il prit un rythme qui bientôt fit naître dans le corps

d'Aliena une vague de plaisir. A chaque assaut, elle sentait leurs corps s'emboîter, leurs poitrines se toucher. Le souffle de Jack était brûlant. Aliena s'agrippa à son dos musclé. Ses halètements réguliers devinrent des cris. Elle plongea les mains dans sa chevelure rousse qui séchait en boucles indisciplinées, attira sa tête vers elle. Elle lui embrassa très fort les lèvres, puis sa langue pénétra dans la bouche de Jack comme le sexe du jeune homme pénétrait en elle. Un tourbillon de plaisir lui fit perdre la tête. Son plaisir monta, grandit inexorablement et, incapable de retenir le flot de jouissance qui la submergeait, elle se laissa emporter par le spasme qui la secoua, si violent qu'elle en cria de bonheur. Les yeux dans ceux de Jack, elle dit son nom, puis une autre vague l'enleva. En même temps, elle sentit le corps de Jack se convulser, il eut un gémissement rauque et elle sentit un jet saccadé l'inonder. Il fallut longtemps pour que la sensation brûlante commence à s'atténuer. Peu à peu sa tension se relâcha et elle ne bougea plus. Les yeux fermés, elle sentait le poids de Jack sur elle, ses hanches dures contre les siennes, sa poitrine écrasant la douceur de ses seins, sa bouche contre son oreille, ses doigts noués dans ses cheveux. Si c'est ainsi entre un homme et une femme, pensa-t-elle dans une demi-inconscience, c'est peut-être pourquoi les maris et les femmes s'aiment si fort.

Le souffle de Jack devint léger et régulier, son corps se détendit. Il s'endormit.

Elle tourna la tête pour l'embrasser. Elle voulait qu'il reste là, endormi sur elle pour toujours.

Cette pensée lui fit reprendre conscience de la réalité.

Aujourd'hui, c'était son mariage.

Doux Seigneur, songea-t-elle, qu'ai-je fait ?

Elle se mit à pleurer, ce qui réveilla aussitôt Jack.

« Oh ! Jack, dit-elle, c'est toi que je veux épouser.

— Alors, s'écria-t-il d'un ton vibrant de bonheur, nous allons le faire.

— Mais nous ne pouvons pas, gémit Aliena en redoublant de sanglots.

— Après ce qui vient d'arriver entre nous...

— Je sais...

— Après cela, tu dois m'épouser !

— Nous ne pouvons pas nous marier, dit-elle. J'ai perdu tout ce que je possédais et toi tu n'as rien. »

Il se souleva sur un coude. « J'ai mes mains, répliqua-t-il. Je suis le meilleur sculpteur de pierre à des lieues à la ronde.

— On t'a congédié...

— Ça ne change rien. Je pourrais trouver du travail sur n'importe quel chantier au monde. »

Elle secoua la tête d'un air navré. « Ça ne suffit pas. Il faut que je pense à Richard.

— Pourquoi ? s'exclama-t-il, indigné. Qu'est-ce que notre vie a à voir avec Richard ? Il est assez grand pour s'occuper de lui-même. »

Jack prenait feu avec une ardeur toute juvénile qui rappela à Aliena leur différence d'âge : il avait cinq ans de moins qu'elle et il croyait encore avoir le droit d'être heureux. « J'ai juré à mon père quand il était mourant, reprit-elle, de m'occuper de Richard jusqu'à ce qu'il devienne comte de Shiring.

— Mais rien ne dit qu'il réussira !

— Un serment est un serment. »

Jack, déconcerté, roula sur le côté. Et soudain elle se sentit abandonnée. *Plus jamais je ne le sentirai en moi*, songea-t-elle avec tristesse.

« Tu ne te rends pas compte, poursuivit Jack. Un serment, ce n'est que des mots ! Toi et moi, voilà la réalité. »

Il la contempla, puis tendit la main pour la caresser. Le contact de ses doigts, si bouleversant, fit à Aliena l'effet d'un coup de fouet. Il la vit tressaillir et s'arrêta.

Un moment elle fut au bord de dire : *D'accord, fuyons ensemble tout de suite*. Mais la raison lui revint et elle répéta :

« Je vais épouser Alfred.

— Ne sois pas ridicule.

— C'est la seule solution. »

Il la regarda longuement. « Je ne te crois pas, murmura-t-il.

— C'est vrai.

— Je ne peux pas renoncer à toi. Je ne peux pas, je ne peux pas... » Sa voix se brisa et il étouffa un sanglot.

Aliena tournait et retournait le problème dans sa tête.

« Si pour t'épouser, je trahis la promesse que j'ai faite à mon père, dit-elle tout haut, si je ne respecte pas mon premier serment, que vaudra le second ?

— Peu m'importe. Je ne veux pas de tes serments. Je

veux que nous soyons ensemble tout le temps, et que nous nous aimions chaque fois que nous en aurons envie. »

Il voyait le mariage avec ses yeux de dix-huit ans, songea-t-elle, mais elle se garda bien d'exprimer sa pensée. Elle aurait accepté sa demande avec tant de joie si elle avait été libre ! « Je ne peux pas faire ce que je veux, dit-elle tristement. Ce n'est pas mon destin.

— Ce que tu fais n'est pas bien, riposta-t-il. C'est même mal. Renoncer à un bonheur comme celui-ci, c'est jeter des joyaux dans l'océan. Bien pire que le pire des péchés. »

L'idée la frappa soudain que sa mère aurait approuvé cette déclaration. Aussitôt elle chassa cette pensée. « Je ne pourrais jamais être heureuse, même avec toi, si je devais porter toute ma vie le poids d'une trahison envers mon père.

— Tu te soucies plus de ton père et de ton frère que de moi, remarqua-t-il avec une pointe d'agacement.

— Non...

— Eh bien, alors ? »

Elle réfléchit longuement, puis se résolut à parler.

« Cela veut dire, je pense, que le serment fait à mon père est plus important à mes yeux que mon amour pour toi.

— Vraiment ? fit-il, décontenancé.

— Oui », répondit-elle, le cœur lourd des mots qu'elle venait de prononcer et qui résonnèrent à ses oreilles comme un glas.

« Il n'y a plus rien à dire.

— Seulement... que je suis désespérée... »

Il se leva en lui tournant le dos, ramassa ses vêtements. Elle admira son long corps élancé. Il passa rapidement sa chemise et sa tunique, puis enfila ses chausses et ses bottes avec une brutale nervosité.

« Tu vas être terriblement malheureuse », annonça-t-il.

Ces paroles désagréables étaient démenties par la compassion qui perçait dans sa voix.

« C'est vrai, reconnut-elle. Voudrais-tu au moins... au moins dire que tu me respectes pour ma décision ?

— Non, répliqua-t-il sans hésitation. Non. Je te méprise. »

Assise sur sa couche, nue, misérable, elle se mit à pleurer.

« Il faut que je m'en aille, reprit-il d'une voix mal assurée.

— Oui, va-t'en », sanglota-t-elle.

Il se dirigea vers la porte.

« Jack ! »

Il se retourna.

« Jack, veux-tu me souhaiter bonne chance ? »

Il souleva la barre de la porte. « Bonne... » Un sanglot lui coupa la parole. Il baissa les yeux pour se reprendre, puis les releva vers elle. Sa voix cette fois n'était qu'un murmure. « Bonne chance. »

Il sortit.

La maison qui avait été celle de Tom appartenait maintenant à Ellen, mais aussi à Alfred. C'est pourquoi ce matin-là elle fourmillait de gens occupés à la préparation du festin de mariage — festin organisé par Martha, la sœur d'Alfred. L'adolescente, âgée maintenant de treize ans, était aidée par sa belle-mère qui affichait un air consterné. Alfred, une serviette à la main, s'apprêtait à descendre à la rivière : les femmes se baignaient une fois par mois, les hommes à Pâques et à la Saint-Michel. De plus la tradition exigeait qu'on prît un bain le matin de son mariage.

Soudain le silence se fit : Jack entrait.

« Qu'est-ce que tu veux ? lança Alfred hargneusement.

— Que tu décommandes le mariage, répondit Jack simplement.

— Fiche le camp ! »

L'affaire s'engageait mal. Jack ne souhaitait pas la confrontation. Ce qu'il proposait allait dans le sens des intérêts d'Alfred aussi... si seulement il pouvait l'en persuader. « Alfred, reprit-il doucement, elle ne t'aime pas.

— Tu n'en sais rien, petit morveux.

— Mais si, insista Jack. Elle ne t'aime pas. Elle t'épouse à cause de Richard. C'est le seul que ce mariage comblera.

— Retourne nicher au monastère, lança Alfred avec mépris. Au fait, où est ton habit de moine ? »

Jack prit une profonde inspiration. Il fallait avouer la vérité. « Alfred, c'est moi qu'elle aime. » Il s'attendait à voir son demi-frère exploser de rage ; mais, de façon imprévisible, celui-ci esquissa un sourire narquois. Jack, d'abord déconcerté par cette attitude, finit par comprendre. « Tu le sais déjà, demanda-t-il, incrédule, tu sais qu'elle m'aime et tu t'en fiches ? Tu la veux quand même, qu'elle t'aime ou non. Tu veux simplement la posséder. »

Le sourire d'Alfred s'accentua et Jack eut la certitude

qu'il était dans le vrai. Mais il lisait quelque chose de plus sur le visage d'Alfred. Un affreux soupçon s'éveilla dans son esprit. « Pourquoi la veux-tu ? Est-ce... est-ce que tu veux seulement l'épouser pour me l'enlever ? » La colère faisait vibrer sa voix. « Est-ce que tu l'épouses par rancune ? » Une expression de triomphe perfide se peignit sur le gros visage d'Alfred et Jack comprit que là encore il avait touché juste. Il était accablé. L'idée qu'Alfred agissait poussé non par le désir bien compréhensible de posséder Aliena, mais par pure malice, c'en était trop. « Bon sang, hurla-t-il, tu as intérêt à la traiter comme il faut ! »

Alfred éclata de rire. Et ce rire plein de méchanceté frappa Jack comme un coup de poing. Bien sûr que non, Alfred ne se soucierait pas de la traiter avec soin. Ce serait le comble de sa revanche sur Jack. Alfred épousait Aliena pour la rendre malheureuse. « Ordure, dit Jack entre ses dents serrées. Saloperie, merdeux ! Espèce d'horrible et méprisable vermine ! »

Malgré son flegme, Alfred lâcha sa serviette et, les poings serrés, marcha sur Jack qui l'attendait et s'avança pour frapper le premier. A ce moment Ellen s'interposa entre eux et, bien qu'elle fût plus petite que les deux jeunes gens, elle les arrêta d'un mot.

« Alfred, va te baigner. »

Alfred se calma aussitôt. Il avait remporté la victoire sans avoir eu besoin de se battre avec Jack. Il sortit.

« Que vas-tu faire, Jack ? » lui demanda sa mère.

Le garçon tremblait de rage. Il ne pouvait pas empêcher le mariage, il s'en rendait compte. Mais il ne pouvait pas y assister non plus. « Quitter Kingsbridge. »

Le chagrin assombrit le visage d'Ellen, mais elle hocha la tête. « J'avais peur que tu prennes cette décision, mais je crois que tu as raison. »

Une cloche se mit à sonner au prieuré. « D'un moment à l'autre, ils vont découvrir que je me suis échappé », dit Jack.

Ellen, instinctivement, baissa la voix. « Pars vite, va te cacher auprès de la rivière, près du pont. Je t'apporterai quelques affaires.

— Merci. »

Martha surgit, en larmes, et se jeta dans ses bras. Il la serra contre lui. « Reviens un jour », hoqueta-t-elle.

Il lui donna un baiser bref et poussa la porte.

Il y avait foule dehors car la matinée avançait. On allait chercher de l'eau, on bavardait et on savourait la douceur de ce matin d'automne. La plupart des gens savaient que Jack était novice — la ville était assez petite pour que chacun sût ce que faisait son voisin — et sa tenue laïque attira des regards surpris. Cependant personne ne l'interrogea. Il dévala la colline, franchit le pont et suivit la berge de la rivière jusqu'à un bosquet de roseaux. Il s'accroupit derrière cet abri pour attendre sa mère, en surveillant le pont.

Où irait-il ? Il ne savait pas. Tout droit devant lui, jusqu'à ce qu'il atteigne une ville où se bâtissait une cathédrale. Il croyait fermement trouver du travail, car il se savait assez bon artisan pour être employé n'importe où. Même si les équipes de bâtisseurs étaient au complet, il n'aurait qu'à montrer au maître d'œuvre un échantillon de son savoir et on l'engagerait. Mais quel intérêt, maintenant ? Après Aliena, il n'aimerait jamais une autre femme, et après Kingsbridge, il n'aurait de goût pour aucune autre cathédrale. C'était celle-ci qu'il voulait bâtir, pas n'importe laquelle.

Et si, tout simplement, il s'enfonçait dans la forêt et s'y allongeait pour mourir ? Voilà une bonne idée ! Le temps était doux, le feuillage commençait à dorer. Sa fin serait paisible. Il ne regretterait qu'une chose : ne pas connaître avant de mourir l'histoire de son père.

Il s'imagina, couché sur un lit de feuilles d'automne, glissant doucement vers la mort. Mais sa mère qui traversait le pont, un cheval à la bride, le ramena à la réalité de la vie. Il courut vers elle. Elle amenait la jument baie qu'elle montait habituellement. « Prends-la », dit-elle. Jack lui serra très fort la main pour la remercier. Ellen avait les larmes aux yeux. « Je ne me suis jamais très bien occupée de toi, murmura-t-elle. Je t'ai d'abord élevé comme un sauvage dans la forêt. Puis j'ai failli te condamner à mourir de faim en vivant avec Tom. Ensuite je t'ai obligé à supporter Alfred.

— Tu as été parfaite avec moi, mère, dit-il. Ce matin, j'ai fait l'amour avec Aliena. Je peux mourir heureux.

— Tête folle ! dit-elle. Tu es bien le fils de ta mère. Si tu n'obtiens pas celle que tu aimes, tu ne chercheras personne d'autre.

— Toi aussi ? » s'étonna-t-il.

Elle hocha la tête. « Après la mort de ton père, j'ai vécu

seule plutôt que de me contenter d'un homme quelconque.
Je n'ai jamais eu envie d'un autre jusqu'à Tom. Ma solitude
a duré onze ans. » Elle dégagea sa main. « Je te raconte
cela pour te redonner espoir. Il faudra peut-être onze ans,
mais un jour tu aimeras quelqu'un d'autre, je te l'assure. »

Il protesta d'un mouvement de la tête. « Ça ne me paraît
pas possible.

— Je sais. » Elle jeta un regard inquiet en direction de
la ville. « Tu devrais partir, maintenant. »

Il s'approcha du cheval, chargé de deux gros sacs de
selle. « Qu'y a-t-il dans les sacoches ?

— Des vivres, de l'argent et une outre de vin dans l'une.
L'autre contient les outils de Tom. »

Jack fut saisi d'une émotion profonde. Sa mère avait tenu
à conserver les outils de Tom en souvenir. Le cadeau
qu'elle lui faisait aujourd'hui était un don solennel. Il
l'enlaça. « Merci, murmura-t-il.

— Où vas-tu ? »

Jack repensa à son père. « Où entend-on les jongleurs
raconter leurs histoires ? demanda-t-il.

— Sur la route des pèlerins qui vont à Saint-Jacques-
de-Compostelle.

— Tu crois qu'on se souviendrait de Jack Shareburg ?

— C'est possible. En tout cas, tu lui ressembles.

— Où est Compostelle ?

— En Espagne.

— Eh bien, je vais en Espagne.

— C'est un long chemin, Jack.

— J'ai le temps. »

Elle le prit dans ses bras et l'étreignit. Il se rappela toutes
les fois où elle avait fait ce geste, depuis dix-huit ans, pour
le consoler d'un genou écorché, d'un jouet perdu, d'une
déception enfantine — et maintenant d'un vilain et lourd
chagrin d'adulte. Il évoqua tout ce qu'elle avait fait pour
lui, depuis son éducation dans la forêt jusqu'à son évasion.
Elle était toujours prête à se battre comme une lionne pour
son fils. Comme il avait mal de la quitter !

Elle le lâcha et il sauta en selle.

D'un dernier regard, il contempla Kingsbridge. Quand il
était arrivé là, il avait trouvé un village endormi autour
d'une vieille cathédrale délabrée. Il avait mis le feu à cette
vieille église — personne sauf lui ne savait ce secret.

Aujourd'hui, Kingsbridge était une petite ville pleine d'animation. Bah ! Il en existait d'autres. L'excitation de l'inconnu, la curiosité de l'aventure où il se lançait adoucissaient un peu le déchirement du départ, le chagrin de quitter ce qu'il aimait.

« Reviens un jour, je t'en prie, Jack, pria sa mère.

— Je reviendrai.

— Promis ?

— Promis.

— Si tu te trouves à court d'argent avant de trouver du travail, vends le cheval, pas les outils, ajouta-t-elle.

— Je t'aime, mère », murmura-t-il.

Les yeux d'Ellen débordaient de larmes. « Fais attention à toi, mon fils. »

Il éperonna le cheval. Quelques foulées plus loin, il se retourna en agitant le bras. Elle répondit à son geste d'adieu. Puis il mit sa monture au trot et avança droit devant lui.

Richard revint juste à temps pour le mariage.

Le roi Stephen lui avait généreusement accordé deux jours de congé, expliqua-t-il. L'armée campait à Oxford, assiégeant le château où Maud était prise au piège, si bien que les chevaliers n'avaient pas grand-chose à faire. « Je ne pouvais tout de même pas manquer le mariage de ma sœur », dit Richard. Aliena traduisit ses paroles : Tu veux surtout t'assurer que le marché tient toujours et que tu auras ce qu'Alfred t'a promis.

Dans sa peine, elle se sentait quand même réconfortée qu'il la conduise lui-même à l'autel. Sans lui, elle n'aurait eu personne.

Elle passa une camisole de toile neuve et une robe blanche à la dernière mode. Elle ne pouvait pas espérer des miracles de ses cheveux mutilés, mais elle noua en tresses les mèches les plus longues et les attacha avec d'élégants rubans blancs. Une voisine lui prêta un miroir. Elle était pâle et on voyait à ses yeux qu'elle n'avait pas dormi de la nuit. Eh bien, tant pis.

Richard l'observait d'un air un peu penaud, comme s'il se sentait coupable, et il paraissait nerveux. Au fond, il craignait encore de la voir tout décommander à la dernière minute.

En vérité, elle était grandement tentée de le faire. Elle

s'imaginait quittant Kingsbridge avec Jack, main dans la main, pour entamer une vie nouvelle ailleurs, une vie simple de travail honnête, libérée des étouffants serments d'autrefois. Mais c'était un rêve fou. Jamais elle ne pourrait être heureuse si elle abandonnait son frère.

Parvenue à cette conclusion, elle se vit descendant jusqu'à la rivière pour s'y jeter. Elle se représenta son corps inerte, flottant dans sa robe de mariée gorgée d'eau au fil du courant, le visage tourné vers le ciel, les cheveux épandus. Cette vision l'effraya assez pour la ramener à une décision plus sage et elle se retrouva à son point de départ ; le mariage était la meilleure, la seule solution qui s'offrait à elle pour ses problèmes les plus aigus.

Jack mépriserait ce genre de raisonnement, se dit-elle avec dégoût.

La cloche de l'église se mit à carillonner.

Aliena se leva.

Quand, jeune fille, elle pensait à son mariage, elle se voyait au bras de son père, quittant le donjon pour franchir le pont-levis qui menait à la chapelle dans la cour commune ; les chevaliers et les hommes d'armes de son père, les serviteurs et les fermiers se pressaient autour d'eux pour les acclamer et lui souhaiter du bonheur. Dans ses rêveries, le jeune homme qui attendait dans la chapelle avait toujours été un peu flou, mais elle savait qu'il l'adorait, qu'il la faisait rire et qu'elle le trouvait merveilleux. Hélas ! Rien dans sa vie ne s'était passé comme elle s'y attendait.

Richard ouvrit la porte de l'unique pièce de la maison, et elle sortit.

A sa grande surprise, quelques-uns des voisins attendaient sur le pas de leur porte pour la voir partir. Quand elle apparut, des voix joyeuses s'élevèrent : « Dieu vous bénisse ! », « Bonne chance ! » Un sanglot de reconnaissance lui étrangla la gorge. Comme elle remontait la rue, on l'aspergea de grains de blé, en vœu de fertilité. Elle aurait des enfants et tout le monde l'aimerait.

L'église paroissiale était à l'autre bout de la ville, dans le quartier riche où Aliena habiterait à compter du soir même. Son frère et elle passèrent devant le monastère où, en ce moment, les moines devaient célébrer leur office dans la crypte. Le prieur Philip avait promis d'assister au festin du mariage pour bénir le nouveau couple. Aliena espérait qu'il tiendrait parole. Il avait représenté une force importante dans sa vie, depuis le jour où, six ans plus tôt, il lui avait acheté sa première laine à Winchester.

Ils atteignirent l'église, bâtie par Alfred avec l'aide de Tom. Il y avait foule dehors. Le mariage serait célébré en anglais, sous le portail ; ensuite on dirait une messe en latin à l'intérieur de l'église. Les ouvriers d'Alfred étaient tous là, comme la plupart des anciens tisserands d'Aliena. Des acclamations l'accueillirent.

Alfred attendait en compagnie de sa sœur Martha et d'un maçon, Dan. Il portait une tunique neuve cramoisie et des bottes immaculées. Il avait de longs cheveux bruns et brillants comme ceux d'Ellen. Ellen, justement, n'était pas là. Déçue, Aliena allait demander à Martha où se trouvait sa belle-mère quand le prêtre apparut. La cérémonie commença.

En pensée, Aliena voyait défiler sa vie. Après le premier tournant qu'elle avait pris, six ans plus tôt, en s'engageant à l'égard de son père, elle en rencontrait un second aujourd'hui, avec cette autre promesse qu'elle s'apprêtait à faire à un homme. Jusqu'à présent, Aliena avait vécu pour les autres plus que pour elle-même. Ce matin, sa rencontre avec Jack avait constitué une bouleversante exception. La scène lui paraissait aussi peu réelle que si elle l'avait rêvée. Jamais elle n'en soufflerait mot à personne. Ce serait un secret qu'elle garderait pour elle et qu'elle évoquerait de temps en temps, comme un avare au cœur de la nuit comptant son trésor.

On allait échanger les vœux. Répétant après le prêtre, Aliena prononça les paroles sacrées : « Alfred, fils de Tom le bâtisseur, je te prends pour mari et je jure de t'être toujours fidèle. » En disant cela, elle faillit éclater en sanglots.

C'était le tour d'Alfred. Pendant que lui aussi prononçait son serment, la foule se trouva distraite par une certaine agitation. Aliena surprit le regard de Martha qui murmura : « C'est Ellen. »

Le prêtre fronça les sourcils pour rétablir le silence et dit : « Alfred et Aliena sont maintenant mariés aux yeux de Dieu et puisse la bénédiction... »

Il ne termina jamais sa phrase. Une voix sonore retentit au fond de l'église : « Je maudis cette union ! »

Un frémissement d'horreur parcourut la congrégation.

Le prêtre, décontenancé, tenta de répéter : « Et puisse la

bénédiction... », mais il s'arrêta, pâlit et fit un signe de croix. Aliena se retourna. Ellen se tenait derrière elle, au centre d'un cercle que la foule avait laissé vide en s'écartant. Elle tenait d'une main un coquelet vivant et un long couteau de l'autre. Du sang jaillissait du cou tranché du volatile. « Je maudis ce mariage qui ne sera que chagrin », lança-t-elle. Ses paroles glacèrent le cœur d'Aliena. « Je maudis ce mariage qui ne sera que stérilité, je maudis ce mariage qui ne sera qu'amertume, haine, affliction et regret. Je maudis ce mariage qui ne sera qu'impuissance. » En prononçant ce mot, elle lança en l'air le coq agonisant. Des gens s'enfuirent en criant. Aliena, figée, ne pouvait détacher son regard d'Ellen. Le coq tomba et rebondit, aspergeant de sang l'assistance la plus proche, en plein sur Alfred qui sauta en arrière, terrifié.

Quand on osa relever les yeux, Ellen avait disparu.

Martha avait mis des draps de lin blanc et une couverture de laine neuve sur le lit, le grand lit de plumes qui avait été celui d'Ellen et de Tom et qu'occuperaient maintenant Alfred et Aliena. On n'avait pas revu Ellen depuis le mariage. La fête s'était passée sans entrain, comme un pique-nique raté par temps glacial. Chacun s'occupait tristement à manger et à boire, car il n'y avait rien d'autre à faire. Les invités étaient tous partis au coucher du soleil, sans lancer aucune des grasses plaisanteries habituelles à propos de la nuit de noce des nouveaux mariés.

Martha s'était couchée en arrivant dans l'autre pièce. Quant à Richard, il avait regagné la petite maison d'Aliena, qui serait désormais la sienne.

Alfred parlait de bâtir une demeure en pierre l'été prochain. Il s'en était vanté auprès de Richard durant le festin. « Elle comportera une chambre à coucher, une grande salle et un magasin, avait-il dit. Quand la femme de John Silversmith la verra, elle en voudra une exactement pareille. Après, tous les riches de la ville réclameront leur maison de pierre.

— Avez-vous déjà dessiné un plan ? avait demandé Richard d'une voix où Aliena avait décelé une nuance de scepticisme.

— J'ai quelques vieux dessins de mon père, tracés à l'encre sur du parchemin, dont l'un représente la maison qu'il avait commencé à bâtir il y a longtemps pour Aliena et William Hamleigh. Je m'en inspirerai. »

Aliena s'était détournée, écœurée. Quelle grossièreté que de mentionner cette affaire en un jour pareil ! Tout l'après-midi, Alfred s'était montré exubérant, versant du vin, racontant des histoires drôles en échangeant des coups d'œil grivois avec ses compagnons. Il paraissait heureux.

Maintenant, assis au bord du lit, il ôtait ses bottes. Aliena dénoua les rubans qui retenaient ses cheveux. Elle ne savait que penser de la malédiction d'Ellen. Que voulait-elle dire ? Quelle arrière-pensée avait-elle ? Au contraire de la majorité des gens, Aliena, quoiqu'un peu choquée, était plus intriguée qu'effrayée.

On ne pouvait pas en dire autant d'Alfred. Quand le coq sacrifié était retombé sur lui, il avait failli s'évanouir. Richard avait dû le secouer, littéralement, en le saisissant par le plastron de sa tunique. Il avait assez vite retrouvé ses esprits et, ensuite, il s'était forcé à un entrain factice qui cachait mal son angoisse.

Aliena se sentait étrangement calme. Elle n'attendait aucun plaisir de ce qui allait suivre, mais du moins n'y était-elle pas contrainte et forcée. Ce serait déplaisant, mais pas humiliant. Surtout, il n'y aurait pas de témoins.

Elle ôta sa robe.

« Par le Christ, dit Alfred, quel long couteau ! »

Elle détacha la courroie qui fixait le poignard à son avant-bras gauche puis se glissa dans le lit, vêtue de sa camisole.

Alfred se débarrassa de ses chausses et, debout devant le lit, lança à Aliena un regard paillard. « Ote ton vêtement, dit-il. J'ai bien le droit de voir à quoi ressemble ma femme. »

Aliena hésitait. Elle répugnait un peu à se montrer nue, mais ce serait maladroit de lui refuser la première chose qu'il demandait. Docilement, elle s'assit et passa sa camisole par-dessus sa tête, s'efforçant d'oublier que le même geste, le matin, pour Jack, était un geste de joie.

« Oh ! La belle paire », s'écria Alfred. Il s'approcha d'elle et lui prit un sein. Ses grandes mains étaient rugueuses, ses ongles sales. Son mouvement brutal la fit tressaillir. Il éclata de rire, recula et ôta sa tunique. Puis il revint près du lit et d'un coup sec tira le drap qui recouvrait Aliena.

La jeune femme se sentit instantanément à la merci de

l'homme, vulnérable, nue sous son regard. Il glissa sa main entre les jambes d'Aliena. Elle se crispa, puis s'obligea à se détendre. « Bonne fille », dit-il moqueusement. Le doigt qu'il insinua en elle lui fit mal. Alfred poussa un grognement.

Elle eut envie de pleurer. Elle s'était doutée qu'elle ne prendrait aucun plaisir, mais elle ne s'attendait pas à trouver Alfred si insensible. Il ne lui avait même pas donné le moindre baiser. Il ne m'aime pas, songea-t-elle. Il n'a aucune affection pour moi. Je suis une jeune et belle pouliche qu'il va chevaucher. En fait, il traiterait un cheval avec plus de tendresse : il le flatterait et le caresserait pour l'apprivoiser, il lui parlerait doucement pour le calmer. Elle refoula ses larmes. C'est moi qui l'ai choisi, se raisonna-t-elle. Personne ne m'a obligée à épouser cet homme, je n'ai plus qu'à le supporter.

« Tu es sèche comme un jour sans bière, murmura Alfred.

— Pardon... », murmura-t-elle.

Il cracha sur sa main et répéta sa tentative. Cet acte parut à Aliena d'un épouvantable mépris. Elle se mordit la lèvre et détourna les yeux.

Quand il lui écarta les cuisses, elle se força à le regarder. Après tout, autant s'habituer à lui, puisqu'elle devrait le supporter jusqu'à la fin de ses jours. Alfred s'agenouilla entre ses jambes. Une ombre de contrariété passa sur son visage. Il passa une main sous la camisole qu'il portait encore. « Par le Christ, marmonna-t-il. Tu es si molle que j'en perds mes moyens. J'ai l'impression de peloter un cadavre.

— Je ne sais pas quoi faire, dit Aliena, au bord des larmes.

— Il y a des filles qui aiment ça, grogna-t-il, et qui savent sans qu'on leur apprenne ! » Qui aiment ça ! répétat-elle intérieurement. Non ! Puis elle se rappela comment le matin même elle avait gémi et pleuré de bonheur. Mais quel rapport entre ce matin et ce soir ?

C'était trop bête. Elle se redressa, écarta la main d'Alfred. « Laisse-moi faire », dit-elle. Sous la camisole, elle trouva un sexe mou et sans vie. Elle le pressa doucement puis le caressa du bout des doigts, guettant une réaction sur le visage d'Alfred, mais il avait l'air en colère.

« Plus fort », réclama-t-il.

Elle continua avec plus de vigueur, mais sans résultat apparent. Soudain Alfred poussa un cri de douleur et s'écarta. Elle avait eu un geste trop brusque. « Stupide vache ! » s'écria-t-il en lui assenant une gifle qui la fit basculer sur le côté.

Recroquevillée sur le lit, elle gémissait de peur et de douleur. « Tu n'es bonne à rien, maudite ! cria-t-il, furieux.

— J'ai fait de mon mieux !

— Imbécile ! »

Il la poussa brutalement hors du lit. Elle tomba sur la paille étalée par terre. « C'est la faute de cette sorcière d'Ellen, marmonna-t-il. Elle m'a toujours détesté. »

Aliena s'agenouilla sur le sol. Alfred ne semblait plus disposé à la frapper encore. Sa colère avait fait place à l'amertume. « Reste là, dit-il. Tu n'es bonne à rien comme épouse, alors évite mon lit. Couche-toi par terre, comme une chienne. » Il marqua un temps. « Je ne peux pas supporter que tu me regardes », dit-il avec nervosité. Il chercha des yeux la chandelle et l'éteignit d'un coup en la faisant tomber.

Aliena demeura immobile dans l'obscurité. Elle entendit Alfred s'agiter sur le matelas de plumes, tirer la couverture, taper les oreillers. Elle osait à peine respirer. Il s'agita longtemps dans tous les sens mais il ne se releva pas, et ne lui adressa plus la parole. Il finit par se calmer et son souffle devint régulier. Lorsqu'elle fut sûre qu'il était endormi, elle traversa la pièce en rampant, attentive aux craquements de la paille, et alla se réfugier dans un coin où elle se blottit parfaitement éveillée. De crainte de réveiller Alfred, elle retenait ses larmes, mais le chagrin était plus fort. Elle se mit à sangloter doucement. Elle pleura jusqu'au moment où elle finit par s'endormir.

III

Tout l'hiver Aliena fut malade.

Elle dormait mal, enveloppée dans son manteau, par terre au pied du lit d'Alfred, et dans la journée elle était accablée par une désespérante lassitude. Souvent elle avait des nausées, et elle mangeait donc très peu mais, malgré cela, elle prenait du poids. Elle était certaine que sa poitrine et ses hanches avaient grossi, de même que sa taille.

Comme elle en était incapable, c'était Martha qui se chargeait de diriger la maison d'Alfred. A eux trois, ils formaient une bien triste famille. Martha n'avait jamais aimé son frère, Aliena méprisait passionnément son mari, aussi n'était-ce pas étonnant qu'Alfred passât le plus de temps possible loin de la maison, au travail durant la journée et à la taverne chaque soir. Martha et Aliena s'occupaient des provisions, de la cuisine et le soir, sans enthousiasme, faisaient de la couture. Aliena attendait le printemps, quand le temps serait assez doux pour qu'elle aille retrouver, les dimanches après-midi, sa clairière secrète. Là, seule, elle rêverait en paix de Jack.

En attendant, Richard lui servait de consolation. Il avait un destrier noir plein de feu, une épée neuve, un écuyer équipé d'un poney. Une fois de plus, il se battait pour le roi Stephen, car la guerre se poursuivait avec la nouvelle année. Maud s'était échappée du château d'Oxford, glissant entre les mains de Stephen, et son frère, Robert de Gloucester, avait repris Wareham. Le vieux jeu de balançoire se renouvelait interminablement, chaque camp tour à tour gagnant et perdant. Aliena, elle, respectait son serment et du moins pouvait-elle trouver là une certaine satisfaction.

Au début de l'année, Martha eut ses premières règles. Aliena lui prépara une tisane d'herbe et de miel pour calmer les crampes, répondit à ses questions sur la condition féminine ; puis elle alla quérir la boîte de linges qu'elle gardait à cet effet pour son propre usage. La boîte n'était pas dans la maison et, après réflexion, elle se rendit compte qu'elle ne l'avait pas apportée avec ses affaires de jeune mariée.

Mais le mariage remontait à trois mois !

Ce qui voulait dire que depuis trois mois elle n'avait pas eu besoin de linges. Pas depuis le jour de son mariage. Pas depuis qu'elle avait fait l'amour avec Jack.

Elle laissa Martha assise auprès du feu de la cuisine, à boire sa tisane au miel, et traversa la ville en direction de son ancienne maison. Richard n'était pas là, mais elle avait encore une clé. Elle trouva sans mal la boîte, en effet, mais elle ne repartit pas aussitôt. Elle s'assit auprès de l'âtre froid, enroulée dans son manteau et plongée dans ses pensées.

Elle avait épousé Alfred à la Saint-Michel. On avait maintenant passé Noël : un quart de l'année s'était écoulé. Il y avait eu trois nouvelles lunes. Pourtant, sa boîte de chiffons était intacte là-haut, sur l'étagère, auprès de la petite pierre à aiguiser que Richard utilisait pour affûter les couteaux de cuisine.

Le pire, c'était que pas une fois elle n'avait fait l'amour avec Alfred.

Après cette horrible première nuit, il avait essayé encore à trois reprises : une fois le soir suivant, puis une semaine plus tard et encore un mois après, un jour qu'il était rentré à la maison particulièrement ivre. Mais il restait complètement impuissant. Aliena l'avait encouragé, poussée par le sens du devoir. Mais chaque échec augmentait la fureur d'Alfred et elle avait commencé à avoir peur. Elle préféra l'éviter, porter des vêtements peu séduisants, se déshabiller hors de ses regards et tenter de lui faire oublier ce sujet. Elle se demandait maintenant si elle n'aurait pas dû persévérer. Mais elle savait au fond que rien n'y ferait. Était-ce la malédiction d'Ellen, l'impuissance d'Alfred ou le souvenir de Jack ? Elle était sûre maintenant qu'Alfred ne lui ferait jamais l'amour.

Il comprendrait vite que le bébé n'était pas de lui. Elle fixa avec consternation les cendres froides en se demandant pourquoi la malchance la poursuivait avec tant d'acharnement. Alors qu'elle essayait de tirer le meilleur parti d'un mauvais mariage, il fallait qu'elle se retrouve enceinte d'un autre, après un seul matin d'amour avec lui.

Inutile de s'apitoyer sur elle-même. Mieux valait réfléchir. Elle posa la main sur son ventre. Elle comprenait maintenant pourquoi elle avait grossi, pourquoi elle avait sans cesse la nausée, pourquoi elle était toujours fatiguée. Il y avait là un petit être nouveau. Elle sourit. Comme elle serait heureuse d'avoir un bébé...

Elle secoua la tête. Non, elle ne serait pas heureuse. Alfred allait la tuer, la jeter dehors, massacrer le bébé... Elle eut soudain le terrible pressentiment qu'il ferait tout son possible pour détruire l'enfant, par exemple en donnant des coups de pied dans le ventre de la mère. Elle essuya son front mouillé de sueur froide.

Je ne vais rien lui dire, décida-t-elle.

Mais pourrait-elle garder secrète sa grossesse ? Peut-être. Elle s'était déjà mise à porter des vêtements amples et sans forme. Si elle avait la chance de ne pas trop grossir... C'était le cas de certaines futures mères. Alfred était le moins observateur des hommes. Les femmes de la ville risquaient de deviner son secret, mais elle comptait sur elles pour ne rien dire, tout au moins pas à leurs maris. Oui, se répéta-t-elle, elle réussirait à lui cacher la vérité jusqu'à la naissance du bébé. Et après ? Eh bien, au moins la petite créature arriverait-elle sans dommage au monde. Restait qu'Alfred saurait quand même que le bébé n'était pas de lui. Ce serait l'enfer.

Aliena ne voulait pas penser si loin. Elle avait décidé de la meilleure solution pour les six mois à venir. En attendant, elle essaierait de réfléchir à ce qu'elle ferait une fois le bébé venu au monde.

Je me demande si c'est un garçon ou une fille, songea-t-elle.

Elle emporta la boîte de chiffons propres pour Martha. Je te plains, Martha, se dit-elle avec lassitude ; tu as encore tous les malheurs devant toi.

Philip passa l'hiver à ruminer ses problèmes.

Il avait été horrifié par la malédiction d'Ellen lancée dans une église en plein office. Il n'avait plus aucun doute : c'était bien une sorcière. Comme il regrettait, dans sa folle indulgence, de lui avoir pardonné ses insultes contre la règle de saint Benoît ! Il aurait dû savoir qu'une femme capable d'un tel sacrilège ne se repentirait jamais vraiment. Enfin, cette affreuse histoire avait quand même une conséquence heureuse : une fois de plus, Ellen avait quitté Kingsbridge où on ne l'avait pas revue. Philip formait le souhait fervent qu'elle ne revienne jamais.

Aliena, elle, était visiblement malheureuse avec Alfred, même si Philip ne croyait pas à l'effet de la malédiction. Il ne savait pratiquement rien de la vie conjugale, mais il devinait qu'une personne vive et instruite comme Aliena ne pouvait que souffrir de partager la vie d'une homme à l'esprit aussi lent et étroit qu'Alfred.

Aliena aurait dû épouser Jack, bien sûr. Philip s'en rendait compte maintenant et il se reprochait de s'être si obstinément buté sur les projets qu'il avait faits pour Jack ; il n'avait pas compris les vrais besoins de ce garçon. Philip avait eu tort de lui imposer une vie monastique pour laquelle il n'était pas fait. Et maintenant Kingsbridge avait perdu l'intelligence et l'énergie de Jack.

Tout avait commencé par le désastre de la foire aux toisons. Le prieuré était plus endetté que jamais. Philip avait congédié la moitié des ouvriers du chantier parce qu'il n'avait plus d'argent pour les payer. La population de la ville avait donc diminué, ce qui signifiait que le marché du dimanche avait régressé et que les revenus provenant des loyers avaient décliné. Kingsbridge était sur la pente descendante.

Le pire, c'était le moral des habitants. Bien qu'ils eussent rebâti leurs maisons et repris quelques activités, ils n'avaient plus confiance dans l'avenir. Les projets, les constructions, les entreprises, tout cela pouvait être anéanti en un jour par William Hamleigh, si l'envie le prenait de lancer une nouvelle attaque.

Philip résolut de faire quelque chose pour mettre un terme à cette déchéance, quelque chose de spectaculaire pour annoncer à tous que Kingsbridge était prêt à lutter.

L'idéal, ce serait un miracle. Si les os de saint Adolphe guérissaient une princesse de la peste ou faisaient jaillir de l'eau pure d'un puits croupissant, les gens afflueraient à Kingsbridge en pèlerinage. Mais depuis des années le saint n'avait accompli aucun prodige. Philip se demandait parfois si sa façon pratique et énergique de gouverner le prieuré ne déplaisait pas au saint, car les miracles semblaient se produire plus fréquemment dans des monastères moins raisonnables et plus passionnément religieux. Philip avait été éduqué à une école plus réaliste. Le père Peter, l'abbé de son premier monastère, disait toujours : « Priez pour demander des miracles, mais plantez aussi des choux. »

Le symbole de la vie, de l'énergie de Kingsbridge, c'était la cathédrale. Toute une nuit, il pria pour qu'un miracle se produise et qu'il la trouve achevée au réveil. Hélas ! Au matin le chœur n'avait toujours pas de toit et les murs de la nef n'avaient pas rejoint ceux du transept.

Philip n'avait pas engagé de nouveau maître bâtisseur, horrifié par le montant des gages que ceux-ci demandaient. Vraiment, Tom n'était pas cher. En attendant, Alfred dirigeait sans trop de mal les effectifs réduits du chantier. Il était devenu plutôt morose depuis son mariage, comme quelqu'un qui aurait durement triomphé de nombreux rivaux pour devenir roi avant de découvrir que la royauté est un pesant fardeau. Mais il était autoritaire, savait prendre des décisions et les autres le respectaient.

Cependant, Tom avait laissé un vide irrémédiable. Il manquait à Philip personnellement, pas seulement comme maître bâtisseur. Tom s'intéressait au sens symbolique des églises et Philip aimait les discussions qu'ils entretenaient sur ce sujet. Il y avait trop peu de gens comme lui dans la vie du prieur. Malgré sa jeunesse, Jack avait les mêmes préoccupations. Aliena aussi, mais elle avait sombré dans son triste mariage. Cuthbert le Chenu devenait vieux maintenant et Milius le trésorier s'absentait souvent du prieuré, pris par la tournée des élevages, comptant les arpents, les brebis et les sacs de laine.

« L'hiver a été doux, dit Alfred un matin peu après Noël. Nous pourrons reprendre le chantier plus tôt que d'habitude. »

Philip réfléchit. La voûte serait construite cet été. Quand elle serait terminée, on pourrait utiliser le chœur et Kingsbridge ne serait plus une ville cathédrale sans cathédrale. Le chœur était la partie la plus importante d'une église : là se trouvaient l'autel et les saintes reliques, conservées dans la partie qu'on appelait le presbytère. La plupart des services y étaient célébrés. On utilisait l'ensemble de l'église seulement le dimanche et les jours fériés. Une fois le chœur consacré, le chantier deviendrait église, même inachevée.

Si l'église pouvait être ouverte l'été prochain, le prieur obtiendrait l'événement qu'il désirait. Le comté étonné verrait que Kingsbridge était guérie de sa blessure.

« Peux-tu finir pour la Pentecôte ? » demanda Philip.

Alfred hésita. « La pose de la voûte réclame le maximum de talent et de compétence, dit-il. On ne peut pas travailler dans la précipitation ni laisser les apprentis se charger de l'ouvrage... »

Son père aurait répondu clairement, pensa Philip avec agacement. « Suppose, reprit-il, que je te donne des moines en un supplément de main-d'œuvre. Est-ce que cela t'aiderait ?

— Un peu. En fait, c'est plutôt de maçons que nous avons besoin.

— Peut-être pourrais-je en trouver un ou deux de plus »,

dit Philip. Un hiver doux permettrait une tonte prématurée, aussi pouvait-il espérer vendre sa laine plus tôt que d'habitude.

« Je ne sais pas, peut-être, dit Alfred sans conviction.

— Et si j'offrais une prime aux maçons ? proposa Philip. Une semaine de gages supplémentaire si la voûte est prête pour le dimanche de Pentecôte.

— Je ne peux pas m'engager, dit Alfred, comme choqué de cette suggestion.

— Eh bien, dit Philip un peu irrité, il faut essayer. Qu'est-ce que tu en dis ?

— Je ne peux dire ni oui ni non, répéta Alfred, têtu. Je vais en parler aux ouvriers.

— Aujourd'hui ? interrogea Philip avec impatience.

— Oui. »

Philip rongeait son frein.

William Hamleigh et ses chevaliers arrivèrent au palais de l'évêque Waleran en même temps qu'un char à bœufs chargé de sacs de laine. La tonte de la saison nouvelle avait commencé. Comme William, Waleran achetait la laine aux fermiers au prix de l'année précédente et comptait la revendre bien plus cher. Ils n'avaient ni l'un ni l'autre beaucoup de mal à obliger leurs fermiers à les approvisionner. Les rares paysans qui avaient tenté de braver la règle étaient chassés, leurs fermes brûlées et, très vite, il n'y avait plus eu de rebelles.

En passant la porte, William leva les yeux vers la colline. Les murs inachevés du château que l'évêque n'avait jamais construit se dressaient là depuis sept ans, permanent rappel de la façon dont Waleran s'était fait battre par le prieur Philip. Sitôt que Waleran commencerait à engranger les revenus de son négoce de laine, il reprendrait sans doute les travaux. Du temps du vieux roi Henry, un évêque n'avait pas besoin d'autre protection qu'une fragile barrière de piquets de bois derrière le petit fossé qui entourait son palais. Aujourd'hui, après cinq ans de guerre civile, des hommes qui n'étaient même pas comtes ni évêques bâtissaient de redoutables châteaux forts.

Les choses allaient bien pour Waleran, songea William avec amertume en mettant pied à terre. Il était resté loyal à Henry de Winchester durant tous les changements d'allégeance de l'archevêque dont il était ainsi devenu un des plus proches alliés. Au long des années, il s'était enrichi d'un afflux régulier de propriétés et de privilèges et s'était même rendu deux fois à Rome.

William n'avait pas connu une telle chance, d'où son amertume. Bien qu'il eût fidèlement suivi chacun des retournements de Waleran et qu'il eût fourni d'importants corps de troupes aux deux camps dans la guerre civile, il n'avait toujours pas été confirmé comte de Shiring. Il avait ruminé longuement sa déception, ce qui l'avait décidé à avoir une confrontation avec Waleran.

Il gravit les marches qui menaient à l'entrée du hall, suivi de Walter et des autres chevaliers. L'intendant qui veillait derrière la porte était armé, autre signe des temps. L'évêque Waleran était assis dans un grand fauteuil au milieu de la salle, comme toujours. Baldwin, maintenant archidiacre, se tenait auprès de lui, avec l'air d'attendre les instructions. Plongé dans ses pensées, Waleran contemplait le feu, mais il leva les yeux quand William approcha.

William retrouva en saluant Waleran le mépris que ce dernier lui inspirait toujours. Les douces mains osseuses de l'évêque, ses cheveux noirs et rares, sa peau d'une mortelle pâleur et ses yeux au regard malveillant donnaient la chair de poule. Il était tout ce que William détestait : tortueux, physiquement faible, arrogant et habile.

William sentait que l'évêque n'éprouvait pas à son égard des sentiments plus amicaux. Waleran n'arrivait jamais à cacher tout à fait le dégoût qu'il ressentait devant William. Il se redressa dans son fauteuil et croisa les bras sans aménité.

Ils parlèrent un moment de la guerre : une conversation malaisée et sans chaleur que William fut soulagé de voir interrompue par l'arrivée d'un messager porteur d'une lettre cachetée d'un sceau de cire. Waleran envoya le messager se restaurer à la cuisine. Il n'ouvrit pas la lettre.

William profita de l'occasion pour changer de sujet. « Je ne suis pas venu ici pour échanger des nouvelles des batailles. Je suis venu vous dire que je suis à bout de patience. »

Waleran haussa les sourcils. Le silence était sa réponse habituelle aux sujets déplaisants.

William insista sans ambages : « Voilà plus de trois ans que mon père est mort, mais le roi Stephen n'a toujours pas confirmé mon titre de comte. C'est scandaleux.

— Je suis bien de votre avis », dit Waleran d'un ton

indifférent. Il jouait avec la lettre qu'il venait de recevoir, en examinait le sceau et tirait sur le ruban.

« Tant mieux, reprit William, parce qu'il va falloir que vous interveniez.

— Mon cher William, je n'ai pas le pouvoir de vous faire comte. »

William s'attendait à la réaction de Waleran et il était bien déterminé à ne pas l'accepter. « Vous avez l'oreille du frère du roi.

— Mais que lui dirai-je ? Que William Hamleigh a bien servi le roi ? Si c'est vrai, le roi le sait, et sinon, il le sait aussi. »

William n'était pas de taille à rivaliser en logique avec Waleran, aussi préféra-t-il changer de ton. « Vous me devez bien ça, Waleran Bigod. »

L'évêque parut légèrement irrité. Il braqua sur William la lettre qu'il tenait toujours à la main. « Je ne vous dois rien. Vous avez toujours servi vos propres intérêts, même quand vous avez suivi mes directives. Il n'y a pas de dette de gratitude entre nous.

— Je vous le répète, je n'attendrai pas plus longtemps.

— Qu'avez-vous en tête ? dit Waleran d'un ton un peu narquois.

— Eh bien, d'abord, voir moi-même l'évêque Henry.

— Et puis ?

— Je lui dirai que, puisque vous restez sourd à mes doléances, je rallie le camp de l'impératrice Maud. »

William fut content de voir Waleran changer d'expression : il pâlit et parut légèrement surpris.

« Vous allez changer encore de camp ?

— Juste une fois de plus que vous », riposta William.

La hautaine indifférence de Waleran se trouva un peu ébranlée par cette réplique. La carrière de l'évêque avait grandement bénéficié de la présence de William et de ses chevaliers dans le camp qui se trouvait être pour le moment celui de l'évêque Henry : ce serait un coup dur pour lui si le seigneur de Shiring reprenait soudain son indépendance. William scruta le visage de Waleran, tandis que celui-ci réfléchissait à cette menace. Il devina que l'évêque supputait l'effort et le prix nécessaires pour conserver William dans ses rangs.

Afin de gagner du temps, Waleran rompit le sceau de sa

lettre et la déroula. Une légère rougeur apparut sur ses joues pâles. « Maudit soit cet homme, siffla-t-il.

— Qu'y a-t-il ? » demanda William.

Waleran lui tendit la missive.

William la prit et lut péniblement : « Au... très... saint... et... gracieux... évêque... »

Waleran la lui arracha des mains, agacé d'entendre William ânonner. « C'est une lettre du prieur Philip, déclara-t-il. Il m'informe que le chœur de la nouvelle cathédrale sera terminé pour la Pentecôte et il a le toupet de me demander d'y célébrer la messe.

— Comment a-t-il réussi ? fit William, surpris. Je croyais qu'il avait congédié la moitié de ses bâtisseurs. »

Waleran secoua la tête. « Je n'en sais rien, mais il a réussi, c'est un fait. » Il lança à William un regard songeur. « Certes, il vous déteste. Il voit en vous le diable incarné. »

William essayait de percer l'esprit tortueux de Waleran. « Ensuite ? fit-il.

— Ce serait un choc fatal pour Philip si vous étiez confirmé comte le dimanche de Pentecôte.

— Vous ne le feriez pas pour moi, mais vous le feriez pour contrarier Philip, bougonna William, qui sentait ses espoirs renaître.

— Ce n'est pas de mon ressort, répéta Waleran, mais je vais parler à l'évêque Henry. » Il regarda William comme s'il attendait une réponse.

William hésita. Enfin, à contrecœur, il marmonna : « Je vous remercie. »

Le printemps cette année-là fut froid et triste. Le matin de la Pentecôte, il pleuvait. Aliena s'était réveillée au milieu de la nuit, souffrant du dos, et la douleur n'avait pas encore disparu. Assise dans la cuisine glacée, elle tressait les cheveux de Martha avant d'aller à l'église, tandis qu'Alfred engloutissait un solide déjeuner de pain blanc, de fromage et de bière. Soudain Aliena se redressa, les mains plaquées sur les reins. Alertée, Martha l'interrogea.

« Qu'as-tu ?

— Mal au dos », dit brièvement Aliena. Elle n'avait pas envie d'en parler, car personne ne savait, pas même Martha, qu'elle dormait par terre, dans la petite pièce exposée aux courants d'air, depuis des mois.

La fillette se leva pour aller prendre dans le feu une

pierre brûlante, qu'elle enveloppa dans un vieux bout de cuir usagé et appuya contre le dos d'Aliena. Le soulagement fut immédiat. A son tour, Martha tressa les cheveux d'Aliena. Ils avaient repoussé et formaient de nouveau une masse indisciplinée de boucles brunes. Aliena se sentit mieux.

Martha et elle étaient devenues très proches depuis le départ d'Ellen. Pauvre Martha : elle avait perdu sa mère, puis sa belle-mère. Aliena, de dix ans seulement plus âgée, jouait le rôle de sœur aînée plutôt que de mère, pour l'adolescente abandonnée. Mais la personne qui lui manquait le plus, c'était son demi-frère, Jack.

Il est vrai que Jack manquait à tout le monde.

Aliena pensait constamment à lui. Où était-il ? Tout près, peut-être, à Gloucester ou à Salisbury. A moins qu'il ne soit en Normandie. Ou bien plus loin : Paris, Rome, Jérusalem, l'Égypte. Se rappelant les récits que faisaient les pèlerins de ces contrées exotiques, elle imaginait Jack au milieu d'un désert sablonneux, sculptant des pierres pour une forteresse sarrasine sous un soleil aveuglant. Pensait-il à elle aussi ?

Ses réflexions furent interrompues par un bruit de sabots, dehors, et Richard entra, tenant son cheval par la bride, homme et bête trempés et couverts de boue. Aliena versa de l'eau chaude dans un récipient pour que son frère se lave les mains et le visage pendant que Martha emmenait le cheval dans la cour. Aliena déposa sur la table de la cuisine du pain et du bœuf froid et versa une coupe de bière.

« Quelles sont les nouvelles de la guerre ? » demanda Alfred.

Richard s'assit. « Nous avons été battus à Wilton, répondit-il.

— Stephen est prisonnier ?

— Non, il s'est échappé, tout comme Maud avait réussi à quitter Oxford. Stephen se trouve maintenant à Winchester et Maud à Bristol. Chacun lèche ses plaies et consolide ses positions dans les régions qu'il contrôle. »

La situation s'éternisait, se dit Aliena. Un camp ou l'autre remportait une petite victoire, subissait une petite défaite, mais on ne voyait jamais la fin de la guerre.

Richard examina sa sœur et remarqua : « Tu as grossi. »

Elle acquiesça sans rien dire. Bien qu'elle fût enceinte de huit mois, personne ne connaissait la vérité. Par bonheur, le temps froid l'autorisait à se cacher sous plusieurs couches de vêtements d'hiver qui dissimulaient ses formes. Mais dans quelques semaines, le bébé allait naître et la vérité éclaterait. Elle n'avait encore aucune idée de ce qu'elle ferait.

La cloche sonna pour appeler les fidèles à la messe. Alfred enfila ses bottes et se tourna vers Aliena.

« Je ne crois pas que je vais vous accompagner, dit-elle. Je ne me sens pas bien du tout. »

Il haussa les épaules d'un air indifférent et se tourna vers Richard. « Venez, Richard, tout le monde sera là aujourd'hui : c'est le premier office célébré dans la cathédrale.

— Le plafond est fini ? s'étonna Richard. Je croyais que les travaux dureraient jusqu'à la fin de l'année.

— Nous avons fait vite. Le prieur Philip a offert aux hommes une semaine de gages supplémentaire s'ils terminaient aujourd'hui. Ils ont travaillé à une vitesse stupéfiante et ce matin même nous avons descendu les derniers coffrages.

— Il faut que je voie ça », dit Richard. Il avala sa dernière bouchée de pain et de bœuf.

« Veux-tu que je reste avec toi ? proposa Martha à Aliena.

— Non, merci. Vas-y. Je vais m'allonger. »

Dès qu'ils furent sortis tous les trois, Aliena s'étendit sur le lit d'Alfred, la pierre chaude sous son dos. Elle ferma les yeux, espérant dormir un peu. Soudain, elle sentit un filet d'eau tiède couler à l'intérieur de ses cuisses. Elle n'eut pas le temps de se demander ce qui lui arrivait que le filet devenait un flot. Elle se redressa brusquement. Elle savait ce que cela signifiait. Elle était en train de perdre les eaux : le bébé arrivait.

La peur la prit. Il lui fallait de l'aide. « Mildred ! Mildred, venez, s'il vous plaît ! » cria-t-elle en direction de la maison voisine. Mais personne ne répondit. Toute la ville était à l'église.

L'écoulement cessa, mais le lit d'Alfred était trempé. De toute façon, il fallait s'attendre à une explosion de colère de sa part car ce bébé ne pouvait être le sien. Affolée, elle pouvait à peine penser.

La douleur la tenaillait. Était-ce déjà le travail qui commençait ? Elle oublia Alfred. L'enfant allait naître d'un instant à l'autre. Elle avait trop peur pour supporter l'épreuve toute seule. Il lui fallait absolument quelqu'un pour l'assister. Elle décida d'aller à l'église.

Avec peine, elle se leva et sortit. A la porte du prieuré, la force de la douleur l'obligea à s'appuyer au mur en haletant. Puis elle entra dans l'enclos.

La nouvelle cathédrale présentait un étrange aspect : le plafond de pierre arrondi serait plus tard masqué par un toit de bois triangulaire, mais pour l'instant, sans protection, il évoquait l'image d'un chauve sans chapeau. Les fidèles étaient debout, le dos tourné à Aliena, massés dans le chœur et les bas-côtés.

Tandis qu'Aliena se glissait vers les rangs des fidèles, l'évêque Waleran Bigod se leva pour prendre la parole. Comme dans un cauchemar, elle reconnut William Hamleigh près de lui. Les mots de l'évêque pénétrèrent quand même son esprit en désarroi. « ... C'est avec une grande fierté et un vif plaisir que je dois vous annoncer que Sa Majesté le roi Stephen a confirmé lord William comte de Shiring. »

Momentanément, la souffrance et la peur d'Aliena firent place à l'horreur. Depuis six ans, depuis cet affreux jour où Richard et elle étaient allés voir leur père dans la prison de Winchester, elle avait voué sa vie à reconquérir le titre et la position de sa famille. Ils avaient survécu aux voleurs et aux violeurs, aux combats et à la guerre civile. A plusieurs reprises, ils avaient cru toucher au but. D'un seul coup, tout était perdu.

Un murmure de colère parcourut la congrégation. Tout le monde ici avait souffert par la faute de William et on le redoutait encore. Aliena chercha des yeux Richard pour voir comment il réagissait, mais elle ne le trouva pas.

Le prieur Philip se leva, le visage sombre, et attaqua l'hymne. Sans entrain les fidèles reprirent après lui. Aliena s'appuya à un pilier, secouée par une nouvelle contraction. Dès que la douleur fut passée, elle s'enfonça dans la foule, à la recherche de Martha. Un groupe de femmes occupait le bas-côté nord et elle se dirigea par là. Sur son passage, les gens la regardaient curieusement. Tout à coup, un bruit étrange, comme un grondement, interrompit les chants. Le grondement augmenta.

Aliena rejoignit le groupe de femmes qui écoutait avec anxiété l'étrange rumeur. « Avez-vous vu Martha, ma belle-sœur ? » demanda Aliena à l'une d'elles, en qui elle reconnut Hilda, l'épouse du tanneur. « Je crois qu'elle est de l'autre côté », répondit celle-ci. Le grondement devint assourdissant.

Aliena suivit la direction indiquée. Au milieu de l'église, les assistants avaient tous les yeux braqués vers le haut des murs. Quelqu'un poussa un hurlement. Entre deux fenêtres voisines du triforium la paroi du fond se fissurait. Deux énormes blocs se détachèrent et tombèrent sur la foule massée au-dessous. Les cris et les hurlements redoublèrent. La panique déferla dans l'église.

Le sol tremblait sous les pieds d'Aliena, qui jouait des coudes et bousculait les gens pour se frayer un chemin dans la cohue. D'un coup d'œil, elle comprit que les énormes murs s'écartaient au sommet et que l'arrondi de la voûte se fendait. Hilda, la femme du tanneur, trébucha devant elle. Aliena tomba sur elle. Une pluie de petites pierres dégringola comme de la grêle. Puis la voûte du bas-côté se fendit et s'effondra avec un fracas d'enfer. Quelque chose lui heurta la tête et tout devint noir.

Philip avait commencé le service, plein de fierté et de reconnaissance. Il s'en était fallu de peu, mais la voûte était terminée à temps. En hâte on avait déblayé le chantier : outils, piles de pierres et madriers, échafaudages, décombres avaient été rangés. On avait balayé le chœur. Les moines avaient blanchi à la chaux la maçonnerie et tracé sur le mortier des lignes rouges pour bien faire ressortir les jointements. On avait remonté de la crypte l'autel et le trône de l'évêque, mais les reliques du saint, dans leur cercueil de pierre, étaient restées en bas : pour les déplacer il faudrait une cérémonie solennelle qui formerait l'apogée du service.

Philip avait entendu Waleran faire l'annonce de la nomination de William avec un étonnement vite transformé en colère noire. C'était si manifestement calculé pour gâcher cette journée triomphale et rappeler aux habitants de la ville qu'ils étaient toujours à la merci de leur cruel suzerain ! Philip cherchait désespérément le moyen de riposter quand le grondement commença.

Au début, intrigué, il crut que c'était le tonnerre. Mais le bruit prit de l'ampleur. Les chants s'interrompirent. Philip pensa alors qu'il s'agissait de quelque étrange phénomène dont on aurait bientôt l'explication et dont l'effet le plus grave serait d'interrompre le service. Puis il leva les yeux.

Dans la troisième travée, là où l'on avait enlevé le coffrage le matin même, des fissures apparaissaient dans la maçonnerie au niveau du triforium. Elles surgissaient et se propageaient sur le mur, d'une fenêtre à l'autre, comme des serpents prêts à frapper. La première réaction de Philip fut la déception : lui qui était si heureux de voir le chœur terminé, il devait déjà envisager des réparations ; puis le haut des murs parut pencher vers l'extérieur et il se rendit compte avec horreur que non seulement l'office allait être interrompu, mais transformé en catastrophe.

La courbe de la voûte se fissura à son tour. Une grosse pierre se détacha et les gens au-dessous se mirent à hurler. Philip n'eut pas le temps de voir si quelqu'un était blessé que d'autres blocs suivirent. Affolés, les fidèles se bousculaient, se piétinaient en cherchant à s'abriter de l'avalanche mortelle. Philip eut un moment l'idée folle qu'il s'agissait encore d'une attaque de William Hamleigh, puis il aperçut celui-ci, au premier rang des fidèles, qui, terrifié, assommait ses voisins pour échapper au piège. Non, William ne pouvait pas être l'auteur d'un crime dont il risquait d'être la victime.

Le plus gros des fidèles tentait de sortir de la cathédrale par le côté ouest, encore ouvert. Or c'était justement cette partie-là qui s'effondrait. Philip aperçut le petit Jonathan et Johnny Huit Pence blottis au fond du bas-côté nord. C'était le coin le plus sûr, estima Philip. Puis il prit conscience qu'il devait sauver le reste de ses ouailles. « Par ici ! criat-il, par ici ! » Personne ne lui prêta attention.

Dans la troisième travée, la voûte était sur le point de s'effondrer. Philip s'efforça de pousser les gens vers l'abri du côté est qui semblait tenir. mais une pluie de mortier tomba sur son crâne rasé et bientôt ce furent des pierres. Les gens en proie à la panique se jetaient dans tous les sens : certains s'entassaient dans les bas-côtés, d'autres contre le mur est — parmi lesquels l'évêque Waleran. D'autres essayaient toujours de gagner la sortie à l'ouest en grimpant par-dessus les tas de décombres et de cadavres. Une pierre vint frapper Philip à l'épaule. Pas très fort, mais assez pour lui faire mal. Il posa les mains sur sa tête pour protéger son crâne et regarda autour de lui. Il était seul au milieu de la seconde travée : il avait fait tout ce qu'il pouvait. Il se précipita du côté est.

Le fracas de la maçonnerie qui s'écroulait semblait

moins violent, mais un nuage de poussière emplissait l'air. Philip retint son souffle. La poussière retomba lentement et il distingua la voûte, qui s'était effondrée jusqu'au bord de la première travée. Maintenant elle semblait stabilisée.

Horrifié, Philip contemplait les ruines de son église. Seule la première travée demeurait intacte. Le sol n'était que piles de débris sous lesquels gisaient des corps inertes, morts et blessés mélangés. Sept ans de travail et des masses d'argent venaient d'être anéantis, des douzaines — peut-être des centaines de gens tués — tout cela en quelques minutes d'apocalypse. Philip sentit son cœur se briser en pensant à ces efforts gaspillés, à ces victimes, aux veuves et aux orphelins. Ses yeux s'emplirent de larmes.

Une voix sévère retentit à son oreille. « Voilà le résultat de votre arrogance, Philip ! »

Il se retourna. L'évêque Waleran, sa robe noire couverte de poussière, le foudroyait d'un regard triomphant. Philip eut l'impression qu'on venait de le poignarder. La tragédie était déjà épouvantable, mais qu'on l'en rendît responsable, ce n'était pas supportable. Il aurait voulu protester. Impossible : les mots lui restaient coincés dans la gorge.

Son regard se posa sur Johnny Huit Pence et le petit Jonathan qui émergeaient de leur abri. Il serait temps plus tard de déterminer les responsabilités. Pour l'instant, des dizaines de blessés, certains encore prisonniers des décombres, réclamaient des secours. Il fallait organiser les opérations de sauvetage. Il lança à l'évêque un regard mauvais et s'écria brutalement : « Otez-vous de mon chemin ! » Stupéfait, le prélat s'écarta et Philip bondit vers l'autel.

« Écoutez-moi ! cria-t-il de toutes ses forces. Il faut nous occuper des blessés, sauver les gens ensevelis puis enterrer les morts et prier pour leur âme. Je vais désigner trois chefs pour organiser les opérations. » Du regard il fit le tour de l'assistance. « Alfred le bâtisseur est chargé du déblaiement et du sauvetage des victimes ensevelies. Je veux que tous les maçons et les manœuvres travaillent avec lui. » Parmi les moines, il fut soulagé de voir son fidèle confident, Milius, indemne. « Milius le trésorier est chargé d'enlever les morts et les blessés de l'église. Il aura besoin de jeunes et robustes assistants. Randolf l'infirmier soignera les blessés une fois sortis d'ici. Les plus âgés l'aideront, surtout les femmes. Bon... allons-y. »

Philip s'approcha d'Alfred, hébété par le choc. Si l'on

avait des reproches à faire à quelqu'un, c'était à lui, en tant que maître bâtisseur, mais l'heure n'était pas aux récriminations. « Divise tes hommes en équipes, dit Philip, et attribue-leur des secteurs séparés. »

Alfred ne parut pas comprendre tout de suite puis son visage s'éclaira. « Oui. D'accord. Nous allons commencer par le côté ouest et pousser les décombres dehors au fur et à mesure.

— Bien. » Philip le laissa et s'avança à travers la foule jusqu'à Milius, déjà au travail. Le prieur le dépassa, certain que comme toujours Milius remplirait au mieux sa tâche. Il aperçut Randolf l'infirmier qui escaladait les gravats. Devant l'église, du côté ouest, se trouvait un groupe de rescapés. « Utilisez ces gens-là, dit Philip à Randolf. Envoyez quelqu'un à l'infirmerie chercher votre matériel. Que d'autres aillent à la cuisine se procurer de l'eau chaude. Demandez au cellérier du vin pour ranimer les défaillants. »

Il regarda autour de lui. Les survivants se mettaient au travail. Philip aperçut une vieille femme assise par terre, égarée. C'était Maud l'Argent, la veuve d'un joaillier. Il l'aida à se relever et l'entraîna à l'écart. « Que s'est-il passé ? répétait-elle sur le même ton monocorde. Je ne sais pas ce qui s'est passé.

— Moi non plus, Maud », répondit le prieur.

Les paroles de l'évêque Waleran lui revenaient sans cesse en tête. « *Voilà le résultat de votre arrogance, Philip !* » L'accusation le touchait au vif parce qu'elle contenait peut-être une part de vérité. Il avait toujours poussé les constructeurs à en faire plus, mieux, plus vite. Il avait poussé Alfred à terminer la voûte, tout comme il avait poussé à la création d'une foire aux toisons et poussé des hommes à occuper la carrière du comte de Shiring. Chaque fois le résultat avait tourné à la tragédie : le massacre des carriers, l'incendie de Kingsbridge, et maintenant ce désastre. De toute évidence, son ambition était en cause. Le rôle des moines c'était de mener une vie de résignation, accepter les tribulations et les épreuves de ce monde comme des leçons de patience enseignées par le Tout-Puissant.

Philip prit la résolution de laisser à Dieu l'initiative et l'ambition ; lui, Philip, accepterait modestement son sort. Si Dieu voulait une cathédrale, Dieu fournirait une carrière ; puisque la ville avait été incendiée, c'était signe que Dieu ne voulait pas de foire aux toisons ; maintenant que l'église s'était écroulée, Philip ne la rebâtirait pas.

Ce fut alors qu'il aperçut William Hamleigh.

Le nouveau comte de Shiring était assis sur le sol de la troisième travée, sur le bas-côté nord, le visage décomposé, tremblant de douleur, un pied coincé sous une grosse pierre. Philip se demanda, tout en l'aidant à soulever la pierre, pourquoi Dieu avait choisi de laisser tant de braves gens mourir pour épargner une bête comme William.

Ce dernier faisait grand cas de sa blessure au pied, mais, à part cela, il était indemne. On l'aida à se relever. Il s'appuya sur l'épaule d'un grand gaillard de sa taille et s'éloigna en sautillant. Un bébé se mit à crier.

Tout le monde l'entendit, mais personne ne le voyait. L'étonnement fut général. Les cris reprirent et Philip se rendit compte qu'ils provenaient d'un amoncellement de pierres, sur le bas-côté. « Par ici ! » cria-t-il. Il aperçut Alfred et lui fit signe. « Il y a un bébé vivant là-dessous », déclara-t-il. Ils écoutèrent attentivement les cris. C'était la voix d'un tout petit bébé, presque un nouveau-né. « Vous avez raison, dit Alfred. Déplaçons d'abord ces grosses pierres. » Avec ses aides, il se mit à déblayer les décombres qui bloquaient complètement l'arc de la troisième travée. Philip se joignit à eux. Laquelle de ses paroissiennes avait donc accouché au cours des dernières semaines ? Bien sûr, il se pouvait qu'une naissance eût échappé à son attention : si la ville avait diminué en importance au cours de l'année passée, elle était encore assez grande pour qu'un événement aussi banal pût échapper à l'attention du prieur.

Les pleurs cessèrent d'un coup. On s'immobilisa, l'oreille tendue, mais les cris ne reprirent pas. De plus belle, on recommença à déblayer. C'était dangereux, car en ôtant une pierre on risquait d'en faire écrouler d'autres et c'est pourquoi Philip avait confié cette tâche à Alfred. Mais celui-ci ne se montrait pas aussi prudent que Philip l'eût souhaité et à un moment donné le tas de pierres bascula dangereusement. « Attendez ! » cria Philip.

Tout le monde s'arrêta net. Alfred, Philip s'en rendit compte, était trop choqué pour assurer la direction des opérations. « S'il y a des vivants là-dessous, déclara Philip, quelque chose a dû les protéger. En déplaçant cette pile, nous risquons de les tuer. Procédons avec prudence. » Il désigna un groupe de maçons : « Vous trois, grimpez là-haut et prenez les pierres une par une, mais au lieu de les emporter vous-mêmes, passez-les à quelqu'un d'autre qui les mettra de côté. »

Ils se remirent au travail suivant les instructions de Philip. Maintenant que le bébé avait cessé de pleurer, ils ne savaient plus où diriger leurs efforts. Ils déblayèrent un secteur assez large. Philip travaillait sans relâche. Il voulait que ce bébé survive. Même s'il y avait des douzaines de morts, ce bébé était plus important. Il représentait le symbole de l'espoir en l'avenir.

Il finit par distinguer au-dessus des décombres le mur extérieur de la travée et l'amorce d'une fenêtre. Il semblait y avoir un espace derrière cet entassement. Peut-être quelqu'un de vivant se cachait-il là. Un maçon escalada les gravats. « Bon Dieu ! » s'exclama-t-il.

Philip pour une fois ignora le blasphème. « Est-ce que le bébé est indemne ? demanda-t-il.

— Je n'en sais rien », répondit le maçon.

L'amoncellement des débris diminuait rapidement. Une grande pierre au niveau du sol nécessita le concours de trois hommes pour le déplacer. Puis Philip aperçut le bébé.

Il venait de naître. Tout nu, il était maculé de sang et de poussière, mais on pouvait distinguer des cheveux d'une surprenante couleur carotte. En regardant de plus près, Philip constata que c'était un garçon. Blotti contre une femme, il lui tétait le sein. L'enfant était vivant et Philip sentit son cœur bondir de joie. La femme, vivante aussi, adressa au prieur un sourire heureux mais las.

C'était Aliena.

Aliena ne revint jamais dans la maison d'Alfred. Il racontait à tout le monde que le bébé n'était pas de lui et, comme preuve, montrait les cheveux roux de l'enfant, exactement de la même couleur que ceux de Jack ; mais il ne chercha pas à faire le moindre mal ni au bébé ni à Aliena. Il se contenta de leur interdire sa maison.

Aliena regagna sa demeure dans le quartier pauvre. Elle était soulagée qu'Alfred ne se vengeât pas davantage, heureuse aussi de ne plus avoir à dormir par terre au pied de son lit comme un chien. Mais surtout elle était fière et ravie de son adorable bébé. Il avait des cheveux roux, des yeux bleus, la peau bien blanche et il lui rappelait terriblement Jack.

Si personne ne savait pourquoi l'église s'était effondrée, les théories ne manquaient pas. Les uns disaient qu'Alfred était un incapable ; d'autres reprochaient à Philip d'avoir bousculé les maçons pour terminer la voûte à la Pentecôte. Des ouvriers disaient qu'on avait retiré les coffrages alors que le mortier n'était pas encore sec. Un vieux bâtisseur affirma que les murs n'avaient jamais été conçus pour supporter le poids d'une voûte de pierre.

Soixante-dix-neuf personnes avaient trouvé la mort, y compris ceux qui succombèrent plus tard à leurs blessures. Chacun s'accorda pour dire qu'il y en aurait eu davantage si le prieur Philip n'avait pas dirigé tant de gens vers le côté est. Le cimetière du prieuré étant complet à cause de l'incendie de l'année précédente, la plupart des morts furent enterrés dans l'église paroissiale.

De l'avis général, la cathédrale était maudite.

Alfred emmena ses maçons à Shiring, où il se mit à construire des maisons de pierre pour les riches. Les autres artisans quittèrent peu à peu Kingsbridge. Personne ne fut officiellement congédié et Philip continua à payer des gages, mais les hommes n'avaient plus rien à faire que de déblayer les décombres et, au bout de quelques semaines, ils étaient tous partis. Les volontaires ne vinrent plus travailler le dimanche, le marché se réduisit à quelques tristes éventaires, Malachi entassa sa famille et ses biens dans une grande charrette tirée par quatre bœufs et quitta la ville, en quête de plus verts pâturages.

Richard loua son destrier à un fermier et cet argent les fit vivre, Aliena et lui. Sans le soutien d'Alfred, il ne pouvait continuer sa carrière de chevalier et, de toute façon, à quoi cela avançait-il maintenant que William avait reçu son titre de comte ? Aliena se sentait toujours tenue par le serment qu'elle avait fait à son père, mais pour l'instant elle n'avait plus le moyen de le respecter. Richard sombra dans la léthargie. Il se levait tard, restait assis au soleil presque toute la journée et filait le soir à la taverne.

Martha vivait toujours dans la grande maison, seule avec une vieille servante. Mais elle passait le plus clair de son temps avec Aliena. Elle aimait soigner le bébé, d'autant plus qu'il ressemblait à son Jack adoré. Elle aurait voulu qu'Aliena l'appelât Jack, mais celle-ci refusa pour des raisons qu'elle-même ne s'expliquait pas très bien.

Aliena passa l'été dans la joie de la maternité. Mais quand la récolte fut engrangée, que le temps commença à fraîchir et les soirées à raccourcir, la mauvaise humeur la gagna.

Chaque fois qu'elle réfléchissait à son avenir, elle pensait à Jack. Il était parti, elle ne savait pas où, et sans doute ne reviendrait-il jamais. Mais il habitait toujours son esprit, plein de vie et d'énergie. Elle envisagea d'aller s'installer dans une autre ville où elle prétendrait être veuve. Elle songea à persuader Richard de gagner sa vie, pensa à filer de la laine, ou à prendre des lessives, ou à s'engager comme servante dans une des rares familles encore assez riches pour avoir des domestiques ; mais chaque nouveau projet était accueilli avec un rire méprisant par le Jack imaginaire qu'elle avait dans sa tête et qui disait : « Rien ne marchera sans moi. »

Le matin qu'elle avait passé avec Jack avant son mariage avec Alfred représentait le plus grand péché qu'elle eût jamais commis. Elle ne doutait pas d'en être punie maintenant. Mais il y avait aussi des moments où elle avait l'impression que c'était la seule bonne chose de sa vie ; et lorsqu'elle regardait son bébé, elle n'arrivait pas à le regretter. Mais un bébé ne suffisait pas. Elle se sentait incomplète, inassouvie. Sa maison lui semblait trop petite, Kingsbridge à demi mort, la vie monotone.

A la fin de l'été, le fermier ramena le destrier : il n'en avait plus besoin. Richard et Aliena se trouvèrent soudain sans revenus. Un jour du début de l'automne, Richard alla à Shiring vendre son armure. En son absence, et alors qu'Aliena dînait seule de quelques pommes, la mère de Jack entra dans la maison.

« Ellen ! s'écria Aliena stupéfaite.

— Je suis venue voir mon petit-fils, annonça Ellen avec calme.

— Mais comment avez-vous su ?...

— On apprend des choses, même dans la forêt. » Elle s'approcha du berceau pour regarder l'enfant endormi. Son visage s'adoucit. « Allons, allons, on sait bien de qui il est le fils. Il est en bonne santé ?

— Il n'a jamais été malade... Il est petit, mais costaud, dit fièrement Aliena. Comme sa grand-mère », ajouta-t-elle.

Elle examina Ellen. Celle-ci était plus mince que lorsqu'elle était partie, elle avait la peau hâlée et portait une courte tunique de cuir. Ses pieds étaient nus. Elle avait l'air jeune et en pleine forme : la vie de forêt semblait lui convenir. Aliena calcula qu'elle devait avoir trente-cinq ans.

« Vous avez l'air de bien vous porter, dit-elle.

— Vous me manquez tous, dit Ellen. Vous, Martha et même votre frère Richard. Et mon Jack me manque. Et Tom. » Sa voix se brisa.

« Est-ce que quelqu'un vous a vue venir ici ? Les moines pourraient encore vous arrêter.

— Il n'y en a pas un à Kingsbridge qui aurait le cran de le faire..., dit-elle en ricanant. Mais j'ai quand même pris mes précautions, personne ne m'a vue. » Il y eut un silence. Ellen dévisagea Aliena, un peu mal à l'aise sous le regard pénétrant de ses étranges yeux couleur de miel. Elle parla enfin : « Vous gâchez votre vie.

— Que voulez-vous dire ? » répondit Aliena, mais les paroles d'Ellen avaient aussitôt éveillé un écho en elle.

« Vous devriez aller retrouver Jack.

— Mais je ne peux pas.

— Pourquoi donc ?

— D'abord je ne sais pas où il est.

— Moi, je le sais. »

Le cœur d'Aliena se mit à battre plus vite. Elle croyait que personne ne savait ce qu'il était devenu. C'était comme s'il avait disparu de la surface de la terre. Mais elle allait pouvoir maintenant l'imaginer dans un endroit précis. Cela changeait tout. Peut-être n'était-il pas loin. Elle pourrait lui montrer son bébé.

« Je sais en tout cas quelle direction il a prise.

— Laquelle ? demanda précipitamment Aliena.

— Saint-Jacques-de-Compostelle.

— Oh ! Mon Dieu. » Le cœur d'Aliena se serra. Compostelle nécessitait un voyage de plusieurs mois.

« Il espérait, reprit Ellen, parler aux jongleurs sur la route et apprendre quelque chose sur son père. »

Aliena hocha la tête. Jack avait toujours souffert d'en savoir si peu sur son père. Mais qui disait qu'il reviendrait ? Au cours d'un aussi long trajet, il trouverait certainement une cathédrale où il travaillerait, et puis il s'installerait. En partant à la recherche de son père, il avait perdu son fils.

« C'est si loin, dit Aliena. Je voudrais bien pouvoir aller le rejoindre.

— Pourquoi pas ? répliqua Ellen. Des milliers de gens vont là-bas en pèlerinage. Pourquoi pas vous ?

— J'ai fait le serment à mon père de m'occuper de Richard jusqu'à ce qu'il devienne comte, dit-elle à Ellen. Je ne pourrai pas l'abandonner. »

Ellen ne cacha pas son scepticisme. « Comment comptez-vous l'aider en ce moment ? dit-elle. Vous êtes sans le sou et William est le nouveau comte. Richard a perdu toute chance de reprendre le comté. Vous ne lui êtes pas plus utile à Kingsbridge que vous le seriez à Compostelle. Vous avez consacré votre vie à ce malheureux serment. Maintenant vous ne pouvez plus rien faire. Je ne vois pas comment votre père pourrait vous le reprocher. Si vous voulez mon avis, le plus grand service que vous pourriez rendre à Richard serait de l'abandonner quelque temps et de lui donner l'occasion d'apprendre l'indépendance. »

C'était vrai, songea Aliena, que pour l'instant elle ne servait à rien, qu'elle restât à Kingsbridge ou non. Était-ce possible qu'elle fût libre maintenant, libre d'aller trouver Jack ? Cette seule idée faisait battre son cœur. « Mais je n'ai pas d'argent pour partir en pèlerinage, annonça-t-elle.

— Qu'est-il arrivé à ce grand destrier ?

— Nous l'avons toujours...

— Vendez-le.

— Comment le pourrais-je ? C'est celui de Richard !

— Bonté divine, qui diable l'a acheté ? fit Ellen avec colère. Est-ce Richard qui a travaillé dur pendant des années pour monter une affaire de laine ? Est-ce Richard qui a négocié avec des paysans avides et des acheteurs flamands sans pitié ? Est-ce Richard qui est allé faire la collecte de la laine, qui l'a entreposée, qui a dressé un éventaire à la foire et qui l'a vendue ? Ne me dites pas que c'est le cheval de Richard !

— Il serait furieux...

— Très bien. Espérons que la colère ne l'empêchera pas de travailler pour la première fois de sa vie. »

Aliena ouvrit la bouche pour répliquer, puis la referma. Ellen avait raison. Richard avait toujours compté sur elle pour tout. Pendant qu'il se battait, elle avait été obligée de l'entretenir. Mais la guerre était finie. C'était elle qui avait acheté ce fichu cheval ; elle avait le droit de le revendre.

Elle s'imaginait retrouvant Jack. Elle voyait son visage qui lui souriait. Ils s'embrasseraient. Un frisson de plaisir lui parcourut les reins. Elle en fut gênée.

« Voyager, bien sûr, poursuivit Ellen, est une aventure risquée.

— Voilà une chose qui ne m'inquiète pas, fit Aliena en souriant. Je voyage depuis l'âge de dix-sept ans.

— De toute façon, il y aura des centaines de gens sur la route de Compostelle. Vous pourrez vous joindre à un groupe de pèlerins. Vous ne serez pas obligée de voyager seule.

— Vous savez, soupira Aliena, si je n'avais pas le bébé, je crois que je le ferais.

— C'est à cause du bébé que vous devez le faire, justement, insista Ellen. Il a besoin d'un père. »

Aliena n'avait pas encore considéré les choses de cette façon : ce voyage n'intéressait qu'elle-même. Mais elle comprenait maintenant que le bébé avait besoin de Jack autant qu'elle. Elle trouva soudain terriblement injuste que cet enfant grandisse sans connaître le génie brillant, unique et adorable qu'était son père.

En somme, elle était en train de se persuader elle-même de partir et elle en éprouva un frisson d'appréhension. « Je ne pourrai pas emmener le bébé à Compostelle, objecta-t-elle encore.

— Vous n'y êtes pas obligée, répondit Ellen.

— Qu'est-ce que je pourrais en faire ?

— Me le laisser. Je le nourrirai de lait de chèvre et de miel sauvage. »

Aliena secoua la tête. « Je ne pourrais pas supporter d'être séparée de lui. Je l'aime trop.

— Si vous l'aimez, dit Ellen, allez chercher son père. »

IV

Aliena trouva un bateau à Wareham. Lorsque, enfant, elle avait fait la traversée avec son père, c'était sur un des bateaux de guerre normands, de longs vaisseaux étroits, dont les flancs incurvés se terminaient en pointe à l'avant et à l'arrière. Il y avait une rangée de rames sur chaque côté et une voile de cuir carrée. Le navire qui devait l'emmener en Normandie était du même genre, mais plus large et plus profond, capable de transporter une cargaison. Il arrivait de Bordeaux et elle avait vu les matelots pieds nus décharger de grandes caisses de vin destinées aux caves des riches.

Aliena s'était résignée à laisser le bébé, mais cela lui brisait le cœur. Chaque fois qu'elle le regardait, elle repassait dans sa tête tous les arguments qui la poussaient à partir. Il n'empêche : elle ne voulait pas se séparer de lui.

Ellen l'avait accompagnée à Wareham. Là, Aliena s'était jointe à deux moines de l'abbaye de Glastonbury qui allaient visiter leur propriété de Normandie. Il y avait trois autres candidats passagers : un jeune écuyer qui, après quatre ans passés avec un parent anglais, rentrait dans sa famille à Toulouse ; plus deux jeunes maçons qui avaient entendu dire que les salaires étaient plus élevés et les filles plus jolies de l'autre côté de l'eau. Le matin où ils devaient appareiller, ils attendirent tous à la taverne tandis que l'équipage chargeait de lourds lingots d'étain de Cornouailles. Les maçons vidèrent plusieurs pots de bière, sans être ivres pour autant. Aliena serrait le bébé dans ses bras et pleurait en silence.

Le bateau enfin fut prêt à lever l'ancre. La robuste jument noire qu'Aliena avait achetée à Shiring, n'ayant jamais vu la mer, refusa de monter sur la passerelle. Mais grâce à l'enthousiaste collaboration de l'écuyer et des maçons, on finit par l'amener à bord.

Aliena, aveuglée par les larmes, confia son bébé à Ellen qui le prit en disant : « J'ai eu tort de vous conseiller cette solution. »

Les larmes d'Aliena redoublèrent. « Mais il y a Jack, sanglota-t-elle. Je ne peux pas vivre sans lui, je sais que je ne peux pas. Il faut que je le trouve.

— Bien sûr, approuva Ellen. Je ne vous suggère pas de renoncer au voyage ; mais vous ne pouvez pas laisser votre bébé. Emmenez-le avec vous. »

Éperdue de gratitude, Aliena redoubla de sanglots. « Vous croyez vraiment ?

— Il a été heureux comme tout de chevaucher avec vous. Le reste du voyage se passera de la même façon. D'ailleurs, il n'aime pas beaucoup le lait de chèvre.

« — Allons, pressons, mesdames, dit le capitaine du vaisseau. La marée va tourner. »

Aliena reprit son enfant et embrassa Ellen. « Merci. Je suis si heureuse.

— Bonne chance », murmura Ellen.

Aliena monta en courant à bord.

Le navire prit aussitôt la mer. Comme il sortait à la rame de la rade de Poole, il se mit à pleuvoir. En l'absence d'abri sur le pont, Aliena s'installa à fond de cale, avec les chevaux et la cargaison. Quand la nuit tomba et que le bateau jeta l'ancre, Aliena se joignit aux moines dans leurs prières. Puis elle dormit d'un sommeil agité, le bébé dans les bras.

Ils touchèrent terre à Barfleur, le lendemain, et Aliena trouva à se loger dans la ville la plus proche : Cherbourg. Elle passa toute une journée à circuler dans la cité, parlant aux aubergistes et aux bâtisseurs, leur demandant s'ils se rappelaient un jeune maçon anglais aux cheveux d'un roux flamboyant. Personne ne se souvenait de lui. Il y avait beaucoup de Normands roux, aussi ne l'avaient-ils peut-être pas remarqué. Ou bien il avait pu débarquer par un autre port.

Aliena ne comptait pas retrouver la trace de Jack si vite, mais néanmoins le découragement la prit. Elle repartit le lendemain vers le sud, en compagnie d'un vendeur de couteaux et de sa joyeuse épouse flanquée de leurs quatre enfants. Malgré la protection que lui assurait cette famille, elle gardait son poignard à la lame aiguisée attaché par une courroie à son avant-bras gauche. Elle n'avait pas l'air riche : ses vêtements étaient chauds mais sans élégance et son cheval était plus robuste que fringant. Elle prenait soin de garder quelques pièces de monnaie dans une bourse et de ne jamais montrer à personne la lourde ceinture qu'elle portait sous sa tunique et où elle avait serré son argent. Elle nourrissait le bébé discrètement, en évitant de laisser les étrangers voir sa poitrine.

Cette nuit-là, un merveilleux coup du hasard la réconforta. Les voyageurs s'arrêtèrent dans un petit village du nom de Lessay, où Aliena rencontra un moine qui se souvenait fort bien d'un jeune maçon anglais fasciné par la nouvelle voûte en ogive de l'église abbatiale. Le moine se souvenait même d'avoir entendu Jack raconter qu'il avait débarqué à Honfleur, ce qui expliquait pourquoi il n'y avait pas trace de lui à Cherbourg. Ce fut pour Aliena la confirmation qu'elle était sur la bonne piste.

Elle finit par quitter le moine et s'allongea pour dormir sur le sol de l'hôtellerie de l'abbaye. En sombrant dans le sommeil, elle serra fort le bébé contre elle et murmura dans la petite oreille toute rose : « Nous allons retrouver ton papa. »

A Tours, le bébé tomba malade.

La ville était riche, sale et surpeuplée. Des rats couraient en meute autour des grands entrepôts à grains, sur les bords de la Loire. On y trouvait aussi de nombreux pèlerins car Tours était un point de départ traditionnel pour le pèlerinage de Compostelle. Aliena eut le plus grand mal à se loger et elle dut descendre dans une taverne délabrée sur les quais, tenue par deux vieilles sœurs trop âgées et trop frêles pour faire convenablement le ménage.

Au début, elle ne passa guère de temps à l'auberge. Elle explorait les rues, son bébé dans les bras, en demandant des nouvelles de Jack. Mais la ville était traversée par un flux si dense de visiteurs que les aubergistes ne pouvaient même pas se rappeler leurs pensionnaires de la semaine précédente ; aussi était-ce inutile de leur parler d'un épisode datant d'un an. Aliena s'arrêta néanmoins sur tous les chantiers de construction pour demander si on avait employé là un jeune maçon anglais aux cheveux rouges du nom de Jack. En vain.

Elle était déçue. Elle avait perdu sa trace depuis Lessay. Aurait-il changé d'avis en cours de route ? Elle regagna son logement assez déprimée.

Cette nuit-là, souffrant de maux d'estomac, elle ne put fermer l'œil. Le lendemain elle se sentait trop mal pour sortir et passa toute la journée au lit dans la taverne, incommodée par la puanteur du fleuve qui montait par la fenêtre ouverte, et les relents de vin renversé et de cuisine à l'huile qui imprégnaient l'escalier. Le lendemain matin, le bébé était malade.

Il la réveilla en pleurant. Il avait les mêmes ennuis d'estomac qu'Aliena, avec, en plus, de la fièvre. Il n'avait encore jamais été souffrant et Aliena ne savait que faire.

Une jeune et charmante servante travaillait à la taverne, Aliena lui demanda d'aller à l'abbaye acheter de l'eau bénite. Elle songea à faire venir un médecin, mais ils voulaient toujours saigner et elle ne pensait pas que ce remède soulagerait beaucoup son bébé.

La jeune servante revint avec sa mère. Celle-ci fit brûler dans un bol en fer des herbes sèches, qui dégagèrent une âcre fumée ; celle-ci parut absorber les mauvaises odeurs de la pièce. « Le bébé va avoir soif, dit la femme. Donnez-lui le sein aussi souvent qu'il le demande. Buvez beaucoup vous-même, de façon à avoir assez de lait. C'est tout ce que vous pouvez faire.

— Va-t-il guérir ? demanda Aliena avec inquiétude.

— Je ne sais pas, ma chérie, répondit la femme, compatissante. Avec les tout-petits, on ne peut jamais savoir. Ils survivent en général à des choses comme ça. Mais parfois non. C'est votre premier ?

— Oui.

— Rappelez-vous que vous pouvez toujours en avoir d'autres. »

Mais, songea Aliena, c'est le bébé de Jack et j'ai perdu Jack. Elle n'en dit rien, remercia la femme et lui paya ses herbes.

Une fois seule, elle coupa l'eau bénite d'eau ordinaire, et en mouilla un chiffon pour rafraîchir la tête du bébé.

A mesure que la journée passait, son état parut empirer. Aliena lui donnait le sein quand il pleurait, lui chantait des berceuses quand il s'éveillait et le rafraîchissait avec de l'eau bénite quand il dormait. Il tétait fréquemment mais par à-coups. Heureusement Aliena ne manquait pas de lait. Mais elle était encore elle-même malade et ne se nourrissait que de pain sec et de vin trempé d'eau. Au fur et à mesure que les heures passaient, elle en vint à détester la chambre où elle se trouvait avec ses murs nus souillés par les mouches, son plancher rugueux, sa porte qui fermait mal, sa misérable petite fenêtre, et ses quatre meubles, exactement : le lit branlant, un tabouret à trois pieds, un poteau où accrocher ses vêtements et un chandelier à trois branches, mais qui n'avait qu'une chandelle.

Aliena passa de nouveau une mauvaise nuit. Vers l'aube, le souffle du bébé devint moins rauque, et il cessa de gémir et de se débattre. Aliena se mit à pleurer en silence. Elle avait perdu la piste de Jack et son bébé allait mourir ici, dans une maison pleine d'inconnus, au milieu d'une ville étrangère. Il n'y aurait jamais d'autres Jack et elle n'aurait jamais d'autre bébé. Peut-être allait-elle mourir elle aussi. Ce serait le mieux.

Au lever du jour, elle souffla la chandelle et s'endormit épuisée.

Un grand remue-ménage venant du rez-de-chaussée l'éveilla brutalement. Le soleil était levé et une forte animation régnait au bord du fleuve. Le bébé était immobile, le visage enfin paisible. Une peur affreuse étreignit Aliena qui tâta la poitrine du nourrisson : elle n'était ni brûlante ni froide. Puis l'enfant poussa un profond soupir et ouvrit les yeux. Aliena crut s'évanouir de soulagement.

Elle prit son fils dans ses bras, le serra contre elle et il se mit à pleurer avec énergie. Il était guéri. Sa température était normale et il ne semblait pas souffrir. Elle lui donna le sein qu'il téta avidement. Puis il plongea dans un sommeil satisfait.

Aliena s'aperçut que ses symptômes à elles avaient disparu aussi, bien qu'elle se sentît très fatiguée. Peut-être était-ce l'eau bénite de Saint-Martin qui avait guéri le bébé ? Cet après-midi-là, elle se rendit sur la tombe du saint pour lui exprimer sa gratitude.

Dans la grande église abbatiale, elle regardait les bâtisseurs au travail, songeant à Jack qui, elle l'espérait tant, pourrait peut-être encore voir son bébé. Elle se demanda s'il ne s'était pas écarté de la route prévue. Peut-être travaillait-il à Paris, sculptant des pierres pour une nouvelle cathédrale là-bas. Tandis qu'elle pensait à lui, son regard se posa sur une console que les maçons étaient en train d'installer. La sculpture représentait une silhouette d'homme qui semblait soutenir sur son dos le poids du pilier. Elle ne put retenir un cri. Sans l'ombre d'un doute, c'était Jack qui avait taillé cette silhouette tordue et suppliciée. Il avait donc séjourné ici !

Le cœur battant, elle s'approcha des hommes au travail. « Cette console..., dit-elle hors d'haleine. L'homme qui l'a sculptée était anglais, n'est-ce pas ? »

Un vieil ouvrier au nez cassé lui répondit : « C'est exact : c'est Jack Jackson qui l'a fait. Je n'ai jamais rien vu de pareil de ma vie.

— Quand est-il passé ? » interrogea Aliena. Elle retint son souffle tandis que le vieil homme grattait ses cheveux grisonnants.

« Ça doit faire près d'une année. Il n'est pas resté longtemps. Le maître ne l'aimait pas. » Il baissa la voix. « Si vous voulez savoir la vérité, Jack était trop bien. Il pouvait en remontrer au maître bâtisseur. Il a donc dû partir.

— A-t-il dit où il allait ? demanda Aliena tout excitée.

— Cet enfant-là, reprit le vieil homme en regardant le bébé, c'est le sien, si on se fie à ses cheveux.

— Oui, c'est le sien.

— Jack sera content de vous voir, vous pensez ? »

Aliena comprit que l'ouvrier soupçonnait Jack de l'avoir quittée. Elle éclata de rire. « Oh, oui ! cria-t-elle. Il sera content de me voir.

— Il a dit qu'il allait à Compostelle.

— Merci ! » lança Aliena, radieuse. Et, à la stupéfaction ravie du vieil homme, elle l'embrassa.

Les chemins de pèlerinage traversant la France convergeaient à Ostabat, au pied des Pyrénées. Là, le groupe d'une vingtaine de pèlerins avec lesquels Aliena voyageait augmenta jusqu'à près de soixante-dix personnes aux pieds endoloris mais à l'humeur joyeuse. S'y mêlaient des citoyens prospères, d'autres qui fuyaient sans doute la justice, quelques ivrognes, et plusieurs moines et clercs. Les hommes de Dieu voyageaient pour des raisons de piété, mais les autres semblaient surtout décidés à prendre du bon temps. On parlait plusieurs langues, le flamand, un dialecte allemand et une langue du sud de la France qu'on appelait la langue d'oc. Ces différences ne les empêchaient pourtant pas de communiquer et ensemble ils chantaient, jouaient, racontaient des histoires et fleurtaient même parfois.

Après Tours, Aliena reperdit la trace de Jack. Il y avait moins de jongleurs sur sa route qu'elle l'avait imaginé. L'un des pèlerins flamands, un homme qui avait déjà fait le voyage, assura qu'elle en rencontrerait davantage sur le versant espagnol.

Il avait raison. A Pampelune, Aliena se réjouit de lier connaissance avec un jongleur qui, en effet, avait parlé à un jeune Anglais aux cheveux roux, à la recherche d'informations concernant son père.

A mesure que les pèlerins fatigués avançaient lentement vers la côte en traversant le nord de l'Espagne, Aliena faisait d'autres rencontres. La plupart des jongleurs se souvenaient de Jack. Tous s'accordaient à dire qu'il était à Compostelle : personne ne l'avait rencontré sur le chemin du retour. Aliena se sentait de plus en plus excitée.

Le bébé, maintenant âgé de six mois, était sain et joyeux. Tout allait s'arranger à Compostelle.

Elle arriva dans la ville le jour de Noël. D'abord elle alla droit à la cathédrale pour assister à la messe. L'église, naturellement, était bondée. Aliena circula dans la foule, scrutant chaque visage. Pas de Jack. C'est vrai qu'il n'était pas très dévot : en fait il n'allait à l'église que pour y travailler.

Aux premières lueurs du jour, elle était debout. En arpentant les rues poussiéreuses, elle s'attendait à chaque tournant à tomber sur Jack. Comme il serait surpris quand il la verrait ! Et heureux ! Comme elle ne le trouvait pas dans les rues, elle entreprit de faire le tour des auberges. Dès que le travail eut repris, elle se rendit sur les chantiers pour interroger les maçons. Elle connaissait en dialecte castillan les mots *maçon* et *roux* ; de plus les habitants de Compostelle avaient l'habitude des étrangers, aussi parvint-elle à se faire comprendre. Mais elle ne trouva pas trace de Jack. Elle commençait à s'inquiéter. Ce n'était pas le genre d'homme à passer inaperçu et il avait dû vivre ici plusieurs mois. Pourquoi ne s'en souvenait-on pas ? Elle pensa aussi repérer une de ses sculptures. Pas la moindre.

Vers le milieu de la matinée, elle rencontra une tenancière de taverne rubiconde et quadragénaire, qui parlait français et se souvenait de Jack.

« Un beau gars. Il est à vous ? Bah ! Aucune des filles d'ici n'est parvenue à rien avec lui. Il est arrivé vers le milieu de l'été, mais il n'est pas resté longtemps. Il n'a pas dit où il allait. Je l'aimais bien. Si vous le trouvez, embrassez-le de ma part. »

Aliena regagna sa chambre et s'allongea sur le lit, fixant le plafond. Le bébé pleurnichait, mais pour une fois elle ne s'occupa pas de lui. Elle était épuisée, déçue et souffrait du mal du pays. Ce n'était pas juste. Tout avait bien fonctionné jusqu'à Compostelle. Et voilà qu'il avait filé ailleurs !

Comme il n'avait pas repassé les Pyrénées et qu'il n'y avait rien à l'ouest de Compostelle qu'un bout de côte et un océan qui s'étendait jusqu'au bout du monde, Jack avait dû se diriger vers le sud. Il ne lui restait plus qu'à repartir sur sa jument noire, son bébé dans les bras. Vers le cœur de l'Espagne.

Jusqu'où devrait-elle marcher avant d'arriver au bout de son pèlerinage ?

Jack passa Noël avec son ami Rachid al-Haroun à Tolède. Rachid était un Sarrasin baptisé qui avait fait fortune en important des épices d'Orient, du poivre surtout. Ils s'étaient rencontrés à la messe de midi dans la grande cathédrale, puis étaient revenus en se promenant sous le doux soleil d'hiver, par les rues étroites et le bazar odorant, jusqu'au quartier riche.

La maison de Rachid était en pierre d'un blanc étincelant, bâtie autour d'une cour où coulait une fontaine. Les arcades ombragées de la cour rappelaient à Jack le cloître du prieuré de Kingsbridge. Tandis qu'en Angleterre elles protégeaient du vent et de la pluie, elles avaient ici pour but d'abriter de la chaleur du soleil.

Rachid et ses invités, assis sur des coussins posés à même le sol, dînaient autour d'une table basse. Les épouses et les filles s'occupaient des hommes, ainsi que diverses servantes dont la place dans la maison n'était pas toujours claire : en tant que chrétien, Rachid ne pouvait avoir qu'une seule épouse, mais Jack le soupçonnait d'avoir discrètement associé les traditions orientales à la règle de l'Église.

Les femmes constituaient d'ailleurs la principale attraction de l'hospitalière maison de Rachid. Elles étaient toutes belles. Son épouse était une aimable et sculpturale créature à la peau brune et lisse, aux somptueux cheveux noirs et aux yeux sombres. Ses trois filles lui ressemblaient, en plus jeunes et plus minces. L'aînée était fiancé à un des convives, le fils d'un marchand de soie de la ville. « Ma Raya est la fille parfaite », déclara Rachid, tandis qu'elle passait autour de la table un bol d'eau parfumée dans lequel les hôtes de son père se trempaient les mains. « Elle est attentive, docile et belle. Josef a bien de la chance. »

La seconde fille était fière et même altière. Elle semblait prendre ombrage des louanges qu'on prodiguait à sa sœur. Elle versa un breuvage dans le gobelet de Jack.

« Qu'est-ce que c'est ? demanda-t-il.

— Un cordial à la menthe poivrée », répondit-elle, malgracieuse. Elle avait horreur de servir ce vagabond sans le sou, elle qui était fille d'un homme important.

C'était la troisième fille, Aïcha, que Jack préférait. Depuis trois mois qu'il séjournait chez son ami, il avait appris à la connaître. Âgée de quinze ou seize ans, elle était petite et vive, toujours souriante. Malgré sa jeunesse, elle avait une intelligence éveillée et posait sans cesse des questions à Jack sur l'Angleterre et la façon dont on vivait là-bas. Elle se moquait souvent des manières de la société de Tolède, du snobisme des Arabes, de la délicatesse des Juifs et du mauvais goût des nouveaux riches chrétiens. Ses commentaires faisaient parfois rire Jack aux larmes. Bien que la plus jeune, elle semblait la moins innocente des trois sœurs. Il y avait quelque chose dans la façon dont elle regardait Jack, en se penchant pour déposer devant lui une assiette de crevettes épicées, qui trahissait à n'en pas douter une nature peu farouche. Elle surprit le regard de Jack et répéta : « Un cordial à la menthe poivrée », en imitant si parfaitement les façons hautaines de sa sœur que Jack se mit à rire. Lorsqu'il était avec Aïcha, il lui arrivait d'oublier Aliena pendant des heures.

Mais, loin de cette maison, Aliena occupait ses pensées comme s'il l'avait quittée la veille. Bien qu'il ne l'eût pas vue depuis plus d'un an, il gardait d'elle un souvenir douloureusement vivace. Il se rappelait chacune de ses expressions : rieuse, songeuse, méfiante, inquiète, ravie, étonnée et, surtout, passionnée. Il n'avait rien oublié de son corps, il croyait caresser encore la courbe de son sein, sentir la douce peau de ses cuisses, retrouver le goût de ses baisers et sentir l'odeur de son désir.

Imprégné de nostalgie, il imaginait Aliena dans sa vie quotidienne. A la fin de la journée, elle aidait Alfred à retirer ses bottes, s'asseyait pour dîner avec lui, l'embrassait, faisait l'amour avec lui et donnait le sein à un bébé qui ressemblait à Alfred. Ces visions le torturaient, mais ne l'empêchaient pas de rêver d'elle.

Aujourd'hui, jour de Noël, Aliena allait sans doute rôtir un cygne et le servir paré de ses plumes. Il y aurait du posset à boire, un breuvage fait de bière, d'œufs, de lait et de noix de muscade. Les mets qui se trouvaient devant Jack n'auraient pas pu être plus différents : plats savoureux d'agneau étrangement épicé, riz mêlé à des noix et salades assaisonnées de jus de citron et d'huile d'olive. Jack avait mis un certain temps à s'habituer à la cuisine espagnole. On compensait la viande relativement rare par l'imagination débordante avec laquelle on la cuisait, frottée de toutes sortes d'épices et, au lieu de l'éternel pain des Anglais, on trouvait une grande variété de fruits et de légumes.

Jack vivait à Tolède avec un petit groupe de clercs anglais. Ils faisaient partie d'une communauté internationale d'érudits qui comprenait des Juifs, des musulmans et des Arabes chrétiens. Les Anglais s'occupaient à traduire des ouvrages de mathématiques d'arabe en latin pour les rendre accessibles aux chrétiens. Il régnait dans ce groupe une atmosphère de fiévreuse excitation à mesure que ses membres découvraient et exploraient les trésors de la science arabe. Jack, accueilli sans difficulté comme étudiant, n'avait pas encore eu besoin de travailler pour gagner sa vie : les clercs lui offraient le gîte et le couvert, et lui auraient fourni une robe neuve et des sandales s'il en avait eu besoin.

Rachid était un de leurs protecteurs. Négociant international, parlant plusieurs langues, il était cosmopolite. Chez lui, il utilisait le castillan, la langue de l'Espagne chrétienne, plutôt que le mozarabique. Sa famille pratiquait aussi le français, la langue des Normands, qu'il fréquentait en tant que commerçants. Rachid aimait s'entretenir avec les érudits de leurs théories et il s'était tout de suite pris d'amitié pour Jack qui venait dîner chez lui plusieurs fois par semaine.

Ce jour-là, comme ils commençaient leur repas, Rachid demanda à Jack : « Que vous ont enseigné les philosophes cette semaine ?

— J'ai lu Euclide. » Les *Éléments de géométrie* avaient été un des premiers livres traduits.

« Euclide est un drôle de nom pour un Arabe, lança Ismaïl, le frère de Rachid.

— Il était grec, expliqua Jack. Il vivait avant la naissance du Christ. Son œuvre a été perdue par les Romains, mais sauvée par les Égyptiens. Elle nous parvient donc en arabe.

— Et maintenant les Anglais la traduisent en latin ! s'exclama Rachid. Cela m'amuse beaucoup.

— Mais dans ton pays qu'as-tu appris exactement ? » demanda Josef, le fiancé de Raya.

Jack hésita. C'était difficile à expliquer. Il essaya de se montrer pratique : « Mon beau-père, le bâtisseur, m'a enseigné à faire certaines opérations de géométrie : comment diviser une ligne exactement en deux, comment tracer un angle droit et comment dessiner un carré à l'intérieur d'un autre de façon que le plus petit ait la moitié de la surface du plus grand.

— A quoi servent ces calculs ? » interrompit Josef. Il y avait un soupçon de mépris dans sa voix, car il était un peu jaloux de l'attention que Rachid accordait aux propos de Jack.

« Ces opérations sont essentielles pour établir les plans des constructions, répondit aimablement Jack, sans relever le ton de Josef. Regarde cette courbe. La surface des arcades couvertes est exactement la même que celle de la partie en plein air qui se trouve au centre. La plupart des petites cours sont construites ainsi, y compris les cloîtres des monastères. C'est parce que ces proportions sont les plus agréables. Si le centre est trop grand, il ressemble à une place de marché ; trop petit, il donne l'impression qu'il y a un trou dans le toit.

— Je ne savais pas ça ! fit Rachid, toujours ravi d'apprendre quelque chose de nouveau.

— Mais, dit Josef, tu pouvais faire toutes ces opérations géométriques avant d'avoir lu Euclide. Je ne vois pas en quoi la lecture de cet ouvrage t'avance ?

— Il vaut toujours mieux comprendre ce qu'on fait, protesta Rachid.

— D'ailleurs, reprit Jack, maintenant que je comprends les principes de la géométrie, j'arrive à trouver des solutions à des problèmes qui déconcertaient mon beau-père. » Il s'en voulait de son manque d'éloquence. Euclide lui était apparu comme l'éclair aveuglant d'une révélation, mais il ne parvenait pas à communiquer la passionnante importance de sa découverte. Il poursuivit : « C'est la méthode d'Euclide qui est la plus intéressante, dit-il. Il prend cinq axiomes — des vérités évidentes en soi — et à partir de là déduit tout le reste par la logique.

— Donne-moi un exemple d'axiome, dit Rachid.

— On peut prolonger une ligne indéfiniment.

— Non, on ne peut pas », dit Aïcha, qui passait une coupe de figues.

Les invités furent quelque peu surpris d'entendre une fille intervenir dans la discussion, mais Rachid eut un rire indulgent. Aïcha était sa fille favorite. « Et pourquoi pas ? dit-il.

— Il faut bien qu'elle finisse à un moment donné, affirma-t-elle.

— Mais dans ton imagination, insista Jack, elle pourrait se poursuivre indéfiniment.

— Dans mon imagination, répliqua-t-elle, l'eau pourrait remonter les collines et les chiens parler latin. »

Sa mère qui venait d'entrer entendit cette réplique.

« Aïcha ! lança-t-elle. Dehors ! »

Les hommes éclatèrent de rire. Aïcha fit la grimace et sortit. Le père de Josef dit : « Celui qui l'épousera aura du pain sur la planche ! » Les rires fusèrent de nouveau. Jack s'y joignit ; puis il remarqua qu'ils le regardaient tous, comme si c'était lui le sujet de la plaisanterie.

Après le dîner, Rachid montra sa collection de jouets mécaniques. Il avait un réservoir dans lequel on pouvait mélanger l'eau et le vin, qui en ressortaient séparément ; une merveilleuse horloge à eau comptait les heures de la journée avec une incroyable exactitude ; une cruche se remplissait d'elle-même sans jamais déborder ; et une petite statue en bois, représentant une femme avec des yeux taillés dans une sorte de cristal, absorbait l'eau dans la chaleur de la journée et la répandait dans la fraîcheur du soir, si bien qu'elle avait l'air de pleurer. Jack partageait la fascination de Rachid pour ses jouets, avec une préférence pour la statue pleureuse qui l'intriguait ; car, si les mécanismes des autres étaient simples une fois expliqués, personne ne comprenait vraiment comment celle-là fonctionnait.

Dans l'après-midi, ils s'assirent sous les arcades autour de la cour pour jouer, sommeiller ou bavarder. Jack aurait voulu appartenir à une grande famille comme celle-là, avec des sœurs, des oncles, des beaux-frères, et une maison familiale où ils pouvaient tous se retrouver. Il se rappela soudain la conversation qu'il avait eue avec sa mère la nuit où elle l'avait sauvé du cachot du prieuré. Il l'avait interrogée sur son père et elle avait dit : « *Oui, là-bas, en France, il avait une grande famille.* » J'ai quelque part une famille comme celle-ci, songea Jack. Les frères et les sœurs de mon père sont mes oncles et mes tantes. J'ai peut-être des cousins de mon âge. Je me demande si je les trouverai jamais.

Il se sentait partir à la dérive. Il pouvait survivre n'importe où mais il n'était attaché nulle part. Il avait été sculpteur, bâtisseur, moine et mathématicien, et il ne savait pas lequel était le vrai Jack si tant est qu'il y en eût un. Il se demandait parfois s'il deviendrait jongleur comme son père ou hors-la-loi comme sa mère. A dix-neuf ans, il était sans foyer et sans racines, sans famille et sans but dans la vie.

Il joua aux échecs avec Josef et gagna la partie. Puis Rachid survint. « Josef, donne-moi ton fauteuil : je veux en entendre davantage sur Euclide. »

Josef docilement céda sa place à son futur beau-père, puis s'éloigna ; pour son compte, il en avait assez entendu.

Rachid s'adressa à Jack : « Tu te plais ici ?

— Ton hospitalité est sans égale, répondit Jack qui avait appris les bonnes manières à Tolède.

— Merci. Mais je parlais d'Euclide.

— Je regrette de n'avoir pas réussi à expliquer l'importance de ce livre. Vois-tu...

— Je crois que je comprends, dit Rachid. Comme toi, j'aime la connaissance pour la connaissance.

— Oui.

— Tout de même, un homme doit gagner sa vie. »

Jack ne voyait pas où Rachid voulait en venir, aussi le laissa-t-il poursuivre. Mais l'autre demeura muet, les yeux mi-clos. Jack s'inquiéta soudain : Rachid lui reprochait-il de ne pas travailler ? « Je pense qu'un jour je vais me remettre à la construction, dit-il pour rompre le silence.

— Bien.

— Quand j'ai quitté Kingsbridge, monté sur le cheval de ma mère, avec les outils de mon beau-père dans une sacoche en bandoulière, je croyais qu'il n'y avait qu'une façon de bâtir une église : des murs épais terminés par des arcs arrondis, avec de petites fenêtres surmontées d'un toit de bois ou d'une voûte de pierre. Les cathédrales que j'ai vues en allant de Kinsgbridge à Southampton m'ont appris des choses différentes. Mais c'est la Normandie qui a changé ma vie.

— J'imagine », dit Rachid d'un ton ensommeillé. Il n'avait pas l'air très intéressé, aussi Jack se remémora-t-il en silence ce temps-là.

Quelques heures après avoir débarqué à Honfleur, il contemplait déjà l'église abbatiale de Jumièges. C'était la plus haute église qu'il eût jamais vue, mais elle avait les arcs arrondis habituels et un toit de bois — sauf dans la salle capitulaire où l'abbé Urso avait fait construire un plafond de pierre tout à fait nouveau. Au lieu d'une voûte lisse et continue ou d'une voûte d'arêtes, ce toit-là avait des nervures qui partaient du haut des piliers pour se rejoindre à l'apex du toit. Les nervures étaient épaisses et robustes, les sections triangulaires de plafond entre elles minces et légères. Le moine qu'il rencontra expliqua à Jack qu'il était plus facile de bâtir de cette façon. Comme on posait les nervures d'abord, les sections intermédiaires étaient plus simples à réaliser. Ce type de voûte était aussi plus léger. Le moine espérait que Jack lui apprendrait les innovations techniques pratiquées en Angleterre, mais il fut déçu sur ce point. Pourtant l'évidente admiration de l'Anglais pour la voûte en nervures fit plaisir à son interlocuteur et il lui confia qu'il y avait une église à Lessay, non loin de là, entièrement bâtie avec des voûtes à nervures.

Le lendemain, Jack se rendit à Lessay et passa tout l'après-midi dans l'église à en admirer la construction. Le plus étonnant, nota-t-il, c'était la façon dont les nervures, en descendant du faîte de la voûte jusqu'au chapiteau qui couronnait les colonnes, mettaient en évidence la façon dont le poids du toit était supporté par les pièces les plus robustes. Les nervures rendaient visible la logique de la construction.

Jack partit vers le sud, vers le comté d'Anjou, et s'engagea pour des travaux de réparation à l'église abbatiale de Tours. Il n'eut aucun mal à persuader le maître bâtisseur de lui laisser faire un essai. Les outils qu'il avait en sa possession montraient qu'il était maçon et, au bout d'un jour de travail, le maître comprit qu'il avait devant lui un bon artisan. Ce n'était pas pure vanité s'il s'était vanté auprès d'Aliena de pouvoir trouver du travail n'importe où au monde.

Parmi les outils qu'il avait reçus en héritage, se trouvait la règle d'un pied de Tom. Seuls les maîtres bâtisseurs en possédaient une et, quand les autres découvrirent celle de Jack, on lui demanda comment il était devenu maître à un si jeune âge. Sa première réaction fut d'avouer qu'il n'était pas vraiment maître bâtisseur ; puis il préféra faire comme si. Après tout, il avait bel et bien dirigé le chantier de Kingsbridge alors qu'il était moine et il savait dessiner des plans tout aussi bien que Tom. Le maître pour lequel il travaillait fut agacé de découvrir qu'il avait peut-être engagé un rival. D'ailleurs, un jour, Jack suggéra une modification au moine chargé du chantier et dessina sur le sol ce qu'il proposait. Ce fut le début de ses ennuis. Le maître bâtisseur acquit la conviction que Jack voulait prendre sa place. Il commença à traquer les erreurs dans le travail de l'Anglais et le chargea de la tâche monotone de tailler les blocs.

Jack ne tarda pas à repartir. Il se rendit à l'abbaye de Cluny, le quartier général d'un empire monastique qui s'étendait sur toute la chrétienté. C'était l'ordre de Cluny qui avait créé et parrainé le pèlerinage maintenant fameux sur la tombe de saint Jacques à Compostelle.

Tout le long de la route de Compostelle on trouvait des églises dédiées au saint et des monastères clunysiens pour abriter les pèlerins. Comme le père de Jack avait été jongleur sur la route du pèlerinage, on pouvait penser qu'il était passé par Cluny.

Hélas ! Il n'y avait pas de jongleurs à Cluny. Jack n'apprit rien de plus sur son père.

Son voyage toutefois ne fut pas inutile. Tous les arcs que Jack avait vus jusqu'à l'instant où il entra dans l'église abbatiale de Cluny étaient semi-circulaires et toutes les voûtes adoptaient soit la forme de tunnels, comme un long alignement d'arcs arrondis réunis ensemble ; ou la forme d'arêtes, comme la croisée où deux tunnels se rencontraient. Les arcs de Cluny n'étaient pas semi-circulaires.

Ils s'élevaient en ogives. Tous : ceux des grandes arcades, ceux des bas-côtés, et — stupéfiant — au-dessus de la nef se trouvait un plafond de pierre que l'on ne pouvait décrire que comme une voûte cintrée en ogive. On avait toujours enseigné à Jack qu'un arc était solide parce qu'il faisait partie d'un cercle, lui-même de forme parfaitement ronde. Il aurait donc pensé que les arcs ovales n'avaient aucune résistance. En fait, lui expliquèrent les moines, les arcs en ogive étaient considérablement plus solides que les anciens arcs ronds. L'église de Cluny en donnait la preuve car, malgré l'énorme poids de la masse de maçonnerie qui constituait la voûte, elle était très haute.

Jack ne resta pas longtemps à Cluny. Il poursuivit vers le sud, sur la route des pèlerins, ne s'en écartant qu'exceptionnellement. Au début de l'été, on rencontrait des troubadours tout le long du chemin, dans les villes plus importantes ou à proximité des monastères clunysiens. Ils déclamaient leurs récits en vers devant des foules de pèlerins massés au pied des églises et des autels, s'accompagnant parfois à la viole, exactement comme Aliena le lui avait expliqué. Jack les aborda tous en leur demandant s'ils avaient connu un troubadour du nom de Jack Shareburg : personne ne put lui répondre positivement.

Les églises qu'il visita dans le sud-ouest de la France et le nord de l'Espagne continuaient de l'étonner. Elles étaient toutes bien plus hautes que les cathédrales anglaises. Certaines comportaient des voûtes cintrées à nervures. Les nervures, allant d'un pilier à l'autre en traversant la voûte de l'église, permettaient de bâtir par étape, travée par travée, au lieu de tout construire d'un coup. Elles contribuaient aussi à changer l'aspect d'un sanctuaire. En soulignant les divisions entre les travées, elles révélaient que l'édifice était constitué d'une série d'unités identiques, comme un pain coupé en tranches, ce qui imposait ordre et logique à l'énorme espace intérieur.

Jack arriva à Compostelle au milieu de l'été. Il n'imaginait pas qu'il existât au monde des pays aussi chauds. Saint-Jacques était une église haute à couper le souffle, et la nef, encore en construction, portait elle aussi une voûte cintrée à nervures. Jack poursuivit sa route vers le sud.

Les royaumes d'Espagne avaient subi le joug sarrasin jusqu'à une époque récente ; en fait, presque tout le pays, au sud de Tolède, était encore sous domination musulmane. L'aspect des constructions sarrasines passionna le jeune homme : leurs intérieurs frais, hauts de plafond, leurs arcades élancées, leurs murs d'un blanc éblouissant au soleil. Mais le plus intéressant de tout, ce fut de découvrir l'existence de voûtes à nervures et d'arcs en ogive dans l'architecture musulmane. Peut-être était-ce là que les Français avaient puisé leurs idées nouvelles.

Il ne pourrait jamais plus travailler à une église comme la cathédrale de Kingsbridge, songeait-il au cours d'un doux après-midi, écoutant d'une oreille distraite le rire des femmes quelque part dans les profondeurs de la grande maison fraîche. Son désir était toujours de bâtir la plus belle cathédrale du monde, mais ce ne serait pas un édifice massif comme une forteresse. Il utiliserait les techniques nouvelles, les voûtes à nervures et les arcs ovales. Mais il ne pensait pas qu'il copierait tout à fait ce qu'il avait vu. Aucune des églises qu'il avait visitées n'avait tiré tout le parti possible de cette technique. Une image se formait dans son esprit. Les détails en étaient encore flous, mais l'impression d'ensemble s'imposait : c'était une construction spacieuse et aérée, avec de hautes fenêtres qui laissaient passer des flots de soleil et une voûte si élevée qu'elle semblait toucher le ciel.

« Il va falloir une maison à Josef et à Raya, dit Rachid. Si tu la bâtissais, tu trouverais ensuite d'autres travaux. »

Jack n'avait jamais pensé à construire des maisons. « Tu crois qu'ils voudraient de moi comme maçon ? demanda-t-il, sceptique.

— Peut-être. »

Il y eut un autre long silence. Jack essayait de s'imaginer en bâtisseur de maisons particulières pour les riches marchands de Tolède. Était-ce bien sa vie ?

Rachid se redressa. « Je t'aime bien, Jack, déclara-t-il. Tu es un honnête homme, tu as une conversation intéressante, ce qui n'est pas le cas de la plupart des gens que j'ai rencontrés. J'espère que nous serons toujours amis.

— Moi aussi, dit Jack, un peu surpris par cette déclaration impromptue.

— Je suis chrétien, je ne garde pas les femmes de ma famille enfermées, comme le font certains de mes frères musulmans. D'un autre côté, je suis arabe, ce qui signifie que je ne leur donne pas tout à fait la... pardonne-moi, la licence à laquelle sont habituées d'autres femmes. Je leur permets de rencontrer mes hôtes masculins et de leur parler. Je laisse même des amitiés se développer. Mais au moment où les amitiés commencent à s'épanouir en quelque chose de plus — comme c'est naturellement le cas entre jeunes gens — alors j'attends de l'homme qu'il fasse une démarche officielle. Toute autre attitude serait insultante.

— Bien sûr, approuva Jack.

— Je savais que tu comprendrais. » Rachid se leva et posa une main affectueuse sur l'épaule de Jack. « Je n'ai jamais eu le bonheur d'avoir un fils ; mais si ç'avait été le cas, je pense qu'il aurait été comme toi.

— En plus brun, j'espère ! »

Rachid parut un moment déconcerté, puis il éclata de rire. « Oui ! dit-il tout joyeux. Plus brun ! » Et il entra dans la maison, riant toujours.

Les autres invités prirent congé. Tandis que l'après-midi fraîchissait, Jack resta assis, seul, à méditer ce que Rachid venait de lui dire. A n'en pas douter, il lui offrait un marché. S'il épousait Aïcha, Rachid l'aiderait à commencer sa carrière de constructeur pour les riches de Tolède. Il ne fallait pas négliger l'avertissement, cependant : s'il ne comptait pas épouser la jeune fille, il ne lui restait qu'à s'éloigner. Les gens en Espagne avaient des façons plus raffinées que les Anglais, mais, quand besoin en était, ils pouvaient se montrer fermes.

Lorsque Jack réfléchissait à sa situation, il s'étonnait lui-même. Est-ce moi ? se demandait-il. Est-ce Jack Jackson, le bâtard d'un homme pendu pour vol, qui a été élevé dans la forêt, puis apprenti maçon, puis moine fugitif ? Est-ce qu'on m'offre vraiment la superbe fille d'un riche marchand arabe, plus une existence assurée dans cette ville embaumée ? Ce serait trop beau. J'ai même de l'affection pour cette fille ! reconnaissait-il en lui-même.

Le soleil déclinant, l'ombre gagnait la cour. Il ne restait que deux personnes sous l'arcade : lui et Josef. Comme par un fait exprès, Raya et Aïcha apparurent. Malgré une sévérité de façade en ce qui concernait tout contact physique entre les jeunes gens, la mère des jeunes filles savait exactement ce qui se passait, et Rachid probablement aussi. On laissait aux amoureux quelques moments de solitude ; puis, avant qu'ils n'aillent trop loin, la mère surgirait dans la cour, feindrait la contrariété et ordonnerait à ces demoiselles de rentrer.

A l'autre bout de la cour, Raya et Josef s'embrassaient. Jack se leva en voyant Aïcha s'approcher. Elle portait une longue robe en coton d'Égypte, un tissu que Jack n'avait jamais vu avant son arrivée en Espagne. Plus doux que la laine et plus fin que le lin, il soulignait souplement les mouvements d'Aïcha, et sa blancheur semblait lumineuse dans le crépuscule.

La jeune fille s'approcha de Jack avec un sourire malicieux. « Qu'est-ce qu'il t'a dit ? » demanda-t-elle.

Jack comprit qu'elle parlait de son père. « Il a proposé de m'aider à m'installer comme bâtisseur de maisons.

— Quelle dot ! lança-t-elle avec mépris. Je n'arrive pas à y croire ! Il aurait pu au moins t'offrir de l'argent. »

Jack aimait la franchise d'Aïcha, qui tranchait sur les manières contournées de la diplomatie sarrasine traditionnelle. « Je n'ai pas tellement envie de passer ma vie à bâtir des maisons », déclara-t-il.

La voix d'Aïcha devint grave. « Tu m'aimes bien ?

— Tu sais bien que oui. »

Elle fit un pas en avant, se dressa sur la pointe des pieds et l'embrassa. Elle sentait le musc et l'ambre gris. Elle ouvrit la bouche et sa langue vint en jouant pointer entre les lèvres de Jack qui, instinctivement, prit la jeune fille dans ses bras. Le coton de sa robe était si léger qu'il avait l'impression de toucher sa peau nue. Elle lui saisit la main et la porta à son sein. Elle avait un corps mince et musclé, les seins menus, fermes. La respiration de la jeune fille s'accéléra, révélant la montée de son désir. Un peu choqué, Jack sentit qu'elle glissait une main au bas de son ventre, entre ses jambes... Il caressa les seins offerts, pinça légèrement la pointe. Aïcha sursauta et s'écarta, haletante.

« Je t'ai fait mal ? murmura-t-il.

— Non ! »

L'image d'Aliena surgit dans l'esprit de Jack, en même temps qu'une onde de culpabilité. Allons ! Il était ridicule. Pourquoi s'accuser de trahir une femme qui en avait épousé un autre ?

Aïcha ne le quittait pas des yeux. Malgré la pénombre du crépuscule, on voyait son visage rayonnant de désir. Elle se serra contre Jack. « Caresse-moi encore, chuchota-t-elle, plus fort... »

Quand il se pencha pour l'embrasser, elle se cambra en arrière, faisant saillir ses seins menus. Jack en devina les pointes dressées sous le tissu léger de la tunique. A travers le coton, il les prit entre ses lèvres, puis les mordilla du bout des dents.

Elle tressaillit, frissonna et, redressant la tête, l'embrassa avec passion. Il sentit la forme de son jeune corps s'imprimer contre le sien. Il était excité, affolé et même un peu désemparé : Aïcha brûlait d'un feu qu'il n'avait jamais connu jusque-là. Elle gémissait tout bas, prononçant des mots incompréhensibles d'une douceur enivrante.

Une voix impérieuse retentit, qui coupa court à leurs fiévreux élans. « Raya ! Aïcha ! Venez tout de suite ! » appelait leur mère.

Aïcha leva vers Jack un regard éperdu de désir, et l'embrassa une dernière fois avec violence, lèvres contre lèvres, jusqu'à le meurtrir. « Je t'aime », murmura-t-elle avant de partir en courant vers la maison.

Jack la suivit des yeux. Raya la rejoignit d'un pas plus

calme. Leur mère lança un regard désapprobateur à Jack et à Josef, puis passa derrière ses filles et ferma la porte d'un geste ferme. Jack se mit à réfléchir sur la leçon à tirer de cette étrange scène.

Josef interrompit sa rêverie. « Quelles belles filles, toutes les deux ! » dit-il avec un clin d'œil complice.

Jack hocha la tête d'un air absent et, en compagnie de Josef, se dirigea vers la grille. A peine passaient-ils sous l'arche qu'un serviteur jaillit de l'ombre et verrouilla la porte derrière eux.

« L'ennui, quand on est seulement fiancé, dit Josef en riant grossièrement, c'est qu'on a mal quelque part. » Jack ne répondit pas. « Je vais aller chez Fatima pour arranger ça. » Jack connaissait de réputation le bordel de Fatima où, malgré le nom sarrasin, presque toutes les filles avaient la peau claire. Les rares prostituées arabes étaient très chères. « Tu veux venir ? proposa Josef.

— Non, répondit Jack. C'est ailleurs que j'ai mal. Bonne nuit. » Il s'éloigna rapidement. Josef n'était pas habituellement son compagnon favori et ce soir, en plus, Jack se trouvait d'humeur peu indulgente.

L'air frais de la nuit lui fit du bien tandis qu'il regagnait le collège où l'attendait un lit dur dans le dortoir. Il abordait un tournant important de son existence, il s'en rendait compte. On lui offrait une vie d'aisance et de prospérité, à deux conditions : oublier Aliena et renoncer à son rêve de bâtir la plus belle cathédrale du monde.

Cette nuit-là, il vit Aïcha venir à lui, nue, luisante d'huile parfumée. Elle se caressait contre lui mais se dérobait chaque fois qu'il tentait de l'enlacer.

Lorsqu'il s'éveilla, sa décision était prise.

Les serviteurs refusèrent de laisser entrer Aliena dans la maison de Rachid al-Haroun. Sans doute la prenaient-ils pour une mendiante, se dit-elle en attendant à la porte, avec sa tunique poussiéreuse, ses bottes usées et son bébé dans les bras. « Dites à Rachid al-Haroun que je cherche son ami Jack Jackson d'Angleterre », demanda-t-elle en français. Les serviteurs à la peau brune comprendraient-ils un seul mot ? Après s'être consultés à mi-voix dans leur langue, un des serviteurs, un grand gaillard aux cheveux comme la toison d'un mouton noir, la fit entrer dans la maison.

Aliena attendit nerveusement sous le regard des autres

domestiques qui la dévisageaient sans vergogne. Cet interminable pèlerinage ne lui avait pas encore appris la patience. Après l'échec subi à Compostelle, elle avait pénétré dans l'intérieur de l'Espagne jusqu'à Salamanque. Personne là-bas ne se souvenait d'un jeune homme aux cheveux roux qui s'intéressait aux cathédrales et aux troubadours, mais un moine charitable l'avait informée de l'existence, à Tolède, d'une communauté d'érudits anglais. Faible espoir... Mais Tolède n'était pas très loin, aussi reprit-elle la route.

Une autre déception l'y attendait. Oui, Jack était bien venu ici — elle sentit l'espoir renaître — mais, hélas, il était déjà parti. Décidément, il lui glissait entre les mains comme un furet ! Pourtant, il n'avait plus qu'un mois d'avance sur elle. Une fois de plus, personne ne savait où il était allé.

De Compostelle, elle était sûre qu'il s'était dirigé vers le sud, puisqu'il n'y avait pas d'autre possibilité. D'ici, malheureusement, on pouvait partir dans tous les sens : vers le nord-est, pour retourner en France ; vers l'ouest, pour gagner le Portugal ; vers le sud, en direction de Grenade où, de la côte espagnole, il pouvait s'embarquer pour Rome, Tunis, Alexandrie ou Beyrouth.

Aliena avait résolu d'abandonner ses recherches si elle ne trouvait pas une indication sérieuse qui lui serve de début de piste. Elle était épuisée et si loin de chez elle ! A bout de courage et de forces, elle n'envisageait plus de continuer sa course sans autre espoir de réussite que le hasard. Elle était prête à regagner l'Angleterre en essayant d'oublier Jack pour toujours.

Un nouveau serviteur sortit de la maison blanche ; il portait une tenue plus élégante et parlait français. Il regarda Aliena avec méfiance, mais s'adressa à elle de façon courtoise. « Vous êtes une amie de monsieur Jack ?

— Oui, je viens d'Angleterre. J'aimerais parler à Rachid al-Haroun. »

Le domestique jeta un coup d'œil au bébé.

« Je suis une parente de Jack », expliqua Aliena. Ce n'était pas tout à fait faux : elle était la femme fugitive du demi-frère de Jack, c'était un lien...

Le serviteur ouvrit grand la porte. « Veuillez me suivre. »

Soulagée, Aliena lui emboîta le pas. Un refus aurait mis fin à son voyage.

A la suite de l'homme, elle traversa une cour agréable, ornée d'une fontaine jaillissante. Elle se demandait quel hasard avait amené Jack dans la demeure de ce riche marchand. Qu'avaient-ils en commun ? Jack avait-il récité les contes en vers qu'il connaissait à l'ombre de ces arcades ?

Ils pénétrèrent dans la maison, une demeure somptueuse avec ses pièces fraîches, hautes de plafond, dallées de pierre et de marbre, garnies de meubles admirablement sculptés et de tapisseries magnifiques. Ils franchirent deux passages voûtés, une porte en bois, puis Aliena eut l'impression qu'ils arrivaient dans les appartements des femmes. De la main, le serviteur lui fit signe d'attendre, puis toussota doucement.

Aussitôt, une grande Sarrasine en robe noire se glissa dans la pièce, mordillant un bout de tissu de son vêtement, avec une attitude insultante dans n'importe quelle langue. Elle considéra Aliena et demanda en français : « Qui êtes-vous ? »

Aliena se redressa de toute sa hauteur. « Je suis dame Aliena, fille du défunt comte de Shiring, dit-elle d'un ton aussi hautain qu'elle en était capable. Je suppose que j'ai le plaisir de m'adresser à l'épouse de Rachid, le marchand de poivre. » A ce jeu-là, elle était aussi bonne que n'importe qui.

« Que voulez-vous ?

— Je suis venue voir Rachid.

— Il ne reçoit pas de femmes. »

Aliena se rendit compte qu'elle n'avait à espérer aucune aide de cette femme. Mais, comme elle n'avait pas d'autre recours, elle insista : « Peut-être recevra-t-il une amie de Jack...

— Jack est votre mari ?

— Non. » Aliena hésita. « C'est mon beau-frère. »

La femme haussa un sourcil sceptique. Tout dans son expression révélait qu'elle soupçonnait plutôt Aliena, séduite et abandonnée avec un bébé, de poursuivre Jack, le coupable, dans le but de l'obliger à l'épouser et à entretenir l'enfant.

Elle se détourna et cria dans une langue inconnue d'Aliena. Trois jeunes femmes firent leur entrée, à l'évidence ses filles. Elle leur expliqua quelque chose tandis qu'elles examinaient Aliena. Il s'ensuivit une brève conversation dans laquelle le mot *Jack* revenait souvent.

746

Aliena, humiliée, eut la tentation de tourner les talons et de déguerpir. Mais c'était abandonner du même coup sa quête. Ces femmes odieuses représentaient son dernier espoir. Elle haussa le ton pour interrompre leur conversation. « Où est Jack ? » Sa voix, qu'elle voulait énergique, sortit de sa gorge comme un misérable gémissement.

Les filles se turent.

« Nous ne savons pas, répondit la mère.

— Quand l'avez-vous vu pour la dernière fois ? »

La femme hésita. « Il a quitté Tolède le lendemain de Noël », déclara-t-elle à contrecœur.

Aliena se contraignit à sourire amicalement. « Vous rappelez-vous s'il a donné une indication sur sa destination ?

— Je vous le répète, nous ne savons pas où il est.

— Peut-être s'est-il confié à votre mari ?

— Non, pas du tout. »

Aliena, au désespoir, eut la certitude que la Sarrasine savait quelque chose qu'elle se refusait obstinément à lui révéler. Aliena se sentit soudain faible et lasse. Les larmes aux yeux, elle avoua : « Jack est le père de mon enfant. Vous ne pensez pas qu'il aimerait voir son fils ? »

La plus jeune des trois filles commença une phrase que sa mère interrompit aussitôt. Il y eut un bref et sec échange : la mère et la fille avaient la même vivacité de tempérament. Mais la fille finit par se taire.

Aliena attendit. Rien. Les quatre femmes se contentaient de l'observer. Malgré leur hostilité, Aliena visiblement les intriguait et elles ne faisaient rien pour la chasser. Elle n'avait toutefois aucune raison de s'incruster. Autant s'en aller, retourner à son logement et faire ses préparatifs pour le long voyage de retour jusqu'à Kingsbridge. Elle prit une profonde inspiration. « Je vous remercie de votre hospitalité », déclara-t-elle d'un ton calme et froid.

Fugitivement, la mère eut l'air un peu gênée.

Aliena quitta la pièce, les larmes aux yeux.

Le serviteur, qui attendait dehors, la raccompagna. Comme ils arrivaient à la porte, Aliena entendit des pas précipités. Elle se retourna pour apercevoir la plus jeune des filles accourant vers elle. Elle s'arrêta et attendit. Le domestique paraissait mal à l'aise.

La jeune fille était petite et svelte, très jolie, avec une peau dorée et des yeux bruns presque noirs. Elle portait une robe blanche auprès de laquelle Aliena se sentit sale et poussiéreuse. « Vous l'aimez ? » murmura-t-elle avec un fort accent.

Aliena hésita. Elle comprit qu'elle n'avait plus rien à perdre. « Oui, avoua-t-elle, je l'aime.

— Est-ce qu'il vous aime ? »

Aliena s'apprêtait à répondre oui ; puis elle se rendit compte qu'elle n'avait pas revu Jack depuis plus d'un an. « Il m'aimait, murmura-t-elle.

— Je crois qu'il vous aime encore, reprit la jeune fille.

— Qu'est-ce qui vous fait croire cela ? »

Les yeux de la fille s'emplirent de larmes. « Je le voulais pour moi. Et j'ai presque failli l'avoir. » Elle regarda le bébé. « Les cheveux roux et les yeux bleus. » Des larmes coulèrent sur ses joues brunes et lisses.

Aliena comprit enfin la raison de l'hostilité avec laquelle on l'avait accueillie. La mère voulait que Jack épouse sa fille. Celle-ci avait sans doute tout juste seize ans, mais tant de sensualité qu'elle était déjà femme. Aliena se demanda ce qui s'était passé exactement entre eux. « Vous avez "presque failli" l'avoir ? répéta-t-elle.

— Oui, répliqua la fille d'un ton de défi. Je sais qu'il m'aimait bien. J'ai eu le cœur brisé lorsqu'il est parti. Maintenant, je comprends. » Elle perdit sa contenance et le chagrin assombrit son ravissant visage.

Aliena, prise de sympathie pour cette jeune fille qui avait aimé Jack sans retour posa la main sur son épaule, dans un geste de réconfort. Mais elle avait mieux à faire que de s'apitoyer. « Écoutez, reprit-elle d'un ton pressant. Savez-vous où il est allé ? »

L'autre leva les yeux et hocha la tête en sanglotant.

« Dites-le-moi, je vous en prie !

— Paris, lâcha l'autre.

— Paris ! » Aliena jubilait. Elle avait retrouvé la piste ! Paris était loin, mais le voyage lui ferait traverser un pays déjà familier. Elle se sentit toute ragaillardie. Elle finirait par le trouver, à présent, elle n'en doutait plus.

« Vous allez partir pour Paris aussi ? demanda la fille.

— Oh oui ! répondit Aliena. Je suis venue jusqu'ici... je ne vais pas m'arrêter maintenant. Merci de m'avoir renseignée... Merci beaucoup.

— Je veux qu'il soit heureux », murmura la jeune Sarrasine simplement.

Le serviteur commençait à s'agiter, craignant peut-être

des ennuis. « Il n'a rien dit d'autre ? demanda Aliena. Quelle route il allait choisir... quelque chose qui pourrait m'aider ?

— Il veut se rendre à Paris parce que quelqu'un lui a assuré qu'on bâtissait là-bas de belles églises. »

Aliena acquiesça. Elle aurait pu le deviner toute seule.

« Il a emmené la dame qui pleure.

— La dame qui pleure ? répéta Aliena sans comprendre.

— Mon père lui a offert la dame qui pleure.

— Une dame ? »

La jeune fille secoua la tête. « Je ne connais pas les mots. Une dame. Elle pleure. Des yeux.

— Vous parlez d'un tableau ? Le portrait d'une dame ?

— Je ne comprends pas », balbutia la fille. Elle jeta par-dessus son épaule un regard inquiet. « Il faut que je parte. »

Quelle que fût cette dame qui pleurait, cela n'avait pas l'air très important. « Merci de m'avoir aidée », répéta Aliena.

La jeune Sarrasine se pencha et posa un baiser sur le front du bébé. Ses larmes tombèrent sur les joues rebondies du nourrisson. « Je voudrais être à votre place », dit-elle à Aliena. Puis elle fit demi-tour et rentra en courant dans la maison.

Jack habitait rue de la Boucherie, dans un faubourg de Paris, situé sur la rive gauche de la Seine. Dès le lever du jour, il sella son cheval. Au bout de la rue, il tourna à droite et passa devant la tour de guet qui gardait le Petit Pont, la passerelle conduisant à l'île de la Cité, au milieu du fleuve. De chaque côté, les maisons de bois s'avançaient sur le pont. Dans la brèche, au centre, se trouvaient des bancs de pierre où, plus tard dans la matinée, de célèbres professeurs tiendraient leurs classes en plein air. Jack s'engagea dans la Juiverie, la grand-rue de l'île. Les boulangeries débordaient d'étudiants pressés d'acheter leur déjeuner. Jack s'offrit un pâté à l'anguille fumée.

Il tourna à gauche en face de la synagogue, puis à droite devant le palais du roi et franchit le Grand Pont qui menait sur la rive droite. Tout le long, les petites échoppes des changeurs et des joailliers commençaient à s'ouvrir aux chalands. Au bout du pont, il franchit une autre porte et pénétra dans le marché aux poissons, où les affaires allaient déjà bon train. Il se fraya un chemin à travers la foule et s'engagea sur la route boueuse qui menait à la ville de Saint-Denis.

Alors qu'il séjournait encore en Espagne, il avait entendu parler par un maçon itinérant de l'abbé Suger et de la nouvelle église qu'il bâtissait à Saint-Denis. Durant tout son voyage vers le nord à travers la France, à l'occasion des travaux épisodiques qu'il faisait chaque fois qu'il avait besoin d'argent, il entendit souvent mentionner le nom de Saint-Denis. Les bâtisseurs, semblait-il, y utilisaient les deux techniques nouvelles : les voûtes à nervures et les arcs ovales. La combinaison des deux, paraît-il, était assez stupéfiante.

Il chevaucha plus d'une heure à travers les champs et les vignobles. La route, non pavée, passait par la colline de Montmartre, couronnée à son sommet d'un temple romain en ruine, et traversait le village de Clignancourt. A une lieue plus loin, il atteignit la petite ville, ceinte de murs, de Saint-Denis.

Denis, le premier évêque de Paris, avait été décapité à Montmartre. Il était parti, portant dans ses mains sa tête tranchée, à travers la campagne, jusqu'au moment où il avait fini par tomber. A cet endroit, une pieuse femme l'avait enseveli et sur sa tombe on avait érigé un monastère. L'église, par la suite, était devenue la sépulture des rois de France. L'actuel abbé, Suger, était un homme puissant et ambitieux qui, après avoir réformé le monastère, entreprenait maintenant de moderniser le sanctuaire.

Jack arrêta son cheval au milieu de la place du marché pour contempler la face ouest de l'église. Il n'y avait rien là de révolutionnaire. C'était une façade toute droite, à l'ancienne, avec deux tours jumelles et trois portails aux voûtes arrondies. il aimait assez la façon agressive dont les piliers jaillissaient du mur, mais il n'aurait pas fait deux lieues rien que pour voir cela.

Il attacha son cheval à une balustrade, devant l'édifice, et s'approcha. La sculpture des trois portails avec ses sujets animés, ciselés soigneusement, n'était pas mal réussie. Jack entra.

L'intérieur offrait un contraste saisissant. La nef proprement dite était précédée d'un vestibule bas de plafond, le narthex. En levant les yeux, Jack eut un frisson d'excitation. Les bâtisseurs avaient utilisé ici la voûte en nervures et les arcs en ogive. Jack constata aussitôt que les deux techniques s'alliaient parfaitement : la grâce de l'ogive était accentuée par les nervures qui en suivaient le dessin.

Entre les nervures, au lieu du mélange habituel de mortier et de moellon, le bâtisseur avait disposé des pierres taillées comme pour un mur. Plus robuste, la couche de pierre pouvait sans doute être plus mince, et donc plus légère, supposa Jack.

En se démanchant le cou à s'en donner des crampes, il observa un autre remarquable détail de cette combinaison. Deux arcs en ogive de largeur différente pouvaient arriver à la même hauteur : il suffisait d'ajuster la courbe de l'arc. Cela donnait à la travée un aspect régulier difficile à obtenir avec les arcs de cercle, dont la courbure fixe s'ajustait moins bien à la forme de la voûte.

Jack frotta son cou douloureux à force de regarder en l'air. Il éprouvait plus de jubilation que si on venait de le couronner roi. Voilà, songea-t-il, comment il allait bâtir sa cathédrale.

Il entra dans le corps principal de l'église. La nef, longue et large, était ancienne et plutôt banale. A la croisée du transept, des marches descendaient vers la crypte abritant les tombes royales, et d'autres conduisaient au chœur. De la place où Jack se tenait, un effet d'optique dû aux flots de soleil qui entraient par les fenêtres de l'est faisait croire que le haut des murs n'était pas terminé.

Il suivit la travée sud jusqu'à la croisée. Comme il arrivait près du chœur, il éprouva une impression étrange. Toute cette lumière qui emplissait le grand vaisseau vide du sanctuaire pénétrait, remarqua-t-il, par des rangées de hautes fenêtres, dont certaines en vitraux colorés. Comment avait-on pu multiplier ainsi les ouvertures ? On aurait dit qu'il y en avait plus en surface que de murs.

Jack monta les marches qui accédaient au chœur. De là, il scruta l'entremêlement des colonnes de lumière et de pierre qui se dressaient devant lui. Il avait déjà eu cette vision quelque part : dans son imagination, en rêve, car c'était exactement l'église qu'il voulait bâtir, avec ses vastes fenêtres et ses voûtes élancées, une structure d'air et de lumière qui paraissait tenir par enchantement.

Revenant à la réalité, il étudia attentivement la technique de construction. Le principe de la voûte en nervures, formée d'un plafond constitué de quelques côtes solides et d'espaces entre les nervures comblés avec des matériaux légers, *ce principe avait été appliqué à tout l'édifice*. Le mur du chœur comportait un certain nombre de colonnes entre lesquelles on avait percé des fenêtres. L'arcade séparant le chœur des bas-côtés n'était pas un mur mais une rangée de piliers réunis par des arcs en ogive, ce qui laissait de larges espaces par lesquels la lumière venant des fenêtres se déversait au milieu de l'église. La travée elle-même était divisée en deux par une rangée de colonnes élancées.

On avait combiné ici les arcs en ogive et la voûte en nervures, comme dans le narthex, mais en beaucoup plus raffiné. Le narthex, lui, était musclé, ses nervures et ses moulures trop grosses, ses arcs trop petits. Là, tout était fin, léger, délicat, aéré. Les moulures étaient étroites, les colonnettes longues et minces.

On aurait pu croire l'édifice trop fragile pour tenir debout, mais les nervures montraient clairement comment les piliers et les colonnes soutenaient le poids de la construction. C'était la preuve que la plus grande église ne devait pas sa solidité à des murs épais percés de fenêtres minuscules et soutenus par des piliers massifs. A condition que la charge fût répartie avec précision sur un squelette conçu à cet effet, le reste de la construction pouvait être en maçonnerie légère, en verre ou même vide. Jack était fasciné. Après la découverte d'Euclide, cette révélation l'enthousiasmait plus encore. Cette église qu'il avait imaginée tant de fois dans son esprit, voilà qu'il la contemplait dans la réalité, qu'il la touchait, que son regard se perdait jusqu'à sa voûte qui atteignait le ciel.

Pris d'une sorte de transe, il fit le tour du côté incurvé, où les nervures s'élevaient au-dessus de sa tête comme les branches parfaites d'une forêt d'arbres en pierre. Cette architecture révolutionnaire trouvait son magnifique complément dans les vitres colorées. Jack n'avait jamais vu de vitraux en Angleterre, mais il en avait déjà rencontré plusieurs exemples en France : toutefois, réduits aux petites fenêtres des églises d'autrefois, ils ne rendaient pas leur plein effet. Ici, la lumière du soleil matinal irradiant par les fenêtres somptueusement colorées avait un pouvoir magique. Jack faisait l'expérience de la beauté pure. Il parcourut encore la nef, puis les bas-côtés qui s'incurvaient pour se rejoindre à l'extrémité est, formant un déambulatoire semi-circulaire. Bientôt il se retrouva à son point de départ.

Une femme se tenait là, dans la lumière.

Il la reconnut aussitôt.

Elle sourit. Son cœur s'arrêta.

Aliena mit une main en visière au-dessus de ses yeux pour se protéger du soleil qui l'éblouissait. Comme matérialisée par le flamboiement de lumière colorée d'où elle émergeait, une silhouette aux cheveux de feu s'approcha d'elle.

Aliena se sentit défaillir.

Longtemps ils se contemplèrent en silence, les yeux brillant d'une émotion intense.

Lorsque Jack parla, ce fut d'une voix rauque. « C'est vraiment toi ?

— Oui... Oui, Jack. C'est vraiment moi. »

Brisée par la tension trop forte, elle se mit à pleurer. Jack la serra contre lui, en même temps que le bébé qu'elle portait dans ses bras, et la caressa en la consolant comme une enfant. Elle savourait son contact, retrouvant son odeur familière, écoutant la chère voix apaisante tout en baignant de larmes l'épaule maigre de Jack.

Enfin il posa la question la plus troublante : « Aliena, que fais-tu ici ?

— Je te cherche », répondit-elle simplement.

Il parut stupéfait.

« Mais comment m'as-tu trouvé ? »

Elle sourit au travers de ses larmes. « Je t'ai suivi.

— Suivi ?

— J'ai demandé partout si on t'avait vu. J'ai interrogé surtout des maçons, mais aussi des moines et des aubergistes.

— Tu veux dire..., murmura-t-il en ouvrant des yeux incrédules, tu veux dire que tu es allée en Espagne ?

— A Compostelle, à Salamanque, à Tolède.

— Depuis combien de temps voyages-tu ?

— Trois quarts d'une année.

— Mais pourquoi ?

— Parce que je t'aime. »

Les yeux pleins de larmes, il murmura : « Moi aussi.

— C'est vrai ? Tu m'aimes encore ?

— Oh oui ! » Elle sentait qu'il disait vrai. Il se pencha par-dessus le bébé et embrassa doucement les lèvres d'Aliena. Sentir la bouche de Jack sur la sienne lui donna le vertige.

Le bébé se mit à pleurer.

« Comment s'appelle-t-il ? demanda Jack.

— Je ne lui ai pas encore donné de nom.

— Pourquoi ? Il lui en faut un !

— Je voulais te consulter.

— Moi ? fit Jack surpris. Et Alfred ? C'est au père de... » Sa phrase s'étrangla dans sa gorge. « Pourquoi... Est-ce que... Est-ce qu'il est de moi ?

— Regarde-le », dit-elle.

Jack se rendit compte qu'il avait devant lui la réplique de sa chevelure si rousse.

« Bonté divine, s'écria-t-il, mon fils ! »

Aliena guettait sur son visage la réaction à cette nouvelle extraordinaire. Allait-il se réjouir ? Ou regretter sa jeunesse et sa liberté ? Un homme, en général, dispose de neuf mois pour s'habituer à l'idée de paternité. Jack devait s'y faire d'un seul coup. Il caressa la tête du bébé et sourit. « Notre fils, fit-il. Je suis si heureux ! »

Aliena, ferma les yeux de bonheur. Tout s'arrangeait, enfin...

Soudain Jack s'assombrit. « Et Alfred ? Est-ce qu'il sait... ?

— Bien sûr. Il n'a eu qu'à regarder l'enfant. D'ailleurs... reprit-elle, embarrassée, d'ailleurs ta mère a jeté la malédiction sur le mariage et Alfred n'a jamais pu, tu sais... n'a jamais pu rien faire.

— Ce n'est que justice », dit-il avec un rire cruel.

Aliena n'aimait pas cette joie méchante. « Ce fut une période très dure pour moi, précisa-t-elle d'un ton de léger reproche.

— Pardonne-moi, fit-il aussitôt. Comment Alfred a-t-il réagi ?

— En voyant le bébé, il m'a jetée dehors.

— S'est-il montré violent ?

— Non.

— Quel porc, quand même !

— Je me réjouis qu'il nous ait jetés dehors. Cela m'a décidée à partir à ta recherche. J'ai réussi, je t'ai trouvé. Je suis si heureuse que j'en perds la tête.

— Tu as été très courageuse, déclara Jack. C'est inouï !

— Je le referais », affirma-t-elle avec ferveur.

Comme il l'embrassait de nouveau, une voix dit en français : « Si vous ne pouvez pas vous empêcher d'avoir une conduite impudique dans l'église, restez dans la nef, je vous prie. »

C'était un jeune moine à l'air sévère. « Pardonnez-moi, mon père », dit Jack. Il prit le bras d'Aliena. Ils descendirent les marches du chœur et se dirigèrent vers le transept sud. « J'ai été moine quelque temps, rappela Jack. Je sais combien c'est dur de regarder des amants heureux s'embrasser. »

Des amants heureux, songea Aliena. Oui, voilà ce que nous sommes.

Ils sortirent de l'église sur la place du marché. Aliena avait du mal à croire à la réalité, à ce bonheur presque insoutenable.

« Alors, dit Jack, que faisons-nous maintenant ?

— Je ne sais pas, répondit-elle en souriant.

— Moi, je sais : Acheter une miche de pain, une flasque de vin et déjeuner dans les champs.

— C'est le paradis... »

En plus du pain et du vin, ils choisirent un morceau de fromage chez une crémière de la place du marché. Puis ils gagnèrent les champs. Aliena ne quittait pas Jack des yeux, comme s'il risquait de s'évaporer d'un instant à l'autre.

« Comment Alfred se débrouille-t-il sur le chantier ? demanda-t-il.

— Oh ! Je ne t'ai pas dit ! » Les derniers événements précédant son départ lui revinrent, vivaces, à la mémoire. « Il y a eu une terrible catastrophe. Le toit de la cathédrale s'est écroulé.

— Quoi ! »

L'exclamation de Jack effaroucha son cheval qui fit un écart. Il lui tapota l'encolure pour le calmer. « Comment est-ce arrivé ?

— On ne sait pas. Les ouvriers avaient réussi à terminer la voûte de trois travées pour la Pentecôte, et pendant le service tout s'est écroulé. Il y a eu soixante-dix-neuf morts. C'est épouvantable. »

Jack était sincèrement bouleversé.

« Quel malheur ! Comment le prieur Philip a-t-il supporté cette épreuve ?

— Mal. Il a renoncé à construire. Il a perdu toute son énergie, il ne fait plus rien. »

Jack avait du mal à imaginer Philip sans énergie, lui qui

avait toujours montré tant d'enthousiasme et de détermination, même dans les pires moments.

« Et les artisans ? reprit-il. Que sont-ils devenus ?

— Chacun est parti de son côté. Alfred habite Shiring où il bâtit des maisons.

— Kingsbridge est à moitié vide, non ?

— La ville redevient village, comme autrefois.

— Je me demande quelle erreur Alfred a commise ? marmonna Jack.

— Cette voûte de pierre n'a jamais figuré dans les plans originaux de Tom. Alfred avait renforcé les arcs-boutants pour en supporter le poids, il pensait que c'était suffisant. »

La nouvelle du désastre avait dégrisé Jack, et ils avancèrent en silence. A une demi-lieue de Saint-Denis, ils attachèrent les chevaux à l'ombre d'un orme et s'assirent au coin d'un champ de blé vert, près d'un petit ruisseau, pour pique-niquer. Jack but une gorgée de vin et fit claquer sa langue. « L'Angleterre n'a rien de comparable aux vins français, vraiment ! » Il rompit le pain et en tendit un morceau à Aliena.

Timidement, Aliena délaça son corsage pour donner le sein au bébé. Sous le regard de Jack, elle rougit et chercha quelque chose à dire pour cacher sa gêne. « As-tu une idée pour son nom ? Si on l'appelait Jack ?

— Je ne sais pas, fit-il d'un air songeur. Jack était le père que je n'ai jamais connu. Son nom risque de porter malchance à notre fils. Mon vrai père, ou celui qui en a tenu lieu, c'était Tom le bâtisseur.

— Tu voudrais appeler le bébé Tom ?

— Je crois que oui.

— Tom était si grand ! Plutôt Tommy, non ?

— D'accord pour Tommy », acquiesça Jack.

Parfaitement indifférent à la solennité de l'instant, Tommy s'était endormi, repu. Aliena l'allongea sur le sol, un mouchoir plié sous sa tête en guise d'oreiller. Son embarras ne s'était pas complètement dissipé : elle ne savait pas trop quelle contenance prendre vis-à-vis de Jack. Elle aurait aimé faire l'amour avec lui, ici, sur l'herbe, mais elle n'osait pas le lui suggérer. De son côté, Jack aussi semblait hésitant.

« Si je te dis quelque chose, murmura-t-il, tu me promets de ne pas m'en vouloir ?

— Vas-y. »

Lentement, tout bas, il lui avoua : « Depuis l'instant où je t'ai vue, je ne pense à rien d'autre qu'à ton corps nu sous ta robe.

— Ah ! Je ne t'en veux pas du tout ! s'écria-t-elle. Je suis heureuse. »

Il la regardait avidement, la gorge nouée.

Elle lui tendit les bras et il se rapprocha d'elle. Deux ans ou presque s'étaient écoulés depuis la dernière étreinte amoureuse qu'ils avaient connue ensemble. Une étreinte si passionnée, si brûlante et si désespérée qu'Aliena s'inquiéta. Aujourd'hui l'amour ne leur paraîtrait-il pas banal ? Après tant de temps, tant d'épreuves, tant d'espoir, la déception serait insoutenable.

Ils s'allongèrent sur l'herbe. Aliena ferma les yeux et sentit un baiser léger sur ses paupières. La main de Jack vint caresser son corps qui réagit en frissonnant délicieusement. « Chaque nuit, chaque jour, je pensais à toi, dit-il.

— Je suis si heureuse de t'avoir retrouvé », murmura-t-elle en le serrant très fort contre elle.

Ils s'aimèrent avec douceur, dans l'air baigné de soleil, accompagnés par le murmure du ruisseau près d'eux. Tommy, discret, dormit et ne s'éveilla que lorsqu'ils furent rhabillés.

La statue de la dame n'avait pas pleuré depuis son départ d'Espagne. Jack, n'ayant pas percé le secret de son fonctionnement, ne s'expliquait pas pourquoi elle ne pleurait pas hors de son pays d'origine. Il se doutait seulement que les larmes qui apparaissaient à la tombée de la nuit avaient un rapport avec le brusque rafraîchissement de l'air. Or les couchers de soleil étaient plus progressifs dans les pays du Nord.

Bien qu'elle fût plutôt encombrante, il conservait la statue comme un souvenir de Tolède. Elle lui rappelait Rachid et (ce qu'il ne dit pas à Aliena) la jeune Aïcha aussi. Un jour qu'un maçon de Saint-Denis cherchait un modèle pour sculpter une statue de la Vierge, Jack apporta la dame de bois à la loge des maçons et l'y laissa.

Il avait été engagé par l'abbé pour travailler à la reconstruction de l'église. Le nouveau chœur, qui l'avait tellement intrigué, n'était pas tout à fait terminé. Or il devait être achevé à temps pour la cérémonie de consécration au milieu de l'été. Déjà l'énergique abbé s'apprêtait à rebâtir la nef dans le même style et Jack fut chargé de tailler les pierres pour en préparer un stock d'avance.

L'abbaye lui loua une maison au village, où il s'installa avec Aliena et Tommy. La première nuit qu'ils vécurent dans leur maison, ils la passèrent à faire l'amour. Vivre comme mari et femme leur semblait la chose la plus naturelle du monde, comme s'ils l'avaient toujours fait. Personne ne leur demanda si leur union était bénie par l'Église.

Le maître bâtisseur de Saint-Denis était de loin le plus habile maçon que Jack eût jamais rencontré. Comme on terminait le nouveau chœur et qu'on s'apprêtait à commencer la nef, Jack ne perdait pas une miette des techniques nouvelles que le maître maçon pratiquait. L'abbé Suger, quant à lui, quoique totalement acquis aux idées neuves, s'intéressait plus à la décoration qu'à l'architecture. Le projet qui l'occupait en priorité était la construction d'un tombeau pour les restes de saint Denis et de ses deux compagnons, Rusticus et Eleutherius. Les reliques, jusqu'alors conservées dans la crypte, seraient placées dans le chœur, à la vue de tous. Les trois châsses reposeraient dans une sépulture en pierre plaquée de marbre noir, surmontée d'une église miniature en bois doré. Les travaux étaient bien avancés : la base du tombeau était en place et, dans la loge des charpentiers, un artisan minutieux s'occupait à dorer soigneusement le bois de l'église miniature avec une peinture à l'or sans prix. Suger n'était pas homme à faire les choses à moitié.

Quel extraordinaire organisateur, pensait Jack en assistant aux préparatifs de la consécration. Suger invita une foule de notables, dont la plupart acceptèrent, à commencer par le roi et la reine de France, ainsi que dix-neuf évêques et archevêques, y compris l'archevêque de Canterbury. Jack voyait souvent Suger arpenter le monastère dans sa robe de laine rustique, donnant des instructions à un troupeau de moines qui le suivaient comme des canetons. Cet abbé lui en rappelait un autre : Philip de Kingsbridge. Comme Philip, Suger avait été élevé au monastère. Comme Philip, il en avait réorganisé les finances et rétabli la gestion des biens pour en accroître les revenus ; comme Philip, il dépensait ses bénéfices à construire. Comme Philip, il était actif, énergique et entreprenant.

Pourtant, selon Aliena, Philip n'était plus rien de tout cela. Jack n'y croyait pas. Philip éteint ? Autant imaginer

Waleran Bigod charitable. Le prieur, c'était vrai, avait connu une série de terribles déceptions — et d'abord l'incendie de la ville. Jack en frémissait encore. Philip s'en était peut-être mal remis. En tout cas la ville avait perdu de son entrain, Jack s'en souvenait fort bien : l'atmosphère de crainte et d'incertitude avait tout envahi comme une odeur légère mais tenace de déchéance. Philip comptait certainement sur la cérémonie d'inauguration comme symbole d'un espoir nouveau. Quand la messe s'était terminée en sanglante catastrophe, il avait baissé les bras.

Tous les bâtisseurs étaient partis de Kingsbridge, le marché déclinait et la population diminuait. Les jeunes gens, d'après Aliena, préféraient Shiring. L'échec était moral plus que matériel : le prieuré, en effet, possédait toujours la totalité de ses biens, y compris les grands troupeaux qui chaque année rapportaient des centaines de livres. S'il ne s'était agi que d'argent, Philip aurait sûrement pu reprendre la construction, après avoir rassuré les maçons, souvent superstitieux et qui hésitaient à travailler quand l'église s'était écroulée une première fois. Le principal problème, à en croire Aliena, était que Philip avait perdu la volonté de le faire.

A deux ou trois jours de la cérémonie, évêques, archevêques, ducs et comtes arrivaient à Saint-Denis. Suger en personne escortait les visiteurs les plus distingués pour une visite guidée de l'édifice. Tous étaient frappés par la légèreté de la nouvelle construction et par la luminosité des hautes fenêtres à vitraux. Comme tous les grands prélats de France se trouvaient réunis à Saint-Denis, Jack en conclut que le nouveau style allait être bientôt largement imité ; les maçons qui avaient travaillé à Saint-Denis seraient très demandés. Il se félicitait de plus en plus d'avoir choisi d'en faire partie : sa carrière en bénéficierait et il augmentait grandement ses chances de réaliser lui-même une cathédrale.

Le roi Louis arriva le samedi avec sa femme et sa mère, et ils s'installèrent dans la maison de l'abbé. Cette nuit-là, on chanta dans l'église du crépuscule à l'aube. Au lever du soleil, la place devant le parvis était noire d'une foule de paysans et de citoyens de Paris attendant d'assister à la plus grande réunion de personnalités religieuses et civiles qu'ils verraient jamais. Sitôt Tommy nourri, Jack et Aliena se joignirent à l'assistance. Un jour, songea Jack, je dirai à

Tommy : « Tu ne t'en souviens pas, mais, quand tu avais un an, tu as vu le roi de France. »

Le public, bien sûr, n'était pas admis dans l'église que les hommes d'armes du roi entouraient d'une barrière infranchissable ; mais par les portes grandes ouvertes on pouvait voir la nef occupée par les seigneurs et les dames de la noblesse. Grâce à la surélévation du chœur, il était également possible de suivre sans trop de peine la cérémonie.

Une soudaine agitation se répandit au bout de la nef. Ensemble les seigneurs s'inclinèrent. Par-dessus leurs têtes courbées, Jack vit le roi franchir le portail sud et entrer dans l'église. Il ne distinguait pas ses traits, mais pouvait suivre la tache pourpre de sa tunique qui s'avançait au centre de la croisée. Le roi s'agenouilla devant le grand autel.

Les évêques et les archevêques suivaient en procession, vêtus de robes blanches brodées d'or. Chaque évêque portait sa crosse de cérémonie. Ils traversèrent lentement l'église, gravirent les marches du chœur puis gagnèrent les places qui leur avaient été réservées autour des fonts baptismaux qui contenaient — Jack le savait car il avait observé les préparatifs — des pintes d'eau bénite. Les prières et les hymnes se succédèrent un long moment, si bien que la foule commença à s'agiter. Puis, menée par les évêques, la procession repartit.

A la grande déception des spectateurs, elle quitta l'église par le portail sud et disparut dans le cloître. Mais on la vit bientôt ressortir des bâtiments monastiques et longer l'église par l'extérieur. Les évêques portaient chacun un goupillon et un vase d'eau bénite ; au fur et à mesure de leur progression, ils plongeaient le goupillon dans l'eau et aspergeaient les murs de l'édifice. La foule se porta en avant, quémandant aussi une bénédiction et cherchant à toucher les robes d'une éblouissante blancheur. Les hommes d'armes repoussaient les plus audacieux à coups de gourdin. Jack resta prudemment à l'écart des matraques. Tant pis pour la bénédiction !

La procession poursuivit sa marche majestueuse le long du flanc nord et la foule fit de même, piétinant les tombes du cimetière. Quand il atteignit la partie neuve où se tenaient les ateliers des artisans, le cortège déferla autour des loges et des cabanes, dans une incroyable bousculade qui menaçait d'aplatir les légères constructions de bois. Les hommes du roi redoublèrent de coups.

Jack commençait à se sentir inquiet. « Tout ça ne me plaît pas, dit-il à Aliena.

— A moi non plus. Sortons de cette foule. »

Avant qu'ils aient pu se dégager, une bagarre éclata entre les hommes du roi et un groupe de jeunes gens, au premier rang. Les soldats maniaient énergiquement leurs gourdins, mais les jeunes, au lieu de s'enfuir, ripostaient. Les évêques en queue de procession s'engouffrèrent dans le cloître après avoir prestement jeté leurs dernières gouttes d'eau bénite. Une fois les saints hommes disparus, la foule reporta son intérêt sur les hommes d'armes.

Quelqu'un lança une pierre qui atteignit un soldat en plein front. Il s'écroula au milieu des acclamations. Ses compagnons accoururent au secours du blessé.

On risquait l'émeute.

Par malheur, la cérémonie était suspendue, le temps que les évêques et le roi descendent dans la crypte chercher les reliques de saint Denis, auxquelles ils feraient faire le tour du cloître, sans ressortir du sanctuaire. Il n'y avait donc aucune salutaire distraction à espérer. Désœuvrés, énervés, échauffés par le soleil brûlant, les participants avaient besoin de donner libre cours à leurs émotions.

Comme les hommes du roi étaient armés, mais pas les spectateurs, les soldats eurent d'abord l'avantage. Là-dessus, quelqu'un eut la brillante idée de pénétrer dans les cabanes des artisans pour y chercher des armes. Deux jeunes gens enfoncèrent à coups de pied la porte de la loge des maçons et en ressortirent, des masses à la main. Les maçons perdus dans la foule étaient trop peu nombreux pour s'opposer à cette malheureuse initiative.

Jack et Aliena essayèrent de battre en retraite, mais la foule les poussait en avant et ils se trouvèrent pris au piège. Jack serrait Tommy bien fort contre sa poitrine, tout en se débattant pour garder la main d'Aliena dans la sienne. Son regard surprit un petit homme à l'air sournois et à la barbe noire qui sortait de la loge des maçons en emportant la statue de la dame qui pleurait. Je ne la reverrai jamais, songea-t-il avec regret ; mais il était trop occupé à lutter contre la bousculade pour se soucier du vol.

Ce fut ensuite la loge des charpentiers que l'on mit au pillage et, si celle des forgerons résista aux assauts, la foule

eut tôt fait d'enfoncer le mur fragile de la loge des couvreurs pour en ressortir avec de lourds outils dangereusement aiguisés. Jack eut la certitude que la manifestation ne
se terminerait pas sans morts.

Malgré tous ses efforts, Jack ne pouvait résister au courant qui le déportait vers le cœur de la lutte. Son voleur à
la barbe noire aussi, remarqua-t-il, qui, au lieu de filer avec
son butin, se trouvait emporté dans la même direction par
la pression de la foule.

Impulsivement, Jack passa le bébé à Aliena. « Reste près
de moi », conseilla-t-il. Puis il empoigna le petit voleur et
lui arracha la statue des mains. L'homme résista pour la
forme, mais Jack était plus fort et de toute façon le voleur
préféra sauver sa peau que récupérer son butin. Il lâcha
prise.

Jack brandit la statue à bout de bras et se mit à crier :
« Vénérez la Madone ! » Tout d'abord, personne n'y prit
garde. Puis les gens les plus proches s'immobilisèrent. « Ne
touchez pas à la Sainte Vierge ! » cria-t-il à pleins poumons. On commença à s'écarter de lui superstitieusement,
tandis que Jack poursuivait : « C'est un péché que de souiller l'image de la Vierge ! » Il tenait la statue très haut au-
dessus de sa tête et avançait vers l'église. Je vais peut-être
réussir, songea-t-il avec un sursaut d'espoir. Peu à peu, on
arrêtait de se battre pour voir ce qui se passait.

Il jeta un coup d'œil derrière lui. L'émeute perdait de sa
violence. La foule commençait à répéter ses paroles avec
respect : « C'est la mère de Dieu... Je vous salue, Marie...
Faites place à l'effigie de la Sainte Vierge... » Ils voulaient
un spectacle, et puisque Jack en donnait un, on oubliait de
cogner. Jack avança gravement tandis que la foule s'écartait
sur son passage. Il atteignit le portail nord de la basilique.
Là, il posa la statue avec beaucoup de respect sous l'ombre
fraîche de la voûte. Elle avait un peu plus de deux pieds de
haut et paraissait bien moins impressionnante posée par
terre.

La foule se regroupait autour du portail. Jack ne savait
plus quoi faire. Sans doute attendait-on un sermon. Il s'était
comporté en homme de Dieu, exposant la statue et la faisant
respecter par ses avertissements sonores, mais c'était la
limite de ses talents de prêtre. La crainte le prit : comment
les gens allaient-ils réagir s'il les décevait maintenant ?

Un mouvement soudain parcourut les rangs.

762

Jack regarda derrière lui. Quelques personnalités de la procession s'étaient avancées dans le transept pour savoir ce qui se passait mais rien de visible ne justifiait l'apparente stupéfaction des badauds.

« Un miracle ! » cria quelqu'un ; et de nombreuses voix reprirent : « Un miracle ! Un miracle ! »

Jack se tourna vers la statue et comprit : de l'eau coulait de ses yeux. Il fut d'abord aussi impressionné que la foule mais, très vite, il se rappela sa théorie : la dame pleurait à cause d'un brusque changement de température. Or la statue venait de passer de la chaleur du jour à la fraîcheur du portail. Voilà qui expliquait les larmes. Mais pour l'assistance ignorante du phénomène, la statue pleurait, et c'était un miracle.

Une femme au premier rang lança un denier au pied de la statue. Jack réprima un sourire d'ironie. Quelle idée de donner de l'argent à un morceau de bois ! Mais l'habitude entretenue par l'Église voulait qu'on associe argent et sainteté. Plusieurs personnes dans la foule suivirent l'exemple de la femme.

Jack n'aurait jamais imaginé que le jouet de Rachid puisse rapporter le moindre sou. En réalité, il n'en rapporterait pas à Jack car les gens cesseraient leurs offrandes s'ils voyaient qu'elles allaient dans la poche de Jack. Mais, pour n'importe quelle église, la statue représentait une fortune. Jack, en un éclair, comprit ce qui lui restait à faire, et il se mit à parler avant même d'avoir réfléchi à toutes les conséquences de son idée. Les mots lui venaient au fur et à mesure qu'il bâtissait son projet.

« La Vierge qui pleure ne m'appartient pas, elle appartient à Dieu », commença-t-il. Le silence se fit. C'était le discours que la foule attendait. Les évêques qui chantaient dans l'église n'intéressaient plus personne. « Pendant des centaines d'années, elle a langui au pays des Sarrasins », reprit l'orateur en improvisant une histoire inventée de toutes pièces. Bah ! Les prêtres eux-mêmes se souciaient peu de vérité historique en matière de miracles et de saintes reliques. « Elle a parcouru bien des lieues, mais son voyage n'est pas encore terminé. Sa destination est l'église cathédrale de Kingsbridge, en Angleterre. »

Jack surprit le regard d'Aliena qui le fixait avec stupéfaction.

« C'est ma sainte mission de la ramener à Kingsbridge.

Là, elle trouvera sa place. Là, elle connaîtra la paix. » Il marqua une pause, avant d'ajouter, sous le coup d'une ultime inspiration : « J'ai été désigné comme maître bâtisseur de la nouvelle église de Kingsbridge. »

Aliena écarquilla les yeux, de plus en plus étonnée. « La Vierge qui pleure a ordonné qu'on lui construise une nouvelle église à Kingsbridge et, avec son aide, j'élèverai pour elle un autel aussi beau que le nouveau chœur qu'on vient d'édifier ici pour abriter les saintes reliques de saint Denis. »

Les pièces qui jonchaient le sol lui donnèrent l'idée de sa conclusion. « Vos dons serviront à la sainte entreprise, dit-il. La Madone accorde sa bénédiction à tout homme, femme et enfant qui participe à la construction de sa nouvelle demeure. »

Il y eut un moment de silence ; puis les pièces recommencèrent à pleuvoir au pied de la statue. En lançant son offrande, les uns disaient : « Alleluia » ou « Loué soit Dieu ». D'autres demandaient une bénédiction ou une faveur précise : « Guérissez Robert », « Faites qu'Anne ait un enfant », ou encore « Donnez-nous une bonne récolte ». Jack scrutait les visages : ils étaient excités, transportés de bonheur. Il baissa les yeux et vit avec émerveillement l'argent s'entasser comme la neige à ses pieds.

La Madone qui pleure eut le même effet dans chaque bourg et dans chaque village sur la route, jusqu'à Cherbourg. Jack et Aliena parcouraient la grand-rue, le temps que la foule se rassemble ; puis, après s'être arrêtés devant l'église pour donner l'occasion à la population de se regrouper, ils déposaient la statue dans l'ombre fraîche du bâtiment où elle se mettait à pleurer.

Alors les gens se bousculaient faire un don à la cathédrale de Kingsbridge.

Après le premier miracle, l'aventure avait failli rater. Les évêques et les archevêques ayant examiné la statue l'avaient déclarée authentiquement miraculeuse, si bien que l'abbé Suger voulait la garder pour Saint-Denis. Il en avait offert à Jack une livre, puis dix et enfin cinquante. Lorsqu'il comprit que Jack ne s'intéressait pas à l'argent, il menaça de prendre la Madone de force ; heureusement l'archevêque Théobald de Canterbury l'en empêcha. Séduit par les possibilités financières de la statue, il entendait bien la voir partir pour Kingsbridge, qui se trouvait dans son diocèse. Suger avait cédé de mauvaise grâce, non sans exprimer de sérieux doutes sur l'authenticité du miracle.

Jack avait annoncé aux artisans de Saint-Denis qu'il engagerait ceux qui voudraient le suivre jusqu'en Angleterre, ce qui ne convenait pas, là non plus, à Suger. La plupart des artisans, en fait, préféraient rester où ils étaient, en vertu du principe que mieux vaut tenir que courir ; mais certains, venus justement d'Angleterre, étaient tentés de rentrer au pays. De plus la nouvelle se répandrait, car c'était le devoir de chaque maçon d'informer ses frères de l'ouverture des nouveaux chantiers. En quelques semaines, des artisans de toute la chrétienté rejoindraient Kingsbridge, comme Jack lui-même avait travaillé sur six ou sept chantiers différents au cours des deux dernières années. Aliena souleva la question de savoir ce qu'il ferait si le prieuré de Kingsbridge ne le nommait pas maître bâtisseur. Jack n'en avait aucune idée.

L'archevêque Théobald, ayant revendiqué pour l'Angleterre la Vierge qui pleure, refusa de laisser Jack partir seul avec son trésor. Il avait désigné deux prêtres de son entourage, Reynold et Edward, pour accompagner Jack et Aliena dans leur voyage. Jack, au début, avait rechigné, mais il s'était vite pris d'amitié pour eux. Reynold était un jeune homme à l'esprit vif qui s'intéressait beaucoup aux mathématiques que Jack avait apprises à Tolède. Edward, plus âgé, affable, était assez gourmand. Leur principale fonction était de s'assurer, bien sûr, que les dons des fidèles ne finissaient pas dans la bourse de Jack.

Ils quittèrent Cherbourg par la route de Barfleur, où ils devaient s'embarquer pour Wareham. Ils n'étaient pas encore arrivés au centre de la petite bourgade du bord de mer, portant la statue sur un tréteau de bois pour l'exposer aux regards, que Jack eut l'impression que quelque chose n'allait pas comme d'habitude.

Les gens ne contemplaient pas la Madone. Ils examinaient Jack.

Les prêtres à leur tour s'en aperçurent et Reynold murmura à Jack : « Que se passe-t-il ?

— Je n'en sais rien.

— Les gens sont plus fascinés par vous que par la statue ! Vous êtes déjà venu ici ?

— Jamais. »

Aliena intervint : « Ce sont les plus vieux qui s'intéressent à Jack. Les jeunes admirent la statue. »

Elle avait raison. Les enfants et les jeunes gens témoignaient pour la Madone d'une curiosité normale. C'étaient les gens plus âgés qui tournaient leur attention vers Jack. Bientôt, il constata qu'ils avaient peur. Quelqu'un fit même le signe de croix devant lui. « Qu'est-ce qu'ils ont contre moi ? » se demanda-t-il tout haut.

La procession, toutefois, attirait des badauds aussi sûrement que d'habitude et elle arriva sur la place du marché suivie d'une foule imposante. On déposa la Madone devant l'église. Les fidèles entrèrent dans le sanctuaire. D'ordinaire, les membres du clergé venaient parler à Reynold et à Edward. Après les explications d'usage, on transportait la statue à l'intérieur, où elle se mettait à pleurer. La Madone ne leur avait fait défaut qu'une fois, un jour de froid où Reynold avait insisté pour suivre la procédure habituelle en dépit des avertissements de Jack. Maintenant on respectait son avis.

Le temps, aujourd'hui, était parfait. C'était autre chose qui n'allait pas. Une crainte superstitieuse se lisait sur les visages tannés des marins et des pêcheurs. Les gens restaient à distance, parlaient à voix basse en regardant Jack par en dessous.

Enfin le prêtre apparut. Le plus souvent, les hommes d'Église manifestaient d'abord une curiosité un peu méfiante, mais celui-ci se conduisit d'emblée comme un exorciste, brandissant une croix devant lui en manière de bouclier et tenant dans l'autre main un calice d'eau bénite. « Qu'est-ce qu'il compte faire ? demanda Reynold. Chasser des démons ? » Le prêtre s'avança, psalmodiant des phrases en latin, et s'approcha de Jack. Il dit en français : « Je t'ordonne, esprit mauvais, de retourner avec les fantômes ! Au nom...

— Je ne suis pas un fantôme, espèce d'imbécile ! s'écria Jack sans ambages.

— ... du Père, du Fils et du Saint-Esprit... poursuivit le prêtre.

— Nous sommes en mission pour l'archevêque de Canterbury, intervint Reynold. Nous avons sa bénédiction.

— Ce n'est pas un fantôme, protesta Aliena. Je le connais depuis l'âge de douze ans. »

Le prêtre hésita. « Tu es le fantôme d'un homme mort

voilà vingt-quatre ans », annonça-t-il. Plusieurs voix dans la foule approuvèrent et le prêtre reprit son incantation.

« Je n'ai que vingt ans, dit Jack. Peut-être que je ressemble simplement à l'homme dont vous parlez. »

Quelqu'un sortit de la foule. « Ce n'est pas seulement que tu lui ressembles, lança-t-il. Tu es lui... Exactement comme le jour où tu es mort. »

Un murmure de crainte superstitieuse parcourut la foule. Jack, interloqué, se tourna vers l'intervenant. C'était un homme d'une quarantaine d'années, à la barbe grisonnante, portant la tenue d'un artisan prospère ou d'un petit négociant. Il n'avait rien d'un excité. Jack s'adressa à lui d'une voix mal assurée. « Mes compagnons me connaissent, dit-il. Deux d'entre eux sont des prêtres. Le bébé est mon fils. Sont-ils des fantômes aussi ? »

L'homme se troubla.

Une femme aux cheveux blancs, debout auprès de lui, demanda : « Tu ne me reconnais pas, Jack ? »

Jack sursauta comme si on venait de le piquer. Il avait peur. « Comment connaissez-vous mon nom ?

— Parce que je suis ta mère, répondit-elle.

— Sûrement pas ! » cria Aliena. Jack perçut dans sa voix un accent d'affolement. « Je connais sa mère et ce n'est pas vous ! Que se passe-t-il, enfin ?

— De la magie noire ! dit le prêtre.

— Attendez une minute, intervint Reynold. Jack est peut-être apparenté à l'homme qui est mort. Avait-il des enfants ?

— Non, fit l'homme à la barbe grise.

— Vous en êtes sûr ?

— Il ne s'est jamais marié.

— Ça ne veut rien dire. »

Il y eut quelques ricanements. Le prêtre foudroya du regard les coupables.

« De toute façon, observa l'homme à la barbe grise, il y a vingt-quatre ans qu'il est mort et ce Jack-ci assure qu'il n'a que vingt ans.

— Comment est-il mort ? demanda Reynold.

— Noyé.

— Avez-vous vu le corps ? »

Il y eut un silence. L'homme à la barbe grise répondit enfin : « Non, je n'ai jamais vu son corps.

« — Est-ce que quelqu'un l'a vu ? » insista Reynold, qui sentait la victoire approcher.

Personne ne répondit.

« Votre père est vivant ?

— Il est mort avant ma naissance.

— Que faisait-il ?

— Il était jongleur. »

Un frémissement parcourut la foule et la femme aux cheveux blancs s'écria : « Mon Jack aussi était jongleur !

— Mais ce Jack que voici est maçon, déclara Reynold. J'ai vu son travail. Toutefois, il est peut-être le fils de Jack le troubadour. » Il s'adressa au jeune homme : « Comment appelait-on votre père ? Jack le jongleur, je suppose ?

— Non. On l'appelait Jack Shareburg. »

Le prêtre répéta le nom en le prononçant à la française : « Jack Cherbourg ! »

Jack était ahuri. Il n'avait jamais compris le nom de son père, mais maintenant c'était clair. Comme bien des voyageurs, on l'appelait du nom de la ville d'où il venait. « Oui, dit Jack d'un air songeur. Bien sûr, Jack Cherbourg. »

Enfin il retrouvait la trace de son père, si longtemps après avoir renoncé à la chercher ! Alors qu'il était allé jusqu'en Espagne, ce qu'il voulait était là, sur la côte de Normandie. Il arrivait au bout de sa quête, soudain las et satisfait, comme s'il venait de se décharger d'un lourd fardeau après l'avoir porté longtemps.

« Alors, tout est clair, dit Reynold en promenant sur la foule un regard triomphant. Jack Cherbourg ne s'est pas noyé. Il est arrivé en Angleterre, a vécu là quelque temps, a connu une fille, puis il est mort. La femme a donné naissance à un garçon à qui elle a donné le nom de son père. Jack ici présent a maintenant vingt ans et ressemble trait pour trait à ce qu'était son père il y a vingt-quatre ans. » Reynold se tourna vers la prêtre. « Pas d'inquiétude, mon père. Ce n'est qu'une réunion de famille. »

Aliena prit la main de Jack et la serra. Il était stupéfait. Il y avait cent questions à poser et il ne savait par où commencer. Il murmura : « Pourquoi étiez-vous sûr de sa mort ?

— Tout le monde à bord du *Vaisseau blanc* est mort, affirma l'homme à la barbe grise.

— Le *Vaisseau blanc* ?

— Je me souviens, dit Edward. Un naufrage célèbre.

768

L'héritier du trône s'est noyé. Là-dessus, Maud a pris sa place et ce fut le début du conflit avec Stephen.

— Mais que faisait-il sur ce navire ? » dit Jack.

La vieille femme qui avait parlé plus tôt répondit : « Il devait distraire les seigneurs pendant la traversée. » Elle hocha la tête en regardant Jack. « Alors, tu dois être son fils. Mon petit-fils. Je suis confuse de t'avoir pris pour un fantôme. Tu lui ressembles tant.

— Ton père était mon frère, dit l'homme à la barbe grise. Je suis ton oncle Guillaume. »

Jack découvrait enfin la famille qui lui avait tant manqué : les parents de son père. Il n'était plus seul au monde. Il avait retrouvé ses racines.

« Eh bien, voici mon fils Tommy, annonça-t-il. Regardez ses cheveux roux. »

La vieille femme, avec un regard attendri pour le bébé, murmura : « Mon Dieu, me voilà arrière-grand-mère ! »

Tout le monde éclata de rire.

« Je me demande, fit Jack, comment mon père est arrivé en Angleterre... »

V

« Alors Dieu dit à Satan : "Regarde mon serviteur, Job. Regarde-le. Voilà un brave homme assurément." » Philip marqua une pause. Il ne se servait pas d'une traduction de la Bible, il improvisait librement sa version de l'histoire. « "Dis-moi si ce n'est pas un homme parfait et vertueux, qui craint Dieu et ne commet aucun mal." Alors Satan déclara : "Bien sûr qu'il t'adore. Tu lui as tout donné. Regarde-le. Sept fils et trois filles. Sept mille moutons, trois mille chameaux, cinq cents paires de bœufs et cinq cents ânes. Voilà pourquoi c'est un brave homme." Alors Dieu dit : "Très bien. Prends-lui ses biens et vois ce qui se passe." C'est ce que fit Satan. »

Tout en prêchant, Philip ne cessait de penser à une lettre mystérieuse reçue le matin même de l'archevêque de Canterbury. Il commençait par le féliciter d'avoir obtenu la miraculeuse Vierge qui pleure. Philip ignorait tout de cette

Vierge pleureuse, mais il était tout à fait certain de n'en posséder aucun exemplaire. L'archevêque continuait en exprimant sa joie d'apprendre que Philip reprenait la construction de la nouvelle cathédrale. Or le prieur n'avait pas remis les pieds sur le chantier en ruine. Il attendait un signe de Dieu et pour l'instant célébrait la messe dominicale dans la nouvelle petite église paroissiale. Pour finir, l'archevêque Théobald approuvait sa sage décision de désigner comme maître bâtisseur quelqu'un qui avait travaillé au nouveau chœur de Saint-Denis. Si Philip avait entendu comme tout le monde parler de l'abbaye de Saint-Denis et du célèbre abbé Suger, le plus puissant prélat du royaume de France, il ignorait tout de ce nouveau chœur auquel la lettre faisait allusion et en tout cas il n'avait nommé aucun maître bâtisseur. Philip en arrivait à croire que la lettre était destinée à quelqu'un d'autre et qu'elle lui avait été envoyée par erreur.

« Que dit alors Job quand il eut perdu toute sa fortune et que ses enfants moururent ? Se mit-il à maudire Dieu ? A adorer Satan ? Non ! Il dit : "Je suis né nu et je mourrai nu. Le Seigneur donne et le Seigneur reprend... Béni soit le nom du Seigneur." Voilà ce que dit Job. Et Dieu alors dit à Satan : "Ne l'avais-je pas prévu ?" »

Autrefois, l'abbé Peter évitait les sermons, qui lui paraissaient d'expression trop libre, de communication trop directe avec les fidèles. Dans son esprit, ceux-ci devaient se contenter d'assister en spectateurs silencieux aux mystérieux rites sacrés célébrés en mots latins qu'ils ne comprenaient pas. Mais depuis l'enfance de Philip, les choses avaient évolué. Au lieu de demeurer les observateurs muets d'une cérémonie mystique, les fidèles exigeaient des explications, des règles, des encouragements, des exhortations, d'une Église qui faisait de plus en plus partie intégrante de leur vie quotidienne.

« Je crois que Satan a eu une conversation avec Dieu à propos de Kingsbridge, enchaîna Philip. Je crois que Dieu dit à Satan : "Regarde mes fidèles de Kingsbridge. Ne sont-ils pas de bons chrétiens ?" Et Satan dit : "Ils sont bons parce qu'ils réussissent bien. Tu leur as donné de bonnes récoltes, de belles saisons, des clients pour leurs échoppes et la protection des comtes. Mais retire-leur tout cela , et ils se rangeront de mon côté." Alors Dieu dit : "Que veux-tu faire ?" Et Satan dit : "Brûler la ville." Alors Dieu dit : "Très bien, brûle-la et vois ce qui se passe." Alors Satan envoya William Hamleigh pour mettre le feu à notre foire aux toisons. »

Philip puisait de grandes consolations dans l'histoire de Job. Comme lui, Philip avait travaillé dur toute sa vie pour accomplir de son mieux la volonté de Dieu ; et, comme Job, il avait été récompensé par la malchance, l'échec, la déchéance. Cependant, il s'efforçait encore courageusement, par ses sermons, de remonter le moral de ses ouailles, sans grand résultat.

Il reprit : « Et alors Dieu dit à Satan : "Regarde maintenant ! Tu as brûlé cette ville jusqu'au sol et ils me construisent quand même une nouvelle cathédrale. Prétends-tu encore que ce ne sont pas de braves gens ?" Mais Satan dit : "J'ai été trop doux avec eux. La plupart ont échappé à cet incendie. Laisse-moi leur envoyer une vraie catastrophe et vois alors ce qui se passe." Et Dieu soupira et dit : "Que veux-tu encore ? " Et Satan dit : "Faire tomber sur leur tête le toit de la nouvelle église." Et c'est ce qu'il fit... comme nous le savons. »

Dans l'assemblée qui l'écoutait, Philip ne voyait presque personne qui dans cette terrible catastrophe n'avait pas perdu au moins un parent. La veuve Meg avait eu autrefois un bon mari et trois robustes fils ; tous morts ; depuis, elle ne parlait plus et ses cheveux étaient blancs. D'autres étaient mutilés. Peter Pony avait eu la jambe droite broyée.

Devant lui, à même le sol, il y avait un homme qui avait perdu l'usage de ses membres.

Allons, son esprit vagabondait ! Il revint à son sermon. « Que fit Job ? Sa femme lui dit : "Maudis Dieu et meurs." Mais il n'obéit pas. Satan en fut pour sa déception. Et je vous le dis » — Philip leva la main dans un geste dramatique pour bien souligner son argument — « je vous le dis, Satan va être déçu par les gens de Kingsbridge ! Car nous continuons à adorer le vrai Dieu, tout comme l'a fait Job malgré ses malheurs. »

Il marqua un nouveau temps pour laisser la congrégation méditer. Malgré sa conviction, il voyait bien qu'il n'avait pas réussi à les toucher. Les visages levés vers lui étaient attentifs, mais pas pénétrés. En vérité, Philip manquait du souffle de l'inspiration. Il était trop pragmatique. Son travail parfois entraînait les gens — c'était le cas jadis — mais jamais ses paroles.

Il aborda la meilleure partie de l'histoire. « Qu'est-il

arrivé à Job après que Satan l'eut accablé ? Eh bien, Dieu lui rendit plus qu'il n'avait au départ... Deux fois plus ! Là où il avait fait paître sept mille moutons, il en eut quatorze mille. Les trois mille chameaux qu'il avait perdus furent remplacés par six mille et il engendra sept autres fils et trois autres filles. »

Aucune réaction. Philip éleva le ton. « Et Kingsbridge sera de nouveau prospère un jour. Les veuves se remarieront et les veufs trouveront des épouses ; les femmes auront d'autres enfants ; nos rues seront pleines de gens, nos échoppes regorgeront de pain et de vin, de cuir et de cuivre, de tissus et de chaussures ; un jour, enfin, nous rebâtirons notre cathédrale. »

Le malheur, c'était qu'il n'était pas sûr d'y croire lui-même ; aussi manquait-il de conviction. Et les fidèles restaient insensibles.

Baissant les yeux vers le gros livre posé devant lui, il traduisit en anglais les mots latins : « Et Job vécut encore cent quarante ans pour voir ses fils et ses petits-fils, et ses arrière-petits-fils. Et il mourut vieux et chargé d'années. » Il referma le livre.

Il sentit, venant du fond de la petite église, une certaine agitation qui l'agaça. Il se rendait compte que son sermon n'avait pas eu l'effet espéré, mais il aurait aimé quelques minutes de silence pour que tous en méditent la leçon. Par la porte ouverte, Philip aperçut une masse de gens vers laquelle commençaient à se diriger les fidèles qui quittaient l'office. Que se passait-il ?

Toutes les hypothèses défilèrent dans son esprit : une bataille, un incendie, un accident, une troupe de cavaliers inconnus. Mais jamais, il n'aurait pu imaginer ce qui l'attendait. D'abord, deux prêtres apparurent portant une statue de femme sur une planche drapée d'une nappe d'autel brodée. La solennité de leur attitude donnait à penser que la statue représentait une sainte, ou même la Vierge. Derrière les prêtres s'avançaient deux personnes. Le prieur en resta bouche bée, Aliena et Jack !

Philip considéra Jack avec un mélange de joie et d'exaspération. Le jour où ce garçon est entré dans cette ville pour la première fois, songea-t-il, la vieille cathédrale a brûlé. Depuis lors, il n'a pas cessé de produire des situations étranges. Mais le bonheur de Philip l'emportait largement sur son irritation. Malgré tous les ennuis que Jack lui avait causés, il avait vécu avec lui bien des moments intéressants. Le prieur le regarda attentivement. En deux ans d'absence, il avait vieilli de dix. Son regard las était lourd d'expérience. Jusqu'où était-il allé ? Et comment Aliena l'avait-elle retrouvé ?

La procession s'avança jusqu'au milieu de l'église. Philip ne bougeait pas, attendant les événements. Un frémissement d'excitation animait les fidèles qui reconnaissaient Jack et Aliena. Soudain s'éleva un murmure respectueux en même temps qu'une voix disait : « Elle pleure ! »

La nouvelle courut de bouche en bouche : « Elle pleure ! Elle pleure ! » Philip observa la statue. En effet : de l'eau coulait de ses yeux. La mystérieuse lettre de l'archevêque parlant d'une miraculeuse Madone qui pleure prit enfin son sens. C'était donc cela ! Quant à la question de savoir si ces pleurs étaient miraculeux, Philip réservait son jugement. Il distinguait que les yeux semblaient faits de pierre ou peut-être d'une sorte de cristal, alors que le reste de la statue était en bois : était-ce l'explication du phénomène ?

Les prêtres posèrent le support sur le sol de façon que la Madone fît face à la congrégation. Puis Jack prit la parole.

« La Madone qui pleure est venue à moi dans un lointain, lointain pays », commença-t-il. Philip se résigna à contre-cœur à le laisser prendre en main la situation car il ne voulait pas agir avec précipitation. D'ailleurs, il était intrigué. « C'est un Sarrasin baptisé qui me l'a offerte », poursuivit Jack. Un murmure de surprise parcourut l'assistance : dans les récits les Sarrasins apparaissaient d'ordinaire comme l'ennemi barbare au visage sombre, et peu de gens savaient que certains d'entre eux étaient chrétiens. « Tout d'abord, je me suis demandé pourquoi on me l'avait donnée. Elle m'a accompagné pendant bien des lieues... » Les fidèles étaient fascinés. Il est meilleur prédicateur que moi, songea Philip avec amertume. « Enfin, j'ai commencé à comprendre qu'elle voulait rentrer chez elle. Mais où était-ce ? L'inspiration me vint enfin. Elle voulait aller à Kingsbridge. »

Un brouhaha d'exclamations stupéfaites lui répondit. Philip demeurait sceptique. Il connaissait la différence entre la façon dont Dieu opérait et celle de Jack. Or, ce qu'il entendait, cette version des faits, portait l'empreinte de Jack.

Philip garda le silence. Jack reprit :

« Dès lors, j'ai pensé : "Où l'emmènerai-je ? Quel autel lui sera consacré à Kingsbridge ? Dans quelle église trouvera-t-elle sa place ?" » Son regard qui parcourut l'intérieur simple et blanchi à la chaux de l'église paroissiale disait clairement : de toute évidence, cela ne suffira pas. « Et ce fut comme si j'entendais une voix qui m'ordonnait : "Toi, Jack Jackson, tu vas m'élever un autel et me bâtir une église." »

Philip commençait à deviner où Jack voulait en venir. La Madone serait l'étincelle qui rallumerait l'enthousiasme des gens pour la cathédrale. La statue ferait ce que le sermon de Philip sur Job n'avait pas obtenu — ce qui ramena le prieur à la question précédente : est-ce la volonté de Dieu ou seulement celle de Jack ?

« Alors j'ai demandé : "Avec quoi ? Je n'ai pas un sou." La voix m'a répondu : "Moi, je fournirai l'argent." Eh bien, nous sommes partis avec la bénédiction de l'archevêque Théobald de Canterbury. » Jack lança un coup d'œil à Philip en prononçant le nom du prélat. Compris, songea Philip. Il veut me notifier qu'il a de puissants appuis.

Le regard de Jack revint à la congrégation. « Sur toute la route, de Paris à la Normandie, sur la mer et sur le chemin de Kingsbridge, les chrétiens dévots ont offert de l'argent pour construire l'autel de la Vierge qui pleure. » Jack fit signe à des gens qui attendaient dehors.

Deux Sarrasins enturbannés entrèrent d'un pas solennel dans l'église, portant sur leurs épaules un coffre cerclé de fer.

Les villageois reculèrent, surpris. Même Philip fut stupéfait. Il savait, en théorie, que les Sarrasins avaient la peau brune, mais il n'en avait jamais vu en réalité, et cette réalité lui coupait le souffle. Leurs longues robes de couleurs vives n'avaient jamais eu leurs pareilles sous le ciel de Kingsbridge. Ils fendirent la foule impressionnée et s'agenouillèrent devant la Madone en posant avec révérence le coffre sur le sol.

On n'entendait pas un bruit, pas une respiration tandis que Jack tournait la grande clé dans l'immense serrure et soulevait le couvercle. Chacun, le cou tendu, voulait voir mieux que son voisin. Jack inclina le coffre.

Dans un bruit de cascade, un flot de pièces d'argent déferla, par centaines, par milliers. Les gens n'avaient pas assez d'yeux pour admirer un tel trésor.

Jack haussa la voix. « Je l'ai ramenée chez elle, et je fais don de cet argent pour la construction de la nouvelle cathédrale. » Il se tourna, regarda Philip droit dans les yeux et fit de la tête un petit salut comme pour dire : à vous.

Philip avait horreur d'être manipulé de cette façon, mais en même temps il devait reconnaître que Jack avait réussi de main de maître. Le prieur se ressaisit. Pas question de céder. Les gens pouvaient bien acclamer la Vierge qui pleure, mais seul Philip déciderait si elle serait exposée dans la cathédrale de Kingsbridge, auprès des ossements de saint Adolphe.

Quelques personnes interrogeaient timidement les Sarrasins. Philip descendit de sa chaire et s'approcha pour écouter. « Je viens d'un pays qui est loin, très loin », répondait l'un d'eux. Philip nota avec surprise qu'il parlait l'anglais comme un pêcheur du Dorset. Mais qui, à Kingsbridge, savait que les Sarrasins parlaient une langue bien à eux ?

« Comment s'appelle votre pays ? demanda quelqu'un.

— L'Afrique. »

De tous les pays qui formaient l'Afrique, le prieur se demanda duquel ce Sarrasin était originaire. Et s'il s'agissait d'un endroit cité dans la Bible, comme l'Égypte ou l'Éthiopie ?

Une petite fille tendit un doigt hésitant pour toucher la peau brune de l'homme qui lui sourit. Encouragée, la fillette demanda :

« Comment c'est, en Afrique ?

— Il y a de grands déserts et des figuiers.

— Des figuiers ?

— Ce sont des arbres qui produisent un fruit, la figue. Elle ressemble à une fraise et a le goût d'une poire. »

Philip fut subitement frappé d'un vif soupçon. « Dis-moi, Sarrasin, lança-t-il, dans quelle ville au juste es-tu né ?

— Damas », fit l'homme.

Les doutes de Philip se confirmaient. Furieux, il prit Jack par le bras et l'entraîna à l'écart. D'un ton sévère, mais sans élever la voix, il l'interpella : « A quoi joues-tu ?

— Que voulez-vous dire ? répliqua Jack, feignant l'innocence.

— Ces deux-là ne sont pas des Sarrasins. Ce sont des pêcheurs de Wareham. Avec de la teinture sur le visage et sur les mains. »

Jack ne sembla pas gêné le moins du monde de voir sa ruse découverte. Il sourit. « Comment avez-vous deviné ?

— Je suis sûr que cet homme n'a jamais vu une figue de sa vie. D'autre part Damas n'a jamais été en Afrique. Heureusement que les habitants de Kingsbridge sont ignorants de ces choses-là. A quoi rime cette supercherie ?

— C'est une tromperie bien innocente, dit Jack en accentuant son séduisant sourire.

— Il n'y a pas de tromperie innocente, rétorqua Philip, glacial.

— Très bien. » Jack reconnut que Philip était en colère. Il reprit son sérieux. « Mon histoire est comme une enluminure sur une page de la Bible. Ce n'est pas la vérité, c'est son illustration. Les hommes du Dorsetshire passés au brou de noix rendent la vérité spectaculaire. Et cette vérité, c'est que la Vierge qui pleure vient d'une terre sarrasine. »

Les deux prêtres et Aliena étaient venus rejoindre Philip et Jack. Sans tenir compte de leur présence, Philip poursuivit : « Le dessin d'un serpent ne fait pas peur. Une illustration n'est pas un mensonge. Mais tes Sarrasins ne sont pas des illustrations, ce sont des imposteurs.

— Nous avons recueilli bien plus d'argent après avoir inventé les Sarrasins », expliqua Jack.

Philip regarda les pièces entassées sur le sol. « Les gens croient sans doute qu'il y a là de quoi bâtir toute une cathédrale. Moi, j'estime le tout à une centaine de livres. Tu sais que ça ne paiera même pas une année de travail.

— L'argent est comme les Sarrasins, expliqua Jack. C'est un symbole. Vous pouvez déjà commencer la construction. »

C'était vrai. Rien n'empêchait Philip de reprendre le travail. La Vierge était exactement ce qu'il fallait pour redonner vie à Kingsbridge. Elle attirerait les gens de partout et de toute sorte : pèlerins et érudits aussi bien que badauds. Elle redonnerait courage aux habitants de la ville qui y verraient un bon présage. Philip, qui attendait un signe de Dieu, aurait bien voulu croire que c'en était un. Mais toute cette affaire ressemblait trop à une mise en scène de Jack.

Le plus jeune des deux prêtres se présenta : « Je suis Reynold, et voici Edward. Nous travaillons pour l'archevêque de Canterbury. Il nous a chargés d'accompagner la Vierge qui pleure.

— Si vous avez la bénédiction de l'archevêque, riposta

Philip, pourquoi avez-vous besoin de Sarrasins de foire pour donner une existence légitime à la Madone ? »

Edward prit l'air penaud. « C'était l'idée de Jack, intervint Reynold, mais j'avoue que je n'y ai vu aucun mal. Vous ne mettez sûrement pas en doute la Madone, Philip ?

— Vous pouvez m'appeler père, riposta Philip. Travailler pour l'archevêque ne vous donne pas le droit d'être condescendant envers vos supérieurs. La réponse à votre question est oui. J'ai des doutes sur la Madone. Je ne l'installerai pas dans l'enceinte de la cathédrale tant que je ne serai pas convaincu qu'il s'agit d'une statue sacrée.

— Une statue de bois qui pleure, dit Reynold, que voulez-vous de plus miraculeux ?

— Ce n'est pas parce que ces pleurs ne s'expliquent pas que le phénomène constitue un miracle. La transformation d'eau liquide en glace solide n'est pas plus explicable, mais personne n'y voit rien de miraculeux.

— L'archevêque serait extrêmement déçu si vous refusiez la Madone. Il a dû se battre pour l'arracher à l'abbé Suger qui la voulait à Saint-Denis. »

Philip comprit la menace sous-entendue. Le jeune Reynold va devoir se décarcasser autrement plus s'il compte m'intimider, songea-t-il. « Je suis tout à fait sûr, reprit le prieur d'un ton suave, que l'archevêque ne comprendrait pas que j'accepte la Vierge sans m'être livré à une enquête sur son authenticité. »

Il y eut un mouvement à leurs pieds. Philip baissa les yeux et aperçut l'infirme qu'il avait remarqué au début de son sermon. Le malheureux se traînait sur le sol, essayant d'approcher de la statue. Mais, de tous côtés, la foule lui barrait le chemin. Philip machinalement s'écarta pour le laisser passer. Du coup, il échappa à la vigilance des Sarrasins qui empêchaient les gens de toucher la statue. Philip vit l'homme tendre la main et n'eut pas le temps d'arrêter son geste. A peine l'infirme avait-il effleuré le bord de la robe en bois qu'il poussa un cri de triomphe. « Je le sens ! s'écria-t-il. Je le sens ! »

Tous les regards se tournèrent vers lui.

« Je sens mes forces qui reviennent ! » s'exclama-t-il.

Philip, sachant ce qui allait se passer, n'en croyait pas ses yeux. L'homme fléchit une jambe, puis l'autre. Il tendit une main et quelqu'un la saisit. Au prix d'un effort surhumain, l'infirme se redressa.

Une exclamation passionnée jaillit de la foule.

Quelqu'un cria : « Essaie de marcher ! »

Sans lâcher la main qui l'aidait, l'homme fit un pas hésitant, suivi d'un autre. Les gens l'observaient dans un silence de mort. Au troisième pas, il trébucha et l'assistance poussa un gémissement déçu. Mais l'homme retrouva son équilibre et poursuivit sa marche.

Sous les acclamations, il descendit la nef, escorté des fidèles. Il réussit même à courir quelques pas. Philip observa les deux prêtres : Reynold était pétrifié et le visage d'Edward ruisselait de larmes. De toute évidence, ils n'étaient pas complices. Philip s'en prit à Jack : « Comment oses-tu me jouer un tour pareil ? s'écria-t-il, furieux.

— Un tour ? Quel tour ?

— Cet homme est nouveau à Kingsbridge. Dans un jour ou deux il disparaîtra pour toujours, les poches pleines de ton argent. Je sais comment on pratique ces choses-là. Tu n'es pas le premier, malheureusement, à feindre un miracle. Il n'a jamais rien eu aux jambes, n'est-ce pas ? Encore un pêcheur de Wareham. »

Le regard coupable de Jack suffit à l'accuser.

« Jack, intervint Aliena, je t'avais dit que tu ne devais pas trop en faire. »

Les deux prêtres, abasourdis, se rendaient compte qu'on les avait complètement dupés. Reynold, bouillant de rage, se tourna vers Jack. « Vous n'aviez pas le droit ! » balbutia-t-il.

Philip était aussi triste que furieux. Il avait espéré au fond de son cœur que la Madone était authentique, car il aurait su comment s'en servir pour redonner vie au prieuré et à la ville. Mais ce ne serait pas le cas.

Autour du petit groupe, ne demeurait qu'une poignée de fidèles, en contemplation devant la statue. « Cette fois, dit-il à Jack, tu es allé trop loin.

— Les larmes sont vraies... il n'y a pas de truc là-dedans, protesta Jack. Mais l'infirme était de trop, je l'avoue.

— C'est pire qu'une erreur, dit Philip très en colère. Quand les gens apprendront la vérité, ils douteront désormais de *tous* les miracles.

— Pourquoi apprendraient-ils la vérité ?

— Parce qu'il faudra que je leur explique pourquoi la

Madone ne prendra pas place dans la cathédrale. Il n'est plus question, naturellement, que j'accepte cette statue.

— Je crois, commença Reynold, que c'est une décision un peu hâtive...

— Quand je voudrai votre avis, jeune homme, répliqua Philip, je vous le demanderai. »

Reynold se tut, mouché, mais Jack insista. « Êtes-vous sûr d'avoir le droit de priver vos ouailles de la Vierge ? Regardez-les. » Il désignait les quelques paroissiens encore dans l'église. Parmi eux, la veuve Meg était agenouillée devant la statue, son visage ruisselant de larmes. Jack ne savait pas, pensa Philip, que Meg avait perdu toute sa famille dans l'effondrement du toit. L'émotion de la veuve l'ébranlait, si bien qu'il se demanda si Jack au fond n'avait pas raison. Pourquoi priver les gens de ce soutien ? Parce que c'est malhonnête, se répondit-il sévèrement : la croyance des gens se fondait sur un miracle truqué.

Jack s'agenouilla auprès de Meg. « Pourquoi pleures-tu ? demanda-t-il.

— Elle est muette », avertit Philip.

C'est alors que Meg déclara à haute et intelligible voix : « La Vierge a souffert comme moi. Elle comprend. »

Philip parut frappé par la foudre.

« Vous voyez ? exulta Jack. La statue apaise les souffrances... Qu'est-ce que vous avez ?

— Elle est muette, répéta Philip obstinément. Elle n'a pas prononcé un mot depuis plus d'un an.

— C'est vrai ! renchérit Aliena. Meg est devenue muette après avoir perdu son mari et ses fils dans la catastrophe.

— Muette ? répéta Jack. Mais alors...

— Vous pensez que c'est un miracle ? intervint Reynold, désorienté. Un vrai ? »

Philip se tourna vers Jack. Dans l'émotion qui étreignait le jeune homme, il n'y avait pas trace de supercherie.

Philip était profondément troublé. Il venait de voir la main de Dieu effectuer un prodige. « Eh bien, Jack, dit-il d'une voix tremblante, malgré tout ce que tu as fait pour discréditer la Vierge qui pleure, il semble que Dieu souhaite quand même lui faire accomplir des bienfaits. »

Pour une fois, Jack ne trouva pas la réplique.

Philip s'approcha de Meg, lui prit les mains et la releva doucement. « Dieu t'a rendu la parole, Meg, dit-il d'une voix vibrante. Tu peux maintenant entamer une vie nouvelle. » Il se rappela son sermon sur l'histoire de Job : « Ainsi le Seigneur a béni les derniers jours de Job plus encore que ses premiers. » Il pensa qu'il avait prédit aux habitants de Kingsbridge qu'ils connaîtraient le même destin. Je me demande, songea-t-il en regardant le visage extasié de Meg, je me demande si ce n'est pas le début.

Le vacarme qui s'éleva au cours du chapitre où Jack présenta ses dessins pour la nouvelle cathédrale n'avait jamais connu d'équivalent.

Philip avait prévenu le jeune maçon : il y aurait des réactions. Jack avait apporté ses croquis de bonne heure, un matin, à la maison du prieur pour que Philip les découvre le premier. Philip les avait étudiés, puis il avait dit gravement : « Jack, ce sera la plus belle église d'Angleterre... Mais nous allons rencontrer quelques problèmes avec les moines. »

Jack savait, pour avoir été novice, que Remigius et ses compères s'opposeraient toujours par principe à tout projet cher au cœur de Philip : huit ans de rancœur... depuis que Philip l'avait emporté à l'élection. Remigius trouvait peu de soutien auprès de la plupart des autres frères, mais dans ce cas précis, les rangs des opposants risquaient de grossir : les moines étaient suffisamment conservateurs pour que ce dessin révolutionnaire effraie leur prudence. Toutefois, que faire, sinon en passer par là ? Il s'agirait de les convaincre. Philip ne pouvait pas entreprendre la construction de la cathédrale sans le plein appui de la majorité de ses moines.

Le lendemain donc, Jack se présenta au chapitre avec ses plans. Les moines se pressèrent pour les regarder et les murmures devinrent bientôt brouhaha. Brusquement, Philip réclama le silence si impérativement que les esprits se calmèrent. Milius le trésorier posa sa question. « Pourquoi les arcs sont-ils ovales ?

— C'est une nouvelle technique, les arcs en ogive, utilisés en France, répondit Jack. J'en ai vu dans plusieurs églises. L'arc en ogive est plus robuste et me permettra de construire une église très haute. Ce sera la nef la plus élevée d'Angleterre. »

Cette idée-là les flattait, Jack le devinait.

« Les fenêtres sont si grandes ! remarqua un autre.

— Inutile de construire des murs excessivement épais, expliqua Jack. On l'a prouvé en France. Ce sont les piliers qui soutiennent le bâtiment, plus les voûtes à nervures. Quant aux grandes fenêtres, l'effet est stupéfiant. A Saint-Denis, l'abbé y a posé des verres de couleur ornés de dessins. L'église soudain s'aère et s'illumine, au lieu de rester froide et sombre. »

De façon inespérée, certains moines approuvaient de la tête.

Mais Andrew le sacristain prit la parole d'une voix sans indulgence. « Voilà deux ans, vous étiez novice parmi nous. On vous a puni pour avoir frappé le prieur et vous vous êtes évadé. Maintenant vous vous permettez de revenir nous dire comment bâtir notre église. »

Sans laisser Jack répondre, un des plus jeunes moines protesta : « Ça n'a rien à voir ! C'est le plan que nous discutons, pas le passé de Jack ! »

On se mit à parler en même temps, et même à crier. Philip rétablit le silence et demanda à Jack de répondre à l'observation.

Jack s'y était préparé. « J'ai fait un pèlerinage à Saint-Jacques-de-Compostelle en pénitence pour mon péché, père Andrew, et j'espère que le fait de vous avoir apporté la Vierge qui pleure peut être considéré comme le pardon de mes erreurs, dit-il humblement. Je ne suis pas destiné à être moine, mais j'espère pouvoir servir Dieu autrement : en étant Son bâtisseur. »

L'assemblée émit un murmure d'approbation, sauf Andrew qui n'avait pas terminé : « Quel âge as-tu ? interrogea-t-il, bien qu'il connût sûrement la réponse.

— Vingt ans.

— C'est très jeune pour un maître bâtisseur.

— Tout le monde me connaît. Je vis ici depuis que je suis enfant. » Depuis le jour où j'ai mis le feu à votre ancienne église, songea-t-il avec quelque remords. « J'ai fait mon apprentissage avec le premier maître bâtisseur. Vous avez tous vu comment je travaille la pierre. Quand j'étais novice, j'ai servi au prieur Philip et à Tom le bâtisseur de secrétaire des travaux. Je demande humblement aux frères de me juger sur mon travail et non sur mon âge. »

Il vit un des moines sourire au mot *humblement* et comprit que c'était une légère erreur : tout le monde savait que, quelles que fussent ses qualités, l'humilité n'en faisait pas partie.

Andrew profita aussitôt de cet avantage. « Humblement ?

s'écria-t-il, feignant d'être scandalisé. Était-ce humble de ta part d'annoncer aux maçons de Paris, voilà déjà trois mois, que tu avais été nommé maître bâtisseur ? »

Cette réflexion fut accueillie par des exclamations indignées. Jack maîtrisa un mouvement d'humeur. Comment diable Andrew avait-il appris cela ? Reynold ou Edward avaient-ils commis une indiscrétion ? Il improvisa une réponse. « J'espérais attirer à Kingsbridge certains des artisans. Ils seront précieux, quel que soit le maître nommé ici. Je ne pense pas que ma présomption ait causé le moindre tort. » Il esquissa un sourire engageant. « Mais je regrette mon manque d'humilité. » Cette discrétion n'eut pas l'effet escompté.

Milius le trésorier le tira d'affaire en posant une question facile à traiter.

« Que comptes-tu faire du chœur existant en partie effondré ?

— Je l'ai examiné avec le plus grand soin, répondit Jack. Il est réparable. Si vous me nommez maître bâtisseur aujourd'hui, je l'aurai rendu utilisable d'ici un an. En outre, vous pourrez continuer à vous en servir pendant que je bâtirai les transepts et la nef d'après les nouveaux plans. Enfin, une fois la nef terminée, je propose de démolir le chœur et d'en bâtir un nouveau en harmonie avec l'ensemble de la nouvelle architecture.

— Mais comment s'assurer, objecta Andrew, que le vieux chœur ne risque pas de s'effondrer ?

— L'effondrement a été causé par la voûte en pierre, qui ne figurait pas dans les plans originaux. Les murs n'étaient pas assez solides pour la soutenir. Je propose de revenir au projet de Tom et de construire un plafond de bois. »

Il y eut un murmure de surprise. La cause de l'effondrement avait fait l'objet d'interminables controverses. « Pourtant, insista Andrew, Alfred avait augmenté la taille des arcs-boutants pour supporter le poids supplémentaire. »

En effet, Jack s'était étonné d'abord, mais il croyait avoir trouvé la réponse. « Ils n'étaient pas encore suffisants, surtout au sommet. Si vous inspectez les ruines, vous constaterez que la partie de la structure qui a cédé, c'étaient les fenêtres hautes, une zone très peu renforcée. »

Cette explication parut les satisfaire. Jack sentit qu'en répondant avec assurance, il augmentait ses chances.

Remigius se leva. Jack attendait depuis longtemps son

intervention. « J'aimerais lire aux frères réunis en chapitre un verset des Saintes Écritures », dit-il d'un ton théâtral. Philip acquiesça de la tête. Remigius s'approcha du pupitre et ouvrit la grande bible. L'image même de la rancœur, observa Jack. Il s'était cru destiné à être un chef, mais son caractère faible le lui interdisait, si bien qu'il sombrait dans l'aigreur et créait tous les ennuis possibles à ceux qui valaient mieux que lui. « Le Livre de l'Exode, murmura-t-il en tournant les pages de parchemin. Chapitre vingt. Verset quatorze. » Où voulait-il en venir ? Remigius lut : « Tu ne commettras point l'adultère. » Il referma bruyamment le livre et regagna sa place.

D'un ton où perçait une certaine exaspération, Philip l'interrogea : « Peut-être voudriez-vous nous dire, frère Remigius, pourquoi vous avez choisi ce court verset au milieu de notre discussion concernant des plans de construction ? »

Remigius braqua sur Jack un doigt accusateur. « Parce que l'homme qui veut être notre maître bâtisseur vit dans le péché ! » tonna-t-il.

Jack n'en croyait pas ses oreilles. Il s'écria d'un ton indigné : « Il est vrai que notre union n'a pas encore été bénie par l'Église en raison de circonstances particulières, mais nous nous marierons dès qu'il vous plaira.

— Impossible, rétorqua Remigius triomphant, Aliena est déjà mariée.

— Cette union n'a jamais été consommée !

— Le couple a été béni à l'église, c'est le principal.

— Si vous ne me permettez pas de l'épouser, comment puis-je éviter de commettre l'adultère ? répliqua Jack, furieux.

— En voilà assez ! » C'était la voix de Philip. Le prieur avait l'air à bout. « Jack, dit-il, vis-tu dans le péché avec l'épouse de ton frère ?

— Vous ne le saviez pas ? demanda Jack, déconfit.

— Bien sûr que non ! rugit Philip. Crois-tu que je serais resté silencieux si je l'avais su ? »

Un silence gêné accueillit ses paroles. On n'avait pas l'habitude d'entendre Philip crier. Jack comprit que la situation tournait très mal pour lui. Son crime, bien sûr, était bénin à ses propres yeux, mais les moines se montraient très sévères sur ces choses-là. L'ignorance où était Philip de sa vie avec Aliena aggravait encore son cas, car Remigius en avait profité pour prendre Philip en défaut et le ridiculiser. Le prieur n'avait plus le choix : il devait se montrer des plus fermes pour prouver sa bonne foi.

« Vous ne pouvez tout de même pas faire subir à la future cathédrale les conséquences de la punition que vous voulez m'infliger ! observa Jack.

— Alors, abandonne cette femme, déclara Remigius d'un air ravi.

— Allez vous faire voir, Remigius ! dit Jack. C'est la mère de mon enfant : il a un an ! »

Remigius se rassit, de plus en plus satisfait.

« Jack, avertit Philip, si tu parles ainsi au chapitre, tu seras prié de sortir. »

Jack savait qu'il fallait se calmer, mais il en était incapable. « C'est ridicule ! s'exclama-t-il. Vous me dites d'abandonner ma compagne et notre enfant ! Ce n'est pas de la moralité, c'est de la manie ! »

Malgré sa contrariété, Philip laissa passer dans ses yeux bleu clair une lueur de sympathie que Jack connaissait bien. « Tu peux interpréter les lois de Dieu avec une certaine souplesse tout humaine, déclara le prieur. Mais notre rôle, à nous moines, est de nous montrer sévères. Nous ne pourrons pas t'accepter comme bâtisseur aussi longtemps que tu vivras dans l'adultère. »

Jack se souvint à propos d'un autre verset des Écritures : « Jésus a dit : "Que celui d'entre vous qui n'a jamais péché lui jette la première pierre."

— Certes, riposta Philip, mais Jésus a dit aussi à la femme adultère : "Va et ne pèche plus." » Il se tourna vers Remigius. « J'imagine que vous retireriez votre objection si l'adultère cessait ?

— Bien sûr ! » dit Remigius avec un sourire complaisant.

Malgré son désespoir, Jack nota que Philip avait habilement manœuvré Remigius. Il avait fait de l'adultère la question décisive, écartant par là toute discussion sur les nouveaux plans. Mais Jack n'était pas pour autant prêt à céder. « Je ne la quitterai pas, affirma-t-il.

— Et si c'était une séparation provisoire ? » suggéra Philip.

Jack resta silencieux. Cette question le prenait au dépourvu. « Que voulez-vous dire ?

— Tu pourrais épouser Aliena à condition que son premier mariage soit annulé.

— Ce serait possible ?

— Et même automatique si, comme tu le prétends, le mariage n'a jamais été consommé.

— Que faut-il faire ?

— T'adresser à une cour ecclésiastique — normalement, le tribunal de l'évêque Waleran. Mais, dans ton cas, je te conseille de voir directement l'archevêque de Canterbury.

— L'archevêque acceptera-t-il ma demande ?

— En toute justice, oui. »

C'était là une réponse, observa Jack, qui n'était pas sans équivoque. « Donc, en attendant le verdict, nous devrons vivre séparés ?

— Si tu veux être nommé maître bâtisseur de la cathédrale de Kingsbridge... oui.

— Vous me demandez, déclara Jack, de choisir entre les deux choses que j'aime le plus au monde.

— Pas pour longtemps », murmura Philip.

La réelle compassion que contenaient ces mots n'échappa pas à Jack, qui se rendit compte que Philip souffrait du rôle qu'on lui faisait jouer. Du coup, sa colère diminua et aussi sa tristesse. « Combien de temps ? demanda-t-il.

— Une année, probablement.

— Une année !

— Vous n'aurez pas à vivre dans des villes différentes, précisa Philip. Tu pourras voir Aliena et l'enfant.

— Savez-vous qu'elle est allée me chercher jusqu'en Espagne ? répliqua Jack. Vous vous rendez compte ? » Mais les moines comprenaient-ils quelque chose à l'amour ? Jack reprit d'un ton amer : « Maintenant il faut que je lui annonce que nous devons nous séparer... »

Philip se leva et posa une main sur l'épaule de Jack : « Le temps passera plus vite que tu ne crois, je te le promets, assura-t-il. D'ailleurs tu seras occupé... à bâtir la nouvelle cathédrale. »

VI

En huit ans, la forêt s'était transformée. Jack n'aurait jamais cru se perdre dans un territoire qu'il avait connu jadis comme sa poche, mais il s'était trompé. Les sentiers d'autrefois étaient envahis par la végétation, les daims, les ours et les poneys sauvages en avaient ouvert de nouveaux ; des ruisseaux avaient changé de cours ; de vieux arbres étaient tombés et les jeunes avaient grandi. Les distances aussi s'étaient modifiées : elles semblaient plus petites et les collines moins abruptes. Surtout, Jack se sentait étranger. Et cette impression se transformait en angoisse, car il n'avait aucune idée de l'endroit où se trouvaient les hors-la-loi.

Il avait parcouru à cheval une grande partie du chemin, mais il dut mettre pied à terre dès qu'il eut quitté la grand-route, car les basses branches l'empêchaient de chevaucher. Ce retour sur les lieux de son enfance lui inspirait une tristesse tout à fait irraisonnée. Sa vie était devenue tellement problématique : son amitié en dents de scie avec le prieur Philip ; son amour frustré pour Aliena ; sa dévorante ambition de bâtir la plus belle cathédrale du monde ; l'ardent besoin de découvrir la vérité à propos de son père...

Il se demanda si sa mère avait changé depuis deux ans qu'il était parti. Il avait hâte de la revoir. Lui-même se débrouillait bien tout seul, mais c'était si rassurant d'avoir dans sa vie quelqu'un qui est toujours prêt à se battre pour vous. Ce réconfort lui avait beaucoup manqué.

Il lui avait fallu la journée entière pour atteindre l'endroit de la forêt où ils vivaient autrefois. Le bref après-midi d'hiver touchait maintenant à sa fin. Il allait devoir renoncer à chercher leur vieille grotte pour s'abriter durant la nuit. Il ferait froid. Pourquoi suis-je si angoissé ? se demanda-t-il. Autrefois je passais toutes mes nuits dans la forêt.

Ce fut elle qui le trouva.

Il était sur le point de renoncer. Une piste étroite, presque invisible, utilisée sans doute seulement par les blaireaux et les renards, s'arrêtait devant un buisson touffu. Il n'avait d'autre solution que de revenir sur ses pas. Il fit pivoter son cheval et se trouva face à elle.

« Tu as oublié comment on se déplace sans bruit dans la forêt, dit-elle. Je t'entendais à une demi-lieue. »

Jack sourit. Elle n'avait pas changé. « Bonjour, mère », dit-il. Il posa un baiser sur sa joue puis, dans un élan d'affection, la serra dans ses bras.

Elle toucha son visage. « Tu es plus mince que jamais. »

Ellen était brune et éclatante de santé, les cheveux encore drus et sombres, sans un fil gris. Ses yeux avaient la même couleur dorée et ils semblaient voir jusqu'au fond de l'âme de Jack. « Tu n'as pas changé, dit-il.

— Où es-tu allé ?

— A Compostelle, et même plus loin, jusqu'à Tolède.

— Aliena est partie à ta recherche...

— Elle m'a trouvé. Grâce à toi.

— Tant mieux, dit-elle en souriant. Je suis si heureuse. »

Elle le conduisit à travers la forêt jusqu'à la grotte, à une demi-lieue à peine. Peu à peu Jack retrouvait ses souvenirs. Un feu de bois flambait et trois torches crachotaient une flamme tremblotante. Ellen lui offrit une chope du cidre qu'elle faisait avec des pommes sauvages et du miel, et ils firent rôtir quelques châtaignes. Jack, qui savait de quoi manque un habitant de la forêt et qu'il ne peut pas fabriquer seul, avait apporté à sa mère des couteaux, de la corde, du savon et du sel. Elle se mit à dépouiller un lapin. « Comment vas-tu, mère ? demanda-t-il enfin.

— Bien », répondit-elle machinalement. Puis elle précisa d'un ton grave : « Je pleure toujours Tom le bâtisseur. Je n'ai pas envie d'un autre mari.

— Es-tu heureuse de cette vie dans la forêt ?

— Oui et non. J'ai l'habitude de vivre ici, j'aime être seule. Je n'ai jamais supporté que des prêtres touche-à-tout me dictent ma conduite. Mais vous me manquez, toi, Martha et Aliena — et je regrette de ne pas voir davantage mon petit-fils, ajouta-t-elle en souriant. Mais je ne pourrai jamais revenir vivre à Kingsbridge. Pas après avoir jeté la malédiction sur un mariage chrétien. Le prieur Philip ne me pardonnera jamais. Enfin, je n'aurai pas tout raté si j'ai réussi à vous réunir, Aliena et toi. » Elle leva les yeux sur Jack et, avec un sourire tendre, demanda : « Alors, comment trouves-tu la vie d'homme marié ?

— Eh bien, fit-il d'un ton hésitant, nous ne sommes pas mariés. Aux yeux de l'Église, Aliena est toujours la femme d'Alfred.

— Ne sois pas stupide. L'Église n'y connaît rien !

— Les prêtres savent qui ils ont marié. Ils m'interdisent de travailler à la nouvelle cathédrale aussi longtemps que je vivrai avec l'épouse d'un autre. »

Les yeux d'Ellen lancèrent des éclairs. « Alors tu l'as abandonnée ?

— Oui. Jusqu'à ce qu'elle obtienne l'annulation de son mariage. »

Sa mère posa de côté la peau de lapin. Maniant de ses mains ensanglantées un couteau bien aiguisé, elle se mit à découper la carcasse et plongea au fur et à mesure les morceaux dans la marmite qui bouillonnait sur le feu. « Le prieur Philip m'a joué le même tour autrefois, quand j'étais avec Tom, dit-elle en taillant à gestes vifs dans la viande crue. « Décidément, il faut qu'il se venge de sa chasteté obligatoire sur les amoureux et qu'il leur interdise de savourer ce qu'il n'a pas le droit de faire lui-même. Comme il ne peut rien contre les couples mariés par l'Église, il guette toutes les occasions de gâcher la vie à ceux qui ne le sont pas et il se sent mieux. »

Jack hocha la tête. Il avait accepté l'inévitable mais, chaque soir, quand il quittait Aliena et que la porte se refermait sur elle, le laissant dehors, il en voulait à Philip et comprenait la rancœur persistante de sa mère.

« Mais ce n'est pas pour toujours, dit-il d'une voix morne.

— Qu'en pense Aliena ?

— Pas beaucoup de bien, répondit Jack avec une grimace. Mais elle estime que c'est sa faute puisqu'elle a commencé par épouser Alfred.

— C'est vrai. Et c'est ta faute à toi de t'obstiner à vouloir bâtir des cathédrales. »

Jack eut une moue déçue. « Mère, c'est tellement excitant ! Les églises sont plus grandes, plus hautes, plus belles et plus difficiles à construire, elles sont plus ornées, plus sculptées que tout autre édifice... »

Elle secoua la tête, perplexe. « Je ne saurai jamais où tu as trouvé ces idées de grandeur. » Elle se mit à nettoyer l'intérieur de la peau : elle utiliserait la fourrure. « Ce n'est certainement pas un héritage de tes ancêtres. »

C'était la phrase qu'il attendait. « Mère, quand j'étais sur le continent, j'ai appris des choses à propos de mes ancêtres. »

788

Elle s'interrompit net dans son geste. « Au nom du ciel, que veux-tu dire ?

— J'ai retrouvé la famille de mon père.

— Bonté divine ! s'écria-t-elle. Comment as-tu fait cela ? Où sont-ils ? A quoi ressemblent-ils ?

— Il y a une ville de Normandie qui s'appelle Cherbourg. C'est de là qu'il est venu.

— Comment peux-tu en être sûr ?

— Je lui ressemble tant qu'on m'a pris pour son fantôme. »

Sa mère s'assit lourdement sur un tabouret. Jack se reprochait d'avoir annoncé trop brutalement cette nouvelle mais il ne s'attendait pas à voir sa mère si bouleversée. « Parle-moi... de sa famille ?

— Son père est mort, mais sa mère vit toujours. Elle a été très gentille avec moi dès l'instant qu'elle m'a reconnu pour son petit-fils. Son frère aîné est un charpentier, il a une femme et trois enfants. Mes cousins. » Il sourit. « N'est-ce pas merveilleux ? Nous avons des parents ! »

Elle avait l'air plus désemparée que joyeuse. « Oh ! Jack, je regrette tant de ne pas t'avoir donné une éducation normale.

— Moi pas », répliqua-t-il d'un ton léger. Il n'aimait pas les manifestations de remords chez sa mère : cela lui ressemblait si peu. « Je suis content d'avoir fait la connaissance de mes cousins. Même si je ne les revois jamais, c'est bon de savoir qu'ils existent.

— Je comprends », murmura-t-elle en hochant tristement la tête.

Jack prit une profonde inspiration. « Sa famille croyait que mon père s'était noyé dans un naufrage, il y a vingt-quatre ans. Il était à bord d'un bateau, appelé le *Vaisseau blanc*, qui a coulé juste au large de Barfleur. On pensait que tout le monde s'était noyé. Personne n'a su que mon père avait survécu, car il n'est jamais revenu à Cherbourg.

— Il est allé à Kingsbridge, affirma-t-elle.

— Mais pourquoi ? »

Elle soupira. « Il s'est cramponné à un tonneau et la mer l'a rejeté sur le rivage près d'un château, expliqua-t-elle. Quand il alla y annoncer la nouvelle du naufrage, il y trouva plusieurs puissants barons qui parurent grandement consternés de le voir arriver. Ils le firent prisonnier et l'emmenèrent en Angleterre. Au bout de quelques semaines ou de quelques mois — il ne savait plus — il s'est retrouvé à Kingsbridge.

— Il n'a rien dit d'autre à propos du naufrage ?

— Seulement que le vaisseau a coulé très vite, comme si on avait fait un trou dans la coque.

— On dirait qu'on a voulu se débarrasser de lui... » Elle acquiesça. « Quand ces puissants se sont rendu compte qu'ils ne pourraient pas le garder prisonnier éternellement, ils l'ont tué. »

Jack s'agenouilla devant sa mère et l'obligea à le regarder. D'une voix qui tremblait d'émotion, il demanda : « Mais, mère, qui étaient-ils, ces hommes ?

— Tu me l'as déjà demandé.

— Tu ne m'as jamais répondu.

— Parce que je ne veux pas que tu perdes ta vie à essayer de venger la mort de ton père. »

Elle me traite encore comme un enfant qu'il faut protéger de ses propres caprices, se dit-il. Il essaya de se calmer, de se montrer raisonnable. « Ma vie, je vais la consacrer à bâtir la cathédrale et à aimer Aliena. Mais je veux savoir pourquoi on a pendu mon père. Les seules personnes capables de m'éclairer sont celles qui ont fait contre lui un faux témoignage. Il faut que je sache qui c'était.

— A l'époque, je ne connaissais pas leurs noms. »

Elle gagnait du temps, tergiversait. Jack s'énerva.

« Mais maintenant tu le sais !

— Oui, je le sais », dit-elle. Elle fondit en larmes et Jack se rendit compte de l'épreuve pénible qu'elle subissait. « Je vais te le dire, parce que je vois bien que tu ne cesseras jamais de m'interroger. » Elle s'essuya les yeux.

Jack attendait, le souffle suspendu.

« Ils étaient trois. Un moine, un prêtre et un chevalier.

— Leurs noms ? demanda Jack durement.

— Tu leur demanderas pourquoi ils ont osé mentir après avoir prêté serment ?

— Oui.

— Et tu espères qu'ils te répondent ?

— Peut-être pas. En tout cas, je leur poserai la question et je verrai leur réaction. Ce sera déjà un indice.

— Tu ne pourras peut-être même pas poser cette question.

— Mère, je veux essayer ! »

Elle poussa un soupir. « Le moine était le prieur de Kingsbridge.

— Philip !

— Non. Pas Philip. Avant Philip. Son prédécesseur, James.

— Mais il est mort.

— Je t'ai prévenu : tu ne pourras peut-être même pas interroger les coupables. »

Le regard de Jack se durcit. « Et les autres ?

— Le chevalier était Percy Hamleigh, le comte de Shiring.

— Le père de William !

— Oui.

— Il est mort, lui aussi !

— Oui. »

Jack était désespéré. Si tous les témoins étaient morts, le secret de leur conduite ne serait jamais dévoilé.

« Qui était le prêtre ? insista-t-il sans trop d'espoir.

— Waleran Bigod. Il est maintenant évêque de Kingsbridge.

— Et lui est encore vivant ! » fit Jack avec un soupir de soulagement.

Le château de l'évêque Waleran fut terminé pour Noël. William Hamleigh et sa mère s'y rendirent à cheval, par un beau matin, au début de la nouvelle année. On l'apercevait de loin, de l'autre côté de la vallée. Il était bâti au sommet du versant opposé, dominant de son imposante silhouette la campagne environnante.

En traversant la vallée, ils passèrent devant l'ancien palais qui servait maintenant d'entrepôt pour les toisons. Les revenus de la laine avaient financé la construction du nouveau château.

Ils remontèrent au pas la pente douce et suivirent la route jusqu'aux douves à sec qu'ils traversèrent pour atteindre une porte aménagée dans un mur de pierre. Avec ses remparts, ses douves et ses murailles, c'était un château bien protégé, plus achevé que celui de William et même que certains palais du roi.

Dans la cour intérieure un massif donjon carré, haut de trois étages, faisait paraître minuscule l'église bâtie à côté.

William aida sa mère à mettre pied à terre. Ils laissèrent

leurs chevaliers conduire leurs montures à l'écurie et gravirent les marches qui menaient à la grande salle.

Il était midi. Les serviteurs de Waleran dressaient la table. Quelques-uns de ses archidiacres, doyens, employés et parasites traînaient dans les parages dans l'attente du dîner. William et Regan patientèrent, tandis qu'un intendant se rendait aux appartements de l'évêque pour annoncer leur arrivée.

William brûlait d'une ardente et torturante jalousie. Aliena était amoureuse, tout le comté le savait. Elle avait donné naissance à un enfant de l'amour et son mari trompé l'avait jetée à la rue. Son bébé dans les bras, elle était partie à la recherche de l'homme qu'elle aimait et avait fini par le trouver après avoir fouillé la moitié de la chrétienté. Dans tout le sud de l'Angleterre, on ne se lassait pas de raconter son histoire. William se sentait malade de haine chaque fois qu'il l'entendait. Depuis, il préparait sa vengeance.

On leur indiqua un escalier et on les conduisit dans l'appartement de Waleran, qu'ils trouvèrent assis à une table en compagnie de Baldwin, maintenant archidiacre. Les deux prélats comptaient de l'argent sur une nappe à carreaux, triant les pièces d'argent en piles de douze et les déplaçant de carrés noirs vers des carrés blancs. Baldwin se leva, s'inclina devant lady Regan, puis s'empressa de ranger la nappe et les pièces.

Waleran quitta la table à son tour pour s'installer dans le fauteuil auprès du feu. Il se déplaçait rapidement, comme un insecte, et William retrouva ce sentiment de mépris qu'il connaissait bien. Il se força néanmoins à se montrer poli. Il avait récemment entendu parler de l'horrible sort du comte de Hereford, qui était mort en état d'excommunication après s'être querellé avec son évêque. Son corps avait été enseveli en terre non consacrée. Quand William imaginait son propre corps enterré sans bénédiction, exposé aux assauts de tous les monstres et démons des Enfers, il défaillait de frayeur. Jamais il ne se disputerait avec son évêque.

Waleran était aussi pâle et maigre que jamais dans sa robe noire qui pendait sur lui comme un chiffon séchant sur un arbre. Il ne changerait jamais. William savait que lui, par contre, avait vieilli. La bonne chère et le vin étaient ses principaux plaisirs, il s'empâtait de plus en plus malgré la vie active qu'il menait, si bien que la coûteuse cotte de mailles qu'on lui avait fabriquée et offerte pour ses vingt et un an avait été remplacée deux fois au cours des sept années suivantes.

Waleran rentrait tout juste de York après une absence de six mois. « Votre voyage a-t-il été une réussite ? lui demanda poliment William.

— Non, répondit Waleran sèchement. L'évêque Henry m'a envoyé là-bas pour tenter de résoudre un conflit qui traîne depuis quatre ans sur le point de savoir qui doit devenir archevêque de York. J'ai échoué. La querelle continue. »

Ne parlons pas de ce qui fâche, pensa William qui reprit : « Durant votre absence, il y a eu beaucoup de changements par ici. Surtout à Kingsbridge.

— A Kingsbridge ? répéta Waleran, surpris. Je croyais que ce problème avait été réglé une fois pour toutes. »

William secoua la tête. « Philip possède la Vierge qui pleure.

— Que diable me racontez-vous là ? s'exclama Waleran, irrité.

— C'est une statue en bois de la Vierge, répondit la mère de William, qui à certains moments pleure de vraies larmes : de l'eau coule de ses yeux. Les gens croient que c'est miraculeux.

— Mais c'est miraculeux ! s'exclama William. Une statue qui pleure ! »

Waleran lui lança un regard méprisant.

« Miraculeux ou non, reprit Regan, des milliers de gens sont déjà venus la voir. Quant au prieur Philip, il a repris la construction de la cathédrale. On est en train de réparer le chœur et d'y mettre un nouveau toit en madriers. On creuse les fondations de la croisée et de nouveaux maçons sont arrivés de Paris.

— De Paris ? s'étonna Waleran.

— La cathédrale sera bâtie dans le style d'une église qui se trouve à Saint-Denis, paraît-il.

— Des arcs en ogive, observa Waleran. J'en ai entendu parler à York. »

Peu importait à William le style de la cathédrale de Kingsbridge. « Ce qui arrive, reprit-il, c'est que des jeunes gens de mes fermes vont s'installer à Kingsbridge pour travailler comme ouvriers, que le marché là-bas est de nouveau ouvert chaque dimanche, ce qui enlève du négoce à Shiring... C'est toujours la même histoire ! »

Il s'arrêta, embarrassé. Waleran soupçonnerait-il un autre motif ? Mais l'évêque restait songeur.

« La pire erreur que j'aie jamais commise, murmura-t-il, ce fut d'aider Philip à devenir prieur.

— Il va falloir les arrêter dans leur élan, une fois de plus, suggéra William.

— Que voulez-vous faire ? interrogea Waleran en le regardant d'un air vague.

— De nouveau mettre la ville à sac. » Et à cette occasion, je tuerai Aliena et son amant, ajouta-t-il intérieurement. Il se tourna vers le feu pour que sa mère ne croise pas son regard.

« Je ne suis pas sûr que vous le puissiez, observa Waleran.

— Pourquoi pas ? Je l'ai déjà fait...

— La dernière fois, vous aviez une bonne raison : la foire aux toisons.

— Maintenant, c'est le marché. Kingsbridge n'a jamais reçu la permission du roi Stephen.

— Ce n'est pas tout à fait la même chose. Philip abusait de son droit en tenant une foire aux toisons, et vous l'avez aussitôt attaqué. Mais voilà six ans maintenant que le marché dominical a lieu à Kingsbridge et d'ailleurs, c'est à huit lieues de Shiring. Il est donc autorisé. »

William réprima sa colère. Il aurait voulu secouer Waleran qui se conduisait comme une vieille femme craintive, mais il ne s'y risquerait jamais.

Tandis qu'il ravalait ses protestations, un intendant entra dans la pièce et s'immobilisa sans un mot près de la porte. « Qu'y a-t-il ? demanda Waleran.

— Un homme insiste pour vous voir, monseigneur. Un nommé Jack Jackson. Un bâtisseur, de Kingsbridge. Faut-il que je le renvoie ? »

William sentit son cœur battre plus vite. L'amant d'Aliena ! Comment l'homme se trouvait-il ici juste au moment où William complotait sa mort ? Peut-être avait-il des pouvoirs surnaturels ? William se crispa d'angoisse.

« De Kingsbridge ? interrogea Waleran avec intérêt.

— C'est le nouveau maître bâtisseur là-bas, expliqua Regan, celui qui a rapporté la Vierge qui pleure.

— Intéressant, murmura Waleran. Voyons de quoi il a l'air. Fais-le entrer », dit-il à l'intendant.

William contemplait la porte avec une terreur superstitieuse. Il s'attendait à voir un homme effrayant, drapé dans un manteau noir, entrer à grands pas et le désigner d'un doigt accusateur. Mais, quand Jack franchit la porte, William s'étonna de sa jeunesse. Il n'avait guère plus de vingt ans. Il avait des cheveux roux et des yeux bleus dont l'éclat vif passa sur William, s'arrêta sur Regan — dont les horribles furoncles qui couvraient son visage attiraient le regard de tous ceux qui n'y étaient pas habitués — et vint se poser sur Waleran. Le bâtisseur ne manifestait pas la moindre timidité de se trouver en présence des deux hommes les plus puissants du comté ; à part cette étonnante assurance, il n'avait pas l'air bien redoutable.

Comme William, Waleran sentit la fierté dans l'attitude du jeune bâtisseur et y réagit d'un ton froid et hautain. « Eh bien, mon garçon, que veux-tu ?

— La vérité, lança Jack. Combien d'hommes avez-vous fait pendre ? »

William retint son souffle. L'insolence de la question le choquait profondément. Regan se pencha en avant, examinant Jack comme si elle cherchait où elle l'avait déjà rencontré. Waleran affichait un air froidement amusé.

« C'est une devinette ? ironisa-t-il. J'ai fait pendre plus d'hommes que je ne peux en compter. Il y en aura bientôt un de plus si tu ne me parles pas avec plus de respect.

— Je vous demande pardon, monseigneur, dit Jack sans aucune trace de frayeur. Vous souvenez-vous de tous ?

— Je crois, répondit Waleran, intrigué malgré lui. Je suppose que tu t'intéresses à l'un d'eux en particulier ?

— Il y a vingt-deux ans, à Shiring, vous avez assisté à la pendaison d'un homme du nom de Jack Shareburg. »

William entendit sa mère pousser un cri étouffé.

« C'était un jongleur, continua Jack. Vous souvenez-vous de lui ? »

William sentit nettement l'atmosphère de la salle s'alourdir. Il y avait quelque chose d'inquiétant chez ce Jack Jackson, quelque chose qui faisait peur à Waleran et à Regan. « Peut-être que je m'en souviens, en effet », murmura Waleran. William perçut dans sa voix une certaine tension. Que signifiait tout cela ?

« Je serais étonné que vous l'ayez oublié, lança Jack comme une provocation. L'homme a été condamné sur le témoignage de trois personnes. Deux d'entre elles aujourd'hui sont mortes. Vous êtes la troisième. »

Waleran acquiesça. « Il avait volé quelque chose au prieuré de Kingsbridge : un calice orné de joyaux. »

Un éclat dur brilla dans les yeux bleus de Jack. « Il n'avait rien fait de semblable.

— Je l'ai surpris moi-même portant le calice.

— Vous avez menti. »

Il y eut une pause. Quand Waleran reprit la parole, sa voix était calme, mais il avait le visage dur comme du fer. « Je pourrais te faire arracher la langue pour ce que tu viens de dire, déclara-t-il.

— Je veux savoir seulement pourquoi vous avez menti, répliqua Jack, comme s'il n'avait pas entendu la terrible menace. Vous pouvez être franc : William n'est pas dangereux pour vous et sa mère semble déjà au courant de l'affaire. »

William regarda sa mère. En effet, elle ne manifestait ni surprise ni curiosité. William n'y comprenait plus rien. La visite de Jack, en tout cas, n'avait aucun rapport naturel ou surnaturel avec le secret projet qu'il faisait de tuer l'amant d'Aliena.

« Tu accuses l'évêque de parjure ? lança Regan à Jack.

— Je ne répéterai pas cette accusation en public, expliqua Jack froidement. Je n'ai pas de preuves et d'ailleurs la vengeance ne m'intéresse pas. J'aimerais simplement comprendre pourquoi vous avez fait pendre un innocent.

— Sors d'ici », dit Waleran d'un ton glacial.

Jack acquiesça, comme s'il n'en attendait pas davantage. Bien qu'il n'eût pas obtenu de réponses à ses questions, il arborait l'air satisfait de quelqu'un qui voit ses soupçons confirmés.

Pour William, cet entretien n'était toujours pas plus clair. Dans un brusque élan, il s'écria : « Attends un moment ! »

Jack se retourna et le regarda de son air railleur. « En quoi... », commença William. Il dut s'éclaircir la voix. « En quoi cela t'intéresse-t-il ? Pourquoi es-tu venu ici poser ces questions ?

— Parce que l'homme qu'on a pendu était mon père », riposta Jack, et il sortit.

Il y eut un silence dans la pièce. Ainsi donc, songea William, l'amant d'Aliena, le maître bâtisseur de Kingsbridge, était le fils d'un voleur qu'on avait pendu à Shiring. Alors ? Pourquoi Mère semblait-elle anxieuse et Waleran ébranlé ?

L'évêque murmura d'un ton amer : « Voilà vingt ans que cette femme me talonne. » Il était d'ordinaire si réservé que William fut presque choqué de l'entendre exprimer ainsi ses sentiments.

« Elle a disparu après l'effondrement de la cathédrale, dit Regan. Je croyais que nous ne la reverrions jamais.

— Maintenant c'est son fils qui vient nous hanter. » Il y avait dans la voix de Waleran quelque chose qui ressemblait à de la peur.

« Pourquoi ne le jetez-vous pas aux fers, proposa William, pour vous avoir accusé de parjure ? »

Waleran lui lança un regard de mépris. « Regan, votre fils est un véritable idiot », dit-il calmement.

Étant donné la réaction de l'évêque, William réussit à comprendre que l'accusation de parjure devait être justifiée. Jack en avait tiré la même conclusion.

« Quelqu'un d'autre est-il au courant ? demanda-t-il.

— Le prieur James, répondit Regan, a confessé son parjure avant de mourir au sous-prieur Remigius. Mais Remigius a toujours été de notre côté contre Philip, il n'est donc pas dangereux. La mère de Jack connaît une partie des faits, mais pas tous ; sinon elle aurait déjà utilisé ses informations. Mais Jack a voyagé : peut-être a-t-il découvert des éléments que sa mère ignorait. »

William sentit que cette étrange histoire émergée du passé pouvait le servir. Comme si l'idée venait de surgir dans son esprit, il lança : « Alors éliminons Jack Jackson. »

Waleran se contenta de secouer la tête d'un air méprisant.

« Cela ne servirait qu'à attirer l'attention sur lui et sur les accusations qu'il porte », dit Regan.

William était déçu. Une si belle occasion lui échappait ! Il réfléchit, tandis que le silence se prolongeait, puis une nouvelle idée lui vint et il dit : « Pas nécessairement. »

Les autres le regardèrent sans conviction.

« Jack pourrait être tué sans que sa mort attire spécialement l'attention, continua William.

— Très bien. Et comment ? demanda Waleran.

— Il pourrait succomber au cours d'une attaque de Kingsbridge », expliqua William, qui eut la satisfaction de lire sur les deux visages la même expression de respect surpris.

En fin d'après-midi, Jack fit le tour du chantier avec le prieur Philip. On avait déblayé les ruines du chœur et les décombres formaient deux grands tas dans l'enclos du prieuré. Les maçons, montés sur de nouveaux échafaudages, reconstruisaient les murs écroulés.

Le long de l'infirmerie s'alignait un grand tas de madriers.

« Tu avances vite, nota Philip.

— Pas aussi vite que j'aimerais, hélas ! » répondit Jack.

Ils inspectèrent les fondations des transepts. Quarante ou cinquante ouvriers, au fond des trous, chargeaient des pelletées de boue dans des seaux, tandis que d'autres, au niveau du sol, actionnaient les treuils qui remontaient les seaux. De gros blocs de pierre grossièrement taillés, destinés aux fondations, s'entassaient non loin de là.

Jack introduisit Philip dans son propre atelier, beaucoup plus grand que ne l'avait été celui de Tom. Un des côtés, complètement ouvert, permettait un meilleur éclairage. La moitié de la surface au sol était occupée par ses croquis sur plâtre. Il avait posé des planches sur la terre, les avait entourées d'une bordure de bois haute de deux pouces, puis avait rempli de plâtre le cadre ainsi formé. Une fois le plâtre sec, il était assez dur pour supporter qu'on marche dessus et, avec un petit bout de fil de fer aiguisé, on pouvait y tracer des dessins. Jack utilisait des compas, une règle et une équerre. Les traits fraîchement gravés étaient blancs et bien nets, mais ils ne tardaient pas à virer au gris, ce qui signifiait qu'on pouvait faire de nouveaux dessins par-dessus les anciens sans risque de confusion. C'était une idée qu'il avait prise en France.

Presque tout le reste de la cabane était occupé par l'établi sur lequel Jack travaillait le bois et préparait les gabarits qui serviraient à tailler les pierres. La lumière déclinait : il ne travaillerait plus aujourd'hui. Il commença à ranger ses outils.

Philip prit un gabarit. « C'est pour quoi faire, celui-là ?

— La plinthe à la base d'un pilier.

— Tu prépares les choses longtemps à l'avance.

— J'ai hâte de commencer à bâtir vraiment. »

Leurs conversations à cette époque étaient brèves et se bornaient à l'actualité du chantier.

Philip reposa la pièce de bois. « On m'attend pour complies, dit-il en se détournant.

— Et moi dans ma famille », répliqua Jack d'un ton acide.

Philip s'arrêta, se retourna comme pour dire quelque chose, l'air triste, et sortit.

Jack ferma à clé sa boîte à outils. Il venait de faire une remarque stupide. Il avait accepté le travail aux conditions fixées par Philip et c'était absurde maintenant de s'en plaindre. Mais il en voulait tant à Philip qu'il n'arrivait pas toujours à le cacher.

Le crépuscule tombait quand il quitta l'enclos du prieuré pour se rendre à la petite maison du quartier pauvre où Aliena vivait avec son frère, Richard. Elle l'accueillit avec un sourire lumineux mais ils ne s'embrassèrent pas. Ils ne se touchaient plus maintenant, de crainte d'éveiller leur désir et de céder à leur passion au risque d'être surpris à enfreindre la promesse faite au prieur Philip.

Tommy jouait par terre. Il avait maintenant un an et demi et son obsession était d'entasser les objets les uns sur les autres. Il avait devant lui quatre ou cinq écuelles qu'il ne se lassait pas d'empiler, les plus petites dans les plus grandes, puis, sans succès, les plus grandes dans les plus petites. Jack fut frappé de constater que Tommy ne savait pas d'instinct qu'une grande écuelle ne tenait pas à l'intérieur d'une petite ; c'était une notion que les humains devaient acquérir. Tommy apprenait les rapports spatiaux tout comme Jack quand il essayait d'imaginer la forme d'une pierre dans une voûte arrondie.

L'enfant le fascinait et l'inquiétait en même temps. Jusqu'alors Jack ne s'était jamais soucié de trouver du travail, de garder un emploi et de subvenir à ses besoins. Il était parti pour traverser la France sans songer un instant au risque de se retrouver démuni et affamé. Maintenant il se préoccupait de sécurité. Le devoir de s'occuper de Tommy était plus impérieux que le souci de lui-même. Pour la première fois de sa vie, il avait des responsabilités.

Aliena posa sur la table une cruche de vin et un gâteau aux épices. Il emplit une coupe et se mit à la boire à petites gorgées. Aliena déposa devant Tommy une tranche de gâteau, mais l'enfant n'avait pas faim et il l'éparpilla sur les roseaux qui tapissaient le sol.

« Jack, dit Aliena, j'ai besoin de plus d'argent.

« — Je te donne douze pence par semaine, fit Jack, surpris. Je n'en gagne que vingt-quatre.

— Pardonne-moi, mais tu vis seul... tu n'as pas besoin de tant. »

Jack trouvait sa demande déraisonnable. « Mais un ouvrier ne gagne que six pence par semaine... et certains d'entre eux ont cinq ou six enfants ! »

Aliena se rembrunit. « Jack, je ne sais pas comment les femmes d'ouvriers tiennent leur maison... Je n'ai jamais appris. Je ne dépense rien pour moi. Mais tu viens souper ici chaque soir. Et il y a Richard...

— Comment, Richard ? fit Jack en colère. Pourquoi ne subvient-il pas à ses besoins ?

— Il ne l'a jamais fait. »

Jack estimait qu'Aliena et Tommy constituaient une charge suffisante pour lui. « Richard, que je sache, n'est pas sous ma responsabilité !

— Mais sous la mienne, répliqua-t-elle. En me prenant avec toi, tu l'as pris aussi.

— Je ne me souviens pas d'avoir accepté cela ! s'exclama-t-il, furieux.

— Ne t'énerve pas. »

C'était trop tard.

« Richard a vingt-trois ans — deux ans de plus que moi, reprit Jack. Pourquoi l'entretiendrais-je ? Pourquoi faudrait-il que je mange du pain sec au déjeuner et que je paie du bacon à Richard ?

— D'ailleurs, je suis de nouveau enceinte, annonça Aliena sans transition.

— Quoi ?

— J'attends un autre bébé. »

La colère de Jack se dissipa aussitôt. « C'est merveilleux !

— Tu es content ? Je craignais que tu ne te mettes en colère.

— En colère ? Mais je suis ravi ! Je n'ai jamais connu Tommy bébé. Je vais enfin découvrir ce que j'ai manqué.

— Mais... les responsabilités supplémentaires, l'argent...

— Au diable l'argent ! Je suis simplement de mauvaise humeur parce que nous devons vivre séparés. Nous avons des tas d'argent. Mais un autre bébé ! J'espère que c'est une fille... » Il réfléchit et fronça les sourcils. « Mais quand... ?

— Juste avant que le prieur Philip nous ait obligés à vivre séparés, je suppose.

— Peut-être à la Toussaint, fit-il en souriant. Tu te souviens de cette nuit-là ? »

Elle rougit.

« Je me souviens...

— J'aimerais faire l'amour maintenant, déclara-t-il d'une voix tendre.

— Moi aussi. »

Ils se prirent les mains par-dessus la table.

La porte s'ouvrit toute grande et Richard entra, en nage, poussiéreux, menant par la bride un cheval écumant. « J'ai de mauvaises nouvelles », annonça-t-il, hors d'haleine.

Aliena ramassa le bébé pour le protéger des sabots du cheval. « Lesquelles ? demanda Jack.

— Nous devons tous quitter Kingsbridge demain, déclara-t-il.

— Pourquoi ?

— William Hamleigh se prépare à incendier de nouveau la ville dimanche.

— Oh non ! » cria Aliena.

Jack sentit son sang se glacer. Il revoyait la scène, trois ans plus tôt, quand les cavaliers de William avaient envahi la foire aux toisons, brandissant leurs torches et leurs gourdins. Il se rappelait la panique, les cris, l'odeur de chair brûlée. Il revit le corps de son beau-père, le front enfoncé. La nausée le prit.

« Comment le sais-tu ? demanda-t-il à Richard.

— J'étais à Shiring, j'ai vu des hommes de William acheter des armes chez l'armurier.

— Ça ne veut pas dire...

— Ce n'est pas tout. Je les ai suivis à la taverne, j'ai écouté leurs conversations. Ils discutaient des moyens de défense de Kingsbridge et constataient que la ville n'en a pas.

— Mon Dieu, gémit Aliena, c'est vrai. » Elle regarda Tommy et porta la main à son ventre où le bébé à venir grandissait. Puis elle releva la tête et Jack croisa son regard. Tous deux pensaient la même chose.

« Ensuite, continua Richard, j'ai bavardé avec quelques-uns d'entre eux, qui ne me connaissent pas. Je leur ai parlé de la bataille de Lincoln, en disant que je cherchais à

m'engager. Ils m'ont dit d'aller à Earlscastle, immédiatement car ils devaient partir le lendemain, la bataille ayant
lieu dimanche.

— Dimanche, murmura Jack.

— Je suis allé jusqu'à Earlscastle pour m'en assurer.

— Richard, protesta Aliena, c'était dangereux.

— Tous les indices concordent : les allées et venues de
messagers, les armes qu'on affûte, les chevaux qu'on
entraîne... Non, il n'y a pas de doute. » D'une voix vibrante
de haine, Richard conclut : « Aucun crime ne satisfera
jamais ce démon de William : il en veut toujours plus. » Il
porta la main à son oreille droite et d'un geste machinal
tâta sa vilaine cicatrice.

Jack observait Richard. C'était un fainéant et un bon à
rien, mais il y avait un domaine où son jugement méritait
attention : les choses militaires. S'il disait que William préparait une attaque, il avait sans doute raison. « C'est une
catastrophe », murmura-t-il. Trois ans plus tôt, la foire aux
toisons avait brûlé ; l'année d'après, la cathédrale s'était
écroulée sur les fidèles. Maintenant, ceci. On y verrait la
fatalité de la malchance. Même si, en s'enfuyant, on évitait
un bain de sang, Kingsbridge serait anéantie. Plus personne
ne voudrait y vivre, venir au marché ni travailler. La construction de la cathédrale elle-même s'arrêterait. Au moment
où on commençait à remonter la pente...

« Il faut prévenir le prieur Philip, dit Aliena, tout de
suite. »

Jack acquiesça. « Les moines seront au souper. Allons-
y. »

Aliena prit Tommy dans ses bras et ils dévalèrent la colline en direction du monastère.

« Quand la cathédrale sera terminée, remarqua Richard,
on pourra y tenir le marché. Ce sera une protection contre
les attaques.

— En attendant, répondit Jack, le revenu du marché
nous est indispensable pour payer la cathédrale. »

Richard, Aliena et Tommy attendirent dehors, tandis que
Jack entrait dans le réfectoire des moines. Un jeune frère
lisait tout haut en latin — Jack reconnut un terrifiant passage de l'Apocalypse — tandis que les autres soupaient
silencieusement. Il s'immobilisa sur le seuil et croisa le
regard de Philip. Étonné, le prieur se leva de table et se
dirigea vers lui.

« Mauvaise nouvelle, fit Jack sombrement. Je vais laisser Richard vous l'annoncer. »

Ils discutèrent dans la pénombre caverneuse du chœur en cours de réparation. En quelques phrases Richard donna tous les détails à Philip. Quand il eut terminé, le prieur leva les bras au ciel : « Mais nous n'avons pas une foire aux toisons... rien qu'un petit marché ! »

— Du moins avons-nous la possibilité d'évacuer la ville demain, intervint Aliena. Personne ne doit risquer d'être blessé. Après nous rebâtirons nos maisons, comme nous l'avons fait la dernière fois.

— A moins que William ne décide de poursuivre les fugitifs, suggéra Richard, lugubre. Ça ne m'étonnerait pas du tout.

— Même si nous nous en tirons tous, je crois que c'est la fin du marché, assura Philip, accablé. Les gens auront peur de dresser leurs éventaires à Kingsbridge.

— C'est aussi la fin de la cathédrale, ajouta Jack. Au cours des dix dernières années, l'église a brûlé, puis elle s'est effondrée, et un grand nombre de maçons ont péri dans l'incendie de la ville. Un nouveau désastre, je le crois, sera le dernier. Les gens y verront une malédiction. »

Philip réfléchissait. Il n'avait pas encore quarante ans, calcula Jack, mais son visage se creusait de rides et sa frange était maintenant plus grise que noire. Pourtant, une lueur dangereuse brilla dans ses yeux bleu clair lorsqu'il affirma : « Je ne vais pas accepter cela. Je ne pense pas que ce soit la volonté de Dieu. »

Jack trouva le prieur bien présomptueux. « Ne pas accepter cela » ? Et comment faire autrement ? Les poulets ont-ils la liberté de ne pas accepter le renard ? « Que comptez-vous faire ? interrogea-t-il d'un ton sceptique. Prier le ciel que William tombe de son lit et se rompe le cou ? »

L'idée de résistance excitait Richard. « Battons-nous, dit-il. Pourquoi pas ? Nous sommes des centaines. William va emmener cinquante hommes, cent tout au plus : nous pourrions l'emporter par le seul poids de nos effectifs.

— Et combien des nôtres, protesta Aliena, seront tués dans la lutte ? »

Philip secouait la tête. « Les moines ne se battent pas, dit-il d'un ton de regret. Je ne peux pas exiger des citoyens ce que je ne fais pas moi-même.

« — Ne comptez pas non plus sur mes maçons pour se battre. Ce n'est pas leur spécialité. »

Richard étant le plus entraîné dans le domaine militaire, Philip s'adressa à lui.

« Y a-t-il un moyen de défendre la ville autrement qu'en acceptant une bataille rangée ?

— Pas sans murailles, dit Richard. Nous n'avons rien à opposer à l'ennemi que nos corps.

— Des murailles, répéta Jack d'un ton songeur.

— Nous pourrions mettre William au défi de régler le problème en combat singulier : un affrontement entre champions. Mais je ne crois pas qu'il accepterait, dit Richard.

— Des murailles feraient l'affaire ? demanda Jack, suivant sa pensée.

— Cela pourrait nous sauver une autre fois, répondit Richard avec impatience. Mais comment veux-tu en bâtir du jour au lendemain ?

— Pourquoi pas ?

— Bien sûr que non, ne sois pas...

— Taisez-vous, Richard », dit Philip d'un ton énergique. Il se tourna vers Jack. « A quoi penses-tu ? »

« Un mur n'est pas difficile à construire, dit Jack.

— Continue. »

Jack réfléchissait rapidement. Les autres écoutaient, suspendus à ses lèvres. « Il n'y a pas d'arc, poursuivit-il, pas de voûte, pas de fenêtre, pas de toit... *On peut* construire un mur du jour au lendemain, à condition d'avoir les hommes et les matériaux nécessaires.

— Qu'avons-nous comme matériaux ? interrogea Philip.

— Regardez autour de vous, répondit Jack. Voici les blocs de pierre déjà taillés, prévus pour les fondations. Il y a un tas de madriers plus haut qu'une maison. Dans le cimetière se trouvent les décombres provenant de l'effondrement du toit. Au bord de la rivière, encore un tas de pierres en provenance de la carrière. Nous ne sommes pas à court de matériaux.

— Et la ville est pleine de bâtisseurs », renchérit Philip.

Jack s'excitait de plus en plus.

« On peut charger les moines de l'organisation. Les bâtisseurs feront le travail qualifié. Comme manœuvres, nous aurons toute la population de la ville. » Il réfléchit rapidement. « La muraille devrait courir tout le long de la berge de la rivière. Il faudrait démonter le pont. Ensuite, on ferait grimper la muraille au flanc de la colline, en bordure du quartier pauvre, pour venir rejoindre le mur est du prieuré... jusqu'au nord... et redescendre jusqu'à la berge. Je ne sais pas s'il y a assez de pierre...

— Une muraille n'a pas besoin d'être en pierre pour être efficace, affirma Richard. Un simple fossé, surmonté d'un rempart édifié avec la terre provenant du fossé suffira, surtout dans un endroit où l'ennemi doit monter pour attaquer.

— La pierre est sûrement préférable, observa Jack.

— Préférable, mais pas essentielle. Le but d'une muraille est d'imposer un délai à l'ennemi alors que lui-même se trouve exposé, ce qui permet aux défenseurs de le bombarder à partir d'une position abritée.

— Le bombarder ? répéta Aliena. Avec quoi ?

— Des pierres, de l'huile bouillante, des flèches... Il y a un arc dans la plupart des maisons de la ville...

— Alors, reprit Aliena en frissonnant, nous finissons encore par nous battre.

— Mais pas au corps à corps, pas tout à fait. »

Jack était déchiré. La solution la plus sûre restait quand même d'aller chercher refuge dans la forêt, en espérant que William renoncerait à poursuivre. Mais s'il n'y renonçait pas ? Le danger serait-il plus grand de rester ici, à l'abri d'une muraille ? Évidemment, si le plan tournait mal et que William et ses hommes trouvaient le moyen d'ouvrir une brèche dans le mur, le carnage serait horrible. Jack regarda Aliena et Tommy, pensa à l'enfant qui grandissait dans le ventre d'Aliena. « N'y aurait-il pas une solution intermédiaire ? proposa-t-il. Nous pourrions évacuer les femmes et les enfants, tandis que les hommes défendraient les murs ?

— Non, merci, déclara Aliena d'un ton ferme. Ce serait le plus mauvais choix. Nous n'aurions ni murailles ni hommes pour assurer notre protection. »

Elle avait raison, reconnut Jack. On ne pouvait pas laisser les femmes et les enfants dans la forêt sans aucune garde. William pourrait choisir d'aller les massacrer plutôt que d'attaquer la ville fortifiée.

« Jack, reprit Philip, c'est toi le bâtisseur. Pouvons-nous à ton avis édifier une muraille en un jour ?

— Je n'ai jamais essayé, répliqua Jack. Il n'est pas question, bien sûr, de tracer des plans. Il faudra assigner une section à chaque artisan et le laisser suivre son jugement.

Le mortier sera à peine sec pour dimanche matin. Ce sera la muraille la plus bâclée d'Angleterre. Mais oui, nous pouvons y arriver. »

Philip se tourna vers Richard. « Vous avez vu toutes sortes de batailles. Avec une muraille, pouvons-nous réellement résister à William ?

— Assurément, répondit Richard. Il compte sur un raid éclair, il ne s'attend pas à un siège. S'il tombe sur une ville fortifiée, il perdra ses moyens... »

Philip enfin se tourna vers Aliena. « Vous faites partie des plus vulnérables, avec un enfant à protéger. Qu'en pensez-vous ? Devrions-nous fuir dans la forêt en espérant que William ne nous y pourchassera pas, ou bien rester ici et élever une muraille pour l'empêcher d'entrer ? »

Jack guettait sa réponse.

« Ce n'est pas une simple question de sécurité, répondit Aliena après un moment de silence. Philip, vous avez consacré votre vie à ce prieuré. Jack, la cathédrale est ton rêve. En fuyant vous perdrez tout ce qui fait votre vie. Quant à moi... Eh bien, j'ai une raison particulière de vouloir résister à la puissance de William Hamleigh. Je dis qu'il faut rester.

— Très bien, conclut Philip. Bâtissons une muraille. »

A la nuit tombante, Richard et Philip, munis de lanternes, parcoururent les limites de la ville pour décider de l'emplacement où l'on élèverait la muraille. La ville, située sur une petite colline, était bordée par la rivière sur deux côtés. Les berges étaient trop meubles pour soutenir un mur de pierre sans solides fondations, aussi Jack proposa-t-il d'édifier là une palissade en bois. Richard approuva : l'ennemi ne pourrait pas attaquer, sauf de la rivière, ce qui était presque impossible.

Sur les deux autres flancs, certaines sections du mur ne seraient que de simples remblais sur fossés. Richard assura que ce serait efficace là où le terrain en pente obligeait l'ennemi à attaquer en montant. Toutefois, un mur de pierre serait indispensable sur le terrain plat.

Jack fit le tour du village, pour rassembler ses bâtisseurs, les tirant de leurs maisons — parfois de leurs lits — ou de la taverne. Il leur expliqua l'urgence de la situation et comment la ville allait l'affronter ; puis il affecta à chaque homme une partie de la muraille : la palissade aux charpentiers, le mur de pierre aux maçons et les remparts aux apprentis et aux manœuvres. Il demanda à chaque responsable de marquer son secteur avec des piquets et de la corde avant d'aller se coucher en réfléchissant à la meilleure façon de faire. Bientôt le périmètre de la ville se dessina — ligne en pointillé de lumières vacillantes : c'étaient les artisans qui faisaient leurs tracés à la lueur des lanternes. Le forgeron alluma son feu et se prépara pour passer le restant de la nuit à fabriquer des pelles. Seuls les moines, qui étaient allés se coucher à la tombée du jour, dormaient encore dans une bienheureuse ignorance.

Mais à minuit, alors que les artisans terminaient leurs préparatifs et que la plupart des habitants s'étaient retirés pour discuter en chuchotant des nouvelles sous les couvertures, les moines étaient à leur tour bien réveillés. On abrégea l'office et on leur distribua du pain et de la bière au réfectoire, tandis que Philip leur donnait ses instructions. Ils seraient les organisateurs du lendemain. On les répartit en équipes, chacune travaillant sous les ordres d'un bâtisseur qui surveillerait le creusement, le déblaiement, les transports. Leur priorité, souligna Philip dans son discours, était de s'assurer que le bâtisseur fût constamment approvisionné en matériaux : pierres et mortier, madriers et outils.

Pendant que Philip parlait, Jack se demandait ce que faisait William Hamleigh. Earlscastle était à une bonne journée de cheval de Kingsbridge, mais William ne ferait pas le trajet en un jour, car son armée arriverait épuisée. Ils partiraient ce samedi matin au lever du soleil. Ils ne chevaucheraient pas tous ensemble, mais séparément, et dissimuleraient leurs armes et leurs armures pour éviter de donner l'alarme. Ils se regrouperaient discrètement dans l'après-midi, à un endroit situé à une heure ou deux de Kingsbridge, sans doute au manoir d'un des plus gros fermiers de William. Dans la soirée, ils boiraient de la bière, affûteraient leurs lames et se raconteraient d'horribles histoires sur leur précédent triomphe : des histoires de jeunes gens mutilés, de vieillards piétinés sous les sabots des destriers, de filles violées et de femmes sodomisées, d'enfants décapités et de bébés jetés sur la pointe des épées. Demain matin dimanche, ils attaqueraient. Cette fois, nous allons les arrêter, se dit Jack. Mais il tremblait de peur.

Chaque équipe de moines repéra sa section de mur et sa

source de matériaux. Puis, quand la première lueur de l'aube fit pâlir l'horizon à l'est, ils firent la tournée du quartier qu'on leur avait assigné, frappant aux portes et réveillant les habitants tandis que la cloche du monastère sonnait avec insistance.

Au lever du jour, l'opération était lancée. Les jeunes gens et les femmes assuraient le gros œuvre, tandis que les aînés apportaient les vivres et la boisson, et que les enfants faisaient les courses et transmettaient des messages. Jack ne cessait de parcourir le chantier, surveillant avec angoisse les progrès du travail. Il s'assurait que les différentes sections de la muraille s'uniraient en une jointure bien nette. Il plaisantait, souriait et ne cessait d'encourager les travailleurs.

Le soleil monta dans un ciel tout bleu. La journée allait être chaude. La cuisine du prieuré fournit des barils de bière, que Philip ordonna de couper d'eau. Jack approuva, car les gens qui travaillaient beaucoup boiraient abondamment et il ne voulait pas les voir s'endormir.

Malgré le terrible danger, il régnait une étonnante atmosphère d'allégresse : les gens avaient l'air d'oublier le péril qui était la raison même de toute cette activité. Toutefois Philip repéra quelques habitants qui quittaient discrètement la ville. Ou bien ils allaient tenter leur chance dans la forêt ou, plus probablement ils se rendaient chez des parents dans les villages voisins qui leur donneraient l'hospitalité.

A midi, Philip fit de nouveau sonner la cloche et le travail s'interrompit pour le dîner. Le prieur fit l'inspection de la muraille avec Jack pendant que les travailleurs se restauraient. Malgré leurs efforts, ils n'avaient guère progressé. La muraille avait tout juste atteint le niveau du sol, les remparts de terre n'étaient encore que des monticules et il y avait de grandes brèches dans la palissade en bois.

A la fin de la tournée, Philip s'inquiéta : « Aurons-nous terminé à temps ? »

Jack, qui s'était volontairement montré joyeux et optimiste toute la matinée, retrouva sa gravité. « A ce rythme-là, non, répondit-il.

— Comment pouvons-nous accélérer les choses ?

— La seule façon de bâtir plus vite, c'est de bâtir plus mal.

— Alors bâtissons plus mal... mais comment ? »

Jack réfléchit. « Pour le moment, nous avons des maçons

qui construisent les murs, des charpentiers qui dressent des palissades, des manœuvres qui font des travaux de terrassement et des habitants de la ville qui vont chercher les matériaux et qui les transportent. Or la plupart des charpentiers sont capables de construire un mur droit et les manœuvres d'ériger une palissade. Alors demandons aux charpentiers d'aider les maçons, chargeons les manœuvres de construire les palissades et commandons aux habitants de creuser le fossé et d'élever les remblais. Dès que tout cela tournera, les plus jeunes moines, déchargés de l'organisation, pourront aider aux gros travaux.

— Très bien. »

Ils donnèrent les nouvelles instructions tandis qu'on terminait le dîner. Non seulement ce serait le mur le plus mal construit d'Angleterre, se dit Jack ; ce serait sans doute aussi celui qui tiendrait le moins longtemps. S'il était encore debout dans une semaine, ce serait un vrai miracle.

Au cours de l'après-midi, la fatigue commença de gagner les gens, surtout ceux qui avaient veillé toute la nuit. L'atmosphère de liesse se dissipa et les travailleurs poursuivirent leurs efforts avec acharnement. Les murailles s'élevèrent, le fossé se creusa et les brèches commencèrent à se combler. Tout le monde s'arrêta pour souper, tandis que le soleil déclinait à l'ouest, puis on se remit à l'ouvrage.

A la tombée de la nuit, le mur n'était pas terminé.

Philip instaura un tour de veille, ordonna à tous, sauf aux gardes, de prendre quelques heures de sommeil et dit qu'il ferait sonner la cloche à minuit. Les gens, épuisés, allèrent se coucher.

Jack se rendit à la maison d'Aliena. Richard et elle étaient toujours éveillés.

« Je veux, déclara Jack à Aliena, que tu ailles avec Tommy te cacher dans les bois. »

Il y avait pensé toute la journée. D'abord, il avait repoussé cette idée, mais à mesure que le temps passait, lui revenait en mémoire l'horrible souvenir du jour où William avait incendié la ville en pleine foire aux toisons ; en fin de compte il décida de mettre Aliena à l'abri.

« Je préfère rester, répondit-elle avec fermeté.

— Aliena, insista Jack, je ne sais pas si nos efforts auront des résultats et je ne veux pas que tu sois ici si William Hamleigh franchit cette muraille.

« — Mais je ne peux pas m'en aller alors que tout le monde va se battre », dit-elle, essayant de le raisonner.

Il n'en était pas au stade où le raisonnement le touchait. « Si tu pars maintenant, on ne le saura pas.

— On finira par s'en apercevoir.

— A ce moment-là, ce sera fini.

— Pense à la honte que nous éprouverons.

— Je m'en moque ! » s'écria-t-il, fou de rage de ne pas trouver les mots qui la persuaderaient. « Je veux que tu sois en sûreté ! »

Ses éclats de voix réveillèrent Tommy qui se mit à pleurer. Aliena le prit dans ses bras et le berça. « Je ne suis pas certaine d'être plus en sûreté dans la forêt.

— William n'ira pas fouiller les bois. C'est la ville qui l'intéresse.

— Il pourrait s'intéresser à moi.

— Tu n'auras qu'à te cacher dans ta clairière. Personne ne va jamais là-bas.

— William pourrait la découvrir accidentellement.

— Écoute-moi. Tu seras plus en sûreté là-bas qu'ici. Je le sais.

— N'empêche que je resterai.

— Je ne veux pas de toi ici, s'écria-t-il.

— Eh bien, je reste quand même », répliqua-t-elle avec un sourire.

Jack réprima un juron. Il était inutile de discuter avec elle dès l'instant qu'elle avait pris sa décision : elle était entêtée comme une mule. Il tenta de la supplier. « Aliena, j'ai peur de ce qui va se passer demain.

— Moi aussi, dit-elle. Et je préfère que nous ayons peur ensemble. »

Il savait qu'il devrait céder, mais il était trop inquiet. « Alors, tant pis pour toi », dit-il avec colère et il sortit en claquant la porte.

Dehors il respira l'air de la nuit qui finit par le calmer. Il était encore horriblement inquiet, mais c'était ridicule de s'abandonner à la colère. Ils seraient peut-être morts tous les deux le lendemain matin.

Il rentra. Elle était là où il l'avait laissée, l'air triste. « Je t'aime », murmura-t-il. Ils s'étreignirent longuement.

Quand il ressortit, la lune était levée. Au fond, Aliena avait peut-être raison : elle serait plus en sûreté ici que dans les bois. Du moins pourrait-il faire de son mieux pour la protéger.

Il ne dormirait pas, même s'il se couchait. Il craignait que les gens ne se réveillent pas à minuit et que William surprenne la ville sans défense. Il massacrerait et brûlerait tout sur son passage. Il fit nerveusement le tour de la ville. La muraille de pierre lui arrivait à la taille, ce qui n'était pas suffisant. Les palissades étaient assez hautes, mais il y avait encore des brèches où une centaine d'hommes pourrait s'engouffrer en quelques instants. Au stade où ils en étaient, les remblais n'arrêteraient pas un bon cheval. Il restait encore beaucoup à faire.

Il fit halte à l'endroit où se trouvait jadis le pont. On l'avait démonté et on avait entreposé les madriers dans le prieuré.

Comme il contemplait l'eau éclairée par la lune, il aperçut une silhouette qui approchait en suivant la palissade. Un frisson d'appréhension le parcourut, mais ce n'était que le prieur Philip, qui n'arrivait pas plus que Jack à trouver le sommeil.

La rancœur de Jack envers le prieur avait momentanément disparu devant la menace représentée par William. « Si nous survivons à cet assaut, déclara-t-il, nous devrions reconstruire petit à petit convenablement la muraille en pierre.

— Je suis d'accord, acquiesça Philip avec chaleur. Il faudrait que d'ici un an nous ayons un rempart tout autour de la ville.

— Juste ici, là où le pont franchit la rivière, je placerai une porte et une barbacane pour pouvoir arrêter les envahisseurs sans démanteler le pont.

— Ce n'est pas le genre de choses où nous autres moines excellons : organiser les défenses d'une ville. »

Jack hocha la tête : la violence n'était pas leur domaine. « Mais si vous n'organisez pas les choses, qui le fera ?

— Richard, le frère d'Aliena, peut-être ? »

L'idée surprit Jack, mais un moment de réflexion l'amena à la conclusion qu'elle était excellente. « Il le ferait bien, cette tâche l'occuperait et je n'aurais plus à l'entretenir », répondit-il avec enthousiasme. Il regarda Philip avec une admiration qu'il n'arrivait pas à dissimuler. « Vous n'arrêtez jamais d'inventer des solutions, n'est-ce pas ? »

Philip haussa les épaules. « J'aimerais que tous nos problèmes puissent être résolus aussi simplement. »

Les pensées de Jack revinrent à la muraille. « Kingsbridge sera donc désormais une ville fortifiée, et pour toujours.

— Pour toujours, je ne sais pas, mais certainement jusqu'au retour de Jésus.

— On ne sait jamais, dit Jack d'un ton songeur. Il viendra peut-être un temps où des sauvages comme William Hamleigh ne seront plus au pouvoir ; où les lois protégeront les gens au lieu de les asservir ; où le roi fera la paix au lieu de faire la guerre. Pensez-y : une époque où les villes d'Angleterre n'auront pas besoin de murs ! »

Philip secoua la tête. « Quelle imagination tu as ! murmura-t-il. On ne verra pas cela avant le jour du Jugement dernier !

— Sans doute pas.

— Il doit être près de minuit. L'heure de recommencer.

— Philip, avant que vous ne partiez...

— Quoi donc ? »

Jack prit une profonde inspiration. « Il est encore temps de changer nos plans. Nous pouvons évacuer la ville maintenant.

— As-tu peur, Jack ? dit Philip avec bonté.

— Oui. Mais pas pour moi. Pour ma famille. »

Philip hocha la tête. « A mon avis, si tu pars maintenant, tu seras sans doute en sûreté... demain. Mais William peut revenir un autre jour. Si nous le laissons faire demain, nous vivrons *toujours* dans la crainte. Toi, moi, Aliena, le petit Tommy : il grandira dans la peur de William, ou d'un autre William. »

Il avait raison, se dit Jack. Pour que des enfants comme Tommy grandissent libres, leurs parents devaient cesser de fuir devant William.

« Très bien », fit-il en soupirant.

Philip alla sonner la cloche. C'était un chef qui maintenait la paix, qui rendait la justice et n'opprimait pas les pauvres, songea Jack. Mais fallait-il vraiment être moine pour cela ?

La cloche se mit à sonner. Les lampes s'allumèrent dans les maisons et les artisans sortirent en se frottant les yeux et en bâillant. Le travail reprit avec lenteur et il y eut quelques échanges d'injures entre manœuvres ; mais Philip avait fait mettre en marche la boulangerie du prieuré. Et bientôt on distribua du pain chaud et du beurre frais, ce qui ragaillardit tout le monde.

A l'aube, Jack fit un autre tour avec Philip, tous deux scrutant avec angoisse l'horizon encore sombre dans la crainte de voir apparaître des cavaliers. La palissade au bord de la rivière était presque terminée, il ne restait plus que quelques toises. Sur les deux autres flancs, les remblais arrivaient maintenant à hauteur d'homme et la profondeur du fossé creusé devant lui ajoutait trois ou quatre pieds. Un homme pourrait sans doute y grimper, non sans mal d'ailleurs, mais sûrement pas un cheval.

La muraille aussi était à hauteur d'homme, mais les trois ou quatre dernières rangées de pierres n'offraient qu'un faible rempart, car le mortier n'était pas sec. L'ennemi toutefois ne s'en apercevrait qu'en essayant d'escalader la muraille.

A part les quelques brèches dans la palissade, le travail était terminé. Philip donna de nouveaux ordres. Les vieillards et les enfants devaient gagner le monastère pour se réfugier au dortoir. Jack était ravi : Aliena resterait avec Tommy loin derrière la ligne de front. Les artisans continueraient leur tâche, mais certains manœuvres furent désignés pour former des escadrons de soldats, sous le commandement de Richard. Chaque groupe était responsable de la défense du secteur de mur qu'il avait bâti. Les habitants de la ville et les femmes en possession d'un arc se posteraient derrière les murs pour arroser l'ennemi de flèches. Ceux qui n'avaient pas d'armes jetteraient des pierres dont il fallait préparer des tas. L'eau bouillante étant une arme efficace, on faisait chauffer des chaudrons pour en déverser sur les assaillants aux endroits stratégiques. Quelques personnes possédaient des épées, mais il n'était pas souhaitable de devoir s'en servir. Un corps à corps signifierait que l'ennemi aurait envahi la ville en dépit de la construction du mur.

Depuis quarante-huit heures, Jack n'avait pas dormi. Il avait la migraine et les yeux brûlants. Assis sur le toit de chaume d'une maison, près de la rivière, il contemplait la palissade que les charpentiers se hâtaient de terminer. Tout à coup l'idée lui vint que les hommes de William pourraient jeter des flèches enflammées par-dessus le mur pour tenter de mettre le feu à la ville sans avoir à y pénétrer eux-mêmes. Il sauta de son toit et remonta d'un pas lent la colline jusqu'à l'enclos du prieuré. Richard avait eu la même idée car il avait déjà posté quelques moines, munis de tonneaux d'eau et de seaux, aux emplacements stratégiques.

Au moment où il quittait le prieuré, il entendit ce qui semblait être des cris d'alarme.

Le cœur battant, il grimpa sur le toit de l'écurie pour inspecter les champs vers l'ouest. Sur la route qui amenait au pont, à environ une demi-lieue, un nuage de poussière trahissait l'approche d'un groupe important de cavaliers.

Jusqu'alors, tout avait gardé un caractère irréel ; mais maintenant les destructeurs de Kingsbridge étaient là, sur la route, et l'horrible menace prenait toute sa réalité !

Jack éprouva la brusque envie de retrouver Aliena, mais il n'en avait plus le temps. Il sauta à terre et dévala la pente jusqu'au bord de la rivière. Une poignée d'hommes était rassemblée autour de la dernière brèche, en train d'enfoncer des pieux dans le sol et de clouer hâtivement les deux dernières traverses pour terminer le travail, sous le regard des habitants qui ne s'étaient pas réfugiés au réfectoire. Sur les pas de Jack, Richard déboucha à son tour. « Il n'y a personne de l'autre côté de la ville ! cria-t-il. Si on nous prend à revers, on est fichus ! Retournez à vos postes, vite ! » Comme les habitants s'ébranlaient, il marmonna en direction de Jack : « Il n'y a pas de discipline... absolument pas de discipline ! »

Jack observa de nouveau la route : le nuage de poussière approchait et on commençait à distinguer les silhouettes des cavaliers — des démons jaillis de l'enfer, pensa-t-il, n'ayant en tête que mort et destruction. Ils existaient parce que des comtes et des rois trouvaient bon de les employer. Philip était peut-être stupide en matière d'amour et de mariage, mais au moins il avait trouvé comment diriger une communauté sans l'aide de sauvages pareils.

Le nombre de cavaliers dépassait la cinquantaine prévue par Richard : ils étaient près de cent, fonçant vers l'emplacement du pont. Puis ils ralentirent et Jack retrouva quelque courage en les voyant arrêter leurs chevaux dans la prairie, de l'autre côté de la rivière et contempler par-dessus l'eau l'enceinte toute neuve de la ville. Quelqu'un près de Jack se mit à rire. Un autre lui fit écho, puis les rires se répandirent comme un feu de broussaille, et il y eut bientôt cinquante, cent, deux cents hommes et femmes riant à gorge déployée à la vue des hommes d'armes coincés sur la mauvaise rive du fleuve, sans personne à combattre.

Quelques cavaliers mirent pied à terre pour se concerter. Dans la légère brume matinale, Jack crut apercevoir au centre du groupe les cheveux jaunes et le visage rougeaud de William Hamleigh.

Au bout d'un long moment, les hommes remontèrent en selle, se regroupèrent et repartirent. Les gens de Kingsbridge éclatèrent en folles acclamations, mais Jack savait que William n'avait pas renoncé si facilement. Les hommes d'armes, d'ailleurs, ne reprenaient pas le chemin par où ils étaient venus. Ils remontaient la rivière en la longeant. Richard s'approcha de Jack. « Ils cherchent un gué. Ils vont traverser la rivière pour passer par les bois et nous attaquer de l'autre côté. Faites circuler la nouvelle. » Jack s'empressa de faire le tour de l'enceinte pour transmettre le message de Richard. Au nord et à l'est, la muraille était en terre ou en pierre. Elle englobait le mur est de l'enclos du prieuré, à quelques pas seulement du réfectoire où s'étaient réfugiés Aliena et Tommy. Richard avait posté Oswald, le maquignon, et Dick Richards, le fils du tanneur, sur le toit de l'infirmerie avec leurs arcs et leurs flèches : c'étaient les meilleurs archers de la ville. Jack gagna le coin nord-est et grimpa sur le remblai de terre, scrutant par-delà le champ les bois d'où allaient émerger les hommes de William.

Le soleil montait dans le ciel. Encore une journée chaude et sans nuage. Les moines firent le tour de l'enceinte, pour distribuer du pain et de la bière. Jack se demandait jusqu'où irait William en amont de la rivière. Il y avait à une demi-lieue de là un gué où un bon cheval pouvait traverser à la nage, mais le passage paraîtrait risqué à un étranger, et sans doute William irait-il une lieue plus loin où il trouverait un gué moins profond.

Jack pensait à Aliena. Il aurait voulu aller la voir au réfectoire, mais il hésitait à quitter le rempart ; car d'autres pourraient l'imiter et la muraille resterait sans défense.

Il hésitait encore quand un cri lui parvint : les cavaliers réapparaissaient. Ils sortaient des bois, à l'est, si bien que Jack, en suivant leurs mouvements, avait le soleil dans les yeux. Astucieuse stratégie, reconnut Jack, dont la vue se brouillait de larmes. Il se rendit compte néanmoins qu'ils chargeaient. Jack se figea de peur. Les assaillants étaient déterminés à ouvrir une brèche dans le mur de protection.

Les chevaux traversèrent le champ au triple galop. Un ou deux assiégés lancèrent quelques flèches. Richard, posté auprès de Jack, explosa : « C'est trop tôt ! trop tôt ! Attendez qu'ils soient dans le fossé... Là, vous ne pourrez pas les manquer ! » On l'entendit mal et une petite pluie de flèches vint se gaspiller sur les pousses d'orge encore vertes, au bord du champ. Comme force militaire, nous ne valons vraiment rien, songea Jack. Seule la muraille peut nous sauver. Il avait une pierre dans une main et dans l'autre, une fronde comme celle dont il se servait étant enfant, quand il abattait des canards pour son dîner. Saurait-il encore viser ? Ses doigts étaient si crispés sur son arme qu'ils en étaient blancs et Jack s'obligea à se détendre. Les pierres étaient efficaces contre les canards, mais bien ridicules devant ces hommes en armures et montés sur leurs puissants chevaux dont le galop de tonnerre approchait à chaque seconde. Jack avait la gorge sèche. Certains assaillants, il le constata, étaient armés d'arcs et de flèches enflammées. Les archers se dirigèrent vers les murs de pierre et les autres hommes d'armes vers les remblais de terre. Donc William ne pensait pas prendre d'assaut la muraille : il ne se rendait pas compte que le mortier était si frais qu'on pouvait faire tomber le mur à la main. Jack connut un bref instant de triomphe.

Puis les attaquants atteignirent les murs.

Les défenseurs tiraient au petit bonheur et une grêle de flèches s'abattit sur les cavaliers. Même en visant mal, ils firent plusieurs victimes. Les chevaux arrivèrent au fossé. Les uns renâclèrent, d'autres plongèrent pour remonter de l'autre côté. Juste en face de l'endroit où se trouvait Jack, un énorme gaillard vêtu d'une cotte de mailles bosselée fit sauter par-dessus le fossé son destrier qui se reçut au bas du remblai. Il commença à grimper la pente. Jack chargea sa fronde et lança sa pierre. Il n'avait pas perdu la main : le caillou toucha le cheval entre les naseaux. Pataugeant déjà dans la terre meuble, l'animal poussa un hennissement de douleur, se cabra et fit demi-tour au petit trot, tandis que le cavalier glissait sur le sol et dégainait son épée.

La plupart des chevaux avaient tourné bride, soit de leur

propre initiative, soit sur l'ordre de leurs cavaliers. Quelques hommes d'armes attaquaient à pied et d'autres revenaient, prêts à lancer un nouvel assaut. D'un coup d'œil par-dessus son épaule, Jack constata que plusieurs toits de chaume étaient en feu, malgré les efforts des jeunes femmes de la ville qui s'employaient à éteindre les flammes. Jack se dit avec consternation que leur plan allait échouer. Malgré leur acharnement héroïque des dernières trente-six heures, les sauvages qui les attaquaient allaient franchir la muraille, incendier la ville et massacrer la population.

Les assaillants lancèrent une nouvelle charge ; ceux d'entre eux qui avaient perdu leur monture attaquèrent les remparts à pied. Des pierres et des flèches tombaient en pluie ininterrompue sur eux. Jack actionnait sans relâche sa fronde, chargeant et lançant, chargeant et lançant comme une machine. Sous cette grêle de projectiles, un certain nombre d'ennemis tombèrent. Juste devant Jack, un cavalier désarçonné perdit son casque, révélant une crinière de cheveux jaunes : William en personne.

Pas un des chevaux ne parvint en haut du remblai, mais quelques combattants à pied réussirent et, sous le regard horrifié de Jack, les assiégés durent combattre au corps à corps, luttant contre les épées et les lances de l'ennemi avec des bâtons et des haches. Jack était consterné : la ville était en train de perdre la bataille.

Mais chaque assaillant qui franchissait la muraille se trouva entouré aussitôt de huit ou dix habitants frappant sans merci et pas un des agresseurs n'en réchappa. Les assiégés entreprirent alors de repousser ceux qui attaquaient en bas des remparts. Les cavaliers encore en selle tournaient en rond, indécis, tandis que quelques escarmouches se poursuivaient sur la pente des remblais. Jack souffla un moment, heureux de ce répit, non sans craindre pourtant le prochain assaut de l'ennemi.

William brandit son épée et cria pour attirer l'attention de ses hommes. Il agita sa lame en l'air puis la braqua vers la muraille. Les hommes se regroupèrent et s'apprêtèrent à attaquer une fois de plus.

Jack profita de l'occasion.

Il choisit une lourde pierre, chargea sa fronde et visa William avec soin.

La pierre fila suivant une trajectoire aussi droite qu'un trait tracé par un maçon et toucha William en plein milieu

817

du front, avec une telle violence qu'on entendit le choc du caillou sur l'os.

William s'écroula.

Il y eut un flottement parmi les hommes et la charge se trouva stoppée dans son élan.

Un grand gaillard brun sauta à terre et se précipita vers le comte. Jack crut reconnaître Walter, le valet de William et son constant compagnon. Jack espéra follement que William était mort. Mais il bougea et son valet l'aida à se relever, tout étourdi. Dans les deux camps, les regards étaient tournés vers lui, la grêle de pierres et de flèches suspendue.

Encore vacillant, William, aidé de Walter, monta en croupe sur le cheval de celui-ci. L'hésitation planait dans les rangs. Chacun se demandait si leur chef allait pouvoir continuer. De son épée Walter rallia les hommes puis, à l'indicible soulagement de Jack, la pointa vers les bois.

Walter éperonna le cheval et la troupe partit au galop. Ceux qui combattaient encore sur les remparts abandonnèrent la bataille pour se précipiter à travers champs à la suite de leur chef.

Les habitants de Kingsbridge poussèrent des hurlements de joie. Jack regarda autour de lui, encore abasourdi. Était-ce terminé ? Il avait du mal à y croire. Les incendies s'éteignaient, des hommes dansaient sur les remblais en s'étreignant. Richard s'approcha et lui donna une grande claque dans le dos. « C'est le mur qui les a arrêtés, Jack, dit-il. Ton mur. »

Tout le monde, moines et civils, se rassemblait autour des deux hommes pour les féliciter et se congratuler.

« Ils sont partis pour de bon ? demanda Jack.

— Oh oui ! répondit Richard. Ils ne reviendront pas, maintenant qu'ils ont découvert que nous sommes décidés à défendre les murs. William sait qu'on ne peut pas prendre une ville protégée par une enceinte si les assiégés sont résolus à résister. Ou alors avec une nombreuse armée et un siège de six mois.

— Alors, dit Jack, ahuri, c'est fini ? »

Aliena se fraya un chemin à travers la foule, Tommy dans les bras. Jack les embrassa ensemble. Ils étaient en vie, ils étaient réunis et ils en remerciaient le ciel.

Jack sentit d'un seul coup l'effet de ses deux jours sans sommeil. Une sorte de faiblesse le prit. Il aurait voulu s'allonger. Mais pas question : de jeunes maçons l'empoignaient et le hissaient sur leurs épaules. Les acclamations fusaient de toutes parts. La foule formait cortège. Jack aurait voulu dire que ce n'était pas lui qui avait sauvé les habitants de Kingsbridge, qu'ils avaient gagné eux-mêmes leur victoire ; mais on ne l'écouterait pas, car la foule voulait un héros. A mesure que la nouvelle se répandait que la victoire était acquise, les vivats augmentaient. Depuis tant d'années qu'ils vivent dans la crainte de William, songea Jack, aujourd'hui ils ont enfin gagné leur liberté. On lui fit faire le tour de la ville en procession triomphale et lui saluait de la main, souriait et attendait avec impatience le moment où il pourrait poser sa tête sur un oreiller et sombrer dans un sommeil réparateur.

VII

La foire aux toisons de Shiring était plus florissante que jamais. La place de l'église paroissiale, où avaient lieu les marchés et les exécutions aussi bien que la foire annuelle, était envahie d'éventaires et de chalands. On vendait surtout de la laine, mais il y avait aussi des étalages de tout ce qui s'achetait et se vendait en Angleterre : des épées neuves étincelantes, des selles artistement décorées, des cochons de lait bien gras, des bottes rouges, des gâteaux au gingembre et des chapeaux de paille. Arpentant la place avec l'évêque Waleran, William calculait que le marché allait lui rapporter plus d'argent que jamais. Il n'en éprouvait pourtant aucun plaisir.

Il souffrait encore de l'humiliation de sa défaite à Kingsbridge. Il avait cru attaquer sans rencontrer la moindre résistance et incendier facilement la ville. Or il avait perdu dans cette affaire des hommes et des chevaux, il avait été repoussé, il avait échoué. Surtout, il avait deviné que ce mur maudit était dû à Jack Jackson, l'amant d'Aliena, celui-là même qu'il voulait tuer.

Il n'avait pas réussi à se débarrasser de Jack cette fois-ci, mais il était décidé à prendre sa revanche.

Waleran aussi pensait à Kingsbridge. « Je ne sais toujours pas comment ils ont réussi à bâtir si vite ces remparts, dit-il.

— Des remparts de pacotille, marmonna William.

— Mais que vous n'avez pas su franchir, rétorqua Waleran. D'ailleurs, je suis sûr que le prieur Philip s'occupe déjà à les renforcer. Si j'étais lui, je consoliderais la muraille et je la surélèverais, je construirais une barbacane et je désignerais un guetteur pour la nuit. Vos raids sur Kingsbridge sont terminés. »

William, au fond, était d'accord, mais il refusait de céder. « Je peux toujours assiéger la ville.

— C'est une autre affaire. Le roi tolérera une attaque rapide, mais un siège prolongé, au cours duquel les habitants ont le temps d'envoyer au roi une demande de protection... C'est beaucoup plus gênant.

— Stephen ne fera pas un geste contre moi, affirma William. Il a besoin de mes services. » Toutefois il n'était pas si convaincu. Mais il faisait traîner la discussion pour choisir le moment où il présenterait la requête qui occupait toutes ses pensées.

Une femme laide et maigre s'avança, poussant devant elle une jolie fillette d'environ treize ans. La mère écarta le léger corsage de son enfant pour révéler ses petits seins à peine éclos. « Soixante pence », souffla la mère. William sentit un frémissement dans ses reins, mais il fit non de la tête et l'écarta.

La petite prostituée avait brusquement fait surgir l'image d'Aliena. Elle n'était guère qu'une enfant quand il l'avait prise de force, presque dix ans plus tôt. Un jour qu'il ne parvenait pas à oublier. Il ne l'aurait sans doute plus jamais maintenant, mais il pouvait encore empêcher un autre de la posséder.

Waleran, songeur, marchait sans regarder devant lui. Les gens s'écartaient sur son chemin, comme s'ils craignaient d'être même effleurés par les plis de sa robe noire. Il reprit la parole : « Vous savez que le roi s'est emparé de Faringdon ?

— J'y étais. » Au cours de la victoire la plus décisive de toute cette longue guerre civile, Stephen avait fait prisonniers des centaines de chevaliers, recueilli un important équipement et repoussé Robert de Gloucester jusqu'à l'ouest du pays. La victoire avait été telle que Ranulf de

Chester, le vieil ennemi de Stephen dans le Nord, avait déposé les armes et juré allégeance au roi.

« Maintenant que Stephen est plus sûr de lui, reprit Waleran, il sera moins tolérant envers ceux de ses barons qui mènent leur propre guerre.

— Peut-être », répondit William. Puisqu'il avait l'occasion d'approuver Waleran, c'était peut-être le moment d'en profiter pour glisser sa requête. Il hésitait, embarrassé. Il lui faudrait se découvrir. L'idée de révéler un peu de son âme à un homme aussi impitoyable que l'évêque Waleran lui faisait horreur.

« Vous devriez laisser Kingsbridge en paix, du moins pour quelque temps, poursuivit Waleran. Vous avez la foire aux toisons, votre marché hebdomadaire, même si le négoce de la laine est moins florissant qu'autrefois. Et les terres les plus fertiles du comté sont directement sous votre contrôle ou cultivées par vos fermiers. Ma situation personnelle, aussi, est meilleure qu'autrefois. J'ai amélioré ma propriété, je me suis bâti un château. J'ai moins besoin de lutter contre le prieur Philip — au moment même où cela devient d'ailleurs politiquement dangereux. »

Sur tout le marché, on cuisinait et on vendait des plats dont l'odeur embaumait l'air : soupe aux épices, pain frais, confiseries, jambons bouillis, bacon frit, tartes aux pommes. William eut une moue dégoûtée. « Allons au château », proposa-t-il.

Les deux hommes quittèrent la place du marché et remontèrent la colline. Le shérif les avait invités à dîner. A la porte du château, William s'arrêta.

« Vous avez peut-être raison en ce qui concerne Kingsbridge, avoua-t-il.

— Je suis heureux de vous l'entendre dire.

— Mais je tiens quand même à me venger de Jack Jackson. Si vous le voulez, vous pouvez m'en offrir l'occasion. »

Waleran haussa les sourcils. Son expression disait clairement qu'il était prêt à écouter mais qu'il ne se considérait lié par aucune obligation.

« Aliena, poursuivit William, a demandé l'annulation de son mariage.

— Je sais.

— A votre avis, quelle sera la réponse ?

— Le mariage n'a jamais été consommé, semble-t-il.

— Cela suffit ?

— Sans doute. D'après Gratien — un érudit que j'ai d'ailleurs rencontré personnellement —, ce qui constitue un mariage c'est l'accord mutuel des deux parties ; mais il affirme aussi que l'acte de l'union physique "complète" ou "perfectionne" le mariage. Il précise que si un homme épouse une femme et qu'il ne s'accouple pas avec elle, puis qu'il en épouse une seconde avec laquelle il y a accouplement, alors c'est le second des deux mariages qui est valide, c'est-à-dire celui qui a été consommé. La fascinante Aliena aura sans nul doute évoqué ces arguments dans sa requête si elle a eu de bons conseils, et je fais confiance là-dessus au prieur Philip. »

William s'impatientait. « En somme, elle va obtenir l'annulation ?

— A moins que quelqu'un n'oppose un argument contre Gratien. En fait, il en existe deux : un d'ordre théologique, un d'ordre pratique. L'argument théologique est que la définition de Gratien condamne le mariage de Joseph et de Marie, puisqu'il n'a pas été consommé. L'argument pratique est que, pour des raisons politiques ou pour réunir deux propriétés, on arrange très communément des mariages entre deux enfants physiquement incapables de consommation. Si la future épouse ou le futur époux meurt avant la puberté, le mariage, selon la définition de Gratien, serait invalidé et cela pourrait avoir des conséquences très gênantes. »

William était incapable de suivre ces ratiocinations mais il entrevoyait une éclaircie. « Ce que vous voulez dire, c'est que la décision peut pencher dans un sens ou dans l'autre.

— Oui.

— Et tout dépend de celui qui exerce une certaine pression.

— Tout à fait. Dans le cas d'Aliena, rien d'important n'est en jeu : pas de propriétés, pas de problème d'allégeance, pas d'alliance militaire. Mais si une personnalité théologique — un archidiacre par exemple — se piquait d'attaquer la position de Gratien, on refuserait sans doute l'annulation. »

Waleran lança à William un regard entendu sous lequel l'autre se tortilla d'un air embarrassé. « Je crois que je peux deviner ce que vous allez me demander, William.

— Je veux que vous vous opposiez à l'annulation. »

Waleran plissa les yeux. « Je n'arrive pas à savoir si vous êtes amoureux de cette maudite femme ou si vous la détestez.

— Eh bien, reconnut William, moi non plus. »

Aliena était assise sur l'herbe, dans la pénombre verte que répandait le hêtre. La cascade faisait jaillir des gouttes d'eau comme des larmes sur les rochers à ses pieds. Elle était dans la clairière où Jack autrefois lui racontait des histoires. C'était là qu'elle lui avait donné ce premier baiser, là qu'elle était tombée amoureuse de lui tout en refusant de se l'avouer. Elle regrettait maintenant de tout son cœur de ne pas lui avoir cédé aussitôt, de ne pas l'avoir épousé. Aujourd'hui, envers et contre tout, elle serait sa femme.

Elle s'allongea pour reposer son dos douloureux. On était au plus fort de l'été, l'air était brûlant et immobile. Elle avait encore au moins six semaines à supporter avant l'accouchement. Parfois elle était si lourde qu'elle s'attendait à des jumeaux. Mais quand Martha, la demi-sœur de Jack, avait collé l'oreille contre son ventre, elle n'avait entendu qu'un seul battement de cœur.

C'était Martha qui s'occupait de Tommy ce dimanche après-midi-là pour qu'Aliena et Jack puissent se retrouver dans les bois, un moment, seuls à parler de leur avenir. L'archevêque avait refusé l'annulation, parce que, semblait-il, l'évêque Waleran s'y était opposé. D'après Philip, ils pouvaient refaire une demande mais, en attendant, ils devaient continuer de vivre séparés. Philip convenait que c'était injuste, mais reconnaissait là la volonté de Dieu. Aliena rétorquait qu'il s'agissait surtout de mauvaise volonté.

L'amertume du regret était un poids aussi pénible à porter que sa grossesse. Elle regrettait d'avoir fait du mal à Jack, elle regrettait ce qu'elle s'était fait à elle-même. Elle regrettait même les souffrances infligées au méprisable Alfred, qui habitait à présent Shiring et ne se montrait jamais à Kingsbridge. Elle avait vingt-six ans maintenant, sa vie était gâchée, et c'était entièrement sa faute.

Elle songea avec nostalgie aux premiers jours passés avec Jack. Quand elle l'avait rencontré pour la première fois, ce n'était qu'un petit garçon, tellement différent des autres. Plus tard elle avait continué à le considérer comme un enfant. Elle qui avait écarté tous les prétendants, ne voyait pas en Jack un futur mari. Aussi s'était-elle laissé approcher et connaître.

Lorsqu'elle regardait en arrière, sa vie avant Jack lui semblait vide. Elle avait déployé une activité surhumaine pour créer son commerce de laine, mais ces jours pleins d'ardeur lui apparaissaient aujourd'hui sans joie, comme un palais désert ou une table chargée de plats d'argent et de coupes d'or vides.

Elle entendit des pas et se redressa, aux aguets. C'était Jack, mince et gracieux, efflanqué comme un chat. Il s'assit auprès d'elle et l'embrassa doucement sur la bouche. Il sentait la transpiration et la poussière de pierre. « Il fait si chaud, dit-il. Baignons-nous dans le torrent. »

La tentation était irrésistible.

Jack se dépouilla de ses vêtements. Aliena le dévorait des yeux. Cela faisait des mois qu'elle n'avait pas vu son corps nu. Il avait une poitrine toute lisse. Il attendait qu'elle se déshabille à son tour. Intimidée, car il n'avait jamais vu nu son corps déformé par la grossesse, elle délaça avec lenteur le col de sa robe de toile, puis la passa par-dessus sa tête. Elle guettait avec inquiétude l'expression de Jack, craignant qu'il ne déteste son ventre gonflé, mais il ne manifestait aucune répugnance ; au contraire, une expression de tendresse se peignit sur son visage. J'aurais dû m'en douter, se dit-elle ; j'aurais dû savoir qu'il m'aimait vraiment.

D'un mouvement agile, il s'agenouilla sur le sol devant elle et posa un baiser sur la peau tendue de son ventre. Elle eut un rire embarrassé.

« Allons nous baigner », dit-elle. Elle se sentirait moins gênée dans l'eau.

Le bassin au pied de la cascade avait environ trois pieds de profondeur. Aliena se laissa glisser dans l'eau, délicieusement fraîche sur sa peau brûlante. Elle frémit de délice. Jack descendit auprès d'elle. Il n'y avait pas la place pour nager. Il avança la tête sous la cascade pour laver ses cheveux. Aliena se sentait bien dans l'eau qui soulageait le poids de son ventre. Elle y plongea la tête.

Lorsqu'elle reparut à la surface, Jack l'embrassa.

Tout essoufflée, elle se mit à rire en se frottant les yeux. Il l'embrassa encore. Elle tendit les bras pour garder son équilibre et sa main se referma sur le sexe durci de Jack. Elle poussa un petit cri de plaisir.

« Tu me manques », lui souffla Jack à l'oreille. Sa voix était rauque de désir, et d'une autre émotion aussi, peut-être de la mélancolie.

Aliena avait la gorge sèche. « Allons-nous violer notre promesse ? demanda-t-elle.

— Maintenant et à jamais.

— Que veux-tu dire ?

— Nous n'allons plus vivre séparés. Nous quittons Kingsbridge.

— Que feras-tu ?

— J'irai dans une autre ville bâtir une autre cathédrale.

— Tu ne seras pas maître bâtisseur. Tu ne feras pas les plans.

— Un jour je peux avoir une autre chance. Je suis jeune... »

C'était possible, mais peu probable, Aliena le savait. Jack aussi. Le sacrifice qu'il faisait pour elle l'émut aux larmes. Personne ne l'avait jamais aimée à ce point ; personne jamais ne l'aimerait ainsi. Mais elle ne voulait pas accepter qu'il renonce à tout. « Je ne le ferai pas, déclara-t-elle.

— Quoi ?

— Je ne vais pas quitter Kingsbridge.

— Pourquoi pas ? fit-il avec irritation. N'importe où ailleurs nous pouvons vivre comme mari et femme sans que personne s'en soucie. Nous pourrions même nous marier à l'église. »

Elle lui caressa le visage. « Je t'aime trop pour t'enlever à la cathédrale de Kingsbridge.

— C'est à moi de décider.

— Jack, je t'adore de m'avoir proposé cela. Que tu sois prêt à renoncer à l'œuvre de ta vie pour vivre avec moi est... J'ai le cœur qui éclate de voir que tu m'aimes tant. Mais je ne veux pas être la femme qui te prive du travail que tu aimais. Je ne suis pas disposée à partir de cette façon. Toute notre vie en pâtirait. Tu me le pardonnerais peut-être, moi jamais.

— Je sais bien, fit Jack avec tristesse, qu'il est inutile de lutter avec toi une fois que tu as pris ta décision. Il faut pourtant faire quelque chose.

— Essayons encore une fois d'obtenir l'annulation. Nous vivrons séparés le temps qu'il faudra. »

Jack était au bord des larmes.

« Et nous viendrons ici tous les dimanches, pour enfreindre notre promesse. »

Il se pressa contre elle et elle sentit de nouveau son désir.

« Tous les dimanches ?

— Oui.

— Tu risques de te retrouver enceinte une troisième fois.

— Nous en courrons le risque. Je vais reprendre la fabrication du tissu, comme autrefois. J'ai acheté la laine que Philip n'avait pas vendue et je vais organiser un réseau de tisserands dans la ville. Ensuite, j'utiliserai le moulin à fouler.

— Comment as-tu payé Philip ? interrogea Jack, étonné.

— Je ne l'ai pas encore payé. Je le réglerai en balles de tissu. »

Jack hocha la tête et observa d'un ton amer : « Il a accepté parce qu'il veut que tu restes à Kingsbridge pour que j'y reste aussi. »

Aliena acquiesça. « En plus, l'affaire lui rapportera du tissu bon marché.

— Quel homme ! Il obtient toujours ce qu'il veut. »

Aliena comprit qu'elle avait gagné. Elle embrassa Jack. « Je t'aime », dit-elle doucement. Il lui rendit son baiser, ses mains coururent sur le corps d'Aliena à la recherche de caresses intimes qui la firent gémir. Il s'arrêta net et déclara : « Je veux être avec toi chaque nuit, pas seulement le dimanche. »

Elle lui embrassa l'oreille. « Un jour, murmura-t-elle. Je te le promets. »

Il passa derrière elle, glissa ses jambes entre les siennes, caressa ses seins gonflés, joua avec les pointes tendues. Enfin il la prit et elle frissonna de plaisir.

Ils firent l'amour lentement, doucement, dans la fraîcheur du bassin, accompagnés par le murmure de la cascade à leurs oreilles. Jack passa un bras autour de ses hanches et ses mains habiles vinrent la caresser en même temps qu'il la possédait. Ce plaisir nouveau, intense, s'augmentait peut-être du fait qu'elle ressentait tant de tristesse. Elle s'abandonna à ses sensations qui bientôt la submergèrent. La jouissance la prit par surprise et elle fut secouée de spasmes si profonds qu'elle en jeta un cri.

Il resta en elle pendant qu'elle reprenait souffle. Il ne bougeait pas, mais elle se rendit compte qu'il n'avait pas joui. Elle tenta de l'encourager, mais il ne réagit pas. Elle tourna la tête pour l'embrasser. L'eau qui mouillait son visage était tiède. Il pleurait.

CINQUIÈME
PARTIE

1152-1155

I

Au bout de sept ans, Jack avait terminé les transepts et le résultat était à la hauteur de ses espérances. Il avait amélioré les idées prises à Saint-Denis, en allégeant les éléments d'architecture : les fenêtres, les arcs et la voûte elle-même. La forêt des piliers s'élevait gracieusement pour se transformer en nervures qui venaient se croiser au milieu de la voûte. Les hautes fenêtres en ogive inondaient de lumière l'intérieur de l'église. Les moulures étaient fines et délicates, les sculptures un entrelacs de feuillages en pierre.

Un jour, des fissures apparurent dans le triforium.

Jack fut en même temps choqué et déconcerté. De l'avis des maçons les plus compétents, la structure était solide ; mais une fissure, en tout état de cause, indiquait une faiblesse. La voûte, quoique haute, n'avait rien de démesuré. Jack n'avait pas commis l'erreur d'Alfred en posant une voûte de pierre sur une structure qui n'était pas conçue pour en supporter le poids : ses murs à lui avaient été calculés pour la supporter. Pourtant, les fissures étaient apparues dans le triforium à peu près au même endroit que la première fois, dans la cathédrale d'Alfred. Si ce dernier avait commis une erreur de calcul, Jack était certain de ne pas avoir fait la même chose. Un nouveau facteur intervenait, que Jack ne connaissait pas et ne comprenait pas.

Ce n'était pas dangereux, pas à court terme. Les failles, comblées aussitôt avec du mortier, n'avaient pas encore reparu. Le bâtiment était sain, mais il était faible. Pour Jack, cette faiblesse gâchait son travail. Il voulait une église capable de durer jusqu'au jour du Jugement.

Il descendit l'escalier de la tourelle jusqu'à la galerie où il avait installé son plan au sol, dans le coin, sous le bon éclairage d'une des fenêtres du portail nord. Il se mit à dessiner la plinthe d'un pilier de la nef. Il traça un losange, puis un carré à l'intérieur du losange, puis un cercle au milieu du carré. Les principaux fûts de la colonne jailliraient des quatre pointes du losange dans les quatre directions, formant des arcs ou des nervures. Les fûts subsidiaires partant des coins du carré deviendraient les nervures de la voûte, traversant en diagonale la nef et le bas-côté. Le cercle du centre représentait le cœur du pilier.

Tous les plans de Jack étaient fondés sur des formes géométriques simples et sur des proportions assez compliquées. Il connaissait, notamment, et utilisait le rapport entre la racine carrée de deux et la racine carrée de trois, calcul qu'il avait appris à Tolède, et dont la plupart des maçons anglais étaient incapables. Ils avaient des notions élémentaires, par exemple qu'un cercle passant par les quatre coins d'un carré a un diamètre plus grand que le côté du carré, dans la proportion de racine de deux par rapport à un. Cette proportion-là était la plus ancienne formule utilisée par les maçons car, dans un bâtiment simple, c'était la formule qui régissait la proportion entre la largeur extérieure et la largeur intérieure, donc l'épaisseur du mur.

La tâche de Jack se compliquait de l'obligation où le mettait le prieur de tenir compte de la signification religieuse des nombres. Depuis que Philip avait décidé de dédier la cathédrale à la Vierge Marie, car la Vierge qui pleure accomplissait plus de miracles que la tombe de saint Adolphe, il avait demandé à Jack d'utiliser les chiffres neuf et sept —, ceux de Marie. Jack avait dessiné pour la nef neuf travées et pour le nouveau chœur, qui devait être construit en dernier, sept. L'arcade intermédiaire des bas-côtés aurait sept arcs par travée et la façade ouest neuf fenêtres en ogive. Jack n'avait pas d'opinion sur la symbolique religieuse de ces chiffres, mais il comprenait d'instinct qu'en utilisant toujours les mêmes nombres, il améliorerait l'harmonie de l'ensemble.

Il fut interrompu dans son travail de dessin par le maître couvreur qui se heurtait à un problème et demandait à Jack de le résoudre.

Jack le suivit dans l'escalier de la tourelle et, par le triforium, déboucha sur le toit. Ils franchirent les dômes arrondis qui formaient la partie supérieure de la voûte à nervures. Au-dessus d'eux, les couvreurs déroulaient de grandes feuilles de plomb pour les clouer aux poutres, en commençant par le bas et en remontant de façon que les feuilles supérieures chevauchent celles du dessous pour protéger de la pluie.

Jack comprit tout de suite le problème. Il avait posé un clocheton décoratif à l'extrémité d'une vallée séparant deux toits en pente, mais il en avait laissé la conception à un maître maçon qui n'avait pas prévu de passage pour l'écoulement de l'eau de pluie. Le maçon devrait donc modifier la pente du toit. Il dit au maître couvreur de transmettre ses instructions à son collègue, puis il revint à son dessin. La surprise qui l'attendait le laissa sans voix : Alfred était en bas.

Dix ans s'étaient écoulés pendant lesquels ils ne s'étaient pas adressé la parole. De temps en temps, ils s'étaient vus de loin, à Shiring ou à Winchester. Quant à Aliena, elle n'avait même pas aperçu Alfred depuis neuf ans, même si, selon les lois de l'Église, ils étaient toujours mariés. Martha allait voir son frère environ une fois par an dans sa maison de Shiring. Elle en rapportait toujours les mêmes nouvelles : il construisait des maisons pour les bourgeois de Shiring, ses affaires prospéraient, il vivait seul, il n'avait pas changé.

Aujourd'hui Alfred n'avait pas l'air prospère du tout. Jack lui trouva l'air fatigué et abattu. Alfred avait toujours été grand et fort, mais Jack le trouva maigre. Son visage s'était creusé et la main avec laquelle il repoussa une mèche de cheveux, jadis large et grasse, était osseuse.

« Bonjour, Jack », dit Alfred.

Son expression cachait sous une onctuosité forcée une certaine agressivité.

« Bonjour, Alfred, fit Jack, méfiant. La dernière fois que je t'ai vu, tu portais une tunique de soie et tu t'empâtais.

— C'était il y a trois ans... avant la première mauvaise récolte.

— C'est vrai. » Trois mauvaises récoltes d'affilée avaient provoqué une famine. Des serfs étaient morts de faim, de nombreux fermiers demeuraient sans ressources et les bourgeois de Shiring ne pouvaient probablement plus se permettre de commander de magnifiques maisons neuves en pierre. Alfred en ressentait les effets.

« Qu'est-ce qui t'amène à Kingsbridge, après tout ce temps ? demanda Jack.

— J'ai entendu parler de tes transepts et je suis venu voir, fit-il d'un ton où perçait malgré lui l'admiration. Où as-tu appris cette technique ?

— A Paris », répliqua sèchement Jack. Il n'avait aucune envie de discuter de cette expérience avec Alfred, qui avait été la cause de son exil.

« Bien. » Alfred semblait embarrassé, puis il reprit avec une feinte indifférence : « J'aimerais travailler ici, rien que pour apprendre ces nouveaux procédés. »

Jack était abasourdi. Alfred avait-il vraiment le toupet de lui demander du travail ? Pour gagner du temps, il interrogea : « Et ton équipe ?

— Je travaille tout seul maintenant, répondit Alfred avec autant de nonchalance que possible. Il n'y a plus assez de travail pour une équipe.

— De toute façon, nous n'engageons pas, déclara Jack sur le même ton. Nous avons tous les hommes qu'il nous faut.

— Mais tu peux toujours employer un bon maçon, n'est-ce pas ? »

Jack perçut une sorte de supplication sous l'apparente désinvolture et il comprit qu'Alfred était dans une mauvaise passe. Il décida de jouer franc jeu. « Après la vie que nous avons eue, Alfred, je suis la dernière personne à qui tu devrais demander de l'aide.

— En effet, tu es la dernière, répondit honnêtement Alfred. J'ai essayé partout. Personne n'engage. C'est la famine. »

Jack pensa à toutes les fois où Alfred l'avait maltraité, tourmenté et battu. C'était Alfred qui l'avait poussé à entrer au monastère, puis qui l'avait chassé de sa maison et de sa famille. Il n'avait aucune raison de lui venir en aide : il avait même tout lieu de se féliciter de son infortune. « Je ne te prendrais pas, affirma-t-il, même si j'avais besoin d'hommes.

— Je pensais que j'avais une chance. Après tout, c'est mon père qui t'a appris ce que tu sais. C'est grâce à lui que tu es un maître bâtisseur. Tu ne veux pas m'aider en souvenir de lui ? »

En souvenir de Tom, Jack fut pris de remords. A sa façon, Tom avait tenté d'être un beau-père honnête. Il n'était ni doux ni compréhensif, mais il ne traitait pas mieux ses propres enfants. Il avait même témoigné beaucoup de patience et de générosité en transmettant à Jack son savoir et sa compétence. Enfin et surtout, il avait toujours, ou presque, rendu heureuse la mère de Jack. Après tout, songea celui-ci, me voilà maître bâtisseur, sur le point de réaliser mon ambition en construisant la plus belle cathédrale du monde. A côté de moi, Alfred est pauvre, affamé et sans travail. N'est-ce pas une vengeance suffisante ?

834

Non, se dit-il.

Puis la raison lui revint.

« Très bien, fit-il. Je t'engage en mémoire de Tom.

— Merci, répondit Alfred, le visage impénétrable. Est-ce que je dois commencer tout de suite ? »

Jack acquiesça. « Nous sommes en train de poser les fondations de la nef, tu n'as qu'à nous rejoindre. »

Alfred lui tendit la main. Jack hésita un instant, puis la serra. Il avait toujours sa poigne robuste.

Alfred parti, Jack resta à contempler ses dessins sans les voir. Avait-il pris la bonne décision ? La voûte d'Alfred s'était effondrée, aussi ne lui confierait-il pas des travaux difficiles comme la construction d'une voûte ou d'un arc : des murs droits et des sols, c'était là son domaine.

Jack réfléchissait encore quand la cloche de midi sonna le dîner. Les maçons mariés rentraient chez eux et les célibataires prenaient leurs repas dans la loge. Sur certains chantiers, on fournissait la nourriture pour éviter les retards à la reprise du travail, l'absentéisme et l'abus d'alcool ; mais le menu des moines était souvent frugal et la plupart des travailleurs préféraient se débrouiller par eux-mêmes. Jack habitait la vieille maison de Tom le bâtisseur avec Martha, sa demi-sœur, qui lui tenait lieu de gouvernante. Elle s'occupait aussi de Tommy et du second enfant de Jack, une fille prénommée Sally, quand Aliena avait du travail. Enfin, d'ordinaire, elle préparait le dîner de Jack et des enfants ; Aliena parfois venait les rejoindre.

Jack quitta l'enclos du prieuré et marcha d'un pas vif. En chemin, une pensée le frappa. Alfred comptait-il revenir s'installer dans la maison avec Martha ? Après tout, c'était sa sœur. Jack n'avait pas pensé à ce risque en engageant Alfred.

Supposition stupide, se dit-il après réflexion. L'époque où Alfred faisait la loi était passée depuis longtemps. Le maître bâtisseur de Kingsbridge, c'était Jack et, s'il interdisait à Alfred de s'installer dans la maison, Alfred ne transgresserait pas son ordre.

Pourtant, il s'attendait presque à le trouver assis à la table de la cuisine et il fut soulagé de voir qu'il n'en était rien. Aliena surveillait le repas des enfants tandis que Martha remuait le contenu d'une marmite sur le feu. Le fumet du ragoût d'agneau faisait venir l'eau à la bouche.

Il posa un rapide baiser sur le front d'Aliena. Elle avait

trente-trois ans maintenant, mais elle paraissait toujours dix ans de moins. Ses cheveux formaient la même abondante masse de boucles brunes, elle avait la même bouche généreuse, les mêmes magnifiques yeux sombres. On ne voyait les effets du temps et des grossesses que lorsqu'elle était nue : sa superbe poitrine s'était un peu alourdie, ses hanches et son ventre n'avaient plus leur minceur juvénile.

Jack jeta un regard affectueux aux enfants : à neuf ans, Tommy était un robuste garçon aux cheveux roux, grand pour son âge, qui engloutissait son ragoût comme s'il n'avait pas mangé depuis une semaine ; Sally, sept ans, avait les boucles brunes de sa mère et un sourire qui révélait un creux entre les dents de devant. Chaque matin, Tommy allait à l'école au prieuré pour apprendre à lire et à écrire, mais, comme les moines n'acceptaient pas les filles, Aliena donnait elle-même des leçons à Sally.

Jack s'assit pendant que Martha retirait la marmite du feu pour la poser sur la table. Quelle fille étrange, pensa Jack. Elle avait maintenant vingt ans passés, mais ne semblait pas du tout s'intéresser au mariage. Elle avait toujours été attachée à Jack et semblait parfaitement satisfaite de lui servir de gouvernante. Jack, sans aucun doute, présidait à la plus originale maisonnée du comté. Aliena et lui étaient deux des principaux notables de la ville : lui le maître bâtisseur de la cathédrale, et elle la plus grande fabricante de tissu en dehors de Winchester. Tout le monde les traitait comme mari et femme, il leur était défendu pourtant de passer leurs nuits ensemble et ils habitaient des maisons séparées, Aliena avec son frère, Jack avec sa demi-sœur. Tous les dimanches après-midi et chaque jour férié, ils disparaissaient et tout le monde savait ce qu'ils faisaient, sauf, bien sûr, le prieur Philip. Pendant ce temps, la mère de Jack se cantonnait dans sa grotte de la forêt parce qu'elle était réputée sorcière.

De temps en temps, Jack éprouvait une bouffée d'exaspération. Quand lui permettrait-on enfin d'épouser Aliena ? Il restait allongé sans dormir dans son lit à écouter Martha ronfler dans la chambre voisine, en se disant : j'ai vingt-huit ans, pourquoi dois-je dormir seul ? Le lendemain, il était d'une humeur massacrante avec le prieur Philip, rejetant toutes les suggestions et les demandes du chapitre en les jugeant impraticables ou trop coûteuses, refusant d'envisager des compromis, buté et brutal. Philip alors l'évitait quelques jours et laissait la tempête se calmer.

Aliena, elle aussi, souffrait et c'était Jack qui en faisait les frais. Elle se montrait impatiente et intolérante, critiquant tout ce qu'il faisait, mettant les enfants au lit dès son arrivée, prétendant qu'elle n'avait pas faim lorsqu'il mangeait. Au bout d'un jour ou deux de cette humeur, elle éclatait en sanglots en s'excusant et ils étaient de nouveau heureux jusqu'à l'explosion suivante, quand la tension devenait trop forte.

Jack servit un peu de bouillon dans une écuelle et commença de dîner. « Devine qui est venu sur le chantier ce matin ? dit-il. Tu ne trouveras jamais. Alfred. »

Martha laissa tomber le couvercle de la marmite sur la pierre de l'âtre avec un grand fracas. Jack lut la crainte sur son visage. Il se tourna vers Aliena et vit qu'elle aussi avait pâli.

« Que fait-il à Kingsbridge ? interrogea celle-ci.

— Il cherche du travail. La famine a appauvri les marchands de Shiring, j'imagine, et ils ne font plus construire de maisons de pierre comme autrefois. Il a congédié son équipe et n'arrive pas à trouver de travail pour lui-même.

— J'espère que tu l'as jeté dehors ! s'exclama-t-elle.

— Il m'a demandé en souvenir de Tom de l'engager », répondit Jack, un peu nerveux. Il ne s'attendait pas à la réaction si violente des deux femmes. « Au fond, je dois tout à Tom.

— Damnation ! s'écria Aliena, consternée.

— En tout cas, dit Jack, je l'ai engagé.

— Non ! hurla Aliena. Comment as-tu pu ? Tu ne peux pas le laisser revenir à Kingsbridge... ce démon ! »

Sally se mit à pleurer. Tommy regardait sa mère en ouvrant de grands yeux. « Alfred n'est pas le diable, protesta Jack. C'est un homme affamé, sans le sou. Je l'ai aidé en souvenir de son père.

— Tu ne le plaindrais pas s'il t'avait forcé à dormir par terre au pied de son lit comme un chien pendant neuf mois.

— Il m'a fait pire... Demande à Martha.

— Et à moi aussi, renchérit Martha.

— J'ai estimé, conclut Jack, que l'état de déchéance où il se trouve suffit à me venger.

— Eh bien, pas moi ! tonna Aliena. Par le Christ, tu es un fieffé imbécile, Jack Jackson. Il y a des moments où je remercie Dieu de ne pas t'avoir épousé. »

Jack détourna la tête. Il savait qu'elle n'en pensait rien,

mais c'était quand même assez déplaisant à entendre. Il reprit sa cuiller et se mit à manger. Aliena caressa la tête de Sally et lui mit un bout de carotte dans la bouche. L'enfant s'arrêta de pleurer.

Tommy fixait toujours Aliena, bouche bée et effrayé. « Mange, Tommy, ordonna Jack. C'est bon. »

Ils terminèrent leur dîner en silence.

L'année où les transepts furent terminés, au printemps, le prieur Philip alla dans le Sud faire une tournée des propriétés du monastère. Après trois mauvaises années consécutives, il avait besoin d'une bonne récolte et tenait à vérifier dans quel état se trouvaient les fermes.

Il emmenait Jonathan. L'orphelin du prieuré était maintenant un grand jeune homme de seize ans, un peu gauche mais intelligent. Comme Philip au même âge, il n'avait pas le moindre doute sur ce qu'il voulait faire de sa vie : il avait achevé son noviciat, prononcé ses vœux et il était devenu frère Jonathan. Comme Philip, il s'intéressait aussi à l'aspect matériel du service de Dieu et il servait d'assistant à Cuthbert le Chenu, le vieux cellérier. Philip était fier de lui : il était dévot, travailleur et aimé de tous.

Les deux hommes étaient escortés de Richard, le frère d'Aliena, qui avait fini par trouver sa place à Kingsbridge. Une fois les murailles de la ville achevées et consolidées, Philip avait suggéré à la guilde paroissiale de nommer Richard officier du guet, responsable de la sécurité de la ville. C'était lui qui organisait les veilles de nuit et qui surveillait l'entretien et l'amélioration des murs ; les jours de marché et de fêtes, il avait pouvoir d'arrêter les ivrognes et les fauteurs de trouble. Ces tâches devenues essentielles à mesure que la ville se développait n'étaient pas du ressort des moines. Aussi la guilde paroissiale, en qui Philip avait vu tout d'abord un adversaire de son autorité, s'était-elle révélée fort utile. Et Richard était heureux. Il avait une trentaine d'années, mais sa vie active lui conservait une allure jeune.

Philip regrettait que la sœur de Richard ne fût pas aussi bien installée dans la vie. Si l'Église avait fait preuve d'injustice envers quelqu'un, c'était bien Aliena. Jack était l'homme qu'elle aimait et le père de ses enfants, mais l'Église lui interdisait de l'épouser et contre toute logique la maintenait mariée à Alfred. La mauvaise volonté de l'évêque bloquait le décret d'annulation. C'était scandaleux. Philip se sentait coupable, même s'il n'était pas directement responsable.

Vers la fin du voyage, alors qu'ils traversaient la forêt par un beau matin ensoleillé, le jeune Jonathan déclara : « Je me demande pourquoi Dieu fait mourir les gens de faim. »

C'était une question que chaque jeune moine posait tôt ou tard et on pouvait y répondre de bien des façons. « Ne reproche pas cette famine à Dieu, déclara Philip.

— Mais c'est bien Dieu qui a fait le temps qui a causé les mauvaises récoltes !

— La famine n'est pas seulement due aux mauvaises récoltes, expliqua Philip. Il y en a toujours périodiquement, mais les gens n'en meurent pas. Ce qu'il y a de grave cette fois, c'est que la crise survient après d'épuisantes années de guerre civile.

— Quel rapport ? »

Ce fut Richard, le soldat, qui répondit. « La guerre est fatale à l'agriculture, dit-il. On massacre les troupeaux pour nourrir les armées, on brûle les récoltes pour que l'ennemi n'en profite pas et les fermes sont négligées car les chevaliers sont pris par la guerre.

— Dans ces cas-là, ajouta Philip, les gens ne sont pas disposés à consacrer du temps et de l'énergie à défricher des terres, à agrandir les troupeaux, à creuser des fossés et à bâtir des granges.

— Nous, nous n'avons jamais arrêté de faire ce genre de travail, protesta Jonathan.

— Les monastères sont différents. La plupart des fermiers abandonnent leur exploitation durant les combats si bien que, quand le mauvais temps arrive, ils ne sont pas en état d'en supporter les conséquences. Les moines voient plus loin, eux. Mais nous avons un autre problème. A cause de la famine, le prix de la laine s'est effondré.

— Je ne vois pas le rapport, répéta Jonathan.

— C'est sans doute parce que les victimes de la famine ont autre chose en tête que des soucis de vêtement. » C'était la première fois, de la mémoire de Philip, que le prix de la laine n'avait pas augmenté. Il avait dû ralentir le rythme de construction de la cathédrale, cesser d'accepter de nouveaux novices et supprimer la viande et le vin du régime des moines. « Mais souviens-toi, reprit Philip, tous ces maux sont causés par la guerre et non par le mauvais temps.

— J'espère, s'exclama Jonathan avec une passion juvénile, qu'il y a un endroit spécial en enfer pour les comtes et les chevaliers qui provoquent tant de misère.

— Je l'espère... Que les saints nous préservent, qu'est-ce qui se passe ? »

Un étrange personnage avait jailli des broussailles, tête baissée. Ses vêtements étaient en haillons, ses cheveux en désordre et son visage noir de poussière. Philip crut d'abord que le malheureux fuyait un ours enragé.

L'homme accéléra et se jeta sur Philip qui, pris par surprise, en tomba de cheval.

Son agresseur tomba sur lui. L'homme avait une odeur de bête et les cris qu'il poussait n'étaient guère humains. Philip se débattait comme il pouvait. L'homme semblait chercher à s'emparer de la sacoche de cuir que Philip portait sur son épaule. Le prieur comprit qu'il essayait de le voler. Il n'y avait rien dans la sacoche qu'un livre, *Le Cantique des Cantiques*. Philip faisait des efforts désespérés pour se dégager, non parce qu'il tenait spécialement à ce livre, mais à cause de la saleté répugnante du voleur.

Plus il s'agitait, plus il s'empêtrait dans la courroie de son sac. Le voleur ne lâchait pas prise. Ils roulèrent l'un sur l'autre. Philip se rendit vaguement compte que son cheval s'était échappé. Enfin Richard empoigna le voleur. Philip se redressa mais, au lieu de se relever tout de suite, étourdi et hors d'haleine, il reprit son souffle, se tâta : rien de cassé.

Richard avait plaqué l'homme au sol et le maintenait d'un pied posé entre ses omoplates, la pointe de son épée appuyée sur sa nuque. Jonathan, abasourdi, tenait par la bride les deux chevaux qui restaient.

Philip se releva maladroitement. Quand j'avais l'âge de Jonathan, je pouvais tomber de cheval et ressauter aussitôt en selle, pensa-t-il non sans dépit.

« Si vous gardez ce cloporte à l'œil, dit Richard, je vais rattraper votre cheval. » Il tendit son épée à Philip.

« D'accord, mais gardez votre épée. Je n'en aurai pas besoin. »

Richard hésita, puis rengaina son arme. Le voleur ne bougeait pas. D'ailleurs, le malheureux, trop faible pour

840

étrangler un poulet, n'avait jamais présenté un réel danger. Richard partit à la recherche du cheval de Philip.

Quand le voleur vit Richard s'éloigner, il changea d'expression. Philip devina aussitôt qu'il guettait l'occasion de s'enfuir. Il l'arrêta donc. « Voudrais-tu quelque chose à manger ? » demanda-t-il.

L'homme regarda Philip comme s'il avait affaire à un fou.

Le prieur alla vers le cheval de Jonathan et ouvrit un sac de selle d'où il tira un pain. Il le rompit et en offrit la moitié au voleur. Comme s'il craignait qu'on change d'avis, l'homme s'en empara et en fourra aussitôt le plus gros dans sa bouche.

Philip s'assit sur le sol pour se reposer et l'observer. L'homme mangeait comme un animal, s'efforçant d'avaler le plus possible avant qu'on ait l'idée de lui retirer sa pitance. Maintenant qu'il le voyait mieux, Philip se rendait compte que l'homme qu'il avait pris pour un vieillard n'avait guère plus de vingt-cinq ans.

Quand Richard revint, ramenant le cheval de Philip, il s'indigna de voir le voleur en train de manger. « Pourquoi lui avez-vous donné notre nourriture ? dit-il à Philip.

— Parce qu'il meurt de faim. »

Richard ne répondit pas, mais son expression disait clairement qu'à son avis les moines perdaient le sens.

L'homme avait dévoré tout le pain. « Comment t'appelles-tu ? » demanda Philip.

L'homme, méfiant, hésita. Philip pensa qu'il n'avait peut-être pas parlé à un autre être humain depuis longtemps. Il répondit enfin : « David. »

En tout cas, se dit Philip, il n'avait pas perdu l'esprit.

« Que t'est-il arrivé, David ? interrogea-t-il.

— J'ai perdu ma ferme après la dernière récolte.

— Qui était ton propriétaire ?

— Le comte de Shiring. »

William Hamleigh ! Philip n'était pas surpris.

Des milliers de fermiers n'avaient pas pu payer leur loyer après les trois mauvaises récoltes. Philip, quand les fermiers se trouvaient dans ce cas, oubliait simplement de réclamer. De toute façon, un fermier qui se trouvait en difficulté finissait toujours par venir demander la charité au prieuré. Mais d'autres propriétaires, notamment le comte William, profitaient de la crise pour expulser les fermiers défaillants et reprendre possession du domaine. Résultat : une augmentation considérable du nombre des hors-la-loi vivant dans la forêt et attaquant les voyageurs. C'était pourquoi Philip emmenait partout Richard comme garde du corps.

« Et ta famille ? demanda Philip.

— Ma femme est retournée chez sa mère avec le bébé. Il n'y avait pas de place pour moi. »

C'était une histoire malheureusement banale. « David, reprit Philip, c'est un péché de porter la main sur un moine et c'est mal de vivre du vol.

— Comment donc voulez-vous que je vive ? s'écria le malheureux.

— Si tu peux rester dans la forêt, attrape des oiseaux.

— Je ne sais pas !

— Comme voleur, poursuivit Philip, tu ne vaux rien. Quelle chance de réussite avais-tu, sans arme, contre trois, dont l'un, Richard que voici, est armé jusqu'aux dents ?

— J'étais à bout.

— Eh bien, la prochaine fois que tu seras désespéré, va jusqu'à un monastère. Il y a toujours quelque chose à manger pour un pauvre. » Philip se leva. Il avait dans la bouche le goût amer de l'hypocrisie : en réalité les monastères ne pouvaient absolument pas nourrir tous les hors-la-loi. La plupart d'entre eux n'avaient vraiment d'autre choix que le vol. Mais le rôle d'un prieur était de guider les hommes vers une existence vertueuse, pas de trouver des excuses au péché.

Philip ne pouvait pas en faire plus pour le mendiant. Il reprit à Richard les rênes de son cheval et remonta en selle. « Passe ton chemin et ne pèche plus », conseilla-t-il en citant Jésus. Puis il poussa son cheval.

« Vous êtes vraiment trop bon, observa Richard en lui emboîtant le pas.

— Mon vrai défaut, riposta Philip en secouant tristement la tête, c'est que je ne suis pas assez bon. »

Le dimanche précédant la Pentecôte, William Hamleigh se maria. C'était une idée de sa mère, qui le harcelait depuis des années pour qu'il prît femme et conçût un héritier. Il avait toujours remis cette corvée au lendemain. Les femmes l'ennuyaient, l'angoissaient même, sans qu'il sache vraiment pourquoi, il n'avait pas envie d'y réfléchir. Il ne cessait de promettre qu'il se marierait bientôt, mais il ne passait jamais aux actes.

Ce fut Regan pour finir qui lui trouva une épouse.

Elle s'appelait Elizabeth. C'était la fille de Harold de Weymouth, un riche chevalier, chaud partisan de Stephen. Comme sa mère l'expliqua à William, avec un peu d'efforts il aurait pu trouver mieux, épouser la fille d'un comte, mais puisqu'il ne voulait pas s'occuper de son propre sort, Elizabeth ferait l'affaire.

William l'avait vue à la cour du roi, à Winchester, et Regan avait surpris son regard sur cette enfant à la jolie frimousse, entourée d'une masse de boucles châtain clair, aux seins ronds, aux hanches étroites : exactement le type de William. Elizabeth avait quatorze ans.

En la voyant, William s'était imaginé qu'il la rencontrait par une nuit sombre et la prenait de force dans une ruelle de Winchester. L'idée du mariage ne lui avait pas traversé l'esprit. Cependant Regan ne tarda pas à découvrir que le père n'était pas hostile à cette union ; quant à la fille, c'était une enfant obéissante qui ferait ce qu'on lui dirait. Ayant assuré à William que ne se renouvellerait pas l'humiliation infligée à leur famille par Aliena, Mère arrangea une rencontre.

William était nerveux. La dernière fois qu'il s'était trouvé dans la même situation, il avait vingt ans, pas d'expérience. Jeune fils de chevalier, il faisait la connaissance d'une arrogante jeune dame de la noblesse qui le traitait de haut. Mais aujourd'hui, endurci par les combats, âgé de trente-sept ans, comte de Shiring depuis dix ans, il n'allait pas s'énerver bêtement comme un blanc-bec à cause d'un rendez-vous avec une fille de quatorze ans.

Elle était encore plus tendue que lui, d'autant qu'elle tenait désespérément à lui plaire. Elle se mit à parler avec excitation de sa maison et de sa famille, de ses chevaux et de ses chiens, de ses parents et de ses amis. Lui restait silencieux et l'observait en essayant de l'imaginer nue.

L'évêque Waleran les maria dans la chapelle d'Earlscastle. Il y eut un grand festin qui se prolongea toute la journée. Selon la coutume, on avait invité tous les gens importants du comté et William aurait perdu la face s'il n'avait pas donné un banquet somptueux. On rôtit donc trois bœufs entiers et des douzaines de moutons et de porcs dans l'enceinte du château. Les invités épuisèrent les provisions de bière, de cidre et de vin de la cave. La mère de

William présidait aux festivités, son visage défiguré arborant un air de triomphe. L'évêque Waleran, trouvant répugnantes ces réjouissances vulgaires, partit quand l'oncle de la mariée se mit à plaisanter gaillardement le jeune couple.

Celui-ci se retira à la tombée de la nuit, tandis que les invités continuaient à festoyer. William avait assisté à suffisamment de mariages pour savoir à quoi l'exposaient les inventions scabreuses des plus jeunes convives ; aussi posta-t-il Walter en faction devant la chambre dont il barricada la porte pour ne pas être dérangé.

Elizabeth ôta sa tunique et ses chaussures. En simple chemise de lin, elle déclara avec simplicité : « Je ne sais pas quoi faire, il va falloir me montrer. »

Ce n'était pas tout à fait ce que William avait imaginé. Il s'approcha d'elle. Elle leva la tête et il posa un baiser sur ses lèvres douces, mais cela ne l'excita pas le moins du monde. « Ote ta chemise et allonge-toi sur le lit », ordonna-t-il.

Elle se débarrassa de sa camisole. Elle était assez rondelette, avec de gros seins aux petites pointes roses. Un léger duvet formait un triangle clair en bas de son ventre. Docilement, elle se dirigea vers le lit et s'allongea sur le dos.

En deux coups de pied, William se déchaussa de ses bottes. Il s'assit sur le lit auprès d'elle et lui pressa les seins. Elle avait la peau douce. Cette aimable fille, souriante et obligeante, ne correspondait guère à l'image, qui lui avait laissé la gorge sèche, d'une femme en proie à la passion, gémissant et transpirant sous lui. Il se sentit déçu.

Quand il posa une main sur sa cuisse, elle entrouvrit aussitôt les jambes. Il glissa son doigt en elle. Elle eut une petite grimace de douleur, puis se reprit : « C'est très bien, allez-y. »

Il se demanda un instant s'il ne s'y prenait pas mal. Il eut la vision fugitive d'une scène toute différente, dans laquelle ils seraient allongés côte à côte, se caressant, bavardant et faisant peu à peu connaissance. Mais le désir venait de s'éveiller en lui lorsqu'elle avait poussé un petit cri de souffrance et, balayant ses scrupules, il se mit à la traiter plus brutalement. Il ne cessait d'observer son visage tandis qu'elle luttait pour supporter l'épreuve en silence.

Il monta sur le lit et s'agenouilla au-dessus d'elle. Il n'était pas encore totalement excité. C'était son fichu sourire qui le rendait impuissant, il en était sûr. Une deuxième fois, il la fit gémir de douleur. C'était mieux. Puis cette petite idiote se remit à sourire. Il fallait qu'il efface ce rictus de son visage. Il la gifla à toute volée. Elle poussa un hurlement et sa lèvre se mit à saigner. C'était beaucoup mieux.

Il la frappa encore.

Elle éclata en sanglots.

Alors tout se passa bien.

Le dimanche suivant se trouvant être la Pentecôte, une vaste foule se presserait dans la cathédrale. L'évêque Waleran dirait la messe. Il y aurait encore plus de monde que d'habitude, car on avait hâte de voir les nouveaux transepts, tout juste terminés. Le bruit courait qu'on n'avait jamais rien vu de pareil. William en profiterait pour présenter son épouse au peuple. Il n'était pas revenu à Kingsbridge depuis son attaque ratée, mais Philip ne pouvait pas l'empêcher d'assister à un service religieux.

Deux jours avant la Pentecôte, Regan mourut subitement. Le vendredi, après le souper, se sentant oppressée, elle se coucha de bonne heure. Peu avant l'aube, la chambrière réveilla William pour lui annoncer que sa mère était très mal. Il se leva et, à moitié endormi, la rejoignit dans sa chambre où il la trouva incapable de parler, suffocante, une expression de terreur au fond des yeux.

William, terrifié par les halètements qui la secouaient et son regard fixe, qui semblait lui réclamer du secours, préféra quitter la pièce. La servante en faction à la porte lui fit honte. Il se força à rentrer dans la chambre. A la lueur de l'unique chandelle, le visage de Regan semblait se creuser. Son souffle rauque devenait si bruyant que William s'étonnait : comment le château n'était-il pas alerté ? On aurait dit qu'elle criait après lui seul, comme quand il était enfant. Elle lui réclamait quelque chose, il en était sûr. Soudain il se revit gamin, envahi d'une terreur aveugle comme il n'en avait pas éprouvé depuis sa petite enfance, la terreur de prendre conscience que la seule personne qu'il aimait était un monstre. Depuis toujours, elle le martyrisait de son autorité, de son sadisme, et lui, si apeuré par les hurlements qu'il ne comprenait plus ce qu'elle lui réclamait, il devenait aveugle, sourd et muet de terreur.

Cette fois, c'était pareil et différent.

Cette fois, elle mourut.

D'abord, ses yeux se fermèrent. William se détendit un

peu. Peu à peu, le souffle de Regan s'affaiblit, son visage grêlé prit une teinte grisâtre. Enfin, elle cessa de respirer.

William se tourna vers la servante.

« Elle est en paix, maintenant, n'est-ce pas ? »

La servante éclata en sanglots.

William s'assit au bord du lit et contempla le visage immobile. La femme de chambre alla chercher le prêtre qui réagit avec colère : « Pourquoi ne m'avez-vous pas appelé plus tôt ? » reprocha-t-il à William. Ce fut à peine si celui-ci l'entendit. Il veilla le corps jusqu'au lever du jour ; puis les servantes venues procéder à sa dernière toilette lui demandèrent de partir. William descendit dans la salle commune où les habitants du château — chevaliers, hommes d'armes, clercs et domestiques — déjeunaient en silence. Il s'assit à la table auprès de sa jeune épouse et but un peu de vin. Un chevalier et l'intendant lui adressèrent la parole, mais il ne répondit pas. Walter arriva et s'assit auprès de lui. Walter le connaissait depuis assez d'années pour savoir quand il fallait se taire.

William sortit enfin de son silence. « Les chevaux sont prêts ? demanda-t-il.

— Pourquoi ? répondit Walter, surpris.

— Pour le voyage à Kingsbridge. Il dure deux jours nous partirons ce matin.

— Je ne pensais pas que nous irions... étant donné les circonstances... »

William tapa sur la table. « Est-ce que j'ai dit une chose pareille ?

— Non, seigneur.

— Alors, nous partons !

— Bien, seigneur, fit Walter en se levant. Je vais tout préparer. »

Ils partirent dans le milieu de l'après-midi, William, Elizabeth et l'escorte habituelle de chevaliers et de valets. William vivait dans un rêve. Il lui semblait que c'était le paysage qui passait devant lui et non le contraire. Elizabeth chevauchait à son côté, meurtrie et silencieuse. Aux repas, William croqua un peu de pain et but plusieurs coupes de vin. La nuit, il dormit d'un sommeil agité.

En approchant de Kingsbridge, ils aperçurent de loin la cathédrale qui dominait les champs verdoyants. L'ancien sanctuaire était un édifice large et trapu, avec de petites fenêtres comme des yeux de porc sous des sourcils arrondis. La nouvelle église serait totalement différente. Elle était élancée et les fenêtres semblaient extraordinairement grandes. Plus il approchait, plus l'impression s'accentuait. A côté de l'église, les bâtiments du prieuré devenaient des miniatures.

La route grouillait de cavaliers et de piétons convergeant vers Kingsbridge : la messe de Pentecôte était populaire, car elle prenait place au début de l'été, quand le temps était beau et les routes sèches. Cette année-là la curiosité pour la nouvelle cathédrale attirait encore plus de gens que d'habitude.

William et son escorte parcoururent au petit trot la dernière demi-lieue, bousculant au passage la piétaille qui ne se rangeait pas assez vite, et franchit dans un grand fracas le pont-levis de bois qui enjambait la rivière. Kingsbridge était devenue l'une des villes les plus fortifiées d'Angleterre. Une solide muraille de pierre surmontée d'un parapet crénelé l'entourait, et là où jadis le pont débouchait directement sur la grand-rue, la voie était barrée par une barbacane de pierre aux énormes portes bardées de fer ouverte le jour, mais solidement fermée la nuit. Je n'incendierai plus jamais cette ville, songea William.

Les gens regardaient la troupe du comte remonter la grand-rue vers le prieuré. William suscitait toujours la curiosité. De plus, cette fois, on découvrait aussi sa jeune épouse qui chevauchait à sa gauche. A sa droite, comme toujours, se tenait Walter.

Ils entrèrent dans l'enclos du prieuré et mirent pied à terre devant les écuries. William confia son cheval à son valet et se retourna pour contempler l'église. Les parties à construire étaient délimitées au sol par un assemblage de piquets et de cordes. Mais l'attention de William se porta immédiatement sur les transepts, dont il avait tellement entendu parler. Les fenêtres étaient incroyablement grandes, comme on le lui avait rapporté. William n'avait jamais vu de sa vie un édifice pareil.

« C'est fantastique », murmura Elizabeth, rompant son silence soumis.

Impressionné, il remonta la nef à pas lents, suivi de sa jeune femme. La première travée était construite en partie et paraissait soutenir l'énorme arc en ogive qui formait l'entrée ouest de la croisée. William passa sous cette arche extraordinaire et se trouva dans la foule qui augmentait d'instant en instant.

Cette construction tenait du miracle. Tout était trop grand, trop élancé, trop gracieux et trop fragile pour tenir debout. Il n'y avait pas de murs, rien pour soutenir le toit qu'une rangée de fins piliers s'élançant vers le ciel. Comme tous ceux qui l'entouraient, William se démancha le cou pour regarder en haut et constata que les piliers s'incurvaient dans la courbe du plafond pour se rencontrer au faîte de la voûte comme les branches entremêlées des vieux ormes de la forêt.

La messe commença. On avait construit l'autel à l'entrée du chœur, réservant la croisée et les deux transepts aux fidèles qui, malgré l'espace dont ils disposaient, débordaient dans la nef en construction. William se fraya un chemin jusqu'au premier rang, où par prérogative il avait sa place, et s'installa près de l'autel, près des autres nobles du comté qui le saluèrent de la tête en échangeant entre eux des murmures divers.

Le toit de bois peint de l'ancien chœur se raccordait bizarrement à la grande arche de la croisée et il était clair que le bâtisseur comptait démolir le chœur pour le refaire dans le style du nouvel édifice.

Tout en réfléchissant à ces étonnantes innovations, William balayait d'un œil vague l'assistance autour de lui. Soudain il repéra le responsable de l'ouvrage, le maître bâtisseur Jack Jackson. C'était un beau gaillard avec sa crinière de cheveux roux, qui arborait une tunique rouge sombre brodée au col et à l'ourlet, comme un noble. L'air plutôt content de lui, il tenait par la main un garçon d'environ neuf ans, son portrait tout craché. William eut un pincement au cœur en devinant qu'il s'agissait de l'enfant d'Aliena — Aliena qui, justement, lui apparut au même instant. Elle se tenait un peu en retrait de Jack, avec un petit sourire d'orgueil. William sentit son cœur bondir. Elle était plus belle que jamais. Elizabeth n'était qu'un piètre substitut, une pâle imitation de la véritable Aliena. Celle-ci donnait la main à une petite fille d'environ sept ans et William se rappela qu'elle avait eu un second enfant de Jack, bien qu'ils ne fussent toujours pas mariés.

William la scruta avec une attention jalouse. Non, finalement elle n'était pas aussi jolie qu'autrefois ; elle avait des rides autour des yeux et, derrière son fier sourire, une ombre de tristesse. Toutes ces années passées à espérer l'autorisation d'épouser Jack finissaient par la miner, se dit William avec satisfaction. L'évêque Waleran avait tenu parole, il bloquait toujours l'annulation. Cette idée réconfortait souvent William.

Waleran justement, debout devant l'autel, élevait la sainte hostie au-dessus de sa tête pour l'exposer aux yeux de la congrégation. D'un seul mouvement, les centaines de gens s'agenouillèrent. William concentra un moment son attention sur l'office, mais le vertige qu'il éprouvait depuis la veille persistait et la magie de la nouvelle cathédrale, avec le soleil qui jouait entre ces invraisemblables piliers, ne faisait qu'intensifier son impression d'irréalité.

La messe touchait à sa fin. L'évêque Waleran se retourna, face aux fidèles. « Nous allons maintenant prier pour l'âme de la comtesse Regan Hamleigh, la mère du comte William de Shiring, qui nous a quittés dans la nuit de vendredi. »

Un brouhaha parcourut l'assistance, mais William fixait l'évêque d'un œil horrifié. Il venait de comprendre enfin ce que sa mère avait essayé de lui transmettre en mourant. Elle réclamait un prêtre, *mais William ne l'avait pas appelé*. Il l'avait regardée s'affaiblir, il avait vu ses yeux se fermer, son souffle s'arrêter et il l'avait laissée mourir sans confession. Comment avait-il pu faire une chose pareille ? Depuis la nuit de vendredi, l'âme de sa mère était en enfer, souffrant les tourments qu'elle lui avait si souvent décrits avec tant de détails, et sans prières pour soulager son supplice ! Il avait le cœur si lourd de remords qu'il eut l'impression un moment que lui aussi allait mourir. « Que va-t-il m'arriver ? » dit-il à voix haute, et les gens autour de lui le regardèrent avec surprise.

Une fois la messe terminée et les moines sortis en procession, William resta agenouillé devant l'autel. Le reste des fidèles s'éparpilla dehors au soleil sans s'occuper de lui ; tous, sauf Walter qui l'attendit. William priait de toutes ses forces, en évoquant sa mère tout en répétant le *Notre Père* et tous les autres bouts de prières dont il pouvait se souvenir. Au bout d'un moment, il se dit qu'il y avait peut-être mieux à faire : brûler des cierges par exemple ; payer des prêtres et des moines pour dire régulièrement des messes pour elle ; peut-être même faire construire une chapelle pour le repos de son âme. Mais tout cela lui paraissait encore insuffisant. Il lui semblait la voir, secouant la tête,

849

blessée et déçue et lui répétant : « Laisseras-tu encore long-temps ta mère souffrir ? »

Il sentit une main sur son épaule et releva la tête. L'évê-que Waleran se tenait devant lui, toujours vêtu de la magni-fique robe rouge qu'il portait à la Pentecôte. Ses yeux noirs scrutaient ceux de William et celui-ci eut le sentiment que ce regard pénétrait tous ses secrets. « Pourquoi pleurez-vous ? » demanda Waleran.

William se rendit compte qu'il avait le visage baigné de larmes. « Où est-elle ? interrogea-t-il.

— Elle est allée se faire purifier par le feu.

— Est-ce qu'elle souffre ?

— Terriblement. Mais pour ceux qui nous sont chers, nous pouvons hâter la fin de ce châtiment horrible infligé à leur âme.

— Je ferais n'importe quoi ! sanglota William. Dites-moi simplement quoi ! »

Les yeux de Waleran étincelaient de cupidité. « Bâtissez une église, dit-il, comme celle-ci. Mais à Shiring. »

Une fureur froide envahissait Aliena chaque fois qu'elle traversait les terres qui autrefois avaient appartenu à son père. Les fossés bouchés, les clôtures abattues, les étables délabrées la choquaient ; les champs en friche l'attristaient, et les villages abandonnés lui brisaient le cœur. La faute n'en revenait pas seulement aux mauvaises récoltes. Le comté aurait pu nourrir sa population, même cette année, s'il avait été convenablement géré. Mais William Hamleigh ne savait pas mettre en valeur ses biens. Pour lui, le comté était un coffre personnel où il n'avait qu'à puiser, pas la terre nourricière de milliers de gens. Lorsque ses serfs n'avaient pas à manger, il les laissait mourir de faim. Quand ses fermiers ne pouvaient pas payer leurs loyers, il les jetait dehors. Et la surface des terres cultivées avait diminué, car les champs des fermiers ainsi dépossédés étaient retournés à leur état naturel. William n'avait pas l'intelligence de voir qu'à long terme il travaillait contre son propre intérêt.

Le pire pour Aliena, c'était qu'elle s'estimait en partie responsable de cette déchéance. Richard et elle n'avaient pas réussi à récupérer la propriété familiale. Ils avaient renoncé depuis qu'Aliena avait perdu toute sa fortune. Mais la blessure n'était pas guérie et la promesse faite à son père obsédait encore Aliena.

Chaque fois qu'elle pensait au temps béni où elle avait auprès d'elle sa présence brillante, fière et sévère, elle ressentait comme un coup d'épée la douleur de sa disparition. Sa vie, à partir de l'instant où le comte avait été fait prisonnier, lui semblait avec le recul une série de vaines activités... jusqu'au jour où Jack était entré dans sa vie.

Mais, peu à peu, l'interdiction d'épouser Jack avait tout flétri. Elle en était venue à haïr le prieur Philip qu'elle considérait jadis comme son sauveur et son mentor. Depuis des années maintenant, elle n'avait pas eu avec lui une conversation amicale. Bien sûr, ce n'était pas sa faute si l'annulation était régulièrement refusée. Mais c'était lui qui avait insisté pour les faire vivre séparés et Aliena ne pouvait s'empêcher de lui en vouloir.

Elle adorait ses enfants et s'inquiétait de devoir les élever de façon si bizarre, avec un père qui partait à l'heure du coucher. Jusqu'alors, par bonheur, ils n'en semblaient pas affectés : Tommy était un robuste et beau garçon qui aimait courir, jouer au ballon et au soldat ; Sally, une charmante fillette qui racontait d'interminables histoires à ses poupées, adorait regarder Jack tracer ses plans. Leur amour simple était le seul élément solide et normal dans l'étrange vie d'Aliena.

Elle souffrait plus profondément du malheur de Jack. Elle l'adorait, personne ne savait à quel point, sauf peut-être Ellen qui comprenait tout. Elle l'aimait parce qu'il l'avait ramenée à la vie. Elle était comme une chenille dans un cocon et lui l'en avait tirée pour lui apprendre qu'elle était papillon. Elle aurait passé toute son existence sans rien savoir des joies et des peines de l'amour s'il n'avait pas surgi dans sa clairière secrète pour la charmer de ses récits, l'embrasser avec une infinie douceur, et réveiller l'amour qui dormait au fond de son cœur. Malgré sa jeunesse, il avait été si patient, si tolérant. Pour cela, elle l'aimerait toujours.

En traversant la forêt, elle pensa qu'elle rencontrerait peut-être Ellen, la mère de Jack. Ils la voyaient de temps en temps, à une foire ou à une autre ; environ une fois par an elle se glissait à la tombée de la nuit jusqu'à Kingsbridge pour passer la soirée avec ses petits enfants. Aliena se sentait proche d'Ellen : c'était aussi une femme à part, au destin peu commun.

Elle ressortit de la forêt sans l'avoir vue.

Dans les champs encore cultivés, les moissons mûrissaient au soleil. La récolte serait bonne, estima-t-elle. L'été avait été pluvieux et froid, mais du moins sans les inondations et les maladies qui avaient anéanti les trois dernières moissons. Heureusement, car des milliers de gens étaient au bord de la famine et un mauvais hiver tuerait la plupart d'entre eux. Aliena s'arrêta pour faire boire ses bœufs à la mare d'un village du nom de Monksfield qui faisait partie du domaine d'Earlscastle : un assez gros bourg, entouré de quelques-unes des meilleures terres du comté et qui possédait une église en pierre. Cette année, constata-t-elle, on n'avait semé que la moitié des champs : le reste était envahi de mauvaises herbes.

Deux autres voyageurs s'étaient arrêtés au milieu du village pour abreuver leurs chevaux. Aliena les regarda avec méfiance. Avant de lier connaissance, elle étudiait à qui elle avait affaire. Elle avait constaté par exemple que son charretier, parfaitement disposé à lui obéir quand ils étaient seuls, avait tendance à se montrer insolent sitôt qu'il se trouvait en compagnie d'autres hommes.

Mais aujourd'hui l'un des voyageurs était une femme. Aliena la reconnut : elle l'avait vue le dimanche de Pentecôte, à la cathédrale de Kingsbridge : c'était la comtesse Elizabeth, épouse de William Hamleigh.

Accompagnée d'un homme d'armes à l'air maussade, apparemment son garde du corps, elle avait un air de chien battu. Voilà quel aurait été mon sort, songea Aliena, si j'avais épousé William !

L'homme d'armes fit un bref salut au charretier en ignorant Aliena, qui décida de ne pas proposer de continuer la route ensemble.

Tandis que les animaux s'abreuvaient, le ciel s'assombrit et un vent âpre se leva. « Un orage d'été », murmura le charretier d'Aliena en levant vers le ciel un regard inquiet. L'orage ralentirait leur avance et ils risquaient de se retrouver en pleine campagne à la nuit tombée. Quelques gouttes de pluie tombèrent. Il allait falloir chercher un refuge, pensa Aliena à contrecœur.

« Abritons-nous ici un moment, dit la jeune comtesse à son garde.

— Pas possible, répondit brutalement l'homme. Ordre du maître. »

Aliena, scandalisée d'entendre l'homme d'armes répliquer sur ce ton intervint : « Ne dites pas de bêtises ! lança-t-elle. Vous avez la charge de votre maîtresse ! »

Le garde tourna vers elle un regard surpris. « Qu'est-ce que ça peut vous faire ? fit-il grossièrement.

— Il va tomber une violente averse, idiot, répliqua Aliena de son ton le plus méprisant. Une dame ne voyage pas par un temps pareil. Votre maître vous fera fouetter pour votre stupidité. » Aliena se tourna vers la comtesse Elizabeth. La jeune femme la regardait, visiblement soulagée que quelqu'un prenne son parti contre ce mufle. Une rafale de pluie les gifla avec violence. Aliena prit sa décision. « Venez avec moi », dit-elle à Elizabeth.

Le garde n'avait pas eu le temps de réagir qu'elle entraînait la jeune femme par la main. La comtesse Elizabeth souriait comme une enfant qui quitte l'école. Aliena s'attendait que le garde les poursuive et ramène la comtesse de force, mais un éclair zébra le ciel et la pluie redoubla. Aliena et Elizabeth se mirent à courir, traversèrent le cimetière et arrivèrent à une maison de bois tout près de l'église.

La porte était ouverte. Elles se précipitèrent à l'intérieur. Un homme à l'air revêche, en tunique noire ornée d'une croix d'argent, se leva en les voyant entrer. Aliena savait que le devoir d'hospitalité constituait une charge pour les prêtres de paroisses, surtout en ces temps difficiles. Pour prévenir toute résistance, elle déclara d'un ton ferme : « Mes compagnons et moi avons besoin de nous mettre à l'abri.

— Je vous en prie. Vous êtes les bienvenus », marmonna l'homme d'Église.

C'était une maison de deux pièces pas très propres et d'un appentis sur le côté pour les bêtes. Il y avait un tonnelet de vin sur la table. Un petit chien se mit à japper d'un air agressif lorsque les deux femmes s'assirent.

Elizabeth pressa le bras d'Aliena. « Merci beaucoup, murmura-t-elle avec des larmes de gratitude. Ranulf m'aurait obligée à continuer : il ne m'écoute jamais.

— Ne vous tourmentez pas, dit Aliena, ces grands gaillards sont tous des lâches au fond du cœur. » Elle examina Elizabeth et se rendit compte que la malheureuse lui ressemblait un peu, en plus jeune et plus faible.

« Je suis Elizabeth de Shiring, annonça la jeune femme, et vous ?

— Je m'appelle Aliena. Je suis de Kingsbridge. » Elizabeth, trop jeune pour connaître le nom de celle qui avait provoqué autrefois un scandale en repoussant William Hamleigh, se contenta de remarquer : « Quel joli prénom ! Il est rare. »

Une souillon au visage ingrat, les bras nus et musclés, arriva de la pièce du fond et leur offrit une coupe de vin. Sans doute la gouvernante du prêtre, pensa Aliena, et peut-être même sa femme clandestine, puisque le mariage des ecclésiastiques était interdit en théorie. Les compagnes des prêtres provoquaient des histoires sans fin. Obliger le curé à les renvoyer était une décision cruelle et impopulaire. La plupart des gens, partisans en théorie de la chasteté pour les prêtres, se montraient généralement tolérants dans la pratique, parce qu'ils connaissaient souvent la femme qui vivait avec le curé. L'Église fermait-elle donc les yeux sur ce genre de liaison. Sois reconnaissante, femme, pensa Aliena, au moins toi tu vis avec ton homme.

Le garde et le charretier arrivèrent, les cheveux trempés. Ranulf se planta devant Elizabeth. « Nous ne pouvons pas faire halte ici. »

A la surprise d'Aliena, Elizabeth céda aussitôt. « Bon, dit-elle en se levant.

— Asseyez-vous », s'écria Aliena qui la retint par la main, tout en brandissant un doigt ferme sous le nez du garde. « Si j'entends un mot de plus de toi, je demanderai aux villageois de venir au secours de la comtesse de Shiring. Ils savent comment traiter leur maîtresse, si toi tu n'en as aucune idée. »

Elle vit Ranulf hésiter. En cas de bagarre, il aurait vite raison d'Elizabeth et d'Aliena, et aussi du prêtre et du charretier ; mais il ne tiendrait pas devant le renfort des villageois.

« Peut-être, dit-il enfin, la comtesse préférerait-elle continuer. » Il regarda Elizabeth d'un air mauvais.

La jeune femme paraissait terrifiée.

« Eh bien, madame la comtesse... Ranulf demande humblement à connaître votre volonté. »

Elizabeth se tourna vers Aliena.

« Dites-lui votre décision, insista celle-ci. Son devoir est d'obéir à vos ordres. »

L'attitude d'Aliena donna du courage à la jeune comtesse. Elle prit une profonde inspiration et déclara :

« Nous allons nous reposer ici. Va t'occuper des chevaux, Ranulf. »

Ranulf acquiesça en marmonnant et sortit.

Elizabeth le regarda partir d'un air stupéfait.

« Ça pisse dru », commenta le charretier.

Le prêtre fut choqué par cette vulgarité. « Je suis sûr que ce sera juste une averse », dit-il d'un ton compassé. Aliena ne put s'empêcher de rire et Elizabeth l'imita. On avait l'impression que la jeune femme ne riait pas souvent.

La pluie tambourinait avec fracas. Aliena regarda par la porte ouverte. L'église n'était qu'à quelques mètres, mais on la distinguait à peine. Il fallait s'attendre à une vraie tempête.

« As-tu mis la charrette à l'abri ? demanda Aliena à son charretier.

— Avec les bêtes, répondit l'homme.

— Bon. Je ne veux pas voir mon tissu feutrer. »

Ranulf revint, trempé jusqu'aux os.

Il y eut un éclair suivi d'un long grondement de tonnerre.

« Encore un mauvais coup pour les récoltes », dit le prêtre d'un ton lugubre.

Il avait raison, se dit Aliena. Ce qu'il fallait maintenant, c'était trois semaines de chaud soleil.

Il y eut un nouvel éclair, un coup de tonnerre prolongé et une rafale qui ébranla la maison. De l'eau glacée tomba sur la tête d'Aliena qui leva les yeux, aperçut une brèche dans le toit de chaume. Elle se déplaça pour se mettre à l'abri. La pluie s'engouffrait aussi par la porte, mais personne ne semblait vouloir la fermer.

Aliena s'approcha d'Elizabeth. Elle était toute pâle, frissonnait bien qu'il ne fît pas froid. Aliena la serra contre elle.

« J'ai peur, murmura la jeune comtesse.

— Ça n'est qu'un orage », dit Aliena, rassurante.

Il commençait à faire très sombre dehors, alors qu'il n'était que midi. Aliena vint près de la porte. Le ciel était d'un gris de fer. On n'avait jamais vu un temps si bizarre en été. Le vent soufflait en tempête, un éclair illumina des objets que la bourrasque faisait tourbillonner : une couverture, une écuelle, un tonneau vide.

Aliena retourna s'asseoir, un peu inquiète. Une nouvelle rafale ébranla la maison. Le mât central qui maintenait le faîte du toit tremblait. La maison était l'une des mieux construites du village : si la tempête l'ébranlait, les pauvres masures devaient être près de s'écrouler. Elle se tourna vers le prêtre. « Si l'orage empire, il va falloir rassembler les villageois à l'abri dans l'église, déclara-t-elle.

— Je refuse de sortir par un temps pareil », répliqua le prêtre avec un petit rire méprisant.

Aliena le dévisagea d'un œil incrédule. « Ce sont vos ouailles, vous êtes leur berger ! »

Le prêtre la toisa d'un regard insolent. « C'est à l'évêque que je dois des comptes, pas à vous. Je ne vais tout de même pas faire n'importe quoi parce que vous en décidez ainsi !

— Mettez au moins l'attelage de labour au sec », dit Aliena. La plus précieuse richesse d'un village comme celui-ci était l'attelage de huit bœufs qui tiraient la charrue commune. Sans ces bêtes, les paysans ne pouvaient plus cultiver leur terre car aucun ne pouvait se permettre de posséder un attelage de labour personnel. Le prêtre devait en connaître la valeur ; sa prospérité en dépendait aussi.

« Nous n'en avons pas, répondit le prêtre.

— Comment cela ? s'exclama Aliena, stupéfaite.

— Nous avons dû vendre quatre bœufs pour payer le loyer ; puis nous avons tué les autres l'hiver dernier : on n'avait plus de viande. »

Voilà pourquoi les champs étaient en friche ! Les paysans n'avaient pu cultiver que les terres plus légères, en utilisant des chevaux ou de la main-d'œuvre humaine pour tirer la charrue. Cette situation était intolérable ! Quelle stupidité, mais aussi quelle cruauté de la part de William d'obliger ce village à vendre son attelage de labour ! Sans lui, les paysans déjà en difficulté n'avaient plus aucun moyen de payer leurs loyers futurs. Si elle avait tenu William à cet instant, Aliena l'aurait étranglé !

Une violente bourrasque secoua la maison. Un côté du toit se souleva de quelques pouces en s'écartant du mur et, par la brèche, Aliena vit le ciel noir sillonné d'éclairs. Elle se leva d'un bond au moment où le chaume s'abattait dans la pièce. Les choses commençaient à devenir dangereuses. Par-dessus le fracas de la tempête, elle cria au prêtre : « Allez ouvrir la porte de l'église ! »

De mauvaise grâce, il obéit. Il prit une clé dans un coffre, passa un manteau et disparut derrière le rideau de pluie. Aliena distribua les autres rôles : « Toi, le charretier, amène mon chariot et mes bœufs dans l'église. Ranulf, prends les chevaux. Elizabeth, venez avec moi. »

Elles mirent leurs capes et sortirent. Le vent soufflait avec une telle violence qu'elles durent se tenir par la main pour garder leur équilibre. Elles réussirent à traverser le cimetière. La pluie avait fait place à la grêle et de petits œufs de glace rebondissaient sur les pierres tombales. Dans un coin du cimetière, Aliena aperçut un pommier aussi nu qu'en plein hiver. La tourmente avait arraché ses feuilles et ses fruits. Il n'y aura pas beaucoup de pommes dans le comté cet automne, se dit-elle.

Elles atteignirent l'église et s'y engouffrèrent. Se retrouver ainsi au calme, c'était comme devenir sourd. Certains des villageois étaient déjà arrivés, trempés, accompagnés de leurs maigres biens : les poulets dans des sacs, les cochons ligotés, les vaches tenues à la longe. Les éclairs ininterrompus illuminaient l'église obscure. Bientôt le charretier apparut avec le chariot d'Aliena et Ranulf suivit avec les chevaux.

Aliena s'adressa au prêtre : « Installons les bêtes d'un côté et les gens de l'autre, avant que l'église ne commence à ressembler à une étable. » On semblait avoir accepté le fait que c'était elle qui commandait et le curé acquiesça de la tête. Peu à peu, on sépara les gens des bêtes. Les femmes emmenèrent les enfants dans le petit chœur et les hommes attachèrent les animaux aux piliers de la nef. Les villageois se regroupèrent, vivres et boissons commencèrent à circuler. Ils s'étaient préparés à un long séjour.

La violence de la tempête aurait pu laisser penser qu'elle ne durerait pas. Hélas ! au contraire elle redoubla d'intensité. Aliena s'approcha d'une fenêtre. Elle n'était pas en verre, mais faite d'une fine toile translucide qui pendait en lambeaux accrochés au châssis. Aliena se hissa sur l'appui pour regarder dehors, mais le rideau de pluie cachait le paysage.

Le vent se renforçait encore, hurlant autour des murs de l'église, au point qu'on pouvait se demander si même là on était en sûreté.

Aliena fit le tour de l'édifice. Elle avait vécu assez longtemps auprès de Jack pour connaître la différence entre la bonne et la mauvaise maçonnerie, et elle fut soulagée de constater qu'on avait fait ici du bon travail. Il n'y avait pas de fissures. L'église était construite en blocs de pierres taillées, pas en moellons, et elle semblait aussi solide qu'une montagne.

La gouvernante du prêtre alluma une chandelle. La nuit tombait pour de bon. Les enfants, épuisés d'avoir couru partout, s'enroulèrent dans leurs manteaux pour s'endormir. Les poulets blottirent leur tête sous leur aile. Elizabeth et Aliena s'assirent par terre côte à côte, dos au mur.

Aliena se sentait dévorée de curiosité à l'égard de cette pauvre fille qui assumait le rôle de la femme de William, ce rôle qu'Aliena elle-même avait refusé dix-sept ans plus tôt. Incapable de se contenir, elle dit : « Je connaissais William quand j'étais jeune fille. Comment est-il maintenant ?

— Je le déteste », déclara Elizabeth sans ambages.

Aliena hocha la tête, pleine de compassion.

« Comment le connaissiez-vous ? » continua Elizabeth.

Aliena s'en voulut : elle s'était mise dans un mauvais cas. « A dire vrai, quand j'avais à peu près votre âge, j'ai failli l'épouser.

— Non ! Comment se fait-il que vous ne l'ayez pas fait ?

— J'ai refusé et mon père m'a soutenue. Mais le scandale a été épouvantable... J'ai causé beaucoup de malheurs. Enfin, c'est du passé.

— Vous l'avez refusé ! fit Elizabeth, vibrante. Vous êtes courageuse. Je voudrais bien vous ressembler. » Puis son abattement la reprit. « Mais je n'arrive même pas à résister aux serviteurs.

— Vous pourriez fort bien, vous savez, affirma Aliena.

— Comment ? Ils ne font même pas attention à moi, parce que je n'ai que quatorze ans. »

Aliena réfléchit, puis entreprit de lui donner une leçon détaillée. « Pour commencer, vous devez devenir la messagère des désirs de votre mari. Le matin, demandez-lui ce qu'il aimerait manger, qui il a envie de voir, quel cheval il aimerait monter, tout ce qui vous passera par la tête. Puis allez trouver le cuisinier, l'intendant, le garçon d'écurie et transmettez-leur les ordres du comte. Votre mari vous en sera reconnaissant et se fâchera contre ceux qui ne vous obéiront pas. Les gens prendront l'habitude de faire selon vos ordres. Notez ensuite qui vous obéit promptement et qui se fait tirer l'oreille. Assurez-vous que ceux qui vous aident soient bien traités : donnez-leur les tâches qu'ils aiment et réservez aux grincheux le sale travail. On comprendra vite l'intérêt de faire plaisir à la comtesse. On vous aimera beaucoup plus que William, qui de toute façon n'est guère sympathique. Vous finirez par représenter un vrai pouvoir. D'ailleurs, c'est le cas de la plupart des comtesses.

— A vous entendre, commenta Elizabeth, pensive, cela paraît facile.

— Non, ce n'est pas facile, mais si vous êtes patiente et si vous ne vous laissez pas décourager trop aisément, vous pouvez réussir.

— Je crois que oui, dit la jeune femme avec détermination. Je crois vraiment que oui. »

Elles s'assoupirent. De temps en temps, les hurlements du vent faisaient sursauter Aliena. Elle constata que la plupart des gens dormaient par à coups, d'un sommeil entrecoupé de sursauts.

Il devait être près de minuit lorsqu'elle s'éveilla brusquement. Cette fois elle avait dormi au moins une heure. Autour d'elle, on dormait aussi d'un sommeil profond. Elle changea de position, et rajusta son manteau. La tempête ne se calmait pas, mais la fatigue l'emportait sur l'inquiétude. La pluie qui giflait les murs de l'église était comme les vagues qui se brisent sur une plage : ce bruit régulier la berça jusqu'au sommeil.

Une fois de plus, elle s'éveilla en sursaut, l'oreille tendue. Ce qui l'avait tirée du sommeil, c'était le silence. La tempête était terminée. Une faible lueur grise filtrait par les fenêtres. Tout le monde dormait à poings fermés.

Aliena se leva. Son mouvement dérangea Elizabeth qui ouvrit aussitôt les yeux.

Ensemble, elles se dirigèrent vers la porte de l'église et sortirent.

La pluie avait cessé et le vent n'était plus qu'une brise. Le ciel de l'aube, où le soleil n'était pas encore levé, avait une teinte gris perle. Aliena et Elizabeth regardèrent autour d'elles.

Le village avait disparu.

A part l'église, il ne restait pas un bâtiment debout. Quelques lourds madriers étaient venus s'abattre sur le flanc de l'église, mais à part cela, seules les pierres des âtres parsemant la mer de boue témoignaient de l'emplacement des maisons. A la limite du village, cinq ou six vieux arbres, des chênes et des châtaigniers tenaient encore le coup, bien qu'amputés de plusieurs branches. Tous les autres avaient été déracinés.

Stupéfaites de l'étendue des dégâts, Aliena et Elizabeth suivirent le tracé de ce qui avait été la rue. Le sol était jonché d'éclats de bois et d'oiseaux morts. Elles atteignirent la lisière des champs de blé. On aurait dit qu'un grand troupeau s'y était battu toute la nuit. Les épis de blé mûrissant étaient aplatis, brisés, arrachés. La terre était retournée et gorgée d'eau.

« Mon Dieu ! murmura Aliena, horrifiée, encore une récolte de perdue ! »

Elles traversèrent le champ. Les dommages étaient partout les mêmes. Elles grimpèrent sur une petite colline et, de là-haut, inspectèrent la campagne environnante. Partout où se portait leur regard, elles ne voyaient que moissons saccagées, moutons morts, arbres arrachés, prairies inondées et maisons rasées. La destruction était telle qu'Aliena se sentit envahie d'une insoutenable angoisse. On aurait dit, songea-t-elle, que la main de Dieu s'était abattue sur l'Angleterre pour détruire tout ce qu'avaient fait les hommes, à l'exception des églises.

Elizabeth était bouleversée. « C'est terrible, murmura-t-elle. Je n'arrive pas à le croire. Il ne reste rien.

— Rien, fit Aliena en écho. Il n'y aura pas de récolte cette année. Rien à manger.

— Comment les gens vont-ils faire ?

— Je ne sais pas. » Envahie d'un mélange de compassion et de crainte, Aliena ajouta : « L'hiver va être rude. »

II

Quatre jours étaient passés depuis la grande tempête. Un matin, Martha redemanda de l'argent à Jack. Il s'étonna : il lui donnait déjà six pence par semaine pour tenir la maison et il savait qu'Aliena lui versait la même somme. Elle avait là-dessus à nourrir quatre adultes, deux enfants, et à approvisionner deux foyers en bois de chauffage et en paille ; mais beaucoup de familles nombreuses à Kingsbridge ne disposaient que de six pence par semaine pour tout : nourriture, habillement et loyer. Il lui demanda pourquoi il lui fallait davantage.

Elle parut embarrassée. « Tous les prix ont monté. Le boulanger réclame un penny pour une miche de quatre livres et...

— Un penny ! fit Jack, scandalisé. Nous devrions construire un four et cuire notre pain nous-mêmes.

— Ma foi, je le cuis parfois à la poêle.

— C'est vrai. » Jack se rappela qu'ils avaient cuit ainsi leur pain deux ou trois fois la semaine précédente.

« Mais le prix de la farine a grimpé aussi, alors on n'économise pas grand-chose.

— Nous devrions acheter du blé et le moudre nous-mêmes.

— Ce n'est pas permis. Nous devons utiliser le moulin du prieuré. D'ailleurs, le blé est cher aussi.

— Bien sûr. » Jack se rendit compte qu'il avait parlé sans réfléchir. Le pain était cher parce que la farine était chère, et la farine était chère parce que le blé était cher, et le blé était cher parce que la tempête avait saccagé la récolte — et on n'y pouvait rien. Il vit que Martha était bouleversée comme chaque fois qu'elle croyait l'avoir contrarié. Il sourit pour lui montrer que tout allait bien et lui tapota l'épaule. « Ce n'est pas ta faute, dit-il.

— Tu as l'air de si mauvaise humeur.

— Pas contre toi. » Il s'en voulait. Martha aurait préféré se couper une main plutôt que de le voler, il le savait. Il ne comprenait toujours pas pourquoi elle lui était si dévouée. Si c'était de l'amour, se dit-il, ça aurait dû lui passer maintenant, car tout le monde savait qu'Aliena était la femme qu'il aimait. Il avait envisagé un jour de renvoyer Martha pour l'obliger à sortir de sa routine : peut-être ainsi tomberait-elle amoureuse d'un bon parti. Mais il savait au fond de son cœur que cette solution lui briserait le cœur et ferait son malheur.

Il chercha sa bourse dans la poche de sa tunique et en sortit trois pennies d'argent. « Voyons si tu peux te débrouiller avec ça », dit-il. Le cadeau était de taille : la paye de Jack n'était que de vingt-quatre pence par semaine, même s'il avait en prime des chandelles, des robes et des bottes.

Il avala le fond de sa chope de bière et sortit. Il faisait

étonnamment froid pour un début d'automne. Marchant d'un pas vif, il pénétra dans l'enclos du prieuré. Le soleil n'était pas encore levé et quelques artisans seulement étaient déjà là. Il remonta la nef, inspectant les fondations. Elles étaient presque terminées, et tant mieux car il faudrait sans doute arrêter tôt cette année le travail du mortier en raison du temps froid.

Il examina les nouveaux transepts. Le plaisir qu'il éprouvait à les regarder était gâché par l'existence des fissures, qui avaient réapparu le lendemain de la grande tempête. La déception de Jack était profonde. L'ouragan avait été terrible, oui, mais son église était conçue pour survivre à cent orages de cette force. Il secoua la tête d'un air perplexe et s'engagea dans l'escalier en colimaçon qui menait à la tribune. Il aurait voulu pouvoir parler à quelqu'un qui avait bâti une église du même genre, mais il n'existait personne en Angleterre et, même en France, aucune cathédrale n'atteignait cette hauteur.

Il continua jusqu'au toit. On avait posé toutes les feuilles de plomb et il constata que le clocheton qui bloquait l'écoulement de l'eau de pluie comportait maintenant une large gouttière à sa base. Il y avait du vent là-haut et il devait se cramponner quand il s'approchait du bord : il ne serait pas le premier bâtisseur à tomber d'un toit sous l'effet d'une rafale de vent, bien plus fort en haut qu'au niveau du sol. La force du vent paraissait augmenter de façon disproportionnée à mesure qu'on montait...

Il s'arrêta, le regard perdu dans le vide. *La force du vent augmentait de façon disproportionnée à mesure qu'on montait*. C'était là la réponse à la question qui le harcelait. Ce n'était pas le *poids* de sa voûte qui provoquait les fissures : c'était la *hauteur*. Il avait bâti l'église assez solidement pour soutenir la masse, il en était sûr ; mais il n'avait pas pensé au vent. Les murs très hauts étaient constamment soumis à ses assauts qui finissaient par provoquer des fissures. Debout sur le toit, fouetté par les bourrasques, Jack s'imaginait sans mal l'effet que produisaient les mêmes attaques sur la structure de pierre. Il connaissait le bâtiment si bien qu'il éprouvait la même tension que si les murs faisaient partie de son corps. Le vent poussait de côté contre l'église, de la même manière qu'il le poussait lui-même. Et, comme l'église ne pouvait pas se pencher, elle se fissurait.

Il était absolument sûr d'avoir trouvé l'explication ; mais

comment remédier au problème ? Il fallait de toute façon renforcer le triforium pour qu'il supporte les rafales. Malheureusement des arcs-boutants supplémentaires détruiraient, à cause de leur aspect massif, l'extraordinaire effet de légèreté et de grâce qu'il avait obtenu avec tant de succès.

Mais s'il fallait en passer par là pour empêcher l'édifice de s'écrouler, il s'y résoudrait.

Il redescendit l'escalier. D'avoir compris le problème ne lui apportait aucune joie, car la solution allait anéantir son rêve. Peut-être ai-je été prétentieux, songea-t-il. J'étais si sûr de pouvoir bâtir la plus belle cathédrale du monde. Pourquoi ai-je cru que je pourrais faire mieux que n'importe qui ?

Philip l'attendait près de sa planche à tracer. Un pli soucieux barrait le front du prieur dont la frange de cheveux grisonnants était en désordre. Il donnait l'impression d'avoir veillé toute la nuit.

« Il va falloir que nous diminuions nos dépenses, déclarat-il sans préambule. Nous n'avons plus d'argent pour continuer à bâtir à la cadence actuelle. »

Jack redoutait cette nouvelle. L'ouragan avait pratiquement détruit toutes les récoltes du sud de l'Angleterre, ce qui ne manquerait pas d'avoir des répercussions sur les finances du prieuré. Les problèmes d'économie le mettaient toujours mal à l'aise. Il craignait, si l'on ralentissait trop le rythme de la construction, de ne pas vivre assez vieux pour voir sa cathédrale terminée. Mais il ne montra rien à Philip de son anxiété. « L'hiver arrive, répondit-il. De toute façon, le travail ralentit à cette époque. Et le froid sera là de bonne heure cette année.

— Avant même l'arrivée du froid, reprit Philip d'un ton sombre, je veux réduire nos sorties d'argent de moitié. Immédiatement.

— De moitié ! » C'était impossible.

« Les licenciements d'hiver commencent aujourd'hui. »

C'était pire que tout ce que redoutait Jack. Les travailleurs saisonniers venus avec les beaux jours repartaient en général vers le début décembre. Ils passaient les mois d'hiver à construire des maisons de bois ou à confectionner des charrues et des chariots, soit pour leur famille, soit pour les vendre. Mais cette année on n'allait pas être content de voir les hommes rentrer chez eux. « Savez-vous, observa

Jack, que vous les renvoyez dans des foyers où les gens meurent déjà de faim ? »

Philip le regarda sans rien dire, le visage fermé.

« Bien sûr que vous le savez, poursuivit Jack. Pardonnez-moi d'avoir posé la question.

— Si je ne prends pas ces mesures maintenant, déclara Philip avec violence, mon coffre sera vide la prochaine fois que les ouvriers viendront se faire payer. »

Jack haussa les épaules, impuissant. « Je n'ai pas d'arguments contre cela, répliqua-t-il.

— Ce n'est pas tout, ajouta le prieur. Désormais, plus d'engagement, même pour remplacer des gens qui partent.

— Nous n'engageons plus depuis des mois.

— Et Alfred ?

— C'était différent, fit Jack, embarrassé. En tout cas, entendu, pas d'engagement.

— Et pas de promotion. »

Jack acquiesça. De temps en temps, un apprenti ou un manœuvre demandait à être promu maçon ou tailleur de pierre. Si les autres artisans jugeaient que ses talents le méritaient, on accédait à sa requête et le prieuré devait lui payer des gages plus élevés. « La promotion est la prérogative de la loge des maçons, fit remarquer Jack.

— Je ne veux rien y changer, dit Philip. Je demande simplement aux maçons d'ajourner toutes les promotions jusqu'à la fin de la disette.

— Je leur expliquerai », promit Jack. Il avait le pressentiment que la nouvelle serait plutôt mal reçue.

« Et désormais, on ne travaillera plus les jours de la fête d'un saint. »

Les très nombreuses fêtes de saints, en principe, étaient jours fériés. Mais, à Kingsbridge, l'usage était que, quand deux fêtes de saints ou plus tombaient la même semaine, le premier était jour férié payé et le second, jour de congé facultatif non payé. La plupart des gens choisissaient de travailler le second jour. Désormais ils n'auraient plus ce choix. La deuxième fête de saint serait obligatoirement chômée et non payée.

Jack appréhendait le fait d'avoir à exposer la situation à la loge. « Tout cela passerait beaucoup mieux, fit-il observer à Philip, si je pouvais leur présenter ces mesures comme soumises à discussion, plutôt que définitives. » Philip secoua la tête. « Ils croiraient que la négociation est ouverte et proposeraient des aménagements. Par exemple, ils pourraient suggérer de travailler la moitié des jours de fête des saints et réclameraient un quota assuré de promotions. »

Il avait raison, bien sûr. « Mais n'est-ce pas raisonnable ? demanda Jack.

— Bien sûr que c'est raisonnable, répliqua Philip avec agacement. Mais il se trouve qu'il n'y a tout bonnement pas de place pour des demi-mesures. Je crains déjà que mes dispositions ne soient insuffisantes, je ne peux pas faire de concessions.

— Très bien », dit Jack. Philip n'était décidément pas d'humeur à envisager le moindre compromis. « Y a-t-il autre chose ? interrogea-t-il froidement.

— Oui. Cesse tes achats. Épuise tes stocks de pierre, de fer et de bois.

— Mais nous avons le bois gratis ! protesta Jack.

— Il faut quand même payer son transport jusqu'ici.

— Exact. Très bien. » Jack se dirigea vers la fenêtre pour regarder les pierres et les troncs d'arbres entassés dans l'enceinte du prieuré. Un réflexe machinal car il savait parfaitement ce qu'il avait en stock. « Ce n'est pas un problème, assura-t-il après un instant. Avec des effectifs réduits, nous avons assez de matériaux pour durer jusqu'à l'été prochain. »

Philip eut un sourire las. « Rien ne nous dit que nous engagerons des travailleurs l'été prochain. Tout dépend du prix de la laine. Tu ferais mieux de prévenir les ouvriers. »

Jack hocha la tête. « Ça va si mal que ça, alors ?

— Pire que tout ce que j'ai connu. Ce qu'il faut à ce pays, c'est trois années de beau temps. Et un nouveau roi.

— Amen », fit Jack.

Philip regagna sa maison. Jack passa la matinée à se demander comment se débrouiller de ces changements. Il y avait deux façons de bâtir une nef : travée par travée, en commençant à la croisée et en progressant vers l'ouest ; ou bien assise par assise, en construisant d'abord la base de la nef tout entière et en montant. La seconde méthode était plus rapide mais exigeait davantage de maçons. C'était celle que Jack avait compté utiliser. A présent il lui fallait revenir sur sa décision. Bâtir travée par travée convenait mieux à des effectifs réduits et présentait un autre avantage : les modifications qu'il apporterait à ses plans pour tenir compte de la résistance au vent seraient mises à l'épreuve partiellement avant d'être appliquées à l'ensemble du bâtiment.

Il s'interrogeait sur les effets à long terme de la crise financière. Le travail ralentirait de plus en plus au long des années. Tristement, il s'imaginait vieux, grisonnant, affaibli, bientôt enseveli dans le cimetière du prieuré à l'ombre d'une cathédrale inachevée, symbole de son échec.

Quand la cloche de midi sonna, il se rendit à la loge des maçons. Les hommes s'apprêtaient à boire leur bière et manger leur fromage. Jack remarqua pour la première fois que beaucoup d'entre eux n'avaient pas de pain. Il demanda aux maçons qui d'ordinaire rentraient chez eux pour dîner de rester un moment. « Le prieuré est à court d'argent, annonça-t-il tout de go.

— Je n'ai jamais connu un monastère à qui ça n'arrive pas tôt ou tard », observa un vieux maçon.

On l'appelait Edward Deux Nez, car il avait une verrue sur le visage presque aussi grosse que son nez. C'était un bon sculpteur qui avait l'œil pour les courbes exactes et à qui Jack avait toujours recours pour l'arrondi des piliers et des tambours. « Il faut reconnaître, poursuivit Jack, que ça couvent gère son argent mieux que la plupart des autres. Mais le prieur Philip ne peut rien contre les tempêtes et les mauvaises récoltes. Il lui faut donc réduire ses dépenses. Tout d'abord, nous cessons les achats de pierres et de bois. »

Les artisans des autres loges s'étaient rapprochés pour l'écouter. L'un des vieux charpentiers, Peter, observa : « Le bois que nous avons ne durera pas l'hiver.

— Si, répliqua Jack. Nous allons construire plus lentement, parce que nous aurons moins d'artisans. Les licenciements d'hiver commencent aujourd'hui. »

Il comprit aussitôt qu'il s'y était mal pris. Les protestations jaillissaient de tous côtés. J'aurais dû leur annoncer la nouvelle en douceur, songea-t-il. Mais il n'avait pas l'expérience de ce genre de choses. Il était maître depuis sept ans, sept ans sans la moindre crise financière.

La voix qui dominait le tumulte était celle de Pierre Paris, un des maçons venus de Saint-Denis. Après six ans passés à Kingsbridge, son anglais était encore imparfait et sa colère aggravait son accent, mais il ne se laissa pas décourager. « On ne peut pas congédier des hommes un mardi, déclara-t-il.

866

« — C'est vrai, renchérit Jack le forgeron. Il faut leur donner jusqu'à la fin de la semaine, au moins. »

Alfred, le demi-frère de Jack, approuva : « Je me souviens que, quand mon père bâtissait une maison pour le comte de Shiring, William Hamleigh est venu congédier toute l'équipe. Mon père lui a dit qu'il devait donner à chacun une semaine de gages et il a retenu le cheval du comte jusqu'à ce qu'il lui verse l'argent. »

Merci beaucoup, Alfred, pensa Jack. Il poursuivit : « Autant que je vous dise le reste. A partir de maintenant, plus de travail les jours de fête de saints et plus de promotions. »

La colère monta dans l'assistance : « Inacceptable ! » lança quelqu'un et plusieurs voix répétèrent : « Inacceptable, inacceptable ! »

Jack était exaspéré. « Que me chantez-vous là ? Si le prieuré n'a pas d'argent, vous ne serez pas payés. A quoi bon répéter "inacceptable, inacceptable", comme des écoliers qui apprennent le latin ? »

Edward Deux Nez reprit la parole : « Nous ne sommes pas une classe d'écoliers, nous sommes une loge de maçons. La loge a le privilège des promotions et personne ne peut le lui retirer.

— Et s'il n'y a pas d'argent pour payer le supplément de salaire ? riposta Jack à bout de nerfs.

— Je n'y crois pas », déclara un des plus jeunes maçons.

C'était Dan Bristol, un des travailleurs saisonniers. Il n'était pas très habile tailleur mais il savait poser les pierres vite et avec soin. Jack s'adressa à lui. « Comment, tu ne le crois pas ? Que sais-tu des finances du prieuré ?

— Je sais ce que je vois, répondit Dan. Est-ce que les moines meurent de faim ? Non. Y a-t-il des cierges à l'église ? Oui. Du vin dans les magasins ? Oui. Le prieur va-t-il pieds nus ? Non. Il y a de l'argent. C'est simplement qu'on ne veut pas nous en donner. »

Plusieurs autres approuvèrent bruyamment. En fait, Dan avait tort sur au moins un point : le vin. Mais Jack était en train de perdre son crédit. Il apparaissait désormais comme le représentant du prieur et les ouvriers ne lui faisaient plus confiance. C'était injuste : il n'était pas responsable des décisions de Philip. « Écoutez, conclut-il. Je ne fais que vous transmettre ce que m'a dit le prieur. Je ne vous garantis pas que c'est vrai. Mais, même si nous ne croyons pas à ce qu'il dit, que pouvons-nous faire ?

— Nous pouvons cesser le travail, fit Dan. Tous. Tout de suite.

— Parfaitement », lança une autre voix.

Jack se rendit compte avec un peu d'affolement que le contrôle de la discussion lui échappait. « Un moment », fit-il. Il chercha désespérément quelque chose qui calmerait les esprits. « Retournons au travail maintenant, et cet après-midi j'essaierai de persuader le prieur Philip d'adoucir ces mesures.

— Je ne suis pas d'accord pour aller travailler », répliqua Dan.

Jack n'en crut pas ses oreilles. Il avait prévu bien des menaces, bien des obstacles à la construction de l'église dont il rêvait, mais jamais que les artisans eux-mêmes la saboteraient. « Pourquoi n'irions-nous pas travailler ? interrogea-t-il, incrédule. A quoi ça rime ?

— Au point où nous en sommes, expliqua Dan, la moitié d'entre nous ne sont même pas sûrs d'être payés pour le restant de la semaine.

— Ce qui est contraire à toute coutume et à tout usage », fit remarquer Pierre Paris. C'était un argument de poids car la coutume et l'usage faisaient généralement force de loi.

« Au moins, proposa Jack au désespoir, mettez-vous au travail en attendant que j'essaie de convaincre Philip.

— Si nous travaillons, demanda Edward Deux Nez, peux-tu nous garantir que tout le monde sera payé pour la semaine entière ? »

Étant donné la présente humeur de Philip, Jack ne pouvait pas se risquer à donner pareille garantie. L'idée le traversa de dire oui malgré tout et, s'il le fallait, de verser l'argent lui-même, mais il se rendit compte aussitôt que toutes ses économies ne suffiraient pas à couvrir une semaine de gages sur le chantier. « Je vais faire de mon mieux pour le persuader, répondit-il d'un ton qui manquait d'assurance, et je pense qu'il acceptera.

— Ça ne me suffit pas, affirma Dan.

— Ni à moi, déclara Pierre.

— Pas de garantie, pas de travail », conclut Dan.

Accablé, Jack ressentit comme une défaite l'approbation générale.

S'il continuait à leur faire front, il perdrait le peu d'autorité qui lui restait. « La loge doit agir comme un seul homme, reprit-il, utilisant une formule très employée. Sommes-nous tous d'accord pour un arrêt de travail ? »

Il y eut un chœur d'assentiment.

« Très bien, dit Jack d'une voix morne. Je vais en informer le prieur. »

L'évêque Waleran fit son entrée à Shiring escorté de sa petite armée de serviteurs. Le comte William qui l'attendait sur le portail de l'église, place du Marché, fronça les sourcils. Il s'attendait à une simple rencontre sur le chantier, pas à une cérémonieuse visite officielle. Où voulait en venir le tortueux évêque ?

Avec Waleran, se trouvait un étranger montant un hongre bai. L'homme, un grand gaillard dégingandé, avec d'épais sourcils noirs et un nez au profil d'aigle, arborait un air méprisant qui semblait permanent. Il chevauchait auprès de Waleran, d'égal à égal, mais ne portait pas la tenue d'un évêque.

Dès qu'ils eurent mis pied à terre, Waleran fit les présentations. « Comte William, voici Peter de Wareham, archidiacre au service de l'archevêque de Canterbury. »

Aucune explication sur la présence de Peter, nota William. Waleran préparait sûrement quelque chose. L'archidiacre s'inclina. « Votre évêque m'a parlé de votre générosité envers notre sainte mère l'Église, lord William. »

Sans laisser à ce dernier le temps de répondre, Waleran désigna l'église paroissiale. « Cet édifice va être démoli pour faire place à la nouvelle église, archidiacre, dit-il.

— Avez-vous déjà désigné un maître maçon ? » interrogea Peter.

William se demanda pourquoi un archidiacre de Canterbury portait un tel intérêt à l'église paroissiale de Shiring. Mais peut-être était-ce simplement par politesse.

« Non, répondit Waleran, je n'ai pas encore trouvé de maître. De nombreux bâtisseurs cherchent du travail, mais je ne trouve personne qui vienne de Paris. Il semble que tout le monde veuille bâtir comme Saint-Denis et les spécialistes de ce style sont très demandés.

— C'est important en effet, observa Peter.

— Il y a un bâtisseur susceptible de nous aider qui attend de nous rencontrer tout à l'heure », dit Waleran.

William, une fois de plus, s'étonna : pourquoi Peter estimait-il important de bâtir dans le style de Saint-Denis ?

« La nouvelle église, poursuivit Waleran, sera plus grande. Elle avancera davantage sur la place. »

William n'aimait guère les airs de propriétaire que prenait l'évêque. Il intervint : « Je ne veux pas que l'église empiète sur la place du Marché. »

Waleran marqua sa désapprobation contre l'intervention de William. « Et pourquoi donc ? fit-il.

— Chaque pouce de la place rapporte de l'argent les jours de marché. »

Waleran semblait prêt à discuter, mais Peter suggéra avec un sourire : « Ne tarissons pas la fontaine d'argent !

— C'est mon avis », dit William. Après tout, il finançait lui-même l'église. Par bonheur, la quatrième mauvaise récolte d'affilée n'avait pas changé grand-chose à son revenu. Les petits fermiers payaient leur loyer en espèces, et nombre d'entre eux avaient donné à William son sac de grains et sa paire d'oies, eux qui vivaient de soupes de glands. En outre, ce sac de grains avait quintuplé de valeur depuis cinq ans, et cette augmentation compensait largement les pertes causées par les fermiers insolvables et les serfs morts de faim. William avait encore les moyens de subvenir aux frais de la nouvelle construction.

Ils firent le tour pour arriver derrière l'église où se trouvait un quartier qui rapportait un maigre revenu. « Nous pouvons bâtir de ce côté après avoir abattu toutes ces maisons, expliqua William.

— Mais la plupart sont des résidences cléricales, objecta Waleran.

— Nous trouverons d'autres logis pour le clergé. »

Waleran parut mécontent, mais n'insista pas.

Un peu plus loin, un homme aux larges épaules, âgé d'une trentaine d'années, vint les saluer en s'inclinant. William jugea à son habit qu'il s'agissait d'un artisan. L'archidiacre Baldwin, le proche collaborateur de Waleran, déclara : « Voici l'homme dont je vous ai parlé, monseigneur l'évêque. Son nom est Alfred de Kingsbridge. »

Au premier abord, l'homme avait tout du bœuf, grand, fort et bête. Mais, en l'examinant de plus près, on remarquait sur son visage une expression rusée, qui évoquait plutôt le renard ou le chien rusé.

« Alfred, précisa l'archidiacre Baldwin, est le fils de Tom

le bâtisseur, premier maître de Kingsbridge ; il a lui-même été maître quelque temps jusqu'au moment où sa place a été usurpée par son demi-frère. »

Le fils de Tom le bâtisseur. L'homme qui avait épousé Aliena, pensa William. Un mariage jamais consommé. William dévisagea le maçon avec un vif intérêt. Jamais on ne l'aurait cru impuissant. Il semblait sain, normal. Mais peut-être Aliena avait-elle un étrange effet sur les hommes.

« As-tu travaillé à Paris, demanda l'archidiacre Peter, et appris le style de Saint-Denis ?

— Non...

— Mais il nous faut une église bâtie sur ce modèle.

— Je travaille à présent à Kingsbridge, où mon frère est maître bâtisseur. Il a rapporté de Paris le nouveau style. Je l'ai appris avec lui. »

William se demanda comment l'évêque Waleran avait réussi à suborner Alfred sans éveiller de soupçons. Puis il se souvint que Remigius, le sous-prieur de Kingsbridge, était l'âme damnée de Waleran. C'était sans doute lui qui avait mené l'affaire.

« Votre toit ne s'est-il pas effondré ? dit-il à Alfred.

— Ce n'était pas ma faute, répliqua le bâtisseur. Le prieur Philip a insisté pour qu'on change les plans à la dernière minute.

— Je connais Philip, siffla Peter, du venin dans la voix. Un homme entêté, arrogant.

— Comment le connaissez-vous ? demanda William.

— Voilà bien des années, j'étais moine à la communauté de Saint-John-de-la-Forêt quand Philip la dirigeait, reprit Peter d'un ton amer. J'ai critiqué sa mollesse et il m'a nommé aumônier pour se débarrasser de moi. » Le ressentiment de Peter était toujours vif : à coup sûr, un facteur d'importance dans le projet de Waleran, quel qu'il fût.

« En tout cas, continua William, je ne crois pas que j'aie envie d'engager un bâtisseur dont les toits s'effondrent, malgré toutes les excuses qu'il pourrait avoir.

— A part Jack Jackson, rétorqua Alfred, je suis le seul maître bâtisseur d'Angleterre à avoir travaillé sur une église du nouveau style.

— Peu m'importe Saint-Denis, répondit William, je crois que l'âme de ma pauvre mère sera tout aussi bien servie par une construction traditionnelle. »

L'évêque Waleran et l'archidiacre Peter échangèrent un

regard, puis Waleran se tourna vers William : « Cette église pourrait devenir un jour la cathédrale de Shiring », dit-il sur le ton de la confidence.

Tout s'illumina dans l'esprit de William. Des années plus tôt, Waleran avait intrigué pour faire transférer le siège du diocèse de Kingsbridge à Shiring, mais le prieur Philip avait déjoué ses plans. Aujourd'hui Waleran revenait à la charge. Et cette fois, de façon plus subtile. Au lieu d'adresser une demande directe à l'archevêque de Canterbury, il commençait par bâtir une nouvelle église, assez grande et prestigieuse pour être une cathédrale, tout en s'assurant des alliés, comme Peter, dans l'entourage de l'archevêque. Ensuite seulement il formulerait sa demande. Très bien, mais William voulait, lui, simplement bâtir une église à la mémoire de sa mère, pour abréger son passage dans les feux éternels. Rien ne l'agaçait plus que de voir Waleran tenter de reprendre le projet pour parvenir à ses fins. D'un autre côté, quel avantage ce serait pour Shiring d'avoir une cathédrale, et dont William profiterait aussi !

« Il y a autre chose, poursuivit Alfred.

— Oui ? » Waleran affichait une curiosité polie.

William regarda les deux hommes. Alfred, plus grand, plus fort et plus jeune que Waleran, aurait pu d'une de ses grosses pattes assommer Waleran. Il se comportait pourtant comme le plus faible des deux. Autrefois, William n'aurait jamais supporté de voir un prêtre tout pâle et compassé dominer de la sorte un robuste gaillard, mais ce genre de choses ne le touchait plus : le monde était ainsi fait.

Alfred baissa la voix. « Je peux amener avec moi tous ceux qui travaillent à Kingsbridge. »

Les trois auditeurs concentrèrent leur attention sur le maçon.

« Répète-moi cela, dit Waleran.

— Si vous m'engagez comme maître bâtisseur, j'amènerai avec moi tous les artisans de Kingsbridge.

— Comment savons-nous, interrogea Waleran avec méfiance, si tu dis la vérité ?

— Je ne vous demande pas de me croire, dit Alfred. Confiez-moi ce poste sous condition. Si je ne fais pas ce que je promets, je m'en irai sans réclamer d'argent. »

Pour des raisons différentes, ses trois interlocuteurs détestaient tant le prieur Philip qu'ils furent aussitôt séduits par la perspective de lui assener un coup fatal.

872

« Plusieurs de ces maçons, ajouta Alfred, ont travaillé à Saint-Denis.

— Mais comment les convaincras-tu ? demanda Waleran, frémissant d'impatience.

— Peu importe. Disons qu'ils me préfèrent à Jack. »

William était convaincu qu'Alfred mentait à ce propos et Waleran semblait sceptique lui aussi, car il renversa la tête en arrière et toisa longuement Alfred.

« S'ils te suivent tous ici, reprit William, les travaux s'arrêteront à Kingsbridge.

— Oui, confirma Alfred. Complètement. »

William regarda Waleran et Peter. « Il faut en discuter plus à fond. Dînons tous ensemble. »

Waleran acquiesça. « Suis-nous jusqu'à ma maison, dit-il à Alfred. Elle est de l'autre côté de la place du Marché.

— Je sais, répondit Alfred. C'est moi qui l'ai bâtie. »

Deux jours durant, le prieur Philip refusa de discuter la grève. Il était muet de rage et, chaque fois qu'il apercevait Jack, il tournait les talons et partait dans la direction opposée.

Le deuxième jour, trois charrettes de farine arrivèrent d'un des moulins du prieuré. Des hommes d'armes les escortaient : la farine en ce temps-là était aussi précieuse que l'or. Ce fut frère Jonathan, cellérier adjoint du vieux Cuthbert le Chenu, qui prit livraison du chargement. Jack le regarda compter les sacs. Il y avait quelque chose d'étrangement familier dans le visage de Jonathan, comme s'il ressemblait à quelqu'un que Jack connaissait sans pouvoir le nommer. Jonathan était grand et dégingandé, avec des cheveux châtain clair, pas du tout comme Philip — frêle, petit, et noir de cheveux. Mais, à part le physique, Jonathan tenait beaucoup de son père spirituel. Le jeune homme était ardent, déterminé, ambitieux et nourri de nobles principes. Les gens l'aimaient bien malgré son attitude un peu rigide moralement, tout comme ils aimaient bien Philip.

Puisque le prieur refusait de lui parler, le mieux pour Jack était d'avoir une conversation avec Jonathan.

Jack regarda Jonathan payer les hommes d'armes et les charretiers. Il était d'une efficacité tranquille et, quand les charretiers réclamèrent plus que leur dû, comme ils ne manquaient jamais de le faire, il leur opposa un refus calme mais ferme. Jack observa qu'une éducation monastique était une bonne préparation au commandement.

Le commandement. Les lacunes de Jack dans ce domaine s'étaient révélées plutôt brutalement. Il avait transformé un problème en crise à cause de sa maladresse. Chaque fois qu'il pensait à cette réunion, il se maudissait d'avoir si mal su négocier avec les hommes. Il était bien décidé à arranger les choses, d'une manière ou d'une autre.

Comme les charretiers s'en allaient en grommelant, Jack s'approcha d'un pas nonchalant. « Philip est absolument outré par la grève », dit-il à Jonathan.

Un instant, le jeune homme parut sur le point de dire quelque chose de désagréable — il était manifestement fort en colère lui-même —, mais son visage se détendit et il affirma : « Il paraît en colère, mais au fond il est blessé.

— Il prend la situation comme une insulte personnelle.

— Oui. Il a le sentiment que les artisans se sont retournés contre lui au moment où il aurait eu besoin de leur compréhension.

— Je pense que, dans une certaine mesure, c'est le cas, approuva Jack. Mais Philip a commis une grave erreur de jugement en essayant de changer autoritairement les habitudes de travail.

— Que pouvait-il faire d'autre ?

— Commencer par discuter de la crise avec eux. Peut-être auraient-ils suggéré eux-mêmes quelques économies. Mais je suis mal placé pour faire des reproches à Philip, car j'ai commis la même erreur. »

Cette déclaration piqua la curiosité de Jonathan. « Comment cela ?

— J'ai annoncé aux hommes le programme d'austérité avec autant de brusquerie et aussi peu de tact que Philip quand il m'en a parlé. »

Voilà. Il laisserait Jonathan méditer cet aveu, qui déjà semblait troubler le jeune homme. La graine était semée. Jack décida d'en rester là.

Il s'éloigna et revint à sa planche à tracer. L'ennui, se dit-il en reprenant son matériel de dessin, c'était que Philip jouait le rôle de pacificateur de la ville. En temps normal, c'était lui qui jugeait les délinquants et qui arbitrait les disputes.

On n'avait pas l'habitude de le voir impliqué en personne dans une querelle. Il faudrait donc que quelqu'un d'autre arbitre le conflit cette fois. Et le seul à qui Jack pouvait penser, c'était lui-même. En tant que maître bâtisseur, il était l'intermédiaire capable de s'adresser aux deux parties sans que l'on puisse mettre en doute ses mobiles : il voulait continuer à bâtir.

Il passa le reste de la journée à réfléchir. Une question revenait comme un leitmotiv à son esprit : qu'allait faire Philip ?

Le lendemain, il se sentit prêt à affronter le prieur.

C'était un jour froid et humide. En début d'après-midi, Jack alla rôder sur le chantier abandonné, le capuchon de son manteau rabattu sur sa tête, faisant semblant d'examiner les fissures du triforium (un problème qui n'avait pas encore trouvé de solution), et attendit de voir Philip sortir du cloître pour gagner sa maison d'un pas rapide. Jack le suivit.

La porte du prieur étant toujours ouverte, Jack frappa et entra. Philip était agenouillé devant le petit autel dressé dans un coin. On aurait pu penser qu'il priait suffisamment à l'église presque toute la journée et la moitié de la nuit sans avoir à recommencer chez lui, songea Jack. Il n'y avait pas de feu dans la cheminée : Philip faisait des économies. Jack attendit en silence que le moine se lève. Puis il dit : « Il faut en finir. »

Des plis durs creusaient le visage habituellement aimable du prieur. « Je n'y vois aucune difficulté, dit-il d'un ton glacial. Les maçons peuvent reprendre le travail quand ils le voudront.

— A vos conditions. »

Philip ne répondit pas.

« Ils ne reviendront pas à vos conditions, continua Jack, et ils n'attendront pas éternellement que vous entendiez raison. » Il s'empressa d'ajouter : « Ou ce qu'ils croient être la raison.

— Ils n'attendront pas éternellement ? répéta Philip. Où iront-ils quand ils en auront assez d'attendre ? Ils ne trouveront de travail nulle part ailleurs. S'imaginent-ils que Kingsbridge est le seul endroit où on souffre de la famine ? C'est la même chose dans toute l'Angleterre. Pas un chantier qui ne réduise ses frais !

— Alors, demanda Jack, vous allez attendre qu'ils reviennent en rampant implorer votre pardon ?

— Je n'obligerai personne à ramper, dit le prieur en

détournant les yeux. Je ne crois pas t'avoir jamais donné l'exemple d'une telle attitude.

— En effet, et c'est pourquoi je suis venu vous voir, enchaîna Jack. Je sais que vous ne voulez pas humilier ces hommes : ce n'est pas dans votre nature. D'ailleurs, s'ils revenaient pleins de rancœur et avec un sentiment de défaite, ils travailleraient mal. Alors, à mon point de vue comme au vôtre, nous devons leur permettre de sauver la face. Ce qui signifie faire des concessions. »

Jack retint son souffle. C'était maintenant ou jamais. Si Philip ne cédait pas, l'avenir s'annonçait mal.

Philip considéra longuement son interlocuteur. Jack vit la raison lutter avec les sentiments sur le visage du prieur dont l'expression enfin s'adoucit « Asseyons-nous », dit Philip.

Maîtrisant un soupir de soulagement, Jack obéit. Il avait préparé ce qu'il dirait ensuite : il ne répéterait pas les fautes de tact qui avaient choqué les ouvriers. « Ce n'est pas la peine de modifier votre arrêt des achats de matériaux, commença-t-il. De même, le moratoire pour les nouveaux engagements peut être maintenu : personne ne s'y oppose. Je pense aussi qu'on peut persuader les ouvriers d'accepter de chômer les jours de fête des saints, s'ils obtiennent des concessions dans d'autres domaines. » Il marqua un temps.

Philip hocha la tête. « Quelles concessions ? »

Jack prit une profonde inspiration. « Ils ont été extrêmement offusqués par votre proposition d'interdire les promotions. Ils estiment que vous essayez d'usurper l'antique prérogative de la loge.

— Je t'ai expliqué que ce n'était pas mon intention, répliqua Philip vivement.

— Je sais, je sais, s'empressa de dire Jack. Bien sûr que non. Et moi, je vous ai cru, mais pas eux. » Une expression peinée se peignit sur le visage de Philip. Comment pouvait-on ne pas le croire ? Jack ajouta précipitamment : « Mais c'est du passé. Je vais vous proposer un compromis qui ne vous coûtera rien. »

Philip haussa les sourcils.

« Laissez-les s'occuper des demandes de promotion, mais attendez un an pour augmenter le salaire correspondant.

— Accepteront-ils un tel arrangement ? interrogea Philip, sceptique.

— Ça vaut la peine d'essayer.

— Et si je ne peux toujours pas assurer les augmentations de paye d'ici un an ?

— Vous verrez bien quand vous y serez.

— Tu envisages de renégocier dans un an ?

— Si c'est nécessaire, dit Jack en haussant les épaules.

— Bon, murmura Philip. Autre chose ?

— Le grand scandale, c'est le licenciement immédiat des travailleurs d'été. » Jack parlait maintenant avec une totale franchise. L'heure n'était pas aux circonlocutions mielleuses. « Le licenciement immédiat n'a jamais été permis sur aucun chantier de la chrétienté. Le plus tôt, c'est la fin de la semaine. » Pour éviter à Philip de se sentir gêné, Jack ajouta : « J'aurais dû vous en prévenir.

— Tout ce que j'ai à faire, c'est de les employer deux jours de plus ?

— Je ne pense pas que ce soit suffisant aujourd'hui, objecta Jack. Si nous nous y étions pris autrement depuis le début, nous aurions pu nous en tirer. Maintenant, ils vont demander davantage.

— Tu as sûrement quelque chose de précis en tête. »

Il avait raison. C'était d'ailleurs la seule concession réelle que Jack comptait lui demander. « Nous sommes maintenant au début d'octobre. En général, on licencie les ouvriers d'été au début de décembre. Coupons la poire en deux et faisons-le au début de novembre.

— Autrement dit, je cède sur la moitié du terrain.

— Moins de la moitié. Vous bénéficierez encore de l'épuisement des stocks, du retard des augmentations de salaire pour les promotions et du chômage des jours fériés.

— Ce sont des broutilles. »

Jack se rassit, découragé. Il avait fait de son mieux. Il n'avait plus d'arguments à offrir à Philip, il avait épuisé ses flèches. Et Philip résistait toujours. Jack était prêt à s'avouer vaincu. Il contempla le visage impassible du prieur et attendit.

Philip se tourna longuement vers l'autel puis regarda de nouveau Jack : « Il va falloir que j'expose cela au chapitre. »

Jack se sentit un peu soulagé. Il n'obtenait pas la victoire, mais s'en rapprochait. Philip ne demanderait pas aux moines de réfléchir à une mesure qu'il n'approuvait pas lui-même et, le plus souvent, le chapitre se laissait guider par Philip. « J'espère qu'ils vont accepter », murmura Jack.

Philip vint poser une main sur l'épaule de Jack. Pour la première fois, il sourit. « Si j'expose l'affaire avec autant de conviction que toi, ils accepteront », dit-il.

Jack fut surpris de ce brusque changement d'humeur. « Plus tôt ce sera fini, reprit-il, moins cela aura d'effet à long terme.

— Je sais. J'étais très en colère, mais je ne veux pas me quereller avec toi. » Philip lui tendit la main.

Jack la serra, réconforté. « Dois-je dire aux bâtisseurs de venir demain matin à la loge pour entendre le verdict du chapitre ?

— Oui, s'il te plaît.

— J'y vais tout de suite. » Il sortit.

« Jack ! cria Philip.

— Oui ?

— Merci. »

Jack hocha la tête et s'éloigna sous la pluie, oubliant de mettre son capuchon. Il se sentait heureux.

Cet après-midi-là, il se rendit au domicile de chaque artisan pour leur annoncer la réunion du lendemain matin. Ceux qui n'étaient pas chez eux — les célibataires et les saisonniers, pour la plupart —, il les découvrit à la taverne. Le seul qu'il ne trouva pas, ce fut Alfred, qu'on n'avait pas vu depuis deux jours. Il ne réapparut qu'à la tombée du jour et entra dans le cabaret avec un sourire étrangement triomphant sur son visage bovin. Il ne dit pas où il était allé et Jack ne le lui demanda pas. Il le laissa boire avec les autres et partit souper avec Aliena et les enfants.

Le lendemain matin, il commença la réunion avant l'arrivée du prieur Philip à la loge, car il voulait préparer le terrain. Tous les artisans étaient à l'heure. Quelques jeunes avaient l'œil rouge : Jack devina que la taverne était restée ouverte tard dans la nuit et que certains y avaient un moment oublié leur pauvreté. Sans doute les jeunes et les travailleurs temporaires allaient-ils se révéler les adversaires les plus coriaces. Les vieux artisans voyaient plus loin. Les quelques femmes employées sur le chantier se montraient toujours prudentes et prêtes à étudier toute possibilité d'arrangement.

« Le prieur Philip va nous proposer un compromis, commença Jack. Avant son arrivée, nous devrions discuter de ce que nous sommes prêts à accepter, ce que nous refuserons catégoriquement et les points sur lesquels nous sommes disposés à négocier. Philip doit comprendre que nous sommes unis. J'espère que vous êtes tous d'accord ? »

Il y eut quelques hochements de tête approbateurs.

« A mon avis, reprit Jack d'un ton tranchant, nous devons refuser absolument tout licenciement immédiat. » Il frappa du poing sur l'établi de manière à bien souligner sa détermination. Plusieurs voix s'élevèrent pour approuver bruyamment. Jack savait que c'était une demande que Philip ne formulerait certainement pas. Mais il excitait ainsi les têtes chaudes qui défendraient d'autant plus vigoureusement les anciennes coutumes. Puis, quand Philip céderait, leur victoire les calmerait.

« Nous devons aussi conserver à la loge la prérogative des promotions, car seuls les artisans peuvent juger des qualifications d'un des leurs. » Là encore, il concentrait leur attention sur le principe de la question dans l'espoir que, l'ayant emporté sur ce point, ils passeraient plus facilement sur les concessions financières.

« Quant à travailler les jours de fête des saints, j'hésite. Les congés sont en général sujets à négociation : il n'y a pas de coutume bien établie. » Il se tourna vers Edward Deux Nez. « Quelle est ton opinion sur ce point, Edward ?

— La pratique varie d'un chantier à l'autre », répondit Edward, fier d'être consulté. Jack acquiesça, l'encourageant à continuer. Edward évoqua les divers usages en vigueur. La réunion se déroulait exactement comme Jack le souhaitait. Une discussion prolongée sur un point secondaire épuiserait les énergies avant la confrontation réelle.

Le monologue d'Edward fut brusquement interrompu par une voix qui lança du fond de la pièce : « Tous ces bavardages sont sans intérêt. »

Jack reconnut Dan Bristol, un saisonnier. « Un à la fois, s'il vous plaît, fit-il. Laissons finir Edward. »

On ne se débarrassait pas si facilement de Dan. « Peu importe ces détails de fêtes de saints, insista-t-il. Ce que nous voulons, c'est une augmentation.

— Une augmentation ? » répéta Jack qui n'avait pas prévu du tout cette revendication.

Dan avait des partisans. « Parfaitement, une augmentation, renchérit Pierre. Regarde... une miche de quatre livres coûte un penny. Une poule qui autrefois coûtait huit pence en vaut maintenant vingt-quatre ! Je parie qu'aucun de nous n'a bu de vraie bière depuis des semaines. Tout augmente, mais la plupart d'entre nous continuent à toucher le même salaire qu'au jour de notre engagement, soit douze pence par semaine. Et nous devons nourrir nos familles avec ça ! »

Jack rassemblait ses esprits. Alors que tout se déroulait comme il l'espérait, voilà que cette interruption ruinait sa stratégie. Il se garda toutefois de heurter de front Dan et Pierre, car c'était le meilleur moyen de les braquer. Il opta pour l'ouverture. « Je suis d'accord avec vous », dit-il. Manifestement, les hommes ne s'attendaient pas à cette réaction. « La question est de savoir quelle chance nous avons d'obtenir un supplément de salaire à une époque où le prieuré est à court d'argent. »

Personne ne répondit, sauf Daniel : « Il nous faut vingt-quatre pence par semaine pour survivre et même alors nous serons en déficit sur notre premier salaire. »

Jack ne savait plus quoi dire. Pourquoi le débat lui échappait-il alors qu'il l'avait si bien mené jusqu'à présent ? Pierre enfonça le clou : « Vingt-quatre pence par semaine », et plusieurs têtes approuvèrent.

Jack pensa soudain que d'autres, comme lui, s'étaient préparés d'avance à la réunion. Lançant à Dan un regard sévère, il interrogea : « Avez-vous déjà discuté de tout cela ?

— Oui, hier soir à la taverne, riposta Dan d'un ton de défi. Il y a du mal à cela ?

— Certainement pas. Mais pour ceux d'entre nous qui n'ont pas eu le privilège d'assister à votre réunion, voudrais-tu en résumer les conclusions ?

— Entendu. » Les hommes qui n'étaient pas à la taverne faisaient grise mine mais Dan ne se démonta pas. Au moment où il ouvrait la bouche, le prieur Philip fit son entrée, apparemment de bonne humeur. Il aperçut Jack et lui adressa un hochement de tête presque imperceptible. Jack jubila intérieurement : les moines avaient donc accepté le compromis ! Il allait empêcher Dan de parler, mais il réagit une seconde trop tard. « Nous voulons vingt-quatre pence par semaine pour les artisans, clama celui-ci. Douze pour les manœuvres et quarante-huit pour les maîtres artisans. Voilà nos conclusions. »

La bonne humeur de Philip disparut en un éclair. Son

visage se rembrunit. « Un instant, protesta Jack. Ce n'est pas l'avis de la loge. Il s'agit d'une demande fantaisiste, préparée par un groupe d'ivrognes à la taverne.

— Non, pas du tout, fit une voix nouvelle, celle d'Alfred. Tu vas t'apercevoir rapidement que la plupart des artisans soutiennent la demande. »

Jack l'aurait tué. « Il y a quelques mois, tu m'as supplié de te trouver du travail, affirma-t-il. Voilà maintenant que tu réclames double salaire. Belle récompense pour moi. J'aurais dû te laisser crever de faim !

— C'est ce qui vous attend tous si vous refusez d'entendre raison ! » intervint Philip.

Jack aurait tout fait pour éviter ce genre de remarque, mais la situation le dépassait complètement. Sa stratégie s'était effondrée.

« Nous ne retournerons pas travailler, répéta Dan, pour moins de vingt-quatre pence, un point c'est tout.

— Pas question, répliqua Philip avec colère. Vous êtes inconséquents. Je ne veux même pas en discuter.

— Nous ne discuterons rien d'autre, déclara Dan. Nous ne travaillerons pas pour moins, sous aucun prétexte. »

Quelle inconscience ! pensa Jack. « Comment peux-tu prétendre que tu ne travailleras pas pour moins ? Tu ne travailleras pas du tout, pauvre idiot. Tu n'as nulle part où aller !

— Ah non ? » fit Dan.

Le silence tomba sur l'assistance.

Mon Dieu, pensa Jack au désespoir. Ils ont un atout caché.

« Justement, nous connaissons un autre endroit, déclara Dan ironiquement. Moi, j'y vais tout de suite.

— De quoi parles-tu ? » demanda Jack.

Dan triomphait.

« On m'a offert de travailler sur un nouveau chantier, à Shiring, celui de la nouvelle église. Vingt-quatre pence par semaine pour les artisans. »

Jack, glacé de surprise, regarda autour de lui. « Quelqu'un d'autre a-t-il eu la même offre ? »

Les têtes se baissèrent, honteuses.

« On a fait la même proposition à tout le monde », répondit Dan.

Jack se sentit vaincu. Un coup monté. On l'avait trahi. Il se sentait ridicule en même temps que lésé. Il n'avait rien compris à la situation. L'humiliation se transforma en colère, et il chercha du regard à qui s'en prendre. « Lequel d'entre vous ? cria-t-il. Lequel d'entre vous est le traître ? Qui vous a transmis cette offre de Shiring ? hurla-t-il encore. Qui est le maître bâtisseur là-bas ? » Son regard se posa sur Alfred. Bien sûr ! Jack eut une nausée de dégoût. « Alfred ? dit-il d'un ton méprisant. Vous me quittez pour Alfred ? »

Il y eut un grand silence, que Dan rompit le premier : « Oui. »

Jack comprit qu'il avait perdu. « Ainsi soit-il, murmura-t-il d'un ton amer. Vous me connaissez, et vous connaissez mon frère, et vous choisissez Alfred. Vous connaissez le prieur Philip, vous connaissez le comte William, et vous choisissez William. Tout ce que j'ai à vous dire, c'est que vous méritez ce qui va vous arriver. »

III

« Raconte-moi une histoire, demanda Aliena. Tu ne m'en racontes plus jamais. Tu te souviens, autrefois ?

— Oui », répondit Jack.

Ils étaient dans leur clairière secrète au milieu de la forêt, l'automne touchait à sa fin ; aussi, au lieu de s'asseoir à l'ombre au bord du ruisseau, ils avaient fait du feu à l'abri d'un saillant rocheux. C'était un après-midi gris, froid et sombre, mais l'amour les avait réchauffés et le feu pétillait gaiement. Ils étaient nus sous leur manteau.

Jack écarta celui d'Aliena et la caressa doucement. Il ne semblait pas remarquer les signes de fatigue et de vieillissement sur son corps, moins ferme avec les années. Il l'aimait toujours autant.

« Une histoire de princesse qui vivait tout en haut d'un grand château. » Il l'embrassa. « Et d'un prince qui vivait dans un autre grand château. Chaque jour, ils se contemplaient l'un l'autre par la fenêtre de leur prison et mouraient d'envie de franchir la vallée qui les séparait. » Il s'interrompit pour caresser longuement Aliena, qui ferma les yeux. « Et tous les dimanches après-midi, ils se retrouvaient dans la forêt ! » Surprise par l'audace de ses caresses elle éclata de rire.

Ces dimanches après-midi étaient les heures dorées d'une vie de plus en plus difficile.

Les mauvaises récoltes et le tassement des prix de la laine avaient provoqué un désastre économique. Les marchands étaient ruinés, les habitants de la ville sans emploi et les paysans mouraient de faim. Jack, par bonheur, gagnait encore un salaire : avec une poignée d'artisans, il bâtissait lentement la première travée de la nef. Mais Aliena avait dû réduire à presque rien son entreprise de tissu. La situation du comté était la pire de tout le sud de l'Angleterre, en raison de la façon dont William administrait ses biens.

Aliena en souffrait profondément. William, avide de trouver l'argent nécessaire pour édifier sa nouvelle église à Shiring, cette église dédiée à la mémoire de son horrible mère à demi folle, avait expulsé un si grand nombre de ses fermiers pour leurs retards de loyer qu'une partie de la meilleure terre du comté demeurait maintenant en friche, ce qui aggravait la pénurie de grains. En dépit de cela, il avait stocké le blé pour faire monter les prix. Comme il avait peu d'employés et personne à nourrir, à court terme il profitait de la famine. Mais, à long terme, il préparait des dégâts irréparables dont le comté ne se remettrait jamais, pas plus que ses habitants. Aliena se rappelait le domaine à l'époque où son père le dirigeait : c'était une riche région de champs fertiles et de villes prospères. Ce souvenir lui brisait le cœur.

Pendant quelques années, elle avait laissé de côté la promesse que son frère et elle avaient faite à leur père mourant. Avec William Hamleigh nommé officiellement comte et alors qu'elle-même avait charge de famille, la perspective de voir Richard reprendre son héritage lui paraissait un rêve lointain. Richard, pour sa part, devenu officier du guet, avait épousé une enfant du pays, la fille d'un charpentier. Hélas ! De santé fragile, elle était morte l'année précédente sans lui donner d'enfants.

Depuis le début de la famine, Aliena s'était remise à penser au comté. Si Richard retrouvait son titre, il pourrait faire beaucoup avec l'aide de sa sœur pour soulager les souffrances. Vaines élucubrations, se reprochait-elle souvent. William était bien en cour auprès du roi Stephen qui l'avait emporté dans la guerre civile, et on n'entrevoyait aucune perspective de changement.

Le seul moment où les tristes pensées s'éloignaient, c'était lorsque Aliena et Jack s'allongeaient sur l'herbe de leur clairière secrète. Depuis le premier jour — Aliena n'oublierait jamais ce matin merveilleux où elle avait découvert l'intensité de son désir —, ils s'aimaient avec autant d'ardeur, et ni ses trente-trois ans ni ses maternités n'avaient émoussé la ferveur de Jack. Leurs dimanches après-midi étaient éblouissants.

Ils riaient encore du conte inventé par Jack comme prétexte à de nouvelles caresses lorsqu'ils entendirent une voix.

Ils se figèrent. Leur clairière était à une certaine distance de la route, dissimulée par un fourré. Ils n'étaient jamais interrompus que par un daim sans méfiance ou un renard audacieux. Retenant leur souffle, ils écoutèrent. La voix retentit de nouveau, une autre lui répondit. Tendant désespérément l'oreille, ils perçurent un bruit de feuillages froissés, comme si tout un groupe d'hommes se déplaçait dans la forêt.

Jack saisit ses bottes posées à côté de lui. Sans bruit, il se glissa jusqu'au ruisseau, emplit d'eau une des bottes et la vida sur le feu. Les flammes s'éteignirent avec un sifflement et un petit panache de fumée. Jack s'enfonça sans bruit dans les broussailles et disparut.

Aliena passa sa camisole, sa tunique et ses bottes, puis s'enveloppa de nouveau dans son manteau.

Jack revint, aussi silencieusement qu'il était parti. « Des hors-la-loi, annonça-t-il.

— Combien sont-ils ? chuchota-t-elle.

— Beaucoup. Je n'ai pas pu les voir tous.

— Où vont-ils ?

— A Kingsbridge. » Il leva la main. « Écoute. »

Aliena pencha la tête. Au loin la cloche du prieuré de Kingsbridge sonnait avec insistance pour avertir la population du danger. Elle sentit son cœur se serrer. « Jack... les enfants !

— Nous serons arrivés avant les hors-la-loi si nous passons par le Bout Crotto, et que nous suivons la rivière par le bois de châtaigniers.

— Vite ! »

Il la retint pour écouter encore un moment. Il savait

entendre dans la forêt des bruits qui échappaient aux humains, car c'était là qu'il avait grandi. Il se détendit : « Je crois qu'ils sont tous passés. »

Ils quittèrent la clairière et parvinrent bientôt à la route. Personne en vue. Ils coupèrent à travers bois, suivant un sentier à peine visible. Aliena avait laissé Tommy et Sally avec Martha. L'idée la terrifiait qu'il pût leur arriver quelque chose avant son retour.

Ils dévalèrent la pente abrupte qui menait au Bout Crotto. Des étrangers sans méfiance avaient trouvé la mort dans ce marécage, mais il était sans danger pour ceux qui le connaissaient bien. A l'autre extrémité, un gué permettait de passer la rivière et, après, c'était tout droit.

Comme ils approchaient de la ville, le tocsin leur parut sonner plus fort. Au moins les habitants étaient-ils alertés à temps, songea Aliena pour se réconforter. Ils débouchèrent de la forêt dans la prairie, en face de Kingsbridge, en même temps que vingt ou trente jeunes gens qui venaient de jouer au ballon dans un village voisin.

Ils se précipitèrent sur le pont. On avait déjà fermé les portes, mais les guetteurs des remparts les avaient reconnus et on leur entrebâilla une petite porte.

Hors d'haleine, ils remontèrent la grand-rue. Les habitants se rassemblaient sur les remparts avec des lances, des arcs et des provisions de pierres. On rassemblait les enfants qu'on conduisait au prieuré. Martha avait déjà dû y emmener Tommy et Sally, pensa Aliena qui entraîna Jack pour les y retrouver.

Dans la cour de la cuisine, Aliena aperçut, à sa totale stupéfaction, Ellen, la mère de Jack, aussi mince et brune, malgré ses cinquante-quatre ans et quelques rides autour des yeux. Elle parlait avec beaucoup d'animation avec Richard. Le prieur Philip, un peu plus loin, guidait les enfants dans la maison du chapitre. Il n'avait donc pas vu Ellen.

Aliena poussa un soupir de soulagement. Martha et les enfants étaient bien là.

« Mère ! s'exclama Jack. Pourquoi es-tu ici ?

— Pour vous prévenir qu'une bande de hors-la-loi est en route. Ils comptent piller la ville.

— Nous les avons vus dans la forêt », confirma Jack.

Richard dressa l'oreille. « Vous les avez vus ? Combien sont-ils ?

« — Je n'en suis pas sûr, mais ils m'ont paru nombreux, au moins cent, peut-être plus.

— Quel genre d'armes ?

— Des gourdins, des couteaux, une ou deux hachettes. Mais surtout des bâtons.

— Quelle direction ?

— Au nord d'ici.

— Merci ! » Il prit la direction des remparts.

« Martha, demanda Aliena, emmène les enfants dans la maison du chapitre. » Puis elle suivit Richard, ainsi que Jack et Ellen.

L'effervescence dans les rues était à son comble. Tout le monde voulait savoir ce qui se passait exactement. Richard était harcelé de questions. Il y répondait brièvement, sans ralentir le pas.

C'était dans ces moments-là que le jeune homme se montrait sous son meilleur jour, songea Aliena. Incapable de gagner son pain quotidien comme tout le monde, il faisait preuve, en cas d'attaque, d'une tête froide, d'idées claires et d'une compétence exceptionnelle.

Ils atteignirent le mur nord de la ville et grimpèrent par l'échelle jusqu'au parapet. On avait préparé à intervalles réguliers des tas de pierres. Des habitants armés d'arcs et de flèches prenaient déjà position aux créneaux. Depuis quelque temps, Richard avait persuadé la guilde de la ville d'organiser une fois par an des exercices d'alerte. L'idée avait tout d'abord rencontré une vive résistance, puis c'était devenu un rite, comme le spectacle du milieu de l'été, et tout le monde adorait y participer. On en voyait aujourd'hui les avantages : les habitants de Kingsbridge réagissaient avec promptitude et assurance dès que l'alerte était donnée.

Aliena jeta un regard inquiet jusqu'à la forêt, au-delà des champs. Rien.

« Vous avez pris beaucoup d'avance sur eux, dit Richard.

— Pourquoi choisissent-ils justement cette ville ? interrogea Aliena.

— A cause des magasins du prieuré, dit Ellen. C'est le seul endroit, à des lieues à la ronde, qui contienne encore des provisions.

— Bien sûr, » Ces hors-la-loi étaient des gens affamés, dépouillés de leurs terres par William, sans autre moyen d'existence que le vol. Dans les villages sans défense, il y avait peu, sinon rien, à voler : les paysans n'étaient guère mieux lotis que les hors-la-loi. Dans les granges des propriétaires, en revanche, on trouvait encore des vivres en abondance.

Tout à coup, elle les aperçut. Jaillissant du bord de la forêt comme des rats d'une meule de foin, ils se répandirent à travers les champs. Ils étaient vingt, trente, cinquante, cent, une petite armée. Sans doute avaient-ils espéré franchir par surprise les portes de la ville, mais le tocsin leur avait fait comprendre qu'on les avait devancés. Ils tentaient quand même l'attaque, avec le désespoir des affamés. Quelques flèches partirent prématurément et Richard dut intervenir : « Attendez ! Ne gaspillez pas vos flèches ! »

La dernière fois que Kingsbridge avait été attaquée, Tommy avait dix-huit mois, et Aliena qui attendait Sally s'était réfugiée au prieuré, avec les vieillards et les enfants. Cette fois, elle resterait sur les remparts pour défendre les abords du prieuré. La plupart des autres femmes en faisaient autant. Elles étaient presque aussi nombreuses sur les murs que les hommes.

Cependant, Aliena n'était pas tranquille. Si les attaquants faisaient une percée d'un autre côté et atteignaient le prieuré avant elle ? Et si elle était blessée au combat ? Jack et Ellen risquaient leur vie aussi. En cas de malheur, il ne resterait que Martha pour s'occuper de Tommy et de Sally. Aliena hésitait.

Les hors-la-loi étaient presque au bas des murs. Une pluie de flèches les accueillit, que cette fois Richard encouragea.

Les attaquants, sans armures, mal organisés, se comportaient comme des animaux affolés, qui se ruent tête baissée contre un mur. Et là, ils devenaient de parfaites cibles pour les habitants qui les bombardaient de pierres du haut des remparts. Quelques-uns attaquèrent la porte nord à coups de gourdin. Pendant ce temps, deux moines amenaient un chaudron d'eau bouillante sur la muraille au-dessus de la porte.

En contrebas de l'endroit où se trouvait Aliena, un groupe d'assaillants commença à former une pyramide humaine. Jack et Richard répliquèrent aussitôt par un bombardement de pierres. Aliena les imita et Ellen vint les rejoindre. Les hors-la-loi supportèrent quelque temps la grêle de pierres, puis l'un d'eux fut frappé à la tête, la pyramide s'écroula et ils renoncèrent.

Au même instant, on entendit des hurlements de douleur provenant de la porte nord : l'eau bouillante déversée sur la tête des attaquants faisait son effet.

C'est alors qu'un phénomène inattendu se produisit. Quelques brigands eurent l'idée que leurs morts et leurs blessés constituaient une proie plus facile que la ville de Kingsbridge et commencèrent à dépouiller les corps. Des rixes éclatèrent, des pillards rivaux se disputant les possessions des cadavres. Quelle boucherie, songea Aliena, quel spectacle répugnant, dégradant !

Elle se tourna vers Richard. « Ils sont trop désorganisés pour représenter une vraie menace, dit-elle.

— Ils pourraient être très dangereux parce qu'ils sont désespérés, répondit son frère, mais ils n'ont pas de commandement. »

Une pensée frappa Aliena. « En somme, c'est une armée qui attend un chef », dit-elle. Richard ne réagit pas, mais Aliena suivait son idée. Son frère était un bon chef sans armée. Les hors-la-loi étaient une armée sans chef. Or le comté était en train de s'écrouler...

Sous la pluie ininterrompue de pierres et de flèches, les hors-la-loi, décimés, commencèrent à battre en retraite comme une meute de chiens la queue entre les jambes. Puis quelqu'un ouvrit la porte nord et une foule de jeunes gens chargea, brandissant des haches et des épées, à la poursuite des traînards. La plupart des misérables parvinrent à s'enfuir, mais quelques-uns furent pris et massacrés.

Écœurée, Ellen détourna les yeux. « Richard, vous auriez dû empêcher ces garçons de leur donner la chasse.

— Les jeunes gens ont besoin de voir un peu de sang après une pareille attaque, répliqua-t-il. D'ailleurs, plus nous en tuerons cette fois-ci, moins nous en aurons à combattre la prochaine fois. »

Philosophie de soldat, se dit Aliena. A l'époque où elle sentait sa vie menacée chaque jour, elle aurait sans doute agi comme les jeunes gens et taillé en pièces les brigands. Maintenant, ce qu'elle voulait, c'était combattre les causes qui poussaient des gens à braver les lois, pas les gens eux-mêmes. D'ailleurs, elle venait de trouver une façon de les utiliser.

Richard ordonna de sonner la fin de l'alerte à la cloche du prieuré et de doubler la garde de nuit, les patrouilles et les sentinelles. Aliena alla au prieuré chercher Martha et les enfants, et tout le monde se retrouva dans la maison de Jack.

Aliena se disait qu'il y avait là une vraie famille et en arrivait presque à oublier les étrangetés de sa vie : son père mort dans un cachot, son mariage encore valide avec le demi-frère de Jack, l'exclusion d'Ellen comme sorcière et hors-la-loi, et...

Elle secoua la tête. Non, ce n'était pas une famille normale.

Jack tira du tonneau une cruche de bière dont il emplit de grandes coupes. Après le danger, chacun se sentait tendu et excité.

Ellen alluma le feu et Martha tailla des navets pour commencer à préparer la soupe. Autrefois, elle aurait fait rôtir un demi-cochon, pour célébrer une journée comme celle-là.

Richard but sa bière d'un long trait, s'essuya la bouche et déclara : « Nous allons avoir d'autres alertes du même genre avant la fin de l'hiver.

— Ces malheureux devraient attaquer les magasins du comte William, dit Jack, pas ceux du prieur Philip. C'est William qui a privé de ressources la plupart de ces gens.

— A moins d'améliorer leur tactique, ils n'auront pas plus de succès contre William qu'ils n'en ont eu contre nous. C'est une meute sauvage.

— Il leur faut un chef, suggéra Aliena.

— Prie le ciel qu'ils n'en aient jamais un ! Là, ce serait dangereux.

— Un chef pourrait les conduire contre William... plutôt que contre nous.

— Je ne te suis pas, déclara Jack. Pourquoi un chef ferait-il justement ce choix ?

— Il le ferait, si c'était Richard... »

Un silence stupéfait accueillit ces paroles.

L'idée qui avait jailli spontanément dans l'esprit d'Aliena prenait de plus en plus forme. La jeune femme était convaincue qu'elle pouvait donner des résultats. Si Richard détruisait William et devenait comte, le pays retrouverait la paix et la prospérité... et leur promesse serait enfin tenue. Plus elle y pensait, plus elle s'excitait. « Il y avait plus de cent hommes aujourd'hui », reprit-elle. Elle se tourna vers Ellen. « Combien d'autres vivent dans la forêt ?

— Ils sont innombrables, répondit Ellen. Des centaines, des milliers. »

Aliena se pencha sur la table de la cuisine et regarda son frère dans les yeux. « Prends leur tête, lança-t-elle avec énergie. Organise-les. Enseigne-leur à se battre. Conçois des plans d'attaque. Puis jette-les dans l'action... contre William. »

Tout en parlant, elle se rendait compte qu'elle le poussait à risquer sa vie, et elle en tremblait. En fait de reconquérir le comté, il trouverait peut-être la mort.

Mais lui n'avait pas de telles angoisses. « Mais par Dieu, Aliena, tu as peut-être raison, murmura-t-il. J'aurais une armée à moi et je la conduirais contre William ! »

Aliena lut sur le visage de son frère la longue et tenace haine qui l'animait depuis le jour affreux... Ses yeux s'arrêtèrent sur la cicatrice de son oreille... Elle repoussa l'horrible souvenir.

Richard s'échauffait. « Je pourrais monter un raid contre les troupeaux de William, voler ses moutons, braconner son gibier, forcer ses entrepôts, rafler la farine de ses moulins ! Mon Dieu, si j'avais une armée, je pourrais lui en faire voir à cette vermine ! » Richard était un soldat dans l'âme, se dit Aliena, c'était son destin. Elle avait beau craindre pour sa sécurité, elle ne pouvait s'empêcher de rêver à ses succès.

Richard devint grave. « Mais comment entrer en contact avec les hors-la-loi ? demanda-t-il. Ils sont introuvables.

— Je peux répondre, proposa Ellen. De la route de Winchester part un sentier envahi par les herbes qui mène à une carrière abandonnée. C'est leur cachette. On l'appelait la carrière de Sally.

— Mais je n'ai pas de carrière ! » protesta Sally du haut de ses sept ans.

Tout le monde se mit à rire.

Richard, déterminé et plein d'entrain, conclut la réunion : « Très bien, dit-il, la gorge un peu serrée. La carrière de Sally. »

« Nous avions travaillé dur toute la matinée pour déraciner une grosse souche au flanc de la colline, dit Philip. A notre retour, mon frère Francis était là, dans l'enclos des chèvres, et il te tenait dans les bras. Tu étais né la veille. »

890

Jonathan écoutait, l'air grave. C'était pour lui un instant solennel.

Philip inspectait la communauté de Saint-John-de-la-Forêt. On ne voyait plus beaucoup de bois aujourd'hui : au long des années, les moines avaient défriché bien des arpents et le monastère était entouré de champs. Il y avait de nouveaux bâtiments de pierre, une salle capitulaire, un réfectoire et un dortoir — auxquels s'ajoutait une foule de granges et d'étables en bois plus petites. Cela ne ressemblait guère à l'endroit qu'il avait quitté dix-sept ans avant. Les gens aussi avaient changé. Certains des jeunes moines d'autrefois occupaient maintenant à Kingsbridge des postes de responsabilité. William Beauvis, qui dissipait ses frères voilà si longtemps en bombardant de cire chaude le crâne chauve du maître des novices, était aujourd'hui le prieur de Saint-John. Certains étaient partis : Peter de Wareham le faiseur d'histoires se trouvait à Canterbury, où il travaillait pour un jeune et ambitieux archidiacre du nom de Thomas Becket.

« Je me demande à quoi ils ressemblaient, murmura Jonathan. Je veux dire, mes parents. »

Philip sentit son cœur se serrer. Lui-même avait perdu ses parents, mais à six ans seulement, et il se souvenait fort bien d'eux : sa mère calme et tendre, son père grand, barbu, brave et fort. Tandis que tout ce que Jonathan savait de ses parents, c'était qu'ils n'avaient pas voulu de lui.

« On peut deviner pas mal de choses à leur propos, reprit Philip.

— Vraiment ? interrogea Jonathan avec ardeur. Quoi donc ?

— Ils étaient pauvres, expliqua Philip. Les gens riches n'ont nulle raison d'abandonner leurs enfants. Et sans amis, les amis posent des questions si un bébé attendu disparaît. Et sans espoir, seuls les gens désespérés peuvent supporter de perdre un enfant. » Le visage de Jonathan se crispait de larmes retenues. Philip avait envie de pleurer, pour ce garçon qui — tout le monde le disait — lui ressemblait tant. Il aurait voulu pouvoir le consoler, lui parler avec chaleur de ses parents ; mais comment prétendre qu'ils avaient aimé un enfant qu'ils avaient délibérément abandonné à la mort ?

« Mais, insista Jonathan, pourquoi Dieu permet-il des choses pareilles ? »

Philip saisit l'occasion. « Dès l'instant où tu commences à poser cette question, tu risques d'aboutir à la confusion totale. Mais, en l'occurrence, je crois que la réponse est claire. Dieu te voulait pour lui-même.

— Vous croyez vraiment ?

— Ne te l'ai-je pas déjà dit ? Je l'ai toujours cru. Je l'ai dit aux moines le jour où on t'a trouvé. Je leur ai affirmé que Dieu t'avait envoyé ici avec des intentions précises et que c'était notre devoir de t'élever à son service pour te rendre capable d'accomplir la tâche qu'Il t'avait assignée.

— Je me demande si ma mère le sait.

— Si elle est avec les anges, oui.

— A votre avis, quelle peut être ma tâche ?

— Dieu a besoin de moines écrivains, enlumineurs, musiciens et fermiers. Il a besoin d'hommes pour assumer les tâches difficiles : cellérier, prieur, évêque. Il lui faut des hommes pour faire le négoce de la laine, soigner les malades, instruire les écoliers et bâtir des églises.

— J'imagine mal qu'Il ait prévu un rôle exprès pour moi.

— Je ne crois pas qu'Il se serait donné autant de mal pour toi si ce n'était pas le cas, répliqua Philip avec un sourire. Mais ce pourrait ne pas être un grand rôle aux yeux du monde. Il souhaite peut-être simplement que tu deviennes un de ces moines silencieux, qui consacrent leur vie à la prière et à la contemplation.

— Peut-être, oui, fit Jonathan, sans enthousiasme.

— Mais je ne le crois pas, continua Philip en riant. Dieu ne ferait pas un couteau avec du papier, ni une camisole de dame avec du cuir à chaussures. Tu n'as pas ce qu'il faut pour une vie de quiétude, et Dieu le sait. Selon moi, Il veut que tu combattes pour Lui, pas que tu chantes pour Lui.

— Je l'espère bien.

— En tout cas, pour l'instant, je crois qu'Il veut que tu ailles trouver frère Leo pour savoir combien de fromages il a pour la cave de Kingsbridge.

— Très bien.

— Je vais aller m'entretenir avec mon frère dans la salle capitulaire. Et n'oublie pas... si un des moines te parle de Francis, sois le plus discret possible.

— Je ne dirai rien.

— Va maintenant. »

Jonathan traversa la cour d'un pas vif. Déjà son humeur

grave avait cédé à son exubérance naturelle avant même qu'il n'arrive à la laiterie. Philip le regarda disparaître dans le bâtiment. J'étais tout à fait comme lui, se dit-il, mais peut-être pas aussi malin.

Il partit dans la direction opposée, vers la salle capitulaire. Francis avait fait parvenir un message à Philip lui demandant de le retrouver là discrètement. Pour les moines de Kingsbridge, Philip rendait à la communauté une visite de routine. On ne pouvait pas, naturellement, cacher cette rencontre aux religieux de Saint-John-de-la-Forêt, mais leur isolement les condamnait à n'en parler à quiconque. Seul le prieur venait de temps à autre à Kingsbridge et Philip lui avait fait jurer le secret.

Arrivés le matin, Francis et lui, dans l'impossibilité de prétendre que leur rencontre était accidentelle, faisaient tout au moins semblant de ne l'avoir organisée que pour le plaisir de se voir. Après avoir assisté à la grand-messe, ils avaient dîné avec les moines et tenaient enfin maintenant la première occasion de bavarder en tête à tête.

Assis sur un banc de pierre contre le mur, Francis attendait dans la salle capitulaire. Philip ne se voyait presque jamais dans un miroir — il n'en existait pas au monastère —, aussi ne mesurait-il son vieillissement qu'aux changements qu'il observait chez son frère, de deux ans son cadet. A quarante-deux ans, Francis montrait quelques fils d'argent dans ses cheveux noirs et un réseau de rides autour de ses yeux bleu clair. Il avait le cou plus fort et la taille plus épaisse que la dernière fois où Philip l'avait vu. J'ai sans doute davantage de cheveux gris et un peu moins de graisse, songea Philip, mais je me demande lequel de nous deux a le plus de rides ?

« Comment vont les choses ? lui demanda Francis, alors qu'il s'asseyait près de lui.

— Les barbares sont de nouveau au pouvoir, répondit Philip. Le prieuré est à court d'argent, nous avons pratiquement interrompu la construction de la cathédrale ; Kingsbridge est sur son déclin, la moitié du comté meurt de faim et les routes ne sont pas sûres.

— C'est la même histoire dans toute l'Angleterre, acquiesça Francis.

— Peut-être les barbares demeureront-ils toujours au pouvoir, reprit Philip d'un ton lugubre. Et la cupidité continuera peut-être de l'emporter sur la sagesse dans les conseils des puissants, et la peur d'effacer toute compassion chez un homme armé d'une épée.

— Tu n'es pas si pessimiste d'ordinaire.

— Des hors-la-loi nous ont attaqués il y a quelques semaines. Pitoyable spectacle : à peine les habitants en avaient-ils tué quelques-uns que les assaillants se sont mis à se bagarrer entre eux. Mais quand ils ont décidé de battre en retraite, les jeunes hommes de notre ville ont poursuivi les pauvres diables et massacré tous ceux qu'ils ont pu attraper. Ecœurant !

— C'est difficile à comprendre, observa Francis en secouant la tête.

— Je crois que je comprends. Nos jeunes avaient eu peur et ne pouvaient exorciser leurs craintes qu'en versant le sang de ceux qui les avaient effrayés. J'ai vu cela dans le regard des hommes qui ont assassiné nos parents. Ils tuaient parce qu'ils avaient peur. Mais comment supprimer cette peur ?

— Par la paix, soupira Francis, la justice, la prospérité... Des choses difficiles à obtenir.

— C'est vrai, dit Philip en hochant la tête. Et toi, où en es-tu ?

— Je travaille pour le fils de l'impératrice Maud. Il s'appelle Henry. »

Philip avait entendu parler de ce Henry-là. « Comment est-il ?

— C'est un jeune homme très intelligent et déterminé. La mort de son père l'a fait comte d'Anjou. Il est aussi duc de Normandie, car il est le petit-fils aîné du vieux Henry, qui était roi d'Angleterre et duc de Normandie. Et, comme il a épousé Eleonore d'Aquitaine, il est en plus duc d'Aquitaine.

— Il règne sur plus de terres que le roi de France.

— Exactement.

— Oui, mais comment est-il, lui, personnellement ?

— Instruit, travailleur, rapide, infatigable, volontaire. Il a un caractère épouvantable.

— Je regrette parfois que ce ne soit pas mon cas, observa Philip. Ça oblige les gens à faire attention. Mais tout le monde sait que je suis toujours raisonnable, alors on ne m'obéit pas tout à fait aussi vite qu'à un prieur capable d'exploser à tout instant.

— Reste donc comme tu es », dit Francis en riant. Puis

il redevint sérieux. « Henry m'a fait comprendre l'importance de la personnalité d'un roi. Regarde Stephen : il a un fort mauvais jugement, il décide, puis il renonce ; il est courageux jusqu'à l'idiotie et ne cesse de pardonner à ses ennemis. Les gens qui le trahissent ne risquent pas grand-chose, ils savent qu'ils peuvent compter sur sa miséricorde. Le résultat est qu'il se bat vainement depuis dix-huit ans pour gouverner un pays qui était un royaume bien uni quand il en a hérité. Henry contrôle déjà mieux sa collection de duchés et de comtés jadis indépendants que Stephen ses terres d'ici. »

Une idée soudain frappa Philip. « Pourquoi Henry t'a-t-il envoyé en Angleterre ? interrogea-t-il.

— Pour inspecter le royaume.

— Qu'as-tu trouvé ?

— Un pays sans lois et affamé, battu par les tempêtes et ravagé par la guerre. »

Philip hocha la tête d'un air songeur. Le jeune Henry était duc de Normandie, car il était le fils aîné de Maud, la seule enfant légitime du vieux roi Henry, lui-même duc de Normandie et roi d'Angleterre. Par ce lignage, le jeune Henry pouvait prétendre aussi au trône d'Angleterre.

Sa mère y avait prétendu aussi, mais en vain parce qu'elle était femme et son mari angevin. Mais le jeune Henry avait non seulement l'avantage d'être un mâle, mais celui, en outre, d'être à la fois normand par sa mère et angevin par son père.

« Henry va-t-il essayer d'obtenir la couronne d'Angleterre ? demanda Philip.

— Tout dépend de mon rapport, affirma Francis.

— Que vas-tu dire ?

— Que jamais il n'y aura meilleure occasion que maintenant.

— Dieu soit loué ! » murmura Philip.

IV

En se rendant au château de l'évêque Waleran, le comte William s'arrêta au moulin de Cowford, qui lui appartenait. Le meunier, un homme vieillissant et peu aimable du nom de Wulfric, avait le droit de moudre tout le grain récolté dans les onze villages voisins. Il ne gardait comme rétribution que deux sacs sur vingt, un pour lui-même et un pour William.

William venait recueillir son dû. D'ordinaire, il ne le faisait pas lui-même, mais en ces temps de troubles, il devait fournir une escorte armée à chaque charrette transportant de la farine ou tout autre produit comestible. Profitant au maximum des circonstances, et dans un souci d'économie, il avait pris l'habitude d'emmener un chariot chaque fois qu'il se déplaçait avec son entourage de chevaliers, et de collecter ce qui se trouvait sur son passage.

L'augmentation de la criminalité découlait directement de son implacable politique à l'égard des mauvais payeurs. Les gens dépossédés de leurs terres se transformaient en voleurs. Ils ne réussissaient généralement pas mieux comme détrousseurs que comme fermiers. William comptait bien que la plupart d'entre eux ne passeraient pas l'hiver et, d'abord, ses prévisions se trouvèrent confirmées : les hors-la-loi s'attaquaient à des voyageurs isolés qui n'avaient pas grand-chose, ou bien lançaient des expéditions mal organisées sur des cibles trop bien défendues. Depuis quelque temps, toutefois, leur tactique s'était améliorée. Ils attaquaient maintenant avec au moins deux fois plus d'hommes que les défenseurs. Ils arrivaient au moment précis où les granges étaient pleines, signe qu'ils menaient avec soin leurs opérations de reconnaissance. Leurs attaques étaient brusques et rapides, animées du courage du désespoir. Ils ne prolongeaient jamais le combat, sitôt qu'ils avaient dérobé ce qu'ils convoitaient : moutons, jambons, fromages, sacs de farine ou d'argent. Inutile de les poursuivre, car ils se fondaient dans la forêt et se dispersaient dans toutes les directions. Si William les avait commandés, il aurait suivi exactement la même stratégie que celui qui les dirigeait actuellement.

Leurs succès humiliaient le comte, qui tournait au bouffon incapable de maintenir l'ordre dans son comté. Pour aggraver les choses, les hors-la-loi s'en prenaient rarement à quelqu'un d'autre. On aurait dit qu'ils le visaient lui tout spécialement. William ne détestait rien tant que les ricanements derrière son dos. Au prix de toutes les cruautés, il avait, sa vie durant, obligé les autres à le respecter — et cette bande de hors-la-loi était en train de saper tous ses efforts.

Le plus exaspérant, c'étaient les commentaires qui couraient partout et revenaient plus ou moins aux oreilles de William : c'était bien fait pour lui, il avait traité ses fermiers si durement qu'ils prenaient maintenant leur revanche, il n'avait que ce qu'il méritait. Ce genre de propos le mettait en rage.

Les villageois de Cowford regardèrent d'un air surpris et craintif William arriver avec ses chevaliers. Sous son œil menaçant, les visages maigres et inquiets qui le lorgnaient par l'entrebâillement des portes disparaissaient dans l'obscurité de leurs cabanes. Les malheureux avaient dépêché leur prêtre pour supplier qu'on les laissât moudre cette année leur propre grain, affirmant qu'ils ne pouvaient pas se permettre d'en céder un dixième au meunier. William avait failli faire arracher sa langue au prêtre pour insolence.

Le temps était froid, il y avait de la glace au bord de l'étang du moulin. La roue à aubes était immobile et la meule silencieuse. Une femme sortit de la maison la plus proche. Elle avait une vingtaine d'années, un joli visage et des boucles brunes. Malgré la famine, on lui devinait une poitrine généreuse et des hanches robustes. Son air effronté se transforma en méfiance dès qu'elle aperçut les compagnons de William. Elle s'empressa de rentrer chez elle. William sentit monter en lui une bouffée de désir.

Le groupe que William avait rassemblé autour de lui au début de la guerre civile avait subi quelques changements. Walter était toujours là, bien sûr, comme Gervase le Vilain et Hugh la Hache ; mais Gilbert, qui avait trouvé la mort dans une bataille aussi sanglante qu'imprévue contre les carriers, avait été remplacé par Guillaume ; Miles avait laissé un bras dans un combat à l'épée après une partie de dés dans une taverne de Norwich, et Louis était une nouvelle recrue. Ce n'étaient plus des jeunes gens, mais ils parlaient et se conduisaient comme tels, riant et buvant, jouant et batifolant. William avait perdu le compte des tavernes qu'ils avaient saccagées, des Juifs qu'ils avaient tourmentés et des vierges qu'ils avaient déflorées.

Le meunier sortit. Son air sévère convenait à l'éternelle impopularité des gens de son métier. De plus, il paraissait inquiet. Tant mieux : William aimait voir les gens inquiets devant lui.

« Je ne savais pas que tu avais une fille, Wulfric, dit William avec un clin d'œil paillard. Tu me l'as cachée ?

— C'est Maggie, ma femme, répondit-il.

— Foutaises. Ta femme est une vieille radasse, je me souviens d'elle.

— Ma pauvre May est morte l'année dernière, seigneur, je me suis remarié.

— Vieux dégoûtant ! s'écria William en souriant. Celle-ci doit avoir trente ans de moins que toi !

— Vingt-cinq...

— En voilà assez. Où est ma farine ? Un sac sur vingt !

— Tout est ici, seigneur. S'il vous plaît d'entrer... »

Pour aller au moulin, il fallait traverser la maison. William et les chevaliers suivirent Wulfric dans l'unique pièce. La nouvelle jeune épouse du meunier, agenouillée devant le feu, y disposait des bûches. Quand elle se penchait, sa tunique se tendait et modelait des fesses rondes. En tant que femme de meunier, elle souffrait moins de la famine que bien d'autres. A la vue de la jeune femme, les chevaliers ricanèrent, pour le plus grand embarras du meunier qui se dandinait d'un pied sur l'autre. La jeune femme se retourna, consciente qu'on la regardait, et se redressa, toute confuse.

William lui lança une œillade et dit : « Maggie, apporte-nous de la bière... Nous avons soif. »

La troupe franchit la porte qui donnait accès au moulin. Les sacs de farine s'entassaient sur le pourtour de l'aire. Il n'y en avait pas beaucoup : en général, les sacs s'empilaient plus haut qu'un homme. « C'est tout ? demanda William.

— La récolte a été si mauvaise, seigneur..., répondit Wulfric, un peu nerveux.

— Où sont les miens ?

— Ici, seigneur, fit le meunier en désignant un tas de huit ou neuf sacs.

— Quoi ? interrogea William, devenant tout rouge. C'est tout ce qui me revient ? J'ai deux chariots dehors, et voilà ce que tu me proposes ? »

Le visage de Wulfric s'assombrit encore. « Je suis désolé, seigneur. »

William se mit à compter. « Neuf sacs seulement !

— C'est tout ce qu'il y a, expliqua Wulfric, au bord des larmes. Vous voyez les miens auprès des vôtres, et nous avons la même part...

— Chien de menteur, interrompit William avec colère. Tu l'as vendue...

— Non, seigneur, répéta Wulfric. C'est tout ce qu'il y avait. »

Maggie apparut sur le seuil avec six chopes de bière sur un plateau. Elle en offrit une à chacun des chevaliers qui burent avidement, sauf William, trop énervé pour boire.

« Qu'est-ce que c'est que tout ça ? interrogea brutalement William en désignant le reste des sacs, vingt-cinq ou trente, amassés le long des murs.

— Ils attendent, seigneur... Vous voyez la marque du propriétaire dessus... »

C'était vrai : chaque sac était frappé d'une lettre ou d'un symbole. Si c'était une supercherie, William n'avait aucun moyen d'établir la vérité, ce qui le rendait fou. En cas de doute, le comte préférait toujours accuser.

« Je ne te crois pas, déclara-t-il. Tu m'as volé. »

Bien que sa voix tremblât, Wulfric insista respectueusement. « Seigneur, je suis honnête.

— Un meunier honnête, ça n'existe pas.

— Seigneur..., reprit Wulfric, la gorge serrée, seigneur, je ne vous ai jamais trompé d'un grain de blé...

— Je suis sûr que tu m'as volé comme dans un bois ! »

Malgré le temps froid, la sueur ruisselait sur le visage de l'homme qui s'essuya avec sa manche. « Je suis prêt à jurer par Jésus et tous les saints...

— Tais-toi. »

Wulfric se tint coi.

William bouillait de colère, mais il n'avait toujours pas décidé ce qu'il allait faire. Il voulait impressionner Wulfric, lui flanquer une bonne peur qui lui serve de leçon.

Peut-être laisser Walter lui administrer une correction avec les gantelets renforcés de mailles ? Ou bien emporter partie ou totalité de la farine qui lui appartenait... Son regard tomba sur Maggie, qui tenait toujours le plateau avec la dernière chope, son joli visage crispé de peur, ses jeunes seins fermes gonflant sa tunique maculée de farine. Il avait trouvé le parfait châtiment pour Wulfric. « Attrape la femme », souffla-t-il à Walter. Et il jeta à l'adresse de Wulfric : « Je vais te faire regretter tes mensonges. »

Maggie vit Walter se diriger vers elle, mais trop tard pour qu'elle pût s'échapper. Vif comme l'éclair, Walter l'empoigna par le bras et la tira vers lui. Le plateau tomba avec fracas, la bière se répandit sur le sol. Walter tordit le bras de Maggie derrière son dos et l'immobilisa, tremblante de frayeur.

« Non, s'écria Wulfric, affolé. Laissez-la, je vous en prie ! »

William eut un hochement de tête satisfait. Wulfric allait assister au viol de sa jeune femme par plusieurs hommes. Une autre fois, il veillerait à fournir assez de blé pour satisfaire son seigneur.

« Ta femme, proclama William, s'engraisse du pain fait avec de la farine volée, Wulfric, pendant que nous autres devons nous priver. Voyons un peu comme elle est dodue, hein ? » Il fit signe à Walter.

Le valet saisit la malheureuse par le col de la tunique et tira d'un geste sec. Le vêtement en se déchirant tomba sur le sol. Maggie portait dessous une chemise de toile qui lui arrivait aux genoux. Sa respiration haletante de peur soulevait ses seins ronds. William se plaça devant elle. Walter lui tordit le bras plus fort ; la douleur lui fit cambrer le dos et saillir la poitrine. Les yeux dans ceux de Wulfric, William prit dans ses mains les seins de la jeune femme. Ils étaient doux et lourds.

Wulfric fit un pas en avant, hors de lui. « Espèce de démon...

— Qu'on le maintienne », lança William. Louis agrippa le meunier par les deux bras.

William arracha la camisole de la jeune femme. La gorge sèche, il contempla son corps blanc et sensuel.

« Non, je vous en prie », supplia Wulfric.

William sentait son excitation croître de plus en plus vite. « Couchez-la par terre », ordonna-t-il.

Maggie se mit à hurler.

William déboucla son ceinturon et le laissa tomber sur le sol tandis que les chevaliers saisissaient Maggie par les bras et les jambes. Elle n'avait aucun espoir de résister à quatre robustes gaillards, mais elle continuait de se tordre en poussant des cris déchirants. William jubilait. Les seins de Maggie s'agitaient et ses cuisses, en s'ouvrant et se refermant, tour à tour exposaient et cachaient son sexe. Les quatre chevaliers la plaquèrent sur le sol d'un geste sec.

William s'agenouilla entre les jambes de la jeune femme et souleva le pan de la tunique qu'il portait. Il leva les yeux vers le mari. Wulfric était blême. Il fixait la scène avec horreur en marmonnant des implorations que couvraient les hurlements de Maggie. William savourait pleinement cet instant : la femme terrifiée sous la poigne des chevaliers, le mari spectateur obligé.

A cet instant, Wulfric tourna légèrement la tête. William flaira le danger. Tous les regards dans la pièce convergeaient sur lui et sur la fille. La seule chose qui pouvait détourner l'attention de Wulfric, c'était l'intervention d'un secours. William jeta un œil en direction de la porte.

Quelque chose de lourd et de dur s'abattit sur son crâne.

Il poussa un rugissement de douleur et s'effondra sur la jeune femme. Des hommes criaient, beaucoup d'hommes. Il aperçut vaguement que Walter s'écroulait, comme assommé lui aussi. Les chevaliers lâchèrent Maggie. William roula sur lui-même, laissant échapper la fille.

Au-dessus de lui, un homme fou furieux brandissait une hache de bûcheron. Il n'eut pas le temps de se demander qui c'était. Guillaume qui se relevait offrait son cou sans protection et la hache s'abattit, tranchant la nuque du chevalier qui trébucha et s'écroula sur William, éclaboussant de son sang la tunique de son maître.

William repoussa le cadavre. Le spectacle qui se présentait à lui était hallucinant. Une foule d'hommes en haillons, ébouriffés, crasseux, armés de gourdins et de haches, avait envahi le moulin. Ils étaient très nombreux.

Les choses tournaient manifestement très mal. Les villageois étaient-ils venus au secours du meunier ? Comment osaient-ils ? La journée ne se terminerait pas sans quelques pendaisons dans ce village. Furieux, William se remit debout et chercha son épée.

Il ne l'avait pas. Son ceinturon qu'il avait ôté pour violer la fille traînait quelque part dans la pièce.

Hugh la Hache, Gervase le Vilain et Louis combattaient farouchement ce qui ressemblait à une horde de mendiants. Plusieurs corps jonchaient le sol et, malgré ces pertes, la troupe faisait inexorablement reculer les trois chevaliers dehors. William vit Maggie, toute nue, hurlant, se frayer un chemin à travers la mêlée, et, malgré la confusion et la peur qui étaient les siennes, il éprouva un élan de désir et de regret pour ces fesses rondes et blanches qui s'éloignaient. A sa grande surprise, il constata que Wulfric se battait comme un beau diable contre certains des attaquants. Pourquoi le meunier s'en prenait-il à ceux qui avaient sauvé son épouse ? Que diable se passait-il ?

Abasourdi, William découvrit son ceinturon gisant sur le sol, presque à ses pieds. Il le ramassa, dégaina son épée et fit trois pas en arrière pour observer l'état de la bataille. Il constata que la plupart des agresseurs ne se battaient pas, mais ramassaient les sacs de farine et détalaient avec. William commença à comprendre. Il ne s'agissait pas du tout d'une opération de sauvetage lancée par des villageois outragés. C'était un raid. Ces individus ne s'intéressaient ni à Maggie ni à William et à ses chevaliers. Ce qu'ils voulaient, c'était la farine de William.

Leur identité ne faisait aucun doute : des hors-la-loi. William eut une bouffée de chaleur. C'était enfin l'occasion pour lui de régler son compte à cette meute enragée qui terrorisait le comté et vidait ses granges.

Ses chevaliers résistaient mal à l'assaut : les attaquants étaient au moins vingt. William s'étonnait de leur courage. D'ordinaire, les paysans se dispersaient comme des poulets devant un groupe de chevaliers, même avec l'avantage du nombre. Mais ceux-là luttaient avec acharnement et ne se laissaient pas décourager quand l'un des leurs tombait. Ils semblaient prêts à mourir si nécessaire. A vrai dire, ils mourraient de toute façon de faim, à moins qu'ils ne puissent emporter la farine.

Louis combattait deux hommes en même temps lorsqu'un troisième surgit derrière lui et l'assomma avec un marteau de charpentier. Le chevalier s'écroula et ne se releva pas. L'homme lâcha son marteau pour s'emparer de l'épée du mort. Il restait deux chevaliers contre vingt hors-la-loi. Mais Walter, qui se remettait peu à peu du coup qu'il avait reçu sur la tête, dégaina son épée et se lança dans la mêlée. William brandit la sienne et vint le rejoindre.

Ils formaient à eux quatre une formidable équipe. Les hors-la-loi reculaient, parant désespérément les coups de lame avec leurs gourdins et leurs haches. William commença à espérer que leur moral faiblisse lorsqu'une voix cria : « Le comte légitime ! »

C'était comme un cri de ralliement. D'autres le reprirent et les hors-la-loi redoublèrent de violence. Le cri répété « Le comte légitime... Le comte légitime ! » fit frissonner William. Cela signifiait que celui qui commandait la bande de hors-la-loi avait des prétentions sur le titre de William. Ce dernier rassembla ses forces et se jeta dans la mêlée comme si l'avenir du comté en dépendait.

En fait la moitié seulement des bandits se battaient. Les autres déménageaient la farine. Le combat tournait à l'échange régulier d'attaques et de parades, de coups et d'esquives. Comme des soldats qui savent qu'on va bientôt sonner la retraite, les hors-la-loi se repliaient sur un mode prudent et défensif.

Derrière eux, les autres emportaient les derniers sacs de farine. Leurs compagnons commencèrent à reculer par la porte menant de l'aire de battage à la maison. William constata que les voleurs avaient raflé pratiquement toute la farine. En un rien de temps, le comté entier saurait qu'on l'avait volée sous son nez. Il allait être la risée du pays. Cette pensée l'exaspéra tellement qu'il se précipita sur son attaquant et, d'un coup d'estoc des plus classiques, lui plongea son épée dans le cœur.

En manière de réplique, un hors-la-loi assena à Hugh un coup qui toucha celui-ci à l'épaule droite, le mettant hors de combat. Il y avait maintenant deux hors-la-loi sur le seuil, tenant tête aux trois chevaliers survivants. C'était déjà assez humiliant ; mais, avec une incomparable arrogance, l'un d'eux congédia d'un geste son compagnon. L'homme disparut et le dernier voleur recula d'un pas, pénétrant dans l'unique pièce de la maison du meunier.

Un seul chevalier à la fois pouvait tenir dans l'encadrement de la porte pour combattre le hors-la-loi. William écarta de l'épaule Walter et Gervase : cet homme-là, il le voulait pour lui. Comme leurs épées s'entrechoquaient, William comprit vite que son adversaire n'était pas un paysan ruiné : c'était un guerrier endurci, comme lui, William. Il le regarda vraiment pour la première fois et le choc fut si grand qu'il faillit en lâcher son épée.

Il avait devant lui Richard de Kingsbridge.

Le visage de Richard flamboyait de haine. William distinguait la cicatrice de son oreille mutilée. La violence de

sa haine effrayait William encore plus que son épée étincelante. Lui qui croyait avoir écrasé Richard le trouvait dressé
sur son chemin, à la tête d'une armée de loqueteux qui
ridiculisaient le seul et unique comte de Shiring.

Profitant de cette stupeur, Richard fonça sur William.
Celui-ci d'un bond esquiva un coup d'estoc, brandit son
épée, para un coup de taille et recula. Richard avançait toujours, mais William était maintenant protégé par le chambranle qui limitait Richard dans ses assauts. Il parvint
néanmoins à faire reculer encore William jusqu'au seuil de
l'aire, tandis que lui-même restait dans l'encadrement de la
porte. Mais Walter et Gervase l'attaquaient aussi. Pressé
par les trois hommes, il recula encore. Sitôt qu'il eut franchi
le seuil, Walter et Gervase furent évincés et ce fut de nouveau William contre Richard.

William estima que Richard était en mauvaise posture.
Dès qu'il gagnait du terrain, il se trouvait opposé à trois
hommes. Quand William serait fatigué, il pourrait céder la
place à Walter. Il était impossible à Richard de faire face
indéfiniment aux trois chevaliers. Il livrait une bataille perdue. Peut-être après tout la journée ne se terminerait-elle
pas dans l'humiliation, pensa William. Peut-être allait-il
enfin se débarrasser de son plus vieil ennemi.

Richard avait dû parvenir à la même conclusion. Mais il
ne perdait rien de son énergie et de sa détermination. Il
regarda William avec un sourire farouche que celui-ci jugea
exaspérant, et plongea l'épée en avant. William esquiva le
coup, trébucha. Walter se précipita pour protéger William
du coup de grâce mais, de façon inattendue, Richard tourna
les talons et s'enfuit.

William se releva et se cogna à Walter tandis que Gervase essayait de se faufiler entre eux. Le temps qu'ils se
dégagent tous trois, Richard avait traversé la petite pièce et
s'était esquivé en claquant la porte que William se précipita
pour rouvrir et constater que les hors-la-loi s'enfuyaient,
comble d'humiliation, sur les chevaux des compagnons de
William. Une fois dehors, William vit son cheval, un
superbe destrier qui lui avait coûté une rançon de roi, filer,
monté par Richard. C'était la seconde fois, songea William
mortifié, que Richard lui volait son cheval. Il les regarda
s'éloigner, une envie de meurtre au fond du cœur.

Le comte légitime, se répétait-il. Le comte légitime.

Il se retourna. Walter et Gervase se tenaient derrière lui,

Hugh et Louis étaient blessés, peut-être gravement, et Guillaume était mort. Son sang tachait tout le plastron de la tunique de William. Celui-ci, effroyablement vexé, avait du mal à garder la tête droite.

Par bonheur, le village était désert, abandonné par les paysans qui s'étaient enfuis sans attendre de subir la colère de leur seigneur. Le meunier et sa femme avaient naturellement disparu eux aussi. Les hors-la-loi avaient emmené les chevaux, ne laissant que deux chariots et leur attelage de bœufs.

William se tourna vers Walter. « Tu l'as reconnu, le dernier ?

— Oui. »

Walter avait l'habitude de parler le moins possible quand son maître était en fureur.

« C'était Richard de Kingsbridge », jeta William.

Walter acquiesça d'un mouvement de tête.

« Et ils l'appelaient le comte légitime », insista William.

Walter ne pipa mot.

William regagna le moulin en traversant la maison.

Hugh était assis là, sa main gauche appuyée sur son épaule droite, très pâle.

« Comment ça va ? interrogea William.

— Ce n'est rien, répondit Hugh. Mais qui étaient ces gens ?

— Des hors-la-loi », répondit brièvement William. Il regarda autour de lui. Sept ou huit voleurs gisaient morts ou blessés sur le sol. Il aperçut Louis allongé sur le dos, les yeux grands ouverts. D'abord il le crut mort ; puis Louis cligna les yeux.

« Louis », s'écria William.

Louis souleva la tête, l'air égaré.

« Hugh, ordonna William, aide Louis à monter dans un des chariots. Walter, mets dans l'autre le corps de Guillaume. » Il les laissa et ressortit.

Aucun des villageois ne devait posséder de chevaux, mais le meunier avait un bidet pommelé qui broutait l'herbe rare de la berge. William trouva la selle et la fixa sur la bête.

Quelques instants plus tard, il quittait Cowford avec Walter et Gervase conduisant les chariots à bœufs.

Sa fureur ne se calma pas durant le trajet. En fait, plus il ruminait les événements, plus sa colère s'amplifiait. C'était déjà intolérable que les hors-la-loi aient osé le défier ; c'était pire qu'ils eussent à leur tête son vieil ennemi Richard ; c'était scandaleux, enfin, d'appeler Richard le comte légitime. Si on ne les matait pas de façon décisive, très bientôt Richard les emploierait pour lancer contre William une attaque directe. Certes, ce serait totalement illégal de la part de Richard de s'emparer ainsi du comté ; mais William avait le sentiment que des plaintes concernant une attaque illégale, venant de lui, ne trouveraient peut-être pas une oreille compatissante. Que William fût tombé dans une embuscade, qu'il eût été vaincu par les hors-la-loi et dépouillé, histoire dont toute la région allait bientôt faire des gorges chaudes, tout cela le vexait terriblement. Mais le plus grave, c'était que sa domination sur le comté était sérieusement menacée.

Il fallait tuer Richard. Mais où le trouver ? Il réfléchit à la question durant tout le trajet qui le menait au château de Waleran et, lorsqu'il y arriva, il se prépara à interroger l'évêque qui détenait sans doute la clé du problème.

Le groupe qui se présenta au château avait tout d'un cortège comique se rendant à la foire, avec son bidet pommelé et son char à bœufs. William lança des ordres impérieux aux hommes de l'évêque, envoyant chercher un infirmier pour Hugh et Louis, quérir un prêtre pour s'occuper de l'âme de Guillaume. Gervase et Walter filèrent boire de la bière à la cuisine, puis William se présenta au donjon et fut aussitôt admis dans les appartements de Waleran. Il avait horreur de devoir demander quelque chose à l'évêque, mais il lui fallait son aide pour retrouver Richard.

Le prélat lisait un rouleau de comptes, une interminable liste de chiffres. Il leva les yeux et discerna la rage sur le visage de l'arrivant. « Que s'est-il passé ? » demanda-t-il, avec ce ton de léger amusement qui exaspérait toujours William.

Celui-ci grinça des dents. « J'ai découvert qui organise et commande ces maudits hors-la-loi. »

Waleran haussa un sourcil.

« Richard de Kingsbridge.

— Ah ! » Waleran hocha la tête d'un air entendu. « Évidemment, ça se comprend.

— C'est dangereux », riposta William, qui avait horreur de Waleran. « Ses sbires l'appellent "le comte légitime". »

906

Il braqua un doigt sur l'évêque. « Vous ne voulez certainement pas voir cette famille reprendre le comté : ces gens-là vous détestent ! De plus, ce sont des amis du prieur Philip, votre vieil adversaire.

— Allons, calmez-vous, dit Waleran avec condescendance. Vous avez tout à fait raison. Je ne peux pas laisser Richard de Kingsbridge reprendre le comté. »

William se rassit. Il avait des courbatures dans tout le corps. Depuis quelque temps, il ressentait les effets d'un combat plusieurs jours durant, comme jamais autrefois. Je n'ai que trente-sept ans, pensait-il, est-ce le début de la vieillesse ? « Il faut que je tue Richard, reprit-il tout haut. Quand il aura disparu, les hors-la-loi ne seront plus qu'une racaille impuissante.

— Je suis de votre avis.

— Le tuer, c'est facile. Le problème, c'est de le trouver. Mais vous pouvez m'aider.

— Je ne vois pas comment, répondit froidement Waleran.

— Écoutez, s'ils sont organisés, ils doivent bien se retrouver quelque part.

— Je ne comprends pas votre idée. Ils sont dans la forêt, naturellement.

— Inutile de battre la forêt pour courir après une troupe dispersée. La plupart des vagabonds qui y vivent ne passent pas deux nuits au même endroit. Mais si quelqu'un prétend organiser ces gens-là, il est bien obligé de les rassembler quelque part.

— Il faut donc découvrir la cachette de Richard.

— Exactement.

— Comment comptez-vous y arriver ?

— C'est là que vous intervenez. »

Waleran se referma instantanément.

« Je parie, poursuivit William, que la moitié des gens de Kingsbridge saurait le dire.

— Mais ils ne le feront pas. Tout le monde à Kingsbridge nous déteste, vous et moi.

— Pas tout le monde, protesta William. Pas tout à fait. »

Sally trouvait que Noël était un jour merveilleux.

Les plats traditionnels de la fête étaient pour la plupart sucrés : poupées en pain d'épice, bouillie de froment aux œufs et au miel ; le poiré, le doux vin de poire qui lui faisait tourner la tête ; enfin les tripes de Noël, bouillies pendant des heures, puis cuites dans une pâte à tarte. Le festin était moins abondant cette année, à cause de la famine, mais Sally se réjouissait quand même.

Elle adorait décorer la maison avec du houx et accrocher le gui ; quand on s'embrassait dessous, elle pouffait de rire. Le premier homme à franchir le seuil porterait chance dès lors qu'il aurait les cheveux noirs : le père de Sally, lui, restait consigné chez lui tout le matin de Noël car ses cheveux roux porteraient malchance à ceux qu'il visiterait. A l'église, elle admirait les moines déguisés en rois orientaux, en anges et en bergers, et elle explosait de rire quand toutes les fausses idoles s'écroulaient à l'arrivée en Égypte de la sainte famille.

Le mieux de tout, c'était l'enfant-évêque. Le troisième jour après Noël, les moines habillaient le plus jeune novice en tenue d'évêque et chacun devait lui obéir. C'était l'occasion d'ordres fantaisistes qui amusaient tout le monde. Par exemple, il ordonnait aux citoyens les plus âgés et les plus dignes d'accomplir d'humbles tâches, comme la récolte du bois pour le feu ou le nettoyage des porcheries.

Les habitants de la ville attendaient devant le prieuré la sortie de l'enfant-évêque. Il apparut, l'air excessivement grave. C'était un garçon d'une douzaine d'années au sourire espiègle, vêtu d'une robe de soie violette et muni d'une crosse de bois. Deux robustes moines portaient son trône sur les épaules, suivis du reste du monastère. On l'applaudit et on l'acclama. Son premier geste fut de désigner le prieur Philip. « Toi, mon garçon, va donc à l'écurie panser l'âne ! »

L'assistance éclata de rire. Le vieil âne était connu pour son mauvais caractère et on ne le brossait jamais. Le prieur Philip répondit « Bien, monseigneur » avec un sourire amusé, et partit s'acquitter de sa tâche.

« En avant ! » commanda le jeune évêque. La procession sortit de l'enclos ; certains se cachaient derrière leur porte de crainte d'être désignés pour quelques tâches déplaisantes. Mais Sally et sa famille — son père et sa mère, son frère, Tommy, tante Martha et même oncle Richard, rentré inopinément hier soir — ne craignaient rien.

Le jeune évêque entraîna le cortège d'abord à la taverne, comme c'était la tradition. Là il demanda de la bière gratis pour lui et pour tous les novices. Le brasseur les servit de bonne grâce.

Sally se trouva assise sur un banc auprès de frère Remigius, l'un des plus vieux moines, un homme de haute taille, peu aimable, qui ne lui avait jamais adressé la parole. Or voilà qu'il lui souriait en disant : « C'est gentil que ton oncle Richard soit rentré pour Noël.

— Il m'a donné un petit chat en bois, expliqua Sally, qu'il a sculpté lui-même avec son couteau.

— C'est joli. Tu crois qu'il va rester longtemps ?

— Je ne sais pas.

— Je pense qu'il devra repartir bientôt.

— Oui. Il habite dans la forêt maintenant.

— Tu sais où ?

— Oui. Ça s'appelle la carrière de Sally. Comme moi ! dit-elle en riant.

— Tiens, tiens, dit frère Remigius, comme c'est amusant ! »

Quand ils eurent bien bu, l'enfant-évêque déclara : « Et maintenant Andrew le sacristain et frère Remigius vont faire la lessive de la veuve Poll. »

Sally éclata de rire en battant des mains. La veuve Poll était une femme ronde au visage rouge, blanchisseuse de son état. Les moines délicats détesteraient laver les chausses et les sous-vêtements malodorants dont les gens changeaient tous les six mois.

La foule quitta la taverne en procession pour gagner la maison de la veuve Poll au bord du quai. Andrew et Remigius y prirent un lourd panier de linge sale qu'ils transportèrent jusque sur la berge. Andrew ouvrit le panier et Remigius, avec une expression de profond dégoût, en tira la première pièce de vêtement. Une jeune effrontée cria : « Attention, frère Remigius, c'est ma chemise ! » Remigius rougit. Au milieu de l'hilarité générale, les deux moines se mirent courageusement à leur lessive. Andrew trouvait la plaisanterie saumâtre, Sally le voyait bien, mais Remigius arborait un air étrangement satisfait.

Accrochée par une chaîne à un échafaudage, une grosse boule de fer pendait comme un nœud de bourreau à une potence. Une corde fixée à la boule, passant par une poulie, était maintenue au sol par deux manœuvres qui s'y cramponnaient. Quand les ouvriers tiraient sur la corde, la boule remontait jusqu'à la poulie et la chaîne s'allongeait à l'horizontale sur l'échafaudage.

Toute la population de Shiring assistait à la scène.

Les hommes lâchèrent la corde. La boule de fer tomba, se balança et vint s'écraser contre le mur de l'église. Il y eut un choc terrifiant dont William sentit la secousse dans le sol sous ses pieds. Comme il aurait aimé voir Richard cloué au mur à l'endroit où frappait la boule ! Écrasé comme une mouche !

Les manœuvres tirèrent de nouveau sur la corde, puis la lâchèrent ; la boule se balança et cette fois ouvrit un trou dans le mur de pierre. La foule applaudit.

C'était un ingénieux mécanisme de démolition.

William était content de voir le travail progresser sur le site où allait se dresser la nouvelle église, mais il avait ce jour-là des problèmes plus pressants. Il chercha du regard l'évêque Waleran qu'il aperçut en conversation avec Alfred le bâtisseur. William s'approcha et prit l'évêque à part. « L'homme est-il là ?

— Peut-être, dit Waleran. Venez chez moi. » Ils traversèrent la place du Marché. « Avez-vous amené vos troupes ? demanda l'évêque.

— Bien sûr. Deux cents hommes qui attendent dans les bois, à la sortie de la ville. »

En entrant dans la maison, William sentit une odeur de jambon bouilli qui lui mit l'eau à la bouche. La plupart des gens économisaient la nourriture, mais Waleran n'entendait pas laisser la famine changer son mode de vie. L'évêque n'avait jamais été amateur de ripailles, mais il aimait faire savoir qu'il était bien trop riche et puissant pour être touché par les mauvaises récoltes.

Waleran habitait une maison typique, à la façade étroite, avec une salle sur le devant, une cuisine derrière et une cour au fond comportant une fosse à purin, une ruche et une porcherie. William fut soulagé de voir un moine dans la salle.

« Bien le bonjour, frère Remigius, fit Waleran.

— Bien le bonjour, monseigneur, répondit Remigius. Bonjour à vous, seigneur William. »

William dévisagea le moine, un homme nerveux, au visage arrogant, avec des yeux bleus un peu exorbités. Depuis des années il entendait dire qu'il s'agissait de l'espion de Waleran dans le camp du prieur Philip, mais c'était la première fois qu'il lui parlait directement. « Avez-vous des renseignements pour moi ? interrogea-t-il.

— Peut-être bien », répliqua Remigius.

Waleran se débarrassa de son manteau bordé de fourrure et s'approcha du feu pour se réchauffer les mains. Un serviteur apporta du vin de sureau chaud dans des gobelets d'argent. William en but une gorgée, attendant avec impatience le départ du domestique.

Waleran sirotait son vin sans regarder personne. Une fois le serviteur sorti, il s'adressa sévèrement au moine : « Quelle excuse avez-vous donnée pour quitter le prieuré ?

— Aucune », répondit Remigius.

Waleran haussa un sourcil.

« Je n'y retournerai pas, déclara Remigius sur le ton du défi.

— Comment ? »

Remigius prit une profonde inspiration. « Vous bâtissez une cathédrale ici, n'est-ce pas ?

— Ce n'est qu'une église.

— Elle va être très grande. Vous comptez bien en faire l'église cathédrale, non ? »

Waleran hésita, puis dit avec impatience : « Imaginons, pour simplifier la discussion, que vous ayez raison.

— Il faudra que la cathédrale soit régie par un chapitre, soit de moines, soit de chanoines.

— Et alors ?

— Je veux être prieur. »

Voilà qui expliquait tout, se dit William.

Waleran reprit d'un ton froid : « Vous êtes si sûr d'obtenir ce poste que vous avez quitté Kingsbridge sans la permission de Philip et sans le moindre prétexte ? »

Remigius parut embarrassé et William ressentit une certaine sympathie pour lui : un Waleran de méchante humeur avait de quoi inquiéter n'importe qui. « J'espère ne pas m'être montré trop présomptueux, protesta Remigius.

— Vous pouvez sans doute nous mener à Richard ?

— Oui.

— Excellent homme ! dit William, tout excité. Dites-moi où il est. »

Remigius garda le silence en attendant un signe de Waleran.

« Allons, Waleran, continua William, accordez-lui le poste qu'il veut, au nom du ciel ! »

L'évêque hésitait. William savait qu'il avait horreur de se sentir forcé. Après un insupportable temps de réflexion, Waleran acquiesça : « Bon. Vous serez prieur.

— Alors, demanda William, où est Richard ? »

Remigius fixait toujours Waleran. « A compter d'aujourd'hui ?

— A compter d'aujourd'hui. »

Remigius se tourna alors vers William. « Un monastère n'est pas qu'une église entourée d'un dortoir. Il lui faut des terres, des fermes, des paroisses qui versent des dîmes.

— Dites-moi où est Richard et je vous donnerai pour commencer cinq villages avec leurs églises paroissiales, proposa William.

— Il nous faudra une charte en bonne et due forme.

— Vous l'aurez, promit Waleran, ne craignez rien.

— Allons, moine, continua William. J'ai toute une armée qui m'attend hors de la ville. Où est la cachette de Richard ?

— Dans un endroit nommé la carrière de Sally, juste à côté de la route de Winchester.

— Je connais ! s'exclama William. C'est une carrière désaffectée. Plus personne n'y va.

— Je me souviens, renchérit Waleran. On n'y travaille plus depuis des années. C'est une bonne cachette : on ne la trouve que si on la connaît.

— C'est une véritable sourcière, reprit William, tout excité. Les parois sont abruptes sur trois côtés. Personne n'en réchappera. Je ne ferai pas de prisonniers, croyez-moi ! » Son enthousiasme l'emportait à mesure qu'il imaginait la scène. « Je les massacrerai tous. »

Les deux hommes de Dieu le regardaient avec froideur. « On se sent un peu dégoûté, frère Remigius ? ricana William avec mépris. La perspective d'un massacre tourne-t-elle l'estomac de monseigneur l'évêque ? » Il touchait juste. Ces religieux étaient de grands comploteurs, mais lorsqu'il s'agissait de verser le sang, ils dépendaient entièrement des hommes d'action. « Heureusement que vous prierez pour moi », lança-t-il d'un ton sarcastique en sortant.

Son cheval l'attendait dehors, un étalon noir qui avait remplacé — sans l'égaler — le destrier volé par Richard. Il se mit en selle et quitta la ville.

Combien de hors-la-loi trouverait-il à la clairière de

Sally ? Deux cents ? Cinq cents ? Ses hommes à lui, William, risquaient d'être inférieurs en nombre, aussi lui faudrait-il tirer le meilleur parti de ses atouts. Le premier était la surprise. Un autre l'armement. Les hors-la-loi n'avaient guère que des gourdins, des marteaux, au mieux des haches. Aucun ne possédait d'armure. Mais le gros avantage, c'était que les hommes de William attaqueraient à cheval. Les hors-la-loi avaient peu de montures et selon toute probabilité il n'y aurait pas beaucoup de chevaux sellés au moment où William frapperait. Pour faire bonne mesure, il décida de poster quelques archers sur les flancs de la colline avec ordre de tirer sur la clairière, quelques instants avant l'assaut.

Le plus important était d'empêcher les hors-la-loi de s'échapper jusqu'à ce que Richard soit capturé ou tué. William résolut de charger une poignée d'hommes de confiance d'attendre derrière la première vague d'assaut pour ramasser les petits malins qui auraient réussi à s'esquiver.

Walter attendait en compagnie des chevaliers et des hommes d'armes là où William les avait laissés deux heures plus tôt. Ils avaient bon moral, prévoyant une victoire facile. Au signal du comte, ils se mirent à trotter sur la route de Winchester.

Walter chevauchait près de William, sans mot dire. Une des principales qualités de Walter, c'était sa capacité à garder le silence. William supportait mal les gens qui n'arrêtaient pas de lui parler, même quand ils n'avaient rien à dire, sans doute parce qu'il les rendait nerveux. Walter respectait William, mais ne le redoutait pas, ils se connaissaient depuis trop longtemps.

William ressentait un mélange familier d'ardente impatience et de fébrilité. Il vivait pleinement quand il risquait sa vie. Mais, cette fois, l'événement était spécial. Il tenait l'occasion de détruire l'homme qui depuis quinze ans enfonçait une épine dans sa chair.

Vers midi, ils firent halte dans un village assez important où ils trouvèrent une taverne. William acheta pour les hommes du pain et de la bière et ils firent boire les chevaux. Avant de repartir, il donna ses instructions à ses troupes.

Quelques lieues plus loin, ils quittèrent la route de Winchester. Le sentier où ils s'engagèrent était à peine visible, et William ne l'aurait pas remarqué s'il ne l'avait pas cherché. Une fois dessus, il put le suivre en observant la végétation : l'absence d'arbres d'âge mûr, sur une largeur de douze à quinze pieds, délimitait la piste.

Il envoya les archers en éclaireurs et fit ralentir le reste des hommes. Dans la claire journée de janvier, les arbres sans feuilles filtraient à peine l'éclat froid du soleil. Cela faisait des années que William ne s'était pas rendu à la carrière, et il ne savait plus à quelle distance elle se trouvait. Néanmoins, au bout d'une demi-lieue, il repéra des traces indiquant que le chemin était utilisé : végétation foulée, jeunes pousses brisées, terre piétinée. Remigius n'avait donc pas menti.

Il se sentait tendu comme un arc. Les traces devenaient de plus en plus nombreuses : le doute n'était plus permis. Les hors-la-loi étaient ici. La bataille allait commencer.

Leur cachette devait être toute proche maintenant. William tendit l'oreille. D'un instant à l'autre, ses archers allaient lancer l'attaque, il y aurait des cris, des jurons, des hurlements de douleur et le hennissement de chevaux terrifiés.

Le chemin débouchait sur une large clairière où William aperçut, à une centaine de toises devant lui, l'entrée de la carrière de Sally. Pas un bruit. Quelque chose d'étrange régnait dans l'atmosphère. Les archers ne tiraient pas. William sentit un frisson d'appréhension le parcourir. Était-il arrivé un imprévu ? Ses archers étaient-ils tombés dans une embuscade et les sentinelles les avaient-elles liquidés sans bruit ?

Mais il n'avait plus le temps de réfléchir. Il fallait attaquer. Il éperonna son cheval pour le mettre au galop. Ses hommes l'imitèrent et, dans un bruit de tonnerre, ils foncèrent vers la cachette. La peur de William se dissipa dans la griserie de la charge.

L'accès de la carrière formait un petit ravin tortueux dont on ne voyait pas le bout. Levant les yeux, il aperçut quelques-uns de ses archers juchés en haut de l'escarpement, immobiles. Pourquoi ne tiraient-ils pas ? Il eut la prémonition d'un désastre ; il aurait bien fait halte et tourné bride, sauf qu'on ne pouvait plus arrêter les chevaux dans leur charge. Son épée dans la main droite, tenant les rênes de la main gauche, le bouclier accroché à son cou, il déboucha au galop dans la carrière abandonnée.

Personne.

La déception le frappa comme un coup d'épée. Il fut sur le point d'éclater en sanglots. Il avait été si sûr de son affaire : tous les signes avaient concordé. A présent la frustration lui ravageait le ventre.

Tandis que son cheval ralentissait, il put observer les lieux et constater qu'en effet, c'était là jusque récemment la cachette des hors-la-loi. On voyait des abris improvisés faits de branchages et de roseaux, des vestiges de feu de camp et un tas de crottin. Dans un coin, une barrière faite de quelques piquets avait servi à enfermer les chevaux. Çà et là, William aperçut les vestiges d'une occupation humaine : des os de poulet, des sacs vides, une chaussure éculée, une cruche cassée. Un des feux fumait encore. Il eut un brusque espoir : peut-être venaient-ils tout juste de partir et pourrait-on les rattraper ! Puis il aperçut une silhouette isolée, accroupie par terre auprès du feu. Il s'approcha. La silhouette se redressa. C'était une femme.

« Tiens, tiens, William Hamleigh, dit-elle. Trop tard, comme d'habitude.

— Vache insolente, je vais t'arracher la langue, menaça-t-il.

— Tu ne me toucheras pas, répliqua-t-elle avec calme. J'ai jeté ma malédiction sur de meilleurs que toi. » Elle porta la main à son visage en pointant trois doigts, comme une sorcière. Les chevaliers reculèrent et William se signa. La femme fixait sans crainte sur lui le regard de ses extraordinaires yeux dorés. « Tu ne me reconnais pas, William ? Tu as essayé un jour de m'acheter pour une livre, ajouta-t-elle en riant. Tu as eu de la chance de ne pas avoir réussi. »

William se souvenait de ces yeux-là. Il avait devant lui la veuve de Tom le bâtisseur, la mère de Jack Jackson, la sorcière qui vivait dans la forêt. S'il avait pu, il aurait immédiatement fait demi-tour mais il devait d'abord la questionner.

« Eh bien, sorcière, déclara-t-il avec plus d'arrogance qu'il n'en était capable, est-ce que Richard de Kingsbridge était ici ?

— Il y a encore deux jours.

— Où est-il allé, peux-tu me le dire ?

— Oh oui ! Je le peux, affirma-t-elle. Lui et ses troupes sont partis combattre pour Henry.

— Henry ? » répéta William. Non, elle ne parlait pas de Henry...

« Le fils de Maud ?

— Tout juste. »

William sentit son sang se glacer. Le jeune et énergique duc de Normandie pourrait bien réussir là où sa mère avait échoué. Si Stephen subissait une défaite maintenant, il entraînerait William dans sa chute. « Qu'est-il arrivé ? reprit-il d'un ton pressant. Où est Henry ?

— Il a traversé l'eau avec trente-six vaisseaux et débarqué à Wareham, expliqua la sorcière d'un ton uni. On dit qu'il amène avec lui une armée de trois mille hommes. Nous sommes envahis. »

V

Winchester était une ville encombrée, agitée et dangereuse. Les deux armées s'y trouvaient réunies. Les forces royales du roi Stephen étaient cantonnées au château et les rebelles du duc Henry — y compris Richard et sa bande — campaient devant les murs de la ville, sur la colline Saint-Giles, où se tenait la foire annuelle. L'accès de la ville elle-même était interdit aux soldats des deux camps, mais nombre d'entre eux bravaient cet arrêt et passaient leurs soirées dans les tavernes, assistant aux combats de coqs, et dans les bordels où ils s'enivraient, maltraitaient les femmes, se battaient et s'entre-tuaient à cause de parties de dés ou de cartes.

Stephen avait perdu tout esprit combatif depuis la mort de son fils aîné, au cours de l'été. Il séjournait au château royal, le duc Henry habitait au palais de l'évêque pendant que leurs représentants menaient les pourparlers de paix, l'archevêque Théobald de Canterbury parlant pour le roi et le vieux négociateur Henry, évêque de Winchester pour le duc Henry. Chaque matin, l'archevêque Théobald et l'évêque Henry tenaient conférence à l'évêché. A midi, le duc Henry traversait en cortège les rues de Winchester avec ses lieutenants — dont Richard — pour aller dîner au château.

La première fois qu'Aliena vit le duc, elle ne put croire

que c'était là l'homme qui gouvernait un empire de la taille de l'Angleterre. Il n'avait qu'une vingtaine d'années, le teint hâlé et les taches de rousseur d'un paysan. Il portait une simple tunique sombre, sans broderie, et ses cheveux roux étaient coupés court. On aurait dit le fils d'un gros fermier prospère. Mais on s'apercevait vite qu'il dégageait une sorte d'aura. Trapu, musclé, avec des épaules larges et une grosse tête, il compensait cette impression de brutale force physique par des yeux gris au regard vif et pénétrant ; les gens qui l'entouraient ne s'approchaient jamais trop et le traitaient avec une familiarité un peu méfiante, comme s'ils redoutaient de lui voir décocher à tout moment un coup de griffe.

Aliena songeait que les dîners au château devaient être abominablement tendus puisque les chefs des armées adverses étaient assis à la même table. Elle se demandait comment Richard pouvait supporter le voisinage du comte William. Elle aurait à sa place volontiers plongé le couteau à découper dans le cœur de William plutôt que dans le rôti de gibier. Pour sa part, elle ne voyait son vieil ennemi que de loin, et de façon fugitive. Il paraissait anxieux et de méchante humeur, ce qui était bon signe.

Tandis que comtes, évêques et abbés se retrouvaient au donjon, les notables de moindre importance se rassemblaient dans la cour du château : chevaliers et shérifs, petits barons, hommes de justice et gouverneurs, tous ceux qui ne pouvaient rester éloignés de la capitale alors qu'on y décidait de leur avenir et de celui du royaume. Aliena retrouvait là presque chaque matin le prieur Philip. Les rumeurs les plus diverses couraient. Un jour, tous les comtes partisans de Stephen devaient être dépouillés de leurs titres (ce qui signifiait la fin de William) ; le lendemain, ils devaient conserver leur position, ce qui anéantissait les espoirs de Richard. Les châteaux forts de Stephen seraient démolis, puis ceux des rebelles, puis ceux de tout le monde, puis aucun. On racontait que chacun des partisans de Henry serait fait chevalier et qu'on lui donnerait cent arpents. Richard ne voulait pas de cadeau, il voulait son comté.

Le frère d'Aliena ne savait absolument pas quelles rumeurs étaient vraies, et si même toutes n'étaient pas fausses. Bien que fidèle lieutenant de Henry sur le champ de bataille, on ne le consultait pas sur le détail des négociations politiques. Philip, toutefois, semblait beaucoup plus au courant. Il refusait de dire d'où il tenait ses renseignements, mais Aliena se rappela qu'il avait un frère, lequel venait de temps en temps lui rendre visite à Kingsbridge et avait travaillé pour Robert de Gloucester et l'impératrice Maud : maintenant que Robert et Maud étaient morts, peut-être était-il au service du duc Henry.

Philip annonça que les négociateurs étaient sur le point d'aboutir. L'accord prévoyait que Stephen resterait roi jusqu'à sa mort, mais que Henry lui succéderait. Mauvaise nouvelle. Stephen pouvait vivre encore dix ans. Que se passerait-il pendant ce temps ? On n'allait sûrement pas écarter les comtes de Stephen alors que leur roi continuait à régner. Comment les partisans de Henry — comme Richard — obtiendraient-ils alors leurs récompenses ? Faudrait-il qu'ils attendent la fin de Stephen ?

Philip connut enfin la réponse alors qu'ils étaient tous à Winchester depuis une semaine. Il envoya un novice chercher Aliena et Richard. Pendant leur trajet dans les rues animées jusqu'à l'enceinte de la cathédrale, Richard bouillait d'une violente impatience, mais Aliena tremblait.

Philip les attendait dans le cimetière. La conversation se déroula au milieu des tombes tandis que le soleil déclinait à l'horizon. « Ils sont parvenus à un accord, déclara Philip sans préambule. Mais c'est assez compliqué. »

Aliena ne pouvait supporter d'attendre davantage. « Richard regagne-t-il son comté ? » demanda-t-elle d'un ton pressant.

Philip balança la main d'un côté et de l'autre, dans un geste qui voulait dire peut-être que oui, peut-être que non. « Ce n'est pas si simple. Selon le compromis, les terres prises par des usurpateurs seront restituées aux gens qui les possédaient au temps du vieux roi Henry.

— C'est exactement ce qu'il me faut ! s'exclama Richard. Mon père était comte du temps du roi Henry.

— Tais-toi, Richard, intervint Aliena.

— Alors, où est la complication ? continua son frère sans tenir compte de l'interruption.

— Il n'y a rien dans l'accord qui oblige Stephen à l'appliquer. Il n'y aura sans doute aucun changement avant sa mort et l'avènement de Henry. »

Richard était tout déconfit. « Je n'aurai rien ?

— Pas vraiment, dit Philip. Tu es le comte légitime.

— Mais le comte légitime devra vivre en hors-la-loi jusqu'à la mort de Stephen — pendant que le comte illégitime, cet animal de William, occupera mon château, déclara Richard rageusement.

— Pas si fort, protesta Philip, car un prêtre les croisait. Tout cela est encore secret. »

Aliena enrageait. « Je n'admets pas cela, s'écria-t-elle. Je refuse d'attendre la mort de Stephen. J'ai attendu dix-sept ans, j'en ai assez.

— Mais que pouvez-vous faire, à votre avis ? » objecta Philip.

Aliena se tourna vers Richard. « Tout le pays ou presque te considère comme le comte légitime. Stephen et Henry ont reconnu ta légitimité. Empare-toi du château et gouverne selon ton titre.

— Je ne peux pas m'emparer du château. William l'a sûrement laissé sous bonne garde.

— Tu as une armée, non ? lança-t-elle, emportée par la force de sa colère et de sa déception. Tu as droit à ce château. Vas-y. »

Richard secoua la tête. « En quinze ans de guerre civile, sais-tu combien j'ai vu de châteaux enlevés par un assaut de front ? Pas un. » Comme toujours, il manifestait autorité et maturité dès qu'il se mettait à parler de questions militaires. « Une ville parfois, mais pas un château fort. J'en ai vu tomber par lâcheté, par ruse ou par traîtrise, mais jamais par la force pure. »

Aliena n'entendait pas accepter ce qui lui paraissait dicté par le découragement. Elle ne pouvait se résoudre à d'autres années d'attente et d'espoir déçu. Que se passerait-il, demanda-t-elle, si tu amenais ta troupe au château de William ?

— Les officiers du guet lèveraient le pont-levis et fermeraient les portes avant que nous ayons pu entrer. Nous camperions sous les remparts. Puis William viendrait au secours de la garnison avec son armée et attaquerait notre camp. Même si nous l'emportions, nous ne prendrions pas le château. Ce sont des édifices difficiles à attaquer et faciles à défendre, c'est là leur utilité. »

Tandis qu'il parlait, une idée germait dans l'esprit agité d'Aliena. « Lâcheté, ruse ou traîtrise, murmura-t-elle.

— Quoi ?

919

— Tu as vu dés châteaux pris par lâcheté, ruse ou traîtrise.

— Oh oui !

— A quoi William a-t-il eu recours lorsqu'il nous a pris le château autrefois ?

— Les temps étaient différents, intervint Philip. Sous le vieux roi Henry, le pays était en paix depuis trente-cinq ans. William a pris votre père par surprise.

— Il a employé la ruse, rappela Richard. Il s'est glissé à l'intérieur du château avec quelques hommes avant qu'on ait donné l'alarme. Mais le prieur Philip a raison : ces méthodes-là ne donneraient pas de résultat aujourd'hui. Les gens sont bien plus méfiants.

— Moi, je pourrais entrer, lança Aliena d'une voix vibrante, bien que son cœur cognât de crainte.

— Certes, tu pourrais... Tu es une femme, reconnut Richard. Mais une fois à l'intérieur ? C'est pour ça qu'on te laisserait entrer. Tu es inoffensive.

— Ne joue pas les arrogants, cria-t-elle. J'ai tué pour te protéger, et c'est plus que tu n'en as jamais fait pour moi, ingrat, alors ne viens pas me dire que je suis inoffensive.

— Très bien, tu n'es pas inoffensive, rétorqua-t-il, vexé. Que ferais-tu une fois dans le château ? »

La colère d'Aliena se calma. Qu'est-ce que je ferais ? se demanda-t-elle, déconcertée. Par le diable, j'ai au moins autant de courage et d'esprit d'initiative que ce porc de William. « Qu'est-ce que William a fait, lui ?

— Il a maintenu le pont-levis baissé et les portes ouvertes assez longtemps pour que le gros des attaquants puisse entrer.

— Alors, c'est ce que je ferai, assura Aliena.

— Mais comment ? » Richard ne mordait pas au projet.

Aliena se rappela comment elle avait réconforté une jeune mariée de quatorze ans, effrayée par la tempête. « La comtesse me doit une faveur, dit-elle, et elle déteste son mari. »

Ils chevauchèrent toute la nuit, Aliena, Richard et cinquante hommes d'élite. A l'aube, parvenus aux environs d'Earlscastle, ils firent halte dans la forêt, juste à la lisière des champs qui entouraient le château. Aliena mit pied à terre, ôta son manteau de bonne laine des Flandres et ses bottes de cuir souple pour passer une grossière blouse de paysan et une paire de sabots. Un homme lui tendit un panier d'œufs frais tapissé de paille, qu'elle passa à son bras.

Richard l'examina de la tête aux pieds. « Parfait. Une petite paysanne apportant les produits de sa ferme à la cuisine du château. »

Aliena avait la gorge serrée. La veille, elle s'était sentie pleine de feu et d'audace, mais maintenant qu'elle était au pied du mur, elle avait peur.

Richard l'embrassa sur la joue. « Quand j'entendrai la cloche, je réciterai une fois lentement le *Notre Père*, puis l'avant-garde se mettra en marche. Tout ce que tu auras à faire, c'est de donner aux soldats un faux sentiment de sécurité, de façon que dix de mes hommes puissent traverser les champs et entrer dans le château sans causer d'alarme.

— Assure-toi seulement, précisa Aliena, que le gros de la troupe ne sorte pas à découvert avant que ton avant-garde n'ait franchi le pont-levis.

— C'est moi qui dirigerai le gros de la troupe, dit-il en souriant. Ne t'inquiète pas. Bonne chance.

— Toi aussi. »

Elle partit.

Au sortir des bois, elle s'avança à travers champs vers le château qu'elle avait quitté un jour affreux, seize ans plus tôt. En revoyant les lieux, elle retrouvait la mémoire vivace et terrifiante de cet autre matin-là, l'air encore humide après la tempête et le galop des deux chevaux fonçant à travers les champs détrempés par la pluie — Richard sur le destrier et elle sur un cheval plus petit, le frère et la sœur morts de peur.

Pour se calmer, elle évoqua les bons souvenirs : son enfance, entre son père et Richard, prospères et en sécurité. Elle jouait sur les remparts du château avec son frère, traînait dans la cuisine, grignotait des bouts de pâtisserie et prenait place auprès de son père aux dîners dans la grande salle. Je ne savais pas que j'étais heureuse, songea-t-elle. Je ne savais pas la chance que j'avais de n'avoir rien à redouter.

Mais ce bon temps-là reviendra dès aujourd'hui, se dit-elle. Si je réussis mon coup.

Elle avait prétendu avec assurance : *La comtesse me doit une faveur, et elle déteste son mari*, mais durant la longue chevauchée nocturne, elle avait pensé à tout ce qui pourrait mal tourner. D'abord, il n'était pas certain qu'elle puisse entrer dans le château. A supposer que quelque chose ait mis la garnison en alerte, les gardes se montreraient méfiants ; elle pourrait aussi avoir la malchance de tomber sur une sentinelle entêtée. Et puis, même une fois à l'intérieur, rien ne disait qu'elle parviendrait à persuader Elizabeth de trahir son mari. Cela faisait déjà un an et demi qu'Aliena avait rencontré Elizabeth pendant l'orage. Avec le temps, les femmes s'habituaient aux hommes les plus abominables et peut-être celle-ci avait-elle fini par accepter son sort. Et enfin, même si Elizabeth était bien disposée envers elle, elle pourrait ne pas avoir l'autorité ni le cran de faire ce que lui demanderait Aliena. Lors de leur rencontre, elle ressemblait à une petite fille effrayée. La garde du château refuserait peut-être de lui obéir.

Aliena transpirait de peur en franchissant le pont-levis : elle voyait et elle entendait tout autour d'elle avec une clarté anormale. La garnison s'éveillait tout juste. Quelques gardes aux yeux encore rouges de sommeil traînaient sur les remparts, bâillant et toussant ; un vieux chien se grattait, assis devant la porte, Aliena rabattit son capuchon pour dissimuler son visage, au cas où quelqu'un la reconnaîtrait, et elle passa sous la voûte.

La sentinelle nonchalante de service à l'entrée dévorait un gros quignon de pain, assise sur son banc. Il avait les vêtements en désordre et son ceinturon pendait à un crochet au fond de la pièce. Le cœur serré, avec un sourire qui dissimulait son angoisse, Aliena lui montra son panier d'œufs.

D'un geste impatient, il lui fit signe de passer.

Elle avait franchi le premier obstacle !

La discipline était relâchée. La garde, il est vrai, ne représentait qu'une force symbolique tandis que les meilleurs hommes allaient à la guerre.

Aliena traversa la basse cour, les nerfs tendus à craquer. C'était très bizarre d'arriver en étrangère dans cet endroit qui avait été sa maison, de se glisser subrepticement là où jadis elle circulait librement. Elle regarda autour d'elle, prenant soin de ne pas se montrer trop ouvertement curieuse. La plupart des bâtiments de bois avaient changé : les écuries étaient plus grandes, on avait déplacé la cuisine et il y avait une nouvelle armurerie en pierre. Tout semblait plus sale qu'autrefois. La chapelle était toujours là, la chapelle où Richard et elle s'étaient réfugiés pendant la terrible tempête. Une poignée de serviteurs commençaient leurs tâches matinales. Un ou deux hommes d'armes déambulaient dans l'enceinte. Ils avaient l'air menaçant... ou se faisait-elle des idées ?

Si son plan réussissait, dès ce soir elle serait de nouveau maîtresse de ce château. Par moments, elle ne croyait plus à ce rêve impossible.

Elle entra dans la cuisine. Un garçon chargeait le feu tandis qu'une jeune fille coupait des carottes. Aliena leur fit un grand sourire en annonçant : « Deux douzaines d'œufs tout frais. » Elle posa son panier sur la table.

« Le cuisinier n'est pas encore levé, répondit le garçon. Il va falloir attendre pour te faire payer.

— Est-ce que je peux avoir un bout de pain pour mon déjeuner ?

— Dans la grande salle.

— Merci. »

Elle laissa son panier et ressortit.

En passant le second pont-levis donnant accès à l'enceinte supérieure, elle sourit au garde de faction. Il avait les cheveux en bataille, les yeux injectés de sang. Il la toisa de la tête aux pieds. « Où vas-tu comme ça ? fit-il d'un ton guilleret.

— Déjeuner, répondit-elle sans s'arrêter.

— J'ai quelque chose à manger pour toi, lui lança-t-il d'un air égrillard.

— Attention, je pourrais le croquer », répliqua-t-elle par-dessus son épaule.

Il ne la soupçonna pas un instant. Dans l'esprit des hommes, une femme ne pouvait pas être dangereuse. Quelle sottise ! Les femmes étaient capables de presque tout ce que faisaient les hommes. Qui prenait tout en main quand les hommes étaient à la guerre ou en croisade ? Il y avait des femmes charpentiers, teinturiers, tanneurs, boulangers et brasseurs. Aliena pour sa part avait été un des marchands les plus importants du comté. Les responsabilités d'une abbesse, à la tête d'un couvent de religieuses, étaient exactement les mêmes que celles d'un abbé. N'était-ce pas une femme, l'impératrice Maud, qui avait déclenché une guerre civile de quinze ans ! Malgré cela, ces abrutis de gardes n'auraient jamais soupçonné une femme d'être un agent ennemi, parce que ce n'était pas normal dans leur monde d'hommes.

Elle monta en courant les marches du donjon et entra dans la salle commune. Il n'y avait pas de serviteur à la porte, sans doute parce que le maître était absent. A l'avenir, je m'assurerai de la présence d'un domestique à l'entrée, se promit Aliena, que le maître soit là ou pas.

Quinze ou vingt personnes déjeunaient autour d'une table. On lui jeta un coup d'œil indifférent. La salle était très propre, remarqua-t-elle, et on y observait une ou deux touches féminines : des murs fraîchement passés à la chaux, des herbes odorantes mêlées à la paille sur le sol. Elizabeth avait modestement laissé sa marque. C'était encourageant.

Sans parler aux convives autour de la table, Aliena traversa la salle jusqu'à l'escalier du coin, comme si sa présence était la plus naturelle du monde, tout en s'attendant à être interpellée d'un instant à l'autre. Elle arriva au pied de l'escalier sans attirer l'attention. Puis, comme elle grimpait en courant vers les appartements du premier étage, elle entendit quelqu'un crier : « Hé ! toi ! Interdit d'aller là-haut ! » Elle arriva à l'étage, hors d'haleine. Elizabeth dormait-elle dans la grande pièce qu'occupait autrefois le père d'Aliena ? Ou bien avait-elle son lit dans l'ancienne chambre d'Aliena ? Elle hésita un instant, le cœur battant. Elle supposa que William était lassé d'Elizabeth et qu'il la laissait dormir chez elle. Aliena frappa et ouvrit la porte.

Elle ne s'était pas trompée. Assise auprès du feu, Elizabeth, en chemise de nuit, se brossait les cheveux. Elle leva les yeux d'un air étonné, puis reconnut Aliena. « C'est vous ! fit-elle. Quelle surprise ! » Elle avait l'air enchanté.

Aliena entendit des pas lourds dans l'escalier derrière elle. « Je peux entrer ? demanda-t-elle.

— Bien sûr... et bienvenue ! »

Aliena se glissa dans la pièce et s'avançait vers Elizabeth lorsqu'un homme entra sur ses talons. « Dis donc, où est-ce que tu te crois ? » et s'approchant d'Aliena fit mine de la prendre par le bras.

« Reste où tu es ! » ordonna Aliena de son ton le plus autoritaire. L'homme hésita. « Je viens voir la comtesse avec un message du comte William et tu l'aurais su plus tôt si tu avais gardé la porte au lieu de te bourrer de pain de son. »

L'homme baissa la tête.

« Tu peux disposer, Edgar, intervint Elizabeth. Je connais cette dame.

— Très bien, madame. » Le garde sortit.

Voilà, songea Aliena, je suis entrée !

Elle examina les lieux, le temps que son cœur reprenne un rythme normal. La chambre n'avait pas beaucoup changé : il y avait des pétales séchés dans un bol, une jolie tapisserie au mur, des livres et un coffre à vêtements. Le lit était au même endroit — c'était d'ailleurs celui d'Aliena — et sur l'oreiller reposait une poupée de chiffon tout comme jadis la sienne. Aliena se sentit soudain vieille.

« C'était ma chambre, dit-elle.

— Je sais », répondit Elizabeth.

Aliena était surprise. Elle n'avait pas parlé à Elizabeth de son passé.

« J'ai tout appris de vous depuis ce terrible orage, expliqua la jeune comtesse. Je vous admire tant. »

Les choses commençaient bien.

« Et William ? interrogea Aliena. Êtes-vous plus heureuse avec lui ? »

Elizabeth détourna la tête. « Oh ! j'ai ma chambre maintenant et il est souvent absent. En fait, tout va beaucoup mieux. » Sur ces mots, elle éclata en sanglots.

Aliena s'assit au bord du lit et prit la jeune femme par les épaules. Entre deux sanglots, Elizabeth haletait : « Je... le... déteste ! Je... voudrais... être... morte ! »

Son chagrin était si pitoyable, elle était si jeune qu'Aliena elle-même sentait les larmes lui piquer les yeux. Dire que le sort d'Elizabeth aurait pu être le sien ! Elle la berça comme elle l'aurait fait avec Sally.

Elizabeth finit par se calmer. Avec la manche de sa chemise de nuit, elle essuya son visage mouillé de larmes. « J'ai si peur d'avoir un bébé, murmura-t-elle. Je sais qu'il le maltraiterait horriblement.

— Je comprends », dit Aliena. Elle aussi jadis avait craint mortellement d'être enceinte de William.

Elizabeth la contemplait avec de grands yeux. « C'est vrai ce qu'on raconte... sur... ce qu'il vous a fait ?

— Oui. J'avais votre âge quand c'est arrivé. »

Un moment, elles se regardèrent droit dans les yeux, unies dans un commun dégoût. Elizabeth n'avait plus l'air d'une enfant.

« Vous pourriez vous libérer de lui, si vous le voulez, Elizabeth. Dès aujourd'hui. »

La jeune comtesse s'arrêta de respirer. « C'est vrai ? souffla-t-elle avec une émouvante expression d'espoir. C'est vrai ? »

Aliena acquiesça. « C'est pourquoi je suis ici.

— Je pourrais rentrer à la maison ? demanda Elizabeth, les yeux pleins de larmes. Je pourrais rentrer à Weymouth, chez ma mère ? *Aujourd'hui ?*

— Oui. Mais il faudra du courage.

— Je ferai n'importe quoi, promit-elle. N'importe quoi ! Vous n'avez qu'à me dire. »

Aliena lui avait expliqué un jour comment acquérir de l'autorité envers les domestiques de son mari, et elle se demanda si Elizabeth avait pu mettre en pratique ces bons principes. « Les serviteurs vous contestent-ils encore ? interrogea-t-elle carrément.

— Ils essaient.

— Mais vous ne les laissez pas faire ? »

Elizabeth se troubla.

« Quelquefois, si. Mais j'ai seize ans maintenant, je suis comtesse depuis plus de deux ans... J'ai essayé de suivre vos conseils et j'ai obtenu vraiment de bons résultats !

— Écoutez, Elizabeth. Le roi Stephen a conclu un pacte avec le duc Henry. Toutes les terres doivent être rendues à ceux qui les possédaient au temps du vieux roi Henry. Cela veut dire que mon frère Richard deviendra comte de Shiring... un jour. Mais lui veut son comté tout de suite. »

Elizabeth ouvrit des yeux étonnés. « Richard va attaquer William ?

— Richard est actuellement tout près d'ici, assisté d'une petite troupe d'hommes. S'il peut s'emparer aujourd'hui du château, il sera reconnu comme comte et c'en sera fini de William.

— Je ne peux pas y croire, murmura Elizabeth. Je ne peux pas croire que ce soit vrai. » Son optimisme tout neuf était presque plus émouvant encore que sa misérable situation.

« Tout ce que vous avez à faire, expliqua Aliena, c'est de laisser entrer Richard dans les murs. Quand tout sera terminé, nous vous raccompagnerons chez vous. »

Elizabeth se tordit les mains. « Je ne suis pas sûre qu'on m'obéisse... »

C'était précisément le souci d'Aliena d'y veiller. « Qui est le capitaine de la garde ?

— Michaël Armstrong. Je ne l'aime pas.

— Faites-le venir.

— Très bien. » Elizabeth se moucha, se redressa et se dirigea vers la porte. « Madge ! » lança-t-elle d'une voix perçante. Aliena entendit une réponse au loin. « Va chercher Michaël. Dis-lui de venir ici tout de suite... J'ai besoin de lui parler d'urgence. Vite, je te prie. »

La jeune femme s'habilla rapidement d'une tunique par-dessus sa chemise de nuit et de bottes. Aliena lui donna de brèves instructions. « Dites à Michaël de sonner la grosse cloche pour convoquer tout le monde dans la cour. Dites que vous avez reçu un message du comte William et que vous voulez vous adresser à toute la garnison, hommes d'armes, serviteurs, tout le monde. Il ne vous faut que trois ou quatre hommes pour monter la garde pendant que les autres se rassembleront dans la basse cour. Racontez-lui aussi que vous attendez à tout moment l'arrivée de dix ou douze cavaliers porteurs d'un autre message et qu'il faudra les conduire à vous sans délai.

— Pourvu que je me rappelle tout ! balbutia Elizabeth.

— Ne vous inquiétez pas... Si vous oubliez, je vous soufflerai.

— Ne me quittez pas, surtout.

— Qui est ce Michaël Armstrong ?

— Il sent mauvais, il est désagréable et bâti comme un bœuf.

— Intelligent ?

— Non.

— Tant mieux. »

Justement, l'homme arrivait. Il avait un air maussade, un cou de taureau et des épaules massives, et sentait la porcherie. Il lança à Elizabeth un regard interrogateur, sans cacher son mécontentement d'être dérangé.

« J'ai reçu un message du comte », commença Elizabeth. Michaël tendit la main.

Le sang d'Aliena ne fit qu'un tour : elle n'avait pas pris la précaution de fournir une lettre à Elizabeth ! Tout son plan risquait de s'effondrer à cause de cette erreur élémentaire. Elizabeth lui lança un regard désespéré. Aliena cherchait désespérément la parade. « Sais-tu lire, Michaël ? demanda-t-elle d'une voix ferme.

— Le prêtre me lira le message, répliqua-t-il d'un air hargneux.

— La comtesse sait lire, elle. »

Elizabeth, cachant mal son désarroi, enchaîna courageusement : « Je transmettrai moi-même le message à la garnison, Michaël. Fais sonner la cloche et rassemble tout le monde dans la cour. Prends soin de laisser trois ou quatre hommes de garde sur les remparts. »

Comme Aliena l'avait craint, Michaël acceptait mal qu'Elizabeth prenne l'initiative. « Je peux bien leur parler, moi », ronchonna-t-il.

Aliena se rendit compte que la partie était plus difficile que prévu, qu'elle n'arriverait peut-être pas à imposer sa volonté à ce Michaël aussi prétentieux que borné. « J'ai apporté à la comtesse, déclara-t-elle avec autorité, d'importantes nouvelles de Winchester. Elle veut les annoncer elle-même.

— Qu'est-ce que c'est, ces nouvelles ? »

Aliena se tourna vers Elizabeth qui, blême, s'efforçait de garder sa contenance, mais paraissait prête à défaillir. Aliena n'avait pas pris la peine d'inventer ce que contenait ce message imaginaire, aussi Elizabeth était-elle dans l'impossibilité de répondre à Michaël. Ignorant tout simplement sa question, la jeune comtesse donna ses dernières instructions, la voix blanche : « Avertis les gardes, qu'ils guettent l'arrivée d'un groupe de dix ou douze cavaliers. Leur chef aura des nouvelles fraîches du comte William et il faudra me l'amener immédiatement. Maintenant, va sonner la cloche. »

Michaël, qui était manifestement d'humeur à discuter, ne bougea pas, l'air buté. Aliena en aurait hurlé. « D'autres messagers », répéta-t-il lentement, comme si les mots pénétraient avec difficulté son cerveau épais. « Cette dame avec un message et douze cavaliers avec un autre.

— Parfaitement... Maintenant va sonner la cloche ! » ordonna Elizabeth d'une voix un peu plus assurée.

Michaël se dandina lourdement. Il ne comprenait pas cette situation inhabituelle, mais il n'avait plus d'objection à formuler. Il finit par marmonner : « Très bien, madame » et il sortit.

Aliena poussa un profond soupir.

« Et maintenant ? interrogea Elizabeth.

— Quand les hommes seront rassemblés dans la cour,

vous leur annoncerez que la paix a été signée entre le roi Stephen et le duc Henry. Cela distraira l'attention de tout le monde. Pendant que vous parlerez, Richard enverra une avant-garde de dix hommes. Les gardes croiront que ce sont les messagers attendus et ne réagiront pas immédiatement. Il faudra maintenir l'intérêt des hommes en racontant n'importe quoi le temps que l'avant-garde arrive au château. D'accord ?

— Ensuite ?

— Quand je vous en donnerai le signal, annoncez que vous avez livré le château au comte légitime, Richard. Au même instant l'armée de Richard apparaîtra et attaquera le château. Michaël voudra sans doute se battre, mais ses hommes hésiteront parce que vous leur aurez parlé de Richard comme du comte légitime. De toute façon, l'avant-garde sera déjà à l'intérieur du château pour empêcher qu'on referme les portes. » La cloche se mit à sonner. Aliena sentit la peur lui nouer l'estomac. « C'est le moment. Comment vous sentez-vous ?

— Affreusement mal, murmura Elizabeth.

— Moi aussi. Allons-y. »

Elles descendirent l'escalier. Aliena reconnaissait la cloche du poste de garde. Quand elle était une fillette insouciante, elle aimait l'entendre carillonner. La même cloche, le même son, mais une autre Aliena, songea-t-elle. Elle savait qu'on l'entendait au-delà des champs, jusqu'à la lisière de la forêt. Richard était donc en train de réciter lentement le *Notre Père* avant de lancer son avant-garde.

Aliena et Elizabeth gagnèrent la cour inférieure. Elizabeth était d'une pâleur inquiétante, mais elle avait l'air décidé. Aliena lui sourit pour lui donner du courage, puis rabattit son capuchon sur sa tête. Elle était trop connue dans le pays pour que, tôt ou tard, quelqu'un ne l'identifie pas. En fait plusieurs personnes la dévisagèrent avec curiosité mais aucune ne lui adressa la parole.

Les deux jeunes femmes s'avancèrent au milieu de la cour. Comme le terrain était un peu en pente, Aliena voyait, par-dessus les têtes et au-delà de la porte d'entrée, les champs au loin. L'avant-garde aurait dû se mettre en route, mais elle n'en distinguait aucun signe. Oh ! mon Dieu, se dit-elle avec un frisson glacé, pourvu qu'il n'y ait pas de problème !

Il fallait qu'Elizabeth grimpe sur quelque chose pour

s'adresser à ses gens. Aliena commanda à un serviteur d'aller chercher un escabeau à l'écurie. Pendant qu'on attendait son retour, une femme d'un certain âge examinait Aliena. Soudain elle dit bien haut : « Tiens, mais c'est dame Aliena ! Comme je suis contente de vous voir ! »

Le cœur d'Aliena s'arrêta de battre. La femme était une cuisinière qui avait travaillé au château avant l'arrivée des Hamleigh. Elle se força à sourire et répondit :

« Bonjour, Tilly, comment te portes-tu ?

— Hé ! dit Tilly en donnant un coup de coude à sa voisine, c'est lady Aliena qui revient après toutes ces années. Vous allez être notre maîtresse, madame ? »

Si Michaël Armstrong entendait ces paroles, c'était la fin de tout. Aliena jeta autour d'elle un regard inquiet. Par bonheur, Michaël n'était pas dans les parages. Toutefois, un de ses hommes d'armes qui avait entendu la conversation contemplait Aliena avec perplexité. Aliena feignait l'indifférence. L'homme était borgne — c'était sans doute pourquoi il était dispensé de combattre avec William — et Aliena trouva drôle d'être examinée avec tant d'insistance par un seul œil. Le fou rire la gagna et elle se rendit compte qu'elle était au bord de la crise de nerfs.

Le serviteur revenait avec l'escabeau. La cloche cessa de sonner et Aliena reprit son calme tandis qu'Elizabeth montait sur le tabouret. Le silence se fit dans l'assemblée.

« Le roi Stephen, annonça Elizabeth, et le duc Henry ont fait la paix. »

Les acclamations jaillirent de toute part. Aliena scrutait l'horizon au-delà de la porte. Maintenant, Richard, suppliait-elle ; c'est le moment ou jamais, ne te mets pas en retard !

Elizabeth sourit et laissa les gens exprimer longuement leur joie, puis elle continua : « Stephen demeurera roi jusqu'à sa mort, ensuite Henry lui succédera. »

Aliena observa les sentinelles restées sur les tours et aux postes de guet. Elles paraissaient calmes. Où était donc Richard ?

« Le traité de paix, commenta Elizabeth, va apporter de nombreux changements dans nos existences. »

Aliena vit les gardes des remparts se raidir. L'un d'eux mit sa main en visière pour inspecter les champs, tandis qu'un autre se retournait vers la cour, comme s'il cherchait l'appui du capitaine. Mais toute l'attention de Michaël Armstrong était captée par Elizabeth.

« Le roi actuel et le futur roi sont convenus que les terres seront rendues à ceux qui les possédaient au temps du vieux roi Henry. »

Un brouhaha de commentaires accueillit ces paroles : on se demandait si ces bouleversements affecteraient le comté de Shiring et chacun donnait son avis. Michaël Armstrong semblait pensif. Enfin, les chevaux de l'avant-garde de Richard passèrent le poste de garde. Vite, se dit-elle, vite ! Mais ils allaient au petit trot pour ne pas alarmer les sentinelles.

« Nous devons rendre grâces à Dieu, poursuivait Elizabeth, de ce traité de paix. Prions pour que le roi Stephen règne sagement dans ses dernières années et que le jeune duc maintienne le royaume en paix jusqu'à ce que Dieu ait rappelé Stephen à lui... » Elle s'en tirait brillamment, mais son discours ne pourrait pas durer éternellement et, d'ailleurs, elle commençait à se troubler.

Les gardes à qui on avait annoncé l'arrivée de messagers et qui devaient amener aussitôt le chef à la comtesse surveillaient l'approche des cavaliers avec calme, mais non sans curiosité.

Le borgne promenait le regard de son œil unique d'Aliena au poste de garde et la jeune femme devina qu'il réfléchissait à la signification de cette coïncidence.

Soudain, l'une des sentinelles quitta le créneau et disparut dans un escalier.

La foule commençait à s'agiter. Elizabeth poursuivait son discours tant bien que mal, mais on était avide de nouvelles concrètes. « Cette guerre, disait-elle, a commencé un an après ma naissance, et comme bien des jeunes gens dans le royaume, j'ai hâte de découvrir ce qu'est la paix. »

Le garde descendu des remparts déboucha du bas de la tour, traversa la cour d'un pas rapide et vint parler à Michaël Armstrong.

Aliena jugea d'un coup d'œil que les cavaliers avaient encore une centaine de toises à parcourir avant le poste de garde. C'était trop ! Elle n'arriverait pas à maîtriser beaucoup plus longtemps la situation.

Michaël Armstrong se retourna en fronçant les sourcils. Le borgne le tira par la manche et lui murmura quelque chose en désignant Aliena du doigt.

Comment empêcher Michaël de fermer les portes et de lever le pont-levis avant que Richard ait pu entrer ? Aliena se demanda si elle aurait le courage de l'attaquer avant qu'il ait donné ses ordres. Elle avait toujours sa dague attachée à son bras gauche... Soudain Michaël Armstrong s'écarta de la foule d'un pas décidé. Aliena prit Elizabeth par le coude. « Arrêtez Michaël ! » souffla-t-elle.

Elizabeth ouvrit la bouche pour parler, mais aucun son ne sortit. Elle était paralysée. Puis, elle prit une profonde inspiration et releva la tête. Son expression changea, elle lança d'une voix vibrante d'autorité : « Michaël Armstrong ! »

Il se retourna.

C'était le moment crucial, le point de non-retour. Richard n'était pas encore assez près, mais Aliena ne pouvait pas attendre davantage. « Maintenant ! Annoncez-leur maintenant ! » souffla-t-elle à Elizabeth.

La voix de la jeune comtesse s'éleva, forte et claire :

« J'ai livré ce château au comte légitime de Shiring, Richard de Kingsbridge. »

Michaël en ouvrit la bouche de stupeur. « Vous ne pouvez pas faire ça ! hurla-t-il.

— Je vous ordonne à tous, reprit Elizabeth, imperturbable, de déposer vos armes. Je ne veux pas d'effusion de sang. »

Michaël fit un large geste du bras et cria : « Levez le pont-levis ! Fermez les portes ! »

Les hommes d'armes se précipitèrent pour exécuter ses ordres mais une seconde trop tard. A l'instant où ils arrivaient aux lourdes portes bardées de fer qui fermaient la voûte d'entrée, l'avant-garde de Richard franchit le pont-levis et surgit dans la cour. La plupart des hommes de Michaël ne portaient pas d'armures, certains n'avaient même pas leur épée. Ils se dispersèrent prestement devant les cavaliers.

« Restez calmes ! cria Elizabeth. Ces messagers vont confirmer mes ordres. »

Un cri s'éleva des remparts : une sentinelle mit ses mains en porte-voix et clama : « Michaël ! Attaque ! On nous attaque ! Par dizaines !

— Trahison ! » rugit Michaël en dégainant son épée. Mais deux des hommes de Richard bondirent aussitôt sur lui, lame au poing. Du sang jaillit et Michaël s'écroula. Aliena détourna la tête.

Quelques hommes de Richard avaient pris possession du

poste de garde et de la chambre du treuil. Deux d'entre eux montèrent aux créneaux et les gardes de Michaël se rendirent sans lutte.

Par la porte grande ouverte, Aliena vit le gros de la troupe foncer à travers champs en direction du château et elle reprit confiance.

Elizabeth haranguait l'assistance à pleine voix : « C'est une capitulation pacifique. Personne ne sera blessé, je vous le promets. Restez simplement où vous êtes. »

Les gens, sous le coup de la stupeur, écoutaient le tonnerre des chevaux au galop déferlant vers le château. Les hommes d'armes semblaient désemparés et hésitants, mais aucun ne tenta de riposter : leur chef était tombé et leur comtesse leur avait ordonné de se rendre. Les serviteurs, hébétés, suivaient à peine la succession rapide des événements.

Richard, sur son destrier, passa la porte.

En cet instant solennel, Aliena sentit son cœur se gonfler d'orgueil. Richard glorieux, souriant, triomphait. « Le comte légitime ! » cria-t-elle. La troupe de Richard qui galopait sur ses talons répéta ce cri, qui, repris par la foule massée dans la cour, se transforma bientôt en clameur. Tant de gens détestaient William ! Au pas, Richard fit le tour de l'enceinte, saluant et répondant aux acclamations.

Aliena revivait toutes les épreuves subies pour en arriver là, à cette minute de gloire. A trente-quatre ans, elle avait passé la moitié de ses années à se battre pour son idéal. Toute ma vie adulte, voilà ce que j'ai donné. Elle avait bourré de la laine dans des sacs jusqu'à en avoir les mains rouges, gonflées, écorchées. Elle avait rencontré des êtres cupides, cruels et lubriques qui l'auraient tuée si elle avait donné le moindre signe de faiblesse. Elle avait endurci son cœur contre son cher Jack pour épouser Alfred ; des mois durant, elle avait dormi par terre comme un chien au pied du lit du maçon. Pourquoi ? parce qu'il avait promis de payer les armes et l'armure qui permettraient à Richard de se battre et de reprendre ce château. « Voilà, père », dit-elle tout haut, sans que personne lui prête attention. Il y avait dans son cœur autant d'amertume que de fierté. « C'est ce que vous vouliez. Je vous l'avais promis, j'ai tenu ma promesse. J'ai pris soin de Richard, il s'est battu bravement longtemps et nous voilà de nouveau chez nous. Richard est comte. Maintenant... » Sa voix s'enfla jusqu'à un cri, mais le vacarme, la cohue étaient tels que ses paroles s'y perdirent et que personne ne remarqua les larmes qui ruisselaient sur ses joues. « Maintenant, père, j'en ai fini avec vous, soyez heureux dans votre tombe et laissez-moi vivre en paix ! »

VI

Même dans le besoin, Remigius gardait son arrogance. Il entra dans le modeste manoir du village de Hamleigh, la tête haute, avec un regard méprisant pour les grosses poutres sommairement taillées qui soutenaient le toit, les murs de claies et de torchis et l'âtre sans cheminée au milieu du sol en terre battue.

William l'accueillit sans un mot. Ma chance a peut-être tourné, mais pas autant que la tienne, songea-t-il en observant les sandales rapetassées du moine, sa robe crasseuse, son menton mal rasé et ses cheveux trop longs. Remigius n'avait jamais été gras, mais aujourd'hui les os lui trouaient la peau. L'expression hautaine de son visage ne dissimulait pas les traits creusés ni les cernes violacés sous ses yeux. Remigius n'était pas encore brisé, mais il était gravement atteint.

« Dieu vous bénisse, mon fils », dit-il à William.

William se moquait bien des bénédictions. « Que voulez-vous, Remigius ? » répliqua-t-il, choisissant délibérément d'insulter le moine en n'utilisant pas le titre de « père » ou de « frère ».

Remigius pinça les lèvres. Il n'avait pas dû subir beaucoup d'humiliations de ce genre depuis sa venue au monde, se dit William. Glacial, le moine reprit : « Les terres que vous m'avez données comme doyen du chapitre de Shiring ont été reprises par le comte Richard.

— Je n'en suis pas étonné, répondit William. Tout revient à ceux qui en étaient propriétaires au temps du vieux roi Henry.

— Cela me laisse sans moyen de subsistance.

— Vous et bien d'autres, observa sèchement William. Retournez donc à Kingsbridge. »

Remigius pâlit de colère. « Impossible, murmura-t-il d'une voix sourde.

— Pourquoi ?

— Vous le savez bien.

— Philip vous reprocherait-il de tirer les vers du nez aux petites filles ? Vous accuserait-il de l'avoir trahi en me révélant la cachette des hors-la-loi ? Vous blâmerait-il d'être devenu le doyen d'une église qui devait remplacer sa propre cathédrale ? En effet, je comprends que vous ne puissiez pas retourner là-bas.

— Donnez-moi quelque chose, supplia Remigius, toute honte bue. Un village. Une ferme. Une petite église !

— On ne récompense pas les perdants, moine, répliqua cruellement William, qui savourait la situation. Dans le monde où nous vivons, il n'y a pas de pitié. Les canards avalent les vers, les renards tuent les canards, les hommes abattent les renards et le diable poursuit les hommes. »

La voix de Remigius n'était plus qu'un murmure. « Que vais-je faire ?

— Mendier », répliqua William en souriant.

Remigius, le dos raide, sortit. Toujours fier, se dit William, mais pas pour longtemps. Tu mendieras, moine !

Il trouvait une grande satisfaction à voir quelqu'un tombé plus bas que lui. Jamais il n'oublierait l'intolérable supplice qu'il avait subi lorsqu'on lui avait refusé l'entrée de son propre château. Déjà plein de soupçons en apprenant que Richard et quelques-uns de ses hommes avaient quitté Winchester, il avait éprouvé une véritable inquiétude à l'annonce du traité de paix. Rassemblant ses chevaliers et sa troupe, il avait filé à bride abattue vers Earlscastle. Quelques sentinelles seulement gardaient le château, aussi s'attendait-il à trouver Richard campé dans les champs, assiégeant la place. Le calme ambiant l'avait rassuré, il s'en voulait déjà d'avoir tremblé après la brusque disparition de Richard.

Cependant, il découvrit que le pont-levis était levé. Arrêtant son cheval au bord de la douve, il avait crié : « Ouvrez au comte ! »

Stupéfaction ! Richard était apparu au créneau. « Le comte est à l'intérieur », avait-il répliqué de toute sa hauteur.

William eut l'impression que le sol se dérobait sous ses

pas. Il n'avait cessé de craindre Richard, qu'il avait toujours considéré comme un dangereux rival, mais il n'avait pas prévu que le danger était si proche. Il avait calculé que tout se déclencherait à la mort de Stephen, lorsque Henry monterait sur le trône, c'est-à-dire pas avant une dizaine d'années. Et là, assis dans un misérable manoir, il ruminait ses erreurs et se rendait compte avec amertume combien Richard avait été adroit. Il s'était glissé par une brèche si étroite qu'on ne s'en serait jamais méfié. La guerre n'étant pas terminée, on ne pouvait l'accuser de violer la paix du roi. Ses revendications sur le comté avaient été rendues légitimes par les termes mêmes des accords de paix. Et Stephen vieillissant, las et vaincu, n'avait plus d'énergie pour de nouvelles batailles.

Magnanime, Richard avait libéré les hommes d'armes de William qui voulaient continuer à servir leur maître. Waldo le Borgne avait raconté à William la prise du château. La traîtrise d'Elizabeth le vexait mais le plus humiliant pour William, c'était le rôle joué par Aliena. L'adolescente sans défense qu'il avait violée, brutalisée et jetée à la porte de chez elle des années plus tôt s'était vengée. Chaque fois qu'il y pensait, son estomac le brûlait comme s'il avait bu du vinaigre.

Sa première réaction avait été de combattre Richard. Avec l'aide de son armée, il pouvait vivre sur le pays en extorquant des taxes et du ravitaillement aux paysans, de façon à entretenir une bataille incessante contre son rival. Mais Richard tenait le château. De plus, il avait le temps pour lui, car Stephen, le soutien de William, ne valait plus grand-chose en face du jeune duc Henry, futur second roi Henry et protecteur de Richard.

William avait donc résolu de limiter ses pertes. Retiré dans le village de Hamleigh, il occupait le manoir où il avait grandi. Hamleigh et les villages alentour ayant été donnés à son père trente ans auparavant et ne faisant pas partie du comté, Richard ne pouvait les revendiquer.

William comptait que, s'il ne se faisait pas remarquer, Richard se contenterait de la vengeance qu'il avait déjà obtenue et qu'il renoncerait à le harceler. Jusque-là, les faits lui donnaient raison. Mais William abhorrait le village de Hamleigh. Il détestait les petites maisons bien nettes, les canards qui cancanaient sur la mare, l'église de pierre gris pâle, les enfants aux joues rouges comme des pommes, les femmes aux hanches larges et les hommes robustes et brutaux. Il le haïssait pour sa médiocrité, sa monotonie, sa pauvreté, et parce qu'il symbolisait la déchéance de sa famille. Il tenait cour de justice dans la grande salle du manoir, traversée de courants d'air qui sifflaient par les trous des murs : il rendait des jugements sévères, imposait d'énormes amendes et gouvernait suivant son caprice. Mais rien ne lui donnait satisfaction.

Forcé et contraint, il avait abandonné la construction de la grandiose nouvelle église de Shiring. S'il ne pouvait se permettre de bâtir pour lui-même une maison de pierre, comment aurait-il édifié une église ?

Les bâtisseurs ne recevant plus de salaire avaient cessé le travail et ce qu'il était advenu d'eux, il n'en savait rien ; peut-être étaient-ils tous revenus à Kingsbridge travailler pour le prieur Philip.

Depuis quelque temps, aux obsessions de la journée s'ajoutaient les cauchemars. Toujours les mêmes. Sa mère errait au pays des morts, saignant des oreilles et des yeux et, lorsqu'elle ouvrait la bouche pour parler, un flot de sang en jaillissait. Cette vision l'emplissait d'une mortelle terreur. En plein jour, il prenait un peu de recul et se raisonnait. Mais dès la nuit, quand son image revenait le hanter, la peur l'envahissait totalement, une terreur irrationnelle, aveugle. Un jour, dans sa jeunesse, il s'était aventuré dans un étang dont le fond soudain avait manqué sous ses pieds. Il s'était retrouvé sous l'eau, incapable de respirer. La sensation d'étouffement qu'il avait éprouvée restait un des souvenirs indélébiles de son enfance. Les cauchemars étaient infiniment pires. Tenter de fuir le visage ensanglanté de sa mère, c'était comme courir dans des sables mouvants. Il s'éveillait chaque fois hors de lui, claquant des dents, suant et gémissant. Walter accourait à son chevet avec une chandelle — William dormait dans la salle, séparé de ses hommes par un simple rideau, car il n'y avait pas ici de chambre à coucher. « Vous avez crié, seigneur », murmurait le valet. William, le souffle court, lui touchait la main, tâtait le mur, retrouvait la réalité tandis que le cauchemar perdait peu à peu de sa force. Mais il n'osait pas se rendormir. Et, le matin, les hommes le regardaient comme s'il était ensorcelé.

Quelques jours après sa conversation avec Remigius, l'évêque Waleran vint lui rendre visite.

Assis sur sa chaise dure, près de son âtre enfumé, William sursauta. Il avait entendu des chevaux, mais il n'y avait prêté aucune attention, pensant que Walter revenait du moulin. Devant l'évêque, il perdit contenance. Waleran s'était toujours montré arrogant et à maintes reprises William s'était senti stupide, maladroit et grossier. Quelle humiliation pour lui que Waleran le découvre dans l'humble décor où il vivait maintenant !

William ne se leva pas pour accueillir son visiteur. « Que voulez-vous ? » demanda-t-il sèchement. Il n'avait aucune raison d'être poli ; plus vite Waleran aurait tourné les talons, mieux cela vaudrait.

L'évêque ne releva pas sa grossièreté. « Le shérif est mort », annonça-t-il.

William ne voyait pas l'importance de cette nouvelle.

« Qu'est-ce que ça me fait ? répliqua-t-il brutalement.

— On va nommer un nouveau shérif. »

William faillit hausser les épaules, mais il réfléchit. Si Waleran se préoccupait du nouveau shérif et avait pris la peine de venir en parler à William, cela ne pouvait dire qu'une chose. L'espoir se leva dans son cœur, mais il le contint énergiquement. Waleran était maître dans l'art de décevoir les espérances. « A qui pensez-vous pour ce poste ? demanda William aussi posément que possible.

— A vous. »

C'était la réponse que William n'osait espérer. Fallait-il y croire ? Un shérif habile et impitoyable avait presque autant d'importance et d'influence qu'un comte ou qu'un évêque. Enfin le moyen de revenir à la richesse et à la puissance ! Il s'obligea à garder la tête froide.

« Pourquoi le roi Stephen me nommerait-il ?

— Vous l'avez soutenu contre le duc Henry, ce qui vous a valu de perdre votre comté. Je suppose qu'il aimerait vous récompenser.

— Personne n'agit par simple gratitude, répondit William, répétant une formule de sa mère.

— Stephen, insista Waleran, supporte mal que le comte de Shiring soit un de ses adversaires. Ce serait vraisemblable qu'il contrebalance l'autorité de Richard par un shérif de son parti. »

Vraisemblable, en effet. Malgré lui, William commençait à s'exciter. Enfin il sortirait de ce trou qu'on appelait Hamleigh. Il aurait de nouveau une troupe respectable de chevaliers et d'hommes d'armes, au lieu de la pitoyable poignée qu'il entretenait maintenant. Il présiderait la cour du comté à Shiring et s'emploierait à contrecarrer Richard. « Le shérif vit au château de Shiring, murmura-t-il pensivement.

— Vous seriez de nouveau riche, ajouta Waleran.

— Oui. » Convenablement exploité, le poste de shérif assurerait des profits non négligeables. William collecterait presque autant d'argent que lorsqu'il était comte. Mais où était l'intérêt de Waleran dans cette affaire ?

Comme s'il avait entendu la question, Waleran y répondit de lui-même :

« Dans ce cas, vous pourriez financer la construction de la nouvelle église. »

Voilà ! Waleran n'agissait pas sans motif. William était prêt à accepter le marché. D'ailleurs, s'il élevait cette église à la mémoire de sa mère, peut-être les cauchemars cesseraient-ils. « Vous croyez vraiment qu'on peut espérer cette nomination ? » demanda-t-il avidement.

Waleran acquiesça. « Avec de l'argent, bien sûr, je crois que c'est envisageable.

— De l'argent ? interrogea William, soudain anxieux. Combien ?

— Difficile à dire. Dans une ville comme Lincoln ou Bristol, le poste vous coûterait cinq ou six cents livres, mais les shérifs là-bas sont plus riches que des cardinaux. Pour une petite ville comme Shiring, si vous êtes le candidat que souhaite le roi — cela, je m'en occuperai —, vous pouvez sans doute avoir la charge pour cent livres.

— Cent livres ! » Les espoirs de William s'effondrèrent. « Si j'avais cent livres, je ne vivrais pas comme ça ! s'écriait-il avec amertume.

— Vous pouvez les trouver, suggéra Waleran d'un ton désinvolte.

— Auprès de qui ? » Une idée le frappa. « Vous me les donneriez ?

— Ne soyez pas stupide, répliqua Waleran avec condescendance. Les Juifs sont faits pour ça. »

William dut admettre, avec ce sentiment trop connu d'espoir et de dépit, qu'une fois de plus l'évêque avait raison.

Depuis deux ans que les premières fissures avaient

apparu, Jack n'avait toujours pas résolu le problème. Pis encore, des fentes identiques avaient surgi dans la première travée de la nef. Le défaut essentiel de la conception, assez solide pour soutenir le poids de la voûte, c'était son manque de résistance aux vents qui attaquaient si fort les grands murs.

Juché sur l'échafaudage, très haut au-dessus du sol, il examinait de près les failles, le front soucieux. Il fallait trouver un moyen de renforcer la partie supérieure pour l'empêcher de craquer sous le vent.

Comment la partie inférieure était-elle consolidée ? Sur le mur extérieur du bas-côté se dressaient des piliers épais et robustes reliés à la paroi de la nef par des demi-arcs dissimulés dans le toit. Ce dispositif soutenait le mur comme des arcs-boutants mais, par le fait qu'il était dissimulé, la nef gardait un aspect léger et gracieux.

Pouvait-on concevoir un système similaire pour la partie supérieure ? Si on construisait un bas-côté à deux étages en répétant simplement le système des arcs-boutants dissimulés, la lumière ne passerait plus par le triforium — alors que tout le principe du nouveau style était justement d'augmenter la lumière à l'intérieur de l'église.

Si seulement il pouvait bâtir des piliers et des demi-arcs pour supporter le triforium *sans* les incorporer aux bas-côtés, il aurait la solution à son problème.

D'en bas une voix l'appela. Il fronça les sourcils. Cette interruption avait chassé l'idée qu'il était sur le point de trouver. Il baissa les yeux. Le prieur Philip l'appelait.

Jack s'engouffra dans le clocheton et descendit l'escalier en spirale. Philip l'attendait en bas, hors de lui.

« Richard m'a trahi ! dit-il sans préambule.

— Comment cela ? »

Philip ne répondit pas tout de suite à la question. « Après tout ce que j'ai fait pour lui, tonna-t-il. J'ai acheté la laine d'Aliena quand tout le monde essayait de la tromper ; sans moi, elle n'aurait pu débuter dans son négoce. Quand les cours de la laine se sont écroulés, j'ai trouvé pour Richard un poste d'officier du guet. En novembre dernier, je l'ai prévenu de l'imminence du traité de paix, ce qui lui a permis de s'emparer d'Earlscastle. Maintenant qu'il a récupéré son comté et qu'il règne dans toute sa splendeur, il me tourne le dos. »

Jack n'avait jamais vu Philip dans cet état. « En quoi Richard vous a-t-il trahi ?

— J'ai toujours su, reprit Philip sur sa lancée, que Richard était un faible. Pendant des années, il n'a jamais aidé Aliena, se contentant de lui prendre ce dont il avait besoin sans jamais penser à elle. Mais je ne le croyais pas ingrat et malhonnête.

— Qu'a-t-il fait exactement ? » répéta Jack.

Philip enfin répondit : « Il m'a refusé l'accès de la carrière. »

Jack poussa un cri d'indignation. C'était en effet un acte stupéfiant d'ingratitude. « Mais comment se justifie-t-il ?

— Toutes les propriétés sont censées revenir à ceux qui les détenaient au temps du premier roi Henry. Or c'est le roi Stephen qui nous a donné la carrière. »

La cupidité de Richard avait de quoi choquer, mais Jack n'arrivait pas à se fâcher aussi fort que Philip. La cathédrale maintenant était à demi bâtie, essentiellement avec de la pierre qu'il avait fallu payer, et elle se terminerait bien d'une façon ou d'une autre. « Je suppose que Richard est dans son droit le plus strict, observa-t-il.

— Comment peux-tu dire une chose pareille ? » s'écria Philip, de plus en plus outré.

Jack profita de l'occasion et, non sans une pointe d'insolence, répliqua au prieur :

« Vous-même, après que je vous ai amené la Vierge qui pleure, que je vous ai tracé un merveilleux plan pour votre nouvelle cathédrale et bâti une muraille pour vous protéger de William, vous m'avez refusé de vivre avec la femme que j'aime et qui est la mère de mes enfants. Voilà un bel exemple d'ingratitude aussi. »

Philip en resta un moment sans voix, puis il explosa. « C'est tout à fait différent ! s'écria-t-il. Je ne souhaite pas que vous viviez séparés, c'est Waleran qui a empêché l'annulation. Or la loi de Dieu dit qu'on ne doit pas commettre l'adultère.

— Je suis sûr que Richard trouverait un argument de même genre, insista Jack. Voyez-vous, ce n'est pas Richard qui a ordonné la restitution des propriétés, il ne fait qu'appliquer la loi. »

La cloche de midi se mit à sonner.

« Il y a une certaine différence entre la loi de Dieu et celle des hommes, observa Philip.

— Mais nous devons bien respecter les deux, n'est-ce pas ? Permettez-moi maintenant d'aller dîner avec la mère de mes enfants. »

Il s'éloigna, laissant Philip fort troublé. Jack au fond de lui-même ne comparait pas Richard et Philip, loin de là, mais cela l'avait soulagé de s'exprimer ainsi. Il interrogerait Aliena à propos de la carrière. Peut-être pourrait-on persuader Richard de la céder au prieuré.

Il gagna la maison où il vivait avec Martha. Comme d'habitude, Aliena et les enfants se trouvaient dans la cuisine. La famine s'était terminée l'an passé grâce à une bonne récolte. Il y avait du pain de froment et du mouton rôti sur la table.

Jack embrassa les enfants. Aliena semblait nerveuse. Jack s'assit sur le banc auprès d'elle et annonça : « Philip est fou de rage parce que Richard ne veut pas lui donner la carrière.

— C'est une honte, dit Aliena. Quelle ingratitude de la part de Richard !

— Tu crois qu'on pourrait le convaincre de changer d'avis ?

— Je ne sais vraiment pas, répondit-elle d'un air absent.

— Tu ne sembles pas tellement préoccupé par ce problème, remarqua Jack.

— Non, en effet. » Elle le regarda d'un air de défi.

« Dis-moi plutôt ce qui te préoccupe. »

Aliena se leva. « Allons dans la chambre. »

Avec un regard de regret pour le gigot, Jack suivit Aliena. Comme toujours, ils laissèrent la porte ouverte pour éviter toute accusation au cas où quelqu'un entrerait dans la maison. Aliena s'assit sur le lit et croisa les bras sur sa poitrine. « J'ai pris une importante décision », commença-t-elle.

Elle paraissait si grave que Jack commença à s'inquiéter.

« J'ai vécu presque toute ma vie adulte sous deux contraintes, dit-elle. L'une était la promesse faite à mon père mourant, l'autre, c'est ma relation avec toi.

— Maintenant, observa Jack, tu es libérée de la promesse faite à ton père.

— Oui. Et je veux me libérer aussi de l'autre fardeau. J'ai décidé de te quitter. »

Jack crut que son cœur s'arrêtait. Il savait qu'elle ne parlait pas à la légère. Il la dévisagea, muet de stupeur.

Jamais il n'avait imaginé qu'elle pourrait l'abandonner. Il lança la première idée qui lui vint à l'esprit : « Il y a quelqu'un d'autre ?

— Ne sois pas idiot.

— Alors, pourquoi ?

— Parce que je ne peux plus supporter cette vie, répondit-elle, les yeux pleins de larmes. Voilà dix ans que nous attendons une annulation qui ne viendra jamais. Nous sommes condamnés à vivre ainsi pour toujours, Jack... à moins de nous séparer.

— Mais... » Il avait le cerveau en coton. Ce qu'elle venait de lui annoncer était si brutal, si douloureux qu'il n'avait même pas la force de discuter. Essaierait-on d'arrêter une inondation avec une cuiller ? Il balbutia : « Est-ce que ce n'est pas mieux que rien, mieux que la séparation ?

— Au bout du compte, non.

— Mais quel avantage trouveras-tu à partir ?

— Je pourrai rencontrer quelqu'un d'autre, tomber de nouveau amoureuse et mener une vie normale, dit-elle en sanglotant.

— Tu seras toujours mariée à Alfred.

— Mais personne ne le saura. Je pourrai être mariée par un prêtre de paroisse qui n'aura jamais entendu parler d'Alfred le bâtisseur.

— Je ne te crois pas.

— Dix ans, Jack. J'ai attendu dix ans pour vivre une vie normale avec toi. Je n'attendrai pas plus longtemps. »

Les mots lui dégringolaient dessus comme des coups. Elle continuait à parler, mais il ne l'entendait plus. Comment serait sa vie sans elle ? Il l'interrompit : « Tu sais, je n'ai jamais aimé personne d'autre que toi. »

Elle tressaillit, comme blessée, mais continua : « J'ai besoin de quelques semaines pour tout arranger. Je trouverai une maison à Winchester. Je veux que les enfants s'habituent peu à peu à l'idée du changement avant que leur nouvelle vie commence...

— Tu vas emmener mes enfants ? » dit-il stupidement.

Elle hocha la tête. « Je suis désolée... » Pour la première fois, sa résolution parut ébranlée. « Je sais que tu leur manqueras. Mais eux aussi ont besoin d'une vie normale. » A bout de résistance, Jack tourna les talons. Aliena le rappela.

« Ne t'en va pas, il faut que nous parlions davantage. Jack... »

Il sortit sans répondre.

Elle cria derrière lui : « Jack ! »

Il traversa la salle commune sans regarder personne et quitta la maison. Flottant dans une sorte de brume, il repartit vers la cathédrale, machinalement. Les bâtisseurs étaient encore à dîner. Il n'arrivait pas à pleurer, son malheur était trop grand pour de simples larmes. Sans réfléchir, il grimpa l'escalier du transept jusqu'en haut et déboucha sur le toit.

Il y soufflait un vent assez fort, qu'au niveau du sol on percevait à peine. Jack baissa les yeux. S'il tombait d'ici, il échouerait sur le toit du bas-côté, le long du transept. Il mourrait probablement, mais pas sûrement. Il s'avança jusqu'à la croisée et s'arrêta au ras du toit. Si sa cathédrale rêvée ne tenait pas debout et si Aliena le quittait, il ne lui restait plus rien dans la vie.

La décision d'Aliena, en fait, n'était pas aussi soudaine qu'elle le paraissait. Depuis longtemps elle vivait frustrée ; d'ailleurs ils l'étaient tous les deux. Mais ils avaient fini par s'habituer à ne pas être heureux. La victoire d'Earlscastle avait secoué Aliena de sa torpeur et, en lui rappelant qu'elle était responsable de sa propre vie, avait déclenché la rupture — un peu comme la tempête provoquait des fissures dans les murs de la cathédrale.

Il regarda en bas. Il apercevait les lourds arcs-boutants jaillissant du mur du bas-côté, il se représentait le demi-arc, sous le toit, reliant la base du pilier au pied du triforium. Ce qui résoudrait le problème, avait-il pensé juste avant d'être dérangé par Philip, c'était un arc-boutant plus haut, peut-être de six ou sept mètres de plus, prolongé par un second demi-arc qui bondirait jusqu'au niveau du mur où apparaissaient les fissures. Ce soutien supplémentaire protégerait le mur supérieur contre la force du vent.

Ce serait une solution. En l'adoptant, il se heurtait à l'inconvénient de perdre de la lumière. S'il ne l'adoptait pas...

Et après ? songea-t-il. Il était envahi du sentiment que rien ne comptait plus désormais puisque sa vie s'écroulait. Quelle importance, un arc-boutant de plus, dissimulé ou pas ? Quelle importance, beaucoup de lumière ou peu ? Debout en haut du toit, il se représentait une rangée de robustes colonnes qui jailliraient du mur extérieur du bas-côté. Du sommet de chacune d'elles, un demi-arc franchirait le vide jusqu'au triforium. Peut-être oserait-il ajouter un clocheton décoratif au faîte de chaque colonne, au-dessus de l'arc. Oui, ce serait plus beau.

C'était une idée révolutionnaire que de placer de gros éléments de soutien à un endroit où ils seraient totalement visibles. Mais cela faisait partie du nouveau style que de mettre en évidence l'architecture de soutien.

Son instinct lui disait qu'il avait raison. Plus il y pensait, plus l'idée lui plaisait. Je me demande, songea-t-il, je me demande si cela tiendrait.

Une soudaine rafale de vent lui fit perdre l'équilibre. Il trébucha au bord du toit. Il se vit projeté dans le vide et retrouva son équilibre au dernier moment, le cœur battant.

A pas prudents, il revint le long du toit jusqu'à la porte du clocheton et descendit.

VII

Le travail avait complètement cessé à l'église de Shiring. Le prieur Philip s'en réjouissait secrètement. Après les heures qu'il avait passées à regarder d'un œil consterné son chantier de construction abandonné, il ne pouvait s'empêcher d'éprouver un certain plaisir à l'idée que la même chose arrivait à ses ennemis. Alfred le bâtisseur avait seulement démoli la vieille église et posé les fondations du nouveau chœur quand William avait été évincé de son titre. Plus d'argent, plus de cathédrale. Philip se reprocha de se réjouir de la ruine d'une église. Toutefois, il fallait reconnaître la manifeste volonté de Dieu que la cathédrale se construise à Kingsbridge et non à Shiring ; la mauvaise fortune qui frappait le projet de Waleran semblait un signe fort clair des intentions divines.

A présent que la plus grande église de la ville était rasée, le tribunal du comté siégeait dans la grande salle du château. Philip gravit la colline, Jonathan à son côté. Il avait fait du jeune homme son assistant personnel, dans le grand remaniement qui avait suivi la défection de Remigius. Philip, quoique choqué par la perfidie de son sous-prieur, s'était en même temps trouvé ravi de le voir partir. Depuis la victoire de Philip sur Remigius à l'élection, le moine était comme une épine dans sa chair. Le prieuré était devenu plus agréable à vivre depuis son départ.

Milius, nouveau sous-prieur, continuait de tenir le rôle de trésorier, avec trois adjoints.

Philip éprouvait une profonde satisfaction à travailler avec Jonathan. Il se plaisait à lui expliquer la gestion du monastère, à lui apprendre le monde et à lui montrer comment se conduire avec les gens. Le garçon en général était assez aimé ; mais il lui arrivait de montrer une certaine sécheresse qui hérissait les sensibles. Jonathan avait un esprit vif qui surprenait souvent Philip. Le prieur se prenait parfois en flagrant péché d'orgueil quand il constatait combien Jonathan lui ressemblait.

Il l'avait emmené, cette fois, pour lui montrer comment fonctionnait le tribunal du comté. Philip voulait demander au shérif d'ordonner à Richard de permettre au prieuré l'accès de la carrière. Philip était certain que légalement Richard avait tort. La nouvelle loi sur la restitution des biens à leurs anciens propriétaires n'affectait pas les droits du prieuré. Elle avait pour objet de permettre au duc Henry de remplacer les comtes de Stephen par des hommes à lui, qui l'avaient soutenu et qu'il voulait récompenser ainsi. Les monastères n'étaient pas concernés. Philip avait bon espoir de remporter sa cause encore qu'il fallait tenir compte d'un facteur inconnu : le vieux shérif étant mort, on devait annoncer aujourd'hui même le nom de son remplaçant. Les noms qu'on citait le plus souvent étaient ceux des trois ou quatre notables de Shiring : David le marchand de soie ; Rees le Gallois, un prêtre qui avait travaillé à la cour du roi ; Gilles Cœur de Lion, un chevalier possédant quelques terres à la sortie de la ville ; ou bien Hugh le Bâtard, le fils naturel de l'évêque de Salisbury. Philip espérait la victoire de Rees, non parce que c'était un compatriote, mais parce qu'il serait le plus favorable à l'Église. En tout état de cause, Philip ne se faisait pas trop de souci, n'importe lequel des quatre trancherait en sa faveur.

Ils entrèrent au château. Il n'était pas très puissamment fortifié car, le comte possédant un château en dehors de la ville, Shiring avait échappé aux combats pendant plusieurs générations. Ce château-ci était plutôt un centre administratif, avec des bureaux et des appartements pour le shérif et ses hommes, et des cachots pour les délinquants. Philip et Jonathan laissèrent leurs chevaux à l'écurie et entrèrent dans le plus grand bâtiment où se trouvait la salle commune.

On avait disposé différemment les tables à tréteaux qui d'ordinaire formaient un T. On avait conservé la barre du T, qu'on avait dressée sur une estrade. Les autres tables étaient alignées sur les côtés de la salle, de sorte que les différents plaignants se trouvaient séparés par l'allée centrale et donc empêchés de recourir à la violence physique.

La salle était déjà pleine. L'évêque Waleran présidait, perché sur son estrade, l'air malveillant. A la surprise de Philip, William Hamleigh était assis auprès de lui, chuchotant à l'oreille de l'évêque à mesure que les gens entraient. Que faisait-il donc ici ? Depuis neuf mois, il se terrait dans son village et Philip — avec bien d'autres gens du comté — avait nourri l'espoir qu'il y resterait toujours. Et voilà qu'il s'installait là, arrogant comme s'il était encore comte. Philip se demanda quelle machination vile, intéressée et dangereuse l'amenait aujourd'hui au tribunal du comté.

Philip et Jonathan s'assirent pour attendre le début de la session. Les gens semblaient affairés, certains optimistes. Maintenant que la guerre était enfin terminée, on se préoccupait de nouveau de créer des richesses. La terre fertile payait rapidement chacun de ses efforts : on attendait cette année une récolte exceptionnelle. Le prix de la laine avait monté. Philip avait réengagé presque tous les bâtisseurs partis au plus fort de la famine. Les survivants à ces années d'épreuves étaient les plus jeunes, les plus forts, les plus sains. Réunis dans la grande salle du château, ils symbolisaient l'espoir et le renouveau.

Tout le monde se leva quand l'adjoint du shérif fit son entrée, précédant le comte Richard. Les deux hommes prirent place sur l'estrade, puis l'adjoint commença la lecture du décret royal nommant le nouveau shérif. Tandis que se déroulaient les formules conventionnelles d'introduction, Philip examinait les quatre candidats présumés. Le vainqueur aurait besoin de courage pour faire respecter la loi à des notabilités aussi puissantes que l'évêque Waleran, le comte Richard ou lord William. D'ordinaire, le futur shérif se tenait auprès de l'adjoint pendant la lecture de la proclamation. Cette fois-ci, les seules personnes qui occupaient l'estrade étaient Richard, Waleran et William. Une pensée traversa l'esprit de Philip comme un coup de poignard : le roi aurait-il choisi Waleran ? Son inquiétude se transforma en stupeur lorsqu'il entendit : « ... nomme comme shérif de Shiring mon fidèle serviteur William de Hamleigh, et j'ordonne à tous de l'assister... »

Philip s'affaissa sur sa chaise : « William ! » répéta-t-il dans un souffle de désespoir.

Les habitants de la ville manifestèrent bruyamment leur surprise et leur désapprobation.

« Comment s'y est-il pris ? demanda Jonathan.

— Il a dû payer.

— Où aurait-il trouvé l'argent ?

— Il l'a emprunté, j'imagine. »

William se dirigea en souriant vers le trône de bois sous le dais. Il avait été beau, songea Philip en l'observant. Agé d'à peine quarante ans, il paraissait plus vieux. Son corps était trop lourd et son teint rougi par le vin ; la force vigoureuse et l'optimisme qui font l'attrait des visages jeunes avaient disparu, remplacés par les marques fatiguées d'une vie désordonnée.

Comme William s'asseyait, Philip se leva.

Jonathan l'imita en chuchotant : « Nous partons ?

— Suis-moi », murmura Philip.

Le silence se fit dans la salle. Tous les regards convergeaient sur eux tandis qu'ils traversaient le tribunal. On s'écartait pour les laisser passer. Ils arrivèrent à la porte et sortirent.

« Nous n'avions aucune chance de réussir avec William en place ? demanda Jonathan.

— Pis encore, répondit Philip. Si nous avions présenté notre affaire, nous aurions pu y perdre nos autres droits.

— Mon Dieu, je n'y avais pas pensé. »

Philip hocha la tête d'un air sombre. « Avec William comme shérif, Waleran comme évêque et l'infidèle Richard comme comte, c'est tout à fait impossible pour le prieuré de Kingsbridge d'obtenir justice dans ce comté. Nous sommes à la merci du tribunal. »

Pendant qu'un palefrenier sellait leurs montures, Philip exposa son plan. « Je vais adresser une pétition au roi pour faire de Kingsbridge une commune. De cette façon, nous aurons notre propre tribunal et nous verserons nos impôts directement au roi. De ce fait, nous tomberons hors de la juridiction du shérif.

— Vous vous êtes toujours opposé à ce système jadis, observa Jonathan.

— Oui, parce qu'il rend la ville aussi puissante que le prieuré. Mais, dans les circonstances, je pense qu'on peut payer ce prix pour notre indépendance. C'est cela, ou William.

— Le roi Stephen nous accordera-t-il facilement le statut de commune ?

— Tout dépend du prix que nous y mettrons. S'il refuse, peut-être Henry acceptera-t-il lorsqu'il deviendra roi. »

Ils enfourchèrent leurs chevaux et s'éloignèrent, aussi abattus l'un que l'autre. Ils franchirent la porte et passèrent devant le tas d'ordures qui occupait le terrain vague, juste à la sortie de la ville. Quelques misérables cherchaient dans les détritus ce qu'ils pourraient manger, porter ou brûler pour se chauffer. Philip leur jeta machinalement un coup d'œil et subitement s'arrêta. Une haute silhouette familière se penchait sur un tas de chiffons.

« Regarde », dit Philip à Jonathan, qui suivit son regard. « Remigius ! » dit-il d'une voix étouffée. Waleran et William auraient jeté Remigius à la porte ? Bien sûr, en l'absence de fonds pour bâtir leur église, ils n'avaient plus besoin de lui. Remigius avait trahi Philip, trahi le prieuré et trahi Kingsbridge, dans le seul espoir de devenir doyen de Shiring. Mais la récompense qu'il convoitait s'était transformée en cendres.

Philip tourna bride et s'avança sur le terrain vague, Jonathan à sa suite. Une insoutenable puanteur se répandait comme un brouillard. Philip constata que Remigius était d'une maigreur squelettique. Son habit était raide de crasse et il avait les pieds nus. Il avait passé au prieuré de Kingsbridge toute sa vie adulte, jusqu'à soixante ans ; personne ne lui avait jamais appris à se débrouiller dans un monde difficile. Philip le vit tirer des détritus une paire de chaussures de cuir. Il y avait de grands trous dans les semelles, mais Remigius les contemplait avec l'expression d'un homme qui vient de trouver un trésor. Et il allait les essayer lorsqu'il aperçut Philip.

Il se redressa. On lisait sur son visage la lutte entre la honte et l'arrogance. « Alors, vous êtes venu vous réjouir du spectacle ? lança-t-il.

— Non », répondit Philip d'une voix douce. Son vieil ennemi offrait un tableau si pitoyable que Philip n'éprouvait pour lui que compassion. Le prieur mit pied à terre et tira une flasque de sa sacoche de selle. « Je suis venu vous offrir un verre de vin. »

Remigius aurait voulu refuser, mais la tentation était trop forte. Il n'hésita qu'un moment, puis saisit la flasque qu'il renifla avec méfiance avant de commencer à boire ; après quoi il ne s'arrêta que lorsque le flacon fut vide.

Philip lui reprit la flasque et la rangea dans sa sacoche. « Il vaut mieux manger un peu aussi », conseilla-t-il en lui tendant un morceau de pain.

Remigius ne se fit pas prier. De toute évidence il n'avait pas mangé depuis des jours et n'avait sans doute pas fait un repas convenable depuis des semaines. Philip l'observait avec tristesse. « Voulez-vous revenir ? » proposa le prieur simplement.

Il vit Jonathan sursauter. Comme la majorité des moines, Jonathan espérait bien ne jamais revoir Remigius. Il ne comprenait sûrement pas l'attitude de Philip.

L'ancien Remigius reparut avec toute son insolence lorsqu'il dit : « Revenir ? A quel poste ? »

Philip secoua la tête d'un air de regret. « Remigius, vous n'aurez jamais aucun poste dans mon prieuré. Revenez comme une simple et humble moine. Demandez à Dieu de pardonner vos péchés et consacrez le restant de vos jours, dans la prière et la contemplation, à préparer votre âme pour le paradis. »

Remigius renversa la tête en arrière et Philip attendit un refus méprisant. Le moine ouvrit la bouche, la referma et baissa les yeux. Philip, immobile et silencieux, se demandait ce qui allait sortir de cet être pétri d'orgueil. Il y eut un long silence. Quand Remigius releva la tête, il avait le visage ruisselant de larmes. « Oui, père, je vous en prie, dit-il. Je veux rentrer. »

Philip ne contint pas sa joie. « Alors venez, s'écria-t-il. Montez sur mon cheval. »

Remigius hésita, déconcerté.

« Père, protesta Jonathan, que faites-vous ?

— Allons, reprit Philip à l'adresse de Remigius, faites ce que je vous dis. »

Jonathan était scandalisé. « Mais, père, comment allez-vous voyager ?

— A pied, répliqua Philip avec entrain. Il faut bien que l'un de nous le fasse.

— Que Remigius aille à pied, alors ! riposta Jonathan.

— Qu'il aille à cheval, dit Philip. Aujourd'hui, il a fait plaisir à Dieu.

— Et vous ? N'avez-vous pas fait plaisir à Dieu plus souvent que Remigius ?

— Jésus a dit qu'il y a plus de joie au ciel pour un pécheur qui se repent que pour quatre-vingt-dix-neuf vertueux, répliqua Philip. Tu ne te rappelles pas la parabole du fils prodigue ? Lorsqu'il est rentré, son père a tué le veau gras. Les anges se réjouissent des larmes de Remigius. Le moins que je puisse faire, c'est de lui donner mon cheval. »

Il prit sa monture par la bride et la ramena sur la route. Jonathan suivait. Quand ils eurent regagné la chaussée, Jonathan sauta à terre. « Je vous en prie, mon père, prenez mon cheval et laissez-moi marcher ! »

Philip se tourna vers lui et lança d'un ton sévère : « Remonte sur ton cheval, cesse de discuter avec moi et *réfléchis* à ce qui est en train de se faire et pourquoi. »

Jonathan, le bec cloué, remonta en selle et se le tint pour dit.

Ils reprirent la route de Kingsbridge, qui se trouvait encore à huit lieues. Philip entama sa marche. Son âme flottait dans la joie. Le retour de Remigius compensait mille fois la perte de la carrière. Je n'ai pas gagné au tribunal, mais il ne s'agissait que de pierre. Ce que j'ai obtenu est infiniment plus précieux. Aujourd'hui, j'ai sauvé l'âme d'un homme.

VIII

Rouges et jaunes, des pommes mûres surnageaient dans le tonneau, dont l'eau étincelait au soleil. Sally, qui atteignait ses neuf ans, se pencha sur le bord, les mains croisées derrière le dos et essaya d'attraper une pomme avec ses dents. Elle s'éclaboussa, plongea, et échoua dans de grands éclats de rire. Aliena eut un pâle sourire et essuya le visage de la fillette.

En ce chaud après-midi de fin d'été, jour férié car c'était la fête d'un saint, les gens de la ville s'étaient rassemblés dans le pré de l'autre côté de la rivière pour le jeu des pommes. Habituellement Aliena adorait ces occasions de s'amuser, mais le fait que c'était sa dernière fête à Kingsbridge ne quittait pas son esprit et jetait une ombre sur son humeur. Depuis qu'elle avait pris la décision de quitter Jack, elle commençait à éprouver la souffrance de la séparation.

Tommy rôdait auprès du tonneau. Jack cria : « Vas-y, Tommy... essaie ! »

— Tout à l'heure », répondit le gamin.

A onze ans, Tommy s'estimait plus malin que sa sœur et supérieur à la plupart de ses camarades. Il observa un moment la technique des joueurs qui réussissaient à attraper la pomme. Aliena avait un faible pour son fils. Jack avait à peu près cet âge-là quand elle l'avait rencontré pour la première fois, et Tommy ressemblait tant à Jack enfant...

Le garçon s'approcha du tonneau. Il se pencha et baissa lentement la tête, la bouche grande ouverte. Il poussa la pomme sous la surface jusqu'au fond du tonneau, plongeant la tête et le cou dans l'eau, puis il remonta, triomphant, la pomme entre les dents.

Tommy réussirait tout ce qu'il entreprendrait. Il tenait de son grand-père, le comte Bartholomew, une volonté très forte et un sentiment inflexible du bien et du mal.

Sally en revanche avait hérité du caractère insouciant et de l'anticonformisme de Jack. Les deux enfants avaient chacun la personnalité d'un de ses parents et l'aspect physique de l'autre : la désinvolte Sally possédait les traits réguliers et les boucles brunes d'Aliena ; Tom le décidé, les cheveux carotte, la peau blanche et les yeux bleus de Jack.

« Tiens, voilà oncle Richard ! » s'écria Tommy.

Aliena se retourna vivement. C'était bien son frère le comte qui traversait la prairie à cheval avec une poignée de chevaliers et d'écuyers. Comment avait-il le toupet de se montrer ici après sa conduite indigne envers Philip ?

Richard s'approcha du tonneau en souriant à la ronde et en serrant les mains qui se tendaient.

« Essaie d'attraper une pomme, oncle Richard ! » réclama Tommy.

Richard plongea la tête dans le tonneau et se redressa aussitôt, une pomme plantée entre ses dents blanches, sa barbe blonde dégouttant d'eau. Il avait toujours été plus adroit aux jeux que dans la vie réelle, se dit Aliena.

Elle n'allait pas le laisser se conduire comme si de rien

n'était. Certains, intimidés parce qu'il était le comte, n'oseraient rien lui dire. Mais pour Aliena il n'était que son stupide petit frère. Comme il s'approchait pour l'embrasser, elle le repoussa. « Comment as-tu eu l'audace de voler la carrière au prieuré ? »

Jack, voyant venir une querelle, prit les enfants par la main et s'éloigna.

« Toutes les propriétés sont restituées à ceux qui les possédaient..., répliqua Richard, piqué au vif.

— Je t'en prie, interrompit Aliena. Après tout ce que Philip a fait pour toi !

— Cette carrière m'appartient de droit », dit-il. Il prit sa sœur à part et lui murmura à l'oreille : « D'ailleurs, tu sais, j'ai besoin de l'argent que me rapportera la vente des pierres.

— Si tu ne passais pas ton temps à chasser !

— Mais que veux-tu que je fasse ?

— Rentabiliser la terre ! Il y a tant de travail ! Réparer les dégâts causés par la guerre et la famine, introduire de nouvelles méthodes de culture, déblayer les bois et assécher les marécages. Voilà comment ta fortune augmentera ! Pas en volant la carrière que le roi Stephen avait donnée au prieuré de Kingsbridge.

— Je n'ai jamais rien pris qui ne soit à moi.

— Dis plutôt que tu n'as jamais rien fait d'autre ! » s'écria Aliena. Sa colère l'entraînait malgré elle. « Tu n'as jamais travaillé par toi-même. Tu as pris mon argent pour acheter tes armes, tu as accepté le poste que t'a confié Philip, tu as repris le comté quand je te l'ai offert sur un plateau. Maintenant, tu n'es même pas capable de le gouverner sans voler les biens d'autrui ! » Elle tourna les talons et s'éloigna.

Richard se précipita derrière elle, mais quelqu'un l'intercepta pour lui demander de ses nouvelles. Quand Aliena arriva au pont, elle se retourna et vit son frère en conversation. Il lui fit signe qu'il voulait lui parler, mais qu'il était retenu. Elle regarda ses enfants en train de jouer avec leur père au soleil. Comment pouvait-elle songer à les séparer ?

Elle franchit le pont et entra dans la ville ; elle éprouvait le besoin d'être seule.

Elle avait trouvé une maison à Winchester, vaste, comportant une boutique au rez-de-chaussée, une salle au premier étage, une chambre à coucher séparée et un grand entrepôt au fond de la cour pour son tissu. Plus la date de son déménagement approchait, moins elle en avait envie.

Les rues de Kingsbridge étaient chaudes et poussiéreuses, l'air plein du bourdonnement des mouches qui se nourrissaient aux innombrables tas de crottin. Dans la ville déserte, il n'y avait pas une boutique d'ouverte, les maisons elles-mêmes étaient closes. Tout le monde était dans la prairie. Elle se rendit à la maison de Jack. C'était là que les autres viendraient quand les jeux seraient terminés. La porte de la maison était grande ouverte. Elle fronça les sourcils. Qui avait oublié de la fermer ? Enfin, il n'y avait pas grand-chose à voler. Aliena ne gardait pas son argent ici. Depuis des années Philip la laissait utiliser le coffre du trésor du prieuré. Ce n'étaient donc pas les voleurs qu'elle craignait, mais plutôt l'envahissement des mouches.

Elle entra. Il faisait frais et sombre.

Alfred était assis à la table.

Aliena poussa un petit cri de frayeur, puis se reprit et demanda :

« Comment es-tu entré ?

— J'ai une clé. »

Il la gardait depuis fort longtemps, nota Aliena. Elle l'examina. Ses larges épaules osseuses pointaient sous sa tunique et son visage semblait creusé.

« Que fais-tu ici ? interrogea-t-elle.

— Je suis venu te voir. »

Elle s'aperçut qu'elle tremblait, non de peur mais de rage. « Je ne veux pas te voir ici, ni maintenant ni jamais, lança-t-elle. Tu m'as traitée comme un chien. Ensuite, quand Jack a pris pitié de toi et t'a engagé, tu as trahi sa confiance et tu as emmené tous ses artisans à Shiring.

— J'ai besoin d'argent, annonça-t-il, avec dans la voix un mélange de supplication et de provocation.

— Travaille.

— Les travaux de construction ont cessé à Shiring. Je ne peux pas non plus trouver de travail à Kingsbridge.

— Eh bien, va-t'en à Londres... ou à Paris ! »

Il poursuivit avec un entêtement bovin : « Je pensais que tu m'aiderais...

— Il n'y a rien pour toi ici. Pars.

— Tu n'as donc pas pitié ? » implora-t-il.

Elle s'appuya à la table car elle vacillait d'énervement. « Alfred, tu ne comprends donc pas que je te *déteste* ?

— Pourquoi ? » répliqua-t-il. Il paraissait réellement blessé — et surpris.

Mon Dieu, se dit-elle, il est stupide. « Va au monastère si tu veux la charité, reprit-elle d'un ton sec. La capacité de pardon du prieur Philip est surhumaine. La mienne non.

— Mais tu es ma femme », protesta Alfred.

C'était trop fort « Je ne suis pas ta femme, siffla-t-elle. Tu n'es pas mon mari. Tu ne l'as jamais été. Maintenant sors d'ici. »

A la surprise d'Aliena, Alfred la saisit par les cheveux. « Tu es ma femme », répéta-t-il. Il l'attira vers lui en contournant la table et, de sa main libre, lui saisit un sein qu'il serra avec violence.

Aliena fut totalement prise au dépourvu. C'était la dernière chose à quoi elle s'attendait de la part d'un homme qui avait dormi dans la même pièce qu'elle pendant neuf mois sans jamais réussir à avoir avec elle le moindre rapport amoureux. Elle poussa un cri et voulut s'écarter, mais il lui tenait solidement les cheveux. « Il n'y a personne pour t'entendre crier, dit-il. Tout le monde est de l'autre côté de la rivière. » Alors la peur tomba sur elle comme une chape de glace. Ils étaient seuls et il était très fort. Après les lieues qu'elle avait parcourues sur les routes, les voyages où elle avait risqué sa vie, voilà qu'elle était attaquée chez elle par l'homme qu'elle avait épousé !

Alfred lut la panique dans son regard et en profita : « Tu as peur, n'est-ce pas ? Allons, sois gentille. » Il l'embrassa sur la bouche. Elle lui mordit les lèvres aussi fort qu'elle put. Il poussa un rugissement de douleur.

Elle ne vit pas le coup de poing arriver. Il explosa sur sa joue avec une telle force qu'elle crut un instant avoir les os fracassés. Le choc l'aveugla, elle perdit l'équilibre et se sentit tomber. La paille sur le sol adoucit sa chute. Elle secoua la tête et voulut prendre le couteau qu'elle portait au bras gauche. Avant qu'elle ait pu dégainer, ses deux poignets étaient prisonniers et elle entendit la voix d'Alfred : « Je connais cette petite dague. Je t'ai vue te déshabiller, tu te rappelles ? » Il lui lâcha les mains, la frappa de nouveau au visage et saisit le poignard.

Aliena essaya de se dégager. Mais il lui bloquait les jambes. Soudain, la pointe de la dague brilla à un pouce de son œil. « Reste tranquille ou je t'arrache les yeux », prévint-il.

Elle se figea. L'idée d'être aveugle la terrifiait. Elle avait vu des hommes punis de cette façon. Ils passaient dans les rues en mendiant, fixant les passants de leurs orbites vides. Les jeunes garçons les harcelaient, les pinçaient et les faisaient trébucher. Les malheureux tournaient comme des toupies en essayant vainement d'attraper leurs bourreaux, qui riaient de leur jeu. Ils mouraient en général très tôt.

« Je pensais bien que ça te calmerait », remarqua Alfred.

Pourquoi cette attitude nouvelle ? Il ne l'avait jamais désirée. Était-ce simplement une vengeance parce qu'elle représentait un monde qui l'avait rejeté ?

Il se pencha en avant, accroupi sur elle, les genoux enserrant ses hanches, le couteau toujours braqué sur son œil. « Maintenant, dit-il, sois gentille. » Il l'embrassa de nouveau. Il lui écorchait la peau avec sa barbe mal rasée. Son haleine sentait la bière et les oignons. Aliena gardait les lèvres serrées.

« Tu n'es pas tendre, lui reprocha-t-il. Rends-moi mon baiser. » Il l'embrassa. Lorsque la pointe du couteau lui toucha la paupière, Aliena écarta les lèvres. Le goût d'Alfred lui donna la nausée. Il força sa langue entre les lèvres entrouvertes. Elle se sentait sur le point de vomir et fit un effort désespéré pour se maîtriser, de crainte qu'il ne la tue.

Il s'écarta un peu, gardant toujours le couteau braqué sur elle. « Maintenant, fit-il, donne ta main. » Il la guida sous sa tunique. Elle toucha son sexe. « Prends-le », ordonna-t-il. Elle obéit. « Maintenant, caresse-le doucement. »

Elle s'exécuta. L'idée lui vint que, si elle pouvait le satisfaire ainsi, cela lui éviterait peut-être le pire.

Elle regarda son visage congestionné, ses traits grossiers. Il avait fermé les yeux. Elle s'appliquait, se souvenant que cette caresse rendait Jack fou.

Aliena se mit à pleurer : et si après ça elle ne pouvait plus jamais... ?

Le couteau se rapprocha. « Pas si fort ! » dit Alfred.

La porte s'ouvrit.

Le cœur d'Aliena bondit dans sa poitrine. Un rai de lumière traversa la pièce et l'éblouit à travers ses larmes. Alfred se figea. Elle retira sa main.

Ensemble ils regardèrent vers la porte. Qui était-ce ? Aliena ne voyait rien. Mon Dieu, pria-t-elle, je vous en prie, faites que ce ne soit pas un des enfants ; je mourrais de honte ! Elle entendit un rugissement rageur. C'était une voix d'homme. Essuyant ses larmes, elle reconnut son frère Richard.

Pauvre Richard : il aurait presque mieux valu que ce fût Tommy. Richard, qui n'avait plus qu'une cicatrice au lieu du lobe de son oreille gauche pour lui rappeler l'horrible scène dont il avait été témoin à quatorze ans. Voilà maintenant qu'il était témoin d'une autre. Comment allait-il le supporter ?

Alfred se relevait, mais Richard fut plus rapide que lui. Aliena vit son frère traverser d'un bond la petite pièce et lancer en avant son pied botté, touchant en pleine mâchoire Alfred qui alla s'effondrer contre la table.

Richard se précipita sur lui, bousculant Aliena au passage sans s'en apercevoir, et bourra Alfred de coups de pied et de coups de poing. Aliena s'écarta. Le visage de son frère exprimait une fureur démente. Il ne regardait pas Aliena. Il ne se souciait pas d'elle, elle s'en rendit compte. Il se vengeait de ce que William et Walter lui avaient fait à lui, Richard, dix-huit ans auparavant. Alfred reculait sous les coups qui pleuvaient, de plus en plus durs, sans réussir à se protéger de ses bras. Richard lui enfonça le menton d'un puissant coup de poing et Alfred s'écroula en arrière.

Il gisait sur la paille, terrifié. Aliena essaya de calmer son frère mais il la repoussa et s'avança pour continuer de frapper Alfred. Celui-ci s'aperçut soudain qu'il avait toujours à la main le poignard d'Aliena. Il esquiva le coup, se releva d'une détente et fonça avec le couteau.

Surpris, Richard fit un bond en arrière. Alfred en profita pour le faire reculer jusqu'au fond de la pièce. Les deux hommes se valaient en taille et en force. Richard était un guerrier, mais Alfred était armé. Aliena soudain eut peur pour son frère. Qu'arriverait-il si Alfred l'emportait ? Elle se retrouverait à sa merci.

Des yeux, elle chercha une arme. Son regard s'arrêta sur la pile de bois auprès de l'âtre. Elle s'empara d'une grosse bûche.

Alfred se jeta de nouveau sur Richard qui esquiva avant de saisir par le poignet le bras tendu d'Alfred et de tirer violemment. Alfred trébucha en avant, perdant l'équilibre. Richard le frappa à plusieurs reprises, des deux poings, très vite, au corps et au visage. Alfred gémissait en essayant d'éviter les coups.

Richard reprit son souffle. Aliena pensa que le combat

allait se terminer là. Mais Alfred attaqua de nouveau, avec une surprenante rapidité, et cette fois la pointe du poignard effleura la joue de Richard. Celui-ci sauta en arrière. Alfred poussa son avantage, brandissant la dague. Aliena comprit qu'Alfred était capable de tuer Richard. Elle bondit, abattit la bûche de toutes ses forces. Elle manqua la tête mais frappa Alfred au coude droit. On entendit le craquement de l'os et Alfred laissa tomber le poignard. Comme un éclair Richard ramassa la dague d'Aliena et du même élan passa sous la garde d'Alfred qu'il frappa en plein poitrine avec une force terrible. Un hurlement retentit.

La lame s'enfonça jusqu'au manche.

Aliena, horrifiée, vit Richard retirer le couteau. Le sang jaillit en saccades de la plaie qu'Alfred avait à la poitrine. Il ouvrit la bouche pour crier encore, mais aucun son ne sortit. Son visage devint blanc, puis gris, ses yeux se fermèrent et il s'effondra sur le sol, dans la paille inondée de sang.

Aliena s'agenouilla. Alfred respirait encore, mais la vie le quittait. Elle leva les yeux vers Richard planté au-dessus d'eux, le souffle rauque. « Il se meurt », annonça-t-elle.

Richard acquiesça, sans émotion excessive. « J'en ai vu mourir de meilleurs, dit-il. Et j'en ai tué qui le méritaient moins. »

Aliena, choquée de cette cruauté cynique, ne répliqua cependant rien. Cette scène lui remettait en mémoire la première fois que Richard avait tué un homme. C'était au cours de leur fuite sur la route de Winchester. Elle avait obligé Richard, qui n'avait que quinze ans, à assener le coup de grâce au voleur qui les avait attaqués. S'il a perdu toute pitié, se dit-elle avec remords, à qui la faute ?

Alfred ouvrit les yeux et regarda Aliena. Elle s'en voulait d'éprouver si peu de compassion pour le mourant. Mais lui-même n'avait jamais été compatissant, ni indulgent, ni généreux. Toute sa vie il avait nourri ses rancœurs et ses haines et n'avait pris plaisir qu'à des actes malveillants. Ta vie aurait pu être différente, Alfred, songea-t-elle. Tu aurais pu être bon avec ta sœur, pardonner à ton demi-frère d'être plus intelligent que toi. Tu aurais pu te marier par amour et non par vengeance. Tu aurais pu rester loyal au prieur Philip. Tu aurais pu être heureux.

Les pupilles d'Alfred se dilatèrent et il murmura : « Dieu, que ça fait mal ! »

Puis il ferma les yeux.

« Ça y est », annonça Richard.

Alfred ne respirait plus.

Aliena se releva. « Je suis veuve », déclara-t-elle.

Alfred fut enterré dans le cimetière du prieuré de Kingsbridge. Ainsi l'avait souhaité sa sœur Martha, sa seule parente par le sang à lui survivre. Elle était aussi la seule à éprouver quelque tristesse. Alfred n'avait jamais été bon avec elle et elle avait toujours cherché auprès de Jack, son demi-frère, amour et protection, mais elle désirait néanmoins une sépulture assez proche pour pouvoir se rendre de temps en temps sur la tombe. Lorsqu'on descendit le cercueil dans la terre, Martha seule pleura.

Jack semblait soulagé de la disparition d'Alfred. Tommy, debout auprès d'Aliena, s'intéressait à tout : c'était son premier enterrement et les rituels de la mort étaient nouveaux pour lui. Sally, pâle et mal à l'aise, serrait la main de Martha.

Richard assistait à la cérémonie. Pendant le service, il glissa à Aliena qu'il était venu demander à Dieu pardon d'avoir tué son beau-frère. Non qu'il eût le sentiment d'avoir mal agi, s'empressa-t-il d'ajouter : il voulait simplement prendre ses précautions.

Aliena, dont le visage meurtri portait encore la trace du dernier coup de poing d'Alfred, se remémorait le mort tel qu'elle l'avait vu la première fois, à son arrivée à Earlscastle avec son père, Tom le bâtisseur, et Martha, Ellen et Jack. Alfred était déjà la brute de la famille, grand, fort et sournois, avec un fond de méchanceté. Si Aliena avait imaginé qu'elle devrait l'épouser un jour, elle se serait jetée du haut des remparts. Elle n'avait pas pensé revoir ces gens après leur départ du château. Mais la vie les avait réunis à Kingsbridge. Alfred et elle avaient créé la guilde paroissiale, devenue une institution si importante dans la vie de la ville. C'est à cette époque-là qu'Alfred l'avait demandée en mariage. Elle l'avait d'abord repoussé, mais il avait trouvé le moyen de la manipuler et l'avait persuadée de l'épouser en promettant d'aider Richard. En repensant à tout cela, Aliena se rendait compte qu'Alfred avait mérité la frustration et l'humiliation de leur mariage. Cette mort ne l'attristait pas, au contraire. Plus question maintenant pour elle de partir vivre à Winchester, Jack et elle allaient pouvoir se marier sans tarder. Elle prenait un visage grave approprié à la situation, mais son cœur éclatait de joie.

Philip, avec sa capacité sans limite de pardonner à ceux qui l'avaient trahi, consentit à enterrer Alfred. Les cinq adultes et les deux enfants faisaient cercle autour de la tombe ouverte quand Ellen arriva.

Philip se crispa. Ellen, ayant jeté la malédiction sur un mariage chrétien, n'était pas bienvenue dans l'enceinte du prieuré ; mais il ne pouvait guère lui interdire d'assister à l'inhumation de son beau-fils. D'ailleurs, le service était terminé et Philip se retira rapidement.

Aliena se désolait. Pourquoi fallait-il que Philip et Ellen, tous deux généreux et bons, fussent ennemis ? Au fond, ils se montraient aussi intolérants l'un que l'autre.

Ellen avait vieilli : les rides étaient plus nombreuses sur son visage tout comme les fils gris dans sa chevelure, mais ses yeux dorés brillaient de vivacité et d'ardeur. Elle portait une tunique de cuir grossièrement cousue et rien d'autre, pas même des chaussures. Ses bras et ses jambes étaient hâlés et musclés. Tommy et Sally se bousculèrent pour l'embrasser. Jack l'étreignit avec chaleur.

Ellen tendit sa joue à Richard. « Vous avez bien fait. N'éprouvez pas de remords », dit-elle.

Elle s'immobilisa au bord de la tombe. « J'étais sa belle-mère. Je regrette de n'avoir pas su comment le rendre heureux. »

Quand elle se retourna, Aliena la serra dans ses bras. Ils repartirent tous à pas lents. « Voulez-vous rester un moment et dîner avec nous ? proposa Aliena.

— Avec plaisir, dit-elle en ébouriffant les cheveux roux de Tommy. J'aimerais parler à mes petits-enfants. Ils grandissent si vite. La première fois que j'ai rencontré Tom le bâtisseur, Jack avait l'âge de Tommy aujourd'hui. » Ils approchaient de la porte du prieuré. « Quand on vieillit, les années passent plus vite. Je crois... » Elle s'interrompit au milieu de sa phrase et s'arrêta.

« Qu'y a-t-il ? » interrogea Aliena.

Ellen fixait le poste de garde du prieuré. Les portes de bois étaient grandes ouvertes. La rue était déserte, à l'exception d'un groupe de petits enfants qui regardaient de l'autre côté quelque chose qu'on ne distinguait pas d'ici.

« Richard ! s'écria Ellen. N'y allez pas ! »

Le groupe s'arrêta. Aliena vit ce qui avait alarmé Ellen.

Richard fut prompt à réagir. « C'est un piège ! » dit-il et, sans hésiter, il s'enfuit en courant.

Aussitôt, une tête casquée se montra. Elle appartenait à un robuste homme d'armes qui, en voyant Richard courir vers l'église, poussa un cri d'alarme. Trois, quatre, cinq autres lui emboîtèrent le pas.

Stupéfaite, Aliena fut saisie de frayeur : qui oserait attaquer le comte de Shiring ouvertement, et dans un prieuré ? Elle retint son souffle en regardant passer les poursuivants de Richard. Celui-ci sauta par-dessus le muret que les maçons étaient en train de construire. Les hommes d'armes le talonnaient. Les maçons s'arrêtèrent de travailler, geste suspendu, en voyant la course passer devant eux. Un apprenti, plus vif que les autres ou plus espiègle, tendit un manche de pelle devant l'un des poursuivants qui s'étala de tout son long. Richard arrivait à la porte donnant sur le cloître. L'homme brandit son épée et, pendant un terrible instant, Aliena crut que la porte était fermée à clé et que Richard ne pourrait pas entrer. L'homme abattit son épée. Elle frappa le bois tandis que Richard claquait la porte derrière lui.

Aliena reprit son souffle.

Les hommes d'armes se groupèrent devant la porte, échangeant des avis incertains. Tout à coup, ils parurent se rendre compte de l'endroit où ils se trouvaient. Les artisans leur lançaient des regards hostiles en agitant leurs marteaux et leurs haches. Ils étaient près d'une centaine contre cinq hommes d'armes.

Jack demanda brusquement : « Qui diable sont ces gens ? »

Une voix derrière lui répondit : « Ce sont les hommes du shérif. »

Aliena fit un bond. Elle ne connaissait que trop bien cette voix. Là, à la porte, monté sur un étalon noir, armé et revêtu d'une cotte de mailles, se dressait William Hamleigh. Le sang d'Aliena se figea.

« Disparais, méprisable insecte », lança Jack.

William rougit sous l'insulte, mais ne bougea pas. « Je suis venu procéder à une arrestation.

— Vas-y. Les hommes de Richard te mettront en pièces.

— Il n'aura plus d'hommes quand il sera en prison.

— Pour qui te prends-tu ? Un prévôt ne peut pas mettre un comte en prison.

— Il le peut, pour meurtre. »

Aliena tressaillit. « Il n'y a pas eu meurtre ! s'exclamat-elle.

— Mais si, répliqua William. Le comte Richard a tué Alfred le bâtisseur. Il faut que j'informe le prieur Philip qu'il donne l'asile à un meurtrier. »

William éperonna son cheval et traversa la nef inachevée, se dirigeant vers la cour des cuisines où l'on recevait les laïcs. Aliena le suivit d'un regard incrédule. Sa méchanceté n'avait d'égale que sa perversité. Le malheureux Alfred, qu'on venait tout juste de mettre en terre, avait fait beaucoup de mal par petitesse d'esprit et faiblesse de caractère. Mais William était un véritable serviteur du diable. Quand, se demanda Aliena, serons-nous débarrassés de ce monstre ?

Les hommes d'armes rejoignirent le shérif dans la cour de la cuisine et l'un d'eux frappa à la porte du pommeau de son épée. Les bâtisseurs quittèrent le chantier et se regroupèrent, gros marteaux et ciseaux affûtés en main, pour surveiller d'un œil mauvais les intrus. Aliena demanda à Martha d'emmener les enfants à la maison ; Jack et elle restèrent avec les maçons.

Le prieur Philip apparut à la porte de la cuisine. Il était plus petit que William et, dans son léger habit d'été, il semblait bien frêle auprès du grand gaillard à cheval, revêtu de sa cotte de mailles ; mais il y avait sur le visage de Philip une expression qui le rendait beaucoup plus impressionnant que William.

« Vous abritez un fugitif..., commença celui-ci.

— Sortez d'ici ! » interrompit Philip d'une voix glaciale.

William insista. « Il y a eu un meurtre...

— Sortez de mon prieuré ! cria Philip.

— Je suis le shérif...

— Le roi lui-même ne peut amener des fauteurs de violence dans l'enceinte d'un monastère ! Sortez ! »

Les maçons commençaient à murmurer entre eux. Les hommes d'armes les regardaient nerveusement. « Comme tout le monde, reprit William, le prieur de Kingsbridge doit répondre au shérif.

— Pas dans ces conditions ! Faites évacuer vos hommes ! Laissez vos armes à l'écurie. Lorsque vous serez prêt à vous comporter comme un humble pécheur dans la maison de Dieu, vous pourrez entrer au prieuré ; alors le prieur répondra à vos questions. »

Philip rentra dans la cuisine et claqua la porte.

Les bâtisseurs l'acclamèrent.

Aliena eut envie de les imiter. Depuis toujours, William représentait pour elle une image de puissance et de terreur. De le voir défié par le prieur Philip l'emplissait de joie.

Mais William ne s'avouait pas vaincu. Il descendit de son cheval. Lentement, il dégrafa son ceinturon et le tendit à l'un de ses hommes. Il leur adressa à voix basse quelques mots et ils se retirèrent, emportant son épée. William frappa de nouveau à la porte de la cuisine.

« Ouvrez au shérif ! » cria-t-il.

Philip réapparut. Il toisa William qui se tenait maintenant désarmé dans la cour ; puis il regarda les hommes d'armes groupés autour de l'entrée, au fond de l'enclos. « Eh bien ? demanda-t-il.

— Vous hébergez un meurtrier au prieuré. Livrez-lemoi.

— Il n'y a pas eu de meurtre à Kingsbridge, répondit Philip.

— Le comte de Shiring a tué, voilà quatre jours, Alfred le bâtisseur.

— Faux, riposta Philip. Richard a bien tué Alfred, mais ce n'était pas un meurtre. Alfred a été surpris en pleine tentative de viol. »

Aliena frissonna.

« De viol ? dit William. Qui a-t-il tenté de violer ?

— Aliena.

— Mais elle est sa femme ! s'exclama William, triomphant. Comment un homme peut-il violer sa femme ? »

Aliena voyait la direction que prenait l'argumentation de William et la fureur bouillait en elle.

« Ce mariage, poursuivit Philip, n'a jamais été consommé, elle en a demandé l'annulation.

— Qui ne lui a jamais été accordée. Le couple a été marié à l'église. Il l'est toujours, d'après la loi. Il n'y a pas eu viol. Au contraire. »

William se retourna brusquement et désigna Aliena du doigt. « Voilà des années qu'elle cherche à se débarrasser de son mari et elle a fini par convaincre son frère de l'aider à le faire, en le poignardant à mort avec sa dague à elle ! »

La main glacée de la peur serrait le cœur d'Aliena. L'histoire qu'on venait d'entendre était un abominable mensonge, mais pour quelqu'un qui n'avait pas vraiment vu ce qui s'était passé, elle collait aux faits de façon aussi plausible que la vérité. Richard se trouvait dans un mauvais pas.

« Le shérif, continua Philip, ne peut pas arrêter le comte. »

C'est vrai, se dit Aliena. Elle avait oublié ce point.

William tira un rouleau de parchemin de sa poche. « J'ai un décret royal. Je l'arrête au nom du roi. »

Aliena reçut un coup au cœur. Décidément, William avait pensé à tout. « Comment a-t-il réussi ce tour de force ? murmura-t-elle.

— Il a été très rapide, répondit Jack. Il a dû galoper jusqu'à Winchester dès qu'il a appris la nouvelle. »

Philip tendit la main. « Montrez-moi ce décret. »

William le lui tendit. Ils étaient éloignés de quelques toises l'un de l'autre. Il y eut une brève hésitation, car aucun des deux ne voulait bouger ; puis William céda et fit quelques pas pour remettre le parchemin à Philip.

Le prieur le lut et le rendit. « Cela ne vous donne pas le droit d'attaquer un monastère.

— Cela me donne le droit d'arrêter Richard.

— Il m'a demandé asile.

— Ah ! » William ne parut pas surpris. Il hocha la tête, comme s'il venait d'avoir confirmation de quelque chose d'inévitable, et recula de deux ou trois pas. Lorsqu'il reprit la parole, ce fut d'une voix plus forte, destinée à se faire entendre de tous. « Faites-lui savoir qu'il sera arrêté dès l'instant où il quittera le prieuré. Mes adjoints seront postés dans la ville et devant son château. N'oubliez pas..., ajouta-t-il en s'adressant à la foule assemblée, n'oubliez pas que quiconque s'attaque à un adjoint du shérif s'attaque à un serviteur du roi. » Il se retourna vers Philip. « Dites-lui qu'il peut rester en cet asile aussi longtemps qu'il lui plaît, mais que s'il veut partir il devra affronter la justice. »

Le silence se fit. William descendit lentement les marches et traversa la cour. Ses paroles avaient sonné aux oreilles d'Aliena comme une sentence d'emprisonnement. La foule s'écarta devant lui. En passant près d'Aliena, William lui lança un coup d'œil satisfait. Sous le regard de toute l'assistance devenue muette, il remonta à cheval, jeta un ordre et s'éloigna au trot, laissant deux de ses hommes en faction à la porte.

Quand Aliena se retourna, Philip était auprès d'elle, ainsi que Jack. « Allez jusqu'à ma maison, dit-il calmement. Nous devons discuter. » Il rentra dans la cuisine. Aliena eut l'impression qu'il était secrètement ravi.

L'incident terminé, l'agitation retomba et les bâtisseurs retournèrent au travail. Ellen regagna la maison pour voir ses petits-enfants. Aliena et Jack traversèrent le cimetière, évitant le site du chantier, et se rendirent chez Philip, qui n'était pas encore là. Ils s'assirent sur un banc pour l'attendre. Sentant l'anxiété d'Aliena, Jack la prit par les épaules d'un geste rassurant.

D'un coup d'œil autour d'elle, Aliena constata qu'année après année, la maison de Philip devenait un peu plus confortable. Quoique bien démunie comparée, par exemple, aux appartements d'un comte dans un château, elle n'était plus aussi austère que jadis. Devant le petit autel dans un coin, un tapis protégeait désormais les genoux du prieur durant les longues nuits de prière, et sur le mur derrière l'autel était accroché un crucifix d'argent incrusté de joyaux, coûteuse offrande d'un fidèle, sans doute.

Il arriva bientôt, suivi d'un Richard fort agité, qui prit aussitôt la parole. « William ne sait pas ce qu'il dit ! C'est faux ! J'ai trouvé Alfred en train d'essayer de violer ma sœur — il avait un couteau à la main. Il a failli me tuer !

— Calme-toi, dit Philip. Parlons posément et essayons de déterminer les risques, s'il y en a. Asseyons-nous, pour commencer. »

Richard obéit, sans s'arrêter de discourir. « Les risques ? Il n'y a pas de risques. Un shérif ne peut emprisonner un comte pour aucun délit, même pour meurtre.

— Il va essayer, assura Philip. Il a des hommes en faction devant le prieuré. »

Richard eut un geste désinvolte. « Je suis capable de passer devant les hommes de William les yeux bandés. Ce n'est pas un problème. Jack m'attendra devant le mur de la ville avec un cheval.

— Et quand tu auras gagné Earlscastle ? interrogea Philip.

— Même chose. Je peux me faufiler au nez et à la barbe des sbires de William. Ou bien demander aux miens de venir à ma rencontre.

— Admettons, dit Philip. Et ensuite ?

— Ensuite ? dit Richard. Rien. Que peut faire William ?

— Eh bien, il détient un décret royal qui te commande de répondre à une accusation de meurtre. Il essaiera de t'arrêter chaque fois que tu quitteras le château.

— Je garderai partout une escorte permanente.

— Et quand tu tiendras tribunal à Shiring ou ailleurs ?

— Même chose.

— Mais t'obéira-t-on, sachant que toi-même tu es un fugitif devant la loi ?

— Je le conseille à tous, dit Richard d'un ton menaçant. On devrait se rappeler comment William faisait appliquer ses décisions lorsque c'était lui le comte.

— Les gens n'ont peut-être pas aussi peur de toi que de William. Ils pourraient penser que tu es moins sanguinaire et moins mauvais. J'espère qu'ils auront raison de le croire.

— Ne comptez pas là-dessus. »

Aliena se rembrunit. Le pessimisme n'était pas le genre de Philip — à moins qu'il n'eût un bon motif. Elle le soupçonna de préparer le terrain pour quelque plan qu'il gardait dans sa manche. Et pourquoi pas, songea-t-elle, l'histoire de la carrière ?

« Mon principal souci, expliquait Philip, c'est le roi. En refusant de répondre à l'accusation, tu défies la couronne. Voilà un an, je t'aurais dit : vas-y, défie-la. Maintenant que la guerre est finie, ce ne sera plus aussi facile pour les comtes d'en faire à leur tête.

— J'ai l'impression, intervint Jack, que tu dois répondre à l'accusation, Richard.

— Surtout pas, protesta Aliena. Il n'a aucun espoir.

— Elle a raison, approuva Philip. L'affaire serait jugée devant le tribunal royal. Les faits sont déjà connus : Alfred a essayé de prendre Aliena de force, Richard est arrivé, ils se sont battus et Richard a tué Alfred. Tout dépend de l'interprétation. William, fidèle partisan du roi Stephen, déposant plainte, Richard, un des plus fidèles alliés du duc Henry, sera sans doute reconnu coupable. Pourquoi le roi Stephen a-t-il signé le décret ? Sans doute parce qu'il a décidé de se venger de Richard qui l'a combattu. La mort d'Alfred lui fournit un prétexte parfait.

— Il faut demander au duc Henry d'intervenir », suggéra Aliena.

Ce fut à Richard d'objecter : « Je ne peux pas compter

sur lui, car il réside en Normandie. Qu'il écrive une lettre de protestation, à quoi cela m'avancerait-il ? Bien sûr, il pourrait traverser la Manche avec une armée, mais du coup il violerait le traité de paix. Je ne pense pas qu'il prenne ce risque-là pour moi. »

Aliena ne savait plus à quel saint se vouer. « Oh ! Richard, te voilà pris dans un piège terrible, tout cela parce que tu m'as sauvée.

— Je le ferais encore, déclara-t-il avec son plus charmant sourire.

— Je le sais bien. » Elle le pensait. Malgré tous ses défauts, il était brave. Ce problème insoluble qui l'accablait juste après qu'il eut reconquis ses terres, c'était injuste. Dans son rôle de comte, il décevait Aliena, il la décevait terriblement. Mais il ne méritait pas cela.

« Eh bien, reprit-il, je n'ai guère de choix ! Soit je reste au prieuré jusqu'à ce que le duc Henry devienne roi, soit je suis pendu pour meurtre. Je me ferais bien moine si les moines ne mangeaient pas tant de poisson !

— Il y a peut-être une autre solution », dit Philip.

Aliena le regarda. Elle se doutait qu'il avait un plan. S'il pouvait résoudre les difficultés de Richard, elle lui en serait reconnaissante à jamais.

« Tu pourrais faire une pénitence, continua Philip.

— Manger du poisson, peut-être ? » répliqua Richard avec insolence.

Philip ne releva pas.

« Je pense à la Terre sainte », dit-il.

Le silence tomba dans la pièce. La Palestine était gouvernée par le roi de Jérusalem, Baudouin III, un chrétien d'origine française, sans cesse attaqué par les pays musulmans voisins, notamment l'Égypte au sud et Damas à l'est. Un voyage de six mois à un an, l'engagement dans les rangs des armées défendant le royaume chrétien, voilà le genre de pénitence qui laverait l'âme d'un meurtrier. Aliena ne se sentit guère soulagée : on ne revenait pas toujours de Terre sainte. Pendant des années elle avait tremblé pour Richard. La Terre sainte n'était sans doute pas plus dangereuse que l'Angleterre. Elle rongerait son frein un peu plus longtemps.

« Le roi de Jérusalem a toujours besoin d'hommes », en effet, dit enfin Richard. Régulièrement, des émissaires du pape faisaient le tour du pays, évoquant les batailles et la gloire qu'on gagnait à défendre la chrétienté, s'efforçant d'inspirer chez les jeunes l'enthousiasme sacré. « Mais je viens à peine de retrouver mon comté, poursuivit-il. Qui s'occupera de mes terres pendant mon absence ?

— Aliena », dit Philip.

Aliena n'en crut pas ses oreilles. Philip proposait qu'elle prenne la place du comte et gouverne comme l'avait fait son père... La proposition la laissa un moment abasourdie, mais dès qu'elle eut repris ses esprits, elle sut qu'il avait raison. Quand un homme partait pour la Terre sainte, c'était généralement sa femme qui s'occupait du domaine. Il n'y avait pas de raison pour qu'une sœur ne remplît pas le même rôle. Elle régnerait sur le comté comme elle avait toujours pensé qu'il fallait le faire, dans un esprit de justice, d'ouverture et d'imagination. Elle ferait tout ce que Richard, hélas, n'avait pas su faire. Son cœur se mit à battre plus vite à cette perspective. Elle essaierait des idées nouvelles, elle labourerait avec des chevaux au lieu de bœufs, elle planterait des semailles de printemps d'avoine et de pois sur les terres en jachère. Elle défricherait les champs à l'abandon, elle installerait de nouveaux marchés et, enfin, elle rouvrirait la carrière à Philip...

Évidemment, le prieur y avait déjà pensé. De toutes les habiles machinations conçues par Philip au long des années, c'était sans doute la plus ingénieuse. D'un coup, il résolvait trois problèmes : il tirait Richard d'affaire, il confiait à quelqu'un de compétent la charge du comté et il obtenait enfin sa carrière.

« Je ne doute pas, reprit Philip, que tu ne sois le bienvenu auprès du roi Baudoin — surtout si tu pars avec des chevaliers et des hommes armés, inspirés par la vocation sacrée. Ce sera ta petite croisade. » Il marqua un temps. « Là-bas, William ne pourra jamais t'atteindre et tu reviendras en héros. Personne n'osera réclamer ta mort.

— La Terre sainte », murmura Richard dont les yeux se mirent à briller de rêves de gloire et de combats. Oui, c'était la bonne solution, songea Aliena. Il ne savait pas gouverner le comté. C'était un soldat qui avait besoin de se battre. Elle vit à l'expression lointaine de son regard qu'en esprit il était déjà là-bas, défendant contre une horde de païens une redoute sablonneuse, l'épée à la main, une grande croix rouge sur son bouclier, sous un soleil brûlant.

Il était heureux.

Toute la ville assista au mariage.

Aliena ne s'y attendait pas : la plupart des gens les traitaient pratiquement, elle et Jack, comme s'ils étaient déjà mariés et elle avait cru qu'ils considéreraient la cérémonie comme une simple formalité. Elle comptait sur un petit groupe d'amis, pour la plupart de son âge, et quelques compagnons artisans de Jack. Mais hommes, femmes et enfants, tout le monde à Kingsbridge voulut être de la fête. Elle était touchée de leur présence. Ils paraissaient tous si heureux pour elle. Elle se rendit compte qu'ils avaient compati pendant des années à son triste sort, même s'ils avaient eu la discrétion de ne pas lui en parler. Et maintenant, ils partageaient sa joie de la voir épouser enfin l'homme qu'elle aimait depuis si longtemps. Elle traversa les rues au bras de son frère Richard, éblouie par les sourires qui la suivaient, ivre de bonheur.

Richard partait le lendemain pour la Terre sainte. Le roi Stephen avait accepté cette solution : en fait, il était soulagé d'être si facilement débarrassé de Richard. Le shérif William enrageait car il venait de perdre sa seule chance de déposséder Richard du comté. Quant à Richard lui-même, il avait hâte d'être parti.

Ce n'était pas ce que son père aurait souhaité pour ses enfants, pensait Aliena en pénétrant dans l'enclos du prieuré : Richard combattant en terre lointaine et Aliena jouant le rôle de comte. Mais elle ne se sentait plus obligée de dépendre des volontés paternelles. Bartholomew était mort depuis dix-sept ans. D'ailleurs, elle savait une chose qu'il n'avait jamais supposée : elle serait un bien meilleur comte que Richard.

Elle avait déjà pris les rênes du pouvoir. Les serviteurs du château, devenus paresseux après des années de gestion indolente, elle les avait réveillés. Elle avait réorganisé les magasins, fait repeindre la grande salle, nettoyé la boulangerie et la brasserie. La cuisine était si crasseuse qu'elle l'avait brûlée pour en bâtir une nouvelle. Elle avait commencé à payer elle-même les gages hebdomadaires, pour bien montrer qui commandait ; et elle avait congédié trois hommes d'armes pour ivresse persistante.

De plus, elle avait donné ordre qu'on construise un nouveau château, à une heure de cheval de Kingsbridge. Earlscastle était trop loin de la cathédrale. Jack avait élaboré le plan. Ils s'y installeraient dès que le donjon serait construit. En attendant, ils se partageaient entre Earlscastle et Kingsbridge.

Jack et Aliena avaient déjà passé plusieurs nuits ensemble, dans l'ancienne chambre d'Aliena à Earlscastle, loin du regard sévère de Philip. Comme de jeunes mariés, ils étaient emportés par une insatiable passion. Pour la première fois ils avaient une chambre dont la porte fermait à clé. Ce privilège était une extravagance de seigneurs. Les gens dormaient et faisaient l'amour dans la salle commune, en bas. Même les couples possédant une maison risquaient à tout instant d'être surpris par leurs enfants, leurs parents ou des voisins qui passaient : on ne fermait sa porte à clé que quand on sortait, pas quand on était à l'intérieur. Aliena avait fait comme tout le monde, mais elle découvrait maintenant le plaisir particulier de se savoir à l'abri des regards.

Jack l'attendait dans la nef inachevée de la cathédrale en compagnie de Martha, Tommy et Sally. Lors des mariages, les couples échangeaient leurs vœux sur le portail de l'église, puis entraient pour entendre la messe. Cette fois, la première travée de la nef tiendrait lieu de portail. Aliena éprouvait de la joie et de la fierté à se marier dans l'église que Jack construisait. Sa cathédrale serait comme lui : gracieuse, inventive, gaie, sans ressemblance aucune avec ce qu'on avait vu jusque-là.

Elle le regarda tendrement. Il avait trente ans. Il était si bel homme, avec sa crinière de cheveux roux et ses yeux bleus étincelants. Le vilain petit garçon était tombé amoureux d'elle dès le premier jour, il y avait presque vingt ans. Vingt années...

Peut-être n'aurait-elle jamais revu Jack sans le prieur Philip, qui entrait maintenant dans l'église, venant du cloître, et s'avançait en souriant dans la nef. Il avait l'air sincèrement ravi de ce dénouement. Elle repensa à leur première rencontre, elle en plein désespoir parce que le marchand de laine avait essayé de la tromper après tous les efforts qu'elle avait dépensés pour rassembler son sac de toisons. Elle se rappelait sa gratitude envers le jeune moine aux cheveux noirs qui l'avait sauvée. « Je vais vous acheter votre laine... » Ses paroles lui résonnaient encore aux oreilles. Le moine avait les cheveux gris aujourd'hui.

Il l'avait sauvée, puis il l'avait accablée en obligeant Jack à choisir entre elle et la cathédrale. Sa moralité était rigoureuse. Comme le père d'Aliena, il faisait une nette distinction entre le bien et le mal. Mais il avait tenu à célébrer lui-même le mariage.

Ellen avait jeté sur la première union d'Aliena une malédiction qui avait eu des résultats. Aliena s'en félicitait. Si son mariage avec Alfred n'avait pas été absolument insupportable, peut-être vivrait-elle encore avec lui. L'idée que la vie aurait pu prendre un cours différent lui donnait des frissons, comme un mauvais rêve. Elle se rappela la jolie petite Arabe de Tolède amoureuse de Jack : et s'il l'avait épousée ? Aliena serait arrivée à Tolède avec son bébé dans les bras pour trouver Jack installé dans une douillette vie domestique. Cette seule pensée la faisait défaillir.

Elle marmonna le *Notre Père*. Il lui paraissait inconcevable aujourd'hui de penser que, quand elle était venue s'installer à Kingsbridge, elle n'avait pas prêté plus d'attention à Jack qu'au chat du marchand de grains. Mais lui l'avait remarquée. Il avait deviné que pour toucher son cœur il valait mieux aborder la jeune fille en ami qu'en amant. A force de l'entendre raconter des histoires passionnantes, elle s'était mise à l'aimer sans s'en apercevoir. Elle se souvenait du premier baiser, si léger, qui lui avait brûlé les lèvres pendant des semaines. Et encore plus le second. Chaque fois qu'elle entendait le grondement du moulin à fouler, elle se souvenait de cette vague inconnue de désir qui avait déferlé en elle.

Comme elle s'en voulait encore d'avoir montré ensuite tant de froideur ! Jack l'aimait totalement et sincèrement. Avait-elle eu si peur ? Elle s'était détournée de lui, ce qui avait profondément blessé le garçon. La cicatrice demeurait, elle le sentait parfois à la façon dont il la regardait quand, au cours d'une querelle, elle adoptait un ton glacial. Les yeux de Jack disaient : « Oui, je te connais, je connais ta dureté. Tu peux me faire du mal. Il faut que je sois sur mes gardes. »

Qu'y avait-il dans ses yeux, maintenant, tandis qu'il promettait de l'aimer et de lui rester fidèle jusqu'à la fin de ses jours ? Les raisons ne lui ont pas manqué de douter de moi, songea-t-elle. J'ai épousé Alfred : quelle plus grande trahison pouvais-je commettre ? Tout de même, elle considérait qu'elle méritait le pardon, elle qui avait parcouru la moitié de la chrétienté pour retrouver Jack.

A son tour, elle prononça la promesse, répétant les mots après Philip et s'émerveillant de les trouver aussi beaux. Jack lui passa l'anneau au doigt. Voilà le moment que j'ai attendu toute ma vie, songea-t-elle. Leurs regards se croisèrent. Quelque chose en lui avait changé, elle le sentait. Elle comprit que jusqu'à cet instant il n'avait jamais été vraiment sûr d'elle. Maintenant, il semblait profondément satisfait.

« Je t'aime, dit-il. Je t'aimerai toujours. »

C'était sa promesse à lui. Le reste n'était que religion. Mais maintenant que les mots sacrés étaient échangés, Aliena se rendit compte qu'elle non plus, jusque-là, n'était pas sûre de lui.

Dans un instant ils allaient s'avancer dans la croisée pour entendre la messe ; après, ils recevraient les félicitations et les vœux de bonheur des habitants de la ville qui les ramèneraient chez eux en cortège, leur prodigueraient nourriture et bière. Mais ce bref instant était pour eux seuls. Le regard de Jack disait : *Toi et moi, ensemble, toujours.* Aliena pensa : *Enfin !*

Un instant de paix parfaite.

SIXIÈME
PARTIE

I

Kingsbridge se développait de plus en plus. La ville avait depuis longtemps débordé de ses murailles d'origine, qui n'abritaient maintenant qu'à peine la moitié des maisons. Cinq ans plus tôt, la guilde avait fait bâtir une nouvelle muraille, englobant les faubourgs qui s'étaient créés devant la vieille ville, et aujourd'hui d'autres s'étendaient devant le nouveau mur. La prairie, de l'autre côté de la rivière, où autrefois l'on fêtait traditionnellement le 1er août et le milieu de l'été, était maintenant un petit village du nom de Newport.

Par un froid dimanche de Pâques, le shérif William Hamleigh traversa Newport et franchit le pont de pierre menant à ce qu'on appelait aujourd'hui la vieille ville de Kingsbridge.

On allait le jour même consacrer la cathédrale récemment terminée. Il franchit les formidables portes des remparts et remonta la grand-rue qu'on venait de paver. Elle était bordée de chaque côté uniquement de maisons de pierre, constituées de boutiques surmontées d'appartements, Kingsbridge était plus grande, plus active et plus riche que Shiring ne l'avait jamais été, songea amèrement William.

Au bout de la rue, il tourna dans l'enceinte du prieuré. Là, devant ses yeux, se dressait ce qui expliquait l'ascension de Kingsbridge et le déclin de Shiring : la cathédrale.

Elle était extraordinaire.

La nef, d'une hauteur jamais atteinte, était soutenue par une rangée d'élégants arcs-boutants. La façade ouest comprenait trois énormes portiques et des rangées de hautes fenêtres en ogive, flanquées de tours élancées. La conception de l'édifice se devinait déjà dans les transepts, terminés dix-huit ans plus tôt, mais on pouvait maintenant contempler l'édifice dans son unité. Jamais on n'avait rien vu de pareil en Angleterre.

Le marché se tenait toujours tous les dimanches sur la pelouse devant l'église, bourrée d'éventaires. William mit pied à terre et laissa Walter s'occuper des chevaux. Il traversa en boitillant la place. À cinquante-quatre ans, il était gras et souffrait constamment de la goutte, ce qui le maintenait dans une mauvaise humeur permanente.

L'église était encore plus impressionnante vue de l'intérieur. La nef imitait le style des transepts, mais le maître bâtisseur avait raffiné en réalisant des colonnes encore plus minces et des fenêtres encore plus grandes. Ce n'était pas la seule innovation. William avait entendu parler de verres colorés préparés par des spécialistes que Jack Jackson avait fait venir de Paris.

William s'était toujours demandé pourquoi on en faisait tant de cas, car il imaginait une fenêtre colorée comme une tapisserie ou une peinture. Là, devant celles de la cathédrale, il comprenait maintenant l'admiration qu'elles suscitaient. La lumière de l'extérieur brillait à travers le verre de couleur en l'illuminant et l'effet était magique.

L'église était bondée pour la messe de Pâques. Comme toujours, le marché débordait jusqu'à l'intérieur de l'église et, pendant qu'il remontait le long de la nef, William se vit proposer de la bière fraîche, du pain d'épice bien chaud et une petite faveur rapide contre le mur pour trois pence. Le clergé s'obstinait à chasser les colporteurs des églises, mais en vain. William échangea vaguement des salutations avec les notables du comté, l'esprit occupé par ce qu'il voyait : les lignes fuyantes de l'arcade, les arcs et les fenêtres, les piliers avec leurs bouquets de colonnes, les nervures et les segments de la voûte, tout s'élançait vers le ciel, rappelant la raison même de l'édifice.

Le sol était dallé, les piliers étaient peints et chaque fenêtre avait ses vitraux. Kingsbridge et son prieuré étaient riches, la cathédrale proclamait leur prospérité. Dans les petites chapelles des transepts, on pouvait voir des chandeliers d'or et des croix rehaussées de joyaux. Les citoyens aussi faisaient étalage de leurs richesses, sortant des tuniques richement colorées, des broches et des boucles d'argent, et des anneaux d'or.

Le regard de William tomba sur Aliena.

Comme toujours, il eut un coup au cœur. Elle était aussi belle que jamais, bien qu'elle eût passé maintenant cinquante ans. La masse de ses cheveux bouclés était coupée plus court et semblait d'un brun un peu plus clair, comme légèrement fané. Quelques charmantes rides se dessinaient au coin de ses yeux. Qu'elle était désirable ! Elle portait un manteau bleu doublé de soie rouge et des chaussures de cuir rouge. Une foule déférente l'entourait. Bien qu'elle ne fût même pas comtesse, mais seulement la sœur du comte, pour l'heure en Terre sainte, tout le monde la traitait comme si elle portait le titre. Elle avait l'allure d'une reine.

Sa seule vision faisait jaillir la haine comme une poussée de bile dans le ventre de William. Il avait ruiné son père, il l'avait violée, il lui avait pris son château, brûlé sa laine et exilé son frère. Mais, chaque fois qu'il croyait l'avoir écrasée, elle se relevait pour atteindre à de nouveaux sommets de puissance et de richesse. William, vieillissant, gras et goutteux, se rendait compte qu'il avait passé sa vie victime d'un terrible enchantement.

Près d'elle se tenait un grand gaillard aux cheveux roux que William prit tout d'abord pour Jack. Mais il reconnut bientôt le fils de Jack, en tenue de chevalier et portant une épée. Jack était à côté, plus petit d'un ou deux pouces et les tempes un peu dégarnies. Plus jeune qu'Aliena d'environ cinq ans, si William avait bonne mémoire, lui aussi avait des rides autour des yeux. Il parlait avec animation à une jeune femme ressemblant à Aliena. Sa fille évidemment. Son abondante chevelure était sévèrement coiffée en tresses et elle était vêtue de façon très simple. Si un corps voluptueux se cachait sous cette tunique couleur de terre, elle ne voulait le faire savoir à personne.

La rancœur lui brûlait l'estomac tandis que William contemplait cette famille heureuse, prospère et digne. Tout ce qu'ils avaient aurait dû être à lui. Mais il n'avait pas perdu l'espoir de se venger.

Les voix de plusieurs centaines de moines s'élevèrent, noyant le brouhaha des conversations et les cris des marchands. Le prieur Philip pénétra dans l'église, en tête de la procession. Il n'y avait pas autant de moines autrefois, se dit William. Le prieuré s'était développé avec la ville. Philip, qui avait aujourd'hui plus de soixante ans, était presque complètement chauve et il avait un peu engraissé, si bien que son visage autrefois maigre s'était arrondi. Naturellement, il arborait un air de satisfaction : la consécration de cette cathédrale avait été son but depuis qu'il était arrivé à Kingsbridge, trente-quatre ans plus tôt.

Un murmure accueillit l'arrivée de l'évêque Waleran, vêtu de ses atours les plus somptueux. Son visage pâle et anguleux était figé dans une expression parfaitement neutre, mais William savait qu'il bouillonnait intérieurement. Cette cathédrale était le triomphant symbole de la victoire de Philip sur Waleran. William avait beau détester Philip, il se réjouissait quand même en secret de voir pour une fois humilié le dédaigneux évêque Waleran.

On voyait rarement l'évêque à Kingsbridge. On avait fini par construire une nouvelle église à Shiring — avec une chapelle dédiée à la mémoire de la mère de William — et, bien qu'elle fût loin d'être aussi vaste et impressionnante que cette cathédrale, Waleran en avait quand même fait son quartier général.

C'était, cependant, Kingsbridge qui demeurait l'église cathédrale, malgré tous les efforts de Waleran. Au long d'une guerre prolongée durant plus de trois décennies, Waleran avait fait tout ce qu'il pouvait pour détruire Philip. A la fin, c'était le prieur qui avait triomphé. Un peu comme dans le cas de William et Aliena. Ici comme là, la faiblesse et les scrupules avaient vaincu, au bout du compte, la force et la cruauté. William n'admettait pas cette réalité.

Waleran était obligé, en dépit de lui-même, d'assister à la cérémonie de consécration : son absence aurait semblé extrêmement bizarre, compte tenu des célébrités invitées. Plusieurs évêques des diocèses voisins s'étaient dérangés ainsi qu'un grand nombre d'abbés et de prieurs fort connus.

L'archevêque de Canterbury, Thomas Becket, ne paraîtrait pas. En pleine querelle avec son vieil ami, le roi Henry, une querelle âpre et farouche, l'archevêque avait dû fuir le pays pour se réfugier en France. Les deux hommes s'opposaient sur toute une série de points juridiques, mais le cœur de leur conflit était plus simple : le roi pouvait-il agir à son gré ou bien devait-il respecter des contraintes ? C'était la lutte que William lui-même avait eue avec le prieur Philip. William était d'avis que le comte avait tous les droits : c'était le privilège du titre justement. Henry était du même avis en ce qui concernait la royauté. Le prieur Philip et Thomas Becket entendaient tous les deux restreindre le pouvoir des dirigeants.

L'évêque Waleran, quoique homme d'Église, penchait du côté des gouvernants. Pour lui, le pouvoir était fait pour être utilisé. Trente ans de défaites n'avaient pas ébranlé sa conviction d'être l'instrument de la volonté de Dieu, pas plus que son impitoyable détermination à accomplir son devoir sacré. William était certain qu'au moment même où il célébrait la messe de consécration de la cathédrale, il cherchait le moyen de gâcher la gloire de Philip.

William se promena durant toute la messe. L'immobilité le faisait souffrir plus que la marche. Lorsqu'il se rendait à l'église de Shiring, Walter lui apportait un fauteuil, ce qui lui permettait, d'ailleurs, de sommeiller un moment. Ici, il rencontrait des gens à qui parler, et nombre de fidèles profitaient de la messe pour mener leurs affaires. William circulait en se faisant bien voir des puissants, en intimidant les faibles et en recueillant çà et là tous les renseignements possibles. Il n'inspirait plus la terreur à la population, comme autrefois mais, en tant que shérif, il jouissait encore d'un certain respect forcé..

La messe se prolongeait interminablement. Au cours d'un long intervalle, les moines firent le tour de l'église en aspergeant les murs d'eau bénite. Vers la fin de la cérémonie, le prieur annonça la nomination d'un nouveau sous-prieur : frère Jonathan, l'orphelin élevé au monastère. Jonathan avait maintenant la trentaine, il était grand et rappelait à William Tom le bâtisseur, qui lui aussi était une sorte de géant.

Une fois la messe terminée, les distingués invités s'attardèrent dans le transept sud, entourés de la petite noblesse du comté. William vint en boitillant les rejoindre. Jadis il avait traité des évêques comme ses égaux, mais il lui fallait aujourd'hui s'incliner et saluer bas les chevaliers et les petits propriétaires. L'évêque Waleran le prit à part : « Qui est ce nouveau sous-prieur ?

— L'orphelin du prieuré, répéta William. Il a toujours été le favori de Philip.

— Il me paraît bien jeune pour cette charge.

— Mais plus âgé que ne l'était Philip quand il est devenu prieur.

— L'orphelin du prieuré, reprit Waleran d'un ton songeur. Rappelez-moi donc les détails.

— Quand Philip est arrivé ici, il a amené un bébé avec lui. »

Sa mémoire rafraîchie, le visage de Waleran s'éclaira.

« Mais oui, par la croix ! J'avais oublié le bébé de Philip. Comment ai-je pu laisser une chose pareille me sortir de l'esprit ?

— Trente ans ont passé. Et qui s'en préoccupe ? »

Waleran gratifia William de ce regard méprisant que le shérif abhorrait tant, ce regard qui disait : *Pauvre sot, tu ne comprends donc pas quelque chose d'aussi simple ?* Il ressentit un élancement dans le pied et prit appui sur une chaise. « Alors, poursuivit Waleran, d'où venait le bébé ? »

William ravala son dépit. « Il a été découvert abandonné près de l'ancienne communauté de Philip dans la forêt, si je me souviens bien.

— De mieux en mieux », murmura Waleran.

William ne voyait toujours pas où l'autre voulait en venir. « Et alors ? fit-il d'un ton maussade.

— Diriez-vous que Philip a élevé l'enfant comme si c'était son propre fils ?

— Oui.

— Et maintenant il l'a nommé sous-prieur.

— Il a sans doute été élu par les moines. Je crois qu'il est très populaire.

— Un sous-prieur nommé à trente-cinq ans finit prieur. »

William, perdu dans l'incompréhensible raisonnement de Waleran, préféra se taire et attendre les explications de l'évêque.

« Jonathan, dit ce dernier, est de toute évidence le propre fils de Philip. »

William éclata de rire. Il s'attendait à une pensée profonde et voilà tout ce que Waleran avait trouvé ! A la grande satisfaction de William, cette marque de mépris amena une légère rougeur sur les joues cireuses de l'évêque. William reprit : « Quiconque connaît Philip n'avalera jamais une chose pareille. Quelle idée ! » Il en riait encore. Waleran se croyait peut-être malin mais, cette fois, il avait perdu tout sens des réalités.

Waleran continua d'un ton hautain et glacé : « Philip, à mon avis, avait une maîtresse lorsqu'il dirigeait ce petit prieuré au fond de la forêt. Puis, quand il est devenu prieur de Kingsbridge, il a dû abandonner la femme là-bas. Elle ne voulait pas du bébé si elle ne pouvait pas avoir le père, alors elle le lui a laissé sur les bras. Philip, comme c'est un sentimental, s'est cru obligé de s'occuper de lui. Il l'a fait passer pour un enfant trouvé.

— Incroyable, déclara William en secouant la tête. N'importe qui d'autre, oui. Philip, non.

— Si le bébé a été abandonné, insista Waleran, comment peut-il prouver ses origines ?

— Il ne le peut pas », reconnut William. Il regarda vers le fond du transept, là où Philip et Jonathan côte à côte parlaient à l'évêque de Hareford. « Ils ne se ressemblent même pas.

— Vous ne ressemblez pas à votre mère, observa Waleran. Dieu merci.

— A quoi tout cela vous avance-t-il ? interrogea William. Qu'avez-vous en tête ?

— De mettre Philip en accusation devant un tribunal ecclésiastique », répliqua Waleran.

Voilà qui changeait les choses. Quiconque connaissait Philip n'accorderait pas une once de crédit à l'accusation ridicule de Waleran, mais un juge étranger à Kingsbridge risquait de la trouver plausible. William comprit, à contre-cœur, que l'idée de Waleran n'était peut-être pas si stupide. Comme d'habitude, Waleran se montrait plus malin que William. Il arborait son air satisfait si agaçant, mais William pensait surtout à la perspective de faire tomber Philip « Par Dieu, s'écria-t-il. Croyez-vous que cela pourrait se faire ?

— Ça dépend qui est le juge. Mais je dois pouvoir arranger quelque chose de ce côté-là. Je me demande... »

William tourna les yeux vers Philip, souriant et triomphant, son protégé auprès de lui. Les grands vitraux jetaient sur eux une lumière enchantée de couleurs, on aurait dit des personnages de rêve. « Fornication et népotisme, murmura William, ravi. Mon Dieu !

— Si nous arrivons à mettre notre affaire sur pied, dit Waleran avec délices, ce sera la fin de ce damné prieur. »

Aucun juge dans son bon sens ne pouvait déclarer Philip coupable. A dire vrai, le prieur n'avait jamais eu à lutter très fort contre le désir de chair. Il savait, pour avoir entendu des confessions, que certains moines combattaient désespérément leurs appétits charnels, mais lui non. Il y avait eu une époque, quand il avait dix-huit ans, où il avait souffert de rêves impurs, mais cette phase-là n'avait pas duré longtemps. Presque toute sa vie, il avait vécu naturellement chaste. Pas une fois il n'avait accompli l'acte sexuel et il était maintenant trop vieux.

L'Église, toutefois, prenait la situation très au sérieux.

Philip devait être jugé par un tribunal ecclésiastique. Un archidiacre de Canterbury serait présent. Waleran aurait voulu que le procès se déroulât à Shiring, mais Philip s'y était opposé ; il avait obtenu gain de cause et l'affaire serait donc jugée à Kingsbridge, qui était, après tout, la ville cathédrale.

Philip était en train de déménager ses affaires personnelles pour laisser sa maison à l'archidiacre qui y demeurerait le temps du procès. Il se savait innocent du crime de fornication, et il s'ensuivrait en toute logique qu'il ne pouvait être coupable de népotisme, car un homme ne peut pas favoriser ses fils s'il n'en a pas. Il fouillait néanmoins son cœur pour voir s'il avait à un moment mal agi en nommant Jonathan sous-prieur. Tout comme les pensées impures étaient un peu l'ombre d'un péché plus grave, peut-être le favoritisme envers un orphelin bien-aimé était-il l'ombre du népotisme. Les moines devaient renoncer aux consolations de la vie de famille, et pourtant Jonathan avait été comme un fils pour Philip. Le prieur l'avait nommé cellérier à un âge tendre avant de le promouvoir aujourd'hui au rang de sous-prieur. Ai-je fait cela pour mon orgueil et pour mon plaisir ? se demanda-t-il.

Eh bien oui, se répondit-il.

Il avait éprouvé une énorme satisfaction à éduquer Jonathan, à le voir grandir et apprendre à gérer les affaires du prieuré. Mais même si Philip n'y avait pas trouvé une joie aussi intense, Jonathan aurait tout de même été le jeune administrateur le plus compétent du prieuré. Il était intelligent, dévot, plein d'imagination et consciencieux. Élevé au monastère, il ne connaissait pas d'autre vie et n'avait jamais soupiré après la liberté. Philip aussi avait été élevé dans une abbaye. Nous autres orphelins de monastères, nous faisons les meilleurs moines, songea-t-il.

Il glissa un livre dans une sacoche : l'Évangile selon saint Luc, un ouvrage plein de sagesse. Philip avait peut-être traité Jonathan comme un fils, mais il n'avait jamais commis de péché qui méritât sa comparution devant un tribunal ecclésiastique. L'accusation était absurde. Hélas ! Maintenant qu'elle était formulée, le préjudice était assuré. L'autorité morale de Philip en pâtirait.

Jonathan arriva en trombe, hors d'haleine. Philip fronça les sourcils. Il ne convenait pas au sous-prieur de débouler tout essoufflé dans les appartements du prieur. Philip allait se lancer dans un discours sur la dignité des responsables monastiques, quand Jonathan annonça : « L'archidiacre Peter est déjà là !

— Très bien, très bien, répondit Philip d'un ton apaisant. De toute façon, j'ai presque fini. » Il tendit la sacoche à Jonathan. « Porte cela au dortoir, sans courir, s'il te plaît. Un monastère est un lieu de paix et de calme. » Jonathan accepta tout à la fois la sacoche et la réprimande, mais il ajouta : « Je n'aime pas la tête de cet archidiacre.

— Je suis certain qu'il sera un juge équitable, c'est tout ce que nous souhaitons », assura Philip.

La porte s'ouvrit de nouveau et l'archidiacre entra. C'était un homme grand et mince, qui avait à peu près l'âge de Philip, avec des cheveux gris clairsemés et un air supérieur. Son visage semblait vaguement familier.

Philip lui tendit la main. « Je suis le prieur Philip.

— Je vous connais, répliqua l'archidiacre d'un ton aigre. Vous ne vous souvenez pas de moi ? »

La voix rocailleuse réveilla la mémoire de Philip qui sentit son cœur se serrer. Son plus vieil ennemi. « Archidiacre Peter, murmura-t-il. Peter de Wareham. »

« Un véritable faiseur d'ennuis », expliqua Philip à Jonathan quelques minutes plus tard, lorsqu'ils eurent laissé l'archidiacre s'installer dans la maison du prieur. « Il se plaignait que nous ne travaillions pas assez dur, que nos repas soient trop bons ou les offices trop brefs. Il me reprochait d'être trop indulgent. Il aurait voulu être prieur lui-même, j'en suis sûr. Évidemment, ç'aurait été un désastre. Je l'ai nommé aumônier, si bien qu'il passait la moitié de son temps en voyage. J'en étais débarrassé. C'était la meilleure solution pour le prieuré et pour lui, mais je suis persuadé qu'il m'en veut encore, même après trente-cinq ans. » Il soupira. « J'avais entendu dire, quand toi et moi sommes allés à Saint-John-de-la-Forêt après la grande famine, que Peter se trouvait à présent à Canterbury. Quand je pense qu'il va me juger ! »

Ils étaient dans le cloître. Le temps étant doux, une cinquantaine de garçons de trois classes différentes apprenaient à lire et à écrire dans l'allée. Le murmure assourdi de leur leçon flottait dans l'air. Philip se rappelait l'époque où l'école ne comprenait que cinq élèves et un maître des novices sénile. Il pensait à tout ce qu'il avait réalisé : la construction de la cathédrale ; la transformation du prieuré quasiment à la dérive en une institution riche, active et influente ; le développement de la ville de Kingsbridge. D'où il était, il voyait les beaux vitraux chatoyants du triforium. Derrière lui, au fond, une bibliothèque en pierre contenait des centaines de livres de théologie, d'astronomie, de morale, de mathématiques. Les terres du prieuré, intelligemment gérées, nourrissaient non seulement les moines, mais des centaines de travailleurs agricoles. Allait-on lui retirer tout cela à cause d'un mensonge ? Dieu m'a aidé à accomplir mon œuvre, songea-t-il ; je ne peux croire qu'Il veuille la rejeter au néant.

« Tout de même, dit Jonathan, l'archidiacre Peter ne peut pas vous juger coupable.

— Je pense qu'il y arrivera, répondit Philip avec accablement.

— En toute conscience, comment le peut-il ?

— Je crois que toute sa vie, il m'en a voulu. Il a une chance de prouver que c'était moi le pécheur et lui le vertueux. Waleran, je ne sais comment, l'a découvert et s'est assuré que Peter serait nommé pour juger cette affaire.

— Mais il n'y a pas de preuves.

— Il n'a pas besoin de preuves. Il va entendre l'accusation et la défense ; puis il priera le ciel de le guider et annoncera son verdict.

— Dieu le guidera peut-être sur le bon chemin.

— Peter n'écoutera pas Dieu. Il n'a jamais été très fort pour écouter quiconque.

— Que va-t-il arriver en cas de culpabilité ?

— On va me déposer, reprit Philip d'un ton sombre. Peut-être me laissera-t-on vivre ici comme un moine ordinaire pour expier mes péchés, mais c'est peu probable. Selon toute probabilité, on me chassera de l'ordre pour m'empêcher de continuer à avoir la moindre influence ici.

— Mais que se passerait-il ensuite ?

— Il y aura une élection, bien sûr. Hélas, la politique royale intervient maintenant dans le tableau. Le roi Henry est en désaccord avec Thomas Becket, l'archevêque de Canterbury, c'est pourquoi l'archevêque Thomas est exilé en France. La moitié de ses archidiacres est avec lui. L'autre moitié, ceux qui sont restés, ont rallié le camp du roi contre leur archevêque. Peter, de toute évidence, appartient à cette faction-là. L'évêque Waleran aussi a pris le parti du roi. Il recommandera un prieur, appuyé par les archidiacres de Canterbury et par le roi. Ce sera difficile pour les moines d'ici de s'opposer à lui.

— Qui, à votre avis, serait le nouveau prieur ?

— Sois en sûr, Waleran pense à quelqu'un. Ce pourrait être l'archidiacre Baldwin. Ou même Peter de Wareham.

— Mais il faut absolument faire quelque chose pour empêcher cela ! » s'exclama Jonathan.

Philip hocha la tête. « Tout est contre nous. Il n'y a rien que nous puissions faire pour modifier la situation politique. La seule possibilité...

— C'est laquelle ? » interrogea Jonathan avec impatience.

Le cas semblait si désespéré que Philip ne voulait pas bercer de faux espoirs un Jonathan déjà trop souvent porté à l'optimisme et qui n'en serait que plus déçu ensuite. « Rien, reprit Philip.

— Qu'alliez-vous dire ? »

Philip réfléchissait. « S'il y avait une façon de prouver mon innocence sans le moindre doute, Peter ne me déclarerait pas coupable.

— Évidemment. Mais quelle preuve... ?

— Justement. On ne peut pas prouver ce qui n'existe pas. Il nous faudrait découvrir ton vrai père. »

Jonathan aussitôt s'enthousiasma. « Mais oui ! C'est ça ! Voilà ce que nous allons faire !

— Doucement, poursuivit Philip. J'ai déjà essayé en vain, à l'époque. Ce ne sera probablement pas plus facile des années après. »

Jonathan refusait de se laisser décourager. « Il n'y avait donc aucun indice sur mes origines ?

— Aucun, j'en ai peur. » Philip s'inquiétait à l'idée d'avoir fait naître chez Jonathan d'impossibles espérances. Bien que le jeune homme n'eût aucun souvenir de ses parents, ce geste d'abandon l'avait toujours troublé. Si seulement il pouvait résoudre le mystère et trouver quelque chose qui prouverait qu'ils l'avaient vraiment aimé ! Mais comment ?

« Avez-vous interrogé les gens qui habitent dans les parages ? demanda Jonathan.

— Personne ne vivait dans les parages. Cette communauté est perdue au cœur de la forêt. Tes parents sont venus sans doute de loin, peut-être de Winchester. J'ai déjà exploré toutes ces pistes. »

Jonathan insista. « Vous n'avez rencontré aucun voyageur dans la forêt à l'époque ?

— Non. » Philip fronça les sourcils. Au fait ? Une idée fugitive lui passa dans l'esprit. Le jour où on avait trouvé le bébé, Philip avait quitté le prieuré pour se rendre au palais de l'évêque. En chemin il avait parlé à des gens. « Ma foi, oui, c'est vrai que Tom le bâtisseur et sa famille passaient par là ! »

Jonathan resta stupéfait. « Vous ne m'en .avez jamais parlé !

— Je n'y attachais pas d'importance. Pas plus maintenant, d'ailleurs. Je les ai rencontrés un ou deux jours plus tard. Je les ai questionnés, ils m'ont affirmé n'avoir vu personne qui aurait pu être la mère ou le père d'un bébé abandonné. »

Jonathan était tout dépité. Philip redoutait que cette enquête ne se révélât doublement décevante pour lui : il ne trouverait rien sur les parents de Jonathan et il ne parviendrait pas à prouver sa propre innocence. Mais rien n'arrêtait plus le jeune homme. « Que faisaient-ils dans la forêt ? insista-t-il.

— Tom se rendait au palais de l'évêque. Il cherchait du travail. C'est pourquoi ils se sont retrouvés ici.

— Il faudrait les interroger de nouveau.

— Eh bien, Tom et Alfred sont morts. Ellen vit dans la forêt, Dieu sait quand elle réapparaîtra. Mais tu pourrais t'adresser à Jack ou à Martha.

— Ça vaut la peine d'essayer. »

Peut-être Jonathan avait-il raison. En tout cas, il avait l'énergie de la jeunesse. « Va, dit-il à Jonathan. Moi, je me fais vieux et je suis fatigué. Sinon, j'y aurais pensé moi-même. Parle à Jack, c'est un fil bien mince à quoi te cramponner. Mais c'est notre seul espoir. »

Le dessin de la fenêtre avait été tracé en grandeur nature et peint sur une table de bois lavée à la bière pour empêcher les couleurs de couler. Il représentait l'arbre de Jessé, une généalogie du Christ sous forme picturale. Sally prit un petit bout de verre épais couleur de rubis et le posa sur le dessin au-dessus du corps d'un des rois d'Israël — Jack ne savait pas trop lequel, il n'avait jamais pu se rappeler le symbolisme compliqué des images religieuses. Sally trempa un fin pinceau dans un bol de poudre de craie délayée d'eau et dessina sur le verre la forme du corps : les épaules, les bras et la robe.

Dans le feu, par terre auprès de sa table, se trouvait une tige de fer enfoncée dans un manche en bois. Elle le retira et, d'un geste vif mais minutieux, en passa le bout chauffé au rouge le long du contour qu'elle avait peint. Le verre se coupa nettement le long de la ligne. Son apprenti ramassa le morceau ainsi découpé et entreprit d'en limer les bords.

Jack adorait voir travailler sa fille. Elle était rapide et précise. Petite fille, fascinée par l'œuvre des verriers que Jack avait ramenés de Paris, elle disait toujours que c'était ce métier qu'elle ferait quand elle serait grande. Elle avait tenu promesse. En entrant dans la cathédrale de Kingsbridge, pour la première fois, les gens étaient plus frappés par les vitraux de Sally que par l'architecture de son père, songeait Jack avec une pointe d'envie.

L'apprenti lui tendit la petite plaque de verre et elle commença à peindre dessus les plis de la robe, utilisant une peinture faite de minerai de fer, d'urine et de gomme arabique. Le verre prit l'apparence d'un tissu drapé avec soin. Sally était très habile. Elle eut vite terminé, puis posa le verre peint à côté de quelques autres dans un poêlon de fer contenant de la chaux. Une fois plein, on le mettrait au four où la chaleur amalgamerait la peinture au verre.

Elle leva les yeux vers Jack, le gratifia d'un bref et éblouissant sourire, puis prit un autre morceau.

Jack s'en alla. Il aurait pu la regarder toute la journée, mais du travail l'attendait. Aliena le prétendait toqué de sa fille. Il ne cessait de s'étonner d'être responsable de l'existence de cette jeune femme si intelligente, si mûre. Qu'elle soit une telle artiste aussi le ravissait. L'ironie du sort voulait que Tommy qu'il avait tant poussé à devenir un bâtisseur (il avait même forcé le garçon à travailler deux ans sur le chantier) ne s'intéressait qu'à l'agriculture, aux chevaux, à la chasse et à l'escrime, toutes activités qui laissaient Jack parfaitement froid. Le père avait fini par s'avouer vaincu. Tommy, après avoir servi comme écuyer auprès d'un des seigneurs locaux, avait été fait chevalier. Aliena lui avait offert une petite propriété de cinq villages. Et c'était Sally qui s'était révélée, des deux, l'artisan doué. Tommy était marié aujourd'hui à une fille cadette du comte de Bedford, et ils avaient trois enfants. Jack était donc grand-père. Sally, à vingt-cinq ans, était toujours célibataire. Il y avait beaucoup chez elle de sa grand-mère Ellen, notamment une farouche indépendance.

Jack alla se poster devant la façade ouest de la cathédrale pour contempler les tours jumelles. Elles étaient presque terminées. Une énorme cloche de bronze était en route, venant de la fonderie de Londres. Ces temps-ci, le maître bâtisseur n'avait plus grand-chose à faire. Là où il avait jadis commandé une armée de robustes tailleurs de pierre et de charpentiers, pour la pose d'infinies rangées de blocs bien carrés et le montage des échafaudages, il ne disposait plus maintenant que d'une poignée de sculpteurs et de peintres effectuant des travaux précis et minutieux, taillant des statues pour les niches, bâtissant des clochetons décoratifs et dorant les ailes des anges en pierre. Il n'y avait plus grand-chose à dessiner, à part de temps en temps un nouveau bâtiment pour le prieuré — une bibliothèque, une salle capitulaire, de nouveau logements de pèlerins, une blanchisserie supplémentaire ou encore une laiterie. Entretemps, Jack s'était remis à sculpter la pierre pour la première fois depuis des années. Il avait hâte d'abattre le vieux chœur construit par Tom le bâtisseur et de terminer sa construction, mais le prieur Philip voulait d'abord profiter durant au moins un an de son église terminée avant d'entreprendre une nouvelle campagne de construction. Or Philip commençait à sentir les effets de l'âge et Jack craignait qu'il ne vive pas assez vieux pour voir le chœur refait à neuf.

Le travail se poursuivrait après la mort de Philip, de toute façon, songea Jack en voyant la gigantesque silhouette de frère Jonathan qui s'avançait vers lui, venant de la cour des cuisines. Jonathan ferait un bon prieur, peut-être même aussi bon que Philip. Jack était heureux de voir la succession assurée : cela lui permettait de formuler des plans pour l'avenir.

« Jack, commença Jonathan sans préambule, ce tribunal ecclésiastique m'inquiète.

— Je croyais, répondit Jack, que tout cela était beaucoup de bruit pour pas grand-chose.

— Moi aussi... Mais il se trouve que l'archidiacre est un vieil ennemi du prieur Philip.

— Bon sang ! Quand même, ce n'est pas une raison pour le trouver coupable !

— Il peut faire ce qu'il veut. »

Jack secoua la tête, dégoûté. Il se demandait parfois comment des hommes comme Jonathan pouvaient continuer à croire à une Église tellement corrompue.

« Que vas-tu faire ?

— La seule façon dont nous pouvons prouver son innocence, c'est de découvrir qui étaient mes parents.

— C'est un peu tard !

— C'est notre seul espoir. »

Jack fut ébranlé. « Par où vas-tu commencer ?

— Par toi. Tu étais dans la région de Saint-John-de-la-Forêt au moment où je suis né.

— Vraiment ? fit Jack ne voyant pas où Jonathan voulait en venir. J'ai vécu là jusqu'à l'âge de onze ans, et je dois avoir à peu près onze ans de plus que toi.

— Père Philip dit qu'il t'a rencontré avec ta mère, Tom le bâtisseur et les enfants de Tom, le lendemain du jour où l'on m'a trouvé.

— Je m'en souviens. Nous avons dévoré les provisions de Philip. Nous mourions de faim.

— Réfléchis bien. As-tu vu quelqu'un avec un bébé, ou une jeune femme qui aurait pu être enceinte, quelque part dans les parages ?

— Attends un peu, fit Jack, intrigué. Veux-tu me dire qu'on t'a trouvé près de Saint-John-de-la-Forêt ?

— Oui... Tu ne le savais pas ? »

Jack eut l'impression d'être frappé par la foudre. « Non, je l'ignorais », dit-il lentement. Les conséquences de cette révélation lui donnaient le vertige. « Quand nous sommes arrivés à Kingsbridge, tu étais déjà ici, et j'ai tout naturellement supposé qu'on t'avait trouvé dans le voisinage.

— As-tu vu quelqu'un dans la forêt ?

— Mais oui, murmura Jack. Je ne sais pas comment te dire ça, Jonathan. »

Le jeune moine pâlit. « Tu sais quelque chose, n'est-ce pas ? Quoi ? Qu'as-tu vu ?

— Je t'ai vu, toi, Jonathan, voilà ce que j'ai vu. »

Jonathan en resta bouche bée. « Quoi... Comment ?

— C'était l'aube. J'étais parti chasser le canard. J'ai entendu un cri. J'ai trouvé un nouveau-né, enveloppé dans le pan d'un vieux manteau, couché auprès des braises d'un feu mourant. »

Jonathan était suspendu à ses lèvres. « Rien d'autre ? »

Jack hocha lentement la tête. « Si. Le bébé était couché sur une tombe fraîchement creusée. »

Jonathan avait la gorge serrée. « Ma mère ? »

Jack acquiesça.

Jonathan, les larmes aux yeux, ne lâchait pas prise. « Qu'as-tu fait ?

— Je suis allé chercher ma mère. Mais, comme nous retournions à l'endroit où j'avais vu le bébé, nous avons vu un prêtre, monté sur un palefroi, avec le nouveau-né dans ses bras.

— Francis ! fit Jonathan d'une voix étranglée.

— Quoi ? »

Il avait du mal à parler, mais il expliqua : « J'ai été trouvé par le frère de père Philip, Francis, le prêtre.

— Que faisait-il là-bas ?

— Il était en route pour rendre visite à Philip à Saint-John-de-la-Forêt. C'est là qu'il m'a emmené.

— Mon Dieu ! »

Jack regarda le grand moine dont les joues ruisselaient de larmes. Tu n'as pas encore tout entendu, Jonathan, se dit-il.

« Tu n'aurais vu personne, insista Jonathan, qui aurait pu être mon père ?

— Si, déclara gravement Jack. Je sais qui était ton père.

— Dis-le-moi ! murmura Jonathan.

— Tom le bâtisseur.

— Tom le bâtisseur ? balbutia Jonathan, qui tomba assis par terre. *Tom le bâtisseur était mon père ?*

— Oui, affirma Jack en hochant la tête. Je sais maintenant qui tu me rappelles. Toi et lui vous êtes les gens les plus grands que j'aie jamais rencontrés.

— Il s'est montré si bon avec moi quand j'étais enfant, poursuivit Jonathan d'un ton rêveur. Il jouait avec moi. Il m'aimait beaucoup. Je le voyais autant que le prieur Philip. » Ses larmes coulèrent à flots. « C'était mon père. Mon père. » Il leva les yeux vers Jack. « Pourquoi m'a-t-il abandonné ?

— Il te croyait de toute façon condamné à mourir. Il n'avait pas de lait à te donner. Lui et ses enfants mouraient de faim. Ils ne savaient pas que le prieuré était tout proche. Ils n'avaient rien à manger que des navets. Des navets t'auraient tué.

— Alors, ils m'aimaient quand même, malgré tout. »

Jack revoyait la scène comme si c'était hier : le feu mourant, la terre fraîchement retournée de la tombe, et le minuscule bébé rose remuant dans les plis du vieux manteau gris. Ce petit bout d'humanité était devenu ce géant qui pleurait, assis par terre devant lui. « Oh oui ! ils t'aimaient.

— Comment se fait-il que personne ne m'en ait jamais parlé ?

— Tom avait honte, bien sûr, expliqua Jack. C'était un sujet qu'il n'abordait jamais. Nous n'avons jamais fait clairement le rapprochement entre ce bébé et toi.

— Mais Tom, si, dit Jonathan.

— Oui.

— Je me demande pourquoi il ne m'a jamais repris ?

— Ma mère l'a quitté très peu après notre arrivée ici », expliqua Jack. Il eut un sourire mélancolique. « Comme Sally, elle n'avait pas un caractère facile. Tom aurait dû engager une nourrice pour s'occuper de toi. Alors il a préféré laisser son petit enfant aux soins du monastère. On s'est bien occupé de toi, là-bas.

— Grâce à ce vieux Johnny Huit Pence. Que Dieu donne le repos à son âme !

— Ce qui a permis à Tom de passer beaucoup de temps avec toi. Toute la journée, tu courais dans l'enclos du prieuré où il travaillait. S'il t'avait retiré du monastère pour te laisser à une nourrice, il t'aurait bien moins vu. J'imagine que, au fil des années et comme tu grandissais en orphelin du prieuré — comme tu semblais heureux ainsi —, il lui a paru de plus en plus naturel de te laisser là. D'ailleurs, les gens donnent souvent un enfant à Dieu.

— Dire que pendant tout ce temps je me suis demandé qui étaient mes parents, murmura Jonathan. J'essayais de les imaginer, j'ai prié Dieu de me les faire rencontrer, je me suis demandé s'ils m'aimaient, pourquoi ils m'avaient abandonné. Je sais maintenant que ma mère est morte en me mettant au monde et que jusqu'à la fin de ses jours mon père a vécu près de moi. » Il sourit à travers ses larmes. « Je ne peux pas te dire à quel point je suis heureux. »

Jack se sentit aussi au bord des larmes. Pour dissimuler son émotion, il dit : « Tu ressembles à Tom.

— C'est vrai ?

— Tu ne te rappelles pas comme il était grand ?

— Tous les adultes me semblaient grands.

— Il avait un beau visage, comme toi. Des traits réguliers. Si tu t'étais fait pousser la barbe, les gens auraient
deviné le secret.

— Je me souviens du jour où il est mort, dit Jonathan.
Il m'avait emmené à la foire. Nous avions regardé les mon-
treurs d'ours et puis j'ai grimpé sur le mur du chœur.
J'avais peur de redescendre, alors il est venu me chercher.
Puis les hommes de William sont arrivés. Tom m'a emmené
au cloître. C'est la dernière fois que je l'ai vu vivant.

— Je m'en souviens. Je l'ai vu redescendre en te portant
dans ses bras.

— Il s'est assuré que j'étais en sécurité, remarqua Jonathan d'un ton pensif.

— Il prenait toujours soin d'autrui.

— Il m'aimait vraiment. »

Une idée soudain frappa Jack. « Ça va tout changer au
procès de Philip, n'est-ce pas ?

— J'avais oublié, s'écria Jonathan. Mais oui. Mon
Dieu !

— Avons-nous une preuve irréfutable ? réfléchit Jack.
J'ai vu le bébé et le prêtre. Mais je n'étais pas là quand on
a remis l'enfant au prieuré.

— C'est Francis qui l'a fait. Comme Francis est le frère
de Philip, son témoignage ne vaut pas grand-chose.

— Ma mère et Tom sont partis ensemble ce matin-là,
poursuivit Jack, fouillant dans sa mémoire. Ils ont dit qu'ils
allaient chercher le prêtre. Je parie qu'ils sont allés jusqu'au
prieuré pour s'assurer que le bébé était sauvé.

— Si Ellen consentait à raconter cela devant le tribunal,
l'affaire serait réglée, s'exclama Jonathan.

— Philip pense que c'est une sorcière, remarqua Jack.
La laisserait-il témoigner ?

— Nous pourrions lui faire la surprise. Mais elle ne
l'aime guère. Acceptera-t-elle de témoigner ?

— Je ne sais pas, dit Jack. Demandons-lui. »

« Fornication et népotisme ? Philip ? s'écria Ellen en
éclatant de rire. C'est trop absurde !

— Mère, fit Jack, c'est sérieux.

— Philip serait incapable de forniquer si on le mettait
dans un tonneau avec trois prostituées, dit-elle. Il ne saurait
pas quoi faire ! »

Jonathan parut fort gêné. « Le prieur Philip est vraiment dans l'ennui, même si l'accusation est absurde, dit-il.

— Et pourquoi aiderais-je Philip ? demanda-t-elle. Il ne m'a causé que des souffrances. »

Voilà ce que Jack redoutait. Sa mère n'avait jamais pardonné à Philip de les avoir séparés, Tom et elle. « Philip m'a puni comme toi. Si je peux lui pardonner, tu le peux aussi.

— Je ne suis pas du genre à pardonner, répondit-elle.

— Alors, ne le fais pas pour Philip... Fais-le pour moi. Je veux continuer à bâtir à Kingsbridge.

— Comment ça ? L'église est terminée.

— J'aimerais démolir le chœur construit par Tom et le rebâtir dans le nouveau style.

— Oh ! Pour l'amour du Ciel... !

— Mère, Philip est un bon prieur. Quand il ne sera plus là, Jonathan le remplacera... si tu viens à Kingsbridge dire la vérité au procès.

— J'ai horreur des tribunaux, protesta-t-elle. Il n'en sort jamais rien de bon. »

C'était exaspérant. Elle détenait la clé du procès de Philip, elle pouvait assurer son acquittement. Mais elle réagissait en vieille femme entêtée. Jack craignait sérieusement de ne pas réussir à la persuader.

Il décida de la piquer au vif. « Évidemment, c'est un long voyage pour quelqu'un de ton âge, murmura-t-il. Ça te fait combien, aujourd'hui... soixante-huit ans ?

— Soixante-deux, et ne cherche pas à me provoquer, riposta-t-elle. Je suis en meilleure forme que toi, mon garçon. »

C'était bien possible, songea Jack. Elle avait les cheveux blancs comme neige et un visage profondément ridé, mais ses stupéfiants yeux dorés voyaient aussi bien qu'avant. En accueillant Jonathan, elle avait tout de suite compris qui il était et elle avait dit : « Allons, je n'ai pas besoin de te demander pourquoi tu es ici. Tu as découvert d'où tu viens, n'est-ce pas ? Par Dieu, tu es aussi grand que ton père et presque aussi large d'épaules. » Elle n'avait rien perdu de son indépendance.

« Sally te ressemble, dit Jack.

— Ah oui ? fit-elle en souriant. En quoi donc ?

— Elle est têtue comme une mule.

« — Ah ! répliqua Ellen, furieuse. Alors, elle se débrouillera très bien dans la vie. »

Jack se résigna à la supplier. « Mère, je t'en prie... Viens à Kingsbridge avec nous faire éclater la vérité.

— Je ne sais pas, murmura-t-elle.

— J'ai autre chose à vous demander », intervint Jonathan.

Jack ignorait ce que voulait Jonathan. Pourvu qu'il ne la heurte pas ! Il retint son souffle.

« Pourriez-vous me montrer, demanda Jonathan, où ma mère est enterrée ? »

Jack poussa un soupir de soulagement.

Elle renonça aussitôt à sa mauvaise humeur. « Bien sûr que je te montrerai, dit-elle. Je suis sûre de pouvoir retrouver l'endroit. »

Jack était contrarié de perdre du temps en recherches. Le procès allait commencer le lendemain matin et ils avaient un long trajet à faire. Mais il sentit qu'il devait laisser le destin suivre son cours.

« Tu veux y aller maintenant ? demanda Ellen.

— Oui, s'il vous plaît, si c'est possible.

— Très bien. » Elle se leva, prit une cape en peau de lapin et la jeta sur ses épaules.

Ils quittèrent la grotte avec ses odeurs de pommes et de fumée de bois, et se frayèrent un chemin à travers les buissons qui en dissimulaient l'entrée, pour déboucher dans le soleil du printemps. Ellen avançait sans hésiter. Jack et Jonathan détachèrent leurs chevaux et lui emboîtèrent le pas. Ils devaient mener leurs montures par la bride, car le terrain était trop broussailleux pour chevaucher. Jack remarqua que sa mère marchait d'un pas plus lent qu'autrefois. Elle se portait moins bien qu'elle ne le prétendait.

Jack n'aurait pas pu retrouver l'endroit tout seul. Il y avait une époque où il circulait dans la forêt aussi facilement qu'aujourd'hui à Kingsbridge. Mais pour lui aujourd'hui, une clairière ressemblait à une autre, tout comme les maisons de Kingsbridge paraissaient identiques aux yeux d'un étranger. Sa mère suivit un réseau de pistes tracées par les animaux dans les épais sous-bois. De temps en temps, Jack retrouvait des réflexes d'enfance et, un instant, il savait où il était, puis de nouveau il perdait ses repères.

Ils parcoururent ainsi plusieurs lieues. Jack transpirait, mais sa mère demeurait drapée dans sa cape en peau de lapin. Vers le milieu de l'après-midi, elle fit halte dans une clairière ombragée. Jack remarqua qu'elle avait le souffle court et le visage un peu gris. Il était vraiment temps pour elle de quitter la forêt pour venir habiter avec Aliena et lui. Il résolut de l'en persuader.

« Ça va bien ? demanda-t-il.

— Bien sûr ! lança-t-elle. Nous y sommes. »

Jack regarda autour de lui. Il ne reconnaissait pas les lieux.

« C'est ici ? répéta Jonathan.

— Oui.

— Où est la route ? demanda Jack.

— Par là. »

Quand Jack se fut orienté, la clairière commença à lui paraître famillière et le passé lui revint d'un seul coup. Le grand châtaignier était toujours là, plein de fleurs dont les pétales s'égaillaient sous la brise.

« Martha m'a raconté ce qui s'était passé, reprit Jack. Ils se sont arrêtés parce que ta mère ne pouvait pas aller plus loin. Tom a allumé du feu et a fait cuire des navets pour souper : il n'y avait pas de viande. Ta mère t'a mis au monde ici, à même le sol. Tu étais en parfaite santé, mais il lui est arrivé quelque chose, et elle est morte. » On distinguait une légère élévation, à quelques pieds de la base de l'arbre. « Regarde, dit Jack. Tu vois ce monticule ? »

Jonathan hocha la tête, le visage crispé d'émotion.

« C'est la tombe. » Jonathan vint s'agenouiller auprès du petit tertre et se mit à prier.

Jack, silencieux, se souvenait du moment où il avait découvert sa famille à Cherbourg, un moment terrible et inoubliable. Ce que Jonathan éprouvait devait être encore plus intense.

Le jeune moine se releva. « Quand je serai prieur, promit-il solennellement, je bâtirai à cet endroit même un petit monastère, avec une chapelle et une hôtellerie, de façon qu'à l'avenir aucun voyageur passant par là n'ait jamais à dormir à la belle étoile par une glaciale nuit d'hiver. Je dédierai l'hôtellerie à la mémoire de ma mère. » Il se tourna vers Jack. « Je pense que tu n'as jamais su son nom, n'est-ce pas ?

— Agnès, fit doucement Ellen. Ta mère s'appelait Agnès. »

L'évêque Waleran se montra convaincant.

Il commença par raconter au tribunal le développement précoce de Philip : cellérier de son monastère dès l'âge de vingt et un ans ; prieur de la communauté de Saint-John-de-la-Forêt à vingt-trois ; prieur de Kingsbridge à l'âge remarquablement jeune de vingt-huit ans. Il ne cessait de souligner la jeunesse de Philip et parvint à donner l'impression qu'il y avait une certaine prétention à accepter si tôt de telles responsabilités. Il décrivit ensuite Saint-John-de-la-Forêt, son éloignement, son isolement, et évoqua la liberté et l'indépendance du prieur. « Qui pourrait s'étonner, dit-il, qu'après cinq ans où il fut pratiquement son propre maître, soumis seulement à la plus légère, la plus lointaine surveillance, ce jeune homme inexpérimenté et au sang chaud ait eu un enfant ? » La démonstration de Waleran était parfaitement crédible, si vraisemblable que Philip aurait voulu étrangler l'évêque.

Waleran poursuivit en expliquant comment Philip avait amené Jonathan et Johnny Huit Pence à Kingsbridge. « Les moines furent stupéfaits, poursuivit Waleran, de voir leur nouveau prieur se présenter avec un bébé et une nourrice. » Oubliant un instant son anxiété, Philip s'obligea à réprimer un sourire nostalgique.

Philip avait joué avec Jonathan enfant, il l'avait instruit, éduqué et, plus tard, fait de lui son assistant, continua Waleran, tout comme n'importe quel homme le ferait de son propre fils, à ceci près que les moines ne sont pas censés avoir d'enfants. « Jonathan était précoce, exactement comme Philip, souligna Waleran. Quand Cuthbert le Chenu est mort, Philip nomma cellérier Jonathan, alors à peine âgé de vingt et un ans. N'y avait-il personne d'autre à désigner comme cellérier, dans ce monastère comptant plus de cent moines ? Personne d'autre qu'un garçon de vingt et un ans ? Ou bien Philip donnait-il la préférence à la chair de sa chair ? Quand Milius quitta le monastère pour devenir prieur de Glastonbury, Philip donna à Jonathan le poste de trésorier. Il a trente-quatre ans. Est-il le plus sage et le plus dévot de tous les moines de ce couvent ? Ou bien est-il simplement le favori de Philip ? »

Philip regarda le tribunal qui siégeait dans le transept sud de la cathédrale de Kingsbridge. L'archidiacre Peter occupait un grand fauteuil, orné de sculptures décoratives comme un trône. Tous les collaborateurs de Waleran étaient présents, ainsi que la plupart des moines de Kingsbridge. Le travail n'avancerait guère au monastère pendant le procès du prieur. Tous les ecclésiastiques importants du comté étaient là, et même quelques humbles prêtres de paroisse. On notait aussi des représentants des diocèses voisins. Toute la communauté cléricale du sud de l'Angleterre attendait le verdict de ce tribunal. La vertu de Philip n'intéressait personne. Ce qui passionnait les esprits, c'était l'ultime épreuve de force entre le prieur Philip et l'évêque Waleran.

Lorsque Waleran se rassit, Philip prêta serment puis commença à raconter l'histoire de ce matin d'hiver, tant d'années auparavant. Il décrivit d'abord le désordre provoqué par Peter de Wareham : il tenait à ce qu'on sache que Peter avait des raisons de lui en vouloir. Puis il appela Francis pour dire dans quelles circonstances celui-ci avait trouvé le bébé.

Jonathan était parti, après avoir laissé un message annonçant qu'il était sur la trace de nouveaux renseignements sur sa parenté. Jack avait disparu lui aussi, et Philip en avait conclu que l'expédition avait quelque chose à voir avec la mère de Jack, Ellen la sorcière. Jonathan n'avait pas averti Philip de ses projets, de crainte que le prieur ne lui interdise cette démarche. Ils devaient être de retour le matin même, mais on ne les avait pas encore vus. Philip ne comptait pas sur Ellen pour apporter du nouveau au récit de Francis.

Quand ce dernier eut terminé son témoignage, Philip reprit la parole. « Ce bébé n'était pas de moi, déclara-t-il avec simplicité. Je jure, ce n'était pas le mien, au péril de mon âme immortelle, je le jure. Je n'ai jamais eu de relations charnelles avec une femme et je demeure à ce jour dans cet état de chasteté que nous recommande l'apôtre Paul. Alors pourquoi, ainsi que le demande le seigneur évêque, ai-je traité le bébé comme s'il était mon fils ? »

Il parcourut l'auditoire du regard. Il avait décidé que sa seule chance était de dire la vérité en espérant que la voix de Dieu se ferait entendre assez fort pour vaincre la surdité spirituelle des juges. « Mon père et ma mère sont morts quand j'avais six ans, assassinés par des soldats du vieux roi Henry, au pays de Galles. Mon frère et moi fûmes sauvés par l'abbé d'un monastère voisin et, à compter de ce jour, les moines s'occupèrent entièrement de nous. Je sais ce qu'est un orphelin de monastère. Je comprends comment l'enfant qui n'a pas de parents brûle de connaître la caresse d'une mère, même s'il adore les frères qui l'élèvent. Je savais que Jonathan se sentirait anormal, bizarre, illégitime. J'ai connu ce sentiment d'isolement, l'impression d'être différent de tous les autres parce qu'on n'a ni mère ni père. Comme lui, j'ai eu honte de dépendre de la charité des autres ; je me suis demandé en quoi j'étais coupable pour avoir été privé de ce que chacun considérait comme naturel. Je savais qu'il rêverait la nuit du sein tiède et parfumé, de la douce voix d'une mère qu'il n'avait jamais connue, de quelqu'un qui l'aimerait profondément et totalement. »

Le visage de l'archidiacre Peter ne reflétait pas plus de sentiment qu'une pierre. Il était de la pire espèce de chrétiens, se dit Philip, de ceux qui ne considèrent que les aspects négatifs de la religion, les proscriptions, les interdits, le sévère châtiment de tout délit ; mais il ignorait la compassion du christianisme, en niait l'esprit miséricordieux, trahissait de façon flagrante sa morale d'amour et violait ouvertement les douces lois de Jésus. Un pharisien de plus, songea Philip. Le Seigneur, lui, avait préféré souper avec les publicains et les pécheurs.

Il poursuivit, le cœur serré, certain que rien de ce qu'il pourrait dire ne pénétrerait l'armure de vertu qui protégeait Peter. « Personne ne pouvait s'intéresser à ce garçon comme je l'ai fait, sinon ses propres parents, et ceux-là, nous n'avons jamais pu les trouver. Quelle indication plus claire de la volonté de Dieu... » Il ne termina pas sa phrase. Jonathan venait de pénétrer dans l'église, ainsi que Jack ; entre eux s'avançait la sorcière, la mère de Jack.

Malgré ses cheveux blancs et son visage sillonné de rides, elle avait toujours un port de reine, la tête haute, ses étranges yeux dorés flamboyants de défi. Philip était tellement surpris qu'il ne trouva rien à dire.

Le tribunal regarda silencieusement le groupe traverser le transept. Ellen s'immobilisa devant l'archidiacre Peter. D'une voix qui résonna comme un coup de tonnerre sous les voûtes de l'église bâtie par son fils, elle déclara : « Je jure par tout ce qui est sacré que Jonathan est le fils de Tom le bâtisseur, mon défunt mari, et de sa première épouse. »

Une clameur stupéfaite monta de l'assemblée. Pendant un moment, on ne s'entendit plus. Philip, abasourdi, bouche bée, regardait fixement Ellen. Tom le bâtisseur ? Jonathan, le fils de Tom le bâtisseur ? Mais bien sûr ! Ils se ressemblaient, pas seulement de taille, mais de visage. Si Jonathan avait porté la barbe, l'évidence aurait éclaté aux yeux de tous.

Sa première réaction fut le déchirement : jusqu'alors il avait été pour Jonathan le meilleur des pères. Mais c'était Tom qui avait engendré Jonathan et, bien qu'il fût mort, cette révélation changeait tout. Philip ne pouvait plus se considérer en secret comme le père du jeune moine et Jonathan n'aurait plus le sentiment d'être son fils. C'était Tom son père, son vrai père. Philip l'avait perdu.

Le prieur se rassit lourdement. Quand la foule se fut un peu calmée, Ellen raconta comment elle avait entendu un cri et découvert un bébé nouveau-né. Philip l'écouta, stupéfait, expliquer que Tom et elle s'étaient cachés dans les buissons, aux aguets, tandis que Philip et les moines revenaient de leur travail matinal pour trouver Francis les attendant avec un nouveau-né que Johnny Huit Pence essayait de nourrir avec un chiffon trempé dans un seau de lait de chèvre.

Philip se souvenait très clairement de l'intérêt manifesté par le jeune Tom quand, un ou deux jours plus tard, ils s'étaient rencontrés accidentellement et que Philip lui avait parlé du bébé abandonné. Philip avait mis cette attention sur le compte d'un caractère généreux et compatissant. En fait, Tom venait d'apprendre que son enfant était en sûreté.

Toutes les années suivantes, Tom avait porté à Jonathan une affection toute spéciale. Le bébé était devenu un petit enfant, puis un garçon malicieux. Personne n'avait remarqué les soins de Tom à son égard : tout le monastère traitait Jonathan, en ce temps-là, comme un animal familier. Quant à Tom, il passait son temps dans l'enclos du prieuré, aussi son comportement n'avait-il rien d'exceptionnel. Maintenant, avec le recul, Philip se rendait compte que l'attention que Tom accordait à Jonathan avait un sens spécial.

Comme Ellen se rasseyait, Philip prit conscience qu'elle venait de l'innocenter. Ses révélations si bouleversantes avaient failli faire oublier au prieur que c'était lui qu'on jugeait. Son récit de l'accouchement et de la mort d'Agnès, un récit rempli de désespoir et malgré tout d'espérance, d'amour, reléguait à l'arrière-plan la question de la chasteté de Philip. Même Peter de Wareham ne peut pas me déclarer coupable après un témoignage comme celui-ci, songea Philip. Waleran avait encore une fois perdu.

Mais l'évêque n'était pas prêt à s'avouer vaincu. Il braqua sur Ellen un doigt accusateur. « Tu prétends que Tom le bâtisseur t'a dit que le bébé amené à la communauté était le sien.

— Oui, répondit Ellen fermement.

— Mais les deux autres personnes qui auraient pu confirmer cela — les enfants Alfred et Martha — ne t'ont pas accompagnée au monastère.

— Non.

— Tom étant mort, nous n'avons donc que ta parole pour connaître les paroles de Tom. Ton récit est invérifiable.

— Quelles vérifications vous faut-il ? répliqua-t-elle avec feu. Jack a vu le bébé abandonné. Francis l'a ramassé. Jack et moi avons rencontré Tom, Alfred et Martha. Francis a emmené le bébé jusqu'au prieuré. Tom et moi avons surveillé les abords du couvent. Combien de témoins voudriez-vous ?

— Je ne te crois pas, déclara Waleran.

— Vous ne me croyez pas ? lança Ellen, au comble de la colère. *Vous* ne me croyez pas ? Vous, Waleran Bigod, que je sais être parjure ? »

Au nom du ciel ! Quoi encore ? pensa Philip qui eut le pressentiment d'un cataclysme. Waleran avait pâli. Quelque chose fait peur à Waleran, constata Philip, quelque chose qui le rend vulnérable.

« Comment sais-tu, dit Philip à Ellen, que l'évêque est un parjure ?

— Voilà quarante-sept ans, dans ce même prieuré, se trouvait un prisonnier du nom de Jack Shareburg, répondit Ellen.

— Ce tribunal, interrompit Waleran, ne s'intéresse pas à des événements si anciens.

— Mais si, riposta Philip. L'accusation portée contre moi se réfère, monseigneur, à un prétendu acte de fornication que j'aurais commis voilà trente-cinq ans. Vous avez exigé que je prouve mon innocence. Le tribunal n'en attendra pas moins de vous. » Il se tourna vers Ellen. « Continue.

— Personne ne savait pourquoi il était prisonnier, et lui pas davantage. Mais il fut libéré un beau jour et on lui remit

1000

une coupe ornée de joyaux, peut-être en compensation des années qu'il avait injustement passées en prison. Il ne voulut pas, naturellement, d'un pareil objet : il n'en avait pas l'usage et c'était une coupe trop précieuse pour la vendre sur un marché. Il l'abandonna donc ici, dans l'ancienne cathédrale de Kingsbridge. Peu après, il fut arrêté — par Waleran Bigod, alors simple prêtre de campagne, humble mais ambitieux — et la coupe réapparut mystérieusement dans le sac de Jack Shareburg qui fut accusé faussement de l'avoir volée. Jack fut condamné grâce au témoignage sous serment de trois personnes : Waleran Bigod, Percy Hamleigh et le prieur James de Kingsbridge. Il fut pendu. »

Un silence stupéfait se fit dans la salle, puis Philip demanda : « Comment sais-tu tout cela ?

— J'étais la seule amie de Jack Shareburg, et il était le père de mon fils, Jack Jackson, le maître bâtisseur de cette cathédrale. »

Une clameur immense monta dans la grande église. Waleran et Peter essayaient tous deux de parler en même temps mais aucun ne parvenait à se faire entendre par-dessus le brouhaha des ecclésiastiques stupéfaits. Ils sont venus assister à une explication, se dit Philip, mais ils ne s'attendaient pas à celle-ci.

Peter finit par réussir à dominer le tapage : « Pourquoi trois citoyens respectueux des lois conspireraient-ils pour accuser faussement un étranger innocent ? interrogea-t-il avec froideur.

— Par appât du gain, répondit Ellen. Waleran Bigod devint archidiacre. Percy se vit offrir le manoir de Hamleigh, ainsi que plusieurs autres villages. Je ne sais pas quelle récompense reçut le prieur James.

— C'est une question à laquelle je peux répondre », dit une voix nouvelle.

Philip se retourna : Remigius ! Il avait largement dépassé les soixante-dix ans ; il avait les cheveux blancs et un peu tendance à radoter. Mais là, lorsqu'il se leva en prenant appui sur sa canne, ses yeux étaient brillants et son expression vive. Il était rare de l'entendre parler en public : depuis son retour au monastère, il menait une vie humble et discrète. Philip ne savait plus où donner de la tête. Dans quel camp Remigius allait-il se ranger ? Allait-il saisir une dernière occasion de poignarder dans le dos son vieil ennemi Philip ?

« Je peux vous dire la récompense que reçut le prieur James, répéta Remigius. Le prieuré se vit octroyer les villages de Northwold, Southwold et Cent-Arpents, plus la forêt d'Oldean. »

Philip était atterré. Comment le vieux prieur avait-il pu faire un faux témoignage, sous serment, pour le bénéfice de quelques villages ?

« Le prieur James n'a jamais été un bon gestionnaire, continua Remigius. Le prieuré étant en difficulté, il croyait que ce revenu supplémentaire nous aiderait. » Remigius marqua un temps puis ajouta d'un ton mordant : « Cela ne fit pas grand bien et beaucoup de mal. Ces nouvelles rentrées d'argent servirent quelque temps, mais le prieur James ne retrouva jamais sa dignité. »

En écoutant Remigius, Philip se rappelait la silhouette voûtée, l'air défait du vieux prieur et il comprenait enfin pourquoi.

« En réalité, continua Remigius, James ne s'était pas parjuré, il avait seulement affirmé que la coupe appartenait au prieuré ; mais quoique sachant Jack Shareburg innocent, il garda le silence. Il l'a regretté jusqu'à la fin de ses jours. »

Assurément, se dit Philip, c'était un péché bien lourd pour un moine. Le témoignage de Remigius confirmait le récit d'Ellen — et condamnait Waleran.

Remigius n'avait pas terminé. « Quelques-uns des anciens ici présents aujourd'hui se souviendront de l'état du prieuré voilà quarante ans : délabré, sans ressource, décrépit. C'était le résultat du remords qui pesait sur les épaules du prieur. En mourant, celui-ci a fini par me confesser son péché. Je voulais... »

Remigius s'interrompit. L'église, silencieuse, attendait. Le vieil homme poussa un soupir. « Je voulais prendre sa place et réparer les dégâts. Mais Dieu a choisi pour cette tâche un autre homme. » Son vieux visage se plissa dans une amère grimace tandis qu'il concluait. « Je devrais dire : Dieu a choisi un homme meilleur. » Il se rassit brutalement.

Philip était tout à la fois choqué, ahuri et reconnaissant. Deux anciens ennemis, Ellen, et Remigius, avaient volé à son secours. La révélation de ces anciens secrets lui donnait le sentiment d'avoir vécu avec un œil fermé. L'évêque Waleran, pâle de rage, voyait s'effondrer toutes ses machinations. Penché vers Peter, il parlait à l'oreille de l'archidiacre tandis qu'un brouhaha de commentaires montait de l'assistance.

Peter se leva et cria : « Silence ! » On se tut. « L'audience est terminée ! proclama-t-il.

— Une minute ! Ça ne suffit pas ! cria Jack avec passion. Je veux savoir *pourquoi*. » Sans se soucier de lui, Peter se dirigea vers la porte qui menait au cloître et Waleran lui emboîta le pas.

Jack se précipita derrière eux. « Pourquoi avez-vous fait cela ? lança-t-il à Waleran. Vous avez menti sous serment et un homme en est mort... Vous allez sortir d'ici sans un mot de plus ? »

L'évêque regardait droit devant lui, le visage livide, les lèvres serrées, tout son visage exprimant la rage. Au moment où il franchissait le seuil, Jack hurla : « Réponds-moi, menteur, lâche, prêtre corrompu ! Pourquoi as-tu tué mon père ? »

Waleran sortit de l'église et la porte claqua derrière lui.

II

La lettre du roi Henry arriva pendant la tenue d'un chapitre.

Jack avait bâti une nouvelle salle capitulaire, plus grande, pour abriter le conseil des cent cinquante moines, l'effectif le plus important pour un seul monastère de toute l'Angleterre. Le bâtiment, construit en rond, avait un plafond voûté et des rangées de marches servaient de sièges aux moines. Les dignitaires du couvent prenaient place sur des bancs de pierre, le long des murs, un peu au-dessus du niveau des autres ; Philip et Jonathan occupaient des trônes de pierre sculptée, adossés au mur en face de la porte.

Un jeune moine lisait l'article sept de la règle de saint Benoît. « La sixième étape de l'humilité est atteinte lorsqu'un moine sait accepter le vil et le misérable. » Philip se rendit compte qu'il ne connaissait pas le nom du lecteur. Décidément, il vieillissait... ou bien le monastère accueillait tant de nouveaux qu'il ne les connaissait plus. « La septième étape de l'humilité est atteinte quand un homme non seulement profère clairement qu'il est inférieur à autrui, mais lorsqu'il en est persuadé au fond de son cœur. » Philip n'avait pas encore atteint ce stade-là. Il avait achevé beaucoup de choses en soixante-deux ans d'existence, grâce à son courage, à sa détermination et à son cerveau, mais il était obligé de se redire constamment que sa réussite, il la devait entièrement à Dieu, sans l'aide de qui tous ses efforts auraient été vains.

Auprès de lui, Jonathan s'agitait nerveusement. Le jeune homme s'accordait encore plus mal que Philip avec la vertu d'humilité. L'arrogance est le défaut des bons chefs. Jonathan s'apprêtait à prendre la direction du prieuré — et il était impatient. Il avait hâte d'essayer les techniques agricoles qu'Aliena avait conçues et dont ils avaient parlé ensemble : utiliser des chevaux pour labourer, planter sur une partie des terres en jachère des pois et de l'avoine, qui assureraient une récolte de printemps. J'étais tout à fait comme lui quand je commençais à élever des moutons pour leur laine, il y a vingt-cinq ans de cela, songea Philip.

Il était temps pour lui de transmettre son poste de prieur à Jonathan et de consacrer ses dernières années à la prière et la méditation. Il avait souvent conseillé ce choix à d'autres. Mais, maintenant que c'était son tour de se retirer, la perspective l'horrifiait. Il avait une santé excellente et l'esprit toujours aussi vif. Une vie de prière et de méditation le rendrait fou.

Toutefois, Jonathan n'attendrait pas indéfiniment. Dieu lui avait donné le talent de diriger un grand monastère et ce talent, il ne comptait pas le gaspiller. Au cours des années, il avait visité de nombreuses abbayes et laissé partout une bonne impression. Dès qu'on apprendrait la mort d'un abbé dans un monastère, les moines, qui le connaissaient, pousseraient Jonathan à se présenter à l'élection et ce serait difficile pour Philip de lui refuser sa permission.

Le lecteur inconnu de Philip terminait juste quand on frappa à la porte. Le portier entra. Frère Steven, le prévôt des novices, le foudroya du regard : comment osait-il distraire les moines en plein chapitre ? Le prévôt était responsable de la discipline et, comme tous ceux qui occupaient ce poste, Steven se montrait très à cheval sur la règle.

Le portier chuchota : « Il y a un messager du roi ! »

— Va voir, veux-tu ? dit Philip à Jonathan. Jonathan sortit, accompagné par les commentaires qu'échangeaient les moines à voix basse. « Reprenons, s'il vous plaît », annonça Philip d'une voix ferme. Tandis que commençaient les prières pour les morts, le prieur se demandait ce que le roi Henry avait à annoncer au prieuré de Kingsbridge. Sûrement pas de bonnes nouvelles. Le roi, depuis six longues années, était à couteaux tirés avec l'Église. La querelle avait éclaté à propos de la juridiction des tribunaux ecclésiastiques. L'entêtement du roi et le fanatisme de l'archevêque de Canterbury, Thomas Becket, empêchant tout compromis, la discussion avait tourné à la crise. Becket, depuis, vivait en exil.

L'Église d'Angleterre, hélas, n'apportait pas au prélat un soutien unanime. Certains évêques, dont Waleran Bigod, avaient pris le parti du roi dans l'espoir d'une faveur en retour. Quant au pape, il harcelait Henry pour qu'il signe la paix avec Becket. La pire conséquence du conflit, c'était que par besoin de trouver un appui au sein de l'Église d'Angleterre, Henry donnait à des évêques avides de pouvoir comme Waleran une influence de plus en plus grande à la Cour. Dans ces conditions, une lettre du roi avait tout pour inquiéter Philip.

De retour, Jonathan tendit à Philip un rouleau scellé par un cachet de cire portant la marque du sceau royal. Les moines avaient interrompu leurs prières pour suivre attentivement les événements. Philip estima que dans ces circonstances c'était trop demander que de se consacrer aux prières à la mémoire des morts. « Nous reprendrons les prières tout à l'heure », déclara-t-il. Puis il brisa le sceau et ouvrit la lettre. Il n'y jeta qu'un coup d'œil avant de la tendre à Jonathan dont les jeunes yeux étaient meilleurs que les siens. « Lis tout haut, je te prie. »

Après les salutations d'usage, le roi écrivait : « Comme nouvel évêque de Lincoln, j'ai nommé Waleran Bigod, actuellement évêque de Kingsbridge... » La voix de Jonathan disparut dans le bourdonnement de commentaires qui accueillit ces paroles. Philip secoua la tête, dégoûté. Waleran avait perdu toute crédibilité dans la région depuis les révélations faites au procès de Philip. Comment pouvait-il conserver son titre d'évêque ? Comment avait-il obtenu que le roi le nomme à Lincoln — un des plus riches évêchés du monde ? Lincoln était le troisième diocèse du royaume, après Canterbury et York. De là, il n'y avait plus qu'un tout petit pas vers l'archevêché. Henry préparerait-il Waleran à remplacer Thomas Becket ? Waleran, archevêque de Canterbury, chef de l'Église d'Angleterre ! Philip en était malade.

Une fois la première réaction des moines passée, Jonathan poursuivit : « ... et j'ai recommandé au doyen et au chapitre de Lincoln de l'élire ». Ma foi, songea Philip, c'est plus facile à dire qu'à faire. Une recommandation royale n'était pas exactement un ordre. Si le chapitre de Lincoln s'opposait à Waleran, ou si les moines avaient leur candidat, le roi aurait à batailler. Il finirait par l'emporter sans doute, mais pas sûrement.

« Le chapitre du prieuré de Kingsbridge, continua Jonathan, tiendra une élection pour désigner le nouvel évêque de Kingsbridge. Je vous recommande d'élire à ce poste mon fidèle serviteur Peter de Wareham, archidiacre de Canterbury. »

Un cri d'indignation unanime monta de l'assemblée des moines, Philip se sentait glacé d'horreur. Cet arrogant, ce rancunier, ce pharisien d'archidiacre Peter, tel était le choix du roi pour Kingsbridge ! Peter était exactement le même genre d'homme que Waleran : d'une piété sincère et craignant Dieu, ils ne doutaient jamais d'eux-mêmes, si bien qu'ils identifiaient leurs propres volontés à la volonté divine ; en conséquence, ils ne reculaient devant aucun moyen pour atteindre leur but, impitoyablement. Avec Peter comme évêque, Jonathan passerait sa vie de prieur à se battre pour la justice et la décence dans un comté gouverné d'une main de fer par un homme sans cœur. Et si Waleran devenait archevêque, ce serait pire.

Philip voyait venir une longue période sombre, aussi douloureuse que la guerre civile, où des comtes comme William imposeraient leurs caprices, tandis que des prêtres orgueilleux mépriseraient leur devoir de charité. Le prieuré, une fois de plus, subirait une oppression qui l'affaiblirait et l'appauvrirait. Cette pensée le hérissait.

Il n'était pas le seul. Steven se dressa, rouge de colère, et rompant avec la règle de modération que Philip imposait au chapitre, cria à pleine voix : « C'est inacceptable ! »

Les moines l'acclamèrent vigoureusement. Jonathan d'un geste réclama le calme et, faisant preuve de sagesse, ramena le problème à la base. « Que pouvons-nous faire ? demanda-t-il à l'assemblée des moines.

— Repoussons la requête du roi ! » proposa Bernard, le gros cuisinier.

Les moines exprimèrent leur approbation.

« Écrivons au roi, reprit Steven, pour lui dire que nous

élirons celui qui nous paraîtra le meilleur ! » Après une pause, il ajouta humblement : « Avec l'inspiration de Dieu, bien sûr.

— Je ne pense pas que nous devions opposer un refus brutal, objecta Jonathan. Si le roi se sent attaqué, sa colère s'abattra sur nos têtes.

— Jonathan a raison, approuva Philip. On peut pardonner à un homme qui perd une bataille contre son roi, mais celui qui ose le défier publiquement est condamné.

— Mais alors, éclata Steven, vous cédez ! »

Philip, malgré l'inquiétude et la crainte qui le tenaillaient, devait maîtriser la situation. « Steven, je vous en prie, calmez-vous, dit-il. Certes, nous devons lutter contre cette abominable nomination, mais avec prudence et habileté, en évitant toujours la confrontation ouverte.

— Qu'allez-vous faire ? demanda Steven.

— Je ne sais pas encore », répondit Philip. Après le premier choc, il commençait à sentir renaître sa combativité. Toute sa vie, il avait lutté. Contre Remigius, ici au prieuré, pour le titre de prieur. Contre William Hamleigh et Waleran Bigod, dans tout le comté. Et maintenant contre le roi.

« Je crois que je vais me rendre en France, annonça-t-il. Pour rencontrer l'archevêque Thomas Becket. »

Dans les autres crises qu'il avait connues au long de sa vie, Philip avait toujours réussi à concevoir un plan. Chaque fois que lui-même, son prieuré ou sa ville s'étaient trouvés menacés par des forces brutales et sans loi, il avait imaginé une forme de défense ou de contre-attaque. Sans être constamment certain du succès, il n'avait jamais manqué de trouver une parade... jusqu'à maintenant.

Il méditait encore sa stratégie lorsqu'il arriva dans la ville de Sens, dans le royaume de France.

La cathédrale était la plus grande construction qu'il eût jamais vue. La nef devait avoir cinquante pieds de large. Auprès de la cathédrale de Kingsbridge, Sens donnait une impression d'espace, plus que de lumière.

En traversant une partie de la France pour la première fois de sa vie, Philip s'était rendu compte qu'il existait dans le monde plus de variétés d'églises qu'il ne l'avait imaginé, et il comprit l'effet créatif que les voyages avaient eu sur les réflexions de Jack Jackson. Philip n'avait pas manqué de visiter sur son chemin l'église abbatiale de Saint-Denis et il avait vu où Jack avait puisé certaines de ses idées. Il avait découvert aussi deux églises avec des arcs-boutants comme ceux de Kingsbridge : de toute évidence, d'autres maîtres maçons s'étaient heurtés aux problèmes qui se posaient à Jack et ils étaient arrivés à la même solution.

Philip alla présenter ses respects à l'archevêque de Sens, William les mains blanches, un jeune et brillant homme d'Église, neveu du défunt roi Stephen. Le prélat invita Philip à souper. Quoique flatté, celui-ci déclina l'invitation : il avait fait un long chemin pour voir Thomas Becket et, maintenant si proche du but, l'impatience le gagnait. Après avoir assisté à la messe à la cathédrale, il suivit le cours de l'Yonne en direction du nord, à la sortie de la ville.

Pour le prieur d'un des plus riches monastères d'Angleterre, il voyageait en modeste équipage : il n'emmenait que deux hommes d'armes pour assurer sa protection, un jeune moine du nom de Michaël de Bristol comme assistant et un cheval de bât chargé de livres saints, copiés et somptueusement enluminés au scriptorium de Kingsbridge, pour servir de cadeaux aux abbés et aux évêques qu'il visitait durant son voyage — cadeaux impressionnants qui contrastaient fort avec la modestie de l'entourage du prieur. Ainsi le voulait Philip : on devait respecter le prieuré et non le prieur.

Juste après avoir franchi la porte nord de Sens, il découvrit, au milieu d'une prairie ensoleillée au bord de la rivière, la vénérable abbaye de Sainte-Colombe, où l'archevêque Thomas vivait depuis trois ans. Un prêtre l'accueillit avec chaleur, appela des serviteurs pour s'occuper de ses chevaux et de son bagage et le conduisit à l'hôtellerie où séjournait l'archevêque. Les exilés étaient ravis de recevoir des visiteurs venant du pays, non seulement pour des raisons sentimentales, mais parce qu'ils y voyaient un signe de soutien.

On offrit à Philip et à son aide de la nourriture et du vin, on les présenta aux membres de la maison de Thomas — tous des prêtres, pour la plupart jeunes et, de l'avis de Philip, plutôt intelligents. Très vite, Michaël fut embarqué dans une discussion à propos de transsubstantiation. Philip écoutait sans prendre parti, en buvant à petites gorgées une coupe de vin. « Quelle est votre opinion, père Philip, lui demanda quelqu'un. Vous n'avez encore rien dit.

— Les questions théologiques les plus épineuses,

déclara Philip en souriant, sont à mes yeux les problèmes les moins inquiétants.

— Pourquoi ?

— Parce qu'elles trouveront toutes leur solution dans l'autre monde et qu'en attendant on peut sans risque les mettre de côté.

— Bien dit ! » s'exclama une voix nouvelle. Philip, levant les yeux, aperçut l'archevêque Thomas de Canterbury.

Il eut aussitôt le sentiment de se trouver en présence d'un homme remarquable. Thomas était grand, mince et d'une exceptionnelle beauté, avec un front large, des yeux vifs, la peau claire et des cheveux sombres. Il avait une dizaine d'années de moins que Philip : cinquante ou cinquante et un ans. Malgré ses malheurs, il gardait une expression animée et joyeuse. C'était indiscutablement un homme très séduisant, ce qui expliquait en partie sa remarquable ascension depuis ses humbles débuts.

Philip s'agenouilla et baisa son anneau.

« Je suis si heureux, dit Thomas, de faire votre connaissance ! J'ai toujours voulu me rendre à Kingsbridge : j'ai tant entendu parler de votre prieuré et de la magnifique cathédrale qu'on vient d'y édifier. »

Philip, charmé et flatté, expliqua : « Je suis venu vous voir justement parce que tout ce que nous avons accompli se trouve mis en péril par le roi.

— Il faut me parler de cela tout de suite, répondit Thomas. Venez dans mon appartement. »

Philip le suivit à la fois enchanté et plein d'appréhension, car l'enjeu était gros.

Thomas le conduisit dans une pièce plus petite, meublée d'un sompteux lit de bois et de cuir, couvert de draps de toile fine et d'une couverture brodée. Philip aperçut aussi un mince matelas roulé dans un coin et il se rappela les histoires d'après lesquelles Thomas n'utilisait jamais le sompteux mobilier que lui fournissaient ses hôtes. Se souvenant du lit confortable que lui-même avait à Kingsbridge, Philip éprouva une pointe de remords en pensant qu'il connaissait le confort alors que le primat d'Angleterre dormait à même le sol.

« A propos de cathédrale, dit Thomas, que pensez-vous de celle de Sens ?

— Étonnante, s'exclama Philip. Qui est le maître bâtisseur ?

— Guillaume de Sens. J'espère l'attirer un jour à Canterbury. Racontez-moi ce qui se passe à Kingsbridge. »

Philip parla à Thomas de l'évêque Waleran et de l'archidiacre Peter. Le prélat parut profondément intéressé par ce récit et posa quelques questions pertinentes. Outre du charme, il avait de la tête, deux atouts qui l'avaient mené à une position d'où il pouvait s'opposer à la volonté d'un des rois les plus forts que l'Angleterre eût jamais connus. Sous sa robe d'archevêque, racontait-on, Thomas portait une haire ; et sous cette apparence pleine de charme, Philip savait que se dissimulait une volonté de fer.

Quand Philip eut terminé son récit, Thomas avait l'air grave. « Il ne faut pas laisser faire cela, assura-t-il.

— Certes, répondit Philip, encouragé par le ton ferme de Thomas. Pouvez-vous l'empêcher ?

— Seulement si on me laisse regagner Canterbury. »

Ce n'était pas la réponse que Philip espérait. « Et, en attendant, pourriez-vous écrire au pape, par exemple ?

— Je vais le faire, promit Thomas. Aujourd'hui même. Le pape ne reconnaîtra pas Peter comme évêque de Kingsbridge, je vous en donne ma parole. Mais nous ne pouvons pas empêcher qu'il s'installe dans le palais de l'évêque et nous ne pouvons pas non plus désigner quelqu'un d'autre. » Les propos résolument négatifs de Thomas démoralisèrent Philip. Pendant tout le chemin, il avait nourri l'espoir que Thomas trouverait un moyen de déjouer le plan de Waleran. Mais le brillant Thomas était hors jeu. Il ne lui restait rien que l'espoir d'être réintégré à Canterbury. Dans ce cas, certes, il aurait le pouvoir d'opposer son veto à toute nomination. Philip reprit d'un ton consterné : « Peut-on espérer vous voir revenir bientôt ?

— Oui, si vous êtes optimiste, répliqua Thomas. Le pape a conçu un traité de paix auquel il nous pousse, Henry et moi, de donner notre accord. Je peux en accepter les termes : le traité m'accorde ce que je voulais obtenir en faisant campagne. Henry estime qu'il est acceptable pour lui aussi. J'ai insisté pour qu'il fasse la preuve de sa sincérité en me donnant le baiser de paix. Il refuse. » Tandis qu'il parlait, la voix de Thomas changeait, devenait monocorde ; il avait l'air d'un prêtre en train de prononcer un sermon sur l'abnégation devant une congrégation indifférente. Toute vivacité avait disparu de son visage, Philip perçut dans son expression l'entêtement et l'orgueil qui l'avaient poussé à combattre durant toutes ces années. « Refuser ce baiser signifie qu'il compte m'attirer en Angleterre, puis revenir sur les termes de l'accord. » Philip acquiesça. Le baiser de paix, partie intégrante du rituel de la messe, était le symbole de la confiance, et aucun accord du contrat de mariage aux trêves de batailles n'était valable sans lui. « Que faire ? » dit-il, s'adressant autant à Thomas qu'à lui-même.

« Retourner en Angleterre et faire campagne pour moi, proposa Thomas. Écrire des lettres à vos frères prieurs et abbés. Envoyer de Kingsbridge une délégation au pape. Adresser une pétition au roi. Prêcher des sermons dans votre célèbre cathédrale pour expliquer aux habitants du comté que l'aîné de leurs prélats a été écarté par le roi. »

Philip hocha la tête. Il n'allait rien faire du tout. S'il écoutait Thomas, il se retrouverait dans l'opposition au roi. Résultat qui ferait peut-être du bien au moral de Thomas, mais qui n'apporterait rien à Kingsbridge.

Le prieur avait une meilleure idée. Si Henry et Thomas étaient aussi proches, il n'en faudrait peut-être pas beaucoup pour les pousser dans les bras l'un de l'autre. Peut-être, se dit Philip avec espoir, pourrait-il agir utilement dans ce sens. L'idée aiguillonna son optimisme. Les chances étaient minces, mais il n'avait rien à perdre.

Après tout, il ne s'agissait que d'un baiser.

Philip sursauta en constatant combien son frère avait vieilli. Francis avait les cheveux gris, de lourdes poches sous les yeux et la peau comme desséchée. Par contre, à soixante ans, il avait toujours l'œil vif et l'esprit alerte.

Philip porta la main à son propre visage : avait-il des rides, lui aussi ? Ou des poches sous les yeux ? Depuis des années il ne s'était pas regardé dans un miroir. Comme d'habitude la vue de son frère, image de son propre vieillissement, réveillait chez le prieur l'angoisse de l'âge.

« Es-tu content de travailler pour Henry ? demanda Philip, curieux de connaître quelques détails sur le nouveau roi. Ressemble-t-il à Maud ?

— Elle était plus intelligente, répondit Francis, mais trop tortueuse. Henry est très ouvert. On sait toujours ce qu'il pense. »

Ils se tenaient dans le cloître d'un monastère, à Bayeux,

où était descendu Philip, la cour du roi Henry étant cantonnée non loin de là. Francis dirigeait maintenant la chancellerie, le bureau qui rédigeait toutes les lettres et chartes royales : un poste important où l'on avait du pouvoir.

« Ouvert ? reprit Philip. Henry ? L'archevêque ne le pense pas.

— Encore une erreur de jugement de la part de Thomas », observa Francis d'un ton méprisant.

Philip, choqué que Francis se montre si dédaigneux envers l'archevêque, protesta : « Thomas est un grand homme !

— Qui voudrait être roi, riposta Francis.

— Et Henry archevêque ! »

Les frères se mesurèrent du regard un moment. Si nous nous disputons pour un rien, songea Philip, comment s'étonner de la brouille entre Henry et Thomas. Il sourit. « Allons, dit-il, ne nous querellons pas pour si peu... »

Le visage de Francis s'adoucit. « Non, bien sûr que non. Mais cette dispute entre le roi et l'archevêque est la plaie de mon existence depuis maintenant six ans. Je n'ai pas le même détachement que toi à ce propos. »

Philip acquiesça. « Pourquoi Henry refuse-t-il d'accepter le plan de paix du pape ?

— Il le fera, affirma Francis. Nous sommes à un doigt de la réconciliation. Mais Thomas veut davantage. Il tient absolument au baiser de paix.

— Si le roi est sincère, pourquoi refuse-t-il de donner le baiser de paix comme gage de sa bonne foi ? »

Francis haussa le ton. « Ce n'est pas dans le plan !

— Et alors ? Y a-t-il besoin d'un plan ? insista Philip.

— Il le ferait volontiers, expliqua Francis avec un soupir. Mais un jour il a prêté serment, en public, de ne jamais donner à Thomas le baiser de paix.

— Bien des rois ne tiennent pas leurs serments, fit remarquer Philip.

— Des rois faibles. Henry ne reviendra pas sur une promesse faite en public. C'est ce genre de détails qui le distingue d'un souverain comme Stephen.

— Alors l'Église de son côté ne devrait pas s'obstiner, observa Philip, résigné.

— Mais pourquoi Thomas insiste-t-il tant sur le baiser ? questionna Francis avec agacement.

— Parce qu'il n'a pas confiance. Qu'est-ce qui empêcherait le roi de revenir sur leur accord ? En supposant qu'il le dénonce, quel moyen Thomas a-t-il de répliquer ? Il n'aurait plus qu'à repartir en exil. Ses partisans les plus résolus commencent à se lasser. Thomas ne peut pas prendre un tel risque. Avant de céder, il lui faut des garanties de fer. »

Francis secoua la tête avec tristesse. « C'est devenu une question d'orgueil, murmura-t-il. Je sais que Henry n'a pas l'intention de tromper Thomas. Mais on n'arrivera pas à lui forcer la main. Il a horreur de se sentir obligé à quoi que ce soit.

— Même chose pour Thomas, à mon avis, dit Philip. Il a demandé ce gage et il ne peut plus reculer maintenant. » Il soupira avec lassitude. Il avait espéré que Francis suggérerait un moyen de rapprocher les deux hommes, mais la tâche semblait impossible.

« L'ironie, c'est que Henry donnerait volontiers le baiser de paix à Thomas *après* la réconciliation, ajouta Francis. Il refuse simplement qu'on le lui impose comme condition préalable.

— L'a-t-il dit formellement ?

— Oui.

— Mais ça change tout ! s'exclama Philip. Quelles sont ses déclarations exactes ?

— Il a dit : « Je baiserai sa bouche, je baiserai ses pieds et j'assisterai à sa messe — après son retour. » Je l'ai entendu moi-même.

— Je vais rapporter ces mots à Thomas.

— Crois-tu qu'il pourrait céder ? demanda anxieusement Francis.

— Je ne sais pas, mais c'est une si petite concession ! Il obtiendra son baiser juste un peu plus tard qu'il ne le demandait.

— Pour Henry, c'est une concession très minime aussi, reprit Francis avec un enthousiasme croissant. Il lui donne le baiser, volontairement et non sous la contrainte. Par Dieu, ça pourrait marcher !

— Ils se réconcilieraient à Canterbury. On annoncerait à l'avance le contenu de l'accord de façon qu'aucun des deux ne puisse rien y changer à la dernière minute. Thomas dirait la messe et Henry lui donnerait le baiser, là, dans la cathédrale. » Dès lors, poursuivit-il intérieurement, Thomas pourra faire échec aux plans maléfiques de Waleran.

« Je vais faire cette proposition au roi, déclara Francis.

— Et moi à Thomas. »

La cloche du monastère retentit. Les deux frères se levèrent.

« Sois persuasif, conseilla Philip. Si nous aboutissons, Thomas rentrera à Canterbury. Et, si Thomas rentre, c'en est fini de Waleran Bigod. »

Ils se rencontrèrent dans une jolie prairie, au bord d'une rivière séparant la Normandie du royaume de France, près des villes de Fréteval et de Viévy-le-Raye. Le roi Henry était déjà là avec son entourage, quand Thomas arriva, accompagné de l'archevêque Guillaume de Sens. Philip, qui faisait partie de l'escorte de Thomas, aperçut son frère Francis auprès du roi, à l'autre bout du champ.

Henry et Thomas étaient parvenus à un accord théorique. Tous deux avaient accepté le compromis selon lequel le baiser de paix serait échangé lors d'une messe de réconciliation après le retour de Becket en Angleterre. Mais il fallait une rencontre entre les deux hommes pour que l'accord fût conclu officiellement.

A cheval, Thomas s'avança au milieu du champ, laissant ses gens derrière lui, et Henry l'imita.

Des heures ils discutèrent.

Personne n'entendait ce qui se disait, mais on devinait qu'ils évoquaient la façon dont Henry avait offensé l'Église, comment les évêques anglais avaient désobéi à Thomas, l'exil de ce dernier, le rôle du pape... Philip tremblait de les voir ranimer leur querelle et se séparer plus ennemis que jamais. C'était déjà arrivé. Par orgueil, par intransigeance, ils avaient fait échouer un accord bien proche d'aboutir. Mais cette fois, plus ils parlaient, plus l'optimisme de Philip grandissait. Si les choses avaient dû craquer, ce serait déjà fait, estimait-il.

La chaleur de cet après-midi d'été commença de tomber, les ombres des ormes s'allongèrent en travers de la rivière. La tension était insupportable.

Enfin il se passa quelque chose : Thomas fit un geste. Allait-il repartir ? Non, il mettait pied à terre. Philip, haletant, ne quittait pas les deux hommes des yeux. A pied, l'archevêque s'approcha de Henry et s'agenouilla devant le roi.

Celui-ci sauta à terre et étreignit Thomas. Les courtisans dans les deux camps poussèrent des hurlements de joie en lançant leurs chapeaux en l'air.

Philip sentait les larmes lui venir aux yeux. Le conflit avait trouvé sa solution — dans la raison et la bonne volonté.

Peut-être était-ce un présage pour l'avenir.

III

Le roi était fou de rage et William Hamleigh avait peur. Il n'avait connu qu'une personne aussi coléreuse que le roi Henry : sa mère Regan. Henry était presque aussi terrifiant qu'elle. C'était d'ordinaire un homme intimidant, avec ses larges épaules, son torse puissant et sa grosse tête mais, lorsqu'il se mettait en colère, ses yeux gris-bleu s'injectaient de sang, son visage criblé de taches de rousseur s'empourprait et sa fureur évoquait celle d'un ours en cage.

En cette période de Noël, ils séjournaient à Bur-le-Roi, un pavillon de chasse de Henry, dans un parc proche de la côte normande. Henry aurait dû se réjouir : il adorait la chasse et ce lieu plus que tout. Mais il ne décolérait pas. La raison de cette fureur ? L'archevêque Thomas de Canterbury.

« Thomas, Thomas, Thomas ! Vous n'avez que ce nom à la bouche, bande de prélats pourris ! Thomas fait ceci... Thomas fait cela... Thomas vous a insultés... Thomas s'est montré injuste envers vous. J'en ai assez de Thomas ! »

William scruta furtivement le visage des comtes, évêques et autres dignitaires rassemblés autour de la table du dîner de Noël dans la grande salle. Tout le monde était visiblement très nerveux, sauf quelqu'un qui arborait un air satisfait : Waleran Bigod.

Waleran avait prédit que Henry ne tarderait pas à se quereller de nouveau avec Thomas. L'archevêque avait emporté une victoire trop inégale : le plan de paix du pape contraignait le roi à céder sur trop de points. Il y aurait d'inévitables disputes lorsque Thomas prétendrait obliger le roi à tenir ses promesses. Mais Waleran ne s'était pas contenté d'attendre passivement les événements, il s'était donné beaucoup de mal pour aider sa prédiction à devenir réalité. Avec l'aide de William, Waleran ne cessait de rapporter à Henry des plaintes sur les agissements de Thomas depuis son retour en Angleterre : l'archevêque parcourait la campagne avec une armée de chevaliers, rendait visite à ses partisans avec lesquels il préparait des projets douteux, il punissait les membres du clergé qui s'étaient rangés à la cause du roi durant son exil. Certes Waleran enjolivait ses rapports avant de les transmettre au roi, mais ils contenaient une base de vérité. Toutefois, Waleran attisait de son mieux les flammes d'un feu qui brûlait déjà bien. Tous ceux qui avaient abandonné Thomas au cours des six années de sa querelle avec le roi vivaient maintenant dans la crainte de sa vengeance et ne demandaient qu'à le noircir aux yeux du souverain.

Aussi, plus Henry enrageait, plus Waleran se réjouissait. En réalité, il risquait de pâtir plus que d'autres du retour de Thomas. L'archevêque avait refusé d'entériner la nomination de Waleran comme évêque de Lincoln, et proposait son propre candidat à l'évêché de Kingsbridge : le prieur Philip. Si Thomas l'emportait, Waleran perdrait Kingsbridge sans gagner pour autant Lincoln. Ce serait sa ruine.

La situation de William souffrirait aussi. Avec Aliena tenant le rôle du comte, Waleran disparu, Philip évêque et, sans nul doute, Jonathan prieur de Kingsbridge, William se retrouverait isolé, sans un seul allié dans le comté. C'est pourquoi il avait rejoint Waleran à la cour royale pour participer à la destruction de la fragile concorde signée entre le roi Henry et l'archevêque Thomas.

Personne ne montrait beaucoup d'appétit pour les cygnes, les oies, les paons et les canards disposés sur la table. William, qui en général mangeait et buvait de bon cœur, se contentait pour l'instant de grignoter du pain et de boire à petits coups du posset, un breuvage fait de lait, de bière, d'œufs et de noix de muscade, afin de calmer ses brûlures d'estomac.

La crise de colère du roi avait été provoquée par une initiative de Thomas, qui avait dépêché une délégation à Tours — où se trouvait le pape Alexandre — afin de se plaindre de Henry : le roi ne respectait pas les obligations imposées par le traité de paix. Un des plus vieux conseillers du roi, Enjuger de Bohun, déclara sans ambages : « Il n'y aura pas de paix tant que vous n'aurez pas fait exécuter Thomas. »

William sursauta.

« C'est vrai ! » rugit Henry.

Non ! le roi ne parlait pas sérieusement ! Pourtant William eut le sentiment qu'Enjuger ne s'était pas exprimé à la légère.

Guillaume Malvoisin ajouta avec désinvolture : « Lorsque j'étais à Rome, en rentrant de Jérusalem, j'ai entendu parler d'un pape qu'on avait exécuté pour insolence. Du diable maintenant si j'arrive à me rappeler son nom.

— On dirait, renchérit l'archevêque d'York, qu'il n'y pas d'*autre* solution. Tant que Thomas vivra, il fomentera la sédition dans le pays et à l'étranger. »

William avait de plus en plus l'impression d'un coup monté. Il lança un regard à Waleran. Celui-ci, justement, intervenait : « Il est totalement inutile de faire appel au sens des convenances de Thomas...

— Taisez-vous, tous autant que vous êtes, rugit le roi. J'en ai assez entendu ! Tout ce que vous savez faire, c'est vous plaindre. Quand proposerez-vous quelque chose de concret ? »

Il but une gorgée. « Cette bière a le goût de pisse ! » hurla-t-il. Il repoussa son fauteuil et, comme tout le monde s'empressait de se lever, il sortit en trombe de la salle.

Dans le silence anxieux qui suivit, Waleran observa : « Mes seigneurs, le message pourrait difficilement être plus clair. Nous devons nous secouer et réfléchir au cas de Thomas. »

William Mandeville, comte d'Essex, déclara : « Je pense qu'une délégation devrait rencontrer Thomas pour lui faire entendre raison.

— Et que ferez-vous s'il refuse d'écouter ? rétorqua Waleran.

— Je pense que nous devrions l'arrêter au nom du roi. »

On se mit à parler en même temps. L'assemblée se divisa en petits groupes. Ceux qui entouraient le comte d'Essex prévoyaient déjà le départ de leurs délégués pour Canterbury. William vit Waleran en conversation avec deux ou trois jeunes chevaliers. L'évêque surprit son regard et lui fit signe d'approcher.

« La délégation de William Mandeville, déclara Waleran, n'accomplira rien. Thomas n'en fera qu'une bouchée. »

Reginald Fitzurse, d'une voix sévère, affirma : « Certains d'entre nous estiment que le moment est venu de prendre des mesures plus radicales.

— Que voulez-vous dire ? interrogea William.

— Vous avez entendu les paroles d'Enjuger ? »

Richard Le Bret, un garçon d'environ dix-huit ans, balbutia : « Exécution. »

Le mot glaça le cœur de William. Alors, c'était sérieux. Il dévisagea Waleran. « Allez-vous demander la bénédiction du roi ?

— Impossible, répondit Reginald. Henry ne peut pas sanctionner une décision comme celle-là. » Il eut un sourire mauvais. « Mais il peut récompenser ensuite ses fidèles serviteurs.

— Eh bien, William, interrogea le jeune Richard, êtes-vous avec nous ?

— Je ne sais pas, répliqua William tout à la fois excité et effrayé. Il faut que j'y réfléchisse.

— On n'a pas le temps de réfléchir, objecta Reginald. Nous devons partir maintenant. Il faut arriver à Canterbury avant William Mandeville, sinon ses gens se trouveront sur notre chemin. »

Waleran s'adressa à William : « Ils ont besoin avec eux d'un homme plus âgé pour les guider et préparer l'opération. »

William ne demandait qu'à accepter. Non seulement cela résoudrait tous ses problèmes, mais le roi lui donnerait sans doute un comté en récompense. « Tout de même, tuer un archevêque, c'est un terrible péché ! protesta-t-il.

— Ne vous inquiétez pas pour cela, riposta Waleran, je vous donnerai l'absolution. »

La gravité de l'acte qu'ils se préparaient à commettre pesait sur William comme un nuage d'orage tandis que le groupe d'assassins faisait voile vers l'Angleterre. Il ne pensait à rien d'autre : il ne pouvait ni manger ni dormir, agissait comme un somnambule et tenait des propos confus. Quand le vaisseau atteignit Douvres, il était prêt à abandonner le projet.

Ils atteignirent le château de Saltwood, dans le Kent, un lundi soir, trois jours après Noël. Le domaine appartenait à l'archevêque de Canterbury mais, durant l'exil de ce dernier, il avait été occupé par Ranulf de Broc, qui avait refusé de le rendre. Une des plaintes que Thomas formulait auprès du pape était précisément que le roi Henry n'avait pas réussi à lui faire restituer le château.

Ranulf redonna du courage à William.

En l'absence de l'archevêque, il avait ravagé le Kent et se montrait disposé à tout faire pour conserver sa liberté d'agir. Il avait adopté avec enthousiasme le projet d'assassinat et accueilli avec joie l'occasion d'y prendre part. La façon pratique dont il analysait les problèmes dissipa le brouillard de crainte superstitieuse qui assombrissait la vision de William. Celui-ci se plut à imaginer qu'il retrouvait son titre de comte et sa liberté sans personne pour lui dicter sa conduite.

Ils veillèrent presque toute la nuit. Ranulf dessina sur la table, avec un couteau, un plan de l'enclos de la cathédrale et du palais de l'archevêque. Les bâtiments du monastère se trouvaient sur le côté nord de l'église. L'archevêché était rattaché à l'angle nord-ouest de l'église. On y pénétrait par la cour des cuisines. Tout en travaillant sur le plan, Ranulf envoya des cavaliers dans ses garnisons de Douvres, de Rochester et de Bletchingley, pour donner ordre à ses chevaliers de le retrouver au matin sur la route de Canterbury. A l'aube, les conspirateurs allèrent se prendre une heure ou deux de sommeil.

Après ce long voyage, William avait les jambes en feu. Il espérait que cette opération militaire serait la dernière à laquelle il participerait. Si ses calculs étaient exacts, il aurait bientôt cinquante-cinq ans et il devenait trop vieux pour ce genre d'exercice.

Malgré sa fatigue et l'influence réconfortante de Ranulf, il ne parvint pas à trouver le sommeil. L'idée de tuer un archevêque le terrorisait, même s'il avait été par avance absous de son péché.

Ils avaient conçu un bon plan d'attaque, certes, mais qui tournerait mal, il en était sûr : il y avait toujours quelque chose qui tournait mal. L'important, c'était d'avoir la souplesse nécessaire pour réagir à l'inattendu. Tout de même, ce ne serait pas très difficile pour un groupe de guerriers professionnels de maîtriser une poignée de moines efféminés.

La pâle lumière d'un gris matin d'hiver filtrait dans la

pièce par les fenêtres en meurtrières. William se leva. Il essaya de dire ses prières, mais n'y parvint pas. Les autres s'étaient levés de bonne heure aussi. Ils prirent leur déjeuner ensemble dans la salle. Outre William et Ranulf, il y avait Reginald Fitzurse, dont William avait fait le chef du groupe d'attaque ; Richard Le Bret, le benjamin de la troupe ; William Tracy, l'aîné ; et Hugh Morville, le plus élevé en grade.

Ils revêtirent leurs armures et partirent sur les chevaux de Ranulf. Il faisait un froid mordant et le ciel était assombri par des nuages gris et bas, comme s'il allait neiger. Le groupe suivit la vieille route qu'on appelait Stone Street. Au cours des deux heures et demie du trajet, il s'augmenta de plusieurs autres chevaliers.

Le point de rassemblement final était à l'abbaye Saint-Augustin, en dehors de la ville. L'abbé était un vieil ennemi de Thomas, selon Ranulf. Mais William n'en décida pas moins de lui dire qu'ils étaient venus arrêter Thomas, et non le tuer. C'était la version qu'ils devraient maintenir jusqu'au dernier moment : personne ne devait connaître le véritable but de l'opération, sauf William lui-même, Ranulf et les quatre chevaliers venus de France.

Ils atteignirent l'abbaye à midi. Les hommes que Ranulf avait convoqués les attendaient déjà. L'abbé leur offrit à dîner. Son vin était fort bon et ils en burent tous en abondance. Ranulf donna ses instructions aux hommes d'armes qui cerneraient l'enclos de la cathédrale pour empêcher quiconque de s'échapper.

Bien qu'il ne quittât pas l'âtre où brûlait le feu, William ne cessait de frissonner. Ce serait une opération simple, mais ils risquaient leur vie. S'ils réussissaient, le roi trouverait un moyen de justifier le meurtre de Thomas. Mais en cas d'échec, Henry en aucun cas ne pourrait appuyer la tentative d'assassinat : il nierait en avoir eu connaissance et ferait pendre les coupables. Comme shérif de Shiring, William avait pendu bien des gens, mais l'idée de son propre corps se balançant au bout d'une corde le faisait trembler.

Il s'obligea à penser au comté qui serait sa récompense en cas de victoire. Quel bonheur d'être de nouveau comte sur ses vieux jours, respecté et obéi sans contestation ! Peut-être le frère d'Aliena, Richard, mourrait-il en Terre sainte. Le roi Henry rendrait alors à William son ancienne propriété. Cette perspective le réchauffa plus que le feu.

Lorsqu'ils quittèrent l'abbaye, ils formaient une petite armée, qui n'eut aucun mal à entrer dans Canterbury. Ranulf contrôlait depuis six ans cette partie du pays et il n'avait pas encore perdu son autorité. Il avait même plus d'influence que Thomas, qui s'en était amèrement plaint au pape.

Sitôt dans la place, les hommes d'armes se dispersèrent autour de l'enceinte de la cathédrale et en bloquèrent toutes les issues.

L'opération avait commencé. Jusque-là on aurait pu encore théoriquement tout annuler mais, désormais, se dit William avec un frisson d'angoisse, les dés étaient jetés.

Tandis que Ranulf se chargeait du système de surveillance, William posta un groupe de chevaliers dans une maison située en face de la porte principale de l'enceinte. Pendant que Reginald Fitzurse et les trois autres conspirateurs pénétraient à cheval dans la cour des cuisines, comme des visiteurs officiels, William fit irruption dans le poste de garde et, avec l'aide de quelques soldats, maintint à la pointe de l'épée le portier terrifié.

L'attaque prenait tournure.

Comme un automate, William ordonna à un homme d'armes de ligoter le portier, puis rassembla dans le poste le reste de sa troupe et ferma la porte. Plus personne maintenant ne pouvait entrer ni sortir : il avait pris le contrôle armé d'un monastère.

William rejoignit les quatre conspirateurs dans la cour des cuisines. Il y avait des écuries au nord de la cour, mais les quatre acolytes avaient attaché leurs chevaux à un mûrier planté au centre. Ils se débarrassèrent de leurs ceinturons et de leurs casques pour préserver encore un moment l'aspect d'une délégation pacifique.

William à son tour abandonna ses armes au pied de l'arbre. Reginald l'interrogea du regard. « Tout va bien, annonça William. L'endroit est coupé du monde. »

Ils traversèrent la cour jusqu'au portail du palais. William chargea un chevalier du nom de Richard d'y rester pour monter la garde. Les autres pénétrèrent dans la grande salle.

Les domestiques du palais étaient assis à dîner. Cela signifiait qu'ils avaient déjà servi Thomas, ainsi que les prêtres et les moines en sa compagnie. Un des serviteurs se leva. « Nous sommes les hommes du roi », déclara Reginald.

Le silence se fit dans la salle. L'homme qui s'était levé à leur entrée se présenta : « Bienvenue, mes seigneurs, je suis l'intendant, William Fitzneal. Veuillez vous installer, je vous prie. Voudriez-vous dîner ? »

Il était d'une courtoisie parfaite, songea William, compte tenu du fait que son maître était en conflit avec le roi.

« Pas de dîner, merci, dit Reginald.

— Une coupe de vin, après votre voyage ?

— Nous avons un message du roi pour ton maître, répliqua Reginald avec impatience. Veux-tu nous annoncer sans tarder ?

— Très bien », dit l'intendant en s'inclinant.

Les visiteurs n'étant pas armés, l'intendant n'avait aucune raison de leur opposer un refus. Il quitta la table et se dirigea vers le fond de la salle.

William et les quatre chevaliers lui emboîtèrent le pas, suivis par les regards des serviteurs silencieux. William, tremblant comme autrefois avant une bataille, espérait que le combat allait bientôt commencer. Alors, seulement, il se sentirait bien.

Ils s'engagèrent dans un escalier menant à l'étage supérieur et débouchèrent dans une spacieuse antichambre, garnie de bancs sur tous les côtés. Au centre de l'un des murs, se dressait un grand trône. Plusieurs prêtres et moines en robe noire avaient pris place sur les bancs, mais le trône était inoccupé.

L'intendant s'approcha d'une porte ouverte. « Monseigneur archevêque, lança-t-il d'une voix forte, des messagers du roi. »

On n'entendit pas de réponse, mais l'archevêque avait dû lui faire un signe, car l'intendant invita le groupe à entrer.

Thomas Becket était assis au bord du lit, vêtu de sa robe d'archevêque. Assis à ses pieds, un moine écoutait l'archevêque. William croisa son regard et eut la surprise de reconnaître le prieur Philip de Kingsbridge. Que faisait-il ici ? Sûrement qu'il quémandait une faveur. Bien qu'élu évêque de Kingsbridge, Philip n'avait pas encore été confirmé à ce poste. A présent, se dit William avec une joie sauvage, il ne le serait jamais.

Philip n'était pas moins stupéfait de rencontrer William. Thomas continua son discours, comme s'il n'avait pas remarqué les visiteurs. Attitude délibérément provocante, songea William. Les chevaliers s'assirent sur les tabourets et les bancs qui entouraient le lit, ce que William considéra comme une erreur : leur visite prenait un caractère mondain et il eut le sentiment que sa troupe avait un peu perdu de son élan. Peut-être était-ce justement le but de Thomas.

L'archevêque finit par lever les yeux sur eux. Il ne se leva pas pour les accueillir. Il les connaissait tous, à l'exception de William, et son regard s'arrêta sur Hugh Morville, le plus haut en grade. « Ah, fit-il, Hugh. »

William avait placé Reginald en charge de cette phase de l'opération. Ce fut donc Reginald et non Hugh qui répondit à l'archevêque : « Nous venons de la part du roi qui séjourne en Normandie. Voulez-vous entendre son message en public ou en privé ? »

Le regard froid de Thomas alla de Reginald à Hugh pour revenir à Reginald. Son expression disait qu'il était offensé d'avoir affaire à un subalterne de la délégation. Il soupira. « Laissez-moi, Philip », dit-il au moine.

Philip se leva et passa devant les chevaliers, l'air soucieux.

« Mais ne fermez pas la porte », lui cria Thomas.

Quand Philip fut sorti, Reginald parla : « Je vous demande, au nom du roi, de venir à Winchester répondre des accusations portées contre vous. »

William eut la satisfaction de voir Thomas pâlir. « C'est donc cela », murmura l'archevêque. Il leva la tête. L'intendant rôdait près de la porte. « Fais entrer tout le monde, lui ordonna Thomas. Je veux que tous entendent. »

Les moines et les prêtres parurent aussitôt, le prieur Philip parmi eux. Certains s'assirent, d'autres restèrent debout, adossés aux murs. William n'éleva pas d'objection : au contraire, plus il y avait de gens présents, mieux cela vaudrait : l'objet de cette rencontre était d'établir devant témoins que Thomas refusait de se plier à un ordre du roi.

Quand ils furent tous installés, Thomas se tourna vers Reginald.

« Alors ? interrogea-t-il.

— Je vous demande, au nom du roi, de vous rendre à Winchester pour répondre des accusations portées contre vous, répéta Reginald.

— Quelles accusations ? fit calmement Thomas.

— Trahison ! »

Thomas secoua la tête. « Je refuse d'être jugé par Henry, répondit-il avec calme. Je n'ai commis aucun crime, Dieu le sait.

— Vous avez excommunié des serviteurs du roi.

— Ce n'est pas moi, mais le pape, qui a fait cela.

— Vous avez suspendu d'autres évêques.

— J'ai offert de les réintégrer dans des conditions inspirées par la miséricorde. Ils ont refusé. Ma proposition demeure.

— Vous avez menacé la succession au trône en condamnant le couronnement du fils du roi.

— Je n'ai rien fait de tel. L'archevêque d'York n'a nullement le droit de couronner qui que ce soit, et le pape l'a réprimandé pour son effronterie. Mais personne n'a prétendu que le couronnement n'était pas valable.

— Maudit imbécile, s'exclama Reginald, exaspéré, l'un découle de l'autre.

— En voilà assez ! s'écria Thomas.

— Nous en avons assez de vous, Thomas Becket, s'écria Reginald. Par les plaies de Dieu, nous en avons assez de vous, de votre arrogance, de vos duperies et de votre trahison. »

Thomas se leva. « Les châteaux de l'archevêque sont occupés par les hommes du roi, s'exclama-t-il. Les loyers dus à l'archevêque ont été encaissés par le roi. L'archevêque a reçu l'ordre de ne pas quitter la ville de Canterbury. Et vous osez dire que c'est *vous* qui en avez assez ? »

Un des prêtres tenta d'intervenir : « Monseigneur, discutons cette affaire en privé.

— A quelle fin ? répliqua Thomas. On exige de moi une chose que je ne dois pas faire et que je ne veux pas faire. »

Les éclats de voix avaient attiré tous les gens qui se trouvaient au palais et le seuil de la chambre était encombré d'auditeurs éberlués, constata William. La discussion avait assez duré : personne ne pouvait nier maintenant que Thomas refusait d'obéir à un ordre royal. William fit un signe à Reginald : un geste discret, mais que le prieur Philip remarqua en notant aussitôt que le chef du groupe n'était pas Reginald, mais William.

« Archevêque Thomas, déclara cérémonieusement Reginald, vous n'êtes plus sous la paix et la protection du roi. » Il se retourna pour s'adresser à l'assistance. « Évacuez cette chambre », ordonna-t-il.

Personne ne bougea.

« Moines, déclara Reginald, je vous ordonne au nom du roi de garder l'archevêque et de l'empêcher de s'enfuir. »

Ils n'en feraient rien, naturellement. William ne le souhaitait pas non plus, bien au contraire. Il espérait que Thomas tenterait une évasion qui leur donnerait l'occasion de l'abattre.

Reginald se tourna vers l'intendant, William Fitzneal, théoriquement le garde du corps de l'archevêque. « Je vous arrête », déclara-t-il. Il empoigna l'intendant par le bras et le fit sortir de la pièce. L'homme n'opposa aucune résistance. William et les autres chevaliers les suivirent.

Ils dévalèrent l'escalier et traversèrent la salle. Richard, le jeune chevalier, était toujours de garde sous le portail. William se demanda que faire de l'intendant. « Es-tu avec nous ? » lança-t-il à brûle-pourpoint.

« Oui, si vous êtes avec le roi ! » répliqua l'homme, terrifié.

Il avait bien trop peur pour représenter un danger, quel que fût le camp dans lequel il se rangeait, estima William. Il se tourna vers Richard. « Gardez-le à l'œil. Que personne ne quitte le bâtiment. Maintenez le portail fermé. »

Avec les autres chevaliers, il traversa en hâte la cour jusqu'au mûrier. Ils reprirent précipitamment leurs casques et leurs épées. C'est l'heure, songea William, empli de frayeur. Nous allons revenir là-bas et tuer l'archevêque de Canterbury. Oh ! mon Dieu. William n'avait pas porté de casque depuis longtemps et la coiffe en cotte de mailles qui protégeait le cou et les épaules le gênait. Il maudit ses doigts maladroits. Il n'y avait pas de temps à perdre. Il aperçut un jeune garçon qui l'observait, bouche bée, et lui cria : « Eh ! Toi ! Comment t'appelles-tu ? »

Le garçon se tourna vers les cuisines, ne sachant s'il devait répondre à William ou s'enfuir. « Robert, seigneur, dit-il après un moment. On m'appelle Robert Pipe.

— Viens ici, Robert Pipe, et aide-moi. »

Le garçon hésitait toujours.

« Viens, ou bien je jure par le sang de Jésus que je vais te trancher la main avec cette épée ! » cria William à bout de patience.

Le jeune homme s'avança à contrecœur. William lui montra comment maintenir la cotte de mailles tandis qu'il coiffait son casque. Aussitôt après Robert Pipe détala. Il racontera cette histoire à ses petits-enfants, songea William.

Le casque était muni d'un ventail, protégeant la bouche, qu'on tirait et fixait avec une courroie. Les autres avaient déjà fermé les leurs, dissimulant leurs visages, si bien qu'on ne pourrait plus les reconnaître. William garda le sien ouvert encore un moment. Chaque chevalier tenait une épée dans une main et une hache dans l'autre.

« Prêts ? » interrogea William.

Ils acquiescèrent.

Désormais, on ne parlerait plus. Il n'y avait plus d'ordres à donner, plus de décisions à prendre. Ils allaient simplement remonter là-haut tuer Thomas.

William porta deux doigts à sa bouche et lança un violent coup de sifflet.

Puis il attacha son ventail. Un homme d'armes accourut au poste de garde et ouvrit toute grande la porte principale.

Les chevaliers que William avait postés dans la maison, de l'autre côté de la route, se précipitèrent en criant comme ils en avaient reçu l'ordre : « Service du roi ! Service du roi ! »

William repartit en courant vers le palais.

Le chevalier Richard et l'intendant William Fitzneal ouvrirent grand le portail devant lui.

Au moment où il entrait, deux des serviteurs de l'archevêque profitèrent du fait que Richard et William Fitzneal avaient la tête tournée pour claquer la porte menant à la grande salle.

William se jeta de tout son poids contre le montant, mais c'était trop tard : elle était bloquée par une barre. Il poussa un juron.

Les chevaliers attaquèrent la porte à coups de hache, mais sans grand succès car elle avait été conçue pour résister aux assauts. William sentait le contrôle des opérations lui échapper. Luttant contre un début de panique, il se précipita dehors pour chercher une autre entrée. Reginald le suivit.

Il n'y avait aucune issue de ce côté du bâtiment. Ils firent le tour du palais, passant devant les cuisines et traversant le verger. William poussa un grognement de satisfaction : là sur la façade sud un escalier menait à l'étage supérieur, une sorte d'entrée particulière donnant accès aux appartements de l'archevêque.

William se calma.

Reginald et lui coururent jusqu'au pied de l'escalier. Il était endommagé à mi-hauteur ; quelques outils et une échelle se trouvaient là, comme pour des réparations. Reginald appuya l'échelle contre le mur et grimpa, en enjambant les marches démolies. En haut, une porte donnait sur une fenêtre en encorbellement, comme un petit balcon clos. William le vit secouer la porte : fermée à clé. A côté de la porte, une fenêtre aux volets clos, que d'un coup de hache, Reginald fit voler en éclats. Il passa le bras à l'intérieur, tâtonna, puis ouvrit la fenêtre et entra.

William se mit à monter l'échelle.

Philip s'était alarmé dès l'instant où il avait vu William Hamleigh, mais les prêtres et les moines de l'entourage de Thomas se montrèrent d'abord optimistes. Puis, en entendant cogner à la porte de la salle, plusieurs d'entre eux proposèrent d'aller chercher refuge dans la cathédrale.

« Chercher refuge ? fit Thomas avec mépris. Contre quoi ? Contre ces chevaliers ? Un archevêque ne s'enfuit pas devant quelques têtes brûlées. »

Philip lui donnait raison jusqu'à un certain point : le titre d'archevêque n'avait plus de sens si on se laissait effrayer par des chevaliers. L'homme de Dieu, fort de la certitude que ses péchés sont pardonnés, considère la mort comme un heureux passage vers un monde meilleur et ne craint pas les épées. Toutefois, il ne s'agissait pas non plus, par insouciance, de risquer sa sécurité. Philip, en outre, était bien placé pour connaître la méchanceté et la brutalité de William Hamleigh. Aussi, lorsqu'on entendit fracasser le volet du petit balcon, Philip décida-t-il de prendre le commandement.

Il ne pouvait voir par les fenêtres les chevaliers envahir le palais. Profondément inquiet, il comprit qu'il s'agissait d'un assaut soigneusement préparé dont les auteurs étaient prêts à commettre toutes les violences. Il s'empressa de fermer la porte de la chambre et d'y glisser la barre de sûreté. Les autres le regardaient, satisfaits de voir quelqu'un de décidé prendre l'initiative. L'archevêque Thomas ne perdait pas son attitude dédaigneuse, mais il n'essaya pas d'arrêter Philip. Planté près de la porte, Philip tendit l'oreille. Un homme passait par le balcon et pénétrait dans la salle d'audience. La porte de la chambre serait-elle solide ? se demanda Philip. Toutefois, au lieu de s'y attaquer, l'homme traversa la pièce et descendit l'escalier. Philip devina qu'il allait ouvrir de l'intérieur la porte du grand hall pour laisser entrer par là le reste des chevaliers.

Voilà qui donnait à Thomas quelques moments de répit.

A l'autre bout de la chambre se trouvait une autre porte en partie dissimulée par le lit. Philip la montra du doigt en demandant d'un ton pressant : « Où mène-t-elle ?

— Au cloître, répondit quelqu'un. Mais elle est fermée à clé. »

Philip essaya de la pousser. Elle était verrouillée. « Avez-vous une clé ? demanda-t-il à Thomas, ajoutant aussitôt : Monseigneur archevêque... »

Thomas secoua la tête. « Pour autant que je m'en souvienne, répliqua-t-il avec un calme imperturbable, ce passage n'a jamais été utilisé. »

La porte n'avait pas l'air bien robuste, mais Philip avait soixante ans et la force n'avait jamais été sa spécialité. Il recula et donna un coup de pied dans le montant. La porte trembla. Philip serra les dents et recommença, de toutes ses forces. La porte céda.

Philip regarda Thomas. Ce dernier ne semblait toujours pas décidé à fuir. Peut-être ne se rendait-il pas compte, comme Philip, que le nombre de chevaliers et le caractère organisé de leur opération témoignaient d'une intention sérieuse. Mais Philip savait qu'il serait vain d'invoquer la peur pour convaincre Thomas. Il se contenta de dire : « C'est l'heure des vêpres. Nous ne devrions pas laisser quelques têtes chaudes troubler l'ordonnance de l'office. »

Thomas sourit, comprenant qu'on utilisait contre lui ses propres arguments. « Très bien », approuva-t-il, et il se leva.

Philip ouvrit la marche, soulagé d'avoir réussi à faire bouger l'archevêque. Le passage descendait par une longue volée de marches, sans éclairage sinon celui qui venait de la chambre du prélat. Au bout du passage, une autre porte. Philip la traita comme la première, mais celle-ci était plus solide et résista. Il se mit à la marteler de coups en criant : « A l'aide ! Ouvrez la porte ! Vite, vite ! » Il perçut dans sa propre voix une note d'affolement et fit un effort pour rester calme, mais il avait le cœur battant et il savait que les chevaliers de William étaient déjà sur leurs talons.

Les autres le rejoignirent. Thomas éleva la voix : « De la

dignité, Philip, je vous en prie », mais Philip n'y prêta pas attention. C'était la dignité de l'archevêque qu'il voulait préserver, la sienne ne comptait pas.

Soudain on entendit le bruit d'une barre qu'on tirait, d'une clé tournant dans la serrure et la porte s'ouvrit. Philip poussa un soupir de soulagement. Deux celleriers stupéfaits étaient plantés là. « Je ne savais pas, remarqua l'un d'eux, que cette porte menait quelque part. »

Philip les repoussa avec impatience. Il se trouvait dans les magasins du cellérier. Se glissant entre les barils et les sacs, il atteignit une autre porte qu'il franchit. Il était dehors.

Il se trouvait dans l'allée sud du cloître. Tout au bout, il aperçut, à son vif soulagement, la porte qui donnait sur le transept nord de la cathédrale de Canterbury.

Ils étaient sauvés, ou presque.

Il fallait emmener Thomas dans la cathédrale avant que William et ses hommes ne les rattrapent. Le reste du groupe sortit du magasin. « Dans l'église, vite ! s'écria Philip.

— Non, Philip, protesta Thomas. Pas vite. Nous entrerons dans ma cathédrale avec dignité. »

Philip eut envie de hurler, mais il répondit : « Bien sûr, monseigneur. »

Il entendait le bruit menaçant de pas lourds dans le passage inutilisé : les chevaliers avaient dû faire irruption dans la chambre et découvrir le couloir. Il savait que la meilleure protection de l'archevêque était sa dignité, mais c'était inutile de chercher les ennuis.

« Où est la crosse de l'archevêque ? interrogea Thomas. Je ne peux pas entrer dans l'église sans ma crosse. »

Philip poussa un gémissement de désespoir.

Un des prêtres intervint. « Je l'ai apportée. La voici.

— Tenez-la devant moi comme d'habitude, ordonna Thomas, je vous en prie. »

Le prêtre brandit bien haut la crosse et s'avança avec une précipitation mal contenue vers l'église.

Thomas le suivit.

L'entourage de l'archevêque le précéda dans la cathédrale, comme l'exigeait l'étiquette. Philip entra le dernier et tint la porte. Juste au moment où Thomas pénétrait dans l'église, deux chevaliers surgirent des magasins du cellérier et se précipitèrent dans l'allée du cloître. Philip ferma la porte du transept. Une barre était enfoncée dans un trou du mur auprès du chambranle. Il s'en empara et la poussa en travers du montant.

Il se retourna, soulagé, et s'adossa à la porte.

Thomas traversait l'étroit transept, se dirigeant vers les marches qui menaient au chœur. Lorsqu'il entendit la barre glisser en place, il s'arrêta et se retourna.

« Non, Philip », protesta-t-il.

Le moine sentit son cœur s'arrêter. « Monseigneur...

— C'est une église, pas un château fort. Otez cette barre. »

La porte était violemment ébranlée par les coups des chevaliers s'efforçant de l'ouvrir. « Je crains, observa Philip, qu'ils ne veuillent vous tuer !

— Alors, ils y réussiront sans doute, que vous barriez la porte ou non. Savez-vous combien d'autres portes il y a dans cette église ? Ouvrez-la. »

On entendit une série de chocs sourds, comme si les chevaliers s'attaquaient aux montants à coups de hache. « Vous pourriez vous cacher, protesta Philip, désespéré. Il y a des douzaines d'endroits possibles ; l'entrée de la crypte est juste là — la nuit commence à tomber...

— Me cacher, Philip ? Dans ma propre église ? Le feriez-vous ? »

Philip regarda longuement l'archevêque, puis finit par répondre : « Non, je ne le ferais pas.

— Ouvrez la porte. »

Le cœur lourd, Philip ôta la barre.

Les chevaliers surgirent dans la cathédrale : ils étaient cinq, le visage dissimulé derrière leur ventail, portant des épées et des haches. On les aurait dits jaillis de l'enfer.

Philip n'aurait pas dû avoir peur, il le savait, mais la lame aiguisée de leurs armes le paralysait.

« Où est Thomas Becket, traître à son roi et au royaume ? cria l'un des agresseurs.

— Où est le traître ? reprirent les autres. Où est l'archevêque ? »

Il faisait très sombre maintenant dans la vaste église faiblement éclairée par les cierges. Tous les moines étaient en noir. D'autre part, leurs visières empêchaient les chevaliers de bien y voir. Philip eut une brusque bouffée d'espoir : peut-être, dans l'obscurité, allaient-ils manquer Thomas. Mais au même moment, Thomas anéantit cette espérance en descendant les marches vers les chevaliers. « Me voici...

non pas traître à mon roi, mais prêtre de Dieu. Que voulez-vous ? »

Au moment où l'archevêque faisait face aux cinq hommes qui brandissaient leurs épées, Philip comprit avec certitude que Thomas allait mourir ici, sous ses yeux.

L'entourage de Thomas dut partager son sentiment, car les uns disparurent dans la pénombre du chœur, d'autres se dispersèrent dans la nef, tandis qu'un troisième ouvrait une porte dérobée et s'engouffrait dans un escalier en spirale. Philip était écœuré. « Priez au lieu de courir ! » leur cria-t-il.

L'idée vint à Philip que lui aussi risquait d'être tué s'il ne s'enfuyait pas. Mais il ne pouvait abandonner sa place auprès de l'archevêque.

L'un des chevaliers lança à Thomas : « Renonce à ta traîtrise ! »

Philip reconnut la voix de Reginald Fitzurse, qui avait parlé tout à l'heure.

« Je n'ai à renoncer à rien, riposta Thomas. Je n'ai commis aucune traîtrise. » Il était terriblement calme, mais son visage était blême et Philip se rendit compte que Thomas, comme tous les autres, savait qu'il allait mourir.

« Cours, cria Reginald à Thomas, tu es un homme mort ! »

Thomas ne bougeait pas.

Ils voudraient qu'il s'enfuie, songea Philip. Ils ne peuvent pas se décider à le tuer de sang-froid.

Peut-être Thomas l'avait-il compris aussi, car il restait impassible, mettant ses assassins au défi de le toucher. Un long moment, ils restèrent figés face à face, les chevaliers ne se décidant pas à faire le premier geste, le prélat trop fier pour s'enfuir.

Ce fut Thomas qui rompit le charme : « Je suis prêt à mourir, déclara-t-il, mais vous ne touchez à aucun de mes hommes, prêtres, moines ou laïques. »

Ce fut Reginald qui fit le premier geste. Il brandit son épée devant Thomas, en avança la pointe peu à peu près de son visage, comme s'il se mettait lui-même au défi de toucher le prêtre. Thomas demeura immobile comme une pierre, les yeux fixés sur le chevalier et non sur l'épée. Soudain, d'un vif mouvement du poignet, Reginald fit tomber la barrette de Thomas.

De nouveau Philip fut empli d'espoir. Il n'arrive pas à se

décider, se dit-il ; il n'ose pas le toucher. Mais il se trompait. La résolution du chevalier parut renforcée par le geste stupide qu'il venait de faire ; comme s'il s'attendait après cette insulte à être frappé par la main de Dieu, puisqu'il n'en était rien, il pouvait faire pire. « Emmenez-le », ordonna Reginald.

Les chevaliers rengainèrent leur épée et s'approchèrent de l'archevêque.

L'un d'eux saisit Thomas par la taille et essaya de le soulever.

Philip était au désespoir. Ils l'avaient touché ! Ils étaient donc prêts à porter la main sur un homme de Dieu. Philip eut le vertige en mesurant la profondeur du mal qui les habitait. Ils devaient savoir dans leur cœur que leur acte leur vaudrait d'aller en enfer, et ils l'accomplissaient quand même.

Thomas perdit l'équilibre, agita les bras et voulut se débattre. Les autres chevaliers accoururent pour essayer de l'empêcher de fuir. Il ne restait de l'entourage de Thomas que Philip et un prêtre du nom d'Edward Grim. Tous deux bondirent pour l'aider. Edward s'empara de son manteau et s'y cramponna. Un des chevaliers se retourna et frappa Philip de son poing ganté. Touché à la tempe, Philip s'écroula.

Lorsqu'il reprit ses esprits, les chevaliers avaient lâché l'archevêque qui se tenait debout, tête baissée, mains jointes dans une attitude de prière.

Philip, avant même de se relever, lança un long hurlement désespéré de protestation : « Non ! »

Edward Grim leva le bras pour détourner le coup.

« Je me recommande à D... », commença Thomas.

L'épée s'abattit.

Elle frappa du même coup Thomas et Edward. Philip s'entendit pousser un cri. La lame s'enfonça dans le crâne de l'archevêque et vint glisser sur le bras du prêtre. Tandis que le sang jaillissait de l'épaule d'Edward, Thomas tomba à genoux.

Eperdu, Philip contemplait l'horrible blessure que l'archevêque portait à la tête.

Il s'effondra lentement sur les mains, se soutint ainsi un instant, puis s'affala sur les dalles.

Un autre chevalier leva son épée et frappa à son tour. Philip poussa malgré lui un gémissement. Le second coup porté au même endroit que le premier trancha le haut du crâne de Thomas ; il fut asséné avec une telle violence que l'épée vint heurter la pierre et se brisa en deux. Le chevalier laissa tomber le morceau qui lui restait dans la main.

Un troisième chevalier commit alors un acte qui devait rester gravé dans la mémoire de Philip jusqu'à la fin de ses jours : il enfonça la pointe de son épée dans le crâne ouvert de l'archevêque pour répandre son cerveau sur le sol.

Accablé d'horreur, Philip s'effondra de nouveau. « Il ne se relèvera plus, dit le chevalier... Partons ! »

Ils tournèrent les talons et s'enfuirent.

Philip les regarda descendre la nef, agitant leurs épées autour d'eux pour disperser les curieux.

Quand les meurtriers eurent disparu, un silence glacé tomba dans l'église. Le corps de l'archevêque gisait face contre terre sur les dalles — le haut de son crâne, couvert de cheveux, détaché de sa tête comme le couvercle d'un pot. Philip enfouit son visage dans ses mains. C'était la fin de tout espoir. Les barbares l'ont emporté, se répétait-il ; les barbares ont gagné. Il éprouvait un vertige, l'impression de sombrer lentement dans un lac profond où il allait se noyer dans le désespoir. Il n'y avait plus rien à quoi se cramponner : tout s'effondrait.

Il avait passé sa vie à lutter contre le pouvoir arbitraire des méchants et voilà que, dans cette ultime épreuve, il était vaincu. Il se rappela le jour où William était venu tenter d'incendier pour la seconde fois Kingsbridge. Les habitants avaient en un jour bâti une muraille. Quelle victoire ç'avait été ! La force pacifique de centaines de gens ordinaires était venue à bout de la cruauté du comte William. Il se souvenait du temps où Waleran Bigod avait voulu faire bâtir la cathédrale à Shiring afin de pouvoir la contrôler lui-même. Philip avait mobilisé la population de tout le comté. Des centaines de gens, plus d'un millier, étaient accourus à Kingsbridge en ce merveilleux dimanche de Pentecôte, trente-trois ans plus tôt, et la seule force de leur dévotion avait vaincu Waleran. Mais maintenant il n'y avait plus d'espoir. Tous les braves gens de Canterbury, toute la population même de la chrétienté ne suffiraient pas à ramener Thomas à la vie.

Agenouillé sur les dalles de la cathédrale, il revit les hommes qui avaient fait irruption chez lui pour massacrer sa mère et son père, cinquante-six ans auparavant. L'émotion qui étreignait alors cet enfant, ce n'était pas la peur ni même le chagrin. C'était la *rage*. Impuissant à arrêter les énormes gaillards assoiffés de sang, il avait conçu la formidable ambition de mettre aux fers ce genre d'hommes d'épée, d'émousser leurs armes, d'estropier leurs destriers et de les soumettre à une autre autorité, plus puissante que le règne de la violence. L'instant d'après, alors que les cadavres de ses parents gisaient sur le sol, l'abbé Peter était venu lui montrer la voie. Désarmé et sans défense, l'abbé avait aussitôt arrêté l'effusion de sang, sans rien d'autre que l'autorité de son Église et la force de sa bonté. Cette scène avait inspiré Philip toute sa vie.

Jusqu'à maintenant, il avait cru que lui et les gens comme lui étaient les vainqueurs. Ils avaient obtenu au cours du dernier demi-siècle quelques victoires notables. Mais aujourd'hui, à la fin de sa vie, ses ennemis lui prouvaient que rien n'avait changé. Ses triomphes n'avaient été que temporaires, ses progrès illusoires. Il avait remporté quelques batailles, mais la cause était définitivement perdue. Des hommes comme ceux qui avaient massacré sa mère et son père venaient d'assassiner un archevêque dans une cathédrale, comme pour prouver, au-delà de tout doute possible, qu'il n'existait aucune autorité plus forte que la tyrannie d'un homme armé d'une épée.

Philip ne pensait pas qu'on oserait tuer l'archevêque Thomas, surtout en pleine église, mais il n'avait jamais pensé non plus qu'on oserait tuer son père. Les mêmes hommes, assoiffés de sang, bardés de fer, lui avaient dans les deux cas démontré la sinistre vérité. Aujourd'hui, à soixante-deux ans, devant le corps mutilé de Thomas Becket, il était possédé de la même fureur puérile, irrésistible et irraisonnée d'un garçon de six ans devant le cadavre de son père.

Il se releva. Bouleversés, les gens commençaient à se rassembler autour du cadavre de l'archevêque. Prêtres, moines et citoyens de la ville approchaient lentement, abasourdis et terrifiés. Philip sentit que derrière leurs expressions d'horreur brûlait une rage comparable à la sienne. Certains murmuraient des prières ou gémissaient. Une femme se pencha rapidement pour toucher le corps, à la manière d'un porte-bonheur. Plusieurs autres l'imitèrent. Puis Philip vit la première femme recueillir furtivement un peu de sang du mort, comme si Thomas était un martyr.

Le visage ruisselant de larmes, le chambellan de l'archevêque, Osbert, prit un couteau, tailla une bande dans sa propre chemise, puis se pencha auprès du corps et maladroitement replaça le haut du crâne de Thomas sur sa tête, dans un pathétique effort pour redonner un peu de dignité à la personne horriblement mutilée de l'archevêque.

Des moines apportèrent une civière. Ils y déposèrent Thomas avec douceur. De nombreuses mains se tendirent pour les aider. Philip put voir que le beau visage de l'archevêque était paisible, le seul signe de violence étant un mince filet de sang qui le balafrait, de la tempe droite jusqu'à la joue gauche.

Comme on soulevait le brancard, Philip ramassa le bout d'épée brisée qui avait tué Thomas.

Les gens suivirent la civière, entraînés par une force invisible. Philip se mêla à la foule, en proie à ce bizarre élan qui les empoignait tous. Le cortège traversa le chœur et on déposa doucement la civière sur le sol, devant le maître autel. Tandis que les prières s'élevaient spontanément, un prêtre apporta un tissu propre pour panser la tête d'un nouveau bandage puis la recouvrir d'une barrette neuve.

Un moine s'approcha et ôta au mort son manteau noir souillé de sang. Il ne semblait savoir que faire du vêtement ensanglanté et, comme il s'apprêtait à le jeter de côté, un homme s'avança aussitôt et le prit des mains, tel un objet précieux. Dans l'esprit de Philip se précisa la pensée qu'on traitait déjà Thomas comme un martyr : on recueillait son sang et ses vêtements, comme s'ils possédaient les pouvoirs divins des reliques d'un saint. Philip considérait le meurtre comme une défaite politique pour l'Église, mais les fidèles y voyaient la mort d'un martyr. Or la mort d'un martyr, sous les apparences d'une défaite, finissait toujours par donner force et inspiration à l'Église.

Philip repensa à ces centaines de volontaires accourus à Kingsbridge pour bâtir la cathédrale ainsi qu'aux hommes, aux femmes et aux enfants qui avaient travaillé la moitié de la nuit pour élever le mur de la ville. Si l'on pouvait mobiliser aujourd'hui ces gens-là, songeait-il avec une excitation croissante, ils pousseraient un cri de rage si fort qu'on l'entendrait dans le monde entier.

Regardant les hommes et les femmes réunis autour du corps, le visage imprégné de chagrin et d'horreur, Philip comprit qu'il ne leur manquait qu'un chef.

Était-ce possible ?

Il reconnut quelque chose de familier dans cette scène. Un corps mutilé, une foule de spectateurs et des soldats au loin : où avait-il vu déjà cela ? On prévoyait ce qui se passerait ensuite ; un petit groupe de disciples du mort se dresseraient contre toute la puissance et l'autorité d'un formidable empire.

Bien sûr : c'était la naissance de la chrétienté !

Dès qu'il en eut pris conscience, il sut ce qu'il avait à faire.

Il s'avança devant l'autel et se tourna vers la foule, tenant toujours à la main l'épée brisée. Tous les regards étaient fixés sur lui. Le doute le saisit : en suis-je capable ? se demanda-t-il. Est-ce que je peux, maintenant, lancer un mouvement qui ébranlera le trône d'Angleterre ? Il scruta les visages. En même temps que la peine et que la colère, il décela sur plusieurs d'entre eux un soupçon d'espoir.

Il leva bien haut l'épée.

« Cette épée a tué un saint », commença-t-il.

Il y eut un murmure approbateur.

Encouragé, Philip reprit : « Ici, ce soir, nous avons été témoins d'un martyre. »

Les prêtres et les moines semblaient surpris. Comme Philip, ils n'avaient pas compris tout de suite la vraie signification du meurtre dont ils venaient d'être les témoins. Mais les gens de la ville, eux, s'en étaient rendu compte et ils exprimaient leur accord.

« Chacun d'entre nous devra raconter ce qu'il a vu. »

Plusieurs personnes acquiescèrent avec vigueur. Mais Philip en voulait davantage. Il voulait les inspirer. Prêcher n'avait jamais été son fort. Il n'était pas de ces hommes qui fascinent une foule, la font rire et crier, la persuadent d'aller n'importe où. Il ne savait pas faire trembler sa voix ni faire briller dans ses yeux la lueur de la gloire. C'était un homme pratique, terre à terre ; or maintenant il lui fallait parler comme un ange.

« Bientôt, chaque homme, femme et enfant de Canterbury saura que les hommes du roi ont assassiné l'archevêque Thomas dans la cathédrale. Mais ce n'est que le commencement. La nouvelle va se répandre dans toute l'Angleterre, puis encore dans toute la chrétienté. »

Il était en train de perdre leur attention, il le sentait. Il lisait sur certains visages la perplexité et la déception. Un homme lança : « Mais comment *faire* ? »

Ils avaient besoin de prendre sur-le-champ des mesures immédiates. On n'appelle pas à une croisade pour renvoyer les gens chez eux.

Une croisade, songea-t-il. C'était une idée.

« Demain, poursuivit-il, je porterai cette épée à Rochester. Après-demain, à Londres. Viendrez-vous avec moi ? »

La plupart des auditeurs parurent interloqués, mais une voix au fond cria : « Oui ! », suivie de quelques autres.

Philip haussa le ton. « Nous allons raconter notre histoire dans chaque ville et village d'Angleterre. Nous montrerons aux gens l'épée qui a tué saint Thomas. Nous leur ferons voir les taches de sang sur ses vêtements ecclésiastiques. » Il commençait à s'échauffer et laissait paraître sa colère. « Nous pousserons une clameur d'indignation qui se répandra à travers la chrétienté, oui, et même jusqu'à Rome. Nous dresserons l'ensemble du monde civilisé contre les barbares qui ont perpétré ce crime horrible, blasphématoire ! »

Cette fois l'assistance entière cria son assentiment. Elle attendait une façon d'exprimer son émotion, et Philip leur en offrait l'occasion.

« Ce crime, reprit-il lentement d'une voix qui monta jusqu'au cri, ne sera jamais, jamais oublié ! »

Une houle d'approbations lui répondit.

Il sut exactement ce qu'il devait faire. « Commençons aussitôt notre croisade ! proclama-t-il.

— Oui !

— Portons cette épée dans chaque rue de Canterbury !

— Oui !

— Et racontons à chaque citoyen ce que nous avons vu ici ce soir !

— Oui !

— Apportez des cierges et suivez-moi ! »

Brandissant l'épée, il s'avança au milieu de la cathédrale. Ils lui emboîtèrent le pas.

Exultant, il traversa le chœur, la croisée et descendit la nef. Des moines et des prêtres l'escortaient. Il n'avait pas besoin de se retourner : il entendait les pas de la foule derrière lui. Il sortit par la grande porte.

Là, il y eut un moment d'angoisse. Par-delà le verger

plongé dans l'ombre, il aperçut des hommes d'armes occupés à piller le palais de l'archevêque. La croisade risquait de dégénérer en bagarre alors qu'elle avait à peine commencé. Il tourna brusquement et entraîna la foule dans la rue par la porte la plus proche.

L'un des moines attaqua un hymne. Derrière les volets des maisons, on voyait la lumière des lampes et la lueur des feux ; sur le passage de la procession, les gens ouvraient leurs portes. Les uns interrogeaient les marcheurs, les autres rejoignaient leurs rangs.

Au coin d'une rue, Philip vit William Hamleigh, debout devant une écurie, qui venait semblait-il d'ôter sa cotte de mailles et s'apprêtait à remonter à cheval pour quitter la ville. Il avait avec lui une poignée d'hommes, qui, ayant entendu les cantiques, se demandaient ce qui se passait.

Tandis que la procession approchait à la lueur des cierges, William leva un regard intrigué. Puis il vit dans la main de Philip l'épée brisée et il commença à comprendre. Il dévisagea le prieur un moment encore dans un silence pétrifié, puis il hurla. « Arrêtez ! Je vous ordonne de vous disperser ! »

Personne ne prit garde à lui. Ses compagnons manifestaient une inquiétude croissante. Même avec leurs épées, ils étaient vulnérables devant une cohue de plus de cent fidèles déterminés.

William s'adressa directement à Philip. « Au nom du roi, je vous ordonne d'arrêter ceci ! »

Philip passa devant lui sans ralentir, entraîné par la pression de la foule. « Trop tard, William ! lança-t-il par-dessus son épaule. Trop tard ! »

IV

Les jeunes garçons arrivèrent de bonne heure pour la pendaison.

Ils étaient déjà là, sur la place du marché de Shiring, lançant des pierres aux chats, injuriant les mendiants et se battant entre eux lorsque Aliena apparut, seule et à pied, enveloppée d'un méchant manteau dont le capuchon rabattu cachait son identité.

Elle s'arrêta, regarda l'échafaud. Tout d'abord elle n'avait pas eu l'intention de venir. Elle avait assisté à trop de pendaisons durant les années où elle avait assumé le rôle de comte. Maintenant qu'elle n'avait plus cette responsabilité, elle croyait qu'elle n'aurait plus jamais envie de voir ce supplice. Mais celui-là, c'était différent.

Elle n'était plus le comte, car Richard avait été tué en Syrie — par une ironie du sort, non pas au combat mais dans un tremblement de terre. La nouvelle avait mis six mois à lui parvenir. Elle n'avait pas revu son frère depuis quinze ans et ne le reverrait jamais.

Au sommet de la colline, les portes du château s'ouvrirent. Le prisonnier sortit, suivi de son escorte et du nouveau comte de Shiring, le fils d'Aliena : Tommy. Richard était mort sans descendance, laissant son neveu pour seul héritier. Le roi, frappé et affaibli par le scandale du meurtre de Becket, avait rapidement confirmé Tommy dans son titre. Aliena avait volontiers passé le relais à la jeune génération. Elle était parvenue à ce qu'elle voulait. Le comté était à nouveau un domaine riche et prospère, une terre de moutons bien gras, de champs verdoyants et de robustes moulins. Certains propriétaires, amateurs de progrès, avaient suivi son exemple en utilisant le cheval pour labourer, des bêtes nourries avec l'avoine qui poussait suivant le système de rotation des cultures. Le domaine pouvait donc nourrir encore plus de gens que sous le règne éclairé de son père.

Tommy ferait un bon comte. Il était né pour cela. Jack avait longtemps refusé de l'admettre, voulant faire de son fils un bâtisseur, mais il avait fini par reconnaître la vérité. Tommy, qui n'avait jamais été capable de tailler droit une pierre, était en revanche un chef-né et, à vingt-huit ans, il était décidé, déterminé, intelligent et juste. Aujourd'hui, on ne l'appelait plus que Thomas.

Lorsqu'il avait succédé à sa mère, on s'attendait qu'Aliena reste au château pour y surveiller sa belle-fille et jouer avec ses petits-enfants. Elle avait ri de cette idée. Elle aimait bien la femme de Tommy — une jolie fille, une des cadettes du comte de Bedford — et elle adorait ses trois petits-enfants. Mais, à cinquante-deux ans, elle n'était pas prête à prendre sa retraite. Jack et elle s'étaient installés dans une grande maison dè pierre près du prieuré de

Kingsbridge — dans ce qui avait été jadis le quartier pauvre — et elle avait relancé le commerce de la laine, achetant et vendant, négociant avec toute son énergie d'antan. Elle faisait des affaires d'or.

Le groupe déboucha sur la place et Aliena sortit de sa rêverie. Elle regarda attentivement le prisonnier, qu'on traînait au bout d'une corde, les mains liées derrière le dos : c'était William Hamleigh.

Quelqu'un au premier rang cracha sur lui. La foule se pressait sur la place, car nombreux étaient ceux qui jubilaient d'assister à la fin de William. De plus, c'était un événement que la pendaison d'un ancien shérif, qui de surcroît avait participé au meurtre le plus célèbre de tous les temps.

On n'avait jamais vu, on n'aurait jamais imaginé la réaction qui avait suivi l'assassinat de l'archevêque Thomas. La nouvelle s'était répandue comme un feu de broussailles dans toute la chrétienté, de Dublin à Jérusalem et de Tolède à Oslo. Le pape avait pris le deuil. La moitié de l'empire du roi Henry située sur le continent avait été frappée d'interdit — les églises étaient fermées et on ne célébrait aucun service à l'exception des baptêmes. En Angleterre, les gens se rendaient en pèlerinage à Canterbury, tout comme à Saint-Jacques-de-Compostelle. Des miracles avaient lieu. De l'eau teintée du sang du martyr et des lambeaux du manteau qu'il portait le jour de son meurtre guérissaient des malades, pas seulement à Canterbury, mais dans toute l'Angleterre.

Les sbires de William avaient tenté de voler le cadavre dans la cathédrale, mais les moines, alertés, l'avaient caché. Il reposait maintenant à l'abri, sous une voûte de pierre, et les pèlerins devaient passer la tête par un trou ménagé dans le mur pour baiser le cercueil de marbre.

Ce fut le dernier crime de William. Venu se réfugier à Shiring, il avait été arrêté par Tommy sous l'accusation de sacrilège. Le tribunal de l'évêque Philip l'avait bientôt reconnu coupable. Jamais en temps normal on n'aurait osé condamner un shérif, car c'était un officier de la couronne. Mais, dans le cas du meurtre de Becket, personne, pas même le roi, n'aurait osé, au contraire, défendre un des assassins.

William allait connaître une triste fin.

Le regard fixe et affolé, un peu de bave coulant de sa

bouche ouverte, il poussait des gémissements incohérents. Une tache s'étalait sur le devant de sa tunique, là où il s'était mouillé.

Aliena regarda son vieil ennemi vaciller jusqu'à l'échafaud. Elle se rappelait le jeune homme arrogant et cruel qui l'avait violée trente-cinq ans plus tôt. Comment croire qu'il était devenu ce misérable, geignard et terrifié, qu'elle voyait maintenant ?

En approchant de la potence, il commença à se débattre en hurlant. Les hommes d'armes le traînaient comme un porc qu'on conduit à l'abattoir. Aliena ne ressentait aucune pitié dans son cœur. Tout ce qu'elle éprouvait, c'était du soulagement. William ne terroriserait plus jamais personne.

Tandis qu'on le hissait sur le char à bœufs, il donna des coups de pied et poussa des cris, le visage rouge, sale et déchaîné, comme une bête. Il se démena si fort que le nœud se resserra avant l'heure. Il se tordait, étouffait, son visage gras virant au pourpre.

Aliena considérait la scène avec horreur. Même au plus fort de sa rage et de sa haine, elle ne lui avait pas souhaité une mort pareille. Devant cet homme pratiquement en train de s'étrangler lui-même, la foule restait muette. Même les jeunes garçons étaient réduits au silence par cet abominable spectacle.

Quelqu'un frappa le flanc du bœuf et la bête avança. William tomba enfin mais la chute ne lui rompit pas le cou et il resta pendu, s'asphyxiant lentement. Ses yeux ouverts regardaient Aliena — du moins en avait-elle l'impression — et la grimace qui lui crispait le visage, tandis qu'il se tordait au bout de la corde, dans son agonie, lui semblait familière. C'était cette expression-là qu'il avait quand il l'avait violée, juste avant d'atteindre l'orgasme. Malgré ce souvenir douloureux comme un coup de couteau, Aliena ne détourna pas les yeux.

La foule garda le silence durant l'interminable supplice. Le visage de William vira au violet. Ses contorsions faiblirent. Ses yeux roulèrent dans leurs orbites, ses paupières se fermèrent, il s'immobilisa et puis, dans une macabre exhibition, sa langue apparut, gonflée, entre ses lèvres noires.

Il était mort.

Aliena se sentait épuisée. William avait marqué sa vie — à un moment, il l'avait même ruinée — et voilà qu'il était mort. Plus jamais il ne lui ferait de mal, ni à personne d'autre.

La foule commença à se disperser. Les jeunes garçons s'amusèrent à imiter l'agonisant aux prises avec la mort, roulant des yeux et tirant la langue. Un homme d'armes monta sur l'échafaud et coupa la corde qui retenait William.

Aliena croisa le regard de son fils. Il parut surpris de la voir. Il vint aussitôt vers elle et se pencha pour l'embrasser. Mon fils, songea-t-elle, mon grand fils. Le fils de Jack. Elle se souvenait comme elle avait craint mortellement de porter l'enfant de William. Allons, elle avait eu une certaine chance...

« Je croyais que tu ne voulais pas venir aujourd'hui, dit Tommy.

— Il le fallait, répondit-elle. Il me fallait le voir mort. »

Apparemment, il ne comprenait pas. Pas vraiment. Tant mieux. Elle espérait que jamais il n'aurait à comprendre ces choses-là.

Il la prit par les épaules et ils repartirent ensemble.

Aliena ne se retourna pas.

Par une chaude journée de plein été, Jack dînait avec Aliena et Sally dans la fraîcheur du transept nord, assis sur le plâtre tout griffé de sa planche à tracer. Ils avaient des côtes d'agneau froides avec du pain blanc frais et une cruche en pierre de bière blonde. La rumeur des moines chantant l'office de sexte faisait un sourd murmure, comme la course d'une lointaine cascade. Jack avait passé la matinée à esquisser le plan du nouveau chœur qu'il commencerait à bâtir l'année prochaine. Sally examinait le dessin tout en plantant ses jolies dents blanches dans une côtelette. Dans un instant, il le savait, elle allait émettre une critique. Il jeta un coup d'œil à Aliena. Elle aussi s'attendait aux observations de Sally. Ils échangèrent un regard complice et sourirent.

« Pourquoi veux-tu que la façade est soit arrondie ? interrogea la jeune fille.

— Je me suis inspiré du dessin de Saint-Denis, répondit Jack.

— Mais quel est l'avantage ?

— Les pèlerins circulent plus facilement.

— Et tu ne prévois que cette rangée de petites fenêtres ? »

Jack pensait bien que le problème des fenêtres se poserait vite, car Sally était vitrière. « Petites, mes fenêtres ? fit-il en feignant l'indignation. Ces fenêtres sont énormes ! La première fois que j'ai mis des fenêtres de cette taille-là dans l'église, les gens pensaient que tout le bâtiment s'effondrerait faute de soutien.

— Si le chœur se terminait sur une façade droite, tu aurais un immense mur plat, insista Sally. Tu pourrais y mettre des fenêtres vraiment grandes. »

Elle n'avait pas tort, se dit Jack. Avec cette construction en arrondi, tout le chœur devait avoir la même élévation continue, divisée sur tout le pourtour en trois couches traditionnelles : arcade, galerie et triforium. Une façade plane donnerait l'occasion de changer cela. « On pourrait trouver un autre moyen pour permettre aux pèlerins de circuler, reprit-il d'un ton songeur.

— Et le soleil levant brillerait par les grandes ouvertures », renchérit Sally.

Jack l'imaginait fort bien. « Il y aurait une rangée de hautes ogives à lancettes, comme les lances dans un râtelier.

— Ou bien, proposa Sally, une grande fenêtre ronde comme une rose. »

Quelle idée extraordinaire ! A celui qui se tiendrait debout dans la nef, contemplant toute la longueur de l'église jusqu'à l'est, la fenêtre ronde semblerait un énorme soleil explosant en innombrables éclats de somptueuses couleurs. Jack la voyait très bien. « Je me demande quel thème choisiraient les moines.

— La loi et les prophètes », répliqua Sally.

Il haussa les sourcils. « Rusée renarde, tu as déjà discuté de cette idée avec le prieur Jonathan, n'est-ce pas ? »

Elle prit un air coupable, mais elle n'eut pas à répondre, sauvée par l'arrivée de Peter le Ciseau, un jeune sculpteur sur pierre, timide et gauche, avec des cheveux blonds qui lui tombaient sur les yeux. Ce garçon faisait des sculptures magnifiques et Jack était enchanté de travailler avec lui. « Que puis-je faire pour toi, Peter ? demanda-t-il.

— En fait, expliqua Peter, je cherchais Sally.

— Eh bien, tu l'as trouvée. »

Sally se levait déjà, époussetant les miettes de pain sur le plastron de sa tunique. « A tout à l'heure », lança-t-elle, avant de s'en aller avec Peter.

Jack et Aliena se regardèrent.

« Est-ce qu'elle a rougi ? fit Jack.

— J'espère bien, riposta Aliena. Bonté divine, il est temps qu'elle tombe amoureuse. Elle a vingt-six ans !

— Eh bien. J'avais perdu tout espoir. Je croyais qu'elle comptait rester vieille fille. »

Aliena secoua la tête. « Pas Sally. Elle a le sang aussi chaud qu'une autre. Simplement, elle est difficile.

— Tu trouves ? Les filles du comté ne se bousculent pas pour épouser Peter le Ciseau.

— Les filles du comté adorent les grands et beaux gaillards comme Tommy, qui peuvent faire brillante figure à cheval et portent des manteaux doublés de soie rouge. Sally est différente. Elle préfère quelqu'un d'intelligent et de sensible. Peter est exactement ce qu'il lui faut. »

Jack hocha la tête. Il sentait d'instinct qu'Aliena avait raison. « Elle est comme sa grand-mère, murmura-t-il. Ma mère est tombée amoureuse d'un excentrique.

— Sally tient de ta mère et Tommy de mon père », conclut Aliena.

Jack lui sourit. Elle était plus belle que jamais. Des fils gris couraient dans ses cheveux et la peau de sa gorge n'avait plus sa douceur d'autrefois. Mais, en vieillissant, elle perdait les rondeurs de la maternité et la fine ossature de son ravissant visage apparaissait mieux. Elle retrouvait une beauté épurée. Jack tendit la main et suivit le contour de son visage. « Comme mes arcs-boutants », dit-il.

Elle sourit.

Il laissa sa main glisser le long du cou d'Aliena et sur son corsage. Ses seins avaient changé aussi. Je les aimerai toujours quand même, songea-t-il. Il se pencha pour embrasser sa femme sur les lèvres.

« Jack, protesta-t-elle, tu es dans une église.

— Et alors ? » répliqua-t-il, en lui caressant la hanche.

Il y eut un bruit de pas dans l'escalier. Il se redressa d'un air confus.

Elle eut un petit sourire. « C'est le jugement de Dieu qui te poursuit, déclara-t-elle solennellement.

— A tout à l'heure », chuchota-t-il d'un ton faussement menaçant.

Les pas atteignirent le haut de l'escalier et le prieur Jonathan apparut. Il salua gravement le couple. « Il y a quelque chose que je voudrais te montrer, Jack, dit-il. Veux-tu venir jusqu'au cloître ?

— Bien sûr », dit Jack en se levant.

Jonathan regagna l'escalier.

Jack s'arrêta sur le seuil et pointa sur Aliena un doigt menaçant. « A plus tard, répéta-t-il.

— Promis ? » lança-t-elle en souriant.

Jack redescendit avec Jonathan et le suivit à travers l'église jusqu'à la porte du transept sud qui donnait sur le cloître. Ils prirent l'allée, passèrent devant les écoliers qui écrivaient sur leurs tablettes de cire, et s'arrêtèrent au coin. D'un mouvement de la tête, Jonathan désigna un moine, assis tout seul sur une corniche de pierre. Son capuchon baissé dissimulait son visage. Comme ils s'arrêtaient, l'homme leva les yeux et détourna rapidement la tête.

Malgré lui Jack fit un pas en arrière.

Le moine était Waleran Bigod.

« Que diable fait-il ici ? interrogea Jack d'une voix tendue.

— Il s'apprête à rencontrer son Créateur, répondit Jonathan.

— Je ne comprends pas.

— C'est un homme brisé, expliqua Jonathan. Il n'a pas de position, pas de pouvoir et pas d'amis. Il a compris que Dieu ne voulait pas de lui comme évêque. Il a reconnu ses erreurs. Il est venu ici à pied, supplier qu'on l'admette comme un humble moine, afin qu'il consacre le restant de ses jours à implorer de Dieu le pardon de ses péchés.

— J'ai du mal à le croire, remarqua Jack.

— Comme moi au début, dit Jonathan. Mais j'ai fini par comprendre que cet homme avait toujours sincèrement craint Dieu. »

Jack paraissait sceptique.

« Je crois vraiment qu'il était profondément religieux. Il n'a fait qu'une erreur cruciale : il a cru que la fin justifiait les moyens au service de Dieu, ce qui l'autorisait à faire n'importe quoi.

— Y compris conspirer pour le meurtre d'un archevêque ! »

Jonathan leva les mains dans un geste de défense. « C'est Dieu qui doit le punir... pas moi. »

Jack haussa les épaules. Il croyait entendre Philip. Il ne voyait aucune raison de laisser Waleran vivre au prieuré ; toutefois, c'était aux moines d'en décider. « Pourquoi voulais-tu que je le voie ?

— Il veut te dire pourquoi on a pendu ton père. »

Jack sentit un froid glacial l'envahir.

Waleran était assis, immobile comme une statue de pierre, le regard perdu dans le vide, pieds nus sous l'ourlet de son habit de laine grossière. On apercevait les fragiles chevilles blanches d'un vieillard. Jack se rendit compte que Waleran n'avait plus rien de redoutable. Il était faible, vaincu et triste.

Jack s'approcha lentement et s'assit sur le banc, à trois pas de Waleran.

« Le vieux roi Henry était trop fort, commença Waleran sans préambule. Certains des barons supportaient mal d'être trop bridés. Ils voulaient un successeur moins puissant. Mais Henry avait un fils, William. »

Tout cela était de l'histoire ancienne. « C'était avant ma naissance, interrompit Jack.

— Ton père est mort avant que tu ne viennes au monde, répliqua Waleran, retrouvant un instant son air supérieur de jadis.

— Continuez, dit Jack, soudain attentif.

— Un groupe de barons décida de tuer William, le fils de Henry. D'après leur raisonnement, en cas de problème de succession, ils auraient plus d'influence sur le choix du nouveau roi. »

Jack scruta le visage pâle et maigre de Waleran y cherchant des traces de ruse. Le vieil homme paraissait simplement fatigué, abattu et débordant de remords. S'il préparait un mauvais coup, Jack n'en voyait pas de signes. « Mais William est mort dans le naufrage du *Vaisseau blanc*, reprit Jack.

— Ce naufrage n'était pas un accident. »

Jack accusa le coup. Était-ce vrai ? L'héritier du trône assassiné, parce qu'un groupe de barons souhaitaient une monarchie faible ? Au fond, ce n'était pas plus choquant que le meurtre d'un archevêque. « Et alors ? dit-il. Je vous écoute.

— Les hommes des barons sabordèrent le navire et s'enfuirent dans un canot. Tous les passagers du bateau se sont noyés, à l'exception d'un seul qui, cramponné à un bout de mât, surnagea jusqu'au rivage.

— C'était mon père », dit Jack. Il commençait à voir où l'autre voulait en venir.

Le visage blanc, les lèvres exsangues, Waleran parlait

d'une voix unie, évitant le regard de Jack. « La mer l'a rejeté près d'un château qui appartenait à l'un des conspirateurs, et on l'a pris. L'homme n'avait nullement l'intention de dénoncer quiconque. A vrai dire, il ne s'était même pas rendu compte que le vaisseau avait été sabordé. Mais il avait vu des choses qui auraient fait éclater la vérité si on l'avait laissé partir, libre de parler de son aventure. Et donc on l'enleva, on l'emmena en Angleterre et on le remit à la garde d'hommes de confiance. »

Jack était bouleversé. Tout ce que son père voulait, d'après Ellen, c'était distraire les gens. Mais il y avait un détail étrange dans le récit de Waleran. « Pourquoi ne l'ont-ils pas tué tout de suite ? demanda Jack.

— Ils auraient dû, répondit Waleran sans montrer la moindre émotion, mais c'était un innocent, un troubadour, quelqu'un qui donnait du plaisir à tout le monde. Ils n'ont pas pu se résoudre à le faire. » Il eut un rire sans joie. « Même les gens les plus impitoyables ont parfois des scrupules.

— Pourquoi ont-ils donc changé d'avis ?

— Parce qu'il a fini par devenir dangereux, même ici. Au début, il ne menaçait personne : il ne savait même pas l'anglais. Mais il a appris, naturellement, et il a commencé à se faire des amis. Alors on l'a enfermé dans le cachot, sous le dortoir. Puis les gens se sont mis à demander pourquoi on l'avait enfermé. Il devenait gênant. Les barons ont compris qu'ils ne connaîtraient jamais le repos tant qu'il était vivant. Ils ont fini par nous ordonner de le tuer. »

C'était si facile..., se dit Jack. « Pourquoi leur avez-vous obéi ?

— Nous étions ambitieux tous les trois, Percy Hamleigh, le prieur James et moi », expliqua Waleran ; et, pour la première fois, son visage exprima l'émotion, tandis que sa bouche se crispait dans une grimace de remords. « Ta mère a dit la vérité : nous avons tous eu notre récompense. Je suis devenu archidiacre et ma carrière dans l'Église a pris un magnifique départ. Percy Hamleigh a reçu d'importants domaines. Le prieur James a vu le prieuré s'agrandir de quelques bonnes terres.

— Et les barons ?

— Après le naufrage, Henry, au cours des trois années suivantes, fut attaqué par Fulk d'Anjou, Guillaume Clito en Normandie et le roi de France. Un moment, il parut très

1047

vulnérable. Mais il vainquit ses ennemis et régna dix ans encore. Pourtant, l'anarchie que souhaitaient les barons a pris le dessus, au bout du compte, lorsque Henry est mort sans héritier mâle et que Stephen est monté sur le trône. Pendant les deux décennies suivantes où la guerre civile faisait rage, les barons régnèrent en maîtres absolus sur leurs territoires, sans autorité centrale pour réfréner leurs appétits.

— Mon père est mort à cause de ces appétits...

— La situation a fini par tourner à l'aigre. La plupart des barons sont morts au combat et certains de leurs fils aussi. Les mensonges que nous avions inventés pour faire tuer ton père sont revenus nous hanter. Ta mère nous a maudits après la pendaison, et sa malédiction a produit son effet : le prieur James fut anéanti par le remords de ses actes ainsi que Remigius l'a raconté au procès du prieur Philip. Percy Hamleigh est mort avant que la vérité ne se fasse jour, mais son fils a été pendu. Regarde-moi : près de cinquante ans plus tard, on m'a reproché mon parjure, et ma carrière a pris fin. » Épuisé, le teint gris, Waleran ne se maîtrisait qu'au prix d'un terrible effort. « Nous avions tous peur de ta mère, car nous n'étions pas sûrs de ce qu'elle savait. Tout compte fait, ce n'était pas grand-chose, mais cela a suffi. »

Jack se sentit aussi dénué de forces que Waleran. Enfin, il savait la vérité sur son père, cette vérité qu'il avait cherchée toute sa vie. Il n'éprouvait ni colère ni désir de vengeance. Si Jack n'avait jamais connu son vrai père, en revanche, Tom l'avait élevé et lui avait donné l'amour des bâtiments, la seconde passion de sa vie.

Il se leva. Tous ces événements étaient trop enfouis dans le passé pour le faire pleurer. Il était arrivé tant de choses depuis lors, et de bonnes choses pour la plupart.

Il considéra le vieil homme accablé. Par une ironie du sort, c'était Waleran qui souffrait maintenant l'amertume du regret. Jack le plaignait. Comme c'est terrible, songea Jack, d'être vieux et de savoir qu'on a gâché sa vie. Waleran leva la tête et leurs regards pour la première fois se croisèrent. Waleran tressaillit comme si on l'avait giflé. Un instant, Jack put lire dans les pensées du vieil homme et il comprit que Waleran avait vu de la pitié dans ses yeux.

Or, pour Waleran, la pitié de ses ennemis était la pire des humiliations.

V

Philip attendait à la porte ouest de la vieille cité chrétienne de Canterbury, revêtu de la somptueuse tenue d'apparat d'un évêque anglais et portant une crosse ornée de bijoux qui aurait pu payer la rançon d'un roi. Il pleuvait à verse.

Philip avait soixante-dix ans. La pluie glaçait ses vieux os. C'était la dernière fois qu'il s'aventurait si loin de chez lui, mais il n'aurait pas manqué ce jour-là pour un empire. D'une certaine façon, la cérémonie qui se préparait couronnerait l'œuvre de sa vie.

Il s'était écoulé trois ans et demi depuis le meurtre historique de l'archevêque Thomas. Dans ce bref laps de temps, le culte mystique de Thomas Becket avait envahi le monde. Philip ne s'était pas douté de ce qu'il lançait en conduisant cette petite procession aux cierges dans les rues de Canterbury. Le pape avait fait de Thomas un saint avec une rapidité presque choquante. Il existait même un nouvel ordre de moines chevaliers en Terre sainte : les chevaliers de Saint-Thomas d'Acre. Le roi Henry n'avait pas pu lutter contre un mouvement populaire d'une telle puissance. Aucun individu n'aurait pu y résister.

Pour Philip, l'importance du phénomène, c'était ce qu'il révélait sur le pouvoir de l'État. La mort de Thomas avait montré que, dans un conflit opposant l'Église et la couronne, le monarque pouvait toujours l'emporter en recourant à la force brutale. Mais le culte de saint Thomas fournissait la preuve qu'une telle victoire sonnerait toujours creux. Le pouvoir d'un roi n'était pas absolu : la volonté du peuple était plus forte. Ce changement était né du vivant de Philip. Il n'en avait pas seulement été le témoin, il avait aidé à le faire apparaître, et la cérémonie d'aujourd'hui allait commémorer cela.

Un petit homme râblé avec une grosse tête s'avançait sous la pluie vers la ville. Il ne portait ni bottes ni chapeau. A quelque distance derrière lui, suivait un groupe de gens à cheval.

C'était le roi Henry.

La foule gardait un silence absolu tandis que le roi trempé de pluie marchait dans la boue jusqu'à la porte de la ville.

Selon le protocole prévu, Philip vint se placer sur la route de manière à précéder le roi, pieds nus, en direction de la cathédrale. Henry suivait, la tête basse, contrôlant sévèrement son pas d'ordinaire très vif, l'image même de la pénitence. Impressionnés, les habitants contemplaient en silence le roi d'Angleterre s'humiliant sous leurs yeux. L'entourage du monarque suivait à distance.

Lentement, Philip conduisit le souverain jusqu'au seuil de la cathédrale. Les impressionnantes portes de la magnifique église étaient grandes ouvertes. Ils y pénétrèrent, procession solennelle de deux personnes seulement, qui marquait l'aboutissement de la crise politique du siècle. La nef était pleine à craquer. La foule s'écarta pour les laisser passer. Les gens chuchotaient, abasourdis de voir le plus fier roi de la chrétienté, dégoulinant de pluie, entrer dans l'église comme un mendiant.

Ils traversèrent à pas lents la nef et descendirent les marches menant à la crypte. Là, auprès de la nouvelle tombe du martyr, les moines de Canterbury attendaient, en compagnie des plus grands et des plus puissants évêques et abbés du royaume.

Le roi s'agenouilla sur les dalles.

Ses courtisans pénétrèrent à sa suite dans la crypte. Devant tous, Henry d'Angleterre, second du nom, confessa ses péchés et déclara qu'il avait été la cause indirecte du meurtre de saint Thomas.

Sa confession terminée, il se dépouilla de son manteau, sous lequel il portait une tunique verte et un cilice. Il s'agenouilla de nouveau, courbant le dos.

L'évêque de Londres courba le jonc qu'il tenait en main.

Le roi allait être fouetté.

Il recevrait cinq coups de chaque prêtre et trois de chaque moine présents. Les coups seraient symboliques : comme il y avait quatre-vingts moines dans la cathédrale, une vraie correction l'aurait tué.

L'évêque de Londres effleura de la badine à cinq reprises le dos du roi. Puis il la tendit à Philip, évêque de Kingsbridge.

Philip fit un pas en avant. Il allait fouetter le roi. Il était heureux d'avoir vécu jusque-là. Après cet instant, songeat-il, le monde ne serait jamais plus tout à fait le même.

Après

Les Piliers de la Terre,

deux siècles plus tard...

UN MONDE SANS FIN

de

KEN FOLLETT

à paraître le 2 octobre 2008 chez
Robert Laffont

Découvrez un extrait en exclusivité...

Merthin avait onze ans, un an de plus que son frère Ralph qui était bien plus grand et plus fort que lui, à son grand déplaisir. Ce fait était à l'origine de nombreuses tensions avec ses parents.

Guerrier dans l'âme, son père, sieur Gérald, ne pouvait cacher sa déception quand il le voyait incapable de soulever sa lourde lance ou d'abattre un arbre, ou encore rentrer à la maison en pleurs après avoir reçu une raclée au cours d'une bagarre entre gamins. Et sa mère, dame Maud, ne faisait que l'embarrasser davantage en le surprotégeant alors qu'il aurait mille fois préféré une feinte indifférence. Mais voilà, dès que son père vantait fièrement la force de Ralph, sa mère contrebalançait le jugement paternel en déplorant la bêtise de leur cadet. Ralph était un peu lent d'esprit, certes, mais qu'y pouvait-il ? Le lui signifier excitait seulement sa colère et il se battait encore plus souvent avec les autres garçons.

En cette matinée de la Toussaint, le père aussi bien que la mère étaient d'une humeur noire. Sieur Gérald était venu à Kingsbridge contraint et forcé, uniquement parce qu'il devait de l'argent au prieuré et se trouvait dans l'impossibilité d'honorer sa dette. Lorsque dame Maud gémissait qu'on allait leur prendre leurs terres, sieur

Gérald rétorquait qu'il était le seigneur de trois villages des environs de Kingsbridge et qu'il descendait en droite ligne du Thomas nommé comte de Shiring, l'année même où le roi Henry II avait fait assassiner l'archevêque Becket! Ce comte Thomas était le fils de Jack le bâtisseur, qui avait construit la cathédrale de Kingsbridge, et de dame Aliena de Shiring, couple légendaire dont on relatait l'histoire durant les longues veillées d'hiver comme on évoquait la geste de Charlemagne. Fort de son lignage, sieur Gérald ne pouvait se faire à l'idée que des moines lui confisquent ses terres, surtout cette vieille bonne femme de prieur Anthony! Dès qu'il avait appris la nouvelle, il s'était mis à tempêter. Dame Maud s'était détournée, le regard las et vaincu. Merthin l'avait entendue murmurer : « Dame Aliena avait un frère, Richard, qui n'était bon qu'à guerroyer. »

Le prieur Anthony n'était peut-être qu'une vieille bonne femme, il n'empêche qu'il avait fait preuve d'une force masculine en allant se plaindre à Roland, l'actuel comte de Shiring, cousin issu de germain de sieur Gérald mais avant tout son suzerain. Et celui-ci avait sommé le débiteur de se rendre à Kingsbridge le jour de la Toussaint afin d'y rencontrer le prieur et de trouver avec lui un moyen de régler ce différend. D'où la mauvaise humeur de sieur Gérald dès potron-minet. Pour couronner le tout, voilà qu'il s'était fait dépouiller pendant l'office! Ce dont il ne s'était rendu compte qu'une fois sorti de la cathédrale.

Merthin, pour sa part, avait apprécié la cérémonie et son étonnant rituel : la longue attente dans l'obscurité; l'étrange cacophonie du début qui s'était peu à peu muée en musique et avait empli la totalité du vaste édifice; la lenteur mise à allumer les cierges qui avaient progressivement exhumé de l'ombre certains comportements licencieux – le baiser échangé entre deux moines ou la main d'un marchand s'attardant sur le sein d'une dame qui ne semblait pas être son épouse bien qu'elle sourît benoîtement –, péchés véniels dont les auteurs étaient à présent lavés mais qui avaient enflammé l'imagination de Merthin tout au long du chemin qui l'avait ramené à l'hospice.

Tandis qu'ils attendaient le petit déjeuner, servi par les religieuses, un garçon de cuisine, lesté d'un plateau supportant une grande cruche de bière et un plat de bœuf au sel, avait traversé la salle pour se diriger vers l'escalier. « Je trouve que ton parent, le comte, aurait pu nous inviter à festoyer avec lui dans sa salle privée, avait bougonné la mère de Merthin à l'adresse de son époux. Ta grand-mère était quand même la propre sœur de son grand-père. »

Son père avait répondu : « Si tu ne veux pas de gruau, nous pouvons aller à la taverne. »

Merthin avait dressé l'oreille. Il aimait bien ces petits déjeuners à l'auberge avec du pain frais et du beurre salé. Mais sa mère avait aussitôt mis le holà à cette proposition : « Nous n'en avons pas les moyens ! »

— Mais si ! » avait insisté sieur Gérald en tendant la main vers sa bourse. Et c'était alors qu'il avait découvert sa disparition.

Tout d'abord, son père avait regardé par terre autour de lui comme si elle avait pu se détacher toute seule, là, maintenant ; puis il avait remarqué l'extrémité cisaillée du lacet en cuir censé la retenir. Le cri d'indignation qu'il avait poussé à ce moment-là lui avait attiré les regards de toute l'assemblée, hormis celui de dame Maud. Et Merthin avait entendu sa mère murmurer : « C'était tout ce que nous possédions. »

Le père avait promené un regard accusateur sur les pauvres gens réunis dans la grande salle de l'hospice. Sous l'effet de sa fureur, la longue cicatrice qui barrait son front de la tempe droite à l'œil gauche s'était assombrie. L'assistance s'était tendue dans un silence sépulcral : il ne faisait pas bon se trouver à proximité d'un chevalier en colère ! Et, manifestement, la fortune ne souriait pas à sieur Gérald en cet instant.

Puis dame Maud avait déclaré : « C'est à l'église que tu as été dépouillé, cela ne fait aucun doute. » Par-devers lui, Merthin s'était rangé à son avis : dans le noir, on ne faisait pas que voler des baisers.

« Il ne s'agit plus d'un vol, mais d'un sacrilège ! s'était écrié le père.

— Celui qui l'a commis a dû profiter du moment où tu avais cette petite fille dans les bras pour glisser sa main jusqu'à ta ceinture par-derrière. Elle faisait des grimaces comme si elle avait avalé du vinaigre.

— Il faut le retrouver ! » brailla le père.

Le jeune moine appelé Godwyn prit la parole. « Je suis bien désolé pour vous, sieur Gérald. Je vais de ce pas prévenir le sergent de ville pour qu'il voie si un pauvre hère ne se met pas brusquement à vivre sur un grand pied. »

Ce projet ne parut pas très prometteur à Merthin. La ville de Kingsbridge comptait plusieurs milliers d'âmes auxquelles il fallait ajouter les centaines de pèlerins venus de loin. Comment le sergent ferait-il pour les surveiller tous ?

La proposition, pourtant, apaisa un peu le courroux de son père qui s'exclama encore, un ton plus bas : « Cette canaille sera pendue !

— En attendant, voulez-vous nous faire l'honneur de venir vous asseoir à la table dressée devant l'autel, ainsi que dame Maud et vos fils? » proposa Godwyn doucement.

Le père acquiesça d'un grognement. Mais Merthin le savait heureux de se voir accorder un statut supérieur à la masse des pèlerins qui se sustentaient, assis à même le sol, là où ils avaient dormi tout à l'heure.

Ce moment de violence passé, Merthin se détendit un peu quand ils eurent tous les quatre pris place à la table d'honneur. Néanmoins, il se demandait anxieusement comment la situation allait évoluer. Son père était un soldat courageux, sa vaillance était reconnue de tous. Il avait combattu aux côtés de l'ancien roi à Boroughbridge et c'était lors de cette bataille qu'il avait été blessé au front par un rebelle du Lancashire. Hélas, il n'était pas né coiffé. Il n'était pas de ces chevaliers qui rentraient de la guerre lestés du fruit de leurs pillages – bijoux, draps des Flandres ou soieries italiennes – voire accompagnés d'un noble prisonnier dont la rançon s'élèverait peut-être jusqu'à mille livres. Et un chevalier était tenu de s'équiper lui-même, de fournir ses armes, son armure et son cheval de combat s'il voulait accomplir son devoir et continuer à servir le roi. Or les revenus que sieur Gérald tirait de ses terres, métayages et loyers de toutes sortes, ne suffisaient jamais à faire vivre sa maisonnée. Voilà pourquoi il avait commencé à emprunter, et ce contre l'avis de sa femme.

Des filles de cuisine apportèrent un chaudron fumant. Sieur Gérald et les siens furent servis les premiers. La bouillie, à base d'orge et parfumée au romarin, était trop salée. Inconscient du drame qui frappait sa famille, Ralph se lança dans des commentaires enthousiastes sur la cérémonie. Le silence mélancolique qui accueillit ses propos finit par lui clouer le bec.

Son gruau avalé, Merthin alla récupérer derrière l'autel l'arc et les flèches qu'il y avait dissimulés. Il avait choisi cette cachette car il était rare qu'on commette un larcin à proximité d'un autel. Pour qu'un voleur s'autorise pareil sacrilège, l'objet de sa convoitise devait pour le moins surpasser sa crainte du courroux divin. Un arc fabriqué par un enfant n'avait aucune valeur.

Merthin, cependant, en tirait grande fierté. C'était un modèle réduit, bien sûr, parce que lui-même ne mesurait que quatre pieds et n'était guère costaud. Or, pour bander un arc de taille normale, c'est-à-dire mesurant six pieds de haut, il fallait toute la force d'un homme adulte. Hormis ce détail, son arc était la copie parfaite de ceux qu'utilisaient les Anglais à la guerre et avec lesquels ils avaient occis tant de montagnards écossais, de Gallois rebelles et de chevaliers français, nonobstant leur armure.

À ce jour, sieur Gérald n'avait pas émis d'opinion sur cet arc. Aujourd'hui, il le regarda comme s'il le découvrait pour la première fois. « Ça vaut cher, un bois comme ça. Où l'as-tu déniché ? voulut-il savoir.

— Oh ! il ne m'a rien coûté ; c'est un archer qui me l'a donné. Il était trop court pour lui. »

Le père hocha la tête. « Indépendamment du reste, l'arrondi est réussi. Tu l'as taillé dans le cœur de l'if, juste à l'endroit où l'aubier et le bois parfait se rejoignent. C'est bien, ajouta-t-il en désignant la différence de teinte que présentait le bois.

— Oui ! s'écria Merthin avec d'autant plus d'ardeur qu'il avait rarement l'occasion de produire une bonne impression sur son père. Mieux vaut utiliser l'aubier pour la face extérieure de l'arc parce que cette partie du bois est plus souple et que l'arc se courbera mieux, et garder le bois parfait pour l'intérieur parce qu'il lui permettra de se redresser plus facilement.

— Exactement, dit le père en lui rendant son arc. Mais sache qu'un arc n'est pas une arme digne d'un noble. Les fils de chevaliers ne deviennent pas archers. Donne-le à un fils de paysan. »

Merthin en fut désolé. « Je ne l'ai même pas essayé !

— Laisse-les jouer ! intervint la mère. Ce sont encore des enfants.

— Tu as raison, acquiesça le père et il se désintéressa de la question. Je me demande si ces moines nous apporteront un cruchon de bière.

— Te voilà reparti ! Allez jouer, vous autres ! ordonna-t-elle aux enfants. Merthin, veille sur ton frère.

— Ça serait plutôt à Ralph de veiller sur lui », marmonna sieur Gérald.

Merthin fut piqué au vif par la réplique de son père. Celui-ci n'avait pas la moindre idée de ce qui se passait lorsque ses fils jouaient avec d'autres enfants. Car, si Ralph savait effectivement faire usage de ses poings, il ne savait rien faire d'autre, alors que Merthin était parfaitement capable de juger froidement d'une situation et de se débrouiller en conséquence, sans l'aide de personne. Mais mieux valait ne pas contredire sieur Gérald lorsqu'il était de cette humeur. Merthin sortit donc de l'hospice sans répondre, Ralph sur ses talons.

C'était une journée claire et froide de novembre ; des nuages gris pâle planaient haut dans le ciel. Laissant la cathédrale derrière eux, les enfants descendirent la grand-rue en direction de la rivière. Ils passèrent l'allée aux Poissons, la cour au Cuir et la rue des Cuisiniers. Arrivés en bas de la colline, ils franchirent le pont de bois et pénétrèrent dans cette partie de la ville plus récente qu'on appelait Villeneuve. Ici, les rues serpentaient entre des cabanes en rondins, des pâtures et des potagers. Merthin avait mis le cap sur un pré désigné sous le nom de Champ-aux-Amoureux où le sergent de ville avait fait installer des buttes de tir. Le dimanche après la messe, tous les hommes avaient l'obligation de s'exercer au tir à l'arc. Ordre du roi.

Il n'était pas nécessaire de recourir aux grands moyens pour les y inciter. Tirer quelques flèches le matin était un vrai plaisir. Une centaine de jeunes gens de la ville attendaient leur tour sous l'œil d'un public composé de femmes, d'enfants et d'hommes trop âgés ou bien qui estimaient le statut d'archer indigne de leur condition. Les uns tiraient avec un arc leur appartenant ; les autres, ceux qui étaient trop pauvres pour posséder une arme, utilisaient ceux en frêne ou en noisetier mis à leur disposition par la police.

L'atmosphère était celle d'un jour de fête. Dick le Brasseur vendait des chopes de bière tirée de son tonneau monté sur un chariot, et les quatre filles de Betty la Boulangère promenaient parmi la foule leurs plateaux de brioches aux épices. Les riches habitants de la ville arboraient leurs plus belles toques de fourrure et des souliers neufs. Les plus pauvres n'étaient pas en reste : les femmes avaient coiffé leurs cheveux et rehaussé leur tenue d'un joli galon.

Seul enfant à porter un arc, Merthin se retrouva bientôt entouré par une petite foule de garçons au regard envieux et de filles éperdues d'admiration ou feignant le dédain, selon leur caractère. L'une d'elles voulut savoir comment il l'avait fabriqué. « Quelqu'un t'a appris ? » s'enquit-elle.

Merthin la reconnut à sa robe de laine et à son riche manteau : dans la cathédrale, elle était tout près de lui.

Elle doit avoir une année de moins que moi, se dit-il. D'ordinaire, il trouvait les filles de son âge ennuyeuses, elles riaient tout le temps et ne prenaient rien au sérieux. Celle-là étudiait son arc avec un intérêt manifeste. Sa curiosité lui plut. « J'ai juste essayé, lui répondit-il.

— C'est intelligent. Et il tire bien ?

— Je ne sais pas encore. Comment tu t'appelles ?

— Caris, de la famille des Lainier. Et toi ?

— Merthin. J'ai pour père sieur Gérald. » Sur ces mots, il rabattit sa capuche et en extirpa une corde enroulée.

« Pourquoi la gardes-tu à l'intérieur de ta capuche ?

— Pour qu'elle ne se mouille pas s'il pleut. C'est l'habitude, chez les archers. » Il courba légèrement l'arc pour insérer la corde dans les entailles aménagées aux deux extrémités de la portée. La tension la maintiendrait en place.

« Tu vas aller tirer sur les cibles ?

— Oui.

— On ne te laissera pas ! » intervint un garçon.

Merthin le dévisagea. Grand et mince, doté de grandes mains et de grands pieds, il devait avoir dans les douze ans. Merthin l'avait aperçu la veille, à l'hospice du prieuré, tournicotant autour des moines en leur posant mille questions. Il les avait d'ailleurs aidés à servir le dîner. Il s'appelait Philémon. « Bien sûr que si ! répliqua-t-il. Pourquoi m'en empêcherait-on ?

— Parce que tu n'as pas l'âge.

— C'est idiot », riposta Merthin, bien qu'il sache pertinemment qu'avec les grandes personnes, on n'était jamais sûr de rien – certaines étaient tellement bêtes !

Irrité par la réplique et, surtout, par le ton docte et supérieur qu'avait pris Philémon pour se faire valoir devant Caris, il les planta là et s'avança vers un groupe d'hommes qui attendaient leur tour. Marc le Tisserand, un colosse à la puissante carrure qu'il connaissait un peu, lui demanda gentiment où il avait déniché son arc.

— Je l'ai fabriqué moi-même, expliqua Merthin fièrement.

— Regardez, maître Elfric, le joli travail qu'il a fait! » lança Marc à son voisin.

Cet Elfric tout en muscles se contenta d'y jeter un bref coup d'œil. Merthin lui trouva un regard sournois. « L'est trop petit, laissa-t-il tomber avec mépris. La flèche qu'il tirera ne pénétrera jamais l'armure d'un chevalier français.

— C'est vrai, admit Marc, mais ce gamin a encore un ou deux ans de bon avant d'aller se mesurer aux Français. »

John, le sergent de ville déclara : « On est prêt? Commençons! À toi l'honneur, Tisserand! » Le géant se dirigea vers la ligne. S'étant emparé d'un arc solide, il le courba sans effort plusieurs fois pour éprouver la résistance du bois.

C'est alors que John remarqua la présence de Merthin. « Pas d'enfant ici! dit-il.

— Pourquoi? protesta Merthin.

— T'occupe pas du pourquoi, contente-toi de quitter la file. »

Entendant des gamins rire sous cape, Merthin s'indigna. « Il n'y a pas de raison!

— Je n'ai pas de raison à donner aux enfants, répliqua John. Marc, choisis ta cible. »

Merthin s'éloigna, mortifié que les faits donnent raison à ce Philémon mielleux.

« Qu'est-ce que je t'avais dit? jubilait celui-ci.

— Oh! ferme-la et tire-toi! »

— Essaie un peu de me forcer à partir ! riposta Philémon qui mesurait bien six pouces de plus que lui.

— Oh ! ça ne sera pas bien difficile ! » intervint Ralph.

Merthin soupira. Son frère était d'une fidélité à toute épreuve mais, en prenant sa défense, il le faisait passer pour un freluquet doublé d'un imbécile.

Philémon battit en retraite. « De toute manière, je partais ! Je dois aller aider frère Godwyn. »

Le spectacle étant achevé avant même d'avoir commencé, les autres enfants commencèrent à se disperser. Caris dit à Merthin : « Tu pourrais aller ailleurs l'essayer. » À l'évidence, elle était curieuse de voir si son arc tirait bien. Merthin s'en réjouit.

« Où ? » demanda-t-il en regardant autour de lui. Si jamais on l'attrapait en train de tirer hors de toute surveillance, il se ferait confisquer son arc.

« On n'a qu'à aller dans la forêt. »

La proposition de Caris l'étonna. Les enfants n'avaient pas le droit de s'aventurer dans ces bois peuplés de proscrits qui vivaient de rapines. Ils risquaient de s'y faire dépouiller de leurs vêtements, d'être enlevés et employés comme esclaves, pour ne rien dire des autres sévices qu'ils encouraient, des choses pires encore dont les parents ne parlaient que par allusions. Et, s'ils s'en revenaient indemnes, ils seraient punis pour avoir désobéi. Qui avait envie de recevoir le fouet ?

Cette perspective ne semblait pas effrayer Caris. Merthin ne voulut pas lui donner l'impression d'être un timoré. De surcroît, la façon dont il s'était fait exclure de l'exercice de tir avait piqué son orgueil : défier l'autorité n'était pas pour lui déplaire. Le tout, c'était de ne pas se faire attraper.

Caris le rassura. « Je connais un endroit », affirma-t-elle et elle partit vers la rivière. Merthin et Ralph lui emboîtèrent le pas. Un petit chien à trois pattes se mit à les suivre.

« C'est ton chien ? demanda Merthin. Comment s'appelle-t-il ?

— Je ne sais pas. Je lui ai juste donné un morceau de lard. Depuis, je ne peux plus m'en défaire. »

Ils longèrent la rive boueuse, dépassèrent les entrepôts, les quais et les péniches. Tout en marchant, Merthin étudiait discrètement cette Caris qui s'était instituée leur chef avec tant de facilité. Son visage carré et déterminé n'était ni beau ni laid, mais ses yeux pétillaient de malice. Des yeux verts mouchetés de paillettes mordorées, nota-t-il. Ses cheveux châtain clair étaient séparés en deux nattes comme le voulait la mode chez les dames fortunées. Elle portait des vêtements coûteux et des bottes en cuir pratiques. Non pas de ces souliers en tissu brodé qui avaient la faveur des dames de la noblesse.

S'éloignant de la rivière, elle leur fit traverser une scierie. Brusquement ils se retrouvèrent parmi les arbres et les taillis. À l'idée qu'un dangereux hors-la-loi pouvait se dissimuler derrière n'importe lequel des gros chênes alentour, Merthin n'en menait pas large et il regrettait sa bravade. Seule la honte le retenait de faire demi-tour.

Ils s'enfoncèrent plus encore dans les bois, cherchant une clairière assez dégagée pour essayer l'arc. Soudain Caris déclara sur un ton de conspirateur : « Tu vois ce grand buisson de houx ?

— Oui.

— Dès que nous l'aurons dépassé, accroupis-toi et ne fais aucun bruit.

— Pourquoi ?

— Tu verras. »

L'instant d'après, Merthin, Ralph et Caris étaient tapis derrière le buisson. Le chien à trois pattes, allongé près d'eux, regardait Caris avec des yeux brillants d'espoir. Ralph voulut poser une question, Caris le fit taire aussitôt.

Une minute plus tard, une petite fille arriva. Caris bondit sur elle. La petite fille cria.

« Silence! lui intima Caris. Nous sommes tout près de la route et nous ne voulons pas être entendus. Pourquoi nous suivais-tu?

— Tu m'as pris mon chien, et maintenant, il ne veut plus venir avec moi! pleurnicha la petite fille.

— Mais je te reconnais! Tu étais à la cathédrale ce matin! s'écria Caris radoucie. Sèche tes larmes, ça ne sert à rien de pleurer. On ne va pas te faire de mal. Comment t'appelles-tu?

— Gwenda.

— Et ton chien?

— Hop. » Gwenda prit son chien dans ses bras. Le cabot lécha ses larmes.

« Eh bien, voilà! Tu l'as retrouvé. Tu ferais mieux de nous accompagner si tu ne veux pas qu'il s'enfuie encore. Surtout que tu risques de ne pas retrouver ton chemin, toute seule! »

Ils reprirent leur marche. « Qu'est-ce qui a huit bras et onze jambes? » lança Merthin après un moment.

Ralph donna aussitôt sa langue au chat, selon son habitude.

« Moi, je sais! répondit Caris en souriant. C'est nous : quatre enfants et le chien... Pas mal », ajouta-t-elle en riant.

Merthin fut heureux de voir sa blague comprise. C'était rare, et plus rare encore qu'une fille apprécie ses plaisanteries. Deux filles mêmes, car Gwenda expliquait à Ralph : « Deux bras, plus deux bras, plus deux bras, plus deux, ça fait huit. Et deux jambes… »

La forêt était déserte, il n'y avait pas une âme à l'horizon. Parfait! Les quelques personnes qui avaient d'honnêtes raisons de s'y trouver – comme les scieurs de long, les charbonniers ou les fondeurs de fer – ne travaillaient pas aujourd'hui. Et il aurait été étonnant que des nobles s'adonnent à la chasse un dimanche. Les seuls individus sur lesquels ils étaient susceptibles de tomber étaient ces gens bannis de la société, mais ils avaient peu de chances d'en rencontrer un dans cette forêt immense qui s'étendait sur des milles et des milles. Une forêt si vaste, d'ailleurs, que Merthin n'en avait jamais vu le bout.

Enfin, ils parvinrent à une trouée dans les taillis. « Ça ira », estima Merthin.

Un chêne au tronc épais se dressait devant eux à une cinquantaine de pieds de distance. Imitant les archers, Merthin se plaça de côté par rapport à sa cible et introduisit la corde dans les encoches. Puis il sortit l'une de ses trois flèches. Leur fabrication lui avait demandé autant de travail que celle de l'arc. Elles étaient en frêne et agrémentées de plumes d'oie. N'ayant pas réussi à mettre la main sur un morceau de fer, il s'était contenté d'effiler le bois en pointe et de le sécher au feu pour le durcir. Il posa les yeux sur sa cible puis tira sur la corde. Le mouvement exigea de lui un effort important.

La flèche atterrit très en avant du tronc. Hop s'élança à cloche-patte pour aller la chercher.

La déception de Merthin était grande. Il s'était attendu à ce qu'elle déchire les airs et s'enfonce dans l'écorce. Malheureusement, il se rendait compte à retardement qu'il n'avait pas assez bandé son arc.

Étant doté de cette qualité particulière de n'être ni droitier ni gaucher, il le fit passer dans son autre main. Pour cette deuxième flèche, il veilla à tirer de toutes ses forces sur la corde, de manière à courber l'arc au maximum. L'arc se plia davantage. La flèche, cette fois, atteignit presque l'arbre.

Pour son troisième essai, il décida de viser en l'air dans l'espoir que le projectile viendrait se ficher dans le tronc après avoir décrit une parabole. Hélas, il se pencha trop en arrière. À son grand dam, la flèche, qui avait disparu au cœur des branchages, retomba au sol dans une pluie de feuilles desséchées. Le tir à l'arc était un art bien plus ardu qu'il n'y paraissait au premier abord. En soi, son œuvre ne semblait pas laisser à désirer, à l'inverse de ses propres talents, osons le dire!

Par bonheur, Caris ne prêta pas plus d'attention que précédemment à sa déconfiture. « Tu me le prêtes, pour voir? lui demanda-t-elle.

— Ce n'est pas un joujou pour les filles! » intervint Ralph et il s'empara de l'arc avec autorité. S'étant placé en biais par rapport à la cible, comme Merthin avant lui, il ne tira pas immédiatement, contrairement à son frère, mais banda l'arc plusieurs fois pour bien le sentir en main. Sa résistance le surprit lui aussi. Toutefois, en l'espace d'un instant, il eut attrapé le coup de main.

Hop avait rapporté les trois flèches aux pieds de sa maîtresse. Gwenda les ramassa et les tendit à Ralph.

Celui-ci visa l'arbre sans bander l'arc ni exercer de pression sur la corde, s'attachant seulement à positionner la pointe de sa flèche exactement sur le tronc. Voilà ce que j'aurais dû faire! se dit Merthin. Tout en observant son frère, il s'étonna une fois de plus de l'habilité de Ralph pour tout ce qui relevait des mouvements du corps et de sa maladresse dès qu'il était question des choses de l'esprit. Ralph courbait l'arc avec difficulté, certes, mais en un mouvement fluide dans lequel ses cuisses semblaient supporter tout l'effort. Libérée, la flèche alla frapper le tronc du chêne, s'enfonçant de plus d'un pouce dans le bois tendre formant l'aubier. Ralph eut un rire de triomphe.

Hop, qui s'était s'élancé à la suite de la flèche, s'arrêta au pied de l'arbre, désorienté.

Ralph bandait l'arc à nouveau. « Ne tire pas ! » hurla Merthin en devinant ses intentions. Trop tard ! La flèche pénétra dans le cou du chien qui s'affaissa, pris de convulsions.

Gwenda poussa un hurlement. « Mon Dieu ! » s'écria Caris. Les deux petites filles se précipitèrent.

Ralph souriait de toutes ses dents. « Pas mal, hein ?

— Tu as tué son chien ! lui jeta Merthin avec colère.

— Et alors ? Il n'avait que trois pattes.

— La petite fille l'aimait, imbécile ! Regarde-la, elle pleure maintenant.

— Tu dis ça parce que tu es jaloux », riposta Ralph et il se tut brusquement, l'œil vissé sur un fourré. Ayant placé d'un geste souple une autre flèche sur la corde, il imprima une rotation à son arme et tira sans interrompre son mouvement. Merthin ne découvrit sa cible qu'en voyant un gros lièvre bondir en l'air, une flèche plantée dans l'arrière-train.

Il ne put cacher son admiration. Ce n'était pas donné à n'importe qui de tirer un lièvre, même avec de l'entraînement. Son frère avait un don, indubitablement. Merthin en éprouva une jalousie qu'il n'aurait pas même admise sous la torture. Lui qui souhaitait ardemment devenir un chevalier sans peur et sans reproche et se battre pour le roi, comme le faisait son père, il était désespéré de se découvrir aussi peu doué pour l'une des activités de base de tout écuyer.

Ralph ramassa une pierre et, d'un bon coup sur la tête du lièvre, mit fin à ses misères.

Merthin alla rejoindre les deux petites filles. Hop ne respirait plus. Caris retira délicatement la flèche de son cou et la remit à Merthin. Le sang ne jaillit pas de la blessure : le chien était bel et bien mort.

Pendant un instant, personne ne dit mot. Et, soudain, un cri déchira le silence.

Merthin sauta sur ses pieds, le cœur battant à tout rompre. Un second cri retentit, poussé par une voix différente. Il y avait là deux personnes au moins. Deux personnes qui se battaient, manifestement, à en croire leurs hurlements furieux. La terreur s'empara de Merthin et de ses compagnons figés sur place. D'autres bruits leur parvenaient, facilement identifiables. C'étaient ceux d'une course effrénée dans les bois : branches brisées, rameaux écartés, feuilles mortes piétinées. Et ce vacarme se dirigeait droit sur eux !

Caris fut la première à reprendre ses esprits. « Dans ce buisson, vite ! » s'écria-t-elle en désignant un groupe d'arbustes à feuillage persistant. Là où le lièvre devait avoir eu son gîte, pensa Merthin. Caris, qui s'était jetée à plat ventre, rampait déjà au plus profond du fourré, suivie de Gwenda tenant son chien mort dans ses bras. Attrapant son lièvre, Ralph les rejoignit. Merthin s'agenouillait à son tour quand il aperçut la flèche restée fichée dans le tronc. Mon Dieu, elle allait révéler leur présence ! Il fonça l'arracher. Revenu en courant, il n'eut que le temps de plonger au cœur du buisson.

Des halètements essoufflés se rapprochaient, entre-coupés de longues goulées d'air et de hoquets. Celui qui courait vers eux était assurément à bout de forces. « Par ici ! » criait une voix qui devait être celle d'un de ses poursuivants. Merthin s'alarma. Si la route était tout près, comme l'avait dit Caris, le fuyard devait être un voyageur attaqué par des bandits.

Quelques secondes plus tard, l'homme en question déboulait dans la clairière. C'était un chevalier, à en juger d'après son épée et le long poignard pendu à sa ceinture. Il trébucha et s'écroula. Roulant sur lui-même, il parvint à se remettre debout. Adossé à l'arbre, il dégaina ses armes tout en s'efforçant de reprendre son souffle. Âgé d'une vingtaine d'années à peine, il était vêtu d'une solide tunique de voyage en cuir et de hautes bottes aux montants rabattus.

Merthin jeta un bref regard à ses amis. Caris, blanche de peur, se mordait la lèvre. Gwenda étreignait le cadavre de son chien comme si cela pouvait la rassurer. Ralph semblait effrayé, lui aussi, mais pas au point d'oublier son lièvre dont il s'acharnait à retirer la flèche plantée dans le râble afin de pouvoir le fourrer dans le devant de sa tunique qui lui tiendrait lieu de gibecière.

Le chevalier resta un moment les yeux fixés sur le buisson. Merthin pensa avec épouvante qu'il avait dû les voir se cacher. Ou, tout du moins, avoir remarqué les branches cassées et les feuilles écrasées à l'endroit où ils s'étaient faufilés à l'intérieur du taillis. Du coin de l'œil, Merthin surprit son frère posant une flèche sur la corde de son arc.

Sur ces entrefaites, les poursuivants débouchèrent dans la clairière à leur tour, l'épée brandie. C'étaient deux hommes d'armes, costauds et hargneux. Ils portaient une culotte bicolore, jaune à gauche et verte à droite, couleurs identifiables entre toutes puisque c'étaient celles de la reine. L'un portait un surtout en mauvaise laine brune, l'autre une cape noire maculée de terre. Les trois hommes reprenaient leur souffle. Le chevalier n'en réchapperait pas.

À cette pensée, Merthin fut sur le point d'éclater en sanglots, faiblesse honteuse qu'il parvint à juguler. Et voilà que le chevalier retourna son épée pour l'offrir à ses poursuivants, la poignée tournée vers eux, signe de sa reddition.

Le plus âgé, celui à la cape noire, fit un pas en avant et tendit la main gauche avec méfiance. S'étant emparé de l'arme, il la remit à son compagnon. Ayant accepté aussi le poignard du chevalier, il déclara : « Ce ne sont pas tes armes que je veux, Thomas Langley.

— Vous connaissez mon nom et, moi, j'ignore les vôtres, répondit celui-ci. Je sais seulement que vous êtes au service de la reine. » S'il éprouvait la moindre frayeur, il le cachait parfaitement.

Le plus âgé repoussa Thomas contre l'arbre de la pointe de son épée appliquée sur sa gorge. « Tu détiens une lettre.

— Les instructions du comte au shérif concernant les impôts ? Si vous voulez la lire, je vous en prie. »

Ces soudards étant certainement illettrés, c'était une plaisanterie. Merthin admira le contrôle que le chevalier avait sur lui-même pour oser railler des hommes prêts à le tuer.

Glissant la main sous l'épée de son comparse, le plus jeune saisit entre ses doigts la pochette que Thomas portait à la taille. D'un geste impatient, il trancha la ceinture à l'aide de son épée et la jeta au loin, ne gardant en main que la pochette. Il l'ouvrit et en sortit un étui plus petit et imperméable, car fait de laine cirée au suif. Il en extirpa un rouleau de parchemin scellé à l'aide d'un cachet de cire.

La lutte opposant ces trois hommes ne pouvait avoir pour objet une simple lettre concernant taille et gabelle. Non, comprit Merthin, il devait s'agir d'un terrible secret.

« Si vous me tuez, dit le chevalier, mon meurtre aura eu pour témoin la personne cachée dans ce buisson. »

Le temps d'un instant, les acteurs de cette scène qui se déroulait sous les yeux des enfants semblèrent se figer. Résistant à la tentation de jeter un coup d'œil par-dessus son épaule, l'homme à la cape noire maintint son épée posée sur la gorge de Thomas. Son compagnon hésita et finit par tourner la tête.

Gwenda ne put retenir un cri.

L'homme à la veste marron releva la pointe de son épée. En deux enjambées, il eut traversé la clairière. Gwenda se dressa au milieu du feuillage et détala à toutes jambes. L'homme d'armes s'élança derrière elle, les bras en avant pour l'attraper.

Mais Ralph émergea à son tour des branchages, l'arc brandi, et tira tout en pivotant sur lui-même. Sa flèche atteignit l'homme dans l'œil, pénétrant de plusieurs pouces à l'intérieur de son crâne. La main gauche du soldat s'éleva pour l'en arracher, et retomba toute molle le long de son corps tandis qu'il s'écroulait par terre comme un sac de grains. Le sol vibra jusque sous les pieds de Merthin.

Ralph jaillit du bosquet à la suite de Gwenda. Merthin vit Caris les rejoindre. Il aurait bien voulu se sauver lui aussi, mais il avait les pieds collés au sol.

Un cri retentit à l'autre bout de la clairière. Thomas avait fait dévier l'épée pointée sur son cou et extrait des plis de son habit un couteau pourvu d'une lame aussi longue que la main d'un homme. Son assaillant avait eu le temps de bondir hors d'atteinte. Sous les yeux effarés de Merthin, il prit son élan et abattit son épée sur la tête du chevalier.

Thomas esquiva le coup en tournant sur lui-même – hélas pas assez rapidement. Le fil de la lame traversa le cuir de sa manche, pénétrant jusqu'aux chairs. Il poussa un hurlement de douleur. Il était parvenu à demeurer campé sur ses deux jambes. Avec une vivacité et une grâce inouïes, il leva son bras droit et planta son couteau dans la gorge de son adversaire, prolongeant son mouvement en un arc de cercle qui ramena la lame presque à son point de départ.

Une fontaine de sang gicla de la gorge de l'homme d'armes. Sa tête ne tenait plus au tronc que par un lambeau de chair. Chancelant, Thomas recula vivement d'un pas, tandis que l'homme en noir s'écroulait par terre.

Lâchant son couteau, il saisit de sa main droite son bras gauche blessé et se laissa choir au sol, subitement privé de forces.

Tapi dans son bosquet, Merthin n'avait plus devant lui que le spectacle d'un chevalier blessé, de deux soldats occis et du cadavre d'un chien à trois pattes. Il aurait dû s'enfuir, rejoindre ses compagnons, mais la curiosité le maintenait cloué sur place. D'autant que le chevalier devait être inoffensif à présent, se disait-il.

Mais Thomas avait un regard acéré. « Tu peux sortir de ta cachette, gamin. Dans l'état où je suis, tu ne risques rien. »

Merthin hésita. Il finit par se redresser et entreprit de s'extraire du buisson. Ayant traversé la clairière, il s'arrêta à bonne distance du chevalier assis.

Thomas lui lança : « Si on apprend que tu as joué dans la forêt, tu recevras le fouet, c'est ça ? »

Merthin hocha la tête.

« Je garde ton secret si tu gardes le mien. »

Merthin hocha la tête à nouveau. Il ne s'engageait guère en acceptant ce marché. Aucun de ses compagnons n'irait raconter cette scène à qui que ce soit de peur du grabuge, à commencer par Ralph, qui avait tué un homme au service de la reine.

« Aurais-tu la bonté de m'aider à ligaturer ma blessure ? » demanda Thomas.

Malgré l'aspect dramatique de la situation, le chevalier s'exprimait avec courtoisie, ne manqua pas de noter Merthin et il pensa qu'il voudrait lui ressembler quand il serait grand : savoir, comme lui, garder contenance en toute circonstance.

« Oui, répondit-il enfin lorsqu'un son parvint à franchir sa gorge.

— Prends cette ceinture coupée et serre-la le plus possible autour de mon bras, si tu veux bien. »

Merthin s'exécuta. La chemise de Thomas était trempée de sang. Ses chairs entaillées ressemblaient à une pièce de viande sur le billot du boucher. Surmontant sa nausée, Merthin se força à enrouler la ceinture autour du bras de Thomas de façon à refermer la blessure et ralentir l'écoulement du sang. Il y fit un nœud que Thomas, de sa main droite, serra encore davantage avant de se relever en chancelant.

« Nous ne pouvons pas les enterrer, déclara le chevalier après avoir considéré les morts. Je serai mort avant d'avoir creusé leurs tombes… Même avec ton aide », ajouta-t-il après un coup d'œil à Merthin. Il réfléchit un moment et reprit : « D'un autre côté, je m'en voudrais de causer de la frayeur à de pauvres amants en quête de tranquillité. Traînons-les dans le bosquet où vous vous cachiez. Celui à la veste marron en premier. »

Ils s'avancèrent vers le corps.

« Chacun une jambe », ordonna Thomas. De sa main droite, il attrapa la cheville gauche du mort. Merthin saisit l'autre jambe de ses deux mains. Les soulevant ensemble, ils traînèrent le soldat dans les fourrés à côté du chien.

« Ça ira », lâcha Thomas, blanc de souffrance. Au bout d'un moment, il se pencha et arracha la flèche fichée dans l'œil du cadavre. « C'est à toi ? » demanda-t-il en levant un sourcil.

Merthin prit la flèche et l'essuya dans l'herbe pour la nettoyer du sang et d'un bout de cervelle qui y étaient collés.

Ils réitérèrent l'opération avec l'autre cadavre, le transportant depuis l'autre côté de la clairière. Sa tête ballottait sur le sol. Ils le laissèrent tomber près du premier.

Thomas ramassa les épées des deux hommes et les jeta dans le buisson avant de récupérer ses armes.

« Maintenant, j'ai un grand service à te demander, dit-il en lui tendant son poignard. Tu veux bien me creuser un petit trou ?

— D'accord, dit Merthin en prenant le poignard.

— Ici, juste devant le chêne.

— Grand comment ? »

Thomas désigna la pochette en cuir qu'il portait auparavant à sa ceinture. « Assez grand pour cacher ça pendant cinquante ans. »

Rassemblant son courage, Merthin l'interrogea : « Pourquoi ?

— Creuse, et je t'en dirai autant que je le peux. »

Ayant tracé un rectangle sur le sol, Merthin se mit en demeure de fendre la terre durcie à l'aide du poignard avant de la déblayer avec ses mains.

Thomas replaça le rouleau de parchemin dans son étui de laine. « J'avais pour consigne de remettre cette missive au comte de Shiring, expliqua-t-il. Ayant connaissance du dangereux secret qu'elle renferme, j'ai compris que le porteur de cette lettre ne pouvait espérer garder la vie sauve. J'ai donc décidé de disparaître. De me réfugier dans un monastère, de devenir moine. Je n'ai plus envie de me battre et j'ai bien des péchés à me faire pardonner. Je n'ai pas eu le temps de prendre la poudre d'escampette que les personnes qui m'avaient remis cette lettre ont lancé des gens à mes trousses. Je n'ai pas eu de chance, j'ai été repéré dans une taverne à Bristol.

— Pourquoi la reine a-t-elle lancé des hommes à vos trousses ?

— Elle craint, elle aussi, que ce secret ne vienne un jour à s'ébruiter. »

Le trou avait atteint dix-huit pouces de profondeur. Thomas jugea que cela suffisait et y laissa tomber la pochette. Merthin remit la terre en place et Thomas la recouvrit de feuilles et de brindilles jusqu'à ce qu'on ne puisse plus distinguer la partie du sol qui avait été retournée de la terre alentour.

Et Thomas déclara : « Si tu apprends que je suis mort, je voudrais que tu viennes rechercher cette lettre et que tu la remettes à un prêtre. Tu feras ça pour moi ?

— Oui.

— Mais jusque-là, tu ne dois rien dire à personne. Tant qu'ils ne sauront pas où je suis et penseront que je détiens toujours cette lettre, ils seront trop effrayés pour entreprendre quoi que ce soit. Quant à toi, retiens bien ceci :

si tu divulgues mon secret, deux choses se produiront : d'abord, ils me tueront, ensuite, ce sera ton tour. »

Merthin fut consterné. Quelle injustice que de se retrouver dans une situation aussi dangereuse pour avoir seulement aidé quelqu'un à creuser un trou !

« Excuse-moi si je t'ai fait peur, ajouta Thomas, mais tu vois, ce n'est pas entièrement de ma faute. Je ne t'avais pas demandé de me retrouver près de ce chêne.

— C'est vrai, reconnut Merthin en regrettant de tout son cœur d'avoir désobéi à sa mère et d'être entré dans la forêt.

— Il faut que je regagne la route. Quant à toi, reprends le chemin par lequel tu es venu. Je parie que tes amis t'attendent tout près d'ici. »

Comme Merthin tournait les talons pour partir, le chevalier le rappela : « Comment t'appelles-tu ?

— Merthin, je suis le fils de sieur Gérald.

— Vraiment ? s'étonna Thomas comme s'il savait très bien de qui il s'agissait. Eh bien, pas un mot à lui non plus. »

Merthin hocha la tête et partit.

Il ne s'était pas éloigné de cent cinquante pas qu'il dut s'arrêter pour vomir. Après, il se sentit un peu mieux.

Comme Thomas l'avait deviné, Ralph et les autres l'attendaient en effet à l'orée du bois, près de la scierie, inquiets d'avoir commis une faute en l'abandonnant derrière eux. Soulagés et honteux à la fois, ils se serrèrent autour de lui, le palpant sur toutes les coutures pour s'assurer qu'il allait bien. La scène à laquelle ils avaient assisté les avait tous ébranlés, même Ralph, qui demanda : « Cet homme sur qui j'ai tiré, sa blessure est grave ?

— Il est mort, dit Merthin, et il montra à son frère la flèche encore souillée du sang de sa victime.

— C'est toi qui l'as retirée de son œil ? »

Merthin aurait volontiers répondu par l'affirmative, il s'en tint à la vérité. « Non, le chevalier.

— Et l'autre homme d'armes, qu'est-ce qui lui est arrivé ?

— Le chevalier lui a tranché la gorge. Après, on a caché leurs corps dans les buissons.

— Et il t'a laissé partir ?

— Oui. » Merthin ne parla pas de la lettre qu'il avait enterrée.

« Il faut garder le secret, recommanda Caris. Si jamais ça s'apprend, nous serons tous dans de beaux draps ! »

Ralph acquiesça. « Je ne dirai jamais rien.

— Nous devrions prêter serment », proposa Caris.

Ils se mirent en cercle. Caris tendit le bras de façon que sa main soit exactement au centre de l'anneau qu'ils formaient tous les quatre. Merthin vint poser son bras sur le sien. La peau de Caris lui parut douce et chaude. Ralph plaça sa main au-dessus des deux autres, puis Gwenda fit de même. Et, tous en chœur, ils jurèrent par le sang de Jésus de garder le secret.

Ensuite ils reprirent le chemin de la ville.

Les exercices de tir à l'arc étaient achevés. C'était l'heure du déjeuner. Comme ils traversaient le pont, Merthin lança à son frère : « Quand je serai grand, je veux être comme ce chevalier, courtois en toute occasion, sans peur et invincible au combat.

— Moi aussi, dit Ralph. Invincible. »

En ville, la vie suivait son cours : des bébés pleuraient, de la viande grillait aux broches des auberges, des hommes buvaient de la bière devant les tavernes. Face à ce spectacle si coutumier, Merthin éprouvait un étonnement irrationnel.

Dans la grand-rue, Caris s'arrêta devant une vaste demeure sise juste en face du portail percé dans le mur d'enceinte du prieuré. Entourant de son bras les épaules de Gwenda qui semblait toujours effrayée et au bord des larmes, elle lui dit : « Ma chienne a eu des petits. Tu veux les voir ? »

La petite fille hocha la tête avec force. « Oui, s'il te plaît. »

C'était une proposition intelligente aussi bien que gentille, songea Merthin. Jouer avec de petits chiots allait la consoler, la distraire aussi ; de retour chez elle, elle serait moins encline à raconter ce qui s'était passé dans la forêt.

Les enfants se séparèrent. Les filles entrèrent dans la maison. Merthin se surprit à se demander quand il reverrait Caris. Las, des problèmes bien plus préoccupants lui revinrent à l'esprit. Comment son père allait-il régler ses dettes ? Suivi de son frère qui portait fièrement l'arc et son premier trophée de chasse, le lièvre, il se dirigea vers la cathédrale.

Alentour, le silence avait repris possession des lieux. Il ne restait plus que quelques malades à l'hospice. Une religieuse leur annonça que leur père se trouvait dans la cathédrale, en compagnie du comte de Shiring.

Les deux garçons pénétrèrent dans le vaste édifice. Leurs parents se tenaient dans le vestibule. Leur mère était assise au pied d'un pilier, sur le rebord du socle carré d'où s'élevait le fût cylindrique. Dans la froide lumière qui entrait par les grandes fenêtres, son visage affichait une telle expression de paix et de sérénité qu'on aurait pu le croire taillé dans la même pierre que celle contre laquelle elle appuyait la tête. L'attitude de leur père, debout près d'elle, les épaules affaissées, trahissait un profond désespoir. Le comte Roland leur faisait face. Ses cheveux d'un noir de jais et son maintien assuré lui donnaient l'air plus jeune que sieur Gérald. Le père prieur se tenait à son côté.

Apercevant ses deux garçons qui attendaient près du portail, dame Maud les invita à s'approcher, d'un signe du doigt. « Tous nos problèmes sont réglés. Avec l'aide du comte Roland, nous sommes parvenus à trouver un accord avec le prieur Anthony. »

Sieur Gérald émit un grognement. « Ne comptez plus hériter de mes biens, leur jeta-t-il. Mes terres sont confisquées au profit du prieuré. » À l'évidence, l'arrangement obtenu le satisfaisait moins que son épouse.

« Désormais, nous vivrons à Kingsbridge, continuait celle-ci sur un ton joyeux. À la charge du prieuré.

— Qu'est-ce que ça veut dire : *à la charge du prieuré* ? voulut savoir Merthin.

— Cela veut dire que les moines s'engagent à nous fournir un toit et deux repas par jour jusqu'à la fin de notre vie. N'est-ce pas merveilleux ? »

Mais cet accord ne suscitait pas véritablement son enthousiasme. Merthin le comprit dans l'instant, de même qu'il perçut clairement la honte de son père : perdre ses terres était un déshonneur. Un déshonneur immense.

« Que dis-tu de mes fils ? » lançait le père à son cousin Roland.

Le comte examina les garçons. « Le grand paraît bien parti. C'est toi qui as tué ce lièvre, jeune homme ?

— Oui, seigneur, répondit Ralph fièrement. Je l'ai tiré à l'arc.

— D'ici un an ou deux, il pourra venir auprès de moi et servir comme écuyer, réagit le comte. Nous ferons de lui un chevalier. »

Si la proposition rasséréna le père, elle abasourdit Merthin. Des décisions importantes étaient prises sans qu'on leur ait accordé la moindre réflexion. Des décisions, de surcroît, qui favorisaient son cadet ! Et l'on ne s'inquiétait même pas de mentionner son nom à lui ! S'estimant outragé, il explosa : « Ce n'est pas juste ! Moi aussi, je veux être chevalier !

— Non ! intervint sa mère.

— Mais c'est moi qui ai fabriqué l'arc ! »

Le père laissa échapper un soupir exaspéré. Le dégoût se peignit sur ses traits.

« C'est toi qui as fabriqué cet arc, petit ? s'enquit le comte Roland avec un mépris non dissimulé. Eh bien, sois placé en apprentissage chez un charpentier puisque tu es si adroit de tes mains ! »

Les romans historiques de
Ken Follett
dans Le Livre de Poche

L'Homme de Saint-Pétersbourg n° 7628

À la veille de la Première Guerre mondiale, un envoyé du tsar, le prince Orlov, arrive à Londres avec pour mission de renforcer l'alliance entre la Russie et le Royaume-Uni. En même temps que lui, débarque dans la capitale anglaise un redoutable anarchiste échappé du fond de la Sibérie… Dans le duel qui va opposer ces deux hommes, de grands personnages sont en cause, dont un certain Winston Churchill, pour l'heure Premier Lord de l'Amirauté, et la très belle Charlotte Walden, idéaliste et volontaire, fille de l'homme qui porte sur ses épaules le destin de l'Empire britannique. Passions romantiques et suspense implacable, dans les derniers feux d'une Europe au bord du gouffre…

La Marque de Windfield n° 13909

En 1866, dans l'Angleterre victorienne, plusieurs élèves du collège de Windfield sont les témoins d'un accident au cours duquel un des leurs trouve la mort. Mais cette noyade est-elle vraiment un accident? Les secrets qui entourent cet épisode vont marquer à jamais les destins d'Edward, riche héritier d'une grande banque, de Hugh, son cousin pauvre et réprouvé, et de Micky Miranda, fils d'un richissime Sud-Américain. Autour d'eux, des dizaines d'autres figures s'agitent, dans cette société où les affaires de pouvoir et d'argent, de débauche et de famille, se mêlent inextricablement derrière une façade de respectabilité…

Le Pays de la liberté n° 14330

Entre le jeune Mack, condamné à un quasi-esclavage dans les mines de charbon des Jamisson, et l'anticonformiste Lizzie, épouse déçue d'un des fils du maître, il n'a fallu que quelques regards pour faire naître l'attirance des cœurs. Mais dans la société anglaise du XVIIIe siècle, encore féodale malgré les idées neuves de ses philosophes, l'un et l'autre n'ont de choix qu'entre la soumission et la révolte. Rebelle, fugitif, repris et condamné, Mack ne reverra Lizzie que dans la plantation de Virginie où on l'a déporté pour le travail forcé. Alors seulement ils comprendront que le bonheur se gagne en forçant le destin… Des crassiers de l'Écosse aux docks de la Tamise, de l'Amérique esclavagiste aux premières incursions vers l'Ouest encore vierge, l'auteur des *Piliers de la Terre* nous entraîne ici dans une superbe épopée où la passion amoureuse se confond avec l'aspiration de toute une époque à la liberté et à la justice.

Composition réalisée par Nord Compo

———————————

Achevé d'imprimer en février 2009, en France sur Presse Offset par
Maury-Imprimeur - 45330 Malesherbes
N° d'imprimeur : 143955
Dépôt legal 1er publication : avril 1992
Édition 29 - février 2009
LIBRAIRIE GÉNÉRALE FRANÇAISE - 31, rue de Fleurus -75278 Paris Cedex 06